D1469885

LES GRANDS LIVRES
DU ZODIAQUE

Collection dirigée par Joanne Esner

LE GRAND LIVRE DU SAGITTAIRE

© 2002, Éditions Tchou, 6 rue du Mail - 75002 Paris
ISBN : 2-7107-0696-2
Dépôt légal : 4e trimestre 2002

SOLANGE DESSAGNE
et
JACQUES HALBRONN
nés sous le signe du Sagittaire

Le
Grand Livre
du
Sagittaire

avec la participation technique de
ROBERT MALZAC

TCHOU

6, rue du Mail, 75002 - PARIS

Dans chaque Grand Livre du Zodiaque, *les parties « Comment interpréter les Planètes dans les Signes » et « Comment interpréter les Signes dans les Maisons » ont été écrites par les auteurs suivants :*

Bélier, Arnold Waldstein ; Taureau, Jean-Pierre Nicola ; Gémeaux, Paul Colombet ; Cancer, Sara Sand ; Lion, Jean-Pierre Vezien ; Vierge, Béatrice Guénin ; Balance, Henri Latou ; Scorpion, Marguerite de Bizemont ; Sagittaire, Solange Dessagne et Jacques Halbronn ; Capricorne, Joëlle de Gravelaine ; Verseau, Denise Perret-Lagrange ; Poissons, Annie Lachèroy.

SOMMAIRE

Comment passer de votre heure solaire de naissance à l'heure universelle de Greenwich

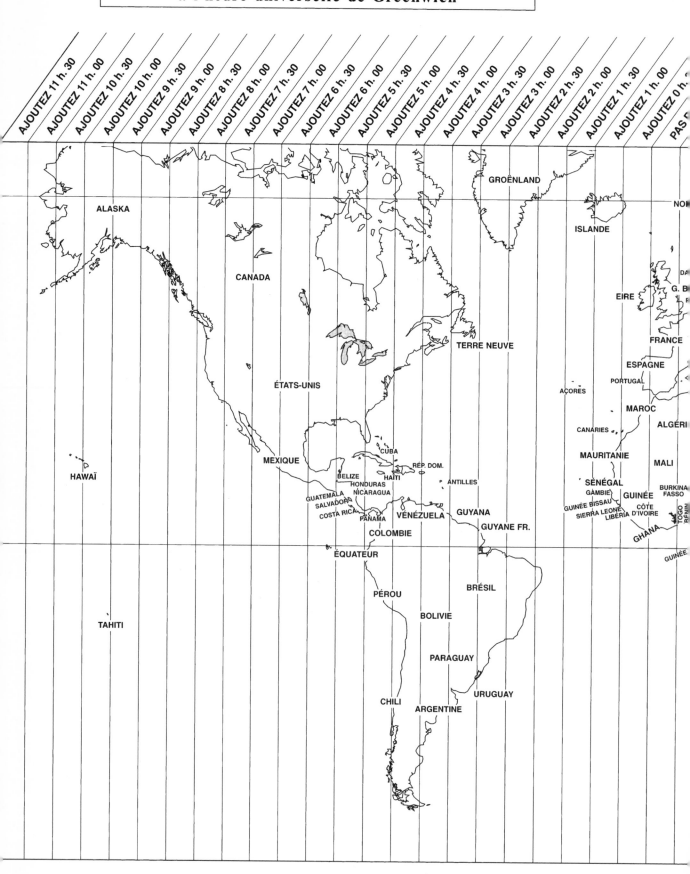

Comment passer de votre heure solaire de naissance
à l'heure universelle de Greenwich

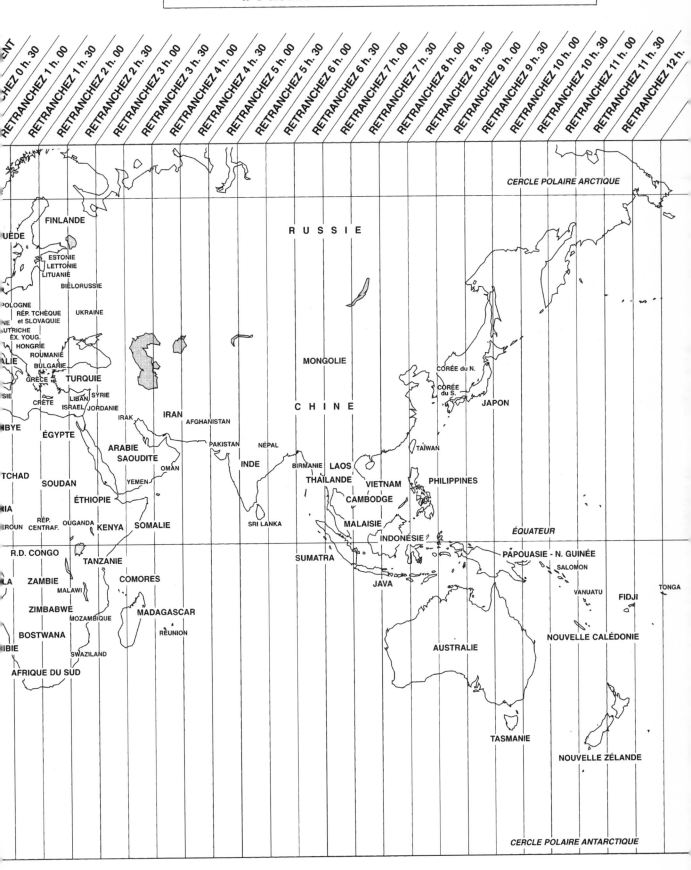

RETRANCHEZ 0 h. 30 · RETRANCHEZ 1 h. 00 · RETRANCHEZ 1 h. 30 · RETRANCHEZ 2 h. 00 · RETRANCHEZ 2 h. 30 · RETRANCHEZ 3 h. 00 · RETRANCHEZ 3 h. 30 · RETRANCHEZ 4 h. 00 · RETRANCHEZ 4 h. 30 · RETRANCHEZ 5 h. 00 · RETRANCHEZ 5 h. 30 · RETRANCHEZ 6 h. 00 · RETRANCHEZ 6 h. 30 · RETRANCHEZ 7 h. 00 · RETRANCHEZ 7 h. 30 · RETRANCHEZ 8 h. 00 · RETRANCHEZ 8 h. 30 · RETRANCHEZ 9 h. 00 · RETRANCHEZ 9 h. 30 · RETRANCHEZ 10 h. 00 · RETRANCHEZ 10 h. 30 · RETRANCHEZ 11 h. 00 · RETRANCHEZ 11 h. 30 · RETRANCHEZ 12 h.

CERCLE POLAIRE ARCTIQUE

FINLANDE
SUÈDE
ESTONIE
LETTONIE
LITUANIE
BIÉLORUSSIE
POLOGNE
RÉP. TCHÈQUE
et SLOVAQUIE
UKRAINE
AUTRICHE
EX. YOUG.
HONGRIE
ROUMANIE
ITALIE
BULGARIE
GRÈCE
TURQUIE
LIBAN SYRIE
CRÈTE
ISRAEL JORDANIE
IRAK
IRAN
AFGHANISTAN
LIBYE
ÉGYPTE
ARABIE
SAOUDITE
PAKISTAN
NÉPAL
OMAN
TCHAD
SOUDAN
YEMEN
INDE
BIRMANIE LAOS
THAÏLANDE
VIETNAM
CAMBODGE
MALAISIE
ÉTHIOPIE
CAMEROUN
RÉP.
CENTRAF.
OUGANDA
KENYA
SOMALIE
SRI LANKA
INDONÉSIE
R.D. CONGO
TANZANIE
SUMATRA
ZAMBIE
MALAWI
COMORES
JAVA
ZIMBABWE
MOZAMBIQUE
MADAGASCAR
RÉUNION
BOSTWANA
NAMIBIE
SWAZILAND
AFRIQUE DU SUD

RUSSIE
MONGOLIE
CHINE
CORÉE du N.
CORÉE du S.
JAPON
TAÏWAN
PHILIPPINES
ÉQUATEUR
PAPOUASIE - N. GUINÉE
SALOMON
VANUATU
FIDJI
TONGA
NOUVELLE CALÉDONIE
AUSTRALIE
TASMANIE
NOUVELLE ZÉLANDE

CERCLE POLAIRE ANTARCTIQUE

Introduction

Jupiter...

L'astrologie est liée, dans mon esprit, aux voyages : la plupart de mes déplacements furent motivés par la participation à des congrès d'astrologie en Angleterre, Allemagne, Belgique, Hollande, Italie, Suisse, Inde... Je voulais savoir quelle sorte d'astrologie on pratiquait par-delà les frontières de l'hexagone. J'étais fasciné par l'exotisme de certaines théories, par les différences sensibles entre horoscopies française et allemande; je jugeais avec un certain recul les gloires locales et, surtout, je me faisais beaucoup d'amis parmi les astrologues étrangers. Si bien que, plus tard, je pus organiser des congrès internationaux à Paris et accueillir tous ceux que j'avais appréciés lors de mes périples. Il ne me suffisait pas, en effet, de goûter égoïstement ces plaisirs studieux, je voulais en faire profiter les astrologues français, moins tentés par les escapades touristiques.

Ma vocation de voyageur commença tôt. Les sports d'hiver – le ski n'est-il pas un sport sagittarien avec ses bâtons pointus? – m'enchantaient alors que je n'avais pas encore dix ans. Fascination pour cette locomotive qui m'entraînait bruyamment loin de Paris, de ma famille, de la France (car je mettais un point d'honneur à ne jamais skier sur le sol de la mère patrie !). Cette petite angoisse délicieuse de rompre avec la routine et qui disparaît lorsque le quai commence à s'éloigner : voilà qui suffirait à justifier mon signe.

Jupiter, la planète du Sagittaire, est appelée la « Grande Fortune ». Une des configurations les plus prometteuses qui soit, au dire des manuels, est de posséder une conjonction Soleil-Jupiter dans le signe du Sagittaire. C'est la garantie de voir la chance sourire à l'heureux élu, lui donner au bon moment un précieux coup de pouce. Or je découvris que j'étais nanti de cet « atout » incomparable. Il ne m'en fallut pas davantage pour décider de me vouer pour toujours à une discipline qui me rendait si brillamment justice...

D'après mon heure de naissance, cette conjonction « royale » se trouvait culminer, puisque j'étais venu au monde peu après midi (heure française), à 12 h 30 : Soleil-Jupiter en Sagittaire en Maison X. Ainsi béni par les fées planétaires, je rougissais de plaisir chaque fois que j'exhibais mon thème de naissance. Jusqu'au jour où, ayant demandé un extrait de mon acte de naissance, je lus avec effroi que j'étais né à 11 h 29, soit une heure plus tôt que je l'imaginais. Adieu, Maison X et conjonction trônante au sommet de mon thème natal ! Je tombai de haut.

Totalement anéanti par cette découverte, je demandai à ma mère des éclaircissements. Pourquoi m'avait-elle dit que j'étais né à 12 h 30 ? Qu'est-ce qui lui prouvait qu'elle ne se trompait point ? « De toute façon, m'expliqua-t-elle, c'était après midi. L'infirmière se plaignait de devoir attendre pour aller déjeuner .» Heureux d'avoir troublé les habitudes alimentaires d'une infirmière, je recouvrai ma sérénité et mon Milieu-du-Ciel bien fréquenté. Je l'avais échappé belle !

J'ai toujours aimé ma date de naissance, avant même de m'initier à l'astrologie : le 1er décembre, le premier du dernier mois de l'année : 1/12. Comme tous les petits Sagittaire, j'étais parmi les plus jeunes de ma classe, puisque mon anniversaire venait dans les derniers jours de l'année. Je plaignais sincèrement ceux qui étaient nés en janvier et qui devaient afficher un an de retard sur moi par la seule faute de leur mois de naissance : pauvres Saturniens ! Mais je rectifiais les dires de ceux qui me prétendaient né en hiver : pas du tout, j'appartiens à l'automne. Qu'on se le dise, le mois de décembre, sauf dans ses dix derniers jours, est un mois automnal, Noël ou pas Noël !

En bon Sagittaire, j'ai la nostalgie d'une idylle exotique, d'une de ces rencontres faites en voyage où l'amour ne se dit pas en français. Ces aventures résistent rarement à la séparation et au choc des cultures. Elles écartèlent le Sagittaire. Mais enfin, elles m'ont appris à dire « je t'aime » dans presque toutes les langues du monde.

JACQUES HALBRONN

... et les Sagittariens

Ce n'est pas, hélas ! une conjonction Soleil-Jupiter qui trône en mon Milieu-du-Ciel, mais le sceptique Saturne, ce « pelé », ce « galeux » de la Tradition astrologique. Aussi ai-je d'emblée tendance à considérer que s'entretenir « du » Sagittaire est un projet bien ambitieux. Le respect de la réalité m'inclinerait plutôt à parler « des » Sagittariens, le neuvième signe du Zodiaque étant l'un des plus riches en variantes psychologiques.

SOLANGE DESSAGNE

De quel côté penche votre personnalité Sagittaire?

Les deux listes d'adjectifs ci-dessous décrivent les aspects positifs et négatifs de la personnalité Sagittaire. Vous lisez chaque mot et, le plus honnêtement possible, vous évaluez si ce mot vous concerne ou non. Chaque fois que votre réponse est « Oui, ce mot me concerne », vous cochez la case correspondante dans la colonne 1 (maintenant).

Totalisez maintenant le nombre de croix de la colonne de gauche et inscrivez ce nombre dans la case Total; faites de même pour la colonne de droite. Si votre total de gauche est supérieur de huit points ou plus à votre total de droite, vous êtes actuellement dominé(e) par les excès et les contradictions de votre signe. Si votre total de droite est supérieur à votre total de gauche de huit points ou plus, vous réalisez pleinement le potentiel du Sagittaire. Refaites cette exploration dans un an, puis dans deux ans; chaque fois que vous pourrez honnêtement supprimer une croix dans la colonne de gauche et ajouter une croix dans la colonne de droite, vous avancerez sur la voie de votre heureux accomplissement personnel.

	main-tenant	dans 1 an	dans 2 ans		main-tenant	dans 1 an	dans 2 ans
REBELLE				INDÉPENDANT			
JOUEUR				OPTIMISTE			
VAGABOND				EXPLORATEUR			
EPARPILLÉ				TALENTUEUX			
PEU DÉLICAT				LARGE D'ESPRIT			
INCONSTANT				ADAPTABLE			
AVENTUREUX				CLAIRVOYANT			
IMPRUDENT				SAGE			
EXAGÉRÉ				SINCÈRE			
TURBULENT				SPORTIF			
SUPERFICIEL				DOUÉ POUR LES LANGUES			
NERVEUX				TENDU VERS LE DÉPASSEMENT			
DISPERSÉ				DOUÉ POUR LES HAUTES ÉTUDES			
INSOUCIANT DES DANGERS				AMOUREUX DE LA COMPÉTITION			
ILLÉGAL				BIENVEILLANT			
TROP ATTIRÉ VERS LE LOINTAIN				AMOUREUX DU PLEIN AIR			
DE MORALE ÉLASTIQUE				RELIGIEUX			
DOUÉ POUR LES GRANDES AFFAIRES				DOUÉ POUR L'IMPORT-EXPORT			
INTRIGANT				CURIEUX DE TOUT			
IRRESPONSABLE				MULTIPLE			
EXCESSIF				GÉNÉREUX			
INDISCIPLINÉ				DOUÉ POUR LA PLANIFICATION			
ANTICONFORMISTE				CONFORMISTE			
INSTINCTIF				SYNTHÉTIQUE			
ERRANT				IDÉALISTE			
Total				**Total**			

Chapitre Premier

Symbolique et Mythologie du Signe

Détail de **Saint-Sébastien,** *par Mantegna : visage et surtout regard typiquement sagittariens, tendus vers l'objectif à atteindre.*

La Symbolique du Signe

Un barbarisme...

Avoir traduit le latin *sagittarius* par sagittaire constitue ce que les professeurs de langue appellent un barbarisme. En effet, il ne se justifie pas, puisque nous disposons tout simplement en français du mot archer, qui est l'exacte traduction de *sagittarius*.

Cette façon de procéder relève, en vérité, du pur pédantisme, car au Moyen Age on avait bel et bien adopté le français « Arc », tout comme le Cancer se nommait alors Écrevisse. Pourquoi cette latinisation tardive qui touche, au bout du compte, quatre signes : les Gémeaux (au lieu des Jumeaux), du latin *gemini*, le Cancer et, à l'autre extrémité du Zodiaque, le Sagittaire et le Capricorne (de *capricornus* : la chèvre)?

Autour du symbole du Sagittaire ont pu se greffer divers thèmes qui constituent, pour ainsi dire, des sous-signes, des signes à l'intérieur du signe : l'Archer, le Cavalier, le Cheval, le Centaure, la Flèche. C'est une véritable constellation de significations d'où il faut s'efforcer de faire jaillir l'archétype sagittarien...

Signe de Feu

On peut déjà définir le Sagittaire comme un signe de Feu, qui serait *mutable* alors que le Lion serait *fixe* et le Bélier *cardinal*.

Ces qualificatifs sont liés aux saisons : le Lion est dit *fixe* parce qu'il se situe au cœur d'une saison, en l'occurrence l'été; le Bélier est dit *cardinal* (du latin *cardo,* le gond) parce qu'il ouvre les portes du printemps. Enfin, le Sagittaire est dit *mutable* parce qu'il prépare l'hiver : en effet, à cette période de l'année, on n'a pas franchi le solstice, le Soleil n'est toujours pas parvenu au niveau du tropique du Capricorne, les jours les plus courts et les nuits les plus longues sont encore à venir.

Signe double

Il faut ensuite souligner à quel point le Sagittaire est double : quatre pattes bien plantées dans le sol marquent son sens du réel, son équilibre, son pragmatisme solide et efficace, en même temps que sa rapidité dans l'action (pattes de cheval); deux bras levés et tendus par l'effort vers un but précis que lui seul connaît – au-dessus de la montagne, entre les nuages et le ciel – suggèrent son idéalisme, sa volonté de se surpasser, d'atteindre les sommets, non pas du pouvoir humain comme le Scorpion ou le Capricorne, mais de la force absolue, suprême, quasi divine. Il s'agit d'une direction, d'un champ de conscience, d'un désir, donnés par le regard, puis par le geste que les pattes vont accomplir. N'oublions pas que le cheval a été l'un des animaux les plus difficiles à domestiquer à cause de sa violence et de sa rapidité; qu'aujourd'hui encore, il reste « l'instrument » de mesure des monstres automobiles.

Le seul frein du Sagittaire – car il y en a un – c'est ce qui à première vue peut paraître une force : son arc et sa flèche, tendus vers l'objectif qu'il s'est assigné. Car cet objet, instrument de sa volonté, de son ambition, de son projet au sens large du terme, limite l'envergure de son mouvement, donne nécessairement une fin à son parcours : la flèche est tributaire de la force qu'il lui confère en bandant son arc et elle ne va jamais aussi loin qu'il le veut. Cette arme marque donc l'incapacité du signe à sublimer ses forces physiques. Le Sagittaire est intimement dépendant de l'objet, donc de la Terre. C'est un *réalisateur,* contrairement au Verseau qui, libéré des moyens physiques, est par nature un grand *concepteur,* projeté corps et biens dans l'avenir.

Jupiter, souverain suprême dans l'Olympe : il y incarne le pouvoir.

Le Symbolisme jupitérien

La planète Jupiter

Nul mieux que Marcelle Sénard ne décortiquera l'hiéroglyphe utilisé pour désigner la planète Jupiter, demeure du maître de l'Olympe. Comment comprendrait-on l'idée que l'on s'est forgée du Sagittaire sans prendre en ligne de compte son « patron » Jupiter? L'hiéroglyphe planétaire de Jupiter s'inscrit par la croix Espace-Temps-Matière + surmontée à gauche de l'hyperbole) : Tension vers et Réceptivité à l'illimité. Hyperbole se dit en grec *uperbole,* de *uper :* au-delà de, et *ballo :* lancer, jeter, atteindre. Par l'hyperbole et la tension vers l'illimité, la croix de la matière est entraînée, lancée; elle atteint ce qui lui est supérieur. L'hyperbole de Jupiter a ainsi le même sens que la flèche du Centaure.

Le dispositif des domiciles a réparti les douze signes du Zodiaque entre les sept planètes connues de l'Antiquité : Soleil, Lune, Mercure, Vénus, Mars, Jupiter et Saturne, selon le principe suivant : au sommet, le Cancer et le Lion, les deux premiers signes estivaux, puis les cinq planètes qui ne sont pas en même temps des luminaires et qui maîtrisent chacune deux signes :

Soleil	*Lion*	*Cancer*	Lune
Mercure	*Vierge*	*Gémeaux*	Mercure
Vénus	*Balance*	*Taureau*	Vénus
Mars	*Scorpion*	*Bélier*	Mars
Jupiter	*Sagittaire*	*Poissons*	*Jupiter*
Saturne	*Capricorne*	*Verseau*	Saturne

On voit donc que Jupiter domine non seulement le Sagittaire mais aussi les Poissons. Pourtant, Jupiter est vraiment, au premier chef, l'astre des Sagittariens. En effet, le Sagittaire n'a pas d'autre planète que Jupiter tandis que les Poissons disposent de deux autres, Neptune et Vénus.

Si l'exaltation d'Uranus a été conférée au Scorpion et celle de Neptune au Lion, on attend patiemment de savoir quelles seront les exaltations du Sagittaire.

La naissance de Jupiter

Jupiter, dans la mythologie, est le souverain suprême, dans un Olympe où le Soleil, Apollon, n'est qu'un dieu parmi d'autres. C'est Jupiter qui incarne le pouvoir. Pour cela, il a dû lutter contre son père Saturne qui, souhaitant la mort de ses enfants, les dévorait. Mais son épouse, Rhéa, avait voulu épargner son fils Jupiter en lui substituant une pierre. Saturne n'y vit que du feu. Jupiter grandit, allaité par la chèvre Amalthée et, un jour, il vengea et délivra ses frères. C'est de cet acte héroïque que vient la légitimité de son pouvoir. Il est le chef d'un clan, d'une tribu, entouré de ses frères, fils et petits-fils. Comme l'écrit *Philippe Metman (les Astres et la destinée,* 1949, p. 53) : « Etre semblable à Zeus, c'est, dans le vrai sens du mot : pouvoir aller sans crainte au-devant du danger, pouvoir sans haine anéantir ses ennemis, pouvoir aimer sans faiblesse, [être] juge situé au-dessus des événements et au-dessus des partis. Comme réconciliateur des tribus et de leurs dieux sous sa puissance, il fut honoré sous le nom de Zeus-Pandemos. »

Certes, le symbolisme du dieu Jupiter-Zeus n'est pas aussi net qu'on pourrait le souhaiter. Comment oublierait-on, cependant, ses multiples aventures sentimentales qui le contraindront à se déguiser en taureau ou en aigle. Aussi, note Oswald Wirth (*le Symbolisme astrologique,* Dervy, 1973, p. 15) : « En amour, le Jupiter de l'astrologie n'a rien du volage époux de Junon. C'est un père de famille exemplaire, soucieux de faire le bonheur des siens. »

Le sens de Jupiter : la vue

Jupiter, à notre avis, est une planète liée à la vue, parce que liée au Feu. Si l'on s'efforce de traduire, en effet, les quatre éléments en termes sensoriels, on obtient le résultat suivant :

Le Feu est l'élément le plus visuel dans la mesure où il apparaît même la nuit, tandis que les trois autres – Terre, Air et Eau – se confondent dans l'obscurité. Pour la Terre, on trouvera une correspondance avec le goût (qui se nourrit de produits de la Terre) ; pour l'ouïe, on proposera l'Air qui inspire les instruments à vent. Enfin, pour l'odorat, il reste l'Eau qui fixe les parfums. Cette corrélation est précieuse: les sens renseignent sur les habitudes de l'existence.

Si Jupiter est lié à la vue, dans la mesure où il domine le Sagittaire, signe de Feu, nous comprenons pourquoi l'Archer « vise » la cible et pourquoi le Sagittaire est considéré comme un signe prophétique, visionnaire. Le Lion solaire, autre signe de Feu, incarne à sa façon la vue, par la recherche du brillant, du panache, de l'éclat (dans tous les sens du terme), tandis que le Bélier martien fait des étincelles en cognant contre les murailles à la façon de l'instrument qui porte son nom. La lumière jupitérienne éclaire les horizons, elle est vraiment celle qui perce les ténèbres.

Jupiter fort chez les hommes de théâtre

D'ailleurs, la statistique vient au secours de la mythologie : en effet, Jupiter est l'une des quatre planètes, avec Saturne, Mars et la Lune, qui ressortent des contrôles statistiques réalisés depuis le début des années 50 par Michel Gauquelin.

Les recherches de ce psychologue français ont porté sur des dizaines de milliers de dates de naissance. Il a procédé à partir de catégories professionnelles et s'est demandé si des personnes ayant réussi dans une même branche présentaient quelque dénominateur commun d'ordre astrologique.

Après avoir infirmé bien des pseudo-lois proposées par ses devanciers, il a pu déboucher sur un terrain plus tangible : pour tel métier, une certaine planète semblait apparaître selon une fréquence supérieure aux probabilités. Pour les champions sportifs, Mars se levait ou culminait à la naissance; pour les écrivains c'était, la Lune, pour les savants, Saturne et pour les hommes de théâtre, Jupiter.

Les correspondances poétiques du Sagittaire

Manilius, auteur latin du Ier siècle de l'ère chrétienne, a composé un poème astrologique, l'*Astronomica,* très marqué par le rôle des étoiles fixes. Voici ce qu'il écrit à propos du Sagittaire:

« Le Sagittaire suit [le Scorpion]; avec son cinquième degré, on voit lever la brillante étoile Arcturus. La fortune ne craint pas de confier ses trésors à ceux qui naissent sous cet astre; ils sont destinés à être les dépositaires des finances des rois et du trésor public, à régner sous l'autorité de leurs princes, à être leurs principaux ministres, ou à être chargés des intérêts du peuple, ou à être intendants des grandes maisons, à borner leurs occupations aux soins qu'ils prendront des affaires d'autrui. »

Magnanime, loyal, réservé

Enfin, apprenons ce que dit du Sagittaire un astrologue anglais du XVIIe siècle, William Lilly, dans sa *Christian Astrology* (1647) :

« Les manières et les actions quand Jupiter est bien placé : alors, il est magnanime, loyal, réservé, aspirant à des matières élevées, dans toutes ses actions recherchant une solution équitable, désirant le bien de tous, faisant des choses glorieuses, honorable et religieux, d'un commerce doux et affable, tolérant pour sa femme et ses enfants, respectant les hommes âgés, c'est un grand secoureur des pauvres, plein de charité et de sainteté, libéral, détestant toutes actions sordides, juste, sage, prudent, reconnaissant, vertueux.

« ... Quand Jupiter est infortuné, alors le Sagittaire gaspille son patrimoine, se laisse escroquer par tous, il est hypocrite en religion, obstiné et inflexible pour soutenir de fausses thèses en matière religieuse. C'est un homme sans éducation, sans soin, ne sachant pas se faire des amis, d'une capacité grossière et lente, schismatique, s'abaissant à toutes les compagnies, se déshonorant sans nécessité. »

Les poètes modernes face au Sagittaire

Il n'a guère été question des diverses analogies qui existent entre notre signe et les plantes, les couleurs, les parfums, etc. L'astrologie actuelle a fini, le plus souvent, par se désintéresser de ces corrélations, souvent mal expliquées et mal explicables. En revanche, cet aspect de l'astrologie a pu séduire certains poètes. C'est pourquoi nous leur demanderons de présenter le catalogue des correspondances zodiacales propres au Sagittaire. Ils sont deux, Max Jacob et Léon-Paul Fargue.

Max Jacob, poète qui mourut pendant la Seconde Guerre mondiale, auteur du *Cornet à dés* et de bien d'autres poèmes, rédigea dans les années 30 un *Miroir de l'astrologie* qui, remanié, sortira en 1949 (NRF – Gallimard, en collaboration avec Claude Valence). Laissons-lui la parole :

« Analogies du [Sagittaire] :

Le lévrier, le fox-terrier, le zèbre, le cerf, l'auroch, le frêne, le cormier, le coing, la poire, la pêche, la verveine, l'œillet.

Les haras, les sports élégants, les lieux privilégiés et mondains, les objets de luxe en cuir.

Les dandys.

Les fonctionnaires.

Pierres : l'hyacinthe, l'escarboucle.

Métal : l'étain.

Couleurs (gaies, vivantes et saines) : les jaunes.

Parfums : la bergamote et le cédrat, la jacinthe.

Résonance : le saxophone. »

Quant à Léon-Paul Fargue, contemporain du précédent (il collabora avec lui à un ouvrage de poésie), il donne aux natifs du Sagittaire ces quelques conseils :

« Pour vous tous dont le sort se détermine sous les traits du quadrupède à face humaine, habillez-vous de bleu, arborez les palmes académiques, le violet vous étant tout autant propice, ou bien cherchez-le dans les yeux – ô l'Oméga – de l'être aimé qui ne devra pas s'avouer sujet de la Vierge.

« Faites collection d'étains; accordez toute confiance au jeudi, consacrant le mercredi à la lecture soit de Montaigne, soit de Simenon, soit de la cote [en bourse] si mieux vaut ce jour-là ne rien entreprendre.

« A votre annulaire, il sera bien que se remarque, modérément, une simple turquoise montée sur argent. Votre soin capital sera d'en passer commande un jeudi, votre jour de chance, à l'heure de Jupiter, soit, au cadran de l'Horloge planétaire, sous le signe correspondant à trois heures de l'après-midi. » *(Les Quat'Saisons. Astrologie poétique,* Ed. de l'Astrolabe, Paris, 1947.)

Hélas, le métal du Sagittaire, étant celui de Jupiter, n'est pas très glorieux: ce n'est que de l'étain. Ici, le Lion retrouve de l'ascendant puisque l'or lui est affecté grâce à son patron, le Soleil. Quant à la plante du Sagittaire, elle est tout indiquée : c'est la centaurée, qui possède des vertus curatives.

Chiron, le Centaure (ici avec Achille), fut considéré comme un grand sage par les hommes de l'Antiquité. A noter l'index tendu vers le but à atteindre.

La Mythologie du Signe

Un Archer ou un Centaure?

Rappeler que le Sagittaire est un Centaure ne fait qu'illustrer la complexité du champ mythologique de ce signe. Quel rapport existe-t-il, en effet, entre un Archer et un Centaure? Prenons la description de Philippe Metman (*les Astres et la destinée: les mythes grecs; l'astrologie et la conduite de la vie,* Payot, 1949) : « Ses quatre jambes de cheval se tendent, largement écartées, et fièrement son buste humain s'allonge hors du corps animal. Ses muscles se gonflent lorsqu'il bande son arc. Et pendant que, de la force de son corps entier, il lance sa flèche, il penche la tête en arrière et le pénétrant regard de chasseur de ses yeux qui visent jette des éclairs sur ses ennemis indomptables. »

Pour y voir plus clair, il importe de restituer Archer et Centaure dans le monde de la mythologie... D'emblée, le Centaure semble lié aux flèches de l'Archer, non pas comme sujet mais comme objet.

On assiste à la naissance de deux constellations où les Centaures jouent leur rôle : la première est celle du Centaure Chiron qui, blessé par une flèche perdue d'Hercule, pria les dieux de faire cesser cette insoutenable souffrance. Pour cela, il était prêt à renoncer à son privilège d'immortalité. Chiron, le Centaure, fut considéré comme un puits de sagesse par les hommes de l'Antiquité. Ceux qui passèrent par lui acquirent la renommée : Achille (au talon fragile); Jason, qui conduisit l'expédition des Argonautes; Enée le Troyen, qui donna naissance à la ville de Rome; Esculape, le père de la médecine, etc. Les dieux devaient bien accorder à la victime innocente d'Hercule le bénéfice d'une constellation.

Nessus blessé par une flèche

Curieux retour des choses avec le Centaure Nessus, également blessé à mort par une des flèches humectées du sang de l'hydre, tirée par Hercule. Nessus conseille perfidement à Déjanire, la femme pour laquelle il s'est dressé contre Hercule, de faire présent de sa propre tunique à ce dernier si elle désire conserver son amour à tout jamais.

Déjanire écoute cet avis et Hercule va vivre un supplice dont il ne se relèvera jamais. Tout comme Chiron a dû renoncer à son immortalité car la mort lui était devenue plus douce, le grand Hercule doit implorer les dieux pour que la torture ne lui soit pas éternelle, et le demi-dieu accepta, lui aussi, la perte d'un privilège qui se retourna contre lui. Là encore, les dieux accordèrent à Hercule le territoire d'une constellation. Les relations Archer-Centaure sont donc particulièrement dramatiques. Philippe Metman écrit avec justesse : « Héraclès, combattant les Centaures, vainc en même temps un ennemi en lui-même et se métamorphose. »

Hercule, héros solaire

On ne saurait cerner la mythologie de ce signe sans se référer à l'épopée herculéenne. Hercule est le héros solaire, il est omniprésent. Mais sa présence est plus ou moins nette selon

Centaure enlevant une femme, *par Pisanello : le Sagittaire est un signe où l'amour se vit comme un enlèvement, une aventure un peu folle et risquée.*

les signes : avec le Sagittaire et avec le Scorpion (travail des oiseaux du lac Stymphale où Hercule avait tué les oiseaux de ses flèches empoisonnées), l'Archer est sur le devant de la scène tandis qu'avec les autres signes (en particulier le taureau de Crète et le lion de Némée) le rapport est moins évident et fait de toute façon presque totalement oublier l'Archer. Mais il faut savoir qu'Hercule est le dénominateur commun à l'ensemble du Zodiaque. Et, à ce titre, chacun des douze signes pourrait porter le nom de Sagittaire...

Il est par ailleurs étrange que l'on ait combiné en une seule figure l'Archer et son adversaire, le Centaure. Mais le cas n'est pas unique. Le voisin du Sagittaire, le Scorpion, est logé à la même enseigne. Comme le signale Alexandre Volguine dans son *Symbolisme de l'aigle*, l'Archer s'appelait chez les Babyloniens l'homme-scorpion, l'homme au dard. En d'autres termes, le Sagittaire a la même signification que le Scorpion. Ce sont des expressions synonymes.

Sagittaire-Centaure et Scorpion-Aigle

De la même façon, on rencontre dans le symbolisme du signe du Scorpion la même ambiguïté que celle du couple Sagittaire-Centaure. Il s'agit là du couple Scorpion-Aigle. En fait, le Scorpion est l'Archer qui s'attaque à l'Aigle, comme on le voit dans l'épisode où Hercule abat les oiseaux du lac Stymphale, tout comme Hercule avait pu tuer certains Centaures. C'est donc du signe du Centaure et de celui de l'Aigle qu'il faudrait parler et non point des signes du Sagittaire et du Scorpion.

Une partie importante des associations liées au neuvième signe passent par l'Archer, auquel on a fini par attribuer des connotations bien distinctes de celles proposées pour le Scorpion. La pensée astrologique a différencié ce qui était analogue, en retenant du Sagittaire son tir vers le monde extérieur tandis que le Scorpion n'hésiterait pas à diriger ses traits contre lui-même (par exemple, le suicide du Scorpion entouré d'un cercle de feu).

A dire vrai, la dualité existe au sein même des familles de Centaures : il y a les bons et les méchants. « La mauvaise race, précise Eric Aggur, est née de l'union d'Ixion avec Néphélé, la nuée de l'illusion; elle figure le triomphe de l'animalité sur l'humanité du personnage. L'autre [la bonne] est née des amours de Saturne [le Temps] avec la nymphe Philyre, fille de l'Océan. »

La mauvaise lignée

Ixion, roi des Lapithes, avait promis toutes sortes de cadeaux à Deïoneus, père de Clia, afin d'obtenir la main de la jeune fille. Or, au lendemain des noces, Ixion refusa d'accomplir ses engagements; une rixe s'ensuivit où Deïoneus trouva la mort. Jupiter prit en pitié Ixion, que tous fuyaient pour son infamie, mais l'invité du maître de l'Olympe ne trouva rien de mieux que d'avoir le « coup de foudre » pour Héra, l'épouse de Zeus. Pour conjurer ce danger, Zeus conçut Néphélé qui prit les traits d'Héra. De l'union d'Ixion et de Néphélé naquit « Centauros », le piqueur de taureaux. Centauros, en s'unissant à des cavales, engendra les Centaures bien connus, qui n'ont en vérité plus rien à voir avec l'homme ou avec le cheval mais plutôt... avec le taureau (à l'instar du Minotaure). Ce sont les fils et petit-fils d'Ixion qui constituèrent le gros des troupes qu'Hercule dut affronter.

La bonne lignée

Il s'agit là moins d'une troupe que de quelques individus remarquables, tels Pholos et surtout Chiron. Ce qui est remarquable, c'est que cette lignée n'a pas connu la même naissance bien qu'elle présente les mêmes caractéristiques. En fait, les versions diffèrent: Chiron serait tantôt le fils de Neptune qui, d'un coup de trident, fit apparaître un cheval lors d'un combat contre Minerve, tantôt celui de Saturne qui aurait été son procréateur en se transformant en cheval... De toute façon, Chiron apparut monstrueux aux yeux de sa mère. Le Centaure c'est, au départ, le canard boiteux ou, pour parler le langage de la science-fiction, le « mutant ». A ce titre, on ne refusera pas au Sagittaire d'être original et excentrique. Il peut devenir celui que l'on montre du doigt (l'index est le doigt de Jupiter); on est prêt à le trouver exceptionnel sur le mode un peu exagéré qu'il prise: exceptionnellement généreux, magnétique, ou exceptionnellement suffisant, coléreux.

Le Sagittaire dans la mythologie indienne

« En Inde, écrit Eric Aggur, le dieu archer est un fils d'Indra et d'Indrân Arjouna. Il devient l'ami de Krichna, incarnation du dieu Vichnou, ce qui donne lieu à l'une des plus belles pages du long poème religieux de la Bhagavad Gîta. A la veille d'intervenir dans la célèbre guerre des Pandoû et des Kourou, Arjouna a des scrupules: il ne veut pas tuer. Krichna lui rappelle qu'il est de la caste des guerriers [...]. Le père d'Arjouna est à mi-chemin entre le dieu archer du Sagittaire et Jupiter, protecteur de ce signe. Bon guerrier, ses flèches acérées peuvent devenir foudre .»

L'homme à l'arc est armé d'une puissance sacrée: l'arc est-il une arme des hommes ou des dieux? Il faut qu'il y ait croisade, guerre sainte, pour que cet instrument de mort légué par les dieux puisse entrer en lice. Ironie du sort qui fait d'un bois et d'une corde aussi bien une source de beauté, de musique, d'harmonie qu'un message des Parques, les tisseuses maudites.

Le Sagittaire en astrologie chinoise

En astrologie chinoise, le Sagittaire nous semble devoir correspondre au Cochon, encore appelé le Sanglier. Les correspondances entre les douze signes du Zodiaque occidental et ceux du Zodiaque chinois sont souvent problématiques. Rappelons que ce sont des animaux généralement très différents: le Rat, le Lièvre, le Dragon, le Singe, le Coq, en particulier.

Le sanglier est un animal à associer aux autres symboles sagittariens. Marcelle Sénard nous fait remarquer que « dans le planisphère égyptien figurant les constellations australes, selon

Toutes les civilisations
se sont inspirées du thème de l'archer,
de la flèche-missile qui blesse
ou tue à distance. Ici, archer indien,
perché sur un oiseau.

le père Kircher, la section du Sagittaire contient une main tenant une flèche dont la pointe touche une étoile, et un animal, ressemblant à un porc, transpercé par la lance d'une divinité coiffée de l'Ureus ». (*Le Zodiaque,* Ed. Traditionnelles, Paris, 1967, p. 333). On peut concevoir deux types de Sagittaire, le type Sanglier et le type Cochon.

D'ailleurs, l'astrologie chinoise décrit ainsi ce signe (notons qu'elle procède par années et non point par mois): « Si rien ne vous destine aux grandes idées et aux plus hautes réussites, il vous faudra trouver un Sanglier comme ami; il réussira pour vous et, à travers lui, vous atteindrez vous aussi les sommets les plus hauts. »

On reconnaît là le côté jupitérien qui mène le Sagittaire vers les postes de responsabilité.

L'Archer dans la mythologie chinoise

L'archer Hercule apparaît également en Chine où il est le héros de type Gilgamesh qui affronte des périls successifs. Il s'appelle Yi (cf. Xavier Frigara et Hélène Li, *Tradition astrologique chinoise,* éd. Dangles, 1978, p. 25-32).

L'empereur Yao est inquiet pour son peuple menacé par la famine. « Un homme reste pourtant calme. Il porte arc et flèches et rencontre Yao qui l'arrête:
– Contre qui emploies-tu les talents, si tu en es pourvu?

24

Dessin mongol datant de 1437, illustrant l'aspect meurtrier de cette arme à vent qu'est l'arc avec sa flèche.

– A toutes sortes de chasses, j'abats toutes sortes de bêtes.
– Es-tu si habile que tu le dis?
– Je peux vous le montrer.
– Tiens! Vois-tu le pin qui hausse le sommet de cette colline? Crois-tu pouvoir atteindre la dernière de ses branches?
– Si mon arc veut bien suivre la ligne de mon regard et y conduire cette flèche.

« L'archer prend son arc et le tend vers la cime de la colline. La flèche part très fort et arrête sa course au creux de la dernière branche. L'auteur de cet exploit saute sur un courant d'air et rejoint sa flèche qu'il décroche de l'arbre et range. »

Cette légende nous amène à penser que l'Archer joue avec l'air, fend l'air – bien qu'on en fasse un signe de Feu, et même si parfois ses flèches sont enflammées. La flèche, c'est un peu le faucon que le chasseur envoie quérir sa proie. Dans ce sens, l'Aigle peut être considéré comme un emblème olympien.

Le Sagittaire selon le docteur Libert-Chatenay

Une des œuvres les plus caractéristiques des possibilités de la pensée analogique est *le Zodiaque dévoilé* du Dr Libert-Chatenay (publié par l'auteur en 1974). On assiste à une pensée qui vole d'association d'idées à trouvaille symbolique dans un éclectisme étourdissant: nous voudrions en extraire ces lignes dont l'inspiration rappelle celle de Jean Carteret.

« *Faire corps:*
Symbole du cavalier et du cheval.
Du cavalier faisant corps avec son cheval. »

Le Sagittaire, ainsi, est l'expression de l'homme qui ne se suffit pas à lui-même, qui se lie à autre chose que lui-même, mais par des liens qui investissent tout son être, toute sa destinée. Il vit pour, il vit avec. Il est incorporé.

Le Sagittaire selon Michèle Curcio

Michèle Curcio[1] a surtout développé le symbolisme sagittal (celui de la flèche). L'auteur insiste sur un point négligé: « Le fait que la flèche soit lancée dans l'espace infini et non sur un but précis symbolise les quêtes ésotériques, le destin de celui qui cherche, le pèlerin, le croisé, l'explorateur; ils sont lancés vers l'infini, eux aussi... La flèche pourrait être comparée à l'audace de la pensée métaphysique qui se propulse à travers les infinis en quête de la seule réponse que les hommes n'aient pas encore obtenue à leur question. »

Après avoir insisté sur le fait que le dessin ne comprend point de cible – ce qui est exact mais confère, à notre avis, trop de poids à un symbole toujours lapidaire –, Michèle Curcio signale la notion de « réserve d'énergie ». En effet, au moment où la flèche quitte la corde, les muscles du bras se bandent, tout est encore possible; puis, soudain, toute cette énergie – on pense à l'acte sexuel – se répand irréversiblement. Mais la responsabilité qui lui incombe de décider du moment opportun pour « vider » cette énergie laisse à penser que le Sagittaire peut être justement un homme responsable, un vrai chef. Il a, plus que le Bélier ou le Lion, autres signes de Feu, la notion du temps, la juste évaluation de sa durée. Lorsque la corde se relâchera, rien ne sera plus comme avant. Cette notion essentielle de réserve d'énergie constitue d'ailleurs une clef de la psychologie de ce signe: un arc peut apparaître comme une arme bien inoffensive tant que la flèche n'a pas été décochée, mais soudain le trait mord l'espace, meurtrier. Il faut donc se méfier du Sagittaire au repos et se demander toujours s'il n'est pas en train de préparer son arme pour qu'au « moment psychologique » le mécanisme inflexible se déclenche, parvenant jusqu'à la cible soigneusement repérée – et ce, depuis longtemps. En cela, il y a du calcul dans le comportement du Sagittaire: il faut viser, apprécier la distance, la force du vent... L'arc, c'est bien la violence au service de l'intelligence.

Michèle Curcio insiste également sur le besoin du Sagittaire d'influencer autrui: « Il tient à imposer ses vues et à les considérer comme ayant force de loi, cela dans un climat d'obstination douce et continue qui finit par lui faire obtenir ce qu'il attend. Cet entêtement tacite, à peine exprimé, est très admiré de l'entourage du Sagittaire qui n'agit que sur son instigation. » On l'a déjà dit, le Centaure n'est pas un héros isolé, il renvoie à tout un peuple de Centaures. Cette vision collective confère au signe le besoin et la conscience d'une certaine unité de pensée: le groupe *doit* se cimenter. C'est pourquoi le Sagittaire développe une aptitude étonnante à faire accepter ses propositions par la majorité. Il n'exprime pas son idée personnelle, mais une idée qui vient de lui, et dont il sait qu'elle pourra emporter tous les suffrages. Pour cette raison, il donne l'impression de dominer le groupe alors qu'il s'en fait, finalement, le porte-parole. Michèle Curcio ajoute, dans ce sens, un conseil aux natifs de ce signe: « Devenir spontané, consentir à être vous-même, réellement, profondément, c'est un peu ce que les autres attendent de vous. »

En effet, que devient la spontanéité du signe, dissimulée derrière tous ces calculs pour faire mouche? Le Sagittaire paie son opportunisme. Il finit par perdre le contact avec lui-même: il est, au sens le plus fort, un *zoon politicon,* un animal politique. Il n'a pas, pour cette raison, le charme des deux autres signes de Feu, plus francs, plus directs. Tout est médiatisé chez lui: la preuve en est cet arc qui n'est pas vraiment une partie de lui-même et à travers lequel il cherche à laisser son empreinte sur le monde. Le masque social finit par se superposer à son naturel et l'on ne peut dire à son propos: « chassez le naturel, il revient au galop », car

1. *Les Signes du Zodiaque,* Tchou, éditeur, 1978.

– surtout si l'on reste sur cette image de la flèche – la démarche du signe est paradoxale: ne faut-il pas tirer vers soi, en direction opposée à la cible choisie? En d'autres termes, c'est en repliant le bras que le Sagittaire obtient l'impact espéré sur l'extérieur. Pour revenir à la notion de « réserve d'énergie », on peut se demander si le Sagittaire ne résumerait pas la formule du capitalisme qui consiste à épargner, à économiser avant de conquérir un marché. Le Sagittaire est, par là, le signe de la préparation.

Le Sagittaire selon Rishi Astri et Anusuya

« L'ambiance de fête (et, pour quiconque est spirituellement sensible, joyeusement divine) de ce mois n'est pas seulement due au fait que Noël approche: c'est réellement le tempérament du Sagittaire. Ceux qui sont nés sous ce signe ressentent quelque peu cette ambiance l'année durant .» (Swams Kriyananda, *Votre signe solaire comme guide spirituel,* 1975.) Le Sagittaire fait surgir ainsi, alors que la nature semble dépérir et entraîner à la nostalgie, une source d'enthousiasme en plein désert nocturne. Les nuits, en effet, s'allongent à mesure que l'on traverse le signe, alors qu'elles vont déjà, au Capricorne, amorcer leur remontée.

Ainsi le Sagittaire Winston Churchill accède-t-il au gouvernement de la Grande-Bretagne au moment où la situation semble désespérée, où l'horizon est noir. Et prometteur d'épreuves sans fin. La lumière sagittarienne ne luit qu'au moment des difficultés, lorsqu'il s'agit de combattre les forces de l'obscurité. Et lorsque les perspectives se font à nouveau plus douces, sa présence ne paraît plus aussi nécessaire.

Le Sagittaire est l'homme de recours, le Coriolan qui fait retraite entre deux missions: cela n'a rien à voir avec le Feu du Lion et celui du Bélier qui accompagnent printemps et été et qui n'ont pas à affronter l'involution.

Que le Sagittaire soit un signe joyeux (jovial est un adjectif emprunté à Jupiter), cela se manifeste par son aptitude à se dégager des chaînes quotidiennes. La flèche n'est-elle pas légère? On la croit enfermée entre la corde et le bois de l'arc, et puis elle s'échappe loin dans les airs.

Surtout, le Sagittaire évite d'être prisonnier du moment présent, il vit plutôt dans le futur. On peut l'imaginer auteur d'ouvrages de science-fiction. Il lui suffit de se bâtir des lendemains qui chantent. Au fond, le Sagittaire sait rêver et faire rêver.

Les auteurs ajoutent une recommandation: « Le plus important, sans doute, que vous ayez à apprendre, si vous êtes un natif du Sagittaire, est de prendre la peine de façonner une flèche vraiment bonne. » Le Sagittaire doit se focaliser; à force d'avoir plusieurs flèches dans son carquois, il risque de manquer chaque fois la cible en se disant: « Je ferai mieux la prochaine fois », expression typiquement sagittarienne.

Pour tailler cette flèche, il convient de choisir le bon bois; il n'y en aura pas d'autre. Au fond, le Sagittaire doit se méfier d'une surabondance de dons et d'idées. Il doit opérer un tri et choisir une voie qui résume toutes les autres et par laquelle il n'éprouve pas de frustration. Le Sagittaire risque souvent de temporiser en se disant: « Qui sait si je ne trouverai pas mieux demain? ».

Les auteurs rappellent que le nom hindou de Jupiter, le maître du Sagittaire, est *Guru*. « De même que le Guru [Jupiter] représente les rayons sauveurs de la divinité dans le monde objectif, ainsi la grâce du guru humain, dirigée consciemment et spécifiquement sur le disciple altéré de Dieu, représente les rayons sauveurs dans le monde intérieur, subjectif. »

Le Sagittaire parvient, plutôt plus facilement que la plupart des signes, à dépasser sa propre personne. Il a une tendance innée à généraliser, à universaliser, à ne s'intéresser qu'aux problèmes de dimension mondiale ou historique; de ce fait, il échappe à la dimension individuelle; il pense comme Pascal que « le moi est haïssable ». Il aime employer le « nous » à la place du « je ». Ce n'est que lorsqu'il sent et sait qu'il parle au nom d'un groupe qu'il a l'impression d'avoir réussi son existence. Sa vie privée en souffrira dans la mesure où il aura honte de traiter de détails mineurs relatifs à sa seule existence d'homme. De ce point de vue, le Sagittaire « plane » quelque peu, il est souvent cette flèche volante déjà lancée, mais pas encore retombée.

Vivre ainsi avec un Sagittaire, c'est vivre avec quelqu'un qui assume mal le bonheur présent: il est inexorablement attiré par la cible à atteindre et par la lumière à apporter là où tout n'est encore qu'ombre.

Le Sagittaire selon François-Régis Bastide

« Quoi qu'il fasse, on dira de lui qu'il n'est pas une grande cervelle mais un grand bonhomme... » Ce jugement paraît inspiré de ce que l'on place Mercure, la planète de l'intelligence, en domicile dans les Gémeaux, le signe opposé à celui du Sagittaire. En d'autres termes, si Mercure s'épanouit en Gémeaux, il ne pourra en être de même en Sagittaire. Il faut avouer que l'intelligence, la réflexion intellectuelle, ce n'est peut-être pas ce qui fascine le plus chez le Sagittaire. Les capacités jupitériennes, exigeant un certain sens du compromis, un refus de rechercher une vérité absolue qui provoquerait nécessairement des clivages, des scissions, éclipsent quelque peu tout le brillant et la profondeur qui peuvent marquer un esprit sagittarien. Presque toujours, les qualités morales passeront au premier plan et le Sagittaire ne détestera rien tant que ceux qui s'enferment dans leurs petites convictions personnelles. Autrement dit, l'exil de Mercure dans ce signe impliquerait un « refoulement intellectuel ». Une attitude de synthèse représente un juste milieu qui n'est pas, en lui-même, opérationnel. Et c'est bien ce que le Sagittaire recherche: établir un langage commun, des réseaux entre des êtres seuls. C'est le luxe de l'individualiste, incapable de dominer une situation collective, de faire son petit numéro de penseur. Et souvent, le Sagittaire sera amer: derrière les félicitations dont il est l'objet pour ses talents d'organisateur, il sait qu'il a dû payer très cher sa place, qu'il lui a fallu faire taire ses idées, qu'il n'a pu avoir l'impudeur de les mettre en avant comme le premier venu. Jupiter (planète qui gouverne le signe) ne souffre pas la tyrannie intellectuelle, quelle qu'elle soit.

Son indulgence expliquera le goût du Sagittaire pour les voyages. Bastide écrit à ce propos: « Il est un excellent "mari d'étrangère". Il aime se sentir touriste dans son pays natal, le regarder avec les yeux de sa femme, qui se pose des questions. »

En effet, dès lors qu'on ne parle pas la même langue que l'autre, que l'on s'essaie sur un terrain linguistique qui n'est pas le sien, la qualité de la formulation d'une pensée fait les frais de l'expérience. Alors, on aura sacrifié au besoin de contact la préciosité d'une langue maternelle; ce qui compte, pour le Sagittaire, c'est d'être compris et non pas d'accomplir des exercices de style. Pour cette raison, il ne se sentira pas frustré d'entretenir une relation durable avec une personne se trouvant à l'étranger.

Le Sagittaire selon Hadès

Pour l'astrologue breton [1], le Sagittaire est avant tout un guide: « La colonne de feu du mythe possède ses correspondances dans le microcosme; ainsi, pour en donner un seul exemple, le Sagittaire régit les phares, colonnes dont le pinceau lumineux guide hommes et navires. Ce sens de guide, nous le retrouvons toujours dans ce signe, le nom hindou, *Guru*, de la planète Jupiter, la plus puissante par sa masse de tout le système solaire, signifiant guide spirituel. » Le Feu sagittarien est le Feu qui montre, qui enseigne la voie et non celui qui brûle ou qui sèche, celui qui purifie ou qui écarte, c'est un Feu phare, dont les rayons traversent la nuit pour secourir les égarés.

Hadès ajoute, s'inspirant toujours de l'Ancien Testament: « Le Feu du Sagittaire ne s'élève que pour rejoindre le ciel, buisson ardent, colonne de feu guidant tout un peuple dans le désert; c'est aussi la fumée des sacrifices reliant deux mondes, l'un matériel qui se dissout définitivement, alors que l'autre postule une expérience spirituelle et un dialogue avec la divinité. » Cette colonne de feu est aujourd'hui, dans le « désordre » matériel, celle des fusées qui foudroient le ciel, non pour y trouver la divinité, mais pour attester de la primauté matérielle de l'homme moderne.

Hadès aborde un autre thème lié au cavalier: « De même qu'une flèche courbée ne saurait atteindre la cible, la voie "droite" est symbolisée dans le Zodiaque par le signe du Sagittaire, lieu où s'opère la rencontre avec la grâce divine. Comme le cavalier représente la séparation de l'âme et du corps, la monture étant ce corps que délaissera son maître, la voie du Sagittaire conduit à la montagne nue, lieu le plus proche du ciel où s'opérera un dépouillement total. »

Cette image du Cavalier – qui s'est amalgamée avec celle du Centaure, du Centaure-Archer puis de l'Archer à cheval – confirme l'idée que le Sagittaire, répondant à la Mai-

1. Hadès, *les Mystères du Zodiaque*, éd. Albin-Michel, 1974.

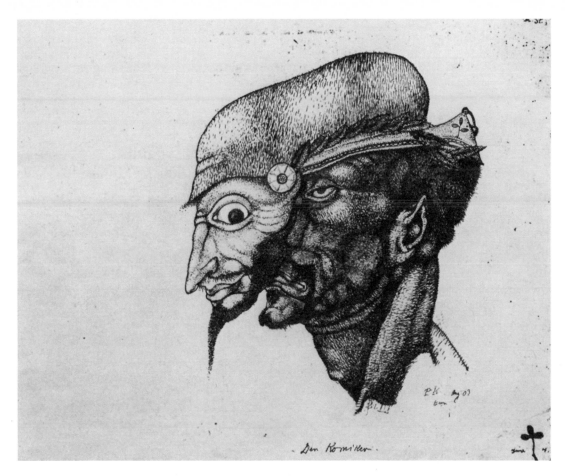

Dessin de Paul Klee : l'acteur et son masque; le Sagittaire est un comédien de naissance, signe double, qui masque sa véritable nature pour obtenir ce qu'il veut.

son IX, est le signe où l'homme prend conscience de sa dualité. Or le Cavalier qui semble faire bloc avec sa monture (on notera que l'homme « monte » à cheval) n'est qu'illusion. Il peut abandonner l'animal qui le porte mais qui, également, l'emporte. Il peut se libérer, bien qu'il lui soit difficile de renoncer à cet élan, à cette vitesse, que permet l'équitation. Il y parviendra cependant, tôt ou tard, retrouvant une envergure moins impressionnante. Il ne dépassera plus les hommes. Il rejoindra le monde où les âmes sont pesées avec la même balance: il passera, si l'on peut dire, de l'équitation à l'équité.

Le Sagittaire selon Max Jacob

Max Jacob[1] a en quelque sorte écrit les *Caractères* de la Bruyère de l'astrologie et les brocards qu'il a lancés ont eu un tel succès avant-guerre que Maurice Privat, en 1937, dans *Ceux qui sont nés* (éd. Stock) les avait repris à son compte...

« Le caractère est double, réticent, difficile à connaître. Il y a toujours une certaine réserve vis-à-vis des autres comme vis-à-vis de soi-même. Le sujet du Sagittaire masque ses desseins et travestit ses idées comme ses sentiments. Il agit de la sorte par « dandysme », souci de la tenue et de l'élégance; également pour ne pas se compromettre. De là, un goût marqué pour l'artifice et le maquillage qui l'incline publiquement à paraître détaché, à ne rien prendre au sérieux, encore moins au tragique. »

Le Sagittaire s'efforce, à coup sûr, de désarçonner et d'égarer ses adversaires. Il ne veut pas que ceux-ci sachent à quel moment il se sent faible, vulnérable ou abattu. Il ne veut pas non plus entretenir de relations trop étroites avec ses collaborateurs, car il sait combien ces relations sont fragiles et sujettes à bouleversements.

1. *Miroir de l'astrologie,* éd. Gallimard, édition définitive: 1949.

En outre, il tient à garder intacte son autorité. Il parviendra aussi à maintenir une certaine neutralité, qui fait d'ailleurs sa force, car il est plus impartial que tout autre signe. Quant à ses facultés de dissimulation, il faut se rappeler qu'il est guide dans l'âme: un guide n'avertit pas nécessairement ceux dont il a la responsabilité des périls qui les menacent ou de ses projets exacts car, un peu par superstition, le Sagittaire sent qu'« il ne faut pas vendre la peau de l'ours avant de l'avoir tué »; la meilleure façon d'atteindre un objectif n'est certainement pas de crier à la cantonade dans quelle direction on se dirige.

Bien plus, le Sagittaire ne sait pas forcément lui-même où il va, du moins à un niveau tactique. Il se fie à ses qualités d'improvisateur qui pallient souvent son manque de préparation. S'il prévoit les événements, il n'est pas toujours prévoyant. Il laissera son inspiration le tirer d'affaire, *in extremis*. Il croit profondément à sa bonne étoile.

En définitive, le Sagittaire, bien qu'il soit très entouré, est un homme seul. Il lui faut construire un foyer faisant contrepoids à ses relations de travail, lesquelles, par la distance qu'elles l'obligent à maintenir, ne le satisfont pas affectivement.

Les signes de Feu selon Jacqueline Bony-Belluc

L'astrologie trinitaire[1] considère que le Sagittaire est le troisième facteur du triangle de Feu du Zodiaque. Exprimons-le donc en valeur ternaire:

Le Bélier: 1re énergie Feu – *de l'être tout entier* – du tout humain dans sa vérité personnelle (positive *et* négative).

Le Lion: 2e énergie Feu – *par sa volonté* (...), par ses forces d'accomplissement (positives *et* négatives).

Le Sagittaire: 3e énergie Feu – *en le mouvement qui l'anime* –, en son mouvement, celui de l'être tout entier qui le rend vivant, le manifeste:

– c'est-à-dire le mouvement de croissance, d'ascension qui dirige *tout l'être* vers l'expansion, qui augmente son potentiel en voie de perfectionnement.

– *puissance considérable* de *construction* et de *destruction* (de 1, le Feu originel en 9, sa puissance effective).

1. Jacqueline Bony-Belluc, *Aquarius ou la Nouvelle Ère du Verseau,* éd. Albatros, 1979.

Chapitre II

Caractérologie générale
du Signe

UN JOUR MON BATEAU ARRIVERA À QUAI ET, AVEC MA VEINE, JE SERAI PROBABLEMENT À L'AÉROPORT !

SCHULZ

Malgré la volonté de réussir qu'a le natif du Sagittaire, il reste toujours une partie de lui-même qui passe à côté de l'essentiel. © United Feature Syndicate, Inc., dessin de Schulz.

Le Sagittaire dans la Vie

Sagittaire et Gémeaux

Pour chercher à comprendre l'univers sagittarien, il peut être intéressant de découvrir la personnalité du signe opposé, à savoir celui des Gémeaux. Car les Gémeaux ont une « problématique » qui apparaît comme l'inverse de celle du Sagittaire, puisqu'ils se trouvent à l'autre extrémité du Zodiaque.

Si le Sagittaire est le signe des responsabilités et des engagements, le Gémeaux est celui des actes gratuits et des libertés. Si le Sagittaire est le signe des actes et des projets, le Gémeaux est celui des discours et des remises en cause. Si le Sagittaire est idéaliste et, au fond, vertueux, le Géminien peut apparaître comme cynique et agnostique. Oswald Wirth écrit (*le Symbolisme astrologique,* éd. Dervy, 1973) : « Mercure est en exil dans le Sagittaire comme Jupiter l'est dans les Gémeaux ; il y a incompatibilité entre la haute intelligence théorique (Jupiter) et la vulgaire habileté pratique (Mercure). » Quant à Marcelle Sénard, avec plus de modération, elle précise : « L'Energie Gémeaux n'est ni supérieure, ni inférieure à l'Energie Sagittaire, mais au point de vue de sa manifestation à travers l'entité en voie de développement, ses effets se traduisent par un rayonnement perçu d'une manière discontinue et plus ou moins indépendante de la volonté de l'entité, lequel est de la nature de la voyance, qui ne doit pas être confondue avec la vision juste, totale, coordonnée et continue du Sagittaire. »

Le signe des Gémeaux peut très bien être dans la peau d'un mercenaire. C'est l'ingéniosité avec laquelle il accomplira sa tâche plutôt que son bien-fondé qui joue. A la limite, il laisse la responsabilité des résultats à celui qui lui donne des ordres. Les criminels de guerre nazis, du type Eichmann, ne se considéraient pas responsables de leurs actes et constituaient un type mercurien songeant surtout à manifester de l'habileté pour résoudre tel problème épineux : l'astuce prime sur le sens moral.

Le signe des Gémeaux, signe d'Air, est un signe double tout comme le Sagittaire, car les signes diamétralement situés sont – dans le Zodiaque – toujours de même nature, cardinale, fixe ou mutable.

Il aura en commun avec notre signe l'ampleur du champ de conscience et de vision, le sens du mouvement et du changement, une certaine volonté de dominer l'autre, de le marquer, de se mettre à sa place ; enfin une adaptation aux situations les plus complexes.

Dans le signe des Gémeaux, on trouve deux jeunes hommes, identiques par définition, ou un être qui se reflète dans un miroir. Le Sagittaire, lui, représente l'extraversion absolue, celle qui se dirige vers l'autre, l'étranger, l'étrange, celle qui brise les lois du clan pour un mariage entre forces inconciliables : il est irrésistiblement attiré par ce qui n'est pas lui. C'est l'anti-Narcisse. On ne saurait rêver deux attitudes plus antagonistes : Narcisse qui n'échappe jamais à lui-même et Chiron qui, monstrueux, ne s'appartient plus, identique à nul autre et semblable à tous.

Cyrille Wilczkowsky s'est attaché à souligner la polarité Gémeaux-Sagittaire : « Le centaure qui symbolise ce signe [du Sagittaire] participe à la nature animale. De ses quatre sabots, il touche à la Terre Mère et y puise, tel Antée, sa force originelle. Il parcourt les monts et les vallées d'un monde en naissance, aspirant joyeusement ses parfums grisants, mais son torse humain se redresse fièrement et ses regards s'élèvent vers le ciel. Il est l'intermédiaire entre les deux mondes opposés, il réalise l'accord entre l'intellectuel et le physique et, tandis que les Gémeaux ne représentent qu'un vain effort vers la synthèse, il personnifie, lui, la synthèse accomplie [...]. L'homme des Gémeaux doute et pèse, le Sagittarien manifeste une totale confiance et un esprit de décision. L'homme des Gémeaux s'avance en hésitant dans un monde hostile, le Sagittaire s'élance, plein d'ardeur et de courage, participant à la vie du Grand Tout. »

Les dualités

« Lorsque, écrit Joëlle de Gravelaine, le Sagittaire "cheval" domine, les aventures peuvent se succéder, toujours teintées de sentimentalité, d'un certain "romanesque" surtout. Mais c'est alors la pulsion instinctive qui dirige le choix, le désir de conquête qui l'emporte. Lorsque le Sagittaire "archer" prime, on a affaire à un homme aspirant à la perfection – et qui croit souvent la rencontrer –, qui sacrifiera toujours ses aventures à son foyer, à sa femme. » (*Connaissez-vous par votre signe astral*, éd. J. Grancher, 1975, p. 172). Voilà un exemple frappant de l'emploi du mythe en direction d'une amorce caractérologique. Le « cheval » et l'« archer » nourrissent les deux tendances du signe.

En fait, l'on est soit confronté à un centaure, qui doit assumer la double appartenance à l'animal et à l'homme, *à la différence de tout autre signe zodiacal*, soit l'on accepte que ce soit Hercule et non son adversaire qui est retenu (comme dans le cas du Scorpion); alors, il y a là un dédoublement du sujet et de l'objet en accord avec le paradoxe du comédien. Il est à la fois son rôle et lui-même, à la fois le public qui fait exister son spectacle et l'homme qui est vu.

La première dualité : le centaure

L'existence de là dualité centaurienne implique qu'il y ait tension. Perpétuelle quête d'un passage qui métamorphosera l'animal en être doué d'une âme, d'une étincelle divine, miracle de l'évolution qui va du singe à l'homme. Instabilité, par conséquent, centaurienne, qui est insatisfaction, crainte de revenir à l'état de bête, conquête toujours fragile et souvenir d'une sublimation difficile. On peut dire que le centaure – et non le cheval ! – ne commence pas sa vie comme il l'achèvera : le vecteur temps y est crucial.

Cette attitude est à la fois positive et négative. Elle est d'une part garante d'une ambition inassouvie d'une certaine humilité (car le centaure n'oublie pas qu'il est être de chair, poussière), mais elle peut aussi faire tomber le masque : on se retrouve face à un être instinctif, égoïste, cruel. « Chassez le naturel, dit-on, il revient au galop. » On peut craindre alors une certaine hypocrisie, qui refoule des tendances considérées comme honteuses. Le centaure devient Tartuffe, avec son « Cachez ce sein »...

La seconde dualité : la cible

En aucune manière le Sagittaire ne pourrait se croire seul au monde : on le regarde, il a des comptes à rendre à quelqu'un. Il sera jugé sur ses actes. Il prend même de la distance par rapport à lui-même, il se voit vivre. Il se met à la place de l'autre, il *est* l'autre. A la limite, cette attitude peut devenir pathologique... L'archer, c'est aussi la mort qui menace, telle l'épée de Damoclès. C'est surtout une possibilité de dédoublement de la personnalité comme dans le film de Hitchcock : *Psychose*. A force de chercher à percevoir l'autre – ce qui est gage de dialogue, puisqu'on se « met à sa place » –, on veut être l'autre autant que soi-même : voilà qui mène à la paranoïa, car l'obsession de l'autre, de ce qu'il peut penser, dire ou vouloir, aboutit parfois à la volonté de se substituer à lui pour s'assurer qu'il ne lancera pas ses flèches.

Ce dédoublement de personnalité (contrairement à celui des Gémeaux, qui affaiblit son identité) accroît, chez le Sagittaire, sa présence et son pouvoir par la *volonté de puissance* qui en est le moteur. Se mettre à la place de l'autre, pour le Sagittarien, cerner ses motivations et ses désirs, c'est, essentiellement, *le limiter dans ses actes* et notamment dans toute forme d'agressivité; rien ne doit lui échapper et surtout pas par la violence. Ce qu'il rassemble et unifie lui *appartient.* D'où l'intelligence avec laquelle il réunit des groupes antagonistes, il parvient à concilier des forces inconciliables et à transformer des guerres (industrielles, commerciales, financières, etc.) en forces rassemblées et constructrices.

Toute forme d'agressivité et de violence est dans son système de valeurs ressenti profondément comme un affaiblissement de la force, puisqu'elle divise les hommes, les amoindrit et les rend vulnérables.

Le Sagittarien ne supporte pas les conflits: non par lâcheté, comme parfois la Balance peut en faire preuve, mais par goût profond de l'union qui fait la force. Le proverbe : « Sois proche de tes amis et sois encore plus proche de tes ennemis » a dû être inventé pour lui. Bien plus : ce qui l'intéresse, dans le « cessez-le-feu », ce n'est pas la paix (morne plaine qui l'ennuie), ce sont les projets d'envergure qu'il va pouvoir réaliser grâce aux forces réunies. Plus il y a de forces réunies – et prêtes à agir selon ses plans – mieux il se sent.

Un manipulateur charmeur et chanceux

Il faut savoir, enfin, que le Sagittaire est un grand manipulateur. Car, ce qu'il s'acharne à réunir, à rassembler, à réconcilier pour en tirer la plus grande force, il ne le fait pas, comme on pourrait le croire, par philanthropie (quoiqu'il en soit capable en certaines circonstances), il le fait par goût avoué, serein et victorieux du pouvoir.

Il s'agit, chez lui, d'un pouvoir rayonnant qu'encouragent son charme immense, chaleureux, son « instinct de chance » (qui lui fait saisir, au bon moment, la chance qui passe) et son sens inné du confort. Ne vous y trompez pas : ce confort-là, il est prêt à le sacrifier, à tout moment, pour l'aventure. Et c'est d'ailleurs un être qui présente, tour à tour, ces deux aspects contraires de sa personnalité : une implacable avidité de confort, de luxe, et une étonnante faculté de s'abstraire des contingences matérielles si les événements ou la situation l'exigent. D'ou une grande partie de sa force : souvent, il ne manipule son prochain que pour le plaisir de manipuler, pour avoir cette impression de toute-puissance qui lui est nécessaire, et non pour en tirer le moindre profit.

Patricia Kaas : une fragilité apparente sous une volonté d'acier, une puissance artistique hors du commun, tels sont les points forts de cet androgyne Sagittaire.

Le Sagittaire et l'Amour

La conscience de l'autre apparaît, chez le Sagittaire, comme le facteur déterminant en amour. L'autre, celui qui regarde, qui pense à côté de vous, qui est-il, que veut-il vraiment?

L'attitude sagittarienne ne consite pas à supposer que l'autre est un alter ego, elle est parfaitement consciente, tout au contraire, de la différence de l'autre. Il attend un dialogue franc de la part de son partenaire, mais aussi des manifestations visibles, évidentes, d'amour. Ce signe goûte les démonstrations, les preuves d'affection. Aussi sera-t-il lui-même affectueux, attentif à chaque mot de l'être aimé, cherchant à tout prix à le comprendre, à en faire le tour pour que le regard de l'autre devienne familier, sans surprise.

Il fait trop grand cas, parfois, du jugement et des réactions de son partenaire. Il devient alors familier des valses-hésitations dans la mesure où il ne se fie pas à ses seuls instincts, à son premier mouvement. Il peut arriver à s'inhiber dans sa relation avec l'être cher, tant il est à son écoute, tant il privilégie son existence, sa présence, son amour.

Dans ses rapports sentimentaux, le Sagittaire n'est pas à l'abri des atermoiements car il a une haute idée du couple. Il ne peut traiter son partenaire avec mépris et indifférence. Mais il ne supporte guère d'ignorer ce qui se passe dans la tête de son interlocuteur. Le silence face à ses questions l'horripile et peut le faire « sortir de ses gonds ». Il est si inquiet de ce que l'autre pense de lui qu'il n'hésitera pas à ouvrir des lettres, à écouter des conversations qui ne lui sont pas destinées.

Le Sagittaire, homme ou femme, n'est donc pas un partenaire de tout repos, il se montre exigeant, il a besoin de communiquer sans trève avec l'être aimé. Il est par essence le signe du couple, puisque son symbolisme, on l'a vu, recouvre à la fois l'autre et lui-même. Il n'existe, à la limite, qu'au sein d'un ensemble. En cela, il sera extraverti : il existe par et pour l'autre, ses actions n'ont de sens que si elles ont un impact sur son entourage, que s'il est en mesure de percevoir le reflet de son influence dans les yeux d'autrui.

La deuxième caractéristique sagittarienne est celle du centaure; cela nous renseigne sur sa sexualité : il n'est vraiment à l'aise ni dans l'instinctivité, à l'image des signes « animaux » (Taureau, Lion, Poissons, etc.) ni dans la sublimation, comme le sont les signes « humains » – les signes d'Air tout particulièrement. D'où conflits intérieurs, tensions dus à un choix difficile. Il recule alors devant l'obstacle, remet à plus tard ce défi, cette confrontation avec lui-même dont il ne sait comment sortir. Il redoute de tout perdre en sacrifiant à la déesse Sensualité, de n'être plus que « cheval »; aussi ne s'abandonnera-t-il guère à sa sensualité, sauf s'il a l'assurance de ne pas en être le jouet. Ainsi, il peut être tenté de « payer » une femme pour être sûr de lui échapper. Ou bien une femme du Sagittaire choisira des hommes qu'elle domine entièrement afin d'éviter que l'inverse se produise. Voilà pourquoi il est essentiel pour la maturité du Sagittarien de franchir ce cap, de lutter contre ses réticences.

Celui qui est craint et celui dont on profite

Psychologiquement, il est à la fois celui qui est craint et celui dont on profite, celui qui est courageux au combat et celui qui, à la façon du pélican, se laisse manger. Telle est bien, nous semble-t-il, la nature du Sagittaire sur le plan affectif : il est l'homme fort, sur lequel on peut s'appuyer et qui ne craint guère les obstacles, mais sa virulence est tempérée par un besoin de servir, d'être utile à la collectivité, qui peut très bien le conduire à l'abattoir ou à une existence morne, triste, fort peu romantique.

Le Sagittaire peut alors perdre ses griffes et son poil noir et rude pour se faire tondre, tel Samson par Dalila ; cette image se justifie d'autant plus que Samson est un mythe solaire (Samson vient de Shemesh, le Soleil, dans les langues sémitiques). L'histoire de Dalila est typique d'un amour sagittarien : Samson, l'Hébreu, est doué d'une force « herculéenne », il abat ses ennemis par dizaines. Il tombe amoureux d'une Philistine, fille du peuple qu'il combat, Dalila. Celle-ci s'efforce de percer les secrets de sa force pour pouvoir le briser, l'avoir à sa merci. Après divers stratagèmes, Dalila apprend enfin que si l'on coupe les boucles de Samson, sa force s'évanouit. Dalila coupe alors les cheveux de Samson et le livre aux Philistins qui lui ôteront la vue. Prions donc pour que le Sagittaire, homme ou femme, ne rencontre point une (ou un) Dalila. Cela montre, au demeurant, que l'amour est très important pour le Sagittaire et qu'il est prêt à lui sacrifier son indépendance.

Un remarquable interlocuteur

Il faut que le natif du Sagittaire parvienne à faire une synthèse, à l'intérieur de lui-même, entre ses tendances instinctuelles, qu'il juge mauvaises, et ses aspirations morales. Auquel cas il se présente comme un être généreux et attentionné en amour, fort équilibré dans sa perception de l'autre ; en outre, c'est un remarquable interlocuteur, qui aime le dialogue et le pratique le plus souvent possible, qui sait écouter et répondre avec autant d'intelligence que de discernement. Il est capable, également, de *recevoir des conseils* de l'être qu'il aime, d'en tirer parti et, par là, de lui donner confiance en lui. Cela tient à son respect profond de l'autre ; contrairement au Scorpion, qui éprouve le besoin de transformer son amour à son image, le Sagittaire admet profondément la différence de l'autre. Même si elle le gêne ou le dérange. C'est un être naturellement tolérant.

Parvenir à vivre un amour « complet », total, qui mette en œuvre tout l'être, qui ne soit ni exclusivement platonique ni dicté par une simple attirance physique, tel est donc l'un des principaux objectifs du Sagittaire.

C'est pourquoi il ne faudra pas craindre avec lui une dégradation de la qualité amoureuse : il veillera à un juste équilibre.

Le signe des unions entre races

Ce centaure est enfin, sur le plan amoureux, le signe des unions entre races et cultures différentes, parfois même entre classes sociales différentes : à l'inverse du Lion, qui a du mal à se libérer de sa condition de naissance, le Sagittaire sait faire éclater les carcans et les tabous sociaux, culturels, raciaux et géographiques. Il peut être considéré, dans une certaine symbolique astrologique, comme l'initiateur de cette alchimie des corps qui donne naissance à une progéniture mélangée et fait songer à ces jardiniers qui tentent de créer, au prix de mille croisements, une nouvelle fleur qui surpasse en beauté toutes les autres (cf. *la Tulipe noire* d'Alexandre Dumas).

Sanglier ou cochon ?

Passons au troisième terme de l'équation sagittarienne, la dualité sanglier-cochon. Le Sagittarien doit être apprivoisé, domestiqué par son partenaire. Le Sagittaire ne craint pas seulement les abîmes du sexe dont il ne sait s'il aura la force de s'échapper, mais également les contraintes du foyer, de la maison, les devoirs domestiques. Le Sagittarien-sanglier n'est pas, au départ, disposé à s'adapter à la vie bourgeoise. Le fond de sa nature est sauvage – ce qui se conçoit de la part d'un signe de Feu. Il n'est pas sans une certaine cruauté, dans laquelle il se complaît. Il aime sentir son pouvoir, effrayer, montrer les dents. C'est un lutteur, voire un mercenaire. Mais il court le risque de se laisser appâter et de devenir « cochon »...

Sur le plan sentimental, faire la conquête d'un Sagittaire c'est vaincre ses défenses et entrer dans un processus sadomasochiste : le Sagittaire est en effet partagé entre l'instinct de puissance sur l'autre et la perspective d'une vie tranquille, protégée, voire exploitée. Quelle déchéance plus grande, en effet, que le passage du sanglier redoutable et féroce à cette créature méprisée, le cochon, qui, bien engraissée, finira sous forme de jambons et de saucisses !

Tout ce qu'il regarde lui appartient

Marie-Louise Sondaz est un des auteurs les plus attentifs à l'amour des différents signes (cf. *Votre signe et l'amour,* éd. Tchou, 1969). Elle consacre à la vue, le sens sagittarien par excellence, de très belles pages : « C'est par la vue que l'amour entre dans l'esprit de l'homme avant d'entrer dans son cœur et dans sa chair. Ce qui donne la première place à ce sens raffiné, lequel s'exerce en dehors de tout contact immédiat, c'est-à-dire dans une zone idéale où se pratique une sublimation spontanée au cours de laquelle entrent en jeu les facultés esthétisantes. La vue nous semble mériter la place suprême parce que tout ce qui est génial dans l'œuvre humaine – la musique exceptée – lui appartient. Donc par le regard se manifeste la première émotion amoureuse, cynique, railleuse ou admirative; choix du maître, trouble de l'esclave ou enchantement de l'artiste, il n'est pas d'amour véritable si le premier regard ne provoque une intense émotion, un rappel esthétique, une observation d'ensemble et de détail si intense, si profonde, allant parfois jusqu'à l'extase si bien que sa trace dans la mémoire prendra un caractère indélébile et déclenchera par la suite du temps humain des émotions dérivées. L'amour retrouvera, dans l'art ou dans la vie, telle nuance de cheveux, telle expression, telle ardeur du regard, telle exquisité du sourire qui fera battre son cœur. La forme des mains, l'ampleur ou la grâce d'une épaule, les mouvements de la taille, tout sera fixé, et pour jamais, sur cette rétine intérieure qui conserve les images mieux que ne le ferait le cliché photographique le plus fidèle. Emotion si aiguë et si décisive qu'aucun jugement, ni vieillissement, ni altération postérieure ne saurait y rien changer. Le rêve confirme cette assertion. Sur sa trame apparaissent les figures aimées en leur silencieux mystère, prononçant des ombres de paroles que l'ouïe ne saisit pas car la vue est le sens du souvenir, de l'admiration, du premier élan amoureux dont le songe se plaît à reproduire l'éblouissant graphisme. »

L'être des coups de foudre

Parler d'amour à propos du Sagittaire, c'est donc se rappeler que la *vue* est le premier sens par lequel passent ses émotions. C'est à travers le regard que se déclenche, en priorité absolue et intense, le sentiment d'amour qui va l'inonder. D'où sa faculté d'éprouver des « coups de foudre », autrement dit, d'être sensuellement saisi par la vue d'un être. Souvent, le langage, les échanges « culturels » interviennent après que son amour a commencé. Ce qui expliquerait la facilité qu'a le natif du Sagittaire de communiquer avec les étrangers; il sait, mieux que quiconque, se servir du regard et, parfois, cela lui suffit pour éprouver de l'amour (ou de la haine) à l'égard d'autrui.

Une autre analogie peut être évoquée à cet égard : celle du personnage de Cupidon, le petit dieu muni de son arc, que l'on retrouve sur la lame VI du tarot.

Le Sagittaire est non seulement familier des coups de foudre mais aussi il rencontre souvent celui ou celle à qui il sera tenté de faire des serments éternels. On voit donc que le Sagittaire ne fuit pas l'amour-passion. Mais, comme il est souvent attiré par des ambitions plus universelles (sa carrière, sa vocation, sa mission, etc.), ses vraies tendances n'apparaissent que dans sa jeunesse ou en période de crise. Il se laisse alors emporter sans réserve par les tourbillons de l'amour lorsque l'occasion s'en présente et qu'il est convaincu de la sincérité de son partenaire. En effet, le Sagittaire a du mal à concevoir qu'on l'aime, habitué qu'il est à donner plus qu'il ne reçoit. Il arrive même qu'il subisse l'isolement des grandes âmes.

Les malheurs sentimentaux du Sagittaire

La mythologie ne nous laisse guère d'espoir de voir le Sagittaire vivre des amours tranquilles et égales. D'abord, Jupiter est réputé pour ses écarts. Il « trompe » sa digne épouse Junon à maintes reprises. C'est un époux volage. On pense à ces grands bourgeois qui, derrière une façade imposante, comme dans *Famille Boussardel,* de Philippe Hériat, s'autorisent bien des licences.

Recommandons au partenaire du Sagittaire de respecter le romanesque du signe : il aime à se faire pardonner; signe double, l'amour, pour lui, ne peut être monotone. On aura plutôt l'impression de chevaucher une monture au galop.

Il ne peut s'empêcher, de temps à autre, de mettre son amour à l'épreuve, il veut en faire de l'acier trempé. Cela demande des nerfs solides. D'ailleurs, s'il fallait s'en tenir au symbolisme du cheval et du cavalier, le Sagittaire devrait être considéré comme un cowboy et, plus encore, comme un *macho*. Ce terme est aujourd'hui devenu synonyme de phallocrate. Le « machisme », c'est une attitude qui veut que la femme soit, en quelque sorte, « la plus belle conquête de l'homme ». Voilà une expression qui ne doit pas déplaire à notre protagoniste...

Et si un rival se présente?

Le Sagittarien respectera avec fair-play les retours du sort. Il ne s'accrochera pas à un formalisme vidé de son sens, il s'inclinera devant la fatalité, acceptera de se séparer de ceux qui ne sont plus attachés à lui. Il passera le relais à un autre. D'une façon générale, il n'attendra pas pour plier bagage que la situation sentimentale devienne intolérable. Il s'effacera. Son tempérament magnanime l'incline à comprendre et, finalement, à pardonner qu'on ne veuille plus de lui. En outre, son orgueil l'entraîne à agir de manière à laisser un bon souvenir de lui; il sait qu'une vie exemplaire peut être défigurée si l'on n'apprend pas à finir en beauté. Aussi acceptera-t-il facilement, en cas de divorce, de ne pas avoir la garde des enfants. Il ne se retranchera pas derrière la procédure, bien qu'il soit important, pour lui, de se retrouver à travers ses enfants, de discerner ses propres traits dans ceux de son fils ou de sa fille, de savoir qu'il est père et même plus encore grand-père, d'être à l'origine d'un processus, d'un engrenage qui continue en dehors de lui.

Le Sagittaire, à ce titre, aime la famille parce qu'elle est la continuation et le dépassement d'une flèche qu'il a, un jour, décidé de lancer.

Gérard Philipe, natif du Sagittaire, dans les Caprices de Marianne : *le Sagittarien ne peut s'empêcher de mettre, épisodiquement, son amour à l'épreuve.*

Steven Spielberg : très souvent, le goût du voyage sagittarien – voyage dans l'espace comme dans le temps – s'associe au besoin de communiquer sa vision très personnelle : à cet égard, le cinéaste Spielberg est très représentatif de son signe.

Le Sagittaire et l'Amitié

Quelles relations le type Sagittaire entretient-il avec les personnes qui l'entourent? Selon le premier principe, celui de la cible, il écoute avec attention les observations de ses amis; il va même jusqu'à les provoquer. Il a horreur des flatteries. Il préfère les critiques, les « pointes » aux compliments, car il est assez sûr de lui-même pour ne pas avoir à mendier les « bonnes paroles ». Relation de franchise, à brûle-pourpoint: il ne fuit pas le dialogue, il sait recevoir des coups mais aussi les rendre. Qu'on se méfie de cette attitude! La stratégie du Sagittaire est de subir les assauts sans y répondre sur-le-champ, pour voir jusqu'où va la vindicte de son interlocuteur. Le Sagittaire-cible est l'homme de la contre-attaque lentement organisée, de la vengeance implacable. A l'image de l'éléphant, le sanglier, qui a en commun avec lui les défenses, se souvient du mal qu'on lui a voulu, sinon fait.

En fin de compte, le Sagittaire s'ouvre à son entourage, il le laisse s'exprimer en toute liberté, il ne souhaiterait pas qu'on le frappât dans le dos. Mais on ne peut dire de lui qu'il aime à partager le pouvoir. Tel Jupiter, c'est plutôt un dictateur éclairé, assez paternaliste, qui évite de prendre des mesures par trop impopulaires. Il a besoin de conseillers plutôt que de collaborateurs. Il sait, qu'en dernière analyse, c'est lui qui « paiera les pots cassés ».

Le deuxième principe est celui du centaure : on connaît les orgies des centaures puisque c'est justement sur la piste du sanglier d'Erymanthe qu'Hercule va devoir supporter les excès de ces êtres enivrés. En compagnie, le Sagittaire-centaure perd parfois le contrôle de lui-même, il se laisse griser par une certaine euphorie. On retrouve là son côté comédien. Mais habituellement, le Sagittaire ne s'adonne pas complètement à l'ivresse et à la débauche. La partie supérieure du centaure veille. Le contraste est flagrant entre cette bande d'énergumènes qui finissent par devenir violents et grossiers (les centaures) et le sage Chiron qui nourrit ses élèves de la plus haute morale. On passe du Banquet à la Cène christique. Il est vrai que la liturgie a préservé ce passage de la Table vers l'Autel : le vin qui enivre a survécu dans le cérémonial de l'Eglise.

On n'insistera jamais assez sur la transmutation qui s'opère dans le Sagittaire, ce signe-carrefour dont la symbolique s'est compliquée comme à plaisir. Rassemblement des contraires, telle est, au fond, la vocation sagittarienne, non seulement en lui-même mais autour de lui; on sait que ce signe est celui, du moins à travers la planète Jupiter, des hommes politiques. Être en mesure d'accueillir autour de lui les personnes des horizons les plus divers, qui ne se concilieront que grâce à lui, tel est le rêve de tout Sagittaire. Sa créativité est moins artistique ou philosophique que sociale : donner naissance à une communauté, à un courant qui prend forme, concentrer des énergies éparses, à la façon d'un François-Joseph, unissant sur son nom l'Autriche et la Hongrie.

Ce donquichottisme donne évidemment parfois naissance à des chimères : si le Sagittaire s'éclipse, l'empire se disloque, les forces centrifuges reprennent presque toujours le dessus.

Les amis du Sagittaire ne sont pas nécessairement amis entre eux. Ils se supportent seulement à l'ombre de la bonhomie de ce signe qui donne à chacun le sentiment d'être compris. Il est bien rare, en définitive, que le Sagittaire ne soit pas tenté de transformer une réunion amicale en une assemblée de militants... Ce qui est un peu fatigant avec lui, c'est son besoin de voir grand; il a la tête politique, il est intimement convaincu que les hommes ont besoin de grands projets.

Avec le troisième principe sagittarien, celui du sanglier, on peut soutenir que le Sagittaire recherche davantage l'amitié à l'époque de sa maturité, vers quarante ans; auparavant, ses relations sont empreintes d'agressivité, de domination, de méfiance, qui lui donnent d'abord une réputation d'ours, peu enclin à la politesse et aux manières. Puis, lorsqu'il atteint l'âge « jupitérien », un esprit de tolérance se fait jour : le Sagittaire a compris que l'« on n'attrape pas les mouches avec du vinaigre »; il se révèle alors fin diplomate et acquiert une bonne dose d'hypocrisie – c'est aussi Tartuffe. Mais, derrière ses sourires et ses courbettes subsiste, tellement enfouie qu'on finit par l'oublier – c'est d'ailleurs ce qu'il souhaite –, cette ambition de construire le monde à sa manière. Là encore, sa stratégie est d'endormir l'adversaire; il prend une apparence inoffensive, remise ses défenses et son poil dru pour ménager ses effets de surprise. Comment pourrait-il en être autrement avec une mythologie aussi bigarrée, la plus composite de tout le Zodiaque? C'est Janus avec ses deux faces. Plus que le Verseau, signe des révolutions, le Sagittaire étonne (étonner vient de tonnerre, attribut de Jupiter).

Ceux qui l'approchent en restent déconcertés : il est ange et démon tour à tour, candide et machiavélique. Spécialiste de la douche écossaise, il souffle le chaud et le froid. C'est ce régime qu'il impose à son entourage pour l'avoir à sa merci; c'est ce régime qui fatigue et le laisse maître du terrain.

Si l'amitié du Sagittaire est constructive, il sait aussi se venger, à l'exemple du centaure Nessus qui, finalement, aura le dernier mot face à Hercule. Le Sagittaire ne craint pas de se replier lorsque la situation l'exige; en état de fuite, il décoche alors « la flèche du Parthe ». Cette expression évoque ces cavaliers émérites qui, tout en faisant retraite, tiraient sur leurs poursuivants en se plaçant sur leur monture de façon à pouvoir viser. Le Sagittaire goûte les épreuves de résistance, ne l'oublions pas.

Retourner les situations

Sous l'angle chironien, l'amitié du Sagittaire pourra enfin se manifester de façon particulièrement édifiante : lorsqu'il est venu en aide à Prométhée enchaîné (Gide, qui est de ce signe, lui a consacré un ouvrage), il a montré à quel point l'amitié sagittarienne est faite de compréhension et de dévouement; il a rompu le cercle maudit qui condamnait pour toujours le voleur du feu à un supplice quotidien. Il a transformé en force d'amour et de réconciliation ce coup du sort qu'était la flèche perdue d'Héraclès. Et c'est un peu cela le génie du Sagittaire, l'homme de Jupiter : savoir retourner les situations.

Le Sagittaire n'oublie pas un service rendu, même si les années passent. Il saura à temps se souvenir de celui à qui il a promis de venir en aide. Il remuera ciel et terre pour apporter secours à un homme auquel il ne doit pourtant rien, mais dont l'envergure, l'héroïsme, l'exemplarité ont su le conquérir.

Rendre service sans se nommer

L'amitié sagittarienne – sous l'angle de la flèche anonyme – c'est aussi la discrétion: rendre un service sans se nommer.

Le Sagittaire entend être confondu avec la destinée, c'est là son orgueil. Il veut que ses bons et ses mauvais coups apparaissent comme naturels. Le Sagittaire rendra de nombreux services à la dérobée.

Il y a, finalement, un certain effacement chez le Sagittaire. Il manipule les êtres avec habileté, mais avec tact. Le bon archer profite de l'effet de surprise, se place en embuscade. C'est ce qui fait à la fois sa petitesse et sa grandeur : il agit derrière le dos des autres pour le pire ou le meilleur. Il pourra être le Cupidon qui rapprochera deux amis en restant à l'écart, et l'auteur d'une lettre anonyme qui brisera une union.

La vie aventurière et pleine de rebondissements en tous genres de Frank Sinatra signe une personnalité typiquement sagittarienne. N'oublions pas que la musique tient une place importante dans la vie des natifs de ce signe.

Andrzej Zulawski : créateur à la veine souvent tragique, Zulawski fait des slaloms dans la psyché humaine : ses films bouleversent le paysage intérieur de l'homme.

Le Sagittaire et son Éducation

Le petit Sagittaire risque d'être un souffre-douleur dans sa famille, une cible, un bouc émissaire. Par un curieux concours de circonstances, c'est toujours lui que l'on soupçonne, que l'on choisit pour « faire un exemple ». Sa fierté l'empêchera de chercher à se justifier. Au fond, il se satisfait de ne pas être oublié, même si c'est pour être puni. Il retirera de ces expériences de l'enfance la capacité d'assumer une certaine tension morale, de supporter une épée de Damoclès au-dessus de sa tête sans en être autrement angoissé. Il s'aguerrira, s'entraînera à son futur statut de chef.

Evidemment, s'il a été par trop traumatisé dans son enfance, le Sagittaire ne pourra s'épanouir. Il vivra, sous une forme ou sous une autre, un complexe de culpabilité, voire d'échec qui minera son avenir. C'est pourquoi les parents d'un Sagittaire ne doivent pas entrer dans son jeu qui consiste à se faire remarquer à tout prix. Le petit Sagittaire a besoin que l'on s'occupe de lui et, pour cela, il commettra des « bêtises » si l'attention spontanée de ses parents ne suffit pas. Il vaut mieux risquer de le « couver » un peu trop que le contraindre à faire les quatre cents coups.

La période de puberté sera vécue de façon particulièrement conflictuelle. On peut penser que le jeune Sagittaire découvrira tôt son corps et jouera avec lui mais non sans un certain sentiment de culpabilité lié à sa dimension centaurienne. Le centaure refuse, en effet, jusqu'à un certain point, la partie inférieure de son corps, si différente de sa partie supérieure; c'est pourquoi il n'est pas difficile de créer en son esprit des tabous et des interdits terrifiants dont il risque de garder longtemps les traces.

On conseillera donc aux parents de présenter la sexualité sous un jour positif sans recourir aux menaces en vigueur. Plus que tout autre, le Sagittaire est vulnérable sur ce point et parvient assez tardivement à un équilibre, à une harmonisation de ses tendances. Le Sagittaire, signe double, est sujet à un comportement cyclique; selon que la partie supérieure ou inférieure prédomine, il sera chaste ou libertin, ascète ou libidineux.

Il ne faut pas trop s'alarmer d'une certaine irresponsabilité dont fait preuve, au début de sa vie, le jeune Sagittaire. Il se « rangera » tôt ou tard. Le jeune, ou la jeune, Sagittaire recherche un travail hors des sentiers battus. Il a l'intuition du filon qui promet, et il est rare qu'il ne parte pas sur une bonne piste. Il « flaire » le bon créneau, à la façon d'un fauve; nous retrouvons ici, à travers la notion de recherche du gibier, la représentation classique du Sagittaire qui poursuit un but. Cette quête sagittarienne est de longue haleine, elle n'épargne pas les rudes chevauchées, les poursuites périlleuses, les ornières des grands bois qui sont le domaine du signe. Le jeune marcassin a besoin de partir à l'aventure, de creuser son propre sillon, sinon il en portera toujours le regret au fond de son cœur. Le Sagittaire, troisième signe de Feu, est celui de la mutation vers une autre dimension, le passage du Feu à la Terre, du fauve à l'animal domestique et, pour prendre comme exemple les deux signes fixes, c'est la transition du Lion vers le Taureau, premier signe de Terre dont le centaure porte déjà le nom : « taure ».

Les rapports parent-enfant trouvent une illustration célèbre avec le personnage de Guillaume Tell. Ce héros suisse du XIVᵉ siècle, qui permit à son pays de s'affranchir du joug autrichien, avait été mis à l'épreuve : il devait tirer sur une pomme placée... sur la tête de son fils. Quel supplice pour un père que de risquer de tuer son enfant de ses propres mains ! Heureusement, l'enfant eut foi en son père, il ne tressaillit point et la pomme fut transpercée. La morale de cette histoire est que l'enfant du Sagittaire souhaite vivement participer aux activités de ses parents et sait, très tôt, acquérir les qualités qui lui permettront d'accéder à l'état adulte.

Le Sagittaire est censé être un bon éducateur. Si l'on adopte l'image du cavalier – ne faut-il pas savoir dresser un cheval ? –, on retrouve une notion de domestication, d'apprivoisement qu'on avait signalée avec le rapport sanglier-cochon. Il faut aussi savoir « conduire » une monture. Autant d'indices qui laissent à penser que notre signe se révélera un excellent éducateur.

Le Sagittaire devrait pratiquer des sports d'équipe. Les sports collectifs sont en effet une école de fraternité, de travail en commun, qui exaltera le tempérament du Sagittaire, ennemi de la mesquinerie et des satisfactions gratuites de l'ego.

Le parent Sagittaire, selon le principe de la flèche anonyme, attachera une importance toute particulière à l'éducation de ses enfants. On pourra même lui reprocher de vivre par procuration.

En effet, l'enfant est à son père ce que la flèche est à l'archer. Il est son père même si son père n'est plus là, il agit en restant marqué par lui, même après la mort de ce dernier. C'est pourquoi le Sagittaire devrait s'épanouir à travers une nombreuse famille, et chacun de ses enfants sera une flèche qu'il projettera dans le monde. Tout comme l'archer polit minutieusement ses flèches, le père et la mère Sagittaire tâchent d'éduquer leur progéniture pour qu'elle avance dans la direction qu'ils ont choisie.

Le Sagittaire peut devenir un chef de dynastie, un patriarche bénissant chaque union, chaque naissance, et poursuivant sans cesse une progression tentaculaire.

L'enfance de Woody Allen, racontée en bandes dessinées, donne un aperçu de ce que ressent l'enfant du Sagittaire dans un univers qui n'adhère pas totalement à ses désirs. (© 1978. King Feature Syndicate, Inc.-Distribué par Opera Mundi.)▶

Pierre Arditi, boulimique enchaînant rôle sur rôle, est une figure incontournable du théâtre et du cinéma français. Il a notamment créé un Arnolphe d'une ambiguïté inquiétante dans L'École des femmes.

Le Sagittaire et son Travail

Le Sagittaire comédien

Le Sagittaire vit à fond le « paradoxe » du comédien; il n'est que par ce qu'il paraît être, par ce qui est perçu de lui. Si le Sagittaire est « cible », cela signifie qu'il n'est pas simplement lui-même, en dehors du monde. Agissant par rapport à un regard, il est changé par ce regard, il est « médusé » par la Gorgone. Mais il préserve sa spontanéité, il agit comme s'il était seul, tout en sachant très bien qu'il ne l'est pas; voilà pourquoi il a la réputation d'être un grand acteur.

Le Sagittaire ne peut avoir de véritable vie privée : on s'intéresse généralement à ce qui lui arrive, on tend à bâtir une légende autour de lui à partir de vagues rumeurs. Il est constamment sous les feux de l'actualité. L'incognito le hante. On imagine d'ailleurs qu'il souffrirait de n'être plus la cible des journalistes – que ce soit d'ailleurs en bien ou en mal –, de ne plus faire la « une » des magazines de spectacles. Tel est, en tout cas, un certain archétype du métier sagittarien. On sait que Jupiter est, selon des travaux statistiques confirmés, la planète des comédiens.

C'est aussi celle des politiciens, des porte-parole, de ceux qui paient pour les fautes de leurs subordonnés.

Le maréchal Joffre, au lendemain de la bataille de la Marne, déclara qu'il ne savait pas si le combat avait été gagné grâce à lui, mais que, s'il avait été perdu, on l'aurait considéré comme le premier responsable. Le Sagittarien doit accepter de « couvrir » des fautes qu'il n'a pas toujours commises. Le Sagittaire doit être au premier rang, braver les flèches de l'adversaire.

Recevoir la flèche, payer pour les autres, c'est ce qui survint à Pholos qui se tua en voulant soigner ses frères blessés, ou à Chiron qui mourut d'une flèche perdue.

A force de s'attirer les foudres, le Sagittaire catalyse tout un courant de sympathie autour de lui.

Le Sagittaire mystique

La carrière ecclésiastique est aussi sagittarienne si l'on passe à un autre principe de l'être sagittarien : le centaure.

Le centaure n'est-il pas le croisement fragile de la bête et de l'homme? Quel signe, mieux que le Sagittaire, pourrait être conscient d'une sublimation nécessaire des forces instinctives? Qui connaît mieux que lui le sens de la « tentation » d'un saint Antoine? Fuite hors de la dimension matérielle, inférieure, recherche de spiritualité que l'homme religieux incarne par définition.

Le Sagittaire a, de toute façon, besoin de choisir un métier où il y a transformation, *promotion*. Il est fasciné par l'alchimiste qui transforme le plomb en or au moyen de la pierre philosophale. Il aime être à la charnière du monde civilisé et de la jungle. Il est l'explorateur, le missionnaire, le « médecin sans frontières », le colon à la lisière de la civilisation. Voilà qui rejoint l'idée classique que l'on se fait du Sagittaire attiré par l'étranger et les voyages.

On conseillera donc au Sagittaire de ne jamais s'enfermer tout à fait dans un monde aseptisé mais de se lancer plutôt dans des aventures qui conservent mystère et danger, non point parce qu'il s'y complaît, mais parce qu'il veut pouvoir défricher, apporter la Loi, comme les rangers du Far West.

Le Sagittaire rebelle

Il débute dans la vie en rebelle, en indompté qui ne veut pas entrer dans un « système ». Mais, à la différence du Lion, il a le désir d'évoluer, c'est-à-dire que son rêve n'est pas de rester toute sa vie « hors la loi » (comme le sanglier sauvage des forêts), mais de passer petit à petit de la marginalité des pionniers à la reconnaissance officielle. Le destin du Sagittaire est de le mener tôt ou tard vers les honneurs et l'acceptation générale, et c'est alors seulement qu'il aura le sentiment d'avoir réussi sa vie professionnelle.

Le Sagittaire magnétique

Il est un autre métier classiquement sagittarien : c'est celui de la chirurgie. Le natif du signe sait se servir de ses mains et il a souvent des dons de magnétiseur. Il n'est pas exclu que les mains du Sagittaire – larges, solides, dures comme l'acier – fassent partie de son pouvoir. En effet, n'est-ce pas avec les main que l'on *prend*?

Avec la Balance et le Verseau, le Sagittaire est un des signes qui s'accompagne d'un instrument fait de main d'homme, l'arc. Ainsi, tous les métiers qui impliquent le maniement d'un outil semblent devoir lui être conseillés : le sculpteur et son ciseau, le tennisman et sa raquette, le violoniste et son archet, le chirurgien et son scalpel...

Ici, la dualité n'est plus centaurienne, entre l'animal et l'homme, mais proprement sagittarienne; celui qui tire à l'arc prolonge et précise son action. Le Sagittaire, c'est la main qui prend conscience de ne pas être une fin en soi.

Notre siècle serait ainsi sagittarien : la flèche, c'est aussi la fusée qui libère l'homme des horizons terrestres. L'aérodynamique, la balistique relèvent directement d'une vocation sagittarienne. C'est pourquoi nous trouverons abusif d'attribuer au Verseau l'ère du machinisme et des vols intersidéraux, alors que son symbolisme ne semble en aucune façon le diriger vers le haut mais bien plutôt vers le bas (l'eau versée).

On voit que le Sagittaire a plus d'une « corde à son arc »... Comme le signale Éric Aggur, le Sagittaire a souvent une activité double : « tourner et militer » pour Godard et Jane Fonda, « chanter et jouer » pour Sinatra.

Le Sagittaire pourra également être aviateur. Hadès écrit à ce sujet : « La flèche (du francique *fliugik,* celle qui vole) est l'élément qui se sépare de l'individu afin de rejoindre le ciel. Conformément à cette analogie, le vol, les avions, les projectiles, les fusées, etc., sont des données Sagittaire. De grands aviateurs : Mermoz, Guynemer, sont des Sagittaire. Ajoutons que selon le concept de guide du Sagittaire, l'aviation naissante avait autrefois pour première tâche de guider l'artillerie.

Le Sagittaire peut être aussi voyant puisque ce signe est celui qui vise, qui voit : la vigie, un excellent ambassadeur, ou un envoyé spécial pour un journal. Dans ces deux cas, il vivra ainsi son amour de l'étranger (pour rester fidèle à la symbolique de l'arc), son goût des départs.

On le trouve aussi comme agent assurant la promotion d'un artiste, car il a une nature de Pygmalion.

On le voit, enfin, banquier, non par intérêt direct pour l'argent mais par goût du pouvoir qu'il assure.

Appliquons à présent la dualité de la « flèche anonyme » au travail de notre signe : le Sagittaire peut, d'une certaine façon, évoquer l'araignée tissant sa toile et restant hors de vue de la pauvre mouche qui vient s'y perdre. C'est vers des métiers qui n'exigent pas une présence directe que le Sagittaire pourra trouver l'expression d'une certaine vocation : tel est l'art du comédien qui, toutes lumières braquées sur lui, saura se cacher derrière son rôle, se dissimuler derrière son masque.

A l'instar de Jupiter, le Sagittaire a besoin d'un Mercure, d'un messager qui le « représente ». Il est l'organisateur qui sait déléguer ses pouvoirs sans en perdre le contrôle. Il est l'œil du maître omniprésent, mais qu'on ne perçoit que par intermittence. Semblant être nulle part, il est partout. Ni vu ni connu, le Sagittaire anime les marionnettes, tire les ficelles, mais reste dans les coulisses.

Ce n'est que si la situation professionnelle lui permet ce jeu subtil d'action à distance que le Sagittaire donne toute sa puissance.

Fair-play

N'oublions pas non plus son fair-play, qui va jusqu'à donner des armes à l'adversaire pour que le combat soit plus loyal. Pour l'amour du jeu, il prêterait de l'argent à celui qu'il affronte pour que la lutte puisse se poursuivre. Souvent, il échappe à la dépression précisément parce qu'il rencontre une nouvelle résistance devant lui. Le Sagittaire pourrait faire sienne l'expression : « Gardez-moi de mes amis, de mes ennemis je me garde. »

A propos du travail du Sagittaire, on se doit de faire remarquer que tous les astrologues ne sont pas d'accord sur le climat qui convient le mieux à notre signe. Si André Barbault intitule son chapitre à ce sujet « le Travail en équipe », en précisant : « Il a souvent besoin, pour travailler, de la présence d'autrui. Il s'engourdit seul devant sa table ou devant son outil; il lui faut, pour s'animer, la rumeur multiple d'un vaste atelier, d'un chantier, d'une équipe, d'une ambiance... Il est fait pour travailler en groupe », en revanche, Michèle Curcio n'hésite pas à écrire que « le travail en équipe n'est pas ce qui convient le mieux à un Sagittaire. Il est assez conscient des qualités qui lui permettent de dominer ses rivaux et il a une nette tendance à le faire sentir. C'est pourquoi il vaut mieux qu'il travaille seul » (éd. Tchou 1978, p. 98). Comment concilier ces deux jugements? En tenant compte de l'ambivalence du signe. En fait, tout indique que le Sagittaire ne s'épanouit que dans une action collective.

Et pour passer le flambeau

On est maintenant en mesure de comprendre, de deviner quelle sera l'attitude du Sagittaire en fin de carrière. On le voit laisser la place à un jeune plus dynamique que lui plutôt que de s'accrocher à des privilèges stériles. Chiron savait qu'il ne pourrait tirer parti de son immortalité, mais c'est à lui seul que revenait l'initiative d'y renoncer.

Le Sagittaire saura réussir sa sortie en passant le relais – sans amertume – à la génération montante, tel Chiron pour Prométhée.

Jean-Charles de Castelbajac : souvent, le Sagittaire apprécie le « costume » pour l'appartenance sociale à laquelle il vous fait accéder. C'est le cas de ce couturier aux penchants classiques qui a su introduire l'exotisme cher au signe dans ses créations.

Le Sagittaire et l'Argent

Le génie des affaires du Sagittaire consistera à « commercialiser » ce qui ne l'est pas, à récupérer à son profit des phénomènes qui semblent très éloignés des circuits de l'argent.

C'est le Sagittaire qui lancera sur le marché un produit auquel il est seul à croire, c'est lui qui introduira dans tous les foyers un besoin qu'il a su découvrir. Le Sagittaire, en l'occurence, est un merveilleux vulgarisateur qui, au prix d'un effort de formulation ou de présentation, parvient à rendre familier l'exotique.

Fidèle à sa vocation d'explorateur, le Sagittaire revient de ses voyages à la façon de ceux qui rapportèrent les premiers objets de l'art africain qui devait tant influencer la peinture occidentale

Le Sagittaire accepte de prendre des risques, il a le goût du jeu. Il manque de discrétion dans ses affaires. C'est pourquoi il doit se diriger vers des affaires de promotion publicitaire où ses défauts deviendront qualités.

Il sait par ailleurs évoluer subtilement à la Bourse, plus apte que tout autre à saisir ses soubresauts, ses tracés en dents de scie qui sont l'expression de son caractère hybride. Il aime les caprices des actions cotées. Il parie à la baisse, il parie à la hausse, il parie surtout sur un changement brutal de tendance. Le Sagittaire pressent à quel moment un cours va se redresser après avoir été l'objet d'une persistante défaveur. Il opte pour le bon chaval coté à vingt contre un. Le Sagittaire a plutôt tendance à épouser la cause du perdant. C'est un Pygmalion qui cherche sa « Fair Lady ». C'est lui qui rachète des immeubles branlants pour les rénover. C'est un *promoteur* au sens le plus large du terme.

Les affaires brassées par le Sagittaire sont souvent « à cheval » entre le licite et l'illicite : la volonté d'arriver du Sagittaire le pousse à ne pas s'embarrasser de scrupules, à faire sa propre loi. Mais il ne saurait d'autre part ignorer la loi : il s'oblige à en respecter sinon l'esprit du moins la lettre.

Le Sagittaire préfère être son propre patron et son propre comptable. Il ne se voit guère dans la peau d'un salarié avec sa fiche de paie.

Pour ce qui est de payer ses impôts, le Sagittaire préfère être, dans la mesure du possible, à l'abri d'un contrôle trop facile. Il recherche donc, en quelque sorte, un juste milieu entre le système D des signes de Feu et l'encadrement fiscal d'un fonctionnaire. La politique convient bien au Sagittaire avec ses lois, ses privilèges, ses immunités. Il apprécie volontiers ce climat qui concilie les intérêts personnels et le dévouement pour la cause publique. D'ailleurs, on l'imagine bien mécène, redistribuant l'argent reçu pour encourager des vocations, créer des bourses, des fondations. Sans argent, le Sagittaire a du mal à s'exprimer. C'est pourquoi il prend un bien meilleur départ dans la vie s'il est issu d'une famille bourgeoise qui lui laisse le temps de mûrir et de trouver sa voie.

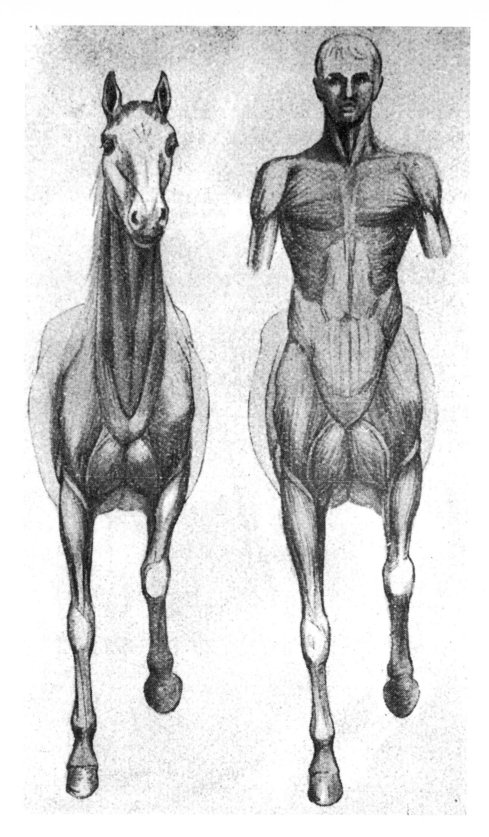

Comme c'est au niveau des cuisses que la transformation s'effectue, que le cheval devient homme, cette partie du corps est considérée comme primordiale dans la constitution physique du Sagittaire.

Le Sagittaire et sa Santé

Le Sagittaire est gourmand, il a un solide coup de fourchette suivant le principe sanglier-cochon. Il sera attiré par les « bons petits plats » qui finiront par l'aliéner. Il songera de temps à autre à suivre un régime, à compter ses calories mais sa voracité reprendra vite le dessus.

Le second principe sagittarien est celui du centaure. D'après le modèle de l'Homme-Zodiaque, ce sont les cuisses qui sont anatomiquement attribuées au Sagittaire. Or, rappelle André Barbault, ce sont les cuisses dont se sert le cavalier pour assurer son assiette, pour tenir tout simplement en selle : l'image du cavalier sur son cheval est une variante de celle du centaure, l'homme-cheval.

Comme c'est au niveau des cuisses que la transformation s'effectue, que le cheval devient homme, on conçoit que cette partie du corps soit primordiale et que l'on atteigne ici un point particulièrement vulnérable.

Le Sagittaire ne vit pas calmement dans son coin. Il subit la présence d'autrui, il ne peut l'ignorer, il ressent fortement le climat ambiant et focalise toutes les tensions à la façon d'un aimant. C'est pourquoi il doit s'initier à des méthodes de relaxation (yoga) grâce auxquelles il oubliera le monde extérieur et fera le vide en lui-même. Sinon, il sera sujet aux crises d'angoisse. L'équilibre psychologique du signe n'est pas très solide. Cela tient à la complexité des synthèses et des croisements qu'il tente d'accomplir, des défis qu'il relève trop souvent. Le Sagittaire peut craquer. Il prend trop sur lui. Il risque le surmenage. En parlant de cible, on pense évidemment à l'attentat. On sait bien que les hommes politiques peuvent devenir des cibles et, d'une manière générale, toute personne un tant soit peu représentative. A notre époque plus ou moins marquée par le terrorisme, la mort d'un Sagittaire peut fort bien être liée à son statut social.

Le signe du Sagittaire est le neuvième à partir du Bélier : il est donc en affinité avec le neuvième mois, celui de la fin de grossesse. Le Sagittaire est le signe de la naissance : la tension requise par le travail d'enfantement, puis la « délivrance » au moment de l'expulsion évoquent en effet l'image de l'archer bandant son arc et qui, après un ultime effort, libère sa flèche.

A la façon d'un Montherlant, il ne supportera pas une vieillesse qui le verrait diminué. Chiron, en suppliant les dieux de lui accorder la mort alors qu'il a le privilège d'immortalité, accueille celle-ci en amie. Mais cette mort doit être profitable et aller dans le sens de l'Histoire comme c'est le cas lorsque Chiron fait don de son pouvoir à Prométhée. La mort, c'est aussi l'héritage qu'on laisse derrière soi. Le Sagittaire a le sens de la postérité, de ce qui restera dans le souvenir des hommes. C'est ce qui arrive à Chiron quand il quitte le royaume des vivants mais reste pour toujours dessiné sur la voûte céleste.

Le Sagittaire sera favorable à l'euthanasie : il ne conçoit pas que l'on s'accroche à la vie si cette vie ne vaut plus la peine d'être vécue, si elle empêche des forces plus jeunes et plus dynamiques d'entrer en scène.

Nous voudrions terminer en confrontant le Sagittaire aux diverses typologies existant en médecine et en psychologie. Nous reprendrons pour ce faire la synthèse de Cyrille Wilczkowsky (*l'Homme et le Zodiaque. Essai de synthèse typologique*, éd. Le Griffon d'Or, 1947) :

« Si l'homme de la Balance est le plus favorisé au point de vue de la beauté, l'homme du Sagittaire est sans doute le plus favorisé au point de vue de la santé physique et morale. Selon J.-C. Verdier (*Ce que disent les astres,* éd. Stock), il est de type athlétique, surtout dans la première moitié du signe, et il est bâti en sportif. Au point de vue humoral, on le classe parmi les bilieux ou les musculaires de Sigaud dont les préoccupations morbides sont, d'après le docteur Gallimard, "les affections aiguës du siège hépato-biliaire ainsi que les maladies du surmenage général". Le Sagittaire étant placé dans l'axe tuberculinique du Zodiaque, c'est dans les excès de toutes sortes du type Jupiter-Feu qu'il faudrait chercher sans doute la raison de ses tendances tuberculiniques.

« On classe les Sagittariens parmi les schizoïdiens, mais il faut noter que ce caractère est très estompé grâce à l'élément jupitérien qui rend les Sagittaire "larges" au sens de Le Senne. C'est précisément cette "largeur", ainsi qu'une inquiétude intérieure (signe mutable) plus grande que sous le Lion et sous le Bélier, qui les différencie des autres signes de Feu. Il semble qu'en usant des termes de Le Senne, on pourrait compter les Sagittaire parmi les colériques, avec une secondarité plus grande que celle du Bélier ou du Lion (émotifs, actifs-sous-secondaires-larges et allocentriques). »

Chapitre III

L'entente du Sagittaire avec les autres Signes

Woody Allen, l'ineffable protagoniste de Annie Hall, *est à la fois scénariste, dialoguiste, réalisateur et souvent comédien dans ses propres films; on reconnaît bien là le goût de l'entreprise du Sagittaire.*

Comment vous accordez-vous avec les autres Signes

Il est possible d'explorer vos affinités et vos incompatibilités d'humeur avec les autres en partant des caractéristiques de votre signe solaire.

Ce signe exerce en effet une action particulièrement puissante sur vos goûts et sur vos buts dans la vie.

Dans le tableau qui suit, vous découvrirez sous la forme de plusieurs mots clés la manière dont chaque signe zodiacal perçoit les onze autres signes, en termes d'accord, de conflits ou d'indifférence.

Votre personnalité est certes plus vaste que votre seul signe solaire, c'est pourquoi, pour en explorer un autre aspect, vous pouvez utiliser le même tableau mais en partant cette fois de votre signe ascendant.

Votre Ascendant influence en effet directement votre comportement social spontané.

Si cette deuxième exploration recoupe la première, vous possédez une personnalité dont les affinités et les antipathies sont nettement tranchées; si, en revanche, les deux résultats sont différents, votre capacité de contacts constructifs est très large.

Votre signe solaire	BÉLIER	TAUREAU	GÉMEAUX	CANCER	LION	VIERGE
	Perçoit les autres signes comme ci-dessous					
BELIER		Routinier Possessif Lent	Vif, rapide Intelligent Stimulant	Trop sensible Susceptible Nostalgique Rêveur	Organisateur Puissant Juste Créatif	Critique Pointilleuse Timorée Inquiète
TAUREAU	Impulsif Brusque Égoïste Imprudent		Inconstant Dilettante Bavard Trompeur	Maternel Économe Aimant le foyer	Autoritaire Théâtral Dépensier Dogmatique	Pratique Méthodique Serviable Perspicace
GÉMEAUX	Audacieux Entraînant Libre Décidé	Lourd Entêté Avide Rigide		Craintif Paresseux Peu ambitieux Désordonné	Chaleureux Large d'esprit Solide Plein d'autorité	Anxieuse Maniaque Trop attaché aux détails
CANCER	Agressif Indiscret Précipité Avide de nouveau	Fidèle Aimant Patient Solide	Nerveux Trop cérébral Insouciant Sceptique		Tumultueux Arriviste Snob Écrasant	Efficiente Réservée Concrète Honnête
LION	Enthousiaste Entreprenant Efficace Rapide	Fruste Obstiné Matérialiste Jaloux	Adaptable Talentueux Charmeur Habile	Capricieux Rancunier Faible Plaintif		Petite Étroite Craintive Critique
VIERGE	Aventureux Imprévoyant Irréfléchi	Doué pour gagner de l'argent Concret Travailleur	Joueur Insouciant Comédien Théoricien	Aimant l'intimité Délicat Prudent	Mégalomane Surmené Prétentieux Dépensier	
BALANCE	Ardent Actif Novateur Remuant	Grossier Instinctif Utilitaire Exclusif	Cultivé Brillant Diplomate Sociable	Replié sur soi Casanier Timide Paresseux	Rayonnant Esthète Courtois Loyal	Trop réservé Critique Timide Égoïste
SCORPION	Imprudent Versatile Précipité Hâbleur	Pratique Stable Affectueux Digne de confiance	Superficiel Dispersé Bavard Comédien	Fécond Compréhensif Tenace Profond	Despotique Orgueilleux Théâtral Conformiste	Précise Perspicace Ponctuelle Pratique
SAGITTAIRE	Énergique Disponible Dynamique Animateur	Limité Terre à terre Enraciné Intéressé	Juvénile Curieux Communicatif Mobile	Fantasque Casanier Désordonné Morose	Optimiste Organisateur Ambitieux Loyal	Manquant d'envergure Anxieuse Refroidissant
CAPRICORNE	Impulsif Fiévreux Révolutionnaire Changeant	Réalisateur Persévérant Gai, fidèle Sincère	Léger Distrait Bavard Superficiel	Pratique Aisé dans ses contacts Maternel Prudent	Théâtral Dépensier Fixé dans ses idées Autoritaire	Disciplinée Méthodique Rationnelle Pratique
VERSEAU	Inventif Progressiste Persuasif Militant	Matérialiste Rétrograde Épais Fatigant	Tolérant Intelligent Curieux de nouveauté Sociable	Passéiste Vulnérable Replié sur soi Infantile	Rayonnant Large d'esprit Maître de soi Efficace	Restrictive Froide Matérialiste Limitée
POISSONS	Agressif Violent Précipité Égoïste	Sécurisant Sensuel Calme Affectueux	Agité Verbeux Trompeur	Compréhensif Profond Idéaliste Maternel	Hautain Agressif Tumultueux Égoïste	Précise Serviable Pratique Consciencieu

	SCORPION	SAGITTAIRE	CAPRICORNE	VERSEAU	POISSONS	Votre signe Ascendant
…rée …e …ante …ante	Secret Vindicatif Obstiné Destructeur	Jovial, sincère Large d'esprit Philosophe Sportif	Décourageant Froid Mesquin Rigide	Indécis Ouvert, amical Progressive Sincère	Impressionnable Fuyant Sentimental	**BÉLIER**
…te …nte …nte	Fascinant Fécond Instinctif Persévérant	Trop optimiste Risque-tout Joueur Tendu	Solide Ambitieux Patient Doué d'humour	Utopiste Excentrique Révolté Brusque	Hospitalier Généreux Compatissant Intuitif	**TAUREAU**
…de charme …ble …aine …ueuse	Critique Tortueux Jaloux Brutal	Optimiste Large d'esprit Sportif Explorateur	Pessimiste Mesquin Rigoriste Rancunier	Fraternel Libre Intensif Humain	Romanesque Vague, secret Indécis Abandonné	**GÉMEAUX**
…eante …e …ficielle …uverte	Profond Mystique Perspicace Tenace	Aventureux Exagéré Imprudent Peu délicat	Intériorisé Responsable Maître de soi Intègre	Imprévisible Inconstant Intellectuel Trop vaste	Bon, sensible Détaché Mystique Inspiré	**CANCER**
…e …le …te …rée	Envieux Arrogant Extrêmiste Violent	Large, vital Entreprenant Compétent Clairvoyant	Isolé, froid Trop ambitieux Rigide Concentré	Humanitaire Complaisant Loyal Idéaliste Inventif	Impressionnable Dissimulé Morbide Faible	**LION**
…te …sée …e	Énergique Bénéfique Scrupuleux Passionné	Trop extériorisé Aventureux Joueur Trop habile	Économe Persévérant Voyant loin	Idéaliste Révolté Tendu	Ayant le sens du sacrifice Intuitif Bénéfique	**VIERGE**
	Tyrannique Brutal Instinctif Entier	Riche Talentueux Organisé Large d'esprit Enthousiaste	Décourageant Solitaire Calculateur Froid	Altruiste Fidèle Amical Intelligent	Replié sur soi Timide Secret, mou Négligent	**BALANCE**
…élicate …te …risée …ue		Extériorisé Changeant Trop optimiste Diffus	Ambitieux Résolu Solide Perspicace	Excentrique Irréaliste Théorique Trop confiant	Mystique Inspiré Compréhensif Persuasif	**SCORPION**
…le …entative …du …ent	Destructeur Révolté Secret Dangereux		Casanier Routinier Pessimiste Rancunier	Humain Libre, inventif Disponible Sincère	Empétré dans son émotivité Confus, passif Fuyant	**SAGITTAIRE**
…rsévérance …use …entale …icielle	Tenace Volontaire Fidèle Perspicace	Superficiel Aventureux Joueur Peu rigoureux		Rebelle Trop tendu Utopiste Imprévisible	Compatissant Hospitalier Intuitif Bon	**CAPRICORNE**
…le …ivante …te …ate	Caustique Antisocial Jaloux Méfiant	Ouvert, sincère Mondialiste Explorateur Indépendant	Trop centré sur soi, froid Calculateur Pessimiste		Trop émotif Désordonné Fluctuant Flou	**VERSEAU**
…risée …aine …e …aine	Mystique Passionné Profond Énergique	Trop extériorisé Excessif Turbulent	Solide, calme Prévoyant Concret Supérieur	Excentrique Brusque Révolté Prométhéen		**POISSONS**

Perçoit les autres signes comme ci-dessous

Jane Birkin : cette émouvante comédienne, qui donne souvent l'impression de tenir à un fil mène pourtant sa carrière avec autorité.

Les Astromariages de la Femme Sagittaire

Femme Sagittaire et homme Bélier

Il y a un certain respect l'un pour l'autre mêlé d'inquiétude latente : la femme du Sagittaire étant quelqu'un d'enthousiaste mais de stable, elle se méfie toujours un peu des impulsions irraisonnées de monsieur Bélier. Leur dénominateur commun dans l'existence est fait de courage, d'élan vers l'avenir, de passion dans leurs activités, d'insatiable curiosité et de nombreuses relations amicales. Mais il faut peut-être qu'il soit plus âgé qu'elle pour calmer un peu ses folies impulsives...

Femme Sagittaire et homme Taureau

Une locomotive pour tirer des dizaines de wagons... bien sûr, ça marche et ça traverse les campagnes, mais quel dommage... L'homme Taureau, d'ailleurs, se lasse vite d'être tous les wagons à la traîne : il la laissera voyager seule, et s'occupera à la maison des chiens que la dame Sagittaire affectionne, du jardin potager et de sa bonne chère...

Femme Sagittaire et homme Gémeaux

Voilà un couple que l'on voit souvent et qui semble admirablement s'accorder : l'homme Gémeaux, plus dépendant qu'il n'y paraît, lorsqu'on ne va pas lui chercher noise sur son emploi du temps, se trouve très à l'aise dans l'univers de la dame Sagittaire qui ne s'intéresse pas aux détails de la vie quotidienne. En outre, elle sait l'entraîner dans des aventures qui le tiennent en haleine, des voyages pleins de rebondissements, des fêtes entre amis...

Femme Sagittaire et homme Cancer

Il aime les cocons douillets, les femmes protectrices et maternelles. Elle a besoin de quelqu'un d'enthousiaste et de chaleureux qui la suive dans ses entreprises parfois audacieuses, et adhère à elle dans toutes les circonstances de la vie. Il est parfois égocentrique et attend l'exclusivité de son attention, de ses efforts, de son énergie... dure, la vie quotidienne!

Femme Sagittaire et homme Lion

Merveilleuse coïncidence de volonté et de chaleur humaine, de courage et de persévérance, de générosité et de magnanimité. Les valeurs léonniennes se rapprochant sensiblement des valeurs sagittariennes, le couple a, sur les plans associatif, social et professionnel, de grandes chances d'être harmonieux et durable... si la volonté de puissance du Lion ne vient pas se heurter à l'autorité naturelle de la femme Sagittaire.

Femme Sagittaire et homme Vierge

Il est trop sage pour elle, qui aime la fantaisie, la liberté de vivre, le choix des contraintes. Il lui impose des responsabilités dont elle ne veut pas, des devoirs qu'elle refuse par tous les pores de sa peau, des limites à son envergure sportive et chaleureuse. Il faut qu'elle mette beaucoup d'eau dans son vin pour supporter la rigueur moralisatrice de monsieur Vierge, et lui sera, de toute façon, malheureux : il ne comprend pas qu'on ait des critères d'existence différents des siens.

Femme Sagittaire et homme Balance

C'est un des meilleurs couples du Zodiaque. Harmonie, compréhension, dialogue (voir « Homme Sagittaire et femme Balance »).

Femme Sagittaire et homme Scorpion

Qui n'est pas attiré par l'homme Scorpion, de prime abord (même s'il effraie), par son mystère, sa violence, son intelligence pénétrante? La femme Sagittaire, bien qu'assez différente de lui dans ses choix et son comportement, est très vivement attirée par le Scorpion : parce qu'il la dérange, la provoque, la déplace et qu'elle a besoin de mouvement. Mais il peut y avoir une certaine incompatibilité affective : elle a des sentiments simples et sains, une chaleur généreuse et inconditionnelle, tandis que lui, plus tourmenté, recherche des raffinements qui confinent au sadomasochisme et qu'elle ne comprendra pas.

Femme Sagittaire et homme Sagittaire

Excellent à tous égards. L'amour, le travail, la carrière, les enfants, tout réussit admirablement avec cet équipage (voir « Homme Sagittaire et femme Sagittaire »).

Femme Sagittaire et homme Capricorne

Meilleur tandem pour les affaires, la vie professionnelle, l'ambition que pour la vie privée : en effet, leur sensibilité est fort différente. Il est réservé, elle est expansive. Il est économe de tendresse, elle a besoin de la gaspiller. Il aime la solitude, elle recherchera la compagnie de ses amis, dans toutes ses activités.

Femme Sagittaire et homme Verseau

Voilà, à nouveau, un couple qui a toutes les chances de faire une belle et longue route. L'homme Verseau, aventurier, fantasque ,généreux, ouvert à ce qui est nouveau, singulier, insolite et la femme Sagittaire qui, bien que plus conformiste, a le même élan et le même dynamisme projeté vers l'avenir, ne peuvent que s'entendre. Il ne reste qu'à leur souhaiter une bonne traversée!

Femme Sagittaire et homme Poissons

Évidemment, lui qui est plein de charme et rempli d'hésitation, sera tout de suite subjugué par sa force de caractère, son esprit de décision, son courage psychologique et physique. Mais cela suffit-il à faire un couple durable? Elle risque d'être de plus en plus agacée par son incapacité à se décider, par son fatalisme. Et lui, finalement, ne supporte pas l'aspect tranché et net de sa personnalité, qui aime ou qui déteste sans compromission, qui accepte ou qui refuse sans revenir sur sa parole.

Sous l'apparente fragilité de Jane Fonda se cache une femme d'action, idéaliste, généreuse et battante.

Thierry Lhermitte n'a pas hésité à interrompre sa carrière de comédien pendant une année sabbatique pour faire un tour du monde à la voile, en famille.

Les Astromariages de l'Homme Sagittaire

Homme Sagittaire et femme Bélier

Comme tous les signes de Feu entre eux, l'homme Sagittaire s'entend bien avec la femme du Bélier. Ce sont deux enthousiastes, aventuriers, entreprenants, deux constructeurs : il leur faudra peut-être des Ascendants Terre pour les stabiliser car ils se projettent trop dans l'avenir. C'est, en tout cas, un bon accord par affinités.

Homme Sagittaire et femme Taureau

Lui qui aime tant partir à la conquête du monde – et des femmes –, il risque d'avoir de gros problèmes avec la possessive Taurienne, souvent sédentaire, attachée à ses meubles, sa terre, ses objets, son foyer. Elle ne supporte guère ses frasques d'aventurier, son indépendance, son dynamisme autoritaire. Entente difficile.

Homme Sagittaire et femme Gémeaux

Dans le Zodiaque, ils se trouvent à l'opposé l'un de l'autre. D'où une certaine attirance qui n'est pas toujours bénéfique : tous les deux volages, ils ne parviendront jamais à modifier leur nature. L'homme Sagittaire étant plus possessif que la femme Gémeaux, c'est elle qui aura le dernier mot et notre homme de Feu souffrira bien inutilement.

Homme Sagittaire et femme Cancer

Difficile de leur trouver un point commun. L'Eau réceptive, sensible, de la femme Cancer est sans influence et sans armes devant le Feu brûlant, emporté du Sagittaire. L'une est introvertie, réservée, sage, l'autre est extraverti, facilement mondain et grand voyageur. Comment les rapprocher ? Sauf si les Ascendants s'accordent (par exemple, l'Ascendant Poissons pour lui et Bélier pour elle), auquel cas les conflits restent intérieurs ou se neutralisent d'eux-mêmes.

Homme Sagittaire et femme Lion

Ils ont beaucoup de points communs; non seulement leurs caractères se ressemblent, mais ils visent les mêmes objectifs – réussir et briller – par des voies sensiblement identiques : sociales et professionnelles. C'est un excellent attelage qui rassemble des sentiments d'estime et d'admiration l'un pour l'autre et une grande attirance physique.

Homme Sagittaire et femme Vierge

Lui, le conquérant, l'énergique, l'aventurier, face à cette fleur fragile, timide, obéissante et modeste? Elle est femme de Terre, prudente, et lui, homme de Feu, généreux. Comment s'accorderont-ils pour les choses les plus banales, comme partir en week-end ou recevoir des amis à dîner? C'est difficile de les unir pour le meilleur et pour le pire.

Homme Sagittaire et femme Balance

Il faut le savoir, c'est une des meilleures femmes pour l'homme du Sagittaire : elle l'aide, par sa douceur et par son charme, par son sens aigu de la diplomatie, à escalader l'échelle sociale, qui lui importe par-dessus tout. Lui est homme d'action et d'ambition, elle est femme de séduction et de relations. Il n'en faut pas plus pour qu'ils forment un tandem exceptionnel.

Homme Sagittaire et femme Scorpion

Il y a chez l'un comme chez l'autre, un grand, un immense goût du risque qui peut les pousser à se défier l'un l'autre, à s'affronter dans des gageures et des paris les plus invraisemblables et les plus dangereux. Elle peut se lancer dans une course en solitaire sur l'Atlantique pour lui prouver qu'elle peut faire comme lui – voire mieux que lui –, ou elle deviendra championne de parachute ou femme-volante, bref, quelque chose de spectaculaire et de confondant. Mais lorsque notre homme Sagittaire, séduit, tombera dans ses rets, elle se montrera sous un nouveau jour : celui d'une personne tourmentée, très vulnérable, exigeante et secrète. Elle est peut-être alors un peu trop compliquée pour lui qui est plus attiré par la compagne sportive, sans problèmes métaphysiques et sans maquillage que par la femme-femme, sensuelle et mystérieuse qu'elle représente.

Homme Sagittaire et femme Sagittaire

Ils s'entendent au premier regard, ils prennent les mêmes avions et les mêmes initiatives, ils aiment les mêmes plats, les mêmes pays, les mêmes sports : comment ne se rencontreraient-ils pas? Et, une fois qu'ils se sont rencontrés, qu'ils ont échangé les premières phrases d'usage en éclatant de rire, comment ne seraient-ils pas tentés de continuer? D'aller au Pérou, en Australie, en Chine sur un vélo, ou à cheval... Voilà un couple de voyages et d'aventures.

Homme Sagittaire et femme Capricorne

Il faut vraiment vouloir leur trouver des points communs car ils n'en ont pas : autant elle est femme de devoir, de responsabilités, de contraintes, autant il a besoin d'espace, de liberté, d'initiative, d'indépendance: elle risque de l'étouffer, de le rendre malheureux. Lui, de son côté, cherchant à lui échapper, le fera maladroitement, en la blessant involontairement car la finesse psychologique n'est pas son fort. Sauf si les Ascendants corrigent cette imcompatibilité, il vaut mieux ne pas insister.

Homme Sagittaire et femme Verseau

Voilà deux signes aventuriers, encore que l'un soit très attentif aux conventions et aux codes sociaux alors que l'autre s'en moque absolument. D'ailleurs, à de nombreux égards, la femme Verseau sera plus forte, dans le couple : sa nature désinvolte et profondément anticonformiste le choque et le subjugue en même temps. Elle ose tout ce qu'il voudrait, elle réussit tout ce qu'il n'a pas l'audace d'entreprendre par peur du qu'en-dira-t-on. C'est un très bon tandem.

Homme Sagittaire et femme Poissons

L'océan sombre et profond qui est le domaine des Poissons est ressenti comme un peu menaçant, incertain, relativement angoissant pour notre homme Sagittaire qui est peu sujet à l'angoisse, par ailleurs. Il va tenter, avec palmes, fusil, combinaison et oxygène, d'explorer les fonds sous-marins pour les comprendre et en délimiter les contours. Mais, comme elle, en vraie sirène, se cache derrière de grandes algues ou au fond des grottes, qu'elle ne peut pas faire autrement et que, de toute façon, c'est ce qui attire notre Sagittaire, le mystère des femmes de l'eau...

Jean-Louis Trintignant, l'inoubliable héros de Un homme et une femme, *choisit des rôles difficiles et courageux :* Z, Ma nuit chez Maud, Le Conformiste, La Femme du dimanche, Le Désert des Tartares, Rouge, Regarde les hommes tomber...

Michel Berger : né à Paris en 1947, licencié en philosophie, il se consacre très vite à la musique ; il a été à l'origine de la carrière de Véronique Sanson, et a donné au talent de France Gall, sa femme, une nouvelle dimension. Lui-même s'est imposé comme auteur, compositeur, interprète. Une mort prématurée, en plein été 1992, a interrompu sa brillante carrière.

Comment trouver votre Ascendant

Je vous suppose assez averti des notions de base de l'Astrologie pour ne pas confondre votre Ascendant horoscopique avec vos ascendants juridiques: l'Ascendant qui nous intéresse, vous le savez, n'a rien à voir avec vos chers parents, grands-parents et arrière-grands-parents. Il n'est cependant pas mauvais de rappeler brièvement quelques définitions avant d'entrer dans le vif du sujet.

Vous qui avez acheté ce livre parce qu'il vous concernait, votre anniversaire se situe forcément entre le 22 novembre et le 22 décembre, période annuelle durant laquelle le Soleil occupe le secteur zodiacal appelé Sagittaire. Vous savez donc que vous êtes natif du Sagittaire, ou encore que le Sagittaire est votre signe solaire. Le jour où vous êtes né, quand le Soleil s'est levé, le signe du Sagittaire qu'il occupait se levait donc en même temps. Puis, ce Soleil en Sagittaire est monté dans le ciel automnal et, un peu plus tard dans la matinée, le signe du Capricorne s'est levé à son tour. Ce furent ensuite, au cours de la journée, les levers successifs du Verseau, des Poissons, du Bélier, et tutti quanti. C'est ainsi qu'en une période de vingt-quatre heures, du fait de la rotation de la Terre, les douze signes du Zodiaque se lèvent tour à tour. Moyennant la connaissance de votre heure et de votre lieu de naissance, il est possible de déterminer lequel des douze se levait à l'instant précis de votre venue au monde: vous connaîtrez alors votre signe Ascendant. Les pages techniques de ce livre vous fourniront tous les moyens de trouver vous-même si vous êtes Sagittaire Ascendant Bélier, Sagittaire Ascendant Verseau ou Sagittaire autre chose encore.

Pour trouver tout de suite votre Ascendant vous avez besoin de connaître votre heure de naissance

Pour connaître votre heure de naissance, vous interrogez vos parents, ou bien, dans de nombreux pays, vous pouvez également l'obtenir auprès de votre mairie, en demandant un extrait d'acte de naissance.

Toutefois, l'heure que vos parents ou la mairie vous indiquent est une heure officielle qui ne coïncide pas forcément avec l'heure solaire.

Souvenez-vous qu'à la campagne certaines personnes ne désirent pas vivre à l'heure officielle et préfèrent suivre l'heure du Soleil.

De même, un enfant né à 14 heures officiellement serait, en fait, né à midi solaire.

Pour que vous puissiez facilement transformer votre heure officielle de naissance en heure solaire, nous avons établi un tableau par pays.

Vous recherchez, dans les pages suivantes, le tableau concernant votre pays de naissance et vous lisez ce que vous avez à faire.

Si le tableau vous demande « Retranchez 1 heure », cela veut dire que vous devez retrancher une heure de votre heure de naissance officielle pour trouver l'heure solaire.

Si le tableau vous demande « Ajoutez 0 h 30 », c'est l'inverse.

Si, enfin, le tableau indique « Aucun changement », c'est que l'heure officielle est la même que l'heure solaire.

Pourquoi est-il nécessaire que vous retrouviez l'heure solaire de votre naissance?

Tout simplement parce que, si vous utilisiez directement votre heure officielle de naissance, vous trouveriez un Ascendant inexact chaque fois que cette heure aurait une avance ou un retard notable sur l'heure du Soleil.

Si vous avez bien noté votre heure de naissance, vous pouvez passer maintenant à la page 78 où vous lirez comment trouver votre Ascendant sans aucun calcul.

AFRIQUE

AFARS et ISSAS (Djibouti)
Depuis 1900 aucun changement

AFRIQUE DU SUD
Province du Cap occ. et Sud-Ouest africain
De 1900 à 1902 retranchez 0 h 15
De 1903 à 1941 retranchez 0 h 45
En 1942 et 1943 retranchez 1 h 45
Depuis 1944 retranchez 0 h 45
Orange, Transvaal, Natal, province du Cap orientale
De 1900 à 1902 ajoutez 0 h 25 (1)
De 1903 à 1941 aucun changement
En 1942 et 1943 retranchez 1 h
Depuis 1944 aucun changement

ALGÉRIE
De 1900 à 1910 aucun changement
De 1911 à 1939 ajoutez 0 h 10
De 1940 à 1945 retranchez 0 h 50
De 1946 à 1955 ajoutez 0 h 10
De 1956 à 1962 retranchez 0 h 50
De 1963 à 1976 ajoutez 0 h 10
En 1977 et 1978 retranchez 0 h 50
En 1979 et 1980 ajoutez 0 h 10
Depuis 1981 retranchez 0 h 50

ANGOLA OCCCIDENTAL
Depuis 1900 aucun changement

ANGOLA ORIENTAL
Depuis 1900 ajoutez 0 h 20

BÉNIN (Dahomey)
De 1900 à 1933 aucun changement
Depuis 1934 retranchez 0 h 50

BOTSWANA
De 1900 à 1942 retranchez 0 h 20
En 1943 retranchez 1 h 20
Depuis 1944 retranchez 0 h 20

BURKINA FASO (Ex-Haute-Volta)
Depuis 1910 aucun changement

BURUNDI
Depuis 1900 aucun changement

CAMEROUN
De 1900 à 1911 aucun changement
Depuis 1912 retranchez 0 h 10

CENTRAFRICAINE (RÉP.)
De 1900 à 1911 aucun changement
Depuis 1912 ajoutez 0 h 20

COMORES (ILES)
Depuis 1900 aucun changement

CONGO
Depuis 1900 aucun changement

CÔTE-D'IVOIRE
De 1900 à 1911 aucun changement
Depuis 1912 retranchez 0 h 20

ÉGYPTE
Depuis 1900 aucun changement

ÉTHIOPIE (sauf Érythrée)
De 1900 à 1935 aucun changement
Depuis 1936 retranchez 0 h 25

ÉRYTHRÉE
De 1900 à 1930 aucun changement
Depuis 1931 retranchez 0 h 20

GABON
De 1900 à 1911 aucun changement
Depuis 1912 retranchez 0 h 15

GAMBIE
De 1900 à 1963 aucun changement
Depuis 1964 retranchez 1 h

GHANA
Depuis 1900 aucun changement

GUINÉE
De 1900 à 1911 aucun changement
De 1912 à 1933 retranchez 0 h 45
De 1934 à 1959 ajoutez 0 h 15
Depuis 1960 retranchez 0 h 45

GUINÉE-BISSAU
De 1910 à 1974 aucun changement
Depuis 1975 retranchez 1 h

GUINÉE-ÉQUATORIALE
De 1900 à 1911 aucun changement
De 1912 à 1963 ajoutez 0 h 40
Depuis 1964 retranchez 0 h 20

KENYA
De 1900 à 1927 aucun changement
En 1928 et 1929 retranchez 0 h 30
De 1930 à 1939 aucun changement
De 1940 à 1959 retranchez 0 h 15
Depuis 1960 retranchez 0 h 30

LESOTHO
Depuis 1900 aucun changement

LIBERIA
Depuis 1919 aucun changement

LIBYE Cyrénaïque
De 1900 à 1919 aucun changement
De 1920 à 1958 ajoutez 0 h 30
Depuis 1959 ajoutez 0 h 30

LIBYE Tripolitaine, Syrte
De 1900 à 1958 aucun changement
Depuis 1959 retranchez 1 h

MADAGASCAR
Depuis 1900 aucun changement

MALAWI
Depuis 1900 ajoutez 0 h 15

MALI ORIENTAL (Tombouctou-Gao)
De 1900 à 1911 aucun changement
De 1912 à 1933 retranchez 0 h 10
De 1934 à 1959 ajoutez 0 h 50
Depuis 1960 retranchez 0 h 10

MALI OCCIDENTAL (Bamako)
De 1900 à 1911 aucun changement
De 1912 à 1933 retranchez 0 h 30
De 1934 à 1959 ajoutez 0 h 30
Depuis 1960 retranchez 0 h 30

MAROC
De 1900 à 1912 aucun changement
De 1913 à 1939 retranchez 0 h 30
De 1940 à 1944 retranchez 1 h 30
Depuis 1945 retranchez 0 h 30

MAURICE (ILE)
Depuis 1900 aucun changement

MAURITANIE
De 1900 à 1911 aucun changement
De 1912 à 1933 retranchez 0 h 55
De 1934 à 1959 aucun changement
Depuis 1960 retranchez 0 h 55

MOZAMBIQUE
De 1900 à 1902 retranchez 0 h 15
Depuis 1903 retranchez 0 h 25

NAMIBIE (Ex-Sud-Ouest africain)
Depuis 1910 retranchez 1 h

NIGER OCCIDENTAL (Niamey)
De 1900 à 1911 aucun changement
De 1912 à 1933 ajoutez 1 h 10
De 1934 à 1959 ajoutez 0 h 10
Depuis 1960 retranchez 0 h 50

NIGER CENTRAL (Tahoua, Nkoni, Ingall, Maradi)
De 1900 à 1911 aucun changement
De 1912 à 1959 ajoutez 0 h 25
Depuis 1960 retranchez 0 h 35

NIGER ORIENTAL (Agadez, Bilma, Zinder, Nguigmi)
De 1900 à 1911 aucun changement
Depuis 1912 retranchez 0 h 20

NIGERIA
De 1900 à 1918 aucun changement
Depuis 1919 retranchez 0 h 30 (2)

OUGANDA
De 1900 à 1919 aucun changement
De 1920 à 1927 retranchez 0 h 20
De 1928 à 1929 retranchez 0 h 50
De 1930 à 1947 retranchez 0 h 20
De 1948 à 1963 retranchez 0 h 35
Depuis 1964 retranchez 0 h 50

RÉUNION (ILE de la)
De 1900 à 1910 aucun changement
Depuis 1911 retranchez 0 h 20

Ex-RHODÉSIE (ZIMBABWÉ)
Depuis 1900 aucun changement

RWANDA
Depuis 1900 aucun changement

SÉNÉGAL
De 1900 à 1940 aucun changement
Depuis 1941 retranchez 1 h

SIERRA LEONE
De 1900 à 1912 aucun changement
De 1913 à 1963 ajoutez 0 h 15
Depuis 1964 retranchez 0 h 45

SOMALIE (ex-française et italienne)
Depuis 1900 aucun changement

SOMALIE (ex-anglaise)
De 1900 à 1965 ajoutez 0 h 30
Depuis 1966 aucun changement

SOUDAN
Depuis 1900 aucun changement

SWAZILAND
Depuis 1900 aucun changement

TANZANIE (Tanganyika)
De 1900 à 1930 aucun changement
De 1931 à 1947 retranchez 0 h 30
De 1948 à 1960 retranchez 0 h 15
Depuis 1964 retranchez 0 h 30

(Zanzibar)
De 1900 à 1930 aucun changement
De 1931 à 1939 ajoutez 0 h 10
Depuis 1940 retranchez 0 h 20

TCHAD
De 1900 à 1911 aucun changement
Depuis 1912 ajoutez 0 h 10

TOGO
Depuis 1900 aucun changement

TUNISIE
De 1900 à 1910 ajoutez 0 h 30
De 1911 à 1939 retranchez 0 h 20
En 1940 retranchez 1 h 20
Depuis 1941 retranchez 0 h 20

Ex-ZAÏRE (Rép. Démocratique du Congo)
Province de Kinsnasa (Léopoldville) et Mbandaka (Coquillatville)
De 1900 à 1919 aucun changement
De 1920 à 1934 retranchez 1 h
Depuis 1935 aucun changement
Provinces orientales Kasai et Katanga
De 1900 à 1919 ajoutez 0 h 45 (3)
Depuis 1920 retranchez 0 h 15

ZAMBIE
Depuis 1900 aucun changement

AMÉRIQUE DU NORD

ALASKA*
Région de Wrangel
Depuis 1900 retranchez 1 h
Région de Juneau
Depuis 1900 retranchez 0 h 15
Central et Occidental
Depuis 1900 aucun changement

---

(1) Sauf Natal aucun changement

(2) Sauf région du lac Tchad aucun changement
(3) Ainsi que de 1920 à 1935 pour le Kasai

CANADA*

Alberta retranchez 0 h 40
Colombie aucun changement
Manitoba retranchez 0 h 30
N. Brunswick retranchez 0 h 30
N.F. Labrador retranchez 0 h 40
N. Écosse aucun changement
Ontario est retranchez 0 h 20
Ontario ouest retranchez 1 h
Québec ouest de Port Cartier ajoutez 0 h 15
Québec Port Cartier et Est
retranchez 0 h 20
Saskatchewan aucun changement

ÉTATS-UNIS*

Alabama ajoutez 0 h 15
Arizona retranchez 0 h 25
Arkansas retranchez 0 h 10
Californie aucun changement
Caroline du Nord retranchez 0 h 20
Caroline du Sud retranchez 0 h 25
Colorado aucun changement
Connecticut ajoutez 0 h 10
Dakota Nord (Est) retranchez 0 h 40
Dakota Nord (Ouest) aucun changement
Dakota Sud (Est) retranchez 0 h 35
Dakota Sud (Ouest) ajoutez 0 h 10
Delaware aucun changement
District Fédér. aucun changement
Floride retranchez 0 h 30
sauf Panama, Pensacola ajoutez 0 h 20
Georgie retranchez 0 h 35
Idaho (Est) retranchez 0 h 30
Idaho (Ouest) ajoutez 0 h 15
Illinois aucun changement
Indiana ajoutez 0 h 15
Iowa retranchez 0 h 15
Kansas retranchez 0 h 30
sauf Dodge City et Ouest ajoutez 0 h 20
Kentucky Centre et Est retranchez 0 h 40
Kentucky Ouest ajoutez 0 h 10
Louisiane aucun changement
Maine ajoutez 0 h 15
Maryland retranchez 0 h 10
Massachusetts ajoutez 0 h 15
Michigan retranchez 0 h 45
Minnesota retranchez 0 h 15
Mississippi aucun changement
Missouri retranchez 0 h 10
Montana retranchez 0 h 20
Nebraska Est retranchez 0 h 30
Nebraska Ouest ajoutez 0 h 10
Nevada ajoutez 0 h 15
N. Hampshire ajoutez 0 h 15
N. Jersey aucun changement
N. York aucun changement
N. Mexique aucun changement
Ohio retranchez 0 h 30
Oklahoma retranchez 0 h 30
Oregon aucun changement
Pennsylvanie retranchez 0 h 15
Rhode Island aucun changement
Tennessee Est retranchez 0 h 35
Tennessee Ouest et Centre ajoutez 0 h 10
Texas Est retranchez 0 h 25
Texas Ouest retranchez 0 h 45
Utah Est retranchez 0 h 20
Utah Ouest ajoutez 0 h 30
Vermont aucun changement
Virginie retranchez 0 h 15
Virginie Occid. retranchez 0 h 25
Washington (DC) aucun changement
Washington (État) aucun changement
Wisconsin aucun changement
Wyoming retranchez 0 h 10
Hawaï retranchez 0 h 20

TERRE-NEUVE (ILE)

retranchez 0 h 15

AMÉRIQUE CENTRALE

BAHAMAS (ILES)*
Depuis 1900 aucun changement

COSTA RICA*
De 1900 à 1920 aucun changement
Depuis 1921 ajoutez 0 h 25

CUBA*
De 1900 à 1924 ajoutez 0 h 15
Depuis 1925 retranchez 0 h 15

RÉP. DOMINICAINE*
De 1900 à 1932 aucun changement
Depuis 1933 ajoutez 0 h 20

GUADELOUPE
Depuis 1900 aucun changement

GUATEMALA*
Depuis 1900 aucun changement

HAÏTI*
Depuis 1900 aucun changement

HONDURAS*
Depuis 1900 aucun changement

EX-HONDURAS BRITANNIQUE (BELIZE)*
Depuis 1900 aucun changement

JAMAÏQUE
Depuis 1900 aucun changement

MARTINIQUE
Depuis 1900 aucun changement

MEXIQUE Oriental
États du Yucatan, Campeche, Chiapas, Oaxaca, Tabasco, Tamaulipas, Veracruz
De 1900 à 1911 aucun changement
De 1912 à 1921 ajoutez 0 h 15
De 1922 à 1931 ajoutez 0 h 50
Depuis 1932 retranchez 0 h 10

MEXIQUE Occidental
États de Californie Nord et Sud
De 1900 à 1911 aucun changement
De 1912 à 1921 retranchez 1 h 05
De 1922 à 1931 retranchez 0 h 20
Depuis 1932
Californie Nord ajoutez 0 h 20
Californie Sud retranchez 0 h 30

MEXIQUE Central
Tous les autres États
De 1900 à 1911 aucun changement
De 1912 à 1921 retranchez 0 h 25
De 1922 à 1931 ajoutez 0 h 10
Depuis 1932 retranchez 0 h 50

NICARAGUA*
De 1900 à 1933 aucun changement
Depuis 1934 ajoutez 0 h 20

PANAMA*
De 1900 à 1907 aucun changement
Depuis 1908 retranchez 0 h 20

PETITES ANTILLES (ILES)
Depuis 1900 aucun changement

PORTO RICO
Depuis 1900 retranchez 0 h 25

SALVADOR*
Depuis 1900 aucun changement

AMÉRIQUE DU SUD

ARGENTINE*
Est
Régions de Santa Fé, Cordoba, Buenos Aires, Bahia Blanca
De 1900 à 1919 ajoutez 0 h 10
Depuis 1920 aucun changement
Ouest
Régions de Tucuman, Mendoza et Patagonie
De 1900 à 1919 retranchez 0 h 20
Depuis 1920 retranchez 0 h 40

BOLIVIE
De 1900 à 1931 ajoutez 0 h 10
Depuis 1932 retranchez 0 h 25

BRÉSIL* (sauf Accre)
Depuis 1900 aucun changement

Accre*
De 1900 à 1913 aucun changement
Depuis 1914 ajoutez 0 h 20

CHILI*
De 1900 à 1909 aucun changement
De 1910 à 1931 ajoutez 0 h 15
Depuis 1932 retranchez 0 h 45

COLOMBIE
Depuis 1900 aucun changement

ÉQUATEUR
Depuis 1900 aucun changement

GUYANA
Depuis 1900 aucun changement

GUYANE FRANÇAISE
De 1900 à 1910 aucun changement
Depuis 1911 ajoutez 0 h 30

PARAGUAY*
De 1900 à 1930 retranchez 0 h 15
Depuis 1931 ajoutez 0 h 10

PÉROU*
Depuis 1900 aucun changement

SURINAM
Depuis 1900 aucun changement

URUGUAY*
De 1900 à 1919 ajoutez 0 h 15
Depuis 1920 retranchez 0 h 15

VENEZUELA
De 1910 à 1964 aucun changement
Depuis 1965 retranchez 0 h 30

MOYEN-ORIENT

ARABIE SAOUDITE (4)
Ouest retranchez 0 h 20
Est (dont Er Riad) retranchez 0 h 50

ÉMIRATS ARABES (4)
retranchez 0 h 20

IRAK*
Aucun changement

ISRAËL*
Ajoutez 0 h 20

JORDANIE*
Ajoutez 0 h 25

KOWEÏT
Aucun changement

LIBAN*
Ajoutez 0 h 20

SYRIE*
Ajoutez 0 h 30

YÉMEN Nord et Sud
Aucun changement

ASIE

AFGHANISTAN
Aucun changement

BIRMANIE
Aucun changement

CEYLAN
Aucun changement

CHINE
Pour Pékin et toute la côte Est aucun changement
Pour le reste de la Chine se reporter à l'heure locale sans aucun changement

CORÉE (4)
Retranchez 0 h 30

CAMBODGE
Aucun changement

INDE
Assam ajoutez 0 h 40
Côte et partie orientale aucun changement
Côte et partie occidentale
retranchez 0 h 30

INDONÉSIE
Sumatra retranchez 0 h 15
Java, Bali ajoutez 0 h 20
Bornéo retranchez 0 h 25
Célèbes, Timor, Florès aucun changement
Irian (N.-Guinée) aucun changement
Moluques retranchez 0 h 25

JAPON
Kiousiou retranchez 0 h 10
Sikok, Hondo Ouest de Tokyo
aucun changement
Hondo Nord de Tokyo et Yeso
ajoutez 0 h 30

LAOS
Aucun changement

MALAYSIA (FÉD.)
Péninsule malaise
De 1910 à 1981 retranchez 0 h 30
Depuis 1982 retranchez 1 h
Sabah, Sarawak
De 1910 à 1981 aucun changement
Depuis 1982 retranchez 0 h 30

MANDCHOURIE
DE 1900 à 1904 aucun changement
DE 1905 à 1927 retranchez 0 h 30
De 1928 à 1931 aucun changement

PAKISTAN ORIENTAL
Aucun changement

PAKISTAN OCCIDENTAL (4)
Retranchez 0 h 30

PHILIPPINES (ILES)
Aucun changement

THAÏLANDE
De 1900 à 1919 aucun changement
Depuis 1920 retranchez 0 h 15

VIÊT-NAM
Aucun changement
sauf Viêt-nam du Sud de 1956 à 1975 retranchez 0 h 50

TAÏWAN (Formose)
Aucun changement

Ex-U.R.S.S. C.E.I.
SIBÉRIE
Kazakhstan oriental, Kirghizistan, Tajdikistan,
région de Omsk
De 1900 à 1930 retranchez 2 h
De 1931 à 1963 aucun changement
Depuis 1964 retranchez 1 h
Altaï, régions de Tomsk,
Novossibirsk, Krasnoïarsk
De 1900 à 1930 retranchez 1 h
De 1931 à 1963 aucun changement
Depuis 1964 retranchez 1 h
Régions lac Baïkal, Irkoutsk
De 1900 à 1963 aucun changement
Depuis 1964 retranchez 1 h
Région de Tchita-Mogotcha
De 1900 à 1930 ajoutez 1 h
De 1931 à 1963 aucun changement
Depuis 1964 retranchez 1 h
Régions de Vladivostok,
Komsomolsk, Okhotsk
De 1900 à 1963 aucun changement
Depuis 1964 retranchez 1 h
Régions de Magadan, Kamtchatka
De 1900 à 1930 ajoutez 1 h
De 1931 à 1963 aucun changement
Depuis 1964 retranchez 1 h

(4) Ces informations concernent la période récente. Se renseigner pour l'heure officielle avant 1960.

OCÉANIE
AUSTRALIE
Provinces de Canberra, Victoria,
N.-Galles-du-Sud, Papouasie (N.-Guinée)
Queensland, Tasmanie
Aucun changement
Territoires du Nord et Australie méridionale
Retranchez 0 h 30
Australie Occidentale
Aucun changement

NOUVELLE-ZÉLANDE
Aucun changement

TOUTES ILES DE L'OCÉANIE
Pratiquement aucun changement

EUROPE
ALBANIE
De 1900 à 1914 aucun changement
De 1915 à 1939 ajoutez 0 h 20
En 1940 à 1941 retranchez 0 h 40
Depuis 1942 ajoutez 0 h 20

ALLEMAGNE DE L'EST (Ex-RDA)
De 1900 à 1939 retranchez 0 h 10
En 1940 et 1941 retranchez 1 h 10
Depuis 1942 retranchez 0 h 10

ALLEMAGNE DE L'OUEST (Ex-RFA)
De 1900 à 1939 retranchez 0 h 20
En 1940 et 1941 retranchez 1 h 20
Depuis 1942 retranchez 0 h 20

ANGLETERRE (sauf Cornouailles)
De 1900 à 1939 aucun changement
De 1940 à 1944 retranchez 1 h
De 1945 à 1967 retranchez 1 h
De 1968 à 1970 retranchez 1 h
Depuis 1971 aucun changement
Cornouailles, Écosse, Galles
De 1900 à 1939 retranchez 0 h 15
De 1940 à 1944 retranchez 1 h 15
De 1945 à 1967 retranchez 0 h 15
De 1968 à 1970 retranchez 1 h 15
Depuis 1971 retranchez 0 h 15

AUTRICHE
De 1900 à 1939 aucun changement
En 1940 et 1941 retranchez 1 h
Depuis 1942 aucun changement

BELGIQUE
De 1900 à 1939 ajoutez 0 h 20
En 1940 et 1941 retranchez 1 h 40
Depuis 1942 retranchez 0 h 40

BULGARIE
Depuis 1900 retranchez 0 h 20

CHYPRE
De 1900 à 1920 aucun changement
Depuis 1921 ajoutez 0 h 15

DANEMARK
De 1900 à 1939 retranchez 0 h 15
En 1940 et 1941 retranchez 1 h 15
Depuis 1942 retranchez 0 h 15

ESPAGNE
(R) = Républicains
(F) = Franquistes
Aragon, Baléares, Catalogne, Murcie, Navarre,
Valence
De 1910 à 1937 aucun changement
En 1938 (R) retranchez 1 h
En 1938 (F) aucun changement
En 1939 aucun changement
Depuis 1940 retranchez 1 h
Andalousie, Pays Basque, Leon, Castilles, Galice, Estrémadure
De 1910 à 1937 retranchez 0 h 20
En 1938 (R) retranchez 1 h 20

* Pour les pays suivis du * voir le tableau spécial de l'heure d'été et l'appliquer en fonction de vos informations personnelles.

En 1938 (F) retranchez 0 h 20
En 1939 retranchez 0 h 20
Depuis 1940 retranchez 1 h 20

ESTONIE
De 1900 à 1920 aucun changement
De 1921 et 1963 retranchez 0 h 20
Depuis 1964 retranchez 1 h 20

FINLANDE
De 1900 à 1920 aucun changement
Depuis 1921 retranchez 0 h 20

FRANCE
(ZNO) = zone non occupée
(ZO) = zone occupée
Aquitaine, Bretagne, Centre, Midi-Pyrénées,
Nord, Normandie, Limousin, Pays-de-Loire,
Poitou-Charentes, Picardie
De 1900 à 1910 retranchez 0 h 10
De 1911 à 1939 aucun changement
(ZNO) en 1940 et 1941 retranchez 1 h
(ZO) en 1940 et 1941 retranchez 2 h
Depuis 1942 retranchez 1 h
Alsace, Auvergne, Bourgogne, Champagne,
Ardennes, Franche-Comté, Languedoc, Roussillon, Lorraine, Rhône-Alpes, Provence,
Côte-d'Azur, Corse, Monaco
De 1900 à 1910 ajoutez 0 h 10
De 1911 à 1939 ajoutez 0 h 20
(ZNO) en 1940 et 1941 retranchez 0 h 40
(ZO) en 1940 et 1941 retranchez 1 h 40
Depuis 1942 retranchez 0 h 40

GRÈCE
De 1900 à 1915 aucun changement
De 1916 à 1941 retranchez 0 h 30
En 1942 et 1943 ajoutez 0 h 30
Depuis 1944 retranchez 0 h 30

GROENLAND
Depuis 1900 aucun changement

HOLLANDE
De 1900 à 1939 aucun changement
En 1940 et 1941 retranchez 1 h 40
Depuis 1942 retranchez 0 h 40

HONGRIE
De 1900 à 1940 ajoutez 0 h 15
En 1941 retranchez 0 h 45
Depuis 1942 ajoutez 0 h 15

IRLANDE (EIRE)
De 1900 à 1915 aucun changement
De 1916 à 1939 retranchez 0 h 30
De 1940 à 1944 retranchez 1 h 30
De 1945 à 1967 retranchez 0 h 30
Depuis 1968 retranchez 1 h 30

IRLANDE DU NORD
De 1900 à 1915 aucun changement
De 1916 à 1919 retranchez 0 h 25
A partir de 1920 comme Galles

ISLANDE
De 1900 à 1907 aucun changement
De 1908 à 1966 retranchez 0 h 25
Depuis 1967 retranchez 1 h 25

ITALIE
Émilie, Ligurie, Lombardie, Piémont, Toscane,
Sardaigne
De 1900 à 1939 retranchez 0 h 20
En 1940 et 1941 retranchez 1 h 20
Depuis 1942 retranchez 0 h 20
Abruzzes, Calabre, Campanie, Latium, Marches, Ombrie, Pouilles, San Marino, Sicile,
Vénétie
De 1900 à 1939 aucun changement
En 1940 et 1941 retranchez 1 h
Depuis 1942 aucun changement

LETTONIE
De 1900 à 1917 retranchez 0 h 25
De 1918 à 1925 aucun changement
De 1926 à 1963 retranchez 0 h 25
Depuis 1964 retranchez 1 h 25

TRANSFORMATION DE VOTRE HEURE OFFICIELLE DE NAISSANCE EN HEURE SOLAIRE DE NAISSANCE

LITUANIE
De 1900 à 1918 aucun changement
De 1919 à 1939 ajoutez 0 h 30
De 1940 à 1963 retranchez 0 h 30
Depuis 1964 retranchez 1 h 30

LUXEMBOURG
De 1900 à 1903 aucun changement
De 1904 à 1917 retranchez 0 h 35
Du 23 au 24 nov. 1918 retranchez 0 h 35
Du 25-nov. au 22 déc. 1918 ajoutez 0 h 25
De 1919 à 1939 ajoutez 0 h 25
En 1940 et 1941 retranchez 1 h 35
Depuis 1942 retranchez 0 h 35

MALTE
De 1900 à 1978 voir Sicile

NORVÈGE
De 1900 à 1939 retranchez 0 h 20
En 1940 et 1941 retranchez 1 h 20
Depuis 1942 retranchez 0 h 20

POLOGNE
De 1900 à 1919
Pour les territoires sous contrôle allemand voir Allemagne Est
Pour les territoires sous contrôle autrichien voir Autriche
Pour les territoires sous contrôle russe voir URSS

En 1920 et 1921 retranchez 0 h 45
De 1922 à 1939 ajoutez 0 h 15
En 1940 et 1941 retranchez 0 h 45
Depuis 1942 ajoutez 0 h 15

PORTUGAL
De 1900 à 1911 aucun changement
De 1912 à 1965 retranchez 0 h 30
De 1966 à 1975 retranchez 1 h 30
De 1976 à 1991 retranchez 0 h 30
Depuis 1992 retranchez 1 h 30

ROUMANIE
De 1900 à 1930 aucun changement
Depuis 1931 retranchez 0 h 15

SUÈDE
Depuis 1900 ajoutez 0 h 10

SUISSE
Depuis 1900 retranchez 0 h 25

Ex-TCHÉCOSLOVAQUIE
De 1900 à 1939 ajoutez 0 h 10
En 1940 et 1941 retranchez 0 h 50
Depuis 1942 ajoutez 0 h 10

TURQUIE Occidentale
De 1900 à 1969 aucun changement
De 1970 à 1974 retranchez 1 h
Depuis 1975 aucun changement

TURQUIE Orientale
De 1900 à 1969 ajoutez 0 h 40

De 1970 à 1974 retranchez 0 h 20
Depuis 1975 ajoutez 0 h 40

Ex-URSS CEI
Biélorussie, Carélie, Crimée, Moldavie, Ukraine, régions de Leningrad, Moscou, Orel
De 1900 à 1929 aucun changement
En 1930 retranchez 1 h
De 1931 à 1963 aucun changement
Depuis 1964 retranchez 1 h
Arménie, Azerbaïdjan, Géorgie, régions du Caucase, de la Volga centrale et méridionale et de Kirov
De 1900 à 1929 ajoutez 1 h (5)
De 1930 à 1963 aucun changement
Depuis 1964 retranchez 1 h
Versants occidental et oriental de l'Oural, Kazakhstan occidental, Turkménistan, Ouzbékistan
De 1900 à 1929 ajoutez 2 h
En 1930 ajoutez 1 h
De 1931 à 1963 aucun changement
Depuis 1964 retranchez 1 h

Ex-YOUGOSLAVIE
De 1900 à 1940 ajoutez 0 h 15
En 1941 retranchez 0 h 45
Depuis 1942 ajoutez 0 h 15

(5) Sauf Géorgie aucun changement

Pour les pays marqués d'un*, nous savons qu'ils pratiquent l'heure d'été mais les dates précises de début et de fin de période ne nous sont pas connues, ainsi que les années.

Le tableau suivant vous indique comme passer directement d'une heure officielle d'été à l'heure solaire de naissance correspondante.

Vous devez utiliser ce tableau spécial si vous ête certain(e) que votre naissance a eu lieu pendant la période officielle d'application de l'heure d'été *pour l'année de votre naissance.*

Par exemple, pour les États-Unis, cette période va du dernier dimanche d'avril à 2 heures du matin jusqu'au dernier dimanche d'octobre à 2 heures du matin.

AMÉRIQUE DU NORD

ALASKA
Région de Wrangel retranchez 2 h
Région de Juneau retranchez 1 h 15
Alaska central retranchez 1 h
Alaska occid. retranchez 1 h

CANADA sauf Alberta, Nouv.-Brunswick, Nouvelle-Écosse
Colombie retranchez 1 h
Manitoba retranchez 1 h 30
NF. Labrador retranchez 1 h 40
Ontario Est retranchez 1 h 20
Ontario Ouest retranchez 2 h
Québec Est retranchez 1 h 20
Québec Ouest retranchez 0 h 45
Saskatchewan retranchez 1 h

ÉTATS-UNIS
Alabama retranchez 0 h 45
Arizona pas d'heure d'été
Arkansas retranchez 1 h 10
Californie retranchez 1 h
Caroline Nord retranchez 1 h 20
Caroline Sud retranchez 1 h 25
Colorado retranchez 1 h
Connecticut retranchez 0 h 50
Dakota Nord (Est) retranchez 1 h 40
Dakota Nord (Ouest) retranchez 1 h
Dakota Sud (Est) retranchez 1 h 35
Dakota Sud (Ouest) retranchez 0 h 50
Delaware retranchez 1 h
District Fédéral retranchez 1 h
Floride retranchez 1 h 30
S.F. Panama Pensacola retranchez 0 h 40
Georgie retranchez 1 h 35
Idaho Est retranchez 1 h 30
Idaho Ouest retranchez 0 h 45
Illinois retranchez 1 h
Indiana retranchez 0 h 45
Iowa retranchez 0 h 45
Kansas retranchez 1 h 30

S.F. Dodge City et Ouest retranchez 0 h 40
Kentucky Centre et Est retranchez 1 h 40
Kentucky Ouest retranchez 0 h 50
Louisiane retranchez 1 h
Maine retranchez 0 h 40
Maryland retranchez 1 h 10
Massachusetts retranchez 0 h 45
Michigan retranchez 1 h 45
Minnesota retranchez 1 h 15
Mississippi retranchez 1 h
Missouri retranchez 1 h 10
Montana retranchez 1 h 20
Nebraska Est retranchez 1 h 30
Nebraska Ouest retranchez 0 h 50
Nevada retranchez 0 h 45
N. Hampshire retranchez 0 h 45
N. Jersey retranchez 1 h
New York retranchez 1 h
N. Mexique retranchez 1 h
Ohio retranchez 1 h 30
Oklahoma retranchez 1 h 30
Oregon retranchez 1 h
Pennsylvanie retranchez 1 h 15
Rhode Island retranchez 1 h
Tennessee Est retranchez 1 h 35
Tennessee Ouest retranchez 0 h 50
Texas Est retranchez 1 h 25
Texas Ouest retranchez 1 h 45
Utah Est retranchez 1 h 20
Utah Ouest retranchez 0 h 30
Vermont retranchez 1 h
Virginie Occidentale retranchez 1 h 25
Washington (D.C.) retranchez 1 h
Washington (État) retranchez 1 h
Wisconsin retranchez 1 h
Wyoming retranchez 1 h 10
Hawaï pas d'heure d'été.

AMÉRIQUE CENTRALE
BAHAMAS (Iles) retranchez 1 h
COSTA RICA retranchez 0 h 35

CUBA retranchez 1 h 15
RÉP. DOMINICAINE retranchez 0 h 40
GUATEMALA retranchez 1 h
HAÏTI retranchez 1 h
HONDURAS retranchez 1 h
Ex-HONDURAS britannique (BELIZE) retranchez 1 h
NICARAGUA retranchez 0 h 40
PANAMA retranchez 1 h 20
SALVADOR retranchez 1 h

AMÉRIQUE DU SUD
ARGENTINE (après 1920)
Est retranchez 1 h
Ouest retranchez 1 h 40
BRÉSIL Sauf Accre
retranchez 1 h
BRÉSIL Accre
retranchez 0 h 40
PARAGUAY retranchez 0 h 50
PÉROU retranchez 1 h
URUGUAY (après 1920) retranchez 1 h 15

MOYEN-ORIENT
IRAK retranchez 1 h
ISRAËL retranchez 0 h 40
JORDANIE retranchez 0 h 35
LIBAN retranchez 0 h 40
SYRIE retranchez 0 h 30

ASIE
CHINE retranchez 1 h
Ex-URSS CEI retranchez 1 h

OCÉANIE
AUSTRALIE
Territoires du Nord et
Australie méridionale retranchez 1 h 30
Reste de l'Australie retranchez 1 h
NOUVELLE-ZÉLANDE
Retranchez 1 h

Comment découvrir votre Ascendant
sans aucun calcul

Votre Ascendant est le signe zodiacal qui se levait à l'horizon Est au moment de votre naissance.

Il dépend étroitement de votre heure et de votre lieu de naissance, éléments dont nous avons déjà tenu compte dans la transformation de votre heure officielle en heure solaire de naissance.

Sans effectuer de calcul, vous pouvez dès maintenant découvrir votre signe Ascendant dans la Table des Ascendants qui vous concerne.

Pour savoir quelle Table consulter, il vous suffit de regarder à la page suivante le numéro de la Table correspondant à votre pays de naissance.

Vous consultez alors votre Table, en recherchant la colonne de votre jour de naissance, puis la ligne de votre heure solaire de naissance qui vous donne votre signe Ascendant.

Si ce signe est le dernier d'une série, vous pouvez considérer que vous êtes également influencé (e) par le signe d'après.

Exemple :

	Scorpion
	Scorpion
	Scorpion
Ligne de votre heure..........	**Scorpion**....... vous êtes **Scorpion** mais
	Sagittaire vous êtes également **Sagittaire**
	Sagittaire

En effet, en raison de la rotation de la Terre sur elle-même en 24 heures, chaque signe zodiacal se lève à son tour à l'horizon Est d'un lieu terrestre déterminé.

Ainsi dans l'ordre des signes, lorsque le **Scorpion** a fini de se lever, c'est au tour du **Sagittaire** d'apparaître, si bien que le début du **Sagittaire** se lève quelques minutes après la fin du **Scorpion** : voilà qui explique l'influence de ces deux signes Ascendants sur une personne.

Le signe Ascendant exerce une influence prépondérante sur votre tempérament, sur votre morphologie et votre comportement.

Étant l'élément le plus individualisé de votre configuration astrologique natale, votre Ascendant caractérise votre mode d'adaptation au monde extérieur aussi bien sur les plans biologique, social que professionnel.

L'analyse concernant votre signe Ascendant s'applique donc essentiellement à votre façon d'être avec les autres et, par conséquent, à la manière dont les autres vous perçoivent.

Si vous ne connaissez votre heure de naissance que de façon approximative, par exemple, « dans la matinée », « en fin d'après-midi », vous pouvez vous reporter aux descriptions et juger, à la lecture de leur analyse, du signe qui correspond le mieux à votre comportement spontané.

Vous pouvez contrôler le résultat avec un de vos proches.

Numéro de la Table des Ascendants
à consulter pour chaque pays

PAYS	1	2	3	4	5	6
AFRIQUE						
AFFARS ET ISSAS	1					
AFRIQUE DU SUD		2				
ALGÉRIE			3			
SAHARA ALGÉRIEN		2				
ANGOLA	1					
BENIN (DAHOMEY)	1					
BOTSWANA		2				
CAMEROUN	1					
CAP VERT (ÎLES)	1					
CENTRAFRIQUE Rép.	1					
COMORES (ÎLES)	1					
CONGO	1					
CÔTE D'IVOIRE	1					
ÉGYPTE		2				
ÉTHIOPIE	1					
GABON	1					
GAMBIE	1					
GHANA	1					
GUINÉE	1					
GUINÉE BISSAU	1					
GUINÉE ÉQUAT.	1					
HAUTE VOLTA	1					
KENYA	1					
LESOTHO		2				
LIBÉRIA	1					
LIBYE		2				
MADAGASCAR		2				
MALAWI	1					
MAROC NORD			3			
MAURICE (ÎLE)		2				
MAURITANIE		2				
MOZAMBIQUE NORD	1					
MOZAMBIQUE SUD		2				
NIGER	1					
NIGÉRIA	1					
OUGANDA	1					
RÉUNION (ÎLE)		2				
RHODÉSIE		2				
RWANDA	1					
SAOTOME (ÎLE)	1					
SÉNÉGAL	1					
SEYCHELLES (ÎLES)	1					
SIERRA LÉONE	1					
SOMALIE	1					
SOUDAN	1					
SUD-OUEST AFRICAIN		2				
SWAZILAND		2				
TANGER			3			
TANZANIE	1					
TCHAD	1					
TOGO	1					
TUNISIE NORD			3			
TUNISIE SUD		2				
ZAÏRE	1					
ZAMBIE	1					
AMÉRIQUE DU NORD						
CANADA						
ALBERTA SUD					5	
ALBERTA NORD						6
BRITISH COLUMBIA SUD					5	
BRITISH COLUMBIA NORD						6
MANITOBA SUD					5	
MANITOBA NORD						6
NEW BRUNSWICK				4		
NEW F. LABRADOR						6
NOUVELLE ÉCOSSE				4		
ONTARIO SUD				4		

PAYS	1	2	3	4	5	6
ONTARIO NORD					5	
QUÉBEC SUD				4		
QUÉBEC NORD					5	
SASKATCHEWAN SUD					5	
SASKATCHEWAN NORD						6
TERRIT. NORD-OUEST						6
St PIERRE ET MIQUELON				4		
ETATS-UNIS						
ALABAMA			3			
ALASKA						6
ARIZONA			3			
ARKANSAS			3			
CALIFORNIE			3			
CAROLINE NORD			3			
CAROLINE SUD			3			
COLORADO			3			
CONNECTICUT				4		
DAKOTA NORD				4		
DAKOTA SUD				4		
DELAWARE			3			
FLORIDE		2				
GÉORGIE			3			
IDAHO				4		
ILLINOIS			3			
INDIANA			3			
IOWA			3			
KANSAS			3			
KENTUCKY			3			
LOUISIANE		2				
MAINE				4		
MARYLAND			3			
MASSACHUSETTS				4		
MICHIGAN				4		
MINNESOTA				4		
MISSISSIPI			3			
MISSOURI			3			
MONTANA				4		
NEBRASKA			3			
NEVADA			3			
NEW HAMPSHIRE				4		
NEW JERSEY			3			
NEW YORK				4		
NOUVEAU MEXIQUE			3			
OHIO			3			
OKLAHOMA			3			
ORÉGON				4		
PENNSYLVANIE			3			
RHODE -ISLAND			3			
TENNESSEE			3			
TEXAS		2				
UTAH			3			
VERMONT				4		
VIRGINIE			3			
VIRGINIE OCCID.			3			
WASHINGTON			3			
WASHINGTON ÉTAT				4		
WISCONSIN				4		
WYOMING				4		
HAWAÏ		2				
BERMUDES DES (ÎLE)			3			
TERRE NEUVE (ÎLE)				4		
AMERIQUE CENTRALE						
BAHAMAS (ÎLES)		2				
BARBADE (ÎLES)	1					
COSTA—RICA	1					

PAYS	1	2	3	4	5	6
CUBA		2				
CURAÇAO	1					
DOMINICAINE Rép.		2				
GUADELOUPE		2				
GUATÉMALA	1					
HAÏTI		2				
HONDURAS	1					
HONDURAS BOIT.		2				
JAMAÏQUE		2				
MARTINIQUE	1					
MEXIQUE		2				
NICARAGUA	1					
PANAMA	1					
PETITES ANTILLES (ÎLES)	1					
PORTO-RICO		2				
SAN SALVADOR	1					
AMÉRIQUE DU SUD						
ARGENTINE NORD		2				
ARGENTINE CENTRE			3			
ARGENTINE SUD				4		
BOLIVIE NORD	1					
BOLIVIE SUD		2				
BRÉSIL NORD	1					
BRÉSIL SUD soit :						
MINAS GERAIS		2				
SAO PAULO-RIO		2				
CHILI NORD		2				
CHILI CENTRE			3			
CHILI SUD				4		
COLOMBIE	1					
ÉQUATEUR	1					
GUYANA	1					
GUYANE FRANÇAISE	1					
PARAGUAY		2				
PÉROU	1					
SURINAM	1					
URUGUAY			3			
VÉNÉZUELA	1					
ASIE						
AFGHANISTAN			3			
BIRMANIE		2				
BHOUTAN		2				
CACHEMIRE			3			
CAMBODGE	1					
CEYLAN (SRILANKA)	1					
CHINE DU NORD			3			
(SINKIANG, LIAO MING,						
HOPEH, CHANSI, CHENSI						
MANDCHOURIE, KANSOU						
KIANG-SOU, NAN CHAN)						
CHINE CENTRALE		2				
(YANG TSE KIANG)						
CHINE DU SUD		2				
CORÉE DU NORD			3			
CORÉE DU SUD			3			
INDE SUD	1					
INDE CENTRE		2				
INDE NORD		2				
INDONÉSIE	1					
JAPON			3			
JAPON (YESO)				4		
LAOS		2				
MALAYSIA (FÉD.)	1					
MONGOLIE EXT.				4		
NÉPAL		2				

PAYS	1	2	3	4	5	6
PAKISTAN OR. OCC.		2				
PHILIPPINES (ÎLES)	1					
THAÏLANDE	1					
U.R.S.S.						
KAZAKHSTAN				4		
KIRGHIZISTAN			3			
OUZBEKISTAN			3			
SIBÉRIE SUD					5	
(OMSK, NOVOSSIBIRSK						
IRKOUTSK)						
RESTE SIBÉRIE						6
TADJIKISTAN			3			
TURKMENISTAN			3			
VLADIVOSTOK (PROV.)				4		
VIETNAM (NORD)		2				
VIETNAM (SUD)	1					

EUROPE

PAYS	1	2	3	4	5	6
ALBANIE			3			
NORD ÉCOSSE						6
ALLEMAGNE DE L'EST					5	
ALLEMAGNE OUEST						
NORD-CENTRE					5	
BAVIÈRE-BADE				4		
ANGLETERRE					5	
AUTRICHE				4		
BELGIQUE					5	
BULGARIE				4		
CHYPRE (ÎLE)			3			
DANEMARK						6
ESPAGNE NORD				4		
ESPAGNE CENTRE			3			
ESPAGNE SUD			3			
BALÉARES (ÎLES)			3			
ESTONIE						6
FINLANDE						6
FRANCE				4		
GRÈCE			3			
GROËNLAND						6
HOLLALNDE					5	
HONGRIE				4		
IRLANDE (EIRE)					5	

PAYS	1	2	3	4	5	6
IRLANDE DU NORD					5	
ISLANDE						6
ITALIE NORD CENTRE				4		
ITALIE SUD			3			
SARDAIGNE-SICILE			3			
LETTONIE						6
LITHUANIE						6
LUXEMBOURG					5	
MALTE			3			
NORVÈGE						6
POLOGNE					5	
PORTUGAL			3			
ROUMANIE				4		
SUÈDE						6
SUISSE				4		
TCHÉCOSLOVAQUIE					5	
TURQUIE			3			
U.R.S.S.						
AZERBAÏDJAN				4		
ARMÉNIE				4		
BIELORUSSIE					5	
GÉORGIE				4		
UKRAINE				4		
U.R.S.S. NORD LIGNE						
SMOLENSK-MOSCOU-						
KAZAN						6
U.R.S.S.-SUD					5	
YOUGOSLAVIE				4		

MOYEN ORIENT

PAYS	1	2	3	4	5	6
ARABIE SAOUDITE		2				
ÉMIRATS ARABES		2				
IRAK			3			
IRAN NORD			3			
IRAN SUD		2				
ISRAËL		2				
JORDANIE		2				
KOWEIT		2				
LIBAN			3			
SAMOA		2				
SYRIE			3			

PAYS	1	2	3	4	5	6
YEMEN NORD	1					
YEMEN SUD	1					

OCÉANIE

PAYS	1	2	3	4	5	6
AUSTRALIE						
AUSTRALIE MÉRIDIONALE			3			
AUSTRALIE OCCIDENTALE		2				
NOUVELLES—GALLES DU SUD			3			
QUEEN'S LAND		2				
SAUF PÉNINSULE D'YORK	1					
TERRIT. DU NORD (NORD)	1					
TERRIT. DU NORD (SUD)		2				
VICTORIA			3			
TASMANIE				4		

PAYS	1	2	3	4	5	6
NOUVELLE—CALÉDONIE		2				
NOUVELLE—GUINÉE	1					
NOUVELLE—ZÉLANDE						
NORD ÎLE FUMANTE			3			
SUD ÎLE DE JADE				4		

AUTRES ÎLES

PAYS	1	2	3	4	5	6
CAROLINES	1					
CHATHAM				4		
CHESTERFIELD		2				
ELLICE	1					
FIDJI	1					
GILBERT	1					
HÉBRIDES	1					
KERMADEC			3			
LOYAUTÉ		2				
MARIANNES	1					
MARQUISES	1					
MARSHALL	1					
MIDWAY		2				
SALOMON	1					
SAOA	1					
SOCIÉTÉ	1					
TONGA		2				
TOUAMOTOU	1					
TUBUAÏ		2				

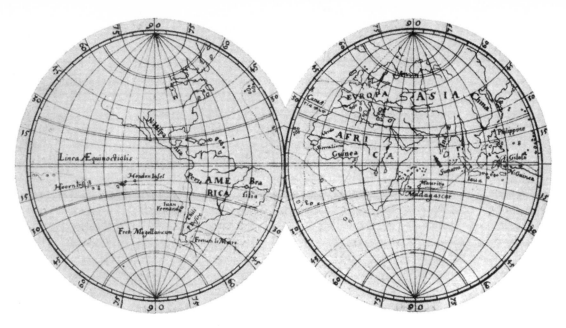

Comment découvrir votre Ascendant si vous êtes né(e) dans l'hémisphère Sud

Par rapport au Zodiaque, l'horizon Est dans l'hémisphère Sud n'est pas le même que dans l'hémisphère Nord.

Pour tenir compte de ce fait, vous ajoutez simplement 12 heures à votre heure solaire de naissance.

Si le total est supérieur à 24 heures, vous retranchez 24 heures : par exemple 20 h 30 + 12 h = 32 h 30 − 24 h = 8 h 30.

En prenant la nouvelle heure obtenue, 8 h 30 dans notre exemple, vous recherchez votre signe Ascendant exactement comme pour une naissance dans l'hémisphère Nord.

Vous obtenez le nom d'un signe zodiacal.

Celui-ci n'est pas encore votre Ascendant.

En effet, vous savez que les saisons australes sont inversées par rapport aux saisons boréales; l'été en Australie correspond à l'hiver en Europe.

De même, le signe du Bélier de l'hémisphère Nord, c'est-à-dire le début du printemps, correspond au signe de la Balance qui marque le début du printemps dans l'hémisphère Sud.

C'est donc le signe zodiacal opposé au signe que vous avez trouvé précédemment qui est votre signe Ascendant final, et le tableau ci-dessous vous permet de trouver immédiatement ce signe.

Votre signe Ascendant lu dans la Table ▼	Votre signe Ascendant final ▼
Bélier	Balance
Taureau	Scorpion
Gémeaux	Sagittaire
Cancer	Capricorne
Lion	Verseau
Vierge	Poissons
Balance	Bélier
Scorpion	Taureau
Sagittaire	Gémeaux
Capricorne	Cancer
Verseau	Lion
Poissons	Vierge

DECOUVREZ VOTRE ASCENDANT SANS AUCUN CALCUL : TABLE N⁰ 1

VOTRE HEURE DE NAISSANCE	22 NOVEMBRE	23 NOVEMBRE	24 NOVEMBRE	25 NOVEMBRE	26 NOVEMBRE	27 NOVEMBRE	28 NOVEMBRE	29 NOVEMBRE
0 h 00	VIERGE	VIERGE	VIERGE	VIERGE	VIERGE	VIERGE	VIERGE	VIERGE
0 h 30	VIERGE	VIERGE	VIERGE	VIERGE	VIERGE	VIERGE	VIERGE	VIERGE
1 h 00	VIERGE	VIERGE	VIERGE	VIERGE	VIERGE	VIERGE	VIERGE	VIERGE
1 h 30	VIERGE	VIERGE	VIERGE	VIERGE	VIERGE	VIERGE	VIERGE	BALANCE
2 h 00	BALANCE	BALANCE	BALANCE	BALANCE	BALANCE	BALANCE	BALANCE	BALANCE
2 h 30	BALANCE	BALANCE	BALANCE	BALANCE	BALANCE	BALANCE	BALANCE	BALANCE
3 h 00	BALANCE	BALANCE	BALANCE	BALANCE	BALANCE	BALANCE	BALANCE	BALANCE
3 h 30	BALANCE	BALANCE	BALANCE	BALANCE	BALANCE	SCORPION	SCORPION	SCORPION
4 h 00	SCORPION	SCORPION	SCORPION	SCORPION	SCORPION	SCORPION	SCORPION	SCORPION
4 h 30	SCORPION	SCORPION	SCORPION	SCORPION	SCORPION	SCORPION	SCORPION	SCORPION
5 h 00	SCORPION	SCORPION	SCORPION	SCORPION	SCORPION	SCORPION	SCORPION	SCORPION
5 h 30	SCORPION	SCORPION	SCORPION	SCORPION	SCORPION	SCORPION	SCORPION	SAGITTAIRE
6 h 00	SAGITTAIRE	SAGITTAIRE	SAGITTAIRE	SAGITTAIRE	SAGITTAIRE	SAGITTAIRE	SAGITTAIRE	SAGITTAIRE
6 h 30	SAGITTAIRE	SAGITTAIRE	SAGITTAIRE	SAGITTAIRE	SAGITTAIRE	SAGITTAIRE	SAGITTAIRE	SAGITTAIRE
7 h 00	SAGITTAIRE	SAGITTAIRE	SAGITTAIRE	SAGITTAIRE	SAGITTAIRE	SAGITTAIRE	SAGITTAIRE	SAGITTAIRE
7 h 30	SAGITTAIRE	SAGITTAIRE	SAGITTAIRE	SAGITTAIRE	SAGITTAIRE	SAGITTAIRE	SAGITTAIRE	SAGITTAIRE
8 h 00	SAGITTAIRE	CAPRICORNE	CAPRICORNE	CAPRICORNE	CAPRICORNE	CAPRICORNE	CAPRICORNE	CAPRICORNE
8 h 30	CAPRICORNE	CAPRICORNE	CAPRICORNE	CAPRICORNE	CAPRICORNE	CAPRICORNE	CAPRICORNE	CAPRICORNE
9 h 00	CAPRICORNE	CAPRICORNE	CAPRICORNE	CAPRICORNE	CAPRICORNE	CAPRICORNE	CAPRICORNE	CAPRICORNE
9 h 30	CAPRICORNE	CAPRICORNE	CAPRICORNE	CAPRICORNE	CAPRICORNE	CAPRICORNE	CAPRICORNE	CAPRICORNE
10 h 00	CAPRICORNE	CAPRICORNE	CAPRICORNE	VERSEAU	VERSEAU	VERSEAU	VERSEAU	VERSEAU
10 h 30	VERSEAU	VERSEAU	VERSEAU	VERSEAU	VERSEAU	VERSEAU	VERSEAU	VERSEAU
11 h 00	VERSEAU	VERSEAU	VERSEAU	VERSEAU	VERSEAU	VERSEAU	VERSEAU	VERSEAU
11 h 30	VERSEAU	VERSEAU	VERSEAU	VERSEAU	VERSEAU	VERSEAU	VERSEAU	VERSEAU
MIDI	VERSEAU	VERSEAU	POISSONS	POISSONS	POISSONS	POISSONS	POISSONS	POISSONS
12 h 30	POISSONS	POISSONS	POISSONS	POISSONS	POISSONS	POISSONS	POISSONS	POISSONS
13 h 00	POISSONS	POISSONS	POISSONS	POISSONS	POISSONS	POISSONS	POISSONS	POISSONS
13 h 30	POISSONS	POISSONS	POISSONS	POISSONS	POISSONS	POISSONS	POISSONS	BELIER
14 h 00	BELIER	BELIER	BELIER	BELIER	BELIER	BELIER	BELIER	BELIER
14 h 30	BELIER	BELIER	BELIER	BELIER	BELIER	BELIER	BELIER	BELIER
15 h 00	BELIER	BELIER	BELIER	BELIER	BELIER	BELIER	BELIER	BELIER
15 h 30	BELIER	BELIER	TAUREAU	TAUREAU	TAUREAU	TAUREAU	TAUREAU	TAUREAU
16 h 00	TAUREAU	TAUREAU	TAUREAU	TAUREAU	TAUREAU	TAUREAU	TAUREAU	TAUREAU
16 h 30	TAUREAU	TAUREAU	TAUREAU	TAUREAU	TAUREAU	TAUREAU	TAUREAU	TAUREAU
17 h 00	TAUREAU	TAUREAU	TAUREAU	TAUREAU	TAUREAU	TAUREAU	TAUREAU	TAUREAU
17 h 30	TAUREAU	GEMEAUX	GEMEAUX	GEMEAUX	GEMEAUX	GEMEAUX	GEMEAUX	GEMEAUX
18 h 00	GEMEAUX	GEMEAUX	GEMEAUX	GEMEAUX	GEMEAUX	GEMEAUX	GEMEAUX	GEMEAUX
18 h 30	GEMEAUX	GEMEAUX	GEMEAUX	GEMEAUX	GEMEAUX	GEMEAUX	GEMEAUX	GEMEAUX
19 h 00	GEMEAUX	GEMEAUX	GEMEAUX	GEMEAUX	GEMEAUX	GEMEAUX	GEMEAUX	GEMEAUX
19 h 30	GEMEAUX	GEMEAUX	GEMEAUX	CANCER	CANCER	CANCER	CANCER	CANCER
20 h 00	CANCER	CANCER	CANCER	CANCER	CANCER	CANCER	CANCER	CANCER
20 h 30	CANCER	CANCER	CANCER	CANCER	CANCER	CANCER	CANCER	CANCER
21 h 00	CANCER	CANCER	CANCER	CANCER	CANCER	CANCER	CANCER	CANCER
21 h 30	CANCER	CANCER	CANCER	CANCER	CANCER	CANCER	LION	LION
22 h 00	LION	LION	LION	LION	LION	LION	LION	LION
22 h 30	LION	LION	LION	LION	LION	LION	LION	LION
23 h 00	LION	LION	LION	LION	LION	LION	LION	LION
23 h 30	LION	LION	LION	LION	LION	LION	LION	VIERGE

DECOUVREZ VOTRE ASCENDANT SANS AUCUN CALCUL : TABLE N⁰ 1

VOTRE HEURE DE NAISSANCE	30 NOVEMBRE	1 DECEMBRE	2 DECEMBRE	3 DECEMBRE	4 DECEMBRE	5 DECEMBRE	6 DECEMBRE	7 DECEMBRE
0 h 00	VIERGE	VIERGE	VIERGE	VIERGE	VIERGE	VIERGE	VIERGE	VIERGE
0 h 30	VIERGE	VIERGE	VIERGE	VIERGE	VIERGE	VIERGE	VIERGE	VIERGE
1 h 00	VIERGE	VIERGE	VIERGE	VIERGE	VIERGE	VIERGE	BALANCE	BALANCE
1 h 30	BALANCE	BALANCE	BALANCE	BALANCE	BALANCE	BALANCE	BALANCE	BALANCE
2 h 00	BALANCE	BALANCE	BALANCE	BALANCE	BALANCE	BALANCE	BALANCE	BALANCE
2 h 30	BALANCE	BALANCE	BALANCE	BALANCE	BALANCE	BALANCE	BALANCE	BALANCE
3 h 00	BALANCE	BALANCE	BALANCE	BALANCE	BALANCE	SCORPION	SCORPION	SCORPION
3 h 30	SCORPION	SCORPION	SCORPION	SCORPION	SCORPION	SCORPION	SCORPION	SCORPION
4 h 00	SCORPION	SCORPION	SCORPION	SCORPION	SCORPION	SCORPION	SCORPION	SCORPION
4 h 30	SCORPION	SCORPION	SCORPION	SCORPION	SCORPION	SCORPION	SCORPION	SCORPION
5 h 00	SCORPION	SCORPION	SCORPION	SCORPION	SCORPION	SCORPION	SAGITTAIRE	SAGITTAIRE
5 h 30	SAGITTAIRE	SAGITTAIRE	SAGITTAIRE	SAGITTAIRE	SAGITTAIRE	SAGITTAIRE	SAGITTAIRE	SAGITTAIRE
6 h 00	SAGITTAIRE	SAGITTAIRE	SAGITTAIRE	SAGITTAIRE	SAGITTAIRE	SAGITTAIRE	SAGITTAIRE	SAGITTAIRE
6 h 30	SAGITTAIRE	SAGITTAIRE	SAGITTAIRE	SAGITTAIRE	SAGITTAIRE	SAGITTAIRE	SAGITTAIRE	SAGITTAIRE
7 h 00	SAGITTAIRE	SAGITTAIRE	SAGITTAIRE	SAGITTAIRE	SAGITTAIRE	SAGITTAIRE	SAGITTAIRE	SAGITTAIRE
7 h 30	SAGITTAIRE	CAPRICORNE	CAPRICORNE	CAPRICORNE	CAPRICORNE	CAPRICORNE	CAPRICORNE	CAPRICORNE
8 h 00	CAPRICORNE	CAPRICORNE	CAPRICORNE	CAPRICORNE	CAPRICORNE	CAPRICORNE	CAPRICORNE	CAPRICORNE
8 h 30	CAPRICORNE	CAPRICORNE	CAPRICORNE	CAPRICORNE	CAPRICORNE	CAPRICORNE	CAPRICORNE	CAPRICORNE
9 h 00	CAPRICORNE	CAPRICORNE	CAPRICORNE	CAPRICORNE	CAPRICORNE	CAPRICORNE	CAPRICORNE	CAPRICORNE
9 h 30	CAPRICORNE	CAPRICORNE	CAPRICORNE	VERSEAU	VERSEAU	VERSEAU	VERSEAU	VERSEAU
10 h 00	VERSEAU	VERSEAU	VERSEAU	VERSEAU	VERSEAU	VERSEAU	VERSEAU	VERSEAU
10 h 30	VERSEAU	VERSEAU	VERSEAU	VERSEAU	VERSEAU	VERSEAU	VERSEAU	VERSEAU
11 h 00	VERSEAU	VERSEAU	VERSEAU	VERSEAU	VERSEAU	VERSEAU	VERSEAU	VERSEAU
11 h 30	VERSEAU	VERSEAU	POISSONS	POISSONS	POISSONS	POISSONS	POISSONS	POISSONS
MIDI	POISSONS	POISSONS	POISSONS	POISSONS	POISSONS	POISSONS	POISSONS	POISSONS
12 h 30	POISSONS	POISSONS	POISSONS	POISSONS	POISSONS	POISSONS	POISSONS	POISSONS
13 h 00	POISSONS	POISSONS	POISSONS	POISSONS	POISSONS	POISSONS	BELIER	BELIER
13 h 30	BELIER	BELIER	BELIER	BELIER	BELIER	BELIER	BELIER	BELIER
14 h 00	BELIER	BELIER	BELIER	BELIER	BELIER	BELIER	BELIER	BELIER
14 h 30	BELIER	BELIER	BELIER	BELIER	BELIER	BELIER	BELIER	BELIER
15 h 00	BELIER	BELIER	TAUREAU	TAUREAU	TAUREAU	TAUREAU	TAUREAU	TAUREAU
15 h 30	TAUREAU	TAUREAU	TAUREAU	TAUREAU	TAUREAU	TAUREAU	TAUREAU	TAUREAU
16 h 00	TAUREAU	TAUREAU	TAUREAU	TAUREAU	TAUREAU	TAUREAU	TAUREAU	TAUREAU
16 h 30	TAUREAU	TAUREAU	TAUREAU	TAUREAU	TAUREAU	TAUREAU	TAUREAU	TAUREAU
17 h 00	TAUREAU	GEMEAUX	GEMEAUX	GEMEAUX	GEMEAUX	GEMEAUX	GEMEAUX	GEMEAUX
17 h 30	GEMEAUX	GEMEAUX	GEMEAUX	GEMEAUX	GEMEAUX	GEMEAUX	GEMEAUX	GEMEAUX
18 h 00	GEMEAUX	GEMEAUX	GEMEAUX	GEMEAUX	GEMEAUX	GEMEAUX	GEMEAUX	GEMEAUX
18 h 30	GEMEAUX	GEMEAUX	GEMEAUX	GEMEAUX	GEMEAUX	GEMEAUX	GEMEAUX	GEMEAUX
19 h 00	GEMEAUX	GEMEAUX	CANCER	CANCER	CANCER	CANCER	CANCER	CANCER
19 h 30	CANCER	CANCER	CANCER	CANCER	CANCER	CANCER	CANCER	CANCER
20 h 00	CANCER	CANCER	CANCER	CANCER	CANCER	CANCER	CANCER	CANCER
20 h 30	CANCER	CANCER	CANCER	CANCER	CANCER	CANCER	CANCER	CANCER
21 h 00	CANCER	CANCER	CANCER	CANCER	CANCER	LION	LION	LION
21 h 30	LION	LION	LION	LION	LION	LION	LION	LION
22 h 00	LION	LION	LION	LION	LION	LION	LION	LION
22 h 30	LION	LION	LION	LION	LION	LION	LION	LION
23 h 00	LION	LION	LION	LION	LION	LION	VIERGE	VIERGE
23 h 30	VIERGE	VIERGE	VIERGE	VIERGE	VIERGE	VIERGE	VIERGE	VIERGE

DECOUVREZ VOTRE ASCENDANT SANS AUCUN CALCUL : TABLE N° 1

VOTRE HEURE DE NAISSANCE	8 DECEMBRE	9 DECEMBRE	10 DECEMBRE	11 DECEMBRE	12 DECEMBRE	13 DECEMBRE	14 DECEMBRE	15 DECEMBRE
0 h 00	VIERGE	VIERGE	VIERGE	VIERGE	VIERGE	VIERGE	VIERGE	VIERGE
0 h 30	VIERGE	VIERGE	VIERGE	VIERGE	VIERGE	VIERGE	BALANCE	BALANCE
1 h 00	BALANCE	BALANCE	BALANCE	BALANCE	BALANCE	BALANCE	BALANCE	BALANCE
1 h 30	BALANCE	BALANCE	BALANCE	BALANCE	BALANCE	BALANCE	BALANCE	BALANCE
2 h 00	BALANCE	BALANCE	BALANCE	BALANCE	BALANCE	BALANCE	BALANCE	BALANCE
2 h 30	BALANCE	BALANCE	BALANCE	BALANCE	SCORPION	SCORPION	SCORPION	SCORPION
3 h 00	SCORPION	SCORPION	SCORPION	SCORPION	SCORPION	SCORPION	SCORPION	SCORPION
3 h 30	SCORPION	SCORPION	SCORPION	SCORPION	SCORPION	SCORPION	SCORPION	SCORPION
4 h 00	SCORPION	SCORPION	SCORPION	SCORPION	SCORPION	SCORPION	SCORPION	SCORPION
4 h 30	SCORPION	SCORPION	SCORPION	SCORPION	SCORPION	SCORPION	SAGITTAIRE	SAGITTAIRE
5 h 00	SAGITTAIRE	SAGITTAIRE	SAGITTAIRE	SAGITTAIRE	SAGITTAIRE	SAGITTAIRE	SAGITTAIRE	SAGITTAIRE
5 h 30	SAGITTAIRE	SAGITTAIRE	SAGITTAIRE	SAGITTAIRE	SAGITTAIRE	SAGITTAIRE	SAGITTAIRE	SAGITTAIRE
6 h 00	SAGITTAIRE	SAGITTAIRE	SAGITTAIRE	SAGITTAIRE	SAGITTAIRE	SAGITTAIRE	SAGITTAIRE	SAGITTAIRE
6 h 30	SAGITTAIRE	SAGITTAIRE	SAGITTAIRE	SAGITTAIRE	SAGITTAIRE	SAGITTAIRE	SAGITTAIRE	SAGITTAIRE
7 h 00	SAGITTAIRE	CAPRICORNE	CAPRICORNE	CAPRICORNE	CAPRICORNE	CAPRICORNE	CAPRICORNE	CAPRICORNE
7 h 30	CAPRICORNE	CAPRICORNE	CAPRICORNE	CAPRICORNE	CAPRICORNE	CAPRICORNE	CAPRICORNE	CAPRICORNE
8 h 00	CAPRICORNE	CAPRICORNE	CAPRICORNE	CAPRICORNE	CAPRICORNE	CAPRICORNE	CAPRICORNE	CAPRICORNE
8 h 30	CAPRICORNE	CAPRICORNE	CAPRICORNE	CAPRICORNE	CAPRICORNE	CAPRICORNE	CAPRICORNE	CAPRICORNE
9 h 00	CAPRICORNE	CAPRICORNE	VERSEAU	VERSEAU	VERSEAU	VERSEAU	VERSEAU	VERSEAU
9 h 30	VERSEAU	VERSEAU	VERSEAU	VERSEAU	VERSEAU	VERSEAU	VERSEAU	VERSEAU
10 h 00	VERSEAU	VERSEAU	VERSEAU	VERSEAU	VERSEAU	VERSEAU	VERSEAU	VERSEAU
10 h 30	VERSEAU	VERSEAU	VERSEAU	VERSEAU	VERSEAU	VERSEAU	VERSEAU	VERSEAU
11 h 00	VERSEAU	POISSONS	POISSONS	POISSONS	POISSONS	POISSONS	POISSONS	POISSONS
11 h 30	POISSONS	POISSONS	POISSONS	POISSONS	POISSONS	POISSONS	POISSONS	POISSONS
MIDI	POISSONS	POISSONS	POISSONS	POISSONS	POISSONS	POISSONS	POISSONS	POISSONS
12 h 30	POISSONS	POISSONS	POISSONS	POISSONS	POISSONS	POISSONS	BELIER	BELIER
13 h 00	BELIER	BELIER	BELIER	BELIER	BELIER	BELIER	BELIER	BELIER
13 h 30	BELIER	BELIER	BELIER	BELIER	BELIER	BELIER	BELIER	BELIER
14 h 00	BELIER	BELIER	BELIER	BELIER	BELIER	BELIER	BELIER	BELIER
14 h 30	BELIER	BELIER	TAUREAU	TAUREAU	TAUREAU	TAUREAU	TAUREAU	TAUREAU
15 h 00	TAUREAU	TAUREAU	TAUREAU	TAUREAU	TAUREAU	TAUREAU	TAUREAU	TAUREAU
15 h 30	TAUREAU	TAUREAU	TAUREAU	TAUREAU	TAUREAU	TAUREAU	TAUREAU	TAUREAU
16 h 00	TAUREAU	TAUREAU	TAUREAU	TAUREAU	TAUREAU	TAUREAU	TAUREAU	TAUREAU
16 h 30	TAUREAU	GEMEAUX	GEMEAUX	GEMEAUX	GEMEAUX	GEMEAUX	GEMEAUX	GEMEAUX
17 h 00	GEMEAUX	GEMEAUX	GEMEAUX	GEMEAUX	GEMEAUX	GEMEAUX	GEMEAUX	GEMEAUX
17 h 30	GEMEAUX	GEMEAUX	GEMEAUX	GEMEAUX	GEMEAUX	GEMEAUX	GEMEAUX	GEMEAUX
18 h 00	GEMEAUX	GEMEAUX	GEMEAUX	GEMEAUX	GEMEAUX	GEMEAUX	GEMEAUX	GEMEAUX
18 h 30	GEMEAUX	GEMEAUX	CANCER	CANCER	CANCER	CANCER	CANCER	CANCER
19 h 00	CANCER	CANCER	CANCER	CANCER	CANCER	CANCER	CANCER	CANCER
19 h 30	CANCER	CANCER	CANCER	CANCER	CANCER	CANCER	CANCER	CANCER
20 h 00	CANCER	CANCER	CANCER	CANCER	CANCER	CANCER	CANCER	CANCER
20 h 30	CANCER	CANCER	CANCER	CANCER	CANCER	LION	LION	LION
21 h 00	LION	LION	LION	LION	LION	LION	LION	LION
21 h 30	LION	LION	LION	LION	LION	LION	LION	LION
22 h 00	LION	LION	LION	LION	LION	LION	LION	LION
22 h 30	LION	LION	LION	LION	LION	LION	VIERGE	VIERGE
23 h 00	VIERGE	VIERGE	VIERGE	VIERGE	VIERGE	VIERGE	VIERGE	VIERGE
23 h 30	VIERGE	VIERGE	VIERGE	VIERGE	VIERGE	VIERGE	VIERGE	VIERGE

VOTRE HEURE DE NAISSANCE	16 DECEMBRE	17 DECEMBRE	18 DECEMBRE	19 DECEMBRE	20 DECEMBRE	21 DECEMBRE	22 DECEMBRE
0 h 00	VIERGE	VIERGE	VIERGE	VIERGE	VIERGE	BALANCE	BALANCE
0 h 30	BALANCE	BALANCE	BALANCE	BALANCE	BALANCE	BALANCE	BALANCE
1 h 00	BALANCE	BALANCE	BALANCE	BALANCE	BALANCE	BALANCE	BALANCE
1 h 30	BALANCE	BALANCE	BALANCE	BALANCE	BALANCE	BALANCE	BALANCE
2 h 00	BALANCE	BALANCE	BALANCE	BALANCE	SCORPION	SCORPION	SCORPION
2 h 30	SCORPION	SCORPION	SCORPION	SCORPION	SCORPION	SCORPION	SCORPION
3 h 00	SCORPION	SCORPION	SCORPION	SCORPION	SCORPION	SCORPION	SCORPION
3 h 30	SCORPION	SCORPION	SCORPION	SCORPION	SCORPION	SCORPION	SCORPION
4 h 00	SCORPION	SCORPION	SCORPION	SCORPION	SCORPION	SAGITTAIRE	SAGITTAIRE
4 h 30	SAGITTAIRE	SAGITTAIRE	SAGITTAIRE	SAGITTAIRE	SAGITTAIRE	SAGITTAIRE	SAGITTAIRE
5 h 00	SAGITTAIRE	SAGITTAIRE	SAGITTAIRE	SAGITTAIRE	SAGITTAIRE	SAGITTAIRE	SAGITTAIRE
5 h 30	SAGITTAIRE	SAGITTAIRE	SAGITTAIRE	SAGITTAIRE	SAGITTAIRE	SAGITTAIRE	SAGITTAIRE
6 h 00	SAGITTAIRE	SAGITTAIRE	SAGITTAIRE	SAGITTAIRE	SAGITTAIRE	SAGITTAIRE	SAGITTAIRE
6 h 30	CAPRICORNE	CAPRICORNE	CAPRICORNE	CAPRICORNE	CAPRICORNE	CAPRICORNE	CAPRICORNE
7 h 00	CAPRICORNE	CAPRICORNE	CAPRICORNE	CAPRICORNE	CAPRICORNE	CAPRICORNE	CAPRICORNE
7 h 30	CAPRICORNE	CAPRICORNE	CAPRICORNE	CAPRICORNE	CAPRICORNE	CAPRICORNE	CAPRICORNE
8 h 00	CAPRICORNE	CAPRICORNE	CAPRICORNE	CAPRICORNE	CAPRICORNE	CAPRICORNE	CAPRICORNE
8 h 30	CAPRICORNE	CAPRICORNE	VERSEAU	VERSEAU	VERSEAU	VERSEAU	VERSEAU
9 h 00	VERSEAU	VERSEAU	VERSEAU	VERSEAU	VERSEAU	VERSEAU	VERSEAU
9 h 30	VERSEAU	VERSEAU	VERSEAU	VERSEAU	VERSEAU	VERSEAU	VERSEAU
10 h 00	VERSEAU	VERSEAU	VERSEAU	VERSEAU	VERSEAU	VERSEAU	VERSEAU
10 h 30	VERSEAU	POISSONS	POISSONS	POISSONS	POISSONS	POISSONS	POISSONS
11 h 00	POISSONS	POISSONS	POISSONS	POISSONS	POISSONS	POISSONS	POISSONS
11 h 30	POISSONS	POISSONS	POISSONS	POISSONS	POISSONS	POISSONS	POISSONS
MIDI	POISSONS	POISSONS	POISSONS	POISSONS	POISSONS	BELIER	BELIER
12 h 30	BELIER	BELIER	BELIER	BELIER	BELIER	BELIER	BELIER
13 h 00	BELIER	BELIER	BELIER	BELIER	BELIER	BELIER	BELIER
13 h 30	BELIER	BELIER	BELIER	BELIER	BELIER	BELIER	BELIER
14 h 00	BELIER	BELIER	TAUREAU	TAUREAU	TAUREAU	TAUREAU	TAUREAU
14 h 30	TAUREAU	TAUREAU	TAUREAU	TAUREAU	TAUREAU	TAUREAU	TAUREAU
15 h 00	TAUREAU	TAUREAU	TAUREAU	TAUREAU	TAUREAU	TAUREAU	TAUREAU
15 h 30	TAUREAU	TAUREAU	TAUREAU	TAUREAU	TAUREAU	TAUREAU	TAUREAU
16 h 00	GEMEAUX	GEMEAUX	GEMEAUX	GEMEAUX	GEMEAUX	GEMEAUX	GEMEAUX
16 h 30	GEMEAUX	GEMEAUX	GEMEAUX	GEMEAUX	GEMEAUX	GEMEAUX	GEMEAUX
17 h 00	GEMEAUX	GEMEAUX	GEMEAUX	GEMEAUX	GEMEAUX	GEMEAUX	GEMEAUX
17 h 30	GEMEAUX	GEMEAUX	GEMEAUX	GEMEAUX	GEMEAUX	GEMEAUX	GEMEAUX
18 h 00	GEMEAUX	GEMEAUX	CANCER	CANCER	CANCER	CANCER	CANCER
18 h 30	CANCER	CANCER	CANCER	CANCER	CANCER	CANCER	CANCER
19 h 00	CANCER	CANCER	CANCER	CANCER	CANCER	CANCER	CANCER
19 h 30	CANCER	CANCER	CANCER	CANCER	CANCER	CANCER	CANCER
20 h 00	CANCER	CANCER	CANCER	CANCER	CANCER	LION	LION
20 h 30	LION	LION	LION	LION	LION	LION	LION
21 h 00	LION	LION	LION	LION	LION	LION	LION
21 h 30	LION	LION	LION	LION	LION	LION	LION
22 h 00	LION	LION	LION	LION	LION	VIERGE	VIERGE
22 h 30	VIERGE	VIERGE	VIERGE	VIERGE	VIERGE	VIERGE	VIERGE
23 h 00	VIERGE	VIERGE	VIERGE	VIERGE	VIERGE	VIERGE	VIERGE
23 h 30	VIERGE	VIERGE	VIERGE	VIERGE	VIERGE	VIERGE	VIERGE

DECOUVREZ VOTRE ASCENDANT SANS AUCUN CALCUL : TABLE N° 2

VOTRE HEURE DE NAISSANCE	22 NOVEMBRE	23 NOVEMBRE	24 NOVEMBRE	25 NOVEMBRE	26 NOVEMBRE	27 NOVEMBRE	28 NOVEMBRE	29 NOVEMBRE
0 h 00	VIERGE	VIERGE	VIERGE	VIERGE	VIERGE	VIERGE	VIERGE	VIERGE
0 h 30	VIERGE	VIERGE	VIERGE	VIERGE	VIERGE	VIERGE	VIERGE	VIERGE
1 h 00	VIERGE	VIERGE	VIERGE	VIERGE	VIERGE	VIERGE	VIERGE	VIERGE
1 h 30	VIERGE	VIERGE	VIERGE	VIERGE	VIERGE	VIERGE	BALANCE	BALANCE
2 h 00	BALANCE	BALANCE	BALANCE	BALANCE	BALANCE	BALANCE	BALANCE	BALANCE
2 h 30	BALANCE	BALANCE	BALANCE	BALANCE	BALANCE	BALANCE	BALANCE	BALANCE
3 h 00	BALANCE	BALANCE	BALANCE	BALANCE	BALANCE	BALANCE	BALANCE	BALANCE
3 h 30	BALANCE	BALANCE	BALANCE	BALANCE	BALANCE	BALANCE	BALANCE	BALANCE
4 h 00	BALANCE	BALANCE	SCORPION	SCORPION	SCORPION	SCORPION	SCORPION	SCORPION
4 h 30	SCORPION	SCORPION	SCORPION	SCORPION	SCORPION	SCORPION	SCORPION	SCORPION
5 h 00	SCORPION	SCORPION	SCORPION	SCORPION	SCORPION	SCORPION	SCORPION	SCORPION
5 h 30	SCORPION	SCORPION	SCORPION	SCORPION	SCORPION	SCORPION	SCORPION	SCORPION
6 h 00	SCORPION	SCORPION	SCORPION	SCORPION	SCORPION	SCORPION	SCORPION	SCORPION
6 h 30	SAGITTAIRE	SAGITTAIRE	SAGITTAIRE	SAGITTAIRE	SAGITTAIRE	SAGITTAIRE	SAGITTAIRE	SAGITTAIRE
7 h 00	SAGITTAIRE	SAGITTAIRE	SAGITTAIRE	SAGITTAIRE	SAGITTAIRE	SAGITTAIRE	SAGITTAIRE	SAGITTAIRE
7 h 30	SAGITTAIRE	SAGITTAIRE	SAGITTAIRE	SAGITTAIRE	SAGITTAIRE	SAGITTAIRE	SAGITTAIRE	SAGITTAIRE
8 h 00	SAGITTAIRE	SAGITTAIRE	SAGITTAIRE	SAGITTAIRE	SAGITTAIRE	SAGITTAIRE	SAGITTAIRE	SAGITTAIRE
8 h 30	SAGITTAIRE	SAGITTAIRE	SAGITTAIRE	SAGITTAIRE	SAGITTAIRE	CAPRICORNE	CAPRICORNE	CAPRICORNE
9 h 00	CAPRICORNE	CAPRICORNE	CAPRICORNE	CAPRICORNE	CAPRICORNE	CAPRICORNE	CAPRICORNE	CAPRICORNE
9 h 30	CAPRICORNE	CAPRICORNE	CAPRICORNE	CAPRICORNE	CAPRICORNE	CAPRICORNE	CAPRICORNE	CAPRICORNE
10 h 00	CAPRICORNE	CAPRICORNE	CAPRICORNE	CAPRICORNE	CAPRICORNE	CAPRICORNE	CAPRICORNE	CAPRICORNE
10 h 30	CAPRICORNE	CAPRICORNE	CAPRICORNE	CAPRICORNE	CAPRICORNE	VERSEAU	VERSEAU	VERSEAU
11 h 00	VERSEAU	VERSEAU	VERSEAU	VERSEAU	VERSEAU	VERSEAU	VERSEAU	VERSEAU
11 h 30	VERSEAU	VERSEAU	VERSEAU	VERSEAU	VERSEAU	VERSEAU	VERSEAU	VERSEAU
MIDI	VERSEAU	VERSEAU	VERSEAU	VERSEAU	VERSEAU	VERSEAU	VERSEAU	POISSONS
12 h 30	POISSONS	POISSONS	POISSONS	POISSONS	POISSONS	POISSONS	POISSONS	POISSONS
13 h 00	POISSONS	POISSONS	POISSONS	POISSONS	POISSONS	POISSONS	POISSONS	POISSONS
13 h 30	POISSONS	POISSONS	POISSONS	POISSONS	POISSONS	POISSONS	BELIER	BELIER
14 h 00	BELIER	BELIER	BELIER	BELIER	BELIER	BELIER	BELIER	BELIER
14 h 30	BELIER	BELIER	BELIER	BELIER	BELIER	BELIER	BELIER	BELIER
15 h 00	BELIER	BELIER	BELIER	BELIER	BELIER	TAUREAU	TAUREAU	TAUREAU
15 h 30	TAUREAU	TAUREAU	TAUREAU	TAUREAU	TAUREAU	TAUREAU	TAUREAU	TAUREAU
16 h 00	TAUREAU	TAUREAU	TAUREAU	TAUREAU	TAUREAU	TAUREAU	TAUREAU	TAUREAU
16 h 30	TAUREAU	TAUREAU	TAUREAU	TAUREAU	TAUREAU	TAUREAU	TAUREAU	TAUREAU
17 h 00	GEMEAUX	GEMEAUX	GEMEAUX	GEMEAUX	GEMEAUX	GEMEAUX	GEMEAUX	GEMEAUX
17 h 30	GEMEAUX	GEMEAUX	GEMEAUX	GEMEAUX	GEMEAUX	GEMEAUX	GEMEAUX	GEMEAUX
18 h 00	GEMEAUX	GEMEAUX	GEMEAUX	GEMEAUX	GEMEAUX	GEMEAUX	GEMEAUX	GEMEAUX
18 h 30	GEMEAUX	GEMEAUX	GEMEAUX	GEMEAUX	GEMEAUX	GEMEAUX	GEMEAUX	GEMEAUX
19 h 00	CANCER	CANCER	CANCER	CANCER	CANCER	CANCER	CANCER	CANCER
19 h 30	CANCER	CANCER	CANCER	CANCER	CANCER	CANCER	CANCER	CANCER
20 h 00	CANCER	CANCER	CANCER	CANCER	CANCER	CANCER	CANCER	CANCER
20 h 30	CANCER	CANCER	CANCER	CANCER	CANCER	CANCER	CANCER	CANCER
21 h 00	CANCER	CANCER	CANCER	CANCER	LION	LION	LION	LION
21 h 30	LION	LION	LION	LION	LION	LION	LION	LION
22 h 00	LION	LION	LION	LION	LION	LION	LION	LION
22 h 30	LION	LION	LION	LION	LION	LION	LION	LION
23 h 00	LION	LION	LION	LION	LION	LION	LION	LION
23 h 30	LION	LION	VIERGE	VIERGE	VIERGE	VIERGE	VIERGE	VIERGE

DECOUVREZ VOTRE ASCENDANT SANS AUCUN CALCUL : TABLE N⁰ 2

VOTRE HEURE DE NAISSANCE	30 NOVEMBRE	1 DECEMBRE	2 DECEMBRE	3 DECEMBRE	4 DECEMBRE	5 DECEMBRE	6 DECEMBRE	7 DECEMBRE
0 h 00	VIERGE	VIERGE	VIERGE	VIERGE	VIERGE	VIERGE	VIERGE	VIERGE
0 h 30	VIERGE	VIERGE	VIERGE	VIERGE	VIERGE	VIERGE	VIERGE	VIERGE
1 h 00	VIERGE	VIERGE	VIERGE	VIERGE	VIERGE	VIERGE	BALANCE	BALANCE
1 h 30	BALANCE	BALANCE	BALANCE	BALANCE	BALANCE	BALANCE	BALANCE	BALANCE
2 h 00	BALANCE	BALANCE	BALANCE	BALANCE	BALANCE	BALANCE	BALANCE	BALANCE
2 h 30	BALANCE	BALANCE	BALANCE	BALANCE	BALANCE	BALANCE	BALANCE	BALANCE
3 h 00	BALANCE	BALANCE	BALANCE	BALANCE	BALANCE	BALANCE	BALANCE	BALANCE
3 h 30	BALANCE	BALANCE	SCORPION	SCORPION	SCORPION	SCORPION	SCORPION	SCORPION
4 h 00	SCORPION	SCORPION	SCORPION	SCORPION	SCORPION	SCORPION	SCORPION	SCORPION
4 h 30	SCORPION	SCORPION	SCORPION	SCORPION	SCORPION	SCORPION	SCORPION	SCORPION
5 h 00	SCORPION	SCORPION	SCORPION	SCORPION	SCORPION	SCORPION	SCORPION	SCORPION
5 h 30	SCORPION	SCORPION	SCORPION	SCORPION	SCORPION	SCORPION	SCORPION	SAGITTAIRE
6 h 00	SAGITTAIRE	SAGITTAIRE	SAGITTAIRE	SAGITTAIRE	SAGITTAIRE	SAGITTAIRE	SAGITTAIRE	SAGITTAIRE
6 h 30	SAGITTAIRE	SAGITTAIRE	SAGITTAIRE	SAGITTAIRE	SAGITTAIRE	SAGITTAIRE	SAGITTAIRE	SAGITTAIRE
7 h 00	SAGITTAIRE	SAGITTAIRE	SAGITTAIRE	SAGITTAIRE	SAGITTAIRE	SAGITTAIRE	SAGITTAIRE	SAGITTAIRE
7 h 30	SAGITTAIRE	SAGITTAIRE	SAGITTAIRE	SAGITTAIRE	SAGITTAIRE	SAGITTAIRE	SAGITTAIRE	SAGITTAIRE
8 h 00	SAGITTAIRE	SAGITTAIRE	SAGITTAIRE	SAGITTAIRE	CAPRICORNE	CAPRICORNE	CAPRICORNE	CAPRICORNE
8 h 30	CAPRICORNE	CAPRICORNE	CAPRICORNE	CAPRICORNE	CAPRICORNE	CAPRICORNE	CAPRICORNE	CAPRICORNE
9 h 00	CAPRICORNE	CAPRICORNE	CAPRICORNE	CAPRICORNE	CAPRICORNE	CAPRICORNE	CAPRICORNE	CAPRICORNE
9 h 30	CAPRICORNE	CAPRICORNE	CAPRICORNE	CAPRICORNE	CAPRICORNE	CAPRICORNE	CAPRICORNE	CAPRICORNE
10 h 00	CAPRICORNE	CAPRICORNE	CAPRICORNE	CAPRICORNE	VERSEAU	VERSEAU	VERSEAU	VERSEAU
10 h 30	VERSEAU	VERSEAU	VERSEAU	VERSEAU	VERSEAU	VERSEAU	VERSEAU	VERSEAU
11 h 00	VERSEAU	VERSEAU	VERSEAU	VERSEAU	VERSEAU	VERSEAU	VERSEAU	VERSEAU
11 h 30	VERSEAU	VERSEAU	VERSEAU	VERSEAU	VERSEAU	VERSEAU	VERSEAU	POISSONS
MIDI	POISSONS	POISSONS	POISSONS	POISSONS	POISSONS	POISSONS	POISSONS	POISSONS
12 h 30	POISSONS	POISSONS	POISSONS	POISSONS	POISSONS	POISSONS	POISSONS	POISSONS
13 h 00	POISSONS	POISSONS	POISSONS	POISSONS	POISSONS	POISSONS	BELIER	BELIER
13 h 30	BELIER	BELIER	BELIER	BELIER	BELIER	BELIER	BELIER	BELIER
14 h 00	BELIER	BELIER	BELIER	BELIER	BELIER	BELIER	BELIER	BELIER
14 h 30	BELIER	BELIER	BELIER	BELIER	BELIER	TAUREAU	TAUREAU	TAUREAU
15 h 00	TAUREAU	TAUREAU	TAUREAU	TAUREAU	TAUREAU	TAUREAU	TAUREAU	TAUREAU
15 h 30	TAUREAU	TAUREAU	TAUREAU	TAUREAU	TAUREAU	TAUREAU	TAUREAU	TAUREAU
16 h 00	TAUREAU	TAUREAU	TAUREAU	TAUREAU	TAUREAU	TAUREAU	TAUREAU	TAUREAU
16 h 30	GEMEAUX	GEMEAUX	GEMEAUX	GEMEAUX	GEMEAUX	GEMEAUX	GEMEAUX	GEMEAUX
17 h 00	GEMEAUX	GEMEAUX	GEMEAUX	GEMEAUX	GEMEAUX	GEMEAUX	GEMEAUX	GEMEAUX
17 h 30	GEMEAUX	GEMEAUX	GEMEAUX	GEMEAUX	GEMEAUX	GEMEAUX	GEMEAUX	GEMEAUX
18 h 00	GEMEAUX	GEMEAUX	GEMEAUX	GEMEAUX	GEMEAUX	GEMEAUX	GEMEAUX	CANCER
18 h 30	CANCER	CANCER	CANCER	CANCER	CANCER	CANCER	CANCER	CANCER
19 h 00	CANCER	CANCER	CANCER	CANCER	CANCER	CANCER	CANCER	CANCER
19 h 30	CANCER	CANCER	CANCER	CANCER	CANCER	CANCER	CANCER	CANCER
20 h 00	CANCER	CANCER	CANCER	CANCER	CANCER	CANCER	CANCER	CANCER
20 h 30	CANCER	CANCER	CANCER	CANCER	LION	LION	LION	LION
21 h 00	LION	LION	LION	LION	LION	LION	LION	LION
21 h 30	LION	LION	LION	LION	LION	LION	LION	LION
22 h 00	LION	LION	LION	LION	LION	LION	LION	LION
22 h 30	LION	LION	LION	LION	LION	LION	LION	LION
23 h 00	LION	VIERGE	VIERGE	VIERGE	VIERGE	VIERGE	VIERGE	VIERGE
23 h 30	VIERGE	VIERGE	VIERGE	VIERGE	VIERGE	VIERGE	VIERGE	VIERGE

DECOUVREZ VOTRE ASCENDANT SANS AUCUN CALCUL : TABLE N⁰ 2

VOTRE HEURE DE NAISSANCE	8 DECEMBRE	9 DECEMBRE	10 DECEMBRE	11 DECEMBRE	12 DECEMBRE	13 DECEMBRE	14 DECEMBRE	15 DECEMBRE
0 h 00	VIERGE	VIERGE	VIERGE	VIERGE	VIERGE	VIERGE	VIERGE	VIERGE
0 h 30	VIERGE	VIERGE	VIERGE	VIERGE	VIERGE	VIERGE	BALANCE	BALANCE
1 h 00	BALANCE	BALANCE	BALANCE	BALANCE	BALANCE	BALANCE	BALANCE	BALANCE
1 h 30	BALANCE	BALANCE	BALANCE	BALANCE	BALANCE	BALANCE	BALANCE	BALANCE
2 h 00	BALANCE	BALANCE	BALANCE	BALANCE	BALANCE	BALANCE	BALANCE	BALANCE
2 h 30	BALANCE	BALANCE	BALANCE	BALANCE	BALANCE	BALANCE	BALANCE	BALANCE
3 h 00	BALANCE	BALANCE	SCORPION	SCORPION	SCORPION	SCORPION	SCORPION	SCORPION
3 h 30	SCORPION	SCORPION	SCORPION	SCORPION	SCORPION	SCORPION	SCORPION	SCORPION
4 h 00	SCORPION	SCORPION	SCORPION	SCORPION	SCORPION	SCORPION	SCORPION	SCORPION
4 h 30	SCORPION	SCORPION	SCORPION	SCORPION	SCORPION	SCORPION	SCORPION	SCORPION
5 h 00	SCORPION	SCORPION	SCORPION	SCORPION	SCORPION	SCORPION	SCORPION	SAGITTAIRE
5 h 30	SAGITTAIRE	SAGITTAIRE	SAGITTAIRE	SAGITTAIRE	SAGITTAIRE	SAGITTAIRE	SAGITTAIRE	SAGITTAIRE
6 h 00	SAGITTAIRE	SAGITTAIRE	SAGITTAIRE	SAGITTAIRE	SAGITTAIRE	SAGITTAIRE	SAGITTAIRE	SAGITTAIRE
6 h 30	SAGITTAIRE	SAGITTAIRE	SAGITTAIRE	SAGITTAIRE	SAGITTAIRE	SAGITTAIRE	SAGITTAIRE	SAGITTAIRE
7 h 00	SAGITTAIRE	SAGITTAIRE	SAGITTAIRE	SAGITTAIRE	SAGITTAIRE	SAGITTAIRE	SAGITTAIRE	SAGITTAIRE
7 h 30	SAGITTAIRE	SAGITTAIRE	SAGITTAIRE	SAGITTAIRE	CAPRICORNE	CAPRICORNE	CAPRICORNE	CAPRICORNE
8 h 00	CAPRICORNE	CAPRICORNE	CAPRICORNE	CAPRICORNE	CAPRICORNE	CAPRICORNE	CAPRICORNE	CAPRICORNE
8 h 30	CAPRICORNE	CAPRICORNE	CAPRICORNE	CAPRICORNE	CAPRICORNE	CAPRICORNE	CAPRICORNE	CAPRICORNE
9 h 00	CAPRICORNE	CAPRICORNE	CAPRICORNE	CAPRICORNE	CAPRICORNE	CAPRICORNE	CAPRICORNE	CAPRICORNE
9 h 30	CAPRICORNE	CAPRICORNE	CAPRICORNE	CAPRICORNE	VERSEAU	VERSEAU	VERSEAU	VERSEAU
10 h 00	VERSEAU	VERSEAU	VERSEAU	VERSEAU	VERSEAU	VERSEAU	VERSEAU	VERSEAU
10 h 30	VERSEAU	VERSEAU	VERSEAU	VERSEAU	VERSEAU	VERSEAU	VERSEAU	VERSEAU
11 h 00	VERSEAU	VERSEAU	VERSEAU	VERSEAU	VERSEAU	VERSEAU	POISSONS	POISSONS
11 h 30	POISSONS	POISSONS	POISSONS	POISSONS	POISSONS	POISSONS	POISSONS	POISSONS
MIDI	POISSONS	POISSONS	POISSONS	POISSONS	POISSONS	POISSONS	POISSONS	POISSONS
12 h 30	POISSONS	POISSONS	POISSONS	POISSONS	POISSONS	POISSONS	BELIER	BELIER
13 h 00	BELIER	BELIER	BELIER	BELIER	BELIER	BELIER	BELIER	BELIER
13 h 30	BELIER	BELIER	BELIER	BELIER	BELIER	BELIER	BELIER	BELIER
14 h 00	BELIER	BELIER	BELIER	BELIER	BELIER	TAUREAU	TAUREAU	TAUREAU
14 h 30	TAUREAU	TAUREAU	TAUREAU	TAUREAU	TAUREAU	TAUREAU	TAUREAU	TAUREAU
15 h 00	TAUREAU	TAUREAU	TAUREAU	TAUREAU	TAUREAU	TAUREAU	TAUREAU	TAUREAU
15 h 30	TAUREAU	TAUREAU	TAUREAU	TAUREAU	TAUREAU	TAUREAU	TAUREAU	GEMEAUX
16 h 00	GEMEAUX	GEMEAUX	GEMEAUX	GEMEAUX	GEMEAUX	GEMEAUX	GEMEAUX	GEMEAUX
16 h 30	GEMEAUX	GEMEAUX	GEMEAUX	GEMEAUX	GEMEAUX	GEMEAUX	GEMEAUX	GEMEAUX
17 h 00	GEMEAUX	GEMEAUX	GEMEAUX	GEMEAUX	GEMEAUX	GEMEAUX	GEMEAUX	GEMEAUX
17 h 30	GEMEAUX	GEMEAUX	GEMEAUX	GEMEAUX	GEMEAUX	GEMEAUX	GEMEAUX	CANCER
18 h 00	CANCER	CANCER	CANCER	CANCER	CANCER	CANCER	CANCER	CANCER
18 h 30	CANCER	CANCER	CANCER	CANCER	CANCER	CANCER	CANCER	CANCER
19 h 00	CANCER	CANCER	CANCER	CANCER	CANCER	CANCER	CANCER	CANCER
19 h 30	CANCER	CANCER	CANCER	CANCER	CANCER	CANCER	CANCER	CANCER
20 h 00	CANCER	CANCER	CANCER	CANCER	LION	LION	LION	LION
20 h 30	LION	LION	LION	LION	LION	LION	LION	LION
21 h 00	LION	LION	LION	LION	LION	LION	LION	LION
21 h 30	LION	LION	LION	LION	LION	LION	LION	LION
22 h 00	LION	LION	LION	LION	LION	LION	LION	LION
22 h 30	LION	VIERGE	VIERGE	VIERGE	VIERGE	VIERGE	VIERGE	VIERGE
23 h 00	VIERGE	VIERGE	VIERGE	VIERGE	VIERGE	VIERGE	VIERGE	VIERGE
23 h 30	VIERGE	VIERGE	VIERGE	VIERGE	VIERGE	VIERGE	VIERGE	VIERGE

VOTRE HEURE DE NAISSANCE	16 DECEMBRE	17 DECEMBRE	18 DECEMBRE	19 DECEMBRE	20 DECEMBRE	21 DECEMBRE	22 DECEMBRE
0 h 00	VIERGE	VIERGE	VIERGE	VIERGE	VIERGE	BALANCE	BALANCE
0 h 30	BALANCE	BALANCE	BALANCE	BALANCE	BALANCE	BALANCE	BALANCE
1 h 00	BALANCE	BALANCE	BALANCE	BALANCE	BALANCE	BALANCE	BALANCE
1 h 30	BALANCE	BALANCE	BALANCE	BALANCE	BALANCE	BALANCE	BALANCE
2 h 00	BALANCE	BALANCE	BALANCE	BALANCE	BALANCE	BALANCE	BALANCE
2 h 30	BALANCE	BALANCE	SCORPION	SCORPION	SCORPION	SCORPION	SCORPION
3 h 00	SCORPION	SCORPION	SCORPION	SCORPION	SCORPION	SCORPION	SCORPION
3 h 30	SCORPION	SCORPION	SCORPION	SCORPION	SCORPION	SCORPION	SCORPION
4 h 00	SCORPION	SCORPION	SCORPION	SCORPION	SCORPION	SCORPION	SCORPION
4 h 30	SCORPION	SCORPION	SCORPION	SCORPION	SCORPION	SCORPION	SCORPION
5 h 00	SAGITTAIRE	SAGITTAIRE	SAGITTAIRE	SAGITTAIRE	SAGITTAIRE	SAGITTAIRE	SAGITTAIRE
5 h 30	SAGITTAIRE	SAGITTAIRE	SAGITTAIRE	SAGITTAIRE	SAGITTAIRE	SAGITTAIRE	SAGITTAIRE
6 h 00	SAGITTAIRE	SAGITTAIRE	SAGITTAIRE	SAGITTAIRE	SAGITTAIRE	SAGITTAIRE	SAGITTAIRE
6 h 30	SAGITTAIRE	SAGITTAIRE	SAGITTAIRE	SAGITTAIRE	SAGITTAIRE	SAGITTAIRE	SAGITTAIRE
7 h 00	SAGITTAIRE	SAGITTAIRE	SAGITTAIRE	SAGITTAIRE	CAPRICORNE	CAPRICORNE	CAPRICORNE
7 h 30	CAPRICORNE	CAPRICORNE	CAPRICORNE	CAPRICORNE	CAPRICORNE	CAPRICORNE	CAPRICORNE
8 h 00	CAPRICORNE	CAPRICORNE	CAPRICORNE	CAPRICORNE	CAPRICORNE	CAPRICORNE	CAPRICORNE
8 h 30	CAPRICORNE	CAPRICORNE	CAPRICORNE	CAPRICORNE	CAPRICORNE	CAPRICORNE	CAPRICORNE
9 h 00	CAPRICORNE	CAPRICORNE	CAPRICORNE	CAPRICORNE	VERSEAU	VERSEAU	VERSEAU
9 h 30	VERSEAU	VERSEAU	VERSEAU	VERSEAU	VERSEAU	VERSEAU	VERSEAU
10 h 00	VERSEAU	VERSEAU	VERSEAU	VERSEAU	VERSEAU	VERSEAU	VERSEAU
10 h 30	VERSEAU	VERSEAU	VERSEAU	VERSEAU	VERSEAU	VERSEAU	POISSONS
11 h 00	POISSONS	POISSONS	POISSONS	POISSONS	POISSONS	POISSONS	POISSONS
11 h 30	POISSONS	POISSONS	POISSONS	POISSONS	POISSONS	POISSONS	POISSONS
MIDI	POISSONS	POISSONS	POISSONS	POISSONS	POISSONS	BELIER	BELIER
12 h 30	BELIER	BELIER	BELIER	BELIER	BELIER	BELIER	BELIER
13 h 00	BELIER	BELIER	BELIER	BELIER	BELIER	BELIER	BELIER
13 h 30	BELIER	BELIER	BELIER	BELIER	TAUREAU	TAUREAU	TAUREAU
14 h 00	TAUREAU	TAUREAU	TAUREAU	TAUREAU	TAUREAU	TAUREAU	TAUREAU
14 h 30	TAUREAU	TAUREAU	TAUREAU	TAUREAU	TAUREAU	TAUREAU	TAUREAU
15 h 00	TAUREAU	TAUREAU	TAUREAU	TAUREAU	TAUREAU	TAUREAU	TAUREAU
15 h 30	GEMEAUX	GEMEAUX	GEMEAUX	GEMEAUX	GEMEAUX	GEMEAUX	GEMEAUX
16 h 00	GEMEAUX	GEMEAUX	GEMEAUX	GEMEAUX	GEMEAUX	GEMEAUX	GEMEAUX
16 h 30	GEMEAUX	GEMEAUX	GEMEAUX	GEMEAUX	GEMEAUX	GEMEAUX	GEMEAUX
17 h 00	GEMEAUX	GEMEAUX	GEMEAUX	GEMEAUX	GEMEAUX	GEMEAUX	CANCER
17 h 30	CANCER	CANCER	CANCER	CANCER	CANCER	CANCER	CANCER
18 h 00	CANCER	CANCER	CANCER	CANCER	CANCER	CANCER	CANCER
18 h 30	CANCER	CANCER	CANCER	CANCER	CANCER	CANCER	CANCER
19 h 00	CANCER	CANCER	CANCER	CANCER	CANCER	CANCER	CANCER
19 h 30	CANCER	CANCER	CANCER	LION	LION	LION	LION
20 h 00	LION	LION	LION	LION	LION	LION	LION
20 h 30	LION	LION	LION	LION	LION	LION	LION
21 h 00	LION	LION	LION	LION	LION	LION	LION
21 h 30	LION	LION	LION	LION	LION	LION	LION
22 h 00	VIERGE	VIERGE	VIERGE	VIERGE	VIERGE	VIERGE	VIERGE
22 h 30	VIERGE	VIERGE	VIERGE	VIERGE	VIERGE	VIERGE	VIERGE
23 h 00	VIERGE	VIERGE	VIERGE	VIERGE	VIERGE	VIERGE	VIERGE
23 h 30	VIERGE	VIERGE	VIERGE	VIERGE	VIERGE	VIERGE	VIERGE

DECOUVREZ VOTRE ASCENDANT SANS AUCUN CALCUL : TABLE N⁰ 3

VOTRE HEURE DE NAISSANCE	22 NOVEMBRE	23 NOVEMBRE	24 NOVEMBRE	25 NOVEMBRE	26 NOVEMBRE	27 NOVEMBRE	28 NOVEMBRE	29 NOVEMBRE
0 h 00	VIERGE	VIERGE	VIERGE	VIERGE	VIERGE	VIERGE	VIERGE	VIERGE
0 h 30	VIERGE	VIERGE	VIERGE	VIERGE	VIERGE	VIERGE	VIERGE	VIERGE
1 h 00	VIERGE	VIERGE	VIERGE	VIERGE	VIERGE	VIERGE	VIERGE	VIERGE
1 h 30	VIERGE	VIERGE	VIERGE	VIERGE	VIERGE	VIERGE	VIERGE	BALANCE
2 h 00	BALANCE	BALANCE	BALANCE	BALANCE	BALANCE	BALANCE	BALANCE	BALANCE
2 h 30	BALANCE	BALANCE	BALANCE	BALANCE	BALANCE	BALANCE	BALANCE	BALANCE
3 h 00	BALANCE	BALANCE	BALANCE	BALANCE	BALANCE	BALANCE	BALANCE	BALANCE
3 h 30	BALANCE	BALANCE	BALANCE	BALANCE	BALANCE	BALANCE	BALANCE	BALANCE
4 h 00	BALANCE	BALANCE	BALANCE	BALANCE	BALANCE	BALANCE	SCORPION	SCORPION
4 h 30	SCORPION	SCORPION	SCORPION	SCORPION	SCORPION	SCORPION	SCORPION	SCORPION
5 h 00	SCORPION	SCORPION	SCORPION	SCORPION	SCORPION	SCORPION	SCORPION	SCORPION
5 h 30	SCORPION	SCORPION	SCORPION	SCORPION	SCORPION	SCORPION	SCORPION	SCORPION
6 h 00	SCORPION	SCORPION	SCORPION	SCORPION	SCORPION	SCORPION	SCORPION	SCORPION
6 h 30	SCORPION	SCORPION	SCORPION	SCORPION	SCORPION	SAGITTAIRE	SAGITTAIRE	SAGITTAIRE
7 h 00	SAGITTAIRE	SAGITTAIRE	SAGITTAIRE	SAGITTAIRE	SAGITTAIRE	SAGITTAIRE	SAGITTAIRE	SAGITTAIRE
7 h 30	SAGITTAIRE	SAGITTAIRE	SAGITTAIRE	SAGITTAIRE	SAGITTAIRE	SAGITTAIRE	SAGITTAIRE	SAGITTAIRE
8 h 00	SAGITTAIRE	SAGITTAIRE	SAGITTAIRE	SAGITTAIRE	SAGITTAIRE	SAGITTAIRE	SAGITTAIRE	SAGITTAIRE
8 h 30	SAGITTAIRE	SAGITTAIRE	SAGITTAIRE	SAGITTAIRE	SAGITTAIRE	SAGITTAIRE	SAGITTAIRE	SAGITTAIRE
9 h 00	SAGITTAIRE	SAGITTAIRE	SAGITTAIRE	CAPRICORNE	CAPRICORNE	CAPRICORNE	CAPRICORNE	CAPRICORNE
9 h 30	CAPRICORNE	CAPRICORNE	CAPRICORNE	CAPRICORNE	CAPRICORNE	CAPRICORNE	CAPRICORNE	CAPRICORNE
10 h 00	CAPRICORNE	CAPRICORNE	CAPRICORNE	CAPRICORNE	CAPRICORNE	CAPRICORNE	CAPRICORNE	CAPRICORNE
10 h 30	CAPRICORNE	CAPRICORNE	CAPRICORNE	CAPRICORNE	CAPRICORNE	CAPRICORNE	CAPRICORNE	CAPRICORNE
11 h 00	CAPRICORNE	CAPRICORNE	VERSEAU	VERSEAU	VERSEAU	VERSEAU	VERSEAU	VERSEAU
11 h 30	VERSEAU	VERSEAU	VERSEAU	VERSEAU	VERSEAU	VERSEAU	VERSEAU	VERSEAU
MIDI	VERSEAU	VERSEAU	VERSEAU	VERSEAU	VERSEAU	VERSEAU	VERSEAU	VERSEAU
12 h 30	VERSEAU	VERSEAU	POISSONS	POISSONS	POISSONS	POISSONS	POISSONS	POISSONS
13 h 00	POISSONS	POISSONS	POISSONS	POISSONS	POISSONS	POISSONS	POISSONS	POISSONS
13 h 30	POISSONS	POISSONS	POISSONS	POISSONS	POISSONS	POISSONS	POISSONS	BELIER
14 h 00	BELIER	BELIER	BELIER	BELIER	BELIER	BELIER	BELIER	BELIER
14 h 30	BELIER	BELIER	BELIER	BELIER	BELIER	BELIER	BELIER	BELIER
15 h 00	BELIER	BELIER	TAUREAU	TAUREAU	TAUREAU	TAUREAU	TAUREAU	TAUREAU
15 h 30	TAUREAU	TAUREAU	TAUREAU	TAUREAU	TAUREAU	TAUREAU	TAUREAU	TAUREAU
16 h 00	TAUREAU	TAUREAU	TAUREAU	TAUREAU	TAUREAU	TAUREAU	TAUREAU	TAUREAU
16 h 30	TAUREAU	TAUREAU	GEMEAUX	GEMEAUX	GEMEAUX	GEMEAUX	GEMEAUX	GEMEAUX
17 h 00	GEMEAUX	GEMEAUX	GEMEAUX	GEMEAUX	GEMEAUX	GEMEAUX	GEMEAUX	GEMEAUX
17 h 30	GEMEAUX	GEMEAUX	GEMEAUX	GEMEAUX	GEMEAUX	GEMEAUX	GEMEAUX	GEMEAUX
18 h 00	GEMEAUX	GEMEAUX	GEMEAUX	GEMEAUX	GEMEAUX	GEMEAUX	GEMEAUX	GEMEAUX
18 h 30	GEMEAUX	CANCER	CANCER	CANCER	CANCER	CANCER	CANCER	CANCER
19 h 00	CANCER	CANCER	CANCER	CANCER	CANCER	CANCER	CANCER	CANCER
19 h 30	CANCER	CANCER	CANCER	CANCER	CANCER	CANCER	CANCER	CANCER
20 h 00	CANCER	CANCER	CANCER	CANCER	CANCER	CANCER	CANCER	CANCER
20 h 30	CANCER	CANCER	CANCER	CANCER	CANCER	CANCER	CANCER	LION
21 h 00	LION	LION	LION	LION	LION	LION	LION	LION
21 h 30	LION	LION	LION	LION	LION	LION	LION	LION
22 h 00	LION	LION	LION	LION	LION	LION	LION	LION
22 h 30	LION	LION	LION	LION	LION	LION	LION	LION
23 h 00	LION	LION	LION	LION	LION	LION	VIERGE	VIERGE
23 h 30	VIERGE	VIERGE	VIERGE	VIERGE	VIERGE	VIERGE	VIERGE	VIERGE

DECOUVREZ VOTRE ASCENDANT SANS AUCUN CALCUL : TABLE N⁰ 3

VOTRE HEURE DE NAISSANCE	30 NOVEMBRE	1 DECEMBRE	2 DECEMBRE	3 DECEMBRE	4 DECEMBRE	5 DECEMBRE	6 DECEMBRE	7 DECEMBRE
0 h 00	VIERGE	VIERGE	VIERGE	VIERGE	VIERGE	VIERGE	VIERGE	VIERGE
0 h 30	VIERGE	VIERGE	VIERGE	VIERGE	VIERGE	VIERGE	VIERGE	VIERGE
1 h 00	VIERGE	VIERGE	VIERGE	VIERGE	VIERGE	VIERGE	BALANCE	BALANCE
1 h 30	BALANCE	BALANCE	BALANCE	BALANCE	BALANCE	BALANCE	BALANCE	BALANCE
2 h 00	BALANCE	BALANCE	BALANCE	BALANCE	BALANCE	BALANCE	BALANCE	BALANCE
2 h 30	BALANCE	BALANCE	BALANCE	BALANCE	BALANCE	BALANCE	BALANCE	BALANCE
3 h 00	BALANCE	BALANCE	BALANCE	BALANCE	BALANCE	BALANCE	BALANCE	BALANCE
3 h 30	BALANCE	BALANCE	BALANCE	BALANCE	BALANCE	SCORPION	SCORPION	SCORPION
4 h 00	SCORPION	SCORPION	SCORPION	SCORPION	SCORPION	SCORPION	SCORPION	SCORPION
4 h 30	SCORPION	SCORPION	SCORPION	SCORPION	SCORPION	SCORPION	SCORPION	SCORPION
5 h 00	SCORPION	SCORPION	SCORPION	SCORPION	SCORPION	SCORPION	SCORPION	SCORPION
5 h 30	SCORPION	SCORPION	SCORPION	SCORPION	SCORPION	SCORPION	SCORPION	SCORPION
6 h 00	SCORPION	SCORPION	SCORPION	SCORPION	SCORPION	SAGITTAIRE	SAGITTAIRE	SAGITTAIRE
6 h 30	SAGITTAIRE	SAGITTAIRE	SAGITTAIRE	SAGITTAIRE	SAGITTAIRE	SAGITTAIRE	SAGITTAIRE	SAGITTAIRE
7 h 00	SAGITTAIRE	SAGITTAIRE	SAGITTAIRE	SAGITTAIRE	SAGITTAIRE	SAGITTAIRE	SAGITTAIRE	SAGITTAIRE
7 h 30	SAGITTAIRE	SAGITTAIRE	SAGITTAIRE	SAGITTAIRE	SAGITTAIRE	SAGITTAIRE	SAGITTAIRE	SAGITTAIRE
8 h 00	SAGITTAIRE	SAGITTAIRE	SAGITTAIRE	SAGITTAIRE	SAGITTAIRE	SAGITTAIRE	SAGITTAIRE	SAGITTAIRE
8 h 30	SAGITTAIRE	SAGITTAIRE	SAGITTAIRE	CAPRICORNE	CAPRICORNE	CAPRICORNE	CAPRICORNE	CAPRICORNE
9 h 00	CAPRICORNE	CAPRICORNE	CAPRICORNE	CAPRICORNE	CAPRICORNE	CAPRICORNE	CAPRICORNE	CAPRICORNE
9 h 30	CAPRICORNE	CAPRICORNE	CAPRICORNE	CAPRICORNE	CAPRICORNE	CAPRICORNE	CAPRICORNE	CAPRICORNE
10 h 00	CAPRICORNE	CAPRICORNE	CAPRICORNE	CAPRICORNE	CAPRICORNE	CAPRICORNE	CAPRICORNE	CAPRICORNE
10 h 30	CAPRICORNE	CAPRICORNE	VERSEAU	VERSEAU	VERSEAU	VERSEAU	VERSEAU	VERSEAU
11 h 00	VERSEAU	VERSEAU	VERSEAU	VERSEAU	VERSEAU	VERSEAU	VERSEAU	VERSEAU
11 h 30	VERSEAU	VERSEAU	VERSEAU	VERSEAU	VERSEAU	VERSEAU	VERSEAU	VERSEAU
MIDI	VERSEAU	VERSEAU	POISSONS	POISSONS	POISSONS	POISSONS	POISSONS	POISSONS
12 h 30	POISSONS	POISSONS	POISSONS	POISSONS	POISSONS	POISSONS	POISSONS	POISSONS
13 h 00	POISSONS	POISSONS	POISSONS	POISSONS	POISSONS	POISSONS	BELIER	BELIER
13 h 30	BELIER	BELIER	BELIER	BELIER	BELIER	BELIER	BELIER	BELIER
14 h 00	BELIER	BELIER	BELIER	BELIER	BELIER	BELIER	BELIER	BELIER
14 h 30	BELIER	BELIER	TAUREAU	TAUREAU	TAUREAU	TAUREAU	TAUREAU	TAUREAU
15 h 00	TAUREAU	TAUREAU	TAUREAU	TAUREAU	TAUREAU	TAUREAU	TAUREAU	TAUREAU
15 h 30	TAUREAU	TAUREAU	TAUREAU	TAUREAU	TAUREAU	TAUREAU	TAUREAU	TAUREAU
16 h 00	TAUREAU	TAUREAU	GEMEAUX	GEMEAUX	GEMEAUX	GEMEAUX	GEMEAUX	GEMEAUX
16 h 30	GEMEAUX	GEMEAUX	GEMEAUX	GEMEAUX	GEMEAUX	GEMEAUX	GEMEAUX	GEMEAUX
17 h 00	GEMEAUX	GEMEAUX	GEMEAUX	GEMEAUX	GEMEAUX	GEMEAUX	GEMEAUX	GEMEAUX
17 h 30	GEMEAUX	GEMEAUX	GEMEAUX	GEMEAUX	GEMEAUX	GEMEAUX	GEMEAUX	GEMEAUX
18 h 00	GEMEAUX	CANCER	CANCER	CANCER	CANCER	CANCER	CANCER	CANCER
18 h 30	CANCER	CANCER	CANCER	CANCER	CANCER	CANCER	CANCER	CANCER
19 h 00	CANCER	CANCER	CANCER	CANCER	CANCER	CANCER	CANCER	CANCER
19 h 30	CANCER	CANCER	CANCER	CANCER	CANCER	CANCER	CANCER	CANCER
20 h 00	CANCER	CANCER	CANCER	CANCER	CANCER	CANCER	LION	LION
20 h 30	LION	LION	LION	LION	LION	LION	LION	LION
21 h 00	LION	LION	LION	LION	LION	LION	LION	LION
21 h 30	LION	LION	LION	LION	LION	LION	LION	LION
22 h 00	LION	LION	LION	LION	LION	LION	LION	LION
22 h 30	LION	LION	LION	LION	LION	LION	VIERGE	VIERGE
23 h 00	VIERGE	VIERGE	VIERGE	VIERGE	VIERGE	VIERGE	VIERGE	VIERGE
23 h 30	VIERGE	VIERGE	VIERGE	VIERGE	VIERGE	VIERGE	VIERGE	VIERGE

VOTRE HEURE DE NAISSANCE	8 DECEMBRE	9 DECEMBRE	10 DECEMBRE	11 DECEMBRE	12 DECEMBRE	13 DECEMBRE	14 DECEMBRE	15 DECEMBRE
0 h 00	VIERGE	VIERGE	VIERGE	VIERGE	VIERGE	VIERGE	VIERGE	VIERGE
0 h 30	VIERGE	VIERGE	VIERGE	VIERGE	VIERGE	VIERGE	BALANCE	BALANCE
1 h 00	BALANCE	BALANCE	BALANCE	BALANCE	BALANCE	BALANCE	BALANCE	BALANCE
1 h 30	BALANCE	BALANCE	BALANCE	BALANCE	BALANCE	BALANCE	BALANCE	BALANCE
2 h 00	BALANCE	BALANCE	BALANCE	BALANCE	BALANCE	BALANCE	BALANCE	BALANCE
2 h 30	BALANCE	BALANCE	BALANCE	BALANCE	BALANCE	BALANCE	BALANCE	BALANCE
3 h 00	BALANCE	BALANCE	BALANCE	BALANCE	BALANCE	SCORPION	SCORPION	SCORPION
3 h 30	SCORPION	SCORPION	SCORPION	SCORPION	SCORPION	SCORPION	SCORPION	SCORPION
4 h 00	SCORPION	SCORPION	SCORPION	SCORPION	SCORPION	SCORPION	SCORPION	SCORPION
4 h 30	SCORPION	SCORPION	SCORPION	SCORPION	SCORPION	SCORPION	SCORPION	SCORPION
5 h 00	SCORPION	SCORPION	SCORPION	SCORPION	SCORPION	SCORPION	SCORPION	SCORPION
5 h 30	SCORPION	SCORPION	SCORPION	SCORPION	SAGITTAIRE	SAGITTAIRE	SAGITTAIRE	SAGITTAIRE
6 h 00	SAGITTAIRE	SAGITTAIRE	SAGITTAIRE	SAGITTAIRE	SAGITTAIRE	SAGITTAIRE	SAGITTAIRE	SAGITTAIRE
6 h 30	SAGITTAIRE	SAGITTAIRE	SAGITTAIRE	SAGITTAIRE	SAGITTAIRE	SAGITTAIRE	SAGITTAIRE	SAGITTAIRE
7 h 00	SAGITTAIRE	SAGITTAIRE	SAGITTAIRE	SAGITTAIRE	SAGITTAIRE	SAGITTAIRE	SAGITTAIRE	SAGITTAIRE
7 h 30	SAGITTAIRE	SAGITTAIRE	SAGITTAIRE	SAGITTAIRE	SAGITTAIRE	SAGITTAIRE	SAGITTAIRE	SAGITTAIRE
8 h 00	SAGITTAIRE	SAGITTAIRE	CAPRICORNE	CAPRICORNE	CAPRICORNE	CAPRICORNE	CAPRICORNE	CAPRICORNE
8 h 30	CAPRICORNE	CAPRICORNE	CAPRICORNE	CAPRICORNE	CAPRICORNE	CAPRICORNE	CAPRICORNE	CAPRICORNE
9 h 00	CAPRICORNE	CAPRICORNE	CAPRICORNE	CAPRICORNE	CAPRICORNE	CAPRICORNE	CAPRICORNE	CAPRICORNE
9 h 30	CAPRICORNE	CAPRICORNE	CAPRICORNE	CAPRICORNE	CAPRICORNE	CAPRICORNE	CAPRICORNE	CAPRICORNE
10 h 00	CAPRICORNE	VERSEAU	VERSEAU	VERSEAU	VERSEAU	VERSEAU	VERSEAU	VERSEAU
10 h 30	VERSEAU	VERSEAU	VERSEAU	VERSEAU	VERSEAU	VERSEAU	VERSEAU	VERSEAU
11 h 00	VERSEAU	VERSEAU	VERSEAU	VERSEAU	VERSEAU	VERSEAU	VERSEAU	VERSEAU
11 h 30	VERSEAU	POISSONS	POISSONS	POISSONS	POISSONS	POISSONS	POISSONS	POISSONS
MIDI	POISSONS	POISSONS	POISSONS	POISSONS	POISSONS	POISSONS	POISSONS	POISSONS
12 h 30	POISSONS	POISSONS	POISSONS	POISSONS	POISSONS	POISSONS	BELIER	BELIER
13 h 00	BELIER	BELIER	BELIER	BELIER	BELIER	BELIER	BELIER	BELIER
13 h 30	BELIER	BELIER	BELIER	BELIER	BELIER	BELIER	BELIER	BELIER
14 h 00	BELIER	BELIER	TAUREAU	TAUREAU	TAUREAU	TAUREAU	TAUREAU	TAUREAU
14 h 30	TAUREAU	TAUREAU	TAUREAU	TAUREAU	TAUREAU	TAUREAU	TAUREAU	TAUREAU
15 h 00	TAUREAU	TAUREAU	TAUREAU	TAUREAU	TAUREAU	TAUREAU	TAUREAU	TAUREAU
15 h 30	TAUREAU	TAUREAU	GEMEAUX	GEMEAUX	GEMEAUX	GEMEAUX	GEMEAUX	GEMEAUX
16 h 00	GEMEAUX	GEMEAUX	GEMEAUX	GEMEAUX	GEMEAUX	GEMEAUX	GEMEAUX	GEMEAUX
16 h 30	GEMEAUX	GEMEAUX	GEMEAUX	GEMEAUX	GEMEAUX	GEMEAUX	GEMEAUX	GEMEAUX
17 h 00	GEMEAUX	GEMEAUX	GEMEAUX	GEMEAUX	GEMEAUX	GEMEAUX	GEMEAUX	GEMEAUX
17 h 30	CANCER	CANCER	CANCER	CANCER	CANCER	CANCER	CANCER	CANCER
18 h 00	CANCER	CANCER	CANCER	CANCER	CANCER	CANCER	CANCER	CANCER
18 h 30	CANCER	CANCER	CANCER	CANCER	CANCER	CANCER	CANCER	CANCER
19 h 00	CANCER	CANCER	CANCER	CANCER	CANCER	CANCER	CANCER	CANCER
19 h 30	CANCER	CANCER	CANCER	CANCER	CANCER	CANCER	LION	LION
20 h 00	LION	LION	LION	LION	LION	LION	LION	LION
20 h 30	LION	LION	LION	LION	LION	LION	LION	LION
21 h 00	LION	LION	LION	LION	LION	LION	LION	LION
21 h 30	LION	LION	LION	LION	LION	LION	LION	LION
22 h 00	LION	LION	LION	LION	LION	VIERGE	VIERGE	VIERGE
22 h 30	VIERGE	VIERGE	VIERGE	VIERGE	VIERGE	VIERGE	VIERGE	VIERGE
23 h 00	VIERGE	VIERGE	VIERGE	VIERGE	VIERGE	VIERGE	VIERGE	VIERGE
23 h 30	VIERGE	VIERGE	VIERGE	VIERGE	VIERGE	VIERGE	VIERGE	VIERGE

DECOUVREZ VOTRE ASCENDANT SANS AUCUN CALCUL : TABLE N° 3

VOTRE HEURE DE NAISSANCE	16 DECEMBRE	17 DECEMBRE	18 DECEMBRE	19 DECEMBRE	20 DECEMBRE	21 DECEMBRE	22 DECEMBRE
0 h 00	VIERGE	VIERGE	VIERGE	VIERGE	VIERGE	BALANCE	BALANCE
0 h 30	BALANCE	BALANCE	BALANCE	BALANCE	BALANCE	BALANCE	BALANCE
1 h 00	BALANCE	BALANCE	BALANCE	BALANCE	BALANCE	BALANCE	BALANCE
1 h 30	BALANCE	BALANCE	BALANCE	BALANCE	BALANCE	BALANCE	BALANCE
2 h 00	BALANCE	BALANCE	BALANCE	BALANCE	BALANCE	BALANCE	BALANCE
2 h 30	BALANCE	BALANCE	BALANCE	BALANCE	SCORPION	SCORPION	SCORPION
3 h 00	SCORPION	SCORPION	SCORPION	SCORPION	SCORPION	SCORPION	SCORPION
3 h 30	SCORPION	SCORPION	SCORPION	SCORPION	SCORPION	SCORPION	SCORPION
4 h 00	SCORPION	SCORPION	SCORPION	SCORPION	SCORPION	SCORPION	SCORPION
4 h 30	SCORPION	SCORPION	SCORPION	SCORPION	SCORPION	SCORPION	SCORPION
5 h 00	SCORPION	SCORPION	SCORPION	SCORPION	SAGITTAIRE	SAGITTAIRE	SAGITTAIRE
5 h 30	SAGITTAIRE	SAGITTAIRE	SAGITTAIRE	SAGITTAIRE	SAGITTAIRE	SAGITTAIRE	SAGITTAIRE
6 h 00	SAGITTAIRE	SAGITTAIRE	SAGITTAIRE	SAGITTAIRE	SAGITTAIRE	SAGITTAIRE	SAGITTAIRE
6 h 30	SAGITTAIRE	SAGITTAIRE	SAGITTAIRE	SAGITTAIRE	SAGITTAIRE	SAGITTAIRE	SAGITTAIRE
7 h 00	SAGITTAIRE	SAGITTAIRE	SAGITTAIRE	SAGITTAIRE	SAGITTAIRE	SAGITTAIRE	SAGITTAIRE
7 h 30	SAGITTAIRE	SAGITTAIRE	CAPRICORNE	CAPRICORNE	CAPRICORNE	CAPRICORNE	CAPRICORNE
8 h 00	CAPRICORNE	CAPRICORNE	CAPRICORNE	CAPRICORNE	CAPRICORNE	CAPRICORNE	CAPRICORNE
8 h 30	CAPRICORNE	CAPRICORNE	CAPRICORNE	CAPRICORNE	CAPRICORNE	CAPRICORNE	CAPRICORNE
9 h 00	CAPRICORNE	CAPRICORNE	CAPRICORNE	CAPRICORNE	CAPRICORNE	CAPRICORNE	CAPRICORNE
9 h 30	CAPRICORNE	VERSEAU	VERSEAU	VERSEAU	VERSEAU	VERSEAU	VERSEAU
10 h 00	VERSEAU	VERSEAU	VERSEAU	VERSEAU	VERSEAU	VERSEAU	VERSEAU
10 h 30	VERSEAU	VERSEAU	VERSEAU	VERSEAU	VERSEAU	VERSEAU	VERSEAU
11 h 00	VERSEAU	POISSONS	POISSONS	POISSONS	POISSONS	POISSONS	POISSONS
11 h 30	POISSONS	POISSONS	POISSONS	POISSONS	POISSONS	POISSONS	POISSONS
MIDI	POISSONS	POISSONS	POISSONS	POISSONS	POISSONS	BELIER	BELIER
12 h 30	BELIER	BELIER	BELIER	BELIER	BELIER	BELIER	BELIER
13 h 00	BELIER	BELIER	BELIER	BELIER	BELIER	BELIER	BELIER
13 h 30	BELIER	TAUREAU	TAUREAU	TAUREAU	TAUREAU	TAUREAU	TAUREAU
14 h 00	TAUREAU	TAUREAU	TAUREAU	TAUREAU	TAUREAU	TAUREAU	TAUREAU
14 h 30	TAUREAU	TAUREAU	TAUREAU	TAUREAU	TAUREAU	TAUREAU	TAUREAU
15 h 00	TAUREAU	GEMEAUX	GEMEAUX	GEMEAUX	GEMEAUX	GEMEAUX	GEMEAUX
15 h 30	GEMEAUX	GEMEAUX	GEMEAUX	GEMEAUX	GEMEAUX	GEMEAUX	GEMEAUX
16 h 00	GEMEAUX	GEMEAUX	GEMEAUX	GEMEAUX	GEMEAUX	GEMEAUX	GEMEAUX
16 h 30	GEMEAUX	GEMEAUX	GEMEAUX	GEMEAUX	GEMEAUX	GEMEAUX	GEMEAUX
17 h 00	CANCER	CANCER	CANCER	CANCER	CANCER	CANCER	CANCER
17 h 30	CANCER	CANCER	CANCER	CANCER	CANCER	CANCER	CANCER
18 h 00	CANCER	CANCER	CANCER	CANCER	CANCER	CANCER	CANCER
18 h 30	CANCER	CANCER	CANCER	CANCER	CANCER	CANCER	CANCER
19 h 00	CANCER	CANCER	CANCER	CANCER	CANCER	LION	LION
19 h 30	LION	LION	LION	LION	LION	LION	LION
20 h 00	LION	LION	LION	LION	LION	LION	LION
20 h 30	LION	LION	LION	LION	LION	LION	LION
21 h 00	LION	LION	LION	LION	LION	LION	LION
21 h 30	LION	LION	LION	LION	LION	VIERGE	VIERGE
22 h 00	VIERGE	VIERGE	VIERGE	VIERGE	VIERGE	VIERGE	VIERGE
22 h 30	VIERGE	VIERGE	VIERGE	VIERGE	VIERGE	VIERGE	VIERGE
23 h 00	VIERGE	VIERGE	VIERGE	VIERGE	VIERGE	VIERGE	VIERGE
23 h 30	VIERGE	VIERGE	VIERGE	VIERGE	VIERGE	VIERGE	VIERGE

VOTRE HEURE DE NAISSANCE	22 NOVEMBRE	23 NOVEMBRE	24 NOVEMBRE	25 NOVEMBRE	26 NOVEMBRE	27 NOVEMBRE	28 NOVEMBRE	29 NOVEMBRE
0 h 00	VIERGE	VIERGE	VIERGE	VIERGE	VIERGE	VIERGE	VIERGE	VIERGE
0 h 30	VIERGE	VIERGE	VIERGE	VIERGE	VIERGE	VIERGE	VIERGE	VIERGE
1 h 00	VIERGE	VIERGE	VIERGE	VIERGE	VIERGE	VIERGE	VIERGE	VIERGE
1 h 30	VIERGE	VIERGE	VIERGE	VIERGE	VIERGE	VIERGE	VIERGE	BALANCE
2 h 00	BALANCE	BALANCE	BALANCE	BALANCE	BALANCE	BALANCE	BALANCE	BALANCE
2 h 30	BALANCE	BALANCE	BALANCE	BALANCE	BALANCE	BALANCE	BALANCE	BALANCE
3 h 00	BALANCE	BALANCE	BALANCE	BALANCE	BALANCE	BALANCE	BALANCE	BALANCE
3 h 30	BALANCE	BALANCE	BALANCE	BALANCE	BALANCE	BALANCE	BALANCE	BALANCE
4 h 00	BALANCE	BALANCE	BALANCE	BALANCE	BALANCE	BALANCE	BALANCE	BALANCE
4 h 30	BALANCE	SCORPION	SCORPION	SCORPION	SCORPION	SCORPION	SCORPION	SCORPION
5 h 00	SCORPION	SCORPION	SCORPION	SCORPION	SCORPION	SCORPION	SCORPION	SCORPION
5 h 30	SCORPION	SCORPION	SCORPION	SCORPION	SCORPION	SCORPION	SCORPION	SCORPION
6 h 00	SCORPION	SCORPION	SCORPION	SCORPION	SCORPION	SCORPION	SCORPION	SCORPION
6 h 30	SCORPION	SCORPION	SCORPION	SCORPION	SCORPION	SCORPION	SCORPION	SCORPION
7 h 00	SCORPION	SCORPION	SCORPION	SAGITTAIRE	SAGITTAIRE	SAGITTAIRE	SAGITTAIRE	SAGITTAIRE
7 h 30	SAGITTAIRE	SAGITTAIRE	SAGITTAIRE	SAGITTAIRE	SAGITTAIRE	SAGITTAIRE	SAGITTAIRE	SAGITTAIRE
8 h 00	SAGITTAIRE	SAGITTAIRE	SAGITTAIRE	SAGITTAIRE	SAGITTAIRE	SAGITTAIRE	SAGITTAIRE	SAGITTAIRE
8 h 30	SAGITTAIRE	SAGITTAIRE	SAGITTAIRE	SAGITTAIRE	SAGITTAIRE	SAGITTAIRE	SAGITTAIRE	SAGITTAIRE
9 h 00	SAGITTAIRE	SAGITTAIRE	SAGITTAIRE	SAGITTAIRE	SAGITTAIRE	SAGITTAIRE	SAGITTAIRE	SAGITTAIRE
9 h 30	SAGITTAIRE	SAGITTAIRE	CAPRICORNE	CAPRICORNE	CAPRICORNE	CAPRICORNE	CAPRICORNE	CAPRICORNE
10 h 00	CAPRICORNE	CAPRICORNE	CAPRICORNE	CAPRICORNE	CAPRICORNE	CAPRICORNE	CAPRICORNE	CAPRICORNE
10 h 30	CAPRICORNE	CAPRICORNE	CAPRICORNE	CAPRICORNE	CAPRICORNE	CAPRICORNE	CAPRICORNE	CAPRICORNE
11 h 00	CAPRICORNE	CAPRICORNE	CAPRICORNE	CAPRICORNE	CAPRICORNE	CAPRICORNE	CAPRICORNE	CAPRICORNE
11 h 30	VERSEAU	VERSEAU	VERSEAU	VERSEAU	VERSEAU	VERSEAU	VERSEAU	VERSEAU
MIDI	VERSEAU	VERSEAU	VERSEAU	VERSEAU	VERSEAU	VERSEAU	VERSEAU	VERSEAU
12 h 30	VERSEAU	VERSEAU	VERSEAU	VERSEAU	VERSEAU	POISSONS	POISSONS	POISSONS
13 h 00	POISSONS	POISSONS	POISSONS	POISSONS	POISSONS	POISSONS	POISSONS	POISSONS
13 h 30	POISSONS	POISSONS	POISSONS	POISSONS	POISSONS	POISSONS	POISSONS	BELIER
14 h 00	BELIER	BELIER	BELIER	BELIER	BELIER	BELIER	BELIER	BELIER
14 h 30	BELIER	BELIER	BELIER	BELIER	BELIER	BELIER	BELIER	BELIER
15 h 00	TAUREAU	TAUREAU	TAUREAU	TAUREAU	TAUREAU	TAUREAU	TAUREAU	TAUREAU
15 h 30	TAUREAU	TAUREAU	TAUREAU	TAUREAU	TAUREAU	TAUREAU	TAUREAU	TAUREAU
16 h 00	TAUREAU	TAUREAU	TAUREAU	TAUREAU	TAUREAU	GEMEAUX	GEMEAUX	GEMEAUX
16 h 30	GEMEAUX	GEMEAUX	GEMEAUX	GEMEAUX	GEMEAUX	GEMEAUX	GEMEAUX	GEMEAUX
17 h 00	GEMEAUX	GEMEAUX	GEMEAUX	GEMEAUX	GEMEAUX	GEMEAUX	GEMEAUX	GEMEAUX
17 h 30	GEMEAUX	GEMEAUX	GEMEAUX	GEMEAUX	GEMEAUX	GEMEAUX	GEMEAUX	GEMEAUX
18 h 00	GEMEAUX	GEMEAUX	CANCER	CANCER	CANCER	CANCER	CANCER	CANCER
18 h 30	CANCER	CANCER	CANCER	CANCER	CANCER	CANCER	CANCER	CANCER
19 h 00	CANCER	CANCER	CANCER	CANCER	CANCER	CANCER	CANCER	CANCER
19 h 30	CANCER	CANCER	CANCER	CANCER	CANCER	CANCER	CANCER	CANCER
20 h 00	CANCER	CANCER	CANCER	CANCER	CANCER	CANCER	CANCER	CANCER
20 h 30	CANCER	LION	LION	LION	LION	LION	LION	LION
21 h 00	LION	LION	LION	LION	LION	LION	LION	LION
21 h 30	LION	LION	LION	LION	LION	LION	LION	LION
22 h 00	LION	LION	LION	LION	LION	LION	LION	LION
22 h 30	LION	LION	LION	LION	LION	LION	LION	LION
23 h 00	LION	LION	LION	VIERGE	VIERGE	VIERGE	VIERGE	VIERGE
23 h 30	VIERGE	VIERGE	VIERGE	VIERGE	VIERGE	VIERGE	VIERGE	VIERGE

VOTRE HEURE DE NAISSANCE	30 NOVEMBRE	1 DECEMBRE	2 DECEMBRE	3 DECEMBRE	4 DECEMBRE	5 DECEMBRE	6 DECEMBRE	7 DECEMBRE
0 h 00	VIERGE	VIERGE	VIERGE	VIERGE	VIERGE	VIERGE	VIERGE	VIERGE
0 h 30	VIERGE	VIERGE	VIERGE	VIERGE	VIERGE	VIERGE	VIERGE	VIERGE
1 h 00	VIERGE	VIERGE	VIERGE	VIERGE	VIERGE	VIERGE	BALANCE	BALANCE
1 h 30	BALANCE	BALANCE	BALANCE	BALANCE	BALANCE	BALANCE	BALANCE	BALANCE
2 h 00	BALANCE	BALANCE	BALANCE	BALANCE	BALANCE	BALANCE	BALANCE	BALANCE
2 h 30	BALANCE	BALANCE	BALANCE	BALANCE	BALANCE	BALANCE	BALANCE	BALANCE
3 h 00	BALANCE	BALANCE	BALANCE	BALANCE	BALANCE	BALANCE	BALANCE	BALANCE
3 h 30	BALANCE	BALANCE	BALANCE	BALANCE	BALANCE	BALANCE	BALANCE	BALANCE
4 h 00	BALANCE	SCORPION	SCORPION	SCORPION	SCORPION	SCORPION	SCORPION	SCORPION
4 h 30	SCORPION	SCORPION	SCORPION	SCORPION	SCORPION	SCORPION	SCORPION	SCORPION
5 h 00	SCORPION	SCORPION	SCORPION	SCORPION	SCORPION	SCORPION	SCORPION	SCORPION
5 h 30	SCORPION	SCORPION	SCORPION	SCORPION	SCORPION	SCORPION	SCORPION	SCORPION
6 h 00	SCORPION	SCORPION	SCORPION	SCORPION	SCORPION	SCORPION	SCORPION	SCORPION
6 h 30	SCORPION	SCORPION	SAGITTAIRE	SAGITTAIRE	SAGITTAIRE	SAGITTAIRE	SAGITTAIRE	SAGITTAIRE
7 h 00	SAGITTAIRE	SAGITTAIRE	SAGITTAIRE	SAGITTAIRE	SAGITTAIRE	SAGITTAIRE	SAGITTAIRE	SAGITTAIRE
7 h 30	SAGITTAIRE	SAGITTAIRE	SAGITTAIRE	SAGITTAIRE	SAGITTAIRE	SAGITTAIRE	SAGITTAIRE	SAGITTAIRE
8 h 00	SAGITTAIRE	SAGITTAIRE	SAGITTAIRE	SAGITTAIRE	SAGITTAIRE	SAGITTAIRE	SAGITTAIRE	SAGITTAIRE
8 h 30	SAGITTAIRE	SAGITTAIRE	SAGITTAIRE	SAGITTAIRE	SAGITTAIRE	SAGITTAIRE	SAGITTAIRE	SAGITTAIRE
9 h 00	SAGITTAIRE	SAGITTAIRE	CAPRICORNE	CAPRICORNE	CAPRICORNE	CAPRICORNE	CAPRICORNE	CAPRICORNE
9 h 30	CAPRICORNE	CAPRICORNE	CAPRICORNE	CAPRICORNE	CAPRICORNE	CAPRICORNE	CAPRICORNE	CAPRICORNE
10 h 00	CAPRICORNE	CAPRICORNE	CAPRICORNE	CAPRICORNE	CAPRICORNE	CAPRICORNE	CAPRICORNE	CAPRICORNE
10 h 30	CAPRICORNE	CAPRICORNE	CAPRICORNE	CAPRICORNE	CAPRICORNE	CAPRICORNE	CAPRICORNE	VERSEAU
11 h 00	VERSEAU	VERSEAU	VERSEAU	VERSEAU	VERSEAU	VERSEAU	VERSEAU	VERSEAU
11 h 30	VERSEAU	VERSEAU	VERSEAU	VERSEAU	VERSEAU	VERSEAU	VERSEAU	VERSEAU
MIDI	VERSEAU	VERSEAU	VERSEAU	VERSEAU	VERSEAU	POISSONS	POISSONS	POISSONS
12 h 30	POISSONS	POISSONS	POISSONS	POISSONS	POISSONS	POISSONS	POISSONS	POISSONS
13 h 00	POISSONS	POISSONS	POISSONS	POISSONS	POISSONS	POISSONS	BELIER	BELIER
13 h 30	BELIER	BELIER	BELIER	BELIER	BELIER	BELIER	BELIER	BELIER
14 h 00	BELIER	BELIER	BELIER	BELIER	BELIER	BELIER	BELIER	TAUREAU
14 h 30	TAUREAU	TAUREAU	TAUREAU	TAUREAU	TAUREAU	TAUREAU	TAUREAU	TAUREAU
15 h 00	TAUREAU	TAUREAU	TAUREAU	TAUREAU	TAUREAU	TAUREAU	TAUREAU	TAUREAU
15 h 30	TAUREAU	TAUREAU	TAUREAU	TAUREAU	GEMEAUX	GEMEAUX	GEMEAUX	GEMEAUX
16 h 00	GEMEAUX	GEMEAUX	GEMEAUX	GEMEAUX	GEMEAUX	GEMEAUX	GEMEAUX	GEMEAUX
16 h 30	GEMEAUX	GEMEAUX	GEMEAUX	GEMEAUX	GEMEAUX	GEMEAUX	GEMEAUX	GEMEAUX
17 h 00	GEMEAUX	GEMEAUX	GEMEAUX	GEMEAUX	GEMEAUX	GEMEAUX	GEMEAUX	GEMEAUX
17 h 30	GEMEAUX	GEMEAUX	CANCER	CANCER	CANCER	CANCER	CANCER	CANCER
18 h 00	CANCER	CANCER	CANCER	CANCER	CANCER	CANCER	CANCER	CANCER
18 h 30	CANCER	CANCER	CANCER	CANCER	CANCER	CANCER	CANCER	CANCER
19 h 00	CANCER	CANCER	CANCER	CANCER	CANCER	CANCER	CANCER	CANCER
19 h 30	CANCER	CANCER	CANCER	CANCER	CANCER	CANCER	CANCER	CANCER
20 h 00	CANCER	LION	LION	LION	LION	LION	LION	LION
20 h 30	LION	LION	LION	LION	LION	LION	LION	LION
21 h 00	LION	LION	LION	LION	LION	LION	LION	LION
21 h 30	LION	LION	LION	LION	LION	LION	LION	LION
22 h 00	LION	LION	LION	LION	LION	LION	LION	LION
22 h 30	LION	LION	LION	VIERGE	VIERGE	VIERGE	VIERGE	VIERGE
23 h 00	VIERGE	VIERGE	VIERGE	VIERGE	VIERGE	VIERGE	VIERGE	VIERGE
23 h 30	VIERGE	VIERGE	VIERGE	VIERGE	VIERGE	VIERGE	VIERGE	VIERGE

VOTRE HEURE DE NAISSANCE	8 DECEMBRE	9 DECEMBRE	10 DECEMBRE	11 DECEMBRE	12 DECEMBRE	13 DECEMBRE	14 DECEMBRE	15 DECEMBRE
0 h 00	VIERGE	VIERGE	VIERGE	VIERGE	VIERGE	VIERGE	VIERGE	VIERGE
0 h 30	VIERGE	VIERGE	VIERGE	VIERGE	VIERGE	VIERGE	BALANCE	BALANCE
1 h 00	BALANCE	BALANCE	BALANCE	BALANCE	BALANCE	BALANCE	BALANCE	BALANCE
1 h 30	BALANCE	BALANCE	BALANCE	BALANCE	BALANCE	BALANCE	BALANCE	BALANCE
2 h 00	BALANCE	BALANCE	BALANCE	BALANCE	BALANCE	BALANCE	BALANCE	BALANCE
2 h 30	BALANCE	BALANCE	BALANCE	BALANCE	BALANCE	BALANCE	BALANCE	BALANCE
3 h 00	BALANCE	BALANCE	BALANCE	BALANCE	BALANCE	BALANCE	BALANCE	BALANCE
3 h 30	SCORPION	SCORPION	SCORPION	SCORPION	SCORPION	SCORPION	SCORPION	SCORPION
4 h 00	SCORPION	SCORPION	SCORPION	SCORPION	SCORPION	SCORPION	SCORPION	SCORPION
4 h 30	SCORPION	SCORPION	SCORPION	SCORPION	SCORPION	SCORPION	SCORPION	SCORPION
5 h 00	SCORPION	SCORPION	SCORPION	SCORPION	SCORPION	SCORPION	SCORPION	SCORPION
5 h 30	SCORPION	SCORPION	SCORPION	SCORPION	SCORPION	SCORPION	SCORPION	SCORPION
6 h 00	SCORPION	SCORPION	SAGITTAIRE	SAGITTAIRE	SAGITTAIRE	SAGITTAIRE	SAGITTAIRE	SAGITTAIRE
6 h 30	SAGITTAIRE	SAGITTAIRE	SAGITTAIRE	SAGITTAIRE	SAGITTAIRE	SAGITTAIRE	SAGITTAIRE	SAGITTAIRE
7 h 00	SAGITTAIRE	SAGITTAIRE	SAGITTAIRE	SAGITTAIRE	SAGITTAIRE	SAGITTAIRE	SAGITTAIRE	SAGITTAIRE
7 h 30	SAGITTAIRE	SAGITTAIRE	SAGITTAIRE	SAGITTAIRE	SAGITTAIRE	SAGITTAIRE	SAGITTAIRE	SAGITTAIRE
8 h 00	SAGITTAIRE	SAGITTAIRE	SAGITTAIRE	SAGITTAIRE	SAGITTAIRE	SAGITTAIRE	SAGITTAIRE	SAGITTAIRE
8 h 30	SAGITTAIRE	CAPRICORNE	CAPRICORNE	CAPRICORNE	CAPRICORNE	CAPRICORNE	CAPRICORNE	CAPRICORNE
9 h 00	CAPRICORNE	CAPRICORNE	CAPRICORNE	CAPRICORNE	CAPRICORNE	CAPRICORNE	CAPRICORNE	CAPRICORNE
9 h 30	CAPRICORNE	CAPRICORNE	CAPRICORNE	CAPRICORNE	CAPRICORNE	CAPRICORNE	CAPRICORNE	CAPRICORNE
10 h 00	CAPRICORNE	CAPRICORNE	CAPRICORNE	CAPRICORNE	CAPRICORNE	CAPRICORNE	CAPRICORNE	VERSEAU
10 h 30	VERSEAU	VERSEAU	VERSEAU	VERSEAU	VERSEAU	VERSEAU	VERSEAU	VERSEAU
11 h 00	VERSEAU	VERSEAU	VERSEAU	VERSEAU	VERSEAU	VERSEAU	VERSEAU	VERSEAU
11 h 30	VERSEAU	VERSEAU	VERSEAU	VERSEAU	VERSEAU	POISSONS	POISSONS	POISSONS
MIDI	POISSONS	POISSONS	POISSONS	POISSONS	POISSONS	POISSONS	POISSONS	POISSONS
12 h 30	POISSONS	POISSONS	POISSONS	POISSONS	POISSONS	POISSONS	BELIER	BELIER
13 h 00	BELIER	BELIER	BELIER	BELIER	BELIER	BELIER	BELIER	BELIER
13 h 30	BELIER	BELIER	BELIER	BELIER	BELIER	BELIER	TAUREAU	TAUREAU
14 h 00	TAUREAU	TAUREAU	TAUREAU	TAUREAU	TAUREAU	TAUREAU	TAUREAU	TAUREAU
14 h 30	TAUREAU	TAUREAU	TAUREAU	TAUREAU	TAUREAU	TAUREAU	TAUREAU	TAUREAU
15 h 00	TAUREAU	TAUREAU	TAUREAU	TAUREAU	GEMEAUX	GEMEAUX	GEMEAUX	GEMEAUX
15 h 30	GEMEAUX	GEMEAUX	GEMEAUX	GEMEAUX	GEMEAUX	GEMEAUX	GEMEAUX	GEMEAUX
16 h 00	GEMEAUX	GEMEAUX	GEMEAUX	GEMEAUX	GEMEAUX	GEMEAUX	GEMEAUX	GEMEAUX
16 h 30	GEMEAUX	GEMEAUX	GEMEAUX	GEMEAUX	GEMEAUX	GEMEAUX	GEMEAUX	GEMEAUX
17 h 00	GEMEAUX	CANCER	CANCER	CANCER	CANCER	CANCER	CANCER	CANCER
17 h 30	CANCER	CANCER	CANCER	CANCER	CANCER	CANCER	CANCER	CANCER
18 h 00	CANCER	CANCER	CANCER	CANCER	CANCER	CANCER	CANCER	CANCER
18 h 30	CANCER	CANCER	CANCER	CANCER	CANCER	CANCER	CANCER	CANCER
19 h 00	CANCER	CANCER	CANCER	CANCER	CANCER	CANCER	CANCER	CANCER
19 h 30	LION	LION	LION	LION	LION	LION	LION	LION
20 h 00	LION	LION	LION	LION	LION	LION	LION	LION
20 h 30	LION	LION	LION	LION	LION	LION	LION	LION
21 h 00	LION	LION	LION	LION	LION	LION	LION	LION
21 h 30	LION	LION	LION	LION	LION	LION	LION	LION
22 h 00	LION	LION	LION	VIERGE	VIERGE	VIERGE	VIERGE	VIERGE
22 h 30	VIERGE	VIERGE	VIERGE	VIERGE	VIERGE	VIERGE	VIERGE	VIERGE
23 h 00	VIERGE	VIERGE	VIERGE	VIERGE	VIERGE	VIERGE	VIERGE	VIERGE
23 h 30	VIERGE	VIERGE	VIERGE	VIERGE	VIERGE	VIERGE	VIERGE	VIERGE

DECOUVREZ VOTRE ASCENDANT SANS AUCUN CALCUL : TABLE N° 4

VOTRE HEURE DE NAISSANCE	16 DECEMBRE	17 DECEMBRE	18 DECEMBRE	19 DECEMBRE	20 DECEMBRE	21 DECEMBRE	22 DECEMBRE
0 h 00	VIERGE	VIERGE	VIERGE	VIERGE	VIERGE	BALANCE	BALANCE
0 h 30	BALANCE	BALANCE	BALANCE	BALANCE	BALANCE	BALANCE	BALANCE
1 h 00	BALANCE	BALANCE	BALANCE	BALANCE	BALANCE	BALANCE	BALANCE
1 h 30	BALANCE	BALANCE	BALANCE	BALANCE	BALANCE	BALANCE	BALANCE
2 h 00	BALANCE	BALANCE	BALANCE	BALANCE	BALANCE	BALANCE	BALANCE
2 h 30	BALANCE	BALANCE	BALANCE	BALANCE	BALANCE	BALANCE	BALANCE
3 h 00	SCORPION	SCORPION	SCORPION	SCORPION	SCORPION	SCORPION	SCORPION
3 h 30	SCORPION	SCORPION	SCORPION	SCORPION	SCORPION	SCORPION	SCORPION
4 h 00	SCORPION	SCORPION	SCORPION	SCORPION	SCORPION	SCORPION	SCORPION
4 h 30	SCORPION	SCORPION	SCORPION	SCORPION	SCORPION	SCORPION	SCORPION
5 h 00	SCORPION	SCORPION	SCORPION	SCORPION	SCORPION	SCORPION	SCORPION
5 h 30	SCORPION	SCORPION	SAGITTAIRE	SAGITTAIRE	SAGITTAIRE	SAGITTAIRE	SAGITTAIRE
6 h 00	SAGITTAIRE	SAGITTAIRE	SAGITTAIRE	SAGITTAIRE	SAGITTAIRE	SAGITTAIRE	SAGITTAIRE
6 h 30	SAGITTAIRE	SAGITTAIRE	SAGITTAIRE	SAGITTAIRE	SAGITTAIRE	SAGITTAIRE	SAGITTAIRE
7 h 00	SAGITTAIRE	SAGITTAIRE	SAGITTAIRE	SAGITTAIRE	SAGITTAIRE	SAGITTAIRE	SAGITTAIRE
7 h 30	SAGITTAIRE	SAGITTAIRE	SAGITTAIRE	SAGITTAIRE	SAGITTAIRE	SAGITTAIRE	SAGITTAIRE
8 h 00	SAGITTAIRE	CAPRICORNE	CAPRICORNE	CAPRICORNE	CAPRICORNE	CAPRICORNE	CAPRICORNE
8 h 30	CAPRICORNE	CAPRICORNE	CAPRICORNE	CAPRICORNE	CAPRICORNE	CAPRICORNE	CAPRICORNE
9 h 00	CAPRICORNE	CAPRICORNE	CAPRICORNE	CAPRICORNE	CAPRICORNE	CAPRICORNE	CAPRICORNE
9 h 30	CAPRICORNE	CAPRICORNE	CAPRICORNE	CAPRICORNE	CAPRICORNE	CAPRICORNE	CAPRICORNE
10 h 00	VERSEAU	VERSEAU	VERSEAU	VERSEAU	VERSEAU	VERSEAU	VERSEAU
10 h 30	VERSEAU	VERSEAU	VERSEAU	VERSEAU	VERSEAU	VERSEAU	VERSEAU
11 h 00	VERSEAU	VERSEAU	VERSEAU	VERSEAU	POISSONS	POISSONS	POISSONS
11 h 30	POISSONS	POISSONS	POISSONS	POISSONS	POISSONS	POISSONS	POISSONS
MIDI	POISSONS	POISSONS	POISSONS	POISSONS	POISSONS	BELIER	BELIER
12 h 30	BELIER	BELIER	BELIER	BELIER	BELIER	BELIER	BELIER
13 h 00	BELIER	BELIER	BELIER	BELIER	BELIER	BELIER	TAUREAU
13 h 30	TAUREAU	TAUREAU	TAUREAU	TAUREAU	TAUREAU	TAUREAU	TAUREAU
14 h 00	TAUREAU	TAUREAU	TAUREAU	TAUREAU	TAUREAU	TAUREAU	TAUREAU
14 h 30	TAUREAU	TAUREAU	TAUREAU	TAUREAU	GEMEAUX	GEMEAUX	GEMEAUX
15 h 00	GEMEAUX	GEMEAUX	GEMEAUX	GEMEAUX	GEMEAUX	GEMEAUX	GEMEAUX
15 h 30	GEMEAUX	GEMEAUX	GEMEAUX	GEMEAUX	GEMEAUX	GEMEAUX	GEMEAUX
16 h 00	GEMEAUX	GEMEAUX	GEMEAUX	GEMEAUX	GEMEAUX	GEMEAUX	GEMEAUX
16 h 30	GEMEAUX	CANCER	CANCER	CANCER	CANCER	CANCER	CANCER
17 h 00	CANCER	CANCER	CANCER	CANCER	CANCER	CANCER	CANCER
17 h 30	CANCER	CANCER	CANCER	CANCER	CANCER	CANCER	CANCER
18 h 00	CANCER	CANCER	CANCER	CANCER	CANCER	CANCER	CANCER
18 h 30	CANCER	CANCER	CANCER	CANCER	CANCER	CANCER	CANCER
19 h 00	LION	LION	LION	LION	LION	LION	LION
19 h 30	LION	LION	LION	LION	LION	LION	LION
20 h 00	LION	LION	LION	LION	LION	LION	LION
20 h 30	LION	LION	LION	LION	LION	LION	LION
21 h 00	LION	LION	LION	LION	LION	LION	LION
21 h 30	LION	LION	VIERGE	VIERGE	VIERGE	VIERGE	VIERGE
22 h 00	VIERGE	VIERGE	VIERGE	VIERGE	VIERGE	VIERGE	VIERGE
22 h 30	VIERGE	VIERGE	VIERGE	VIERGE	VIERGE	VIERGE	VIERGE
23 h 00	VIERGE	VIERGE	VIERGE	VIERGE	VIERGE	VIERGE	VIERGE
23 h 30	VIERGE	VIERGE	VIERGE	VIERGE	VIERGE	VIERGE	VIERGE

DECOUVREZ VOTRE ASCENDANT SANS AUCUN CALCUL : TABLE N⁰ 5

VOTRE HEURE DE NAISSANCE	22 NOVEMBRE	23 NOVEMBRE	24 NOVEMBRE	25 NOVEMBRE	26 NOVEMBRE	27 NOVEMBRE	28 NOVEMBRE	29 NOVEMBRE
0 h 00	VIERGE	VIERGE	VIERGE	VIERGE	VIERGE	VIERGE	VIERGE	VIERGE
0 h 30	VIERGE	VIERGE	VIERGE	VIERGE	VIERGE	VIERGE	VIERGE	VIERGE
1 h 00	VIERGE	VIERGE	VIERGE	VIERGE	VIERGE	VIERGE	VIERGE	VIERGE
1 h 30	VIERGE	VIERGE	VIERGE	VIERGE	VIERGE	VIERGE	VIERGE	BALANCE
2 h 00	BALANCE	BALANCE	BALANCE	BALANCE	BALANCE	BALANCE	BALANCE	BALANCE
2 h 30	BALANCE	BALANCE	BALANCE	BALANCE	BALANCE	BALANCE	BALANCE	BALANCE
3 h 00	BALANCE	BALANCE	BALANCE	BALANCE	BALANCE	BALANCE	BALANCE	BALANCE
3 h 30	BALANCE	BALANCE	BALANCE	BALANCE	BALANCE	BALANCE	BALANCE	BALANCE
4 h 00	BALANCE	BALANCE	BALANCE	BALANCE	BALANCE	BALANCE	BALANCE	BALANCE
4 h 30	BALANCE	BALANCE	BALANCE	BALANCE	SCORPION	SCORPION	SCORPION	SCORPION
5 h 00	SCORPION	SCORPION	SCORPION	SCORPION	SCORPION	SCORPION	SCORPION	SCORPION
5 h 30	SCORPION	SCORPION	SCORPION	SCORPION	SCORPION	SCORPION	SCORPION	SCORPION
6 h 00	SCORPION	SCORPION	SCORPION	SCORPION	SCORPION	SCORPION	SCORPION	SCORPION
6 h 30	SCORPION	SCORPION	SCORPION	SCORPION	SCORPION	SCORPION	SCORPION	SCORPION
7 h 00	SCORPION	SCORPION	SCORPION	SCORPION	SCORPION	SCORPION	SCORPION	SCORPION
7 h 30	SCORPION	SCORPION	SCORPION	SAGITTAIRE	SAGITTAIRE	SAGITTAIRE	SAGITTAIRE	SAGITTAIRE
8 h 00	SAGITTAIRE	SAGITTAIRE	SAGITTAIRE	SAGITTAIRE	SAGITTAIRE	SAGITTAIRE	SAGITTAIRE	SAGITTAIRE
8 h 30	SAGITTAIRE	SAGITTAIRE	SAGITTAIRE	SAGITTAIRE	SAGITTAIRE	SAGITTAIRE	SAGITTAIRE	SAGITTAIRE
9 h 00	SAGITTAIRE	SAGITTAIRE	SAGITTAIRE	SAGITTAIRE	SAGITTAIRE	SAGITTAIRE	SAGITTAIRE	SAGITTAIRE
9 h 30	SAGITTAIRE	SAGITTAIRE	SAGITTAIRE	SAGITTAIRE	SAGITTAIRE	SAGITTAIRE	SAGITTAIRE	SAGITTAIRE
10 h 00	SAGITTAIRE	SAGITTAIRE	CAPRICORNE	CAPRICORNE	CAPRICORNE	CAPRICORNE	CAPRICORNE	CAPRICORNE
10 h 30	CAPRICORNE	CAPRICORNE	CAPRICORNE	CAPRICORNE	CAPRICORNE	CAPRICORNE	CAPRICORNE	CAPRICORNE
11 h 00	CAPRICORNE	CAPRICORNE	CAPRICORNE	CAPRICORNE	CAPRICORNE	CAPRICORNE	CAPRICORNE	CAPRICORNE
11 h 30	CAPRICORNE	CAPRICORNE	CAPRICORNE	CAPRICORNE	CAPRICORNE	CAPRICORNE	CAPRICORNE	CAPRICORNE
MIDI	VERSEAU	VERSEAU	VERSEAU	VERSEAU	VERSEAU	VERSEAU	VERSEAU	VERSEAU
12 h 30	VERSEAU	VERSEAU	VERSEAU	VERSEAU	VERSEAU	VERSEAU	VERSEAU	VERSEAU
13 h 00	VERSEAU	VERSEAU	POISSONS	POISSONS	POISSONS	POISSONS	POISSONS	POISSONS
13 h 30	POISSONS	POISSONS	POISSONS	POISSONS	POISSONS	POISSONS	POISSONS	BELIER
14 h 00	BELIER	BELIER	BELIER	BELIER	BELIER	BELIER	BELIER	BELIER
14 h 30	BELIER	BELIER	BELIER	BELIER	TAUREAU	TAUREAU	TAUREAU	TAUREAU
15 h 00	TAUREAU	TAUREAU	TAUREAU	TAUREAU	TAUREAU	TAUREAU	TAUREAU	TAUREAU
15 h 30	TAUREAU	TAUREAU	TAUREAU	TAUREAU	TAUREAU	TAUREAU	TAUREAU	GEMEAUX
16 h 00	GEMEAUX	GEMEAUX	GEMEAUX	GEMEAUX	GEMEAUX	GEMEAUX	GEMEAUX	GEMEAUX
16 h 30	GEMEAUX	GEMEAUX	GEMEAUX	GEMEAUX	GEMEAUX	GEMEAUX	GEMEAUX	GEMEAUX
17 h 00	GEMEAUX	GEMEAUX	GEMEAUX	GEMEAUX	GEMEAUX	GEMEAUX	GEMEAUX	GEMEAUX
17 h 30	GEMEAUX	GEMEAUX	GEMEAUX	CANCER	CANCER	CANCER	CANCER	CANCER
18 h 00	CANCER	CANCER	CANCER	CANCER	CANCER	CANCER	CANCER	CANCER
18 h 30	CANCER	CANCER	CANCER	CANCER	CANCER	CANCER	CANCER	CANCER
19 h 00	CANCER	CANCER	CANCER	CANCER	CANCER	CANCER	CANCER	CANCER
19 h 30	CANCER	CANCER	CANCER	CANCER	CANCER	CANCER	CANCER	CANCER
20 h 00	CANCER	CANCER	CANCER	LION	LION	LION	LION	LION
20 h 30	LION	LION	LION	LION	LION	LION	LION	LION
21 h 00	LION	LION	LION	LION	LION	LION	LION	LION
21 h 30	LION	LION	LION	LION	LION	LION	LION	LION
22 h 00	LION	LION	LION	LION	LION	LION	LION	LION
22 h 30	LION	LION	LION	LION	LION	LION	LION	LION
23 h 00	VIERGE	VIERGE	VIERGE	VIERGE	VIERGE	VIERGE	VIERGE	VIERGE
23 h 30	VIERGE	VIERGE	VIERGE	VIERGE	VIERGE	VIERGE	VIERGE	VIERGE

DECOUVREZ VOTRE ASCENDANT SANS AUCUN CALCUL : TABLE N⁰ 5

VOTRE HEURE DE NAISSANCE	30 NOVEMBRE	1 DECEMBRE	2 DECEMBRE	3 DECEMBRE	4 DECEMBRE	5 DECEMBRE	6 DECEMBRE	7 DECEMBRE
0 h 00	VIERGE	VIERGE	VIERGE	VIERGE	VIERGE	VIERGE	VIERGE	VIERGE
0 h 30	VIERGE	VIERGE	VIERGE	VIERGE	VIERGE	VIERGE	VIERGE	VIERGE
1 h 00	VIERGE	VIERGE	VIERGE	VIERGE	VIERGE	VIERGE	BALANCE	BALANCE
1 h 30	BALANCE	BALANCE	BALANCE	BALANCE	BALANCE	BALANCE	BALANCE	BALANCE
2 h 00	BALANCE	BALANCE	BALANCE	BALANCE	BALANCE	BALANCE	BALANCE	BALANCE
2 h 30	BALANCE	BALANCE	BALANCE	BALANCE	BALANCE	BALANCE	BALANCE	BALANCE
3 h 00	BALANCE	BALANCE	BALANCE	BALANCE	BALANCE	BALANCE	BALANCE	BALANCE
3 h 30	BALANCE	BALANCE	BALANCE	BALANCE	BALANCE	BALANCE	BALANCE	BALANCE
4 h 00	BALANCE	BALANCE	BALANCE	BALANCE	SCORPION	SCORPION	SCORPION	SCORPION
4 h 30	SCORPION	SCORPION	SCORPION	SCORPION	SCORPION	SCORPION	SCORPION	SCORPION
5 h 00	SCORPION	SCORPION	SCORPION	SCORPION	SCORPION	SCORPION	SCORPION	SCORPION
5 h 30	SCORPION	SCORPION	SCORPION	SCORPION	SCORPION	SCORPION	SCORPION	SCORPION
6 h 00	SCORPION	SCORPION	SCORPION	SCORPION	SCORPION	SCORPION	SCORPION	SCORPION
6 h 30	SCORPION	SCORPION	SCORPION	SCORPION	SCORPION	SCORPION	SCORPION	SCORPION
7 h 00	SCORPION	SCORPION	SAGITTAIRE	SAGITTAIRE	SAGITTAIRE	SAGITTAIRE	SAGITTAIRE	SAGITTAIRE
7 h 30	SAGITTAIRE	SAGITTAIRE	SAGITTAIRE	SAGITTAIRE	SAGITTAIRE	SAGITTAIRE	SAGITTAIRE	SAGITTAIRE
8 h 00	SAGITTAIRE	SAGITTAIRE	SAGITTAIRE	SAGITTAIRE	SAGITTAIRE	SAGITTAIRE	SAGITTAIRE	SAGITTAIRE
8 h 30	SAGITTAIRE	SAGITTAIRE	SAGITTAIRE	SAGITTAIRE	SAGITTAIRE	SAGITTAIRE	SAGITTAIRE	SAGITTAIRE
9 h 00	SAGITTAIRE	SAGITTAIRE	SAGITTAIRE	SAGITTAIRE	SAGITTAIRE	SAGITTAIRE	SAGITTAIRE	SAGITTAIRE
9 h 30	SAGITTAIRE	SAGITTAIRE	CAPRICORNE	CAPRICORNE	CAPRICORNE	CAPRICORNE	CAPRICORNE	CAPRICORNE
10 h 00	CAPRICORNE	CAPRICORNE	CAPRICORNE	CAPRICORNE	CAPRICORNE	CAPRICORNE	CAPRICORNE	CAPRICORNE
10 h 30	CAPRICORNE	CAPRICORNE	CAPRICORNE	CAPRICORNE	CAPRICORNE	CAPRICORNE	CAPRICORNE	CAPRICORNE
11 h 00	CAPRICORNE	CAPRICORNE	CAPRICORNE	CAPRICORNE	CAPRICORNE	CAPRICORNE	CAPRICORNE	VERSEAU
11 h 30	VERSEAU	VERSEAU	VERSEAU	VERSEAU	VERSEAU	VERSEAU	VERSEAU	VERSEAU
MIDI	VERSEAU	VERSEAU	VERSEAU	VERSEAU	VERSEAU	VERSEAU	VERSEAU	VERSEAU
12 h 30	VERSEAU	POISSONS	POISSONS	POISSONS	POISSONS	POISSONS	POISSONS	POISSONS
13 h 00	POISSONS	POISSONS	POISSONS	POISSONS	POISSONS	POISSONS	BELIER	BELIER
13 h 30	BELIER	BELIER	BELIER	BELIER	BELIER	BELIER	BELIER	BELIER
14 h 00	BELIER	BELIER	BELIER	BELIER	TAUREAU	TAUREAU	TAUREAU	TAUREAU
14 h 30	TAUREAU	TAUREAU	TAUREAU	TAUREAU	TAUREAU	TAUREAU	TAUREAU	TAUREAU
15 h 00	TAUREAU	TAUREAU	TAUREAU	TAUREAU	TAUREAU	TAUREAU	GEMEAUX	GEMEAUX
15 h 30	GEMEAUX	GEMEAUX	GEMEAUX	GEMEAUX	GEMEAUX	GEMEAUX	GEMEAUX	GEMEAUX
16 h 00	GEMEAUX	GEMEAUX	GEMEAUX	GEMEAUX	GEMEAUX	GEMEAUX	GEMEAUX	GEMEAUX
16 h 30	GEMEAUX	GEMEAUX	GEMEAUX	GEMEAUX	GEMEAUX	GEMEAUX	GEMEAUX	GEMEAUX
17 h 00	GEMEAUX	GEMEAUX	CANCER	CANCER	CANCER	CANCER	CANCER	CANCER
17 h 30	CANCER	CANCER	CANCER	CANCER	CANCER	CANCER	CANCER	CANCER
18 h 00	CANCER	CANCER	CANCER	CANCER	CANCER	CANCER	CANCER	CANCER
18 h 30	CANCER	CANCER	CANCER	CANCER	CANCER	CANCER	CANCER	CANCER
19 h 00	CANCER	CANCER	CANCER	CANCER	CANCER	CANCER	CANCER	CANCER
19 h 30	CANCER	CANCER	CANCER	LION	LION	LION	LION	LION
20 h 00	LION	LION	LION	LION	LION	LION	LION	LION
20 h 30	LION	LION	LION	LION	LION	LION	LION	LION
21 h 00	LION	LION	LION	LION	LION	LION	LION	LION
21 h 30	LION	LION	LION	LION	LION	LION	LION	LION
22 h 00	LION	LION	LION	LION	LION	LION	LION	LION
22 h 30	VIERGE	VIERGE	VIERGE	VIERGE	VIERGE	VIERGE	VIERGE	VIERGE
23 h 00	VIERGE	VIERGE	VIERGE	VIERGE	VIERGE	VIERGE	VIERGE	VIERGE
23 h 30	VIERGE	VIERGE	VIERGE	VIERGE	VIERGE	VIERGE	VIERGE	VIERGE

DECOUVREZ VOTRE ASCENDANT SANS AUCUN CALCUL : TABLE N⁰ 5

VOTRE HEURE DE NAISSANCE	8 DECEMBRE	9 DECEMBRE	10 DECEMBRE	11 DECEMBRE	12 DECEMBRE	13 DECEMBRE	14 DECEMBRE	15 DECEMBRE
0 h 00	VIERGE	VIERGE	VIERGE	VIERGE	VIERGE	VIERGE	VIERGE	VIERGE
0 h 30	VIERGE	VIERGE	VIERGE	VIERGE	VIERGE	VIERGE	BALANCE	BALANCE
1 h 00	BALANCE	BALANCE	BALANCE	BALANCE	BALANCE	BALANCE	BALANCE	BALANCE
1 h 30	BALANCE	BALANCE	BALANCE	BALANCE	BALANCE	BALANCE	BALANCE	BALANCE
2 h 00	BALANCE	BALANCE	BALANCE	BALANCE	BALANCE	BALANCE	BALANCE	BALANCE
2 h 30	BALANCE	BALANCE	BALANCE	BALANCE	BALANCE	BALANCE	BALANCE	BALANCE
3 h 00	BALANCE	BALANCE	BALANCE	BALANCE	BALANCE	BALANCE	BALANCE	BALANCE
3 h 30	BALANCE	BALANCE	BALANCE	SCORPION	SCORPION	SCORPION	SCORPION	SCORPION
4 h 00	SCORPION	SCORPION	SCORPION	SCORPION	SCORPION	SCORPION	SCORPION	SCORPION
4 h 30	SCORPION	SCORPION	SCORPION	SCORPION	SCORPION	SCORPION	SCORPION	SCORPION
5 h 00	SCORPION	SCORPION	SCORPION	SCORPION	SCORPION	SCORPION	SCORPION	SCORPION
5 h 30	SCORPION	SCORPION	SCORPION	SCORPION	SCORPION	SCORPION	SCORPION	SCORPION
6 h 00	SCORPION	SCORPION	SCORPION	SCORPION	SCORPION	SCORPION	SCORPION	SCORPION
6 h 30	SCORPION	SCORPION	SAGITTAIRE	SAGITTAIRE	SAGITTAIRE	SAGITTAIRE	SAGITTAIRE	SAGITTAIRE
7 h 00	SAGITTAIRE	SAGITTAIRE	SAGITTAIRE	SAGITTAIRE	SAGITTAIRE	SAGITTAIRE	SAGITTAIRE	SAGITTAIRE
7 h 30	SAGITTAIRE	SAGITTAIRE	SAGITTAIRE	SAGITTAIRE	SAGITTAIRE	SAGITTAIRE	SAGITTAIRE	SAGITTAIRE
8 h 00	SAGITTAIRE	SAGITTAIRE	SAGITTAIRE	SAGITTAIRE	SAGITTAIRE	SAGITTAIRE	SAGITTAIRE	SAGITTAIRE
8 h 30	SAGITTAIRE	SAGITTAIRE	SAGITTAIRE	SAGITTAIRE	SAGITTAIRE	SAGITTAIRE	SAGITTAIRE	SAGITTAIRE
9 h 00	SAGITTAIRE	SAGITTAIRE	CAPRICORNE	CAPRICORNE	CAPRICORNE	CAPRICORNE	CAPRICORNE	CAPRICORNE
9 h 30	CAPRICORNE	CAPRICORNE	CAPRICORNE	CAPRICORNE	CAPRICORNE	CAPRICORNE	CAPRICORNE	CAPRICORNE
10 h 00	CAPRICORNE	CAPRICORNE	CAPRICORNE	CAPRICORNE	CAPRICORNE	CAPRICORNE	CAPRICORNE	CAPRICORNE
10 h 30	CAPRICORNE	CAPRICORNE	CAPRICORNE	CAPRICORNE	CAPRICORNE	CAPRICORNE	CAPRICORNE	VERSEAU
11 h 00	VERSEAU	VERSEAU	VERSEAU	VERSEAU	VERSEAU	VERSEAU	VERSEAU	VERSEAU
11 h 30	VERSEAU	VERSEAU	VERSEAU	VERSEAU	VERSEAU	VERSEAU	VERSEAU	VERSEAU
MIDI	VERSEAU	POISSONS	POISSONS	POISSONS	POISSONS	POISSONS	POISSONS	POISSONS
12 h 30	POISSONS	POISSONS	POISSONS	POISSONS	POISSONS	POISSONS	BELIER	BELIER
13 h 00	BELIER	BELIER	BELIER	BELIER	BELIER	BELIER	BELIER	BELIER
13 h 30	BELIER	BELIER	BELIER	TAUREAU	TAUREAU	TAUREAU	TAUREAU	TAUREAU
14 h 00	TAUREAU	TAUREAU	TAUREAU	TAUREAU	TAUREAU	TAUREAU	TAUREAU	TAUREAU
14 h 30	TAUREAU	TAUREAU	TAUREAU	TAUREAU	TAUREAU	TAUREAU	GEMEAUX	GEMEAUX
15 h 00	GEMEAUX	GEMEAUX	GEMEAUX	GEMEAUX	GEMEAUX	GEMEAUX	GEMEAUX	GEMEAUX
15 h 30	GEMEAUX	GEMEAUX	GEMEAUX	GEMEAUX	GEMEAUX	GEMEAUX	GEMEAUX	GEMEAUX
16 h 00	GEMEAUX	GEMEAUX	GEMEAUX	GEMEAUX	GEMEAUX	GEMEAUX	GEMEAUX	GEMEAUX
16 h 30	GEMEAUX	GEMEAUX	CANCER	CANCER	CANCER	CANCER	CANCER	CANCER
17 h 00	CANCER	CANCER	CANCER	CANCER	CANCER	CANCER	CANCER	CANCER
17 h 30	CANCER	CANCER	CANCER	CANCER	CANCER	CANCER	CANCER	CANCER
18 h 00	CANCER	CANCER	CANCER	CANCER	CANCER	CANCER	CANCER	CANCER
18 h 30	CANCER	CANCER	CANCER	CANCER	CANCER	CANCER	CANCER	CANCER
19 h 00	CANCER	CANCER	LION	LION	LION	LION	LION	LION
19 h 30	LION	LION	LION	LION	LION	LION	LION	LION
20 h 00	LION	LION	LION	LION	LION	LION	LION	LION
20 h 30	LION	LION	LION	LION	LION	LION	LION	LION
21 h 00	LION	LION	LION	LION	LION	LION	LION	LION
21 h 30	LION	LION	LION	LION	LION	LION	LION	VIERGE
22 h 00	VIERGE	VIERGE	VIERGE	VIERGE	VIERGE	VIERGE	VIERGE	VIERGE
22 h 30	VIERGE	VIERGE	VIERGE	VIERGE	VIERGE	VIERGE	VIERGE	VIERGE
23 h 00	VIERGE	VIERGE	VIERGE	VIERGE	VIERGE	VIERGE	VIERGE	VIERGE
23 h 30	VIERGE	VIERGE	VIERGE	VIERGE	VIERGE	VIERGE	VIERGE	VIERGE

100

DECOUVREZ VOTRE ASCENDANT SANS AUCUN CALCUL : TABLE N⁰ 5

VOTRE HEURE DE NAISSANCE	16 DECEMBRE	17 DECEMBRE	18 DECEMBRE	19 DECEMBRE	20 DECEMBRE	21 DECEMBRE	22 DECEMBRE
0 h 00	VIERGE	VIERGE	VIERGE	VIERGE	VIERGE	BALANCE	BALANCE
0 h 30	BALANCE	BALANCE	BALANCE	BALANCE	BALANCE	BALANCE	BALANCE
1 h 00	BALANCE	BALANCE	BALANCE	BALANCE	BALANCE	BALANCE	BALANCE
1 h 30	BALANCE	BALANCE	BALANCE	BALANCE	BALANCE	BALANCE	BALANCE
2 h 00	BALANCE	BALANCE	BALANCE	BALANCE	BALANCE	BALANCE	BALANCE
2 h 30	BALANCE	BALANCE	BALANCE	BALANCE	BALANCE	BALANCE	BALANCE
3 h 00	BALANCE	BALANCE	BALANCE	SCORPION	SCORPION	SCORPION	SCORPION
3 h 30	SCORPION	SCORPION	SCORPION	SCORPION	SCORPION	SCORPION	SCORPION
4 h 00	SCORPION	SCORPION	SCORPION	SCORPION	SCORPION	SCORPION	SCORPION
4 h 30	SCORPION	SCORPION	SCORPION	SCORPION	SCORPION	SCORPION	SCORPION
5 h 00	SCORPION	SCORPION	SCORPION	SCORPION	SCORPION	SCORPION	SCORPION
5 h 30	SCORPION	SCORPION	SCORPION	SCORPION	SCORPION	SCORPION	SCORPION
6 h 00	SCORPION	SCORPION	SAGITTAIRE	SAGITTAIRE	SAGITTAIRE	SAGITTAIRE	SAGITTAIRE
6 h 30	SAGITTAIRE	SAGITTAIRE	SAGITTAIRE	SAGITTAIRE	SAGITTAIRE	SAGITTAIRE	SAGITTAIRE
7 h 00	SAGITTAIRE	SAGITTAIRE	SAGITTAIRE	SAGITTAIRE	SAGITTAIRE	SAGITTAIRE	SAGITTAIRE
7 h 30	SAGITTAIRE	SAGITTAIRE	SAGITTAIRE	SAGITTAIRE	SAGITTAIRE	SAGITTAIRE	SAGITTAIRE
8 h 00	SAGITTAIRE	SAGITTAIRE	SAGITTAIRE	SAGITTAIRE	SAGITTAIRE	SAGITTAIRE	SAGITTAIRE
8 h 30	SAGITTAIRE	CAPRICORNE	CAPRICORNE	CAPRICORNE	CAPRICORNE	CAPRICORNE	CAPRICORNE
9 h 00	CAPRICORNE	CAPRICORNE	CAPRICORNE	CAPRICORNE	CAPRICORNE	CAPRICORNE	CAPRICORNE
9 h 30	CAPRICORNE	CAPRICORNE	CAPRICORNE	CAPRICORNE	CAPRICORNE	CAPRICORNE	CAPRICORNE
10 h 00	CAPRICORNE	CAPRICORNE	CAPRICORNE	CAPRICORNE	CAPRICORNE	CAPRICORNE	CAPRICORNE
10 h 30	VERSEAU	VERSEAU	VERSEAU	VERSEAU	VERSEAU	VERSEAU	VERSEAU
11 h 00	VERSEAU	VERSEAU	VERSEAU	VERSEAU	VERSEAU	VERSEAU	VERSEAU
11 h 30	VERSEAU	POISSONS	POISSONS	POISSONS	POISSONS	POISSONS	POISSONS
MIDI	POISSONS	POISSONS	POISSONS	POISSONS	POISSONS	BELIER	BELIER
12 h 30	BELIER	BELIER	BELIER	BELIER	BELIER	BELIER	BELIER
13 h 00	BELIER	BELIER	BELIER	TAUREAU	TAUREAU	TAUREAU	TAUREAU
13 h 30	TAUREAU	TAUREAU	TAUREAU	TAUREAU	TAUREAU	TAUREAU	TAUREAU
14 h 00	TAUREAU	TAUREAU	TAUREAU	TAUREAU	TAUREAU	GEMEAUX	GEMEAUX
14 h 30	GEMEAUX	GEMEAUX	GEMEAUX	GEMEAUX	GEMEAUX	GEMEAUX	GEMEAUX
15 h 00	GEMEAUX	GEMEAUX	GEMEAUX	GEMEAUX	GEMEAUX	GEMEAUX	GEMEAUX
15 h 30	GEMEAUX	GEMEAUX	GEMEAUX	GEMEAUX	GEMEAUX	GEMEAUX	GEMEAUX
16 h 00	GEMEAUX	GEMEAUX	CANCER	CANCER	CANCER	CANCER	CANCER
16 h 30	CANCER	CANCER	CANCER	CANCER	CANCER	CANCER	CANCER
17 h 00	CANCER	CANCER	CANCER	CANCER	CANCER	CANCER	CANCER
17 h 30	CANCER	CANCER	CANCER	CANCER	CANCER	CANCER	CANCER
18 h 00	CANCER	CANCER	CANCER	CANCER	CANCER	CANCER	CANCER
18 h 30	CANCER	CANCER	LION	LION	LION	LION	LION
19 h 00	LION	LION	LION	LION	LION	LION	LION
19 h 30	LION	LION	LION	LION	LION	LION	LION
20 h 00	LION	LION	LION	LION	LION	LION	LION
20 h 30	LION	LION	LION	LION	LION	LION	LION
21 h 00	LION	LION	LION	LION	LION	LION	LION
21 h 30	VIERGE	VIERGE	VIERGE	VIERGE	VIERGE	VIERGE	VIERGE
22 h 00	VIERGE	VIERGE	VIERGE	VIERGE	VIERGE	VIERGE	VIERGE
22 h 30	VIERGE	VIERGE	VIERGE	VIERGE	VIERGE	VIERGE	VIERGE
23 h 00	VIERGE	VIERGE	VIERGE	VIERGE	VIERGE	VIERGE	VIERGE
23 h 30	VIERGE	VIERGE	VIERGE	VIERGE	VIERGE	VIERGE	VIERGE

VOTRE HEURE DE NAISSANCE	22 NOVEMBRE	23 NOVEMBRE	24 NOVEMBRE	25 NOVEMBRE	26 NOVEMBRE	27 NOVEMBRE	28 NOVEMBRE	29 NOVEMBRE
0 h 00	VIERGE	VIERGE	VIERGE	VIERGE	VIERGE	VIERGE	VIERGE	VIERGE
0 h 30	VIERGE	VIERGE	VIERGE	VIERGE	VIERGE	VIERGE	VIERGE	VIERGE
1 h 00	VIERGE	VIERGE	VIERGE	VIERGE	VIERGE	VIERGE	VIERGE	VIERGE
1 h 30	VIERGE	VIERGE	VIERGE	VIERGE	VIERGE	VIERGE	VIERGE	BALANCE
2 h 00	BALANCE	BALANCE	BALANCE	BALANCE	BALANCE	BALANCE	BALANCE	BALANCE
2 h 30	BALANCE	BALANCE	BALANCE	BALANCE	BALANCE	BALANCE	BALANCE	BALANCE
3 h 00	BALANCE	BALANCE	BALANCE	BALANCE	BALANCE	BALANCE	BALANCE	BALANCE
3 h 30	BALANCE	BALANCE	BALANCE	BALANCE	BALANCE	BALANCE	BALANCE	BALANCE
4 h 00	BALANCE	BALANCE	BALANCE	BALANCE	BALANCE	BALANCE	BALANCE	BALANCE
4 h 30	BALANCE	BALANCE	BALANCE	BALANCE	BALANCE	BALANCE	BALANCE	BALANCE
5 h 00	BALANCE	SCORPION	SCORPION	SCORPION	SCORPION	SCORPION	SCORPION	SCORPION
5 h 30	SCORPION	SCORPION	SCORPION	SCORPION	SCORPION	SCORPION	SCORPION	SCORPION
6 h 00	SCORPION	SCORPION	SCORPION	SCORPION	SCORPION	SCORPION	SCORPION	SCORPION
6 h 30	SCORPION	SCORPION	SCORPION	SCORPION	SCORPION	SCORPION	SCORPION	SCORPION
7 h 00	SCORPION	SCORPION	SCORPION	SCORPION	SCORPION	SCORPION	SCORPION	SCORPION
7 h 30	SCORPION	SCORPION	SCORPION	SCORPION	SCORPION	SCORPION	SCORPION	SCORPION
8 h 00	SCORPION	SCORPION	SCORPION	SCORPION	SAGITTAIRE	SAGITTAIRE	SAGITTAIRE	SAGITTAIRE
8 h 30	SAGITTAIRE	SAGITTAIRE	SAGITTAIRE	SAGITTAIRE	SAGITTAIRE	SAGITTAIRE	SAGITTAIRE	SAGITTAIRE
9 h 00	SAGITTAIRE	SAGITTAIRE	SAGITTAIRE	SAGITTAIRE	SAGITTAIRE	SAGITTAIRE	SAGITTAIRE	SAGITTAIRE
9 h 30	SAGITTAIRE	SAGITTAIRE	SAGITTAIRE	SAGITTAIRE	SAGITTAIRE	SAGITTAIRE	SAGITTAIRE	SAGITTAIRE
10 h 00	SAGITTAIRE	SAGITTAIRE	SAGITTAIRE	SAGITTAIRE	SAGITTAIRE	SAGITTAIRE	SAGITTAIRE	SAGITTAIRE
10 h 30	SAGITTAIRE	SAGITTAIRE	SAGITTAIRE	SAGITTAIRE	SAGITTAIRE	SAGITTAIRE	SAGITTAIRE	SAGITTAIRE
11 h 00	CAPRICORNE	CAPRICORNE	CAPRICORNE	CAPRICORNE	CAPRICORNE	CAPRICORNE	CAPRICORNE	CAPRICORNE
11 h 30	CAPRICORNE	CAPRICORNE	CAPRICORNE	CAPRICORNE	CAPRICORNE	CAPRICORNE	CAPRICORNE	CAPRICORNE
MIDI	CAPRICORNE	CAPRICORNE	CAPRICORNE	CAPRICORNE	CAPRICORNE	CAPRICORNE	CAPRICORNE	CAPRICORNE
12 h 30	CAPRICORNE	VERSEAU	VERSEAU	VERSEAU	VERSEAU	VERSEAU	VERSEAU	VERSEAU
13 h 00	VERSEAU	VERSEAU	VERSEAU	VERSEAU	VERSEAU	POISSONS	POISSONS	POISSONS
13 h 30	POISSONS	POISSONS	POISSONS	POISSONS	POISSONS	POISSONS	POISSONS	BELIER
14 h 00	BELIER	BELIER	BELIER	BELIER	BELIER	BELIER	BELIER	TAUREAU
14 h 30	TAUREAU	TAUREAU	TAUREAU	TAUREAU	TAUREAU	TAUREAU	TAUREAU	TAUREAU
15 h 00	TAUREAU	TAUREAU	TAUREAU	TAUREAU	GEMEAUX	GEMEAUX	GEMEAUX	GEMEAUX
15 h 30	GEMEAUX	GEMEAUX	GEMEAUX	GEMEAUX	GEMEAUX	GEMEAUX	GEMEAUX	GEMEAUX
16 h 00	GEMEAUX	GEMEAUX	GEMEAUX	GEMEAUX	GEMEAUX	GEMEAUX	GEMEAUX	GEMEAUX
16 h 30	GEMEAUX	GEMEAUX	GEMEAUX	GEMEAUX	GEMEAUX	CANCER	CANCER	CANCER
17 h 00	CANCER	CANCER	CANCER	CANCER	CANCER	CANCER	CANCER	CANCER
17 h 30	CANCER	CANCER	CANCER	CANCER	CANCER	CANCER	CANCER	CANCER
18 h 00	CANCER	CANCER	CANCER	CANCER	CANCER	CANCER	CANCER	CANCER
18 h 30	CANCER	CANCER	CANCER	CANCER	CANCER	CANCER	CANCER	CANCER
19 h 00	CANCER	CANCER	CANCER	CANCER	CANCER	CANCER	CANCER	CANCER
19 h 30	LION	LION	LION	LION	LION	LION	LION	LION
20 h 00	LION	LION	LION	LION	LION	LION	LION	LION
20 h 30	LION	LION	LION	LION	LION	LION	LION	LION
21 h 00	LION	LION	LION	LION	LION	LION	LION	LION
21 h 30	LION	LION	LION	LION	LION	LION	LION	LION
22 h 00	LION	LION	LION	LION	LION	LION	LION	LION
22 h 30	LION	LION	LION	LION	VIERGE	VIERGE	VIERGE	VIERGE
23 h 00	VIERGE	VIERGE	VIERGE	VIERGE	VIERGE	VIERGE	VIERGE	VIERGE
23 h 30	VIERGE	VIERGE	VIERGE	VIERGE	VIERGE	VIERGE	VIERGE	VIERGE

DECOUVREZ VOTRE ASCENDANT SANS AUCUN CALCUL : TABLE N° 6

VOTRE HEURE DE NAISSANCE	30 NOVEMBRE	1 DECEMBRE	2 DECEMBRE	3 DECEMBRE	4 DECEMBRE	5 DECEMBRE	6 DECEMBRE	7 DECEMBRE
0 h 00	VIERGE	VIERGE	VIERGE	VIERGE	VIERGE	VIERGE	VIERGE	VIERGE
0 h 30	VIERGE	VIERGE	VIERGE	VIERGE	VIERGE	VIERGE	VIERGE	VIERGE
1 h 00	VIERGE	VIERGE	VIERGE	VIERGE	VIERGE	VIERGE	BALANCE	BALANCE
1 h 30	BALANCE	BALANCE	BALANCE	BALANCE	BALANCE	BALANCE	BALANCE	BALANCE
2 h 00	BALANCE	BALANCE	BALANCE	BALANCE	BALANCE	BALANCE	BALANCE	BALANCE
2 h 30	BALANCE	BALANCE	BALANCE	BALANCE	BALANCE	BALANCE	BALANCE	BALANCE
3 h 00	BALANCE	BALANCE	BALANCE	BALANCE	BALANCE	BALANCE	BALANCE	BALANCE
3 h 30	BALANCE	BALANCE	BALANCE	BALANCE	BALANCE	BALANCE	BALANCE	BALANCE
4 h 00	BALANCE	BALANCE	BALANCE	BALANCE	BALANCE	BALANCE	BALANCE	BALANCE
4 h 30	BALANCE	SCORPION	SCORPION	SCORPION	SCORPION	SCORPION	SCORPION	SCORPION
5 h 00	SCORPION	SCORPION	SCORPION	SCORPION	SCORPION	SCORPION	SCORPION	SCORPION
5 h 30	SCORPION	SCORPION	SCORPION	SCORPION	SCORPION	SCORPION	SCORPION	SCORPION
6 h 00	SCORPION	SCORPION	SCORPION	SCORPION	SCORPION	SCORPION	SCORPION	SCORPION
6 h 30	SCORPION	SCORPION	SCORPION	SCORPION	SCORPION	SCORPION	SCORPION	SCORPION
7 h 00	SCORPION	SCORPION	SCORPION	SCORPION	SCORPION	SCORPION	SCORPION	SCORPION
7 h 30	SCORPION	SCORPION	SCORPION	SCORPION	SAGITTAIRE	SAGITTAIRE	SAGITTAIRE	SAGITTAIRE
8 h 00	SAGITTAIRE	SAGITTAIRE	SAGITTAIRE	SAGITTAIRE	SAGITTAIRE	SAGITTAIRE	SAGITTAIRE	SAGITTAIRE
8 h 30	SAGITTAIRE	SAGITTAIRE	SAGITTAIRE	SAGITTAIRE	SAGITTAIRE	SAGITTAIRE	SAGITTAIRE	SAGITTAIRE
9 h 00	SAGITTAIRE	SAGITTAIRE	SAGITTAIRE	SAGITTAIRE	SAGITTAIRE	SAGITTAIRE	SAGITTAIRE	SAGITTAIRE
9 h 30	SAGITTAIRE	SAGITTAIRE	SAGITTAIRE	SAGITTAIRE	SAGITTAIRE	SAGITTAIRE	SAGITTAIRE	SAGITTAIRE
10 h 00	SAGITTAIRE	SAGITTAIRE	SAGITTAIRE	SAGITTAIRE	SAGITTAIRE	SAGITTAIRE	SAGITTAIRE	CAPRICORNE
10 h 30	CAPRICORNE	CAPRICORNE	CAPRICORNE	CAPRICORNE	CAPRICORNE	CAPRICORNE	CAPRICORNE	CAPRICORNE
11 h 00	CAPRICORNE	CAPRICORNE	CAPRICORNE	CAPRICORNE	CAPRICORNE	CAPRICORNE	CAPRICORNE	CAPRICORNE
11 h 30	CAPRICORNE	CAPRICORNE	CAPRICORNE	CAPRICORNE	CAPRICORNE	CAPRICORNE	CAPRICORNE	CAPRICORNE
MIDI	CAPRICORNE	VERSEAU	VERSEAU	VERSEAU	VERSEAU	VERSEAU	VERSEAU	VERSEAU
12 h 30	VERSEAU	VERSEAU	VERSEAU	VERSEAU	VERSEAU	POISSONS	POISSONS	POISSONS
13 h 00	POISSONS	POISSONS	POISSONS	POISSONS	POISSONS	POISSONS	BELIER	BELIER
13 h 30	BELIER	BELIER	BELIER	BELIER	BELIER	BELIER	BELIER	TAUREAU
14 h 00	TAUREAU	TAUREAU	TAUREAU	TAUREAU	TAUREAU	TAUREAU	TAUREAU	TAUREAU
14 h 30	TAUREAU	TAUREAU	TAUREAU	TAUREAU	GEMEAUX	GEMEAUX	GEMEAUX	GEMEAUX
15 h 00	GEMEAUX	GEMEAUX	GEMEAUX	GEMEAUX	GEMEAUX	GEMEAUX	GEMEAUX	GEMEAUX
15 h 30	GEMEAUX	GEMEAUX	GEMEAUX	GEMEAUX	GEMEAUX	GEMEAUX	GEMEAUX	GEMEAUX
16 h 00	GEMEAUX	GEMEAUX	GEMEAUX	GEMEAUX	CANCER	CANCER	CANCER	CANCER
16 h 30	CANCER	CANCER	CANCER	CANCER	CANCER	CANCER	CANCER	CANCER
17 h 00	CANCER	CANCER	CANCER	CANCER	CANCER	CANCER	CANCER	CANCER
17 h 30	CANCER	CANCER	CANCER	CANCER	CANCER	CANCER	CANCER	CANCER
18 h 00	CANCER	CANCER	CANCER	CANCER	CANCER	CANCER	CANCER	CANCER
18 h 30	CANCER	CANCER	CANCER	CANCER	CANCER	CANCER	CANCER	CANCER
19 h 00	LION	LION	LION	LION	LION	LION	LION	LION
19 h 30	LION	LION	LION	LION	LION	LION	LION	LION
20 h 00	LION	LION	LION	LION	LION	LION	LION	LION
20 h 30	LION	LION	LION	LION	LION	LION	LION	LION
21 h 00	LION	LION	LION	LION	LION	LION	LION	LION
21 h 30	LION	LION	LION	LION	LION	LION	LION	LION
22 h 00	LION	LION	LION	VIERGE	VIERGE	VIERGE	VIERGE	VIERGE
22 h 30	VIERGE	VIERGE	VIERGE	VIERGE	VIERGE	VIERGE	VIERGE	VIERGE
23 h 00	VIERGE	VIERGE	VIERGE	VIERGE	VIERGE	VIERGE	VIERGE	VIERGE
23 h 30	VIERGE	VIERGE	VIERGE	VIERGE	VIERGE	VIERGE	VIERGE	VIERGE

DECOUVREZ VOTRE ASCENDANT SANS AUCUN CALCUL : TABLE N⁰ 6

VOTRE HEURE DE NAISSANCE	8 DECEMBRE	9 DECEMBRE	10 DECEMBRE	11 DECEMBRE	12 DECEMBRE	13 DECEMBRE	14 DECEMBRE	15 DECEMBRE
0 h 00	VIERGE	VIERGE	VIERGE	VIERGE	VIERGE	VIERGE	VIERGE	VIERGE
0 h 30	VIERGE	VIERGE	VIERGE	VIERGE	VIERGE	VIERGE	BALANCE	BALANCE
1 h 00	BALANCE	BALANCE	BALANCE	BALANCE	BALANCE	BALANCE	BALANCE	BALANCE
1 h 30	BALANCE	BALANCE	BALANCE	BALANCE	BALANCE	BALANCE	BALANCE	BALANCE
2 h 00	BALANCE	BALANCE	BALANCE	BALANCE	BALANCE	BALANCE	BALANCE	BALANCE
2 h 30	BALANCE	BALANCE	BALANCE	BALANCE	BALANCE	BALANCE	BALANCE	BALANCE
3 h 00	BALANCE	BALANCE	BALANCE	BALANCE	BALANCE	BALANCE	BALANCE	BALANCE
3 h 30	BALANCE	BALANCE	BALANCE	BALANCE	BALANCE	BALANCE	BALANCE	BALANCE
4 h 00	SCORPION	SCORPION	SCORPION	SCORPION	SCORPION	SCORPION	SCORPION	SCORPION
4 h 30	SCORPION	SCORPION	SCORPION	SCORPION	SCORPION	SCORPION	SCORPION	SCORPION
5 h 00	SCORPION	SCORPION	SCORPION	SCORPION	SCORPION	SCORPION	SCORPION	SCORPION
5 h 30	SCORPION	SCORPION	SCORPION	SCORPION	SCORPION	SCORPION	SCORPION	SCORPION
6 h 00	SCORPION	SCORPION	SCORPION	SCORPION	SCORPION	SCORPION	SCORPION	SCORPION
6 h 30	SCORPION	SCORPION	SCORPION	SCORPION	SCORPION	SCORPION	SCORPION	SCORPION
7 h 00	SCORPION	SCORPION	SCORPION	SAGITTAIRE	SAGITTAIRE	SAGITTAIRE	SAGITTAIRE	SAGITTAIRE
7 h 30	SAGITTAIRE	SAGITTAIRE	SAGITTAIRE	SAGITTAIRE	SAGITTAIRE	SAGITTAIRE	SAGITTAIRE	SAGITTAIRE
8 h 00	SAGITTAIRE	SAGITTAIRE	SAGITTAIRE	SAGITTAIRE	SAGITTAIRE	SAGITTAIRE	SAGITTAIRE	SAGITTAIRE
8 h 30	SAGITTAIRE	SAGITTAIRE	SAGITTAIRE	SAGITTAIRE	SAGITTAIRE	SAGITTAIRE	SAGITTAIRE	SAGITTAIRE
9 h 00	SAGITTAIRE	SAGITTAIRE	SAGITTAIRE	SAGITTAIRE	SAGITTAIRE	SAGITTAIRE	SAGITTAIRE	SAGITTAIRE
9 h 30	SAGITTAIRE	SAGITTAIRE	SAGITTAIRE	SAGITTAIRE	SAGITTAIRE	SAGITTAIRE	CAPRICORNE	CAPRICORNE
10 h 00	CAPRICORNE	CAPRICORNE	CAPRICORNE	CAPRICORNE	CAPRICORNE	CAPRICORNE	CAPRICORNE	CAPRICORNE
10 h 30	CAPRICORNE	CAPRICORNE	CAPRICORNE	CAPRICORNE	CAPRICORNE	CAPRICORNE	CAPRICORNE	CAPRICORNE
11 h 00	CAPRICORNE	CAPRICORNE	CAPRICORNE	CAPRICORNE	CAPRICORNE	CAPRICORNE	CAPRICORNE	CAPRICORNE
11 h 30	VERSEAU	VERSEAU	VERSEAU	VERSEAU	VERSEAU	VERSEAU	VERSEAU	VERSEAU
MIDI	VERSEAU	VERSEAU	VERSEAU	VERSEAU	VERSEAU	POISSONS	POISSONS	POISSONS
12 h 30	POISSONS	POISSONS	POISSONS	POISSONS	POISSONS	POISSONS	BELIER	BELIER
13 h 00	BELIER	BELIER	BELIER	BELIER	BELIER	BELIER	TAUREAU	TAUREAU
13 h 30	TAUREAU	TAUREAU	TAUREAU	TAUREAU	TAUREAU	TAUREAU	TAUREAU	TAUREAU
14 h 00	TAUREAU	TAUREAU	TAUREAU	GEMEAUX	GEMEAUX	GEMEAUX	GEMEAUX	GEMEAUX
14 h 30	GEMEAUX	GEMEAUX	GEMEAUX	GEMEAUX	GEMEAUX	GEMEAUX	GEMEAUX	GEMEAUX
15 h 00	GEMEAUX	GEMEAUX	GEMEAUX	GEMEAUX	GEMEAUX	GEMEAUX	GEMEAUX	GEMEAUX
15 h 30	GEMEAUX	GEMEAUX	GEMEAUX	GEMEAUX	CANCER	CANCER	CANCER	CANCER
16 h 00	CANCER	CANCER	CANCER	CANCER	CANCER	CANCER	CANCER	CANCER
16 h 30	CANCER	CANCER	CANCER	CANCER	CANCER	CANCER	CANCER	CANCER
17 h 00	CANCER	CANCER	CANCER	CANCER	CANCER	CANCER	CANCER	CANCER
17 h 30	CANCER	CANCER	CANCER	CANCER	CANCER	CANCER	CANCER	CANCER
18 h 00	CANCER	CANCER	CANCER	CANCER	CANCER	CANCER	CANCER	LION
18 h 30	LION	LION	LION	LION	LION	LION	LION	LION
19 h 00	LION	LION	LION	LION	LION	LION	LION	LION
19 h 30	LION	LION	LION	LION	LION	LION	LION	LION
20 h 00	LION	LION	LION	LION	LION	LION	LION	LION
20 h 30	LION	LION	LION	LION	LION	LION	LION	LION
21 h 00	LION	LION	LION	LION	LION	LION	LION	LION
21 h 30	LION	LION	LION	VIERGE	VIERGE	VIERGE	VIERGE	VIERGE
22 h 00	VIERGE	VIERGE	VIERGE	VIERGE	VIERGE	VIERGE	VIERGE	VIERGE
22 h 30	VIERGE	VIERGE	VIERGE	VIERGE	VIERGE	VIERGE	VIERGE	VIERGE
23 h 00	VIERGE	VIERGE	VIERGE	VIERGE	VIERGE	VIERGE	VIERGE	VIERGE
23 h 30	VIERGE	VIERGE	VIERGE	VIERGE	VIERGE	VIERGE	VIERGE	VIERGE

VOTRE HEURE DE NAISSANCE	16 DECEMBRE	17 DECEMBRE	18 DECEMBRE	19 DECEMBRE	20 DECEMBRE	21 DECEMBRE	22 DECEMBRE
0 h 00	VIERGE	VIERGE	VIERGE	VIERGE	VIERGE	BALANCE	BALANCE
0 h 30	BALANCE	BALANCE	BALANCE	BALANCE	BALANCE	BALANCE	BALANCE
1 h 00	BALANCE	BALANCE	BALANCE	BALANCE	BALANCE	BALANCE	BALANCE
1 h 30	BALANCE	BALANCE	BALANCE	BALANCE	BALANCE	BALANCE	BALANCE
2 h 00	BALANCE	BALANCE	BALANCE	BALANCE	BALANCE	BALANCE	BALANCE
2 h 30	BALANCE	BALANCE	BALANCE	BALANCE	BALANCE	BALANCE	BALANCE
3 h 00	BALANCE	BALANCE	BALANCE	BALANCE	BALANCE	BALANCE	BALANCE
3 h 30	SCORPION	SCORPION	SCORPION	SCORPION	SCORPION	SCORPION	SCORPION
4 h 00	SCORPION	SCORPION	SCORPION	SCORPION	SCORPION	SCORPION	SCORPION
4 h 30	SCORPION	SCORPION	SCORPION	SCORPION	SCORPION	SCORPION	SCORPION
5 h 00	SCORPION	SCORPION	SCORPION	SCORPION	SCORPION	SCORPION	SCORPION
5 h 30	SCORPION	SCORPION	SCORPION	SCORPION	SCORPION	SCORPION	SCORPION
6 h 00	SCORPION	SCORPION	SCORPION	SCORPION	SCORPION	SCORPION	SCORPION
6 h 30	SCORPION	SCORPION	SCORPION	SAGITTAIRE	SAGITTAIRE	SAGITTAIRE	SAGITTAIRE
7 h 00	SAGITTAIRE	SAGITTAIRE	SAGITTAIRE	SAGITTAIRE	SAGITTAIRE	SAGITTAIRE	SAGITTAIRE
7 h 30	SAGITTAIRE	SAGITTAIRE	SAGITTAIRE	SAGITTAIRE	SAGITTAIRE	SAGITTAIRE	SAGITTAIRE
8 h 00	SAGITTAIRE	SAGITTAIRE	SAGITTAIRE	SAGITTAIRE	SAGITTAIRE	SAGITTAIRE	SAGITTAIRE
8 h 30	SAGITTAIRE	SAGITTAIRE	SAGITTAIRE	SAGITTAIRE	SAGITTAIRE	SAGITTAIRE	SAGITTAIRE
9 h 00	SAGITTAIRE	SAGITTAIRE	SAGITTAIRE	SAGITTAIRE	SAGITTAIRE	SAGITTAIRE	CAPRICORNE
9 h 30	CAPRICORNE	CAPRICORNE	CAPRICORNE	CAPRICORNE	CAPRICORNE	CAPRICORNE	CAPRICORNE
10 h 00	CAPRICORNE	CAPRICORNE	CAPRICORNE	CAPRICORNE	CAPRICORNE	CAPRICORNE	CAPRICORNE
10 h 30	CAPRICORNE	CAPRICORNE	CAPRICORNE	CAPRICORNE	CAPRICORNE	CAPRICORNE	CAPRICORNE
11 h 00	VERSEAU	VERSEAU	VERSEAU	VERSEAU	VERSEAU	VERSEAU	VERSEAU
11 h 30	VERSEAU	VERSEAU	VERSEAU	VERSEAU	POISSONS	POISSONS	POISSONS
MIDI	POISSONS	POISSONS	POISSONS	POISSONS	POISSONS	BELIER	BELIER
12 h 30	BELIER	BELIER	BELIER	BELIER	BELIER	BELIER	TAUREAU
13 h 00	TAUREAU	TAUREAU	TAUREAU	TAUREAU	TAUREAU	TAUREAU	TAUREAU
13 h 30	TAUREAU	TAUREAU	TAUREAU	GEMEAUX	GEMEAUX	GEMEAUX	GEMEAUX
14 h 00	GEMEAUX	GEMEAUX	GEMEAUX	GEMEAUX	GEMEAUX	GEMEAUX	GEMEAUX
14 h 30	GEMEAUX	GEMEAUX	GEMEAUX	GEMEAUX	GEMEAUX	GEMEAUX	GEMEAUX
15 h 00	GEMEAUX	GEMEAUX	GEMEAUX	GEMEAUX	CANCER	CANCER	CANCER
15 h 30	CANCER	CANCER	CANCER	CANCER	CANCER	CANCER	CANCER
16 h 00	CANCER	CANCER	CANCER	CANCER	CANCER	CANCER	CANCER
16 h 30	CANCER	CANCER	CANCER	CANCER	CANCER	CANCER	CANCER
17 h 00	CANCER	CANCER	CANCER	CANCER	CANCER	CANCER	CANCER
17 h 30	CANCER	CANCER	CANCER	CANCER	CANCER	CANCER	CANCER
18 h 00	LION	LION	LICN	LION	LION	LION	LION
18 h 30	LION	LION	LION	LION	LION	LION	LION
19 h 00	LION	LION	LION	LION	LION	LION	LION
19 h 30	LION	LION	LION	LION	LION	LION	LION
20 h 00	LION	LION	LION	LION	LION	LION	LION
20 h 30	LION	LION	LION	LION	LION	LION	LION
21 h 00	LION	LION	LION	VIERGE	VIERGE	VIERGE	VIERGE
21 h 30	VIERGE	VIERGE	VIERGE	VIERGE	VIERGE	VIERGE	VIERGE
22 h 00	VIERGE	VIERGE	VIERGE	VIERGE	VIERGE	VIERGE	VIERGE
22 h 30	VIERGE	VIERGE	VIERGE	VIERGE	VIERGE	VIERGE	VIERGE
23 h 00	VIERGE	VIERGE	VIERGE	VIERGE	VIERGE	VIERGE	VIERGE
23 h 30	VIERGE	VIERGE	VIERGE	VIERGE	VIERGE	VIERGE	VIERGE

Kim Basinger : nouvelle égérie de l'Amérique des années 90, Kim Basinger s'illustre par une beauté sauvage et naturelle, qui n'est pas sans rappeler celle de Brigitte Bardot dans les années 60.

Combinaison du Signe avec les Ascendants

Sagittaire Ascendant Bélier

On accorde au Bélier une constitution athlétique, encore que chez la femme la constitution pycnique ne soit pas rare; un squelette fortement charpenté, une musculature puissante le feraient paraître souvent plus grand qu'il n'est réellement. On le reconnaîtrait à sa tête, partie du corps symbolisée par le signe, et surtout à son profil : ferme, busqué, presque tranchant. Il a un nez proéminent à forte arête, et, de l'étage médian du visage, la projection en avant de la partie inférieure du visage se révèle, par ailleurs, fréquente; quant au front, il demeurerait plutôt bas.

Détails caractéristiques : les oreilles petites et pointues, du style faune; les yeux, à l'iris gris acier ou brun, rapprochés du nez et surtout coiffés de sourcils broussailleux en accent circonflexe. Reconnaissons au passage que les portraits de Van Gogh et Mallarmé, tous deux fortement marqués du Bélier, correspondent assez bien à cette description. Le regard est vif, souvent dur et insolent, exprimant la curiosité, la vigilance prête au combat, voire le défi.

Mâle ou femelle, le Bélier type ne marche pas : il « fonce » droit devant lui, d'un pas rapide et décidé. Il ne vous serre pas la main : il vous la broie, d'une poigne ferme et volontaire. Il convainc ou accuse plus qu'il ne parle, d'une voix impérative au ton incisif, au débit précipité, en y joignant le geste, emporté, rude, noueux.

La même tonalité abrupte signe l'élégance de Madame Bélier; elle est fracassante, de formes et de couleurs : vêtements garçonniers, volontiers provocants, outrances des modes soulignées jusqu'à l'extravagance, maquillage agressif ou, à l'inverse, nudité d'un naturel affirmé comme un défi. C'est, en plein XIXe siècle, George Sand vêtue en homme et fumant le cigare.

Présence, intensité, force contagieuse, telle est l'impression que dégage d'emblée le personnage. Au volant de sa voiture, souvent rouge, un Bélier peut faire la démonstration éclatante de sa vitalité autoritaire, pressée et compétitive. Le paysage? le décor? le charme de la flânerie? il les ignore. Il ne s'agit que de la machine à exploiter au maximum, et même au-delà de ses possibilités, que de l'autre conducteur à dépasser : slalom, accélérations démentes et coups de freins brutaux, pneus hurlants dans les virages et risques gratuits, irrespect du code, tout y est. Qu'importe! il faut aller plus vite et passer coûte que coûte. Ou court-il? Il n'en sait rien, ce qui compte c'est d'« y » courir plus vite que la dernière fois et plus vite que tout le monde. Le moindre obstacle à ce défoulement d'agressivité conquérante le mettra d'une humeur massacrante et les invectives outrancières pleuvront en guise de décharge.

Psychologiquement, le Bélier est caractérisé par un besoin maximal d'extériorisation motrice. Ce feu de printemps symbolise le jaillissement premier de l'énergie vitale. C'est l'être à sa naissance, le nourrisson en tant qu'organisme soumis à la poussée instinctuelle globale qui, faute de maturation, ne saurait faire la distinction entre lui-même et le monde extérieur. En cet Ascendant du Zodiaque, il n'y a pas encore de capacité de différenciation ou de contrôle. Il n'existe à la limite, ni je, ni moi, ni l'autre, ni dehors, ni dedans, ni avant, ni après, seulement une agitation incoordonnée, réflexe, en réponse à un afflux de stimuli.

Le tempérament est celui du colérique type : émotif, actif, primaire, aux réactions fortes, immédiates, brèves, où l'être s'engage en bloc dans l'instant, où l'énergie pulsionnelle fuse dans toutes les directions. C'est la poussée de la sève au printemps; c'est le triomphe de l'action pour l'action dans la hâte et sans retenue, de l'initiative souvent sans lendemain parce que irréfléchie, de la conquête souvent avortée faute de préparation et de persévérance, du courage souvent téméraire par inconscience. Le Bélier n'a pas davantage le temps de respecter la morale, les règles, la « conformité », qui risqueraient de freiner son élan.

Ce même besoin d'extériorisation motrice se retrouve chez le Sagittaire, autre signe de Feu, mais ce Feu d'automne est différent; il exige autre chose. En neuf mois, et surtout depuis la Balance, l'être s'est socialisé et va devoir élargir encore ses rapports avec le monde extérieur, s'adapter à cette expansion en vue de réalisations futures. Cette adaptation requiert beaucoup de discrimination et de maîtrise dans les réponses aux stimulations internes et externes, une capacité de retrait par rapport au milieu et de retour sur soi, en même temps qu'une faculté de coordination et de synthèse propres à réaliser l'unité de cette multiplicité. Pour satisfaire à son « idéal » solaire, le Sagittaire devrait donc atteindre à une secondarité inconnue du Bélier afin d'établir entre le dehors et le dedans, entre ce qui a précédé et ce qui devra suivre, un pont menant à un au-delà, un après, un plus haut.

Le résultat de cette combinaison va évidemment varier suivant les individus en fonction des particularités de chaque thème. On peut cependant admettre que, dans la quasi-totalité des cas, elle signera des êtres spontanés et chaleureux, riches de vigueur physique et mentale, généreux et francs, aux réflexes prompts, à l'imagination enflammée, à l'attention vive. Rien de mesquin, encore moins de routinier, dans ce personnage à l'esprit curieux, au verbe énergique, aux idées larges et aux nobles aspirations, qui sait entraîner, convaincre par son éloquence et par son ardeur communicative.

En l'absence de dissonances graves, le Sagittaire socialisera le Bélier, le tempérera, l'assagira. Visage, silhouette, gestes, actes se feront moins anguleux, moins abrupts. Pareillement, l'homme, dans ses conquêtes amoureuses, mettra un peu plus de formes et moins de brutalité. La femme, tout en demeurant très garçonnière – le type « amazone » n'étant pas rare chez le Sagittaire –, se fera moins agressivement provocante, hésitant devant l'extravagance vestimentaire pour s'en tenir à un classicisme très alluré. Certes, elle continuera à faire la loi chez elle, mais en y mettant un peu moins de bruit et de fureur. Sa franchise sera aussi totale que son manque de diplomatie et son goût de l'indépendance.

Sur le plan des réalisations, un Sagittaire fort, toujours dans les cas de dispositions harmonieuses, apporte à l'irascible Bélier la pondération, la hauteur de vue, le souci et le respect de la collectivité, un idéal plus spiritualisé, bref une ampleur plus adaptée et ennoblie. Il se servira de la fougue et de la capacité d'engagement de son partenaire en la maîtrisant et, si le mariage est exceptionnellement réussi, il pourra donner naissance à un magnifique pur-sang capable de bien des exploits.

Dans les cas moins heureux? Ce Sagittaire, dont la fonction est de participer à la collectivité en respectant ses normes et ses lois dans un esprit de tolérance et d'humanisme, risque de s'accommoder assez mal des exigences belliqueuses, totalitaires et individualistes de son Ascendant Bélier. Certes, les idéaux avoués continueront à se déclarer nobles, soucieux du bien et de la liberté d'autrui, mais des conduites sommaires, brutales, plus ou moins inconsciemment autoritaires, leur infligeront un démenti; l'instinct de conquête l'emportera bientôt sur l'altruisme et le militantisme, ou le fanatisme sur la tolérance.

Dans un thème très conflictuel, à dominante sèche (Mars et Uranus, par exemple), le côté primaire et téméraire du Bélier va éveiller dans cette caisse de résonance que constitue le Sagittaire un écho amplifié à l'excès. L'ensemble a toute chance d'aboutir à l'opposé du Jupitérien « normalisé », au type du Sagittarien rebelle : inadapté, aventurier, en rupture de ban avec la société, poursuivant dans le meilleur des cas un idéal inaccessible à force d'être immense et total ou, plus fréquemment, cultivant le risque pour le risque, faute de pouvoir le sentir exister autrement que dans « l'action pour l'action », la démesure, la révolte systématique. Conséquences : surmenage physique allant jusqu'à l'épuisement irréversible, risques excessifs pris par impossibilité de résister aux impulsions agressives et se résolvant en dommages de toute nature, corporels et matériels aussi bien qu'affectifs; vie « brûlée » en une succession de commencements et d'abandons qui sont autant d'échecs. Heureusement, l'énergie est grande en chacun des deux signes et la faculté de récupération certaine, mais le Sagittarien ne doit pas oublier que, si le Bélier est avant tout un impatient, il est lui un inquiet, un anxieux fondamental au système nerveux beaucoup plus vulnérable qu'il n'y paraît. Ce cheval emballé aurait besoin de trouver en lui-même un cavalier qui le maîtrise sans le brider.

Sagittaire Ascendant Taureau

Morphologiquement, le Taureau se signalerait par un détail : le cou; qui ne connaît le « cou de taureau », enfoncé entre des épaules larges et carrées, court, épais, présentant en principe une petite saillie à la base? C'est un pycnique. Taille plutôt inférieure à la moyenne, squelette solidement charpenté mais enrobé; crâne large, front plein et bombé, visage de sensoriel tendant au carré comme les mains, menton rond, lèvres charnues, nez et bouche larges, yeux sombres et grands. Quand à l'œil « globuleux », conféré traditionnellement à ce signe, il semble relever du particulier plus que du général. En revanche, le regard, chez le type adapté, frappe par sa profondeur, le calme et la chaleur de son sérieux.

A cette description, la Tradition ajoute une jambe courte et musclée au mollet rond. Enfin, les auteurs divergent sur le fait de savoir si les cheveux châtains ou bruns, le plus souvent ondulés ou bouclés, se maintiennent bien plantés sur un front bas ou si, au contraire, une calvitie frontale les menace prématurément.

Dans le cas du Taureau type, la personnalité tout entière dégage, surtout chez les hommes, une impresssion de solidité compacte, de lenteur puissante, voire de statisme, impression accentuée par la démarche jamais pressée mais régulière, pesante même, mains dans le dos, regard au sol; en somme c'est une sorte de commissaire Maigret. La parole est lente, les mots mesurés, la voix mélodieuse au timbre parfois captivant, la poignée de main chaude, pleine et accueillante. Pour parfaire ce portrait, ajoutons au visage une expression placide, plutôt débonnaire et tranquillement assurée (cas du sujet bien adapté) ou, à l'inverse (sujet mal adapté), une expression revêche, sévère, fermée, un air de méfiance soupçonneuse, une amabilité vigilante de bouledogue. Le premier sujet affectionnerait les cravates chatoyantes et les eaux de toilette aux senteurs énivrantes; le deuxième, probablement victime d'un Saturne maléfique, userait jusqu'à la corde de vieilles nippes informes, pas toujours très propres.

Ce cas extrême se retrouvera chez la femme. Supposons-le exceptionnel puisque la Tradition s'emploie à qualifier la femme du Taureau d'hyperféminine. Cette favorisée des dieux illustre à merveille le type vénusien : un corps agréablement potelé tout en courbes; poitrine développée, hanches et bassin élargis; un visage aux traits harmonieusement fondus, d'une beauté voluptueuse comme son parfum; des vêtements faits pour le regard et le toucher : jupes amples, tissus veloutés ou soyeux, couleurs non moins fondantes.

En cette fête des sens, le garçon manqué et la dame patronesse du Sagittaire paraissent incongrus. Seule conciliation possible : alterner volupté, indépendance sportive et respectabilité bourgeoise. Qui dit mieux?

Chez l'homme sagittarisé la pesanteur taurine tendra à s'alléger : les formes, bien sûr, resteront très enrobées, d'autant plus que le coup de fourchette, grâce à une gourmandise accrue, sera plus vigoureux; mais elles seront moins massives et tendront moins au carré. Le contact sera plus spontané, plus jovial, l'expression bienveillante ou bonhomme accentuée, la mise soignée et classique.

Psychologiquement, la différence est aussi grande. Le Bélier fonçait droit devant lui; ici on absorbe, on rumine, on digère; c'est l'incorporation orale succédant à l'extériorisation motrice, la concentration faisant suite à la dispersion; il ne s'agit plus de répondre dans le désordre à un afflux de stimuli, mais de commencer à s'adapter à la réalité, donc d'apprendre à se protéger, à discerner le bon du mauvais afin de profiter au maximum du premier et, si possible, de se fermer au second. Comme l'écrit J.-P. Nicola, le Taureau est « par excellence le centre des réflexes de défense, la souche de toutes les inhibitions ».

A ce stade, un mode de connaissance du monde prévaut : la sensation, non plus l'action, qui se développe par l'intermédiaire de la mère, cette Terre Mère, non encore perçue comme personne différenciée mais comme milieu ambiant, qui non seulement entoure mais signale sa présence par les multiples plaisirs qu'elle procure. Satisfaction de la faim, contact tiède et moelleux (contact qui prélude à la sociabilité), douce musique d'une voix rassurante sont autant d'expériences sensuelles qui, répétées, induisent une notion de permanence et de stabilité favorable à l'établissement de mécanismes d'autorégulation.

Aussi le tempérament taurin sera-t-il caractérisé essentiellement par l'avidité (qu'elle soit matérielle, affective ou intellectuelle), le réalisme, au sens le plus radical du terme (sensualisme, positivisme), la sensibilité au milieu ambiant, le besoin de stabilité, une sélectivité prudente par souci d'autoconservation, une obstination pouvant aller jusqu'à l'entêtement buté. Le Soleil au Sagittaire va assouplir et, dans les meilleurs cas, humaniser et spiritualiser les caractéristiques taurines.

Certes la nature dionysiaque de chacun des deux signes sera considérablement renforcée : communion charnelle avec la nature, élans amoureux, la grande fête des sens sera alors vécue à son maximum. Le Sagittaire toutefois tendra à l'ennoblir, la magnifier et, en transposant à l'octave supérieur, essaiera d'accéder à l'infini, au divin, la libérant ainsi de l'asservissement à la volupté, trop fréquent chez le Taureau. Il est toutefois à craindre que le comportement ne demeure possessif et jaloux, mais d'une façon tout de même moins irréductiblement obsédée. On dit le Sagittaire volontiers volage, surtout dans sa jeunesse, trait qui cadre mal avec le monolithisme amoureux du Taureau. Les solutions de compromis sont difficiles à trouver en dehors de la dissimulation, de l'ambivalence ou, plus fréquemment, de la contradiction : infidélité discrète, tolérance pour soi-même, intransigeance suspicieuse pour l'autre.

Le tempérament demeurera opiniâtre, mais avec plus d'impulsivité, de hardiesse, de combativité et d'enthousiasme, éloigné du type taurin passif et même amorphe à force d'être repu. La ténacité du Taureau corrigera la dispersion velléitaire du Sagittaire qui, lui, apportera plus d'élan, plus de largeur de vue aux initiatives. Sagittarisés, les buts se feront moins exclusivement intéressés et égoïstes, et les moyens pourront allier l'opportunisme habile au sens pratique prudent, l'inspiration au calcul, grâce à une intuition renforcée, des capacités d'assimilation et de discernement plus prompts, une adaptabilité accrue. A l'inverse, les généreuses mais souvent utopiques visées sagittariennes se verront ramenées par le méfiant et réaliste Taureau à de plus accessibles proportions. Parfois, les décisions paraîtront brusques; en fait, elles auront été longuement mûries, un déclic subit rompant le cercle indéfiniment répété de supputations contradictoires. La volonté d'exécution conservera le caractère entier, inébranlable, du Taureau, mais assoupli par l'idéalisme humanitaire du Sagittaire.

La combinaison des deux signes va accroître aussi la sensibilité au milieu ambiant. En l'absence de dissonances majeures, le Taureau, sélectif et soucieux de stabilité, freinera le Sagittaire dans sa mondanité, sa tendance à sacrifier au conformisme du moment; aux apparences et aux modes; il exigera pour sa sécurité que, quelque part, au sein de sa vie très socialisée, un îlot soit réservé, solidement ancré à l'abri des changements et des bourrasques de l'extérieur.

En cas de thème conflictuel à dominante sèche, toujours Mars ou Uranus en signe de Feu, on aboutit au type taurin « maigre ». Beaucoup moins répandu, ce dernier est, selon J.-P. Nicola, un « longiligne aux joues creuses et aux yeux brûlants de ferveur intérieure, de l'étoffe dont on fait les romantiques, les fanatiques et les extrémistes ». Il y aura là une belle possibilité d'accord dans l'ardeur cassante et la démesure avec le Sagittarien de type rebelle.

Sans aller aussi loin, l'inquiétude du Sagittaire inadapté, liée à la notion d'espace et à la difficulté de centrer quelque part un Moi en pleine errance, ne fera qu'aggraver l'inquiétude taurine liée, elle, au besoin de permanence, c'est-à-dire au temps. L'être aux prises avec ces problèmes aura beaucoup de mal à trouver son équilibre : fougueux, il voudra s'élancer et « brûler », mais la peur le freinera; tiraillé entre l'extérieur et l'intérieur, la tendance à la paresse et le besoin d'activité, la dispersion et le besoin de se fixer, il lui faudra, sous peine d'échec, faire un choix au prix de douloureux sacrifices : celui de l'accessoire à l'essentiel, celui de l'instant à la durée.

Sagittaire Ascendant Gémeaux

Assimilable au mercurien, le type Gémeaux ne ressemble guère à son voisin du Taureau.

Généralement grand, il est construit tout en étroitesse et en longueur : nez, menton, visage, doigts, bras, jambes; fluet, grêle, le torse aplati, on dirait un adolescent monté en graine ou, pis, un grand échalas dégingandé. Plus rarement petit, menu, fin et délié, il a alors la prestesse et la malice d'un lutin, d'un écureuil ou d'un singe.

C'est un cérébral : l'étage crânien du visage prédomine avec une implantation surélevée des cheveux et un front large, tandis que l'étage inférieur se rétracte : menton mince, pointu, s'effaçant; le carré qui signait le Taureau a fait place au triangle.

C'est un nerveux : on le voit à sa démarche inégale, rapide, souple, comme prête à l'envol; à ses sautillements sur place, incapable qu'il est de rester immobile; aux mimiques expressives, voire aux grimaces, qui agitent ses traits fins et mobiles; à son regard vif, curieux, souvent ironique ou effronté : vieillissant, finement ridé, plissé, il n'est pas rare qu'il vire au « vieux gamin ».

Le bec ne lui ferme pas, pourrait-on ajouter, car « discuter » est son dada. Prolixe, souvent éloquent, il parle autant avec les mains qu'avec les mots, qu'il débite précipitamment, le coq-à-l'âne et le mot d'esprit lui venant aux lèvres spontanément. Sa dextérité manuelle est souvent extraordinaire, tout comme sa capacité d'imitation. Jongleurs, illusionnistes, imitateurs sont tous plus ou moins marqués des Gémeaux.

C'est un fantaisiste : témoin son habillement. Du moindre chiffon la femme s'improvise d'instinct une toilette. L'homme, lui, se fait volontiers « dandy ». Mais chez l'un comme chez l'autre, rien ne saurait être pris au sérieux : on plaisante, on pétille comme le champagne, avec une élégance désinvolte; il s'agit d'un jeu qui, toutefois, doit avant tout respecter la liberté du mouvement.

Dans le cas d'un thème où prévaut le « sec », le Sagittaire apportera une note athlétique à cet Ascendant Gémeaux : plus de muscles, des épaules plus larges, l'ensemble demeurant cependant longiligne. Dans un thème à tendance jupitérienne, la silhouette et le visage se feront, surtout à la maturité, plus étoffés et la présentation aura un caractère relativement plus « assis »; ici, l'habillement sacrifiera peut-être un peu moins aux modes, mais plus encore à la liberté des mouvements, tout en s'efforçant de sauvegarder beaucoup l'esprit.

Mobilité, adaptabilité, dualité : tel se présente le schéma psychologique des Gémeaux.

Ce troisième signe du Zodiaque est le moment où, sortant de la non-différenciation entre Moi et Non-Moi, l'être reçoit, plus qu'il ne le perçoit véritablement, ce qui l'entoure, et les objets plus que les personnes. Alors qu'au Bélier, puis au Taureau, prévalaient décharge motrice, puis sensation, ici c'est l'impression, une impression réponse, qui règne. C'est l'entrée dans la communication, mais une communication fugace et superficielle, avec un monde nouveau aux multiples facettes, celui du familier. Très excitable, avec moins de force mais plus de rapidité que le Bélier, très réceptif mais, à la différence du Taureau, non passif, souple, délié, d'attention prompte mais fugace, il présente une extraordinaire faculté d'adaptation au milieu et aux circonstances. Feu follet, caméléon, Arlequin, il peut à la limite sembler ne pas avoir d'existence propre; il n'est que reflet de ceux qui l'entourent. Chez cet être en ébauche, le Moi proprement dit n'est pas encore constitué; il ne le sera que beaucoup plus tard, et les premiers noyaux en vont tout juste émerger progressivement. Aussi le « je » n'est-il encore que diffus, épars et, comme « l'objet », à peine entr'aperçu que disparu, ni totalement extérieur ni totalement intérieur, et les deux à la fois. Bref, c'est une virtualité, non une réalité. C'est, au lieu et place de « l'autre », le « même », le « double ».

A. Barbault distingue deux types de Gémeaux. L'un nerveux par excellence, est le type Castor. D'humeur changeante, une sensibilité épidermique et une perpétuelle nécessité de renouveler ses émotions le rendent fantasque, poète, vagabond d'esprit, d'âme et de corps. Domiciles, professions, amitiés et amours se succèdent en autant de caprices enfiévrés. Sa vie amoureuse se place sous le signe du flirt, du marivaudage, de la légèreté; c'est l'effleurement des cœurs et des corps, qui n'engage jamais; amoral, comédien né, mentant avec sincérité, il aura la conduite du séducteur insoucieux du mal qu'il pourra inconsciemment causer à qui se laisse prendre à son jeu.

L'autre, plus calme et beaucoup plus intellectualisé, est le type Pollux. Se défendant contre tout sentiment, notamment l'amour auquel il préfère l'amitié, il tend à devenir une sorte d'esprit sans âme au cœur sec, mais il est efficace, caustique et froid, habile jusqu'à l'opportunisme – car, égoïste, il est intéressé –, se révélant très souvent doué pour le dessin ou la littérature, mais manquant de profondeur.

La combinaison Gémeaux-Sagittaire tend à accentuer l'instabilité d'humeur, la tendance à la dispersion, la soumission à l'influence du milieu en même temps que l'habileté oratoire,

Kandinsky : successivement influencé par les impressionnistes, puis par les fauves, il se détache de l'art figuratif en 1910. Il est aujourd'hui considéré comme l'un des principaux initiateurs de l'art abstrait.

la subtilité, l'aisance à manier le paradoxe et l'improvisation. La nécessité de sacrifier au caprice du moment atténue le respect des codes sociaux et de l'appartenance au groupe, chers à bien des Sagittaire. En revanche, la sécheresse calculatrice de certains Gémeaux peut être tempérée par la générosité idéaliste du Sagittaire. Quant à la vie affective, il est douteux qu'elle y gagne en stabilité.

En cas d'occupation des deux signes par des planètes en situation dissonante, éparpillement et coordination, intensité et légèreté, diffusion et synthèse, multiplicité et unité peuvent s'affronter, exigences peut-être complémentaires mais surtout difficiles à concilier. Du simple tiraillement entre tendances contradictoires à la dissociation grave de la personnalité en passant par l'insatisfaction née du sentiment d'un vide intérieur ou d'une vie qui, construite sur du sable, ne laisse que du vent, il y a bien des intermédiaires possibles. Si le Moi est très fort et le sujet doué, le conflit pourra être dépassé grâce à une sublimation, l'être trouvant alors son centre de gravité – non sans remises en question périodiques – dans une activité artistique : littérature, musique, peinture, théâtre, journalisme. (Cas de ce genre : Schumann, Musset, Gérard Philipe.)

Sagittaire Ascendant Cancer

Des tissus relâchés, blanchâtres et souvent bouffis, un visage lunaire, tel serait selon la Tradition l'apanage des Cancériens. La réalité est heureusement moins désastreuse : constitution pycnique, stature moyenne, formes arrondies mais avec plus de chair que de muscles. Le visage au front large est généralement rond, un peu gras, fréquemment doté d'un double menton. Des sourcils plantés hauts, en demi-cercle, lui confèrent souvent une expression éton-

112

Foujita : comme cela arrive souvent
pour les natifs du Sagittaire,
sa passion pour les chats
a beaucoup inspiré sa peinture.

née, tandis que le regard, tourné vers l'intérieur, paraît absent. Ajoutons des pieds et mains
petits, une démarche caractéristique par son balancement et une poignée de main plus enve-
loppante que ferme. Quant à la femme, elle se signale, toujours suivant la Tradition, par sa
taille ronde et sa volumineuse poitrine. Il existe un autre type de Cancérien, plus maigre, plus
sec, aux formes allongées, dont le visage nullement lunaire se caractérise par un nez busqué
en forme de bec.

Le Sagittaire, avec ses muscles et sa vigueur, apporte plus de fermeté, de présence, de
majesté même à ce tableau. A ce Cancérien qui très souvent préfère la chaise-longue à tout
autre sport, il insuffle un besoin minimal d'activité physique et si, néanmoins, à la maturité,
le corps tend à s'empâter, c'est sur un mode à la fois plus tonique et moins exclusivement
abdominal. Certes, des problèmes de silhouette risquent de se poser à la maturité, car l'un
et l'autre sont amateurs de bonne chère : le premier, plus délicat, est un gourmet, le deuxième
un gourmand ; mais avec le correctif sagittarien l'empâtement peut adopter un mode plus
nerveux et moins débonnaire.

Dans sa mise, le Cancérien type peut adopter deux attitudes différentes : soit un excès de
recherche et de raffinement qui le féminise exagérément, soit à l'inverse une indifférence qui
confine au laisser-aller. Aucune de ces deux attitudes ne peut satisfaire aux exigences du
Sagittaire. Celui-ci en effet, soucieux de son image de marque, ne saurait dans la négligence
dépasser les bornes du bon aloi, pas plus que sa virilité ne pourrait sans gêne intérieure
s'accommoder d'atours suspects. Peut-être ici ou là sacrifiera-t-il un détail à sa nature cancérienne, mais sans se résoudre à tomber dans le style « minet avéré ».

Quant à la femme, si elle aime suivre la mode, elle entend bien n'en conserver que les
aspects les plus féminisants. La Sagittaire de type « garçon manqué » n'a pas sa place ici, mais

tout en bénéficiant du goût cancérien pour les couleurs tendres et les tissus délicats, elle se montrera moins « chatte », d'une coquetterie moins étudiée, d'une élégance plus libre et plus désinvolte qu'une Cancérienne de type pur.

Combiner ces deux signes pose, psychologiquement, quelques problèmes : le Cancer étant le lieu de tendances féminines passives, le Sagittaire celui de tendances masculines actives, chacun des deux réclame son dû. L'un rêve tout éveillé d'un impossible « autrefois », l'autre poursuit sans cesse un introuvable « ailleurs ».

Après le monde familier des Gémeaux, c'est l'image de la mère qui apparaît au Cancer et c'est à elle que le Cancérien se fixe. Ce n'est plus la mère-contact, la mère-aliment du Taureau, mais la mère-tendresse, la mère-sécurité, la mère-refuge. Si proche – elle n'est pas encore véritablement perçue comme objet – qu'à la limite il n'existe pas de séparation entre elle et son enfant. La sensibilité est ici toute-puissante et pour le Cancérien, plus que pour tout autre, il est douloureux de grandir, d'affronter les rigueurs et les combats qu'impliquent l'acquisition de l'autonomie et l'adaptation au monde hostile du dehors.

Le Cancérien est donc, à la base, dépendant, alors que le Soleil au Sagittaire se veut avant tout indépendant.

La fixation cancérienne à la mère peut être positive ou négative. Positive, elle conduit à une politique d'enracinement et de protection qui peut, aussi bien sur le plan affectif que professionnel, stabiliser le Sagittaire. En même temps celui-ci, grâce à son ouverture vers l'extérieur, sa foi en l'avenir et son besoin d'expansion, corrige la tendance nostalgique du Cancérien trop souvent enclin à s'attarder inutilement sur le passé, à régresser vers l'état bienheureux de son enfance, la soumission passive. Un Cancérien calme et un Sagittarien conformiste peuvent donc cohabiter fructueusement, les vertus maternelles du Cancer trouvant pour l'un et l'autre sexe à s'épanouir, surtout à l'âge mûr, dans l'atmosphère sereine d'un foyer confortablement bourgeois. Foyer plus fermement protégé grâce au Cancer où régnera un père, ou une mère, noble car sagittarien, au lieu d'une mère-poule ; foyer plus « représentatif » car le Sagittaire luttera pour atteindre une position sociale plus élevée, une surface financière plus ample, tandis que l'idéalisme commun aux deux signes se fixera des buts moins étroitement intimistes. La réussite se trouvera d'ailleurs facilitée par le fait que le dynamisme et l'esprit de synthèse solaires s'appuieront sur l'intuition, la finesse, la prudence et la ténacité cancériennes.

Comment satisfaire aux impératifs voyageurs de ce Soleil Sagittaire ? Soit en visitant l'étranger en famille le plus souvent possible, soit en s'expatriant seul, mais avec la nécessité d'un retour périodique aux sources familiales afin d'y puiser des forces vives, le besoin de se trouver ailleurs s'effaçant généralement avec l'âge au profit du « se sentir bien ici ». Sinon, il est encore possible de parcourir le monde à travers les livres, les récits, les films ou simplement les rêves, ou de vivre en secret l'exaltante aventure d'un long et merveilleux voyage tout intérieur.

Il est malheureusement des situations moins idylliques : c'est le cas de thèmes où Mars, Saturne ou Uranus importants entrent en conflit avec la Lune. C'est alors – fixation négative – une réaction de rejet, d'hostilité ou de fuite à l'égard de la mère et de ses substituts symboliques (la femme, les valeurs familiales, le terroir, la société dans son ensemble) qui entraîne à une politique de déracinement. Ce Cancérien-là ne fait qu'apporter de l'eau au moulin du Sagittaire rebelle, hostile tant aux liens familiaux qu'aux normes sociales vécus en bloc comme d'insupportables – et injustifiables – entraves ; il ne fait aussi que doubler le Sagittaire velléitaire et dispersé, trop content, lui, de voir multipliées les occasions de défouler à bon compte son impulsivité. Ce n'est plus un voyageur mais un nomade, un bohème ; instable affectivement, il vole de femme en femme, inquiet, lunatique, déconcertant ; instable intellectuellement et professionnellement, il commence tout, ne finit rien, ne se trouve bien nulle part. Paresse ou irréalisme, il est souvent impécunieux et ne dédaigne pas, ici ou là, de se faire prendre en charge. L'état de son psychisme n'est pas moins chaotique, riche en manifestations névrotiques. Aux exaltations d'un romantisme que le Sagittaire enfièvre, aux emballements pour des causes utopiques, aux phases de révolte agressive contre la « tyrannie » de la famille ou de l'ordre établi, peuvent succéder des phases abouliques ou dépressives et, suite à d'inévitables déceptions, le rejet pur et simple de ce qui, la veille, avait été adoré. L'émotivité commune aux deux signes peut exagérer la sensibilité cancérienne en réactions d'écorché vif, aggraver le sentiment d'insécurité de l'un et l'anxiété de l'autre ; la saine extraversion des tendances sagittariennes s'en trouve freinée au profit d'un repli sur soi stérile et d'autant plus douloureux que le sentiment d'impuissance est ressenti avec plus d'acuité.

Un tel déséquilibre se rencontre dans la réalité mais, plus couramment, c'est à des manifestations névrotiques mineures qu'on assiste. J'ai pu observer ainsi, pendant plusieurs années et d'assez près, un « ensemble » familial dont les dix représentants étaient signés d'une constellation Cancer-Sagittaire propre, en raison de sa constance, à accréditer la thèse de l'hérédité astrologique. On y jouait Cocteau du matin au soir, en alternant « Enfants » et « Parents » terribles. L'aïeule, chef vénéré – et contesté, ô combien! dans la coulisse – tentait de faire la pluie et le beau temps tout en gémissant à fendre l'âme sur l'ingratitude de sa condition. La révolte couvait en permanence chez tous et chacun sans jamais éclater ouvertement. On s'entre-déchirait à qui mieux mieux : allusions perfides, accès de dépression, larmes discrètes, crises de nerfs ou mutismes du martyr noble, de temps à autre une menace suicidaire pour faire bon poids, plus souvent un chantage au « départ ». L'éventail de leurs dons était extraordinaire, inégalable leur talent pour transformer une menue frustration affective en atteinte incurable. Mais le plus étonnant survenait lorsque, même simplement potentiel, apparaissait de l'extérieur un « agresseur » étranger. Hop! dans la seconde même, comme par magie, le clan, ressoudé sous la tutelle protectrice de l'aïeule, faisait front, de la tête, du bec et des dents. Une fois l'alerte passée, tout recommençait, avec un brio toujours renouvelé.

Autre exemple de compromis répandu et assez comique lorsque l'enthousiasme sagittarien puise dans la sensibilité et l'imagination cancériennes riche matière à de valeureux exploits. C'est l'adolescent qui, en proie à de philantropiques ambitions, décide de consacrer sa vie aux lépreux, à moins qu'il ne vole au secours du tiers monde opprimé; las! tant de paperasses à remplir! et tous ces vaccins... Il ne va pas plus loin... c'est aussi bien, d'ailleurs. A l'âge mûr, cet incorrigible paladin s'emploie encore – verbalement, il est vrai, et toujours confortablement assis – à reconstruire le monde, de préférence à l'heure de l'apéritif ou, mieux encore, du digestif. Plus d'inégalités, plus de souffrances, plus d'injustices. Sans efforts comme sans effusions de sang, magiquement, tout est redevenu bonheur, l'homme étant redevenu ce qu'il était naturellement : bon. Tout bon. Ouf! le paradis perdu est retrouvé.

Sagittaire Ascendant Lion

C'est le qualificatif de rayonnant qui paraît le mieux convenir au feu *fixe* du Lion; c'est « midi roi des étés épandu sur la plaine ». La flamme jaillissante du Bélier est ici maîtrisée : elle se concentre et, à la limite, se cristallise.

Comme tous les signes de Feu, le Lion est de constitution athlétique : stature forte mais souple, larges épaules. La Tradition donne pour caractéristiques l'important volume de la tête et l'abondance de la chevelure : une crinière naturellement. Elle en distingue deux types.

Le Lion herculéen se reconnaît à sa forte carrure, sa tête massive, son visage large et plat comparable au mufle du lion. Combiné à son homologue sagittarien – type court –, il le modifie en accentuant l'impression de puissance, d'autorité majestueuse et d'assurance au détriment de la rondeur, de la bonhomie et de la jovialité. Le port de tête est fier, la voix sonore, le geste ample, parfois grandiloquent. Le contact est chaleureux, ouvert, mais se teinte assez volontiers de suffisance protectrice. La volonté d'élégance est ici de règle, le vêtement faisant partie des signes extérieurs de la réussite, mais elle emprunte souvent plus au souci de l'ostentation qu'au respect d'un classicisme éprouvé.

Le Lion apollinien présente des formes plus allongées, des traits affinés mais nets et fortement gravés; c'est le type même de la beauté classique. Combiné au Sagittaire « long », il peut donner naissance à un personnage particulièrement réussi. Une silhouette racée, une aisance altière nuancée de désinvolture lui confèrent une élégance aristocratique capable de valoriser avec le même bonheur l'imperméable et le smoking. L'expression du visage peut-être hautaine, le regard dominateur, le geste sec et impérieux, mais ici ou là un sourire enjoué, un geste chaleureux, une expression fervente ou amicale, venus du Sagittaire, adoucissent cet ensemble un peu trop surhumain.

La femme du Lion est d'une beauté luxuriante et non plus voluptueuse comme celle du Taureau. « Éclat et prestige », telle pourrait être sa devise. Une bonne alliance avec le Sagittaire lui donne une « classe » inimitable, une allure de déesse souveraine inaccessible. Une moins bonne? Elle s'applique alors – mais sans y réussir, surtout si elle manque de moyens financiers – à « singer » la *jet society,* les vedettes, les grands couturiers; elle tend à confondre classe et outrance spectaculaire. Un Jupiter conjoint à l'Ascendant Lion au carré d'une Lune-Taureau renforce cette propension nullement exceptionnelle à la boursouflure. Certaines Sagittariennes, afin de se « poser » dans le monde, aiment à faire étalage de leurs atours, de leurs fourrures, de leurs bijoux. De là à tomber, avec l'aide du Lion, dans l'éclatant mauvais goût de la surcharge, du toc et du clinquant, il n'y a qu'un petit pas... à ne pas franchir. Qu'en pensez-vous, mesdames?

Au stade du Lion, l'enfant, poursuivant ce qui a été amorcé aux Gémeaux, tente de s'individualiser. Les énergies concourent à un objectif essentiel : rassembler les premiers rudiments jusque-là épars de ce qui sera, beaucoup plus tard, le Moi véritablement construit, afin de créer le noyau central de celui-ci. A ce stade apparaissent des séquences d'actions dirigées et volitives. C'est en mettant à l'épreuve son aptitude à vouloir et à pouvoir, donc à s'affirmer, que l'être commence à s'appréhender par rapport à l'environnement en temps qu'individu.

On reproche au Lion son égotisme? Mais comment faire autrement lorsque s'inscrit à la base une telle nécessité? On lui reproche sa suffisance, ses jugements péremptoires et sommaires, son assurance excessive? Oui, mais... Dire de ce Moi tout neuf qu'il est naïf relève du pléonasme; ajouter que sous le « masque » il n'est ni aussi puissant ni aussi invulnérable qu'il le donne à voir, c'est comprendre que sous l'apparence domine le souci constant de se prouver la réalité et la valeur d'une création trop récente pour être déjà consolidée, achevée, sûre. Il subsiste toujours chez le Lion adulte quelque chose du « parvenu » et, par ailleurs, s'il réagit aux critiques avec une telle susceptibilité, c'est qu'en réalité il est, narcissiquement, beaucoup plus vulnérable qu'il n'y paraît. Cet état de fait est plus aisément perceptible trois signes plus loin par une comparaison avec le Scorpion.

Cette composante fondamentale de l'Ascendant Lion dégagée, que va-t-elle donner, attelée au Soleil du Sagittaire qui, lui, est censé avoir dépassé le stade de *l'affirmation* égotiste pour accéder à celui de la *participation* au collectif.

C'est une relation de synergie qui s'établit entre les deux signes (distance angulaire de 120 degrés, ou trigone); tout comme avec le Bélier, la communication s'établit de l'un à l'autre très aisément, renforçant les qualités respectives.

En doublant l'élément Feu, la combinaison double la triade Énergie-Dynamisme-Extraversion, signant donc des sujets qui, loin de s'abandonner à la bienheureuse passivité cancérienne, se montrent résolument actifs, entreprenants, audacieux. De tempérament impulsif, enthousiate, généreux, de tels sujets ne sauraient avoir que de nobles sentiments, qu'ils éprouvent le besoin d'exprimer. Portés à l'exagération, ils sont volontiers vaniteux quand on les flatte...

Leur amitié est aussi sincère que susceptible et seigneuriale. Elle sélectionne, préférant les relations « en vue », plus flatteuses pour leur amour-propre. Dépourvue de mesquinerie mais volontiers protectrice, elle se révèle souvent exigeante, prompte à dominer, laissant éclater la colère à la moindre divergence d'opinion, ne résistant pas à l'humiliation. Leur hospitalité est grandiose, conçue d'abord comme faire-valoir mais, si le Sagittaire parvient à se faire d'abord entendre, soucieuse tout de même du plaisir des invités. Leurs promesses sont généreuses; pour qu'ils les tiennent, il faut stimuler habilement, là encore, leur amour-propre.

La conduite amoureuse procède du même besoin de rayonnement.

Admirer l'homme équivaut à lui prouver qu'on l'aime. A partir de là il est tout prêt, et tout de suite, à se surpasser pour conquérir l'élue... qui vient de le piéger, à lui prodiguer la richesse et la noblesse de sa passion. Sa compagne doit en toute circonstance lui faire honneur et, par son élégance et son éclat, rehausser son prestige ; elle est là d'abord pour être montrée et vue, mais aussi pour partager et soutenir ses ambitions aux exigences desquelles elle doit se soumettre. Moyennant quoi, bien compris, il peut être un mari stable, capable d'assurer une situation enviable, ne lésinant pas à la dépense et non avare de démonstrations passionnées. Sinon, il est tenté de rechercher ailleurs le soutien admiratif dont il a besoin pour s'accomplir. Ajoutons que la composante sagittarienne se prête mal, ici, à certaines solutions plus spécifiquement apolliniennes : mépris et rejet de la femme dès qu'elle est conquise ou, par retrait, sublimation dans l'amour platonique. Le Sagittaire, en effet, doit trop à Dionysos ou au conformisme bourgeois pour se satisfaire longtemps du platonisme et par ailleurs, s'il est fier il n'est pas assez froidement égocentrique et orgueilleux pour accéder au mépris.

Cependant, de telles attitudes peuvent exceptionnellement se manifester ici lorsque le Sagittaire se voit minorisé ou effacé par des interventions étrangères et conflictuelles (Scorpion, Uranus, Saturne, surtout dans leurs relations avec Vénus).

La femme, pour croire en elle, éprouve le même besoin d'être admirée. Toute comparaison avec d'autres femmes qui lui paraissent plus douées ou plus belles lui est pénible. C'est le complexe biface d'infériorité-supériorité avec tout ce qu'il implique de désir de dominer et de risques de surcompensation. Le Soleil Sagittaire accentue chez elle la composante masculine. Le personnage peut s'orienter soit vers la recherche d'un accomplissement social indépendant – il s'agit de faire carrière, seule, comme un homme –, soit vers la recherche d'un partenaire répondant à l'idéal solaire qu'elle porte en elle. De toute façon la médiocrité, sociale ou matérielle, ne lui convient pas, le rôle d'épouse effacée non plus. Si elle rencontre un vrai « grand homme » capable d'endiguer en douceur ses penchants autoritaires et avec lequel elle se sente affectivement d'étroites affinités, tout va bien. S'identifiant à lui, elle lutte de toute son énergie pour assurer sa réussite; elle est alors une épouse très efficace, stable, fidèle, qui supporte d'ailleurs mal d'être trompée et a horreur du scandale. Si le mari se révèle médiocre, ou simplement paisible et peu ambitieux, elle porte alors résolument la culotte mais ressent une insatisfaction profonde tout en essayant de donner – et de se donner – le change. Il peut aussi lui arriver, comme à l'homme, de fonder son choix sur la position sociale ou la fortune, risquant cette fois l'insatisfaction affective, avec tous les problèmes et les remous internes qu'elle peut entraîner.

C'est en direction d'objectifs également ambitieux et mondains que l'attelage Lion - Sagittaire va s'élancer.

L'expansion peut se faire à l'horizontale (dominante martienne ou jupitérienne), sous - tendue par des appétits vigoureux d'ordre plus physique et matériel que spirituel : pouvoir, honneurs, richesses, l'efficacité concrète demeurant ici le souci dominant. Sinon, l'ambition, épurée, s'oriente vers un but plus haut, plus noble, où les valeurs intellectuelles, artistiques ou spirituelles l'emportent. Si les dons sont suffisants et la cohésion interne forte, il en résulte une personnalité marquante, originale, authentiquement altruiste, pouvant atteindre la grandeur vraie. Le personnage a besoin de communiquer son expérience, son ardeur et sa ferveur; il tient du missionnaire. C'est par exemple le cas de Maurice Barrès et, dans un autre domaine, celui de Raimu.

Exceptionnelles, ces réussites sont celles de l'élite. Il en est de moins remarquables mais cependant réelles chez les êtres bien doués, équilibrés; ceux-ci excellent, au niveau de l'entreprise, de l'administration, de la politique, dans le rôle de notabilités locales. Les atouts ne leur manquent pas : une intelligence vive, organisatrice, apte aux conceptions d'envergure et aux synthèses, plus objective et réaliste que celle du Sagittaire pur, mais néanmoins entraînée maintes fois par celui-ci aux jugements emportés et aux généralisations hâtives; une très grande puissance de travail ; la faculté propre au Lion de concentrer le vouloir comme la pensée vers un but fixe bien que, là encore, la suggestibilité et la cyclothymie – alternance des états exalté et dépressif – sagittariennes rendent cette faculté plus discontinue et plus fiévreuse.

Le goût du travail en groupe est commun aux deux signes; le Lion se veut l'élément moteur au centre de ce groupe, le Sagittaire l'élément coordonnateur. Optimale, la réunion des deux peut donner un chef complet : un autoritaire paternaliste, payant de sa personne, infatigable et efficace, capable de mener « son » groupe au succès. Moins bonne? Le chef se croit complet, se prend pour un idéaliste pur, libéral, compréhensif, dénué de tout égoïsme; il est d'ailleurs tout à fait sincère. Oui, mais... Au départ : « On travaillle la main dans la main, en équipe, pour le bien de tous. » C'est fraternel, égalitaire, le règne de la concertation... En cours de route quelques démentis, accidentels bien sûr, surgissent du comportement qui, à certaines heures, s'enfle curieusement d'importance, d'exigences tyranniques et contradictoires. On commence, en face, à s'interroger... A l'arrivée, on a compris : pantelante, l'équipe se voit coiffée d'un roi; le bien de tous, passé aux mains d'un seul, apparaît menacé : le roi voit trop grand, va trop vite, veut tout faire à la fois, se mêle de tout, pas toujours à bon escient, et reste obstinément sourd à tout conseil de prudence organisée ou de repos. Pourtant, c'est visible, il va trop loin.

L'inflationnisme à tous les niveaux est évidemment le danger majeur, le Sagittaire étant ravi de pouvoir amplifier ce que, si généreusement, lui prodigue le Lion.

André Gide : son refus de tout conformisme, s'exprimant pourtant en un style très classique, a orienté la pensée de nombreux écrivains. Il eut le prix Nobel de littérature en 1947.

Hyperactivité, surmenage tendent à user prématurément le cœur, les artères et le système nerveux, avec pour conséquence des troubles fonctionnels divers (circulatoires et cardio-vasculaires notamment, ou troubles psychiques).

Démesure des ambitions : réussites temporaires, l'échec survenant par excès d'ampleur, manque de patience et de sagesse ; fausses et précaires réussites édifiées à coup de bluff, d'illégalités, de hasards, certains types de Sagittariens étant enclins à jouer les aventuriers ; existences ratées qui s'épuisent jusqu'au délire en ivresses de grandeur entretenues par un idéal du Moi mégalomaniaque que la pauvreté des dons et la faiblesse du sens de la réalité ne peuvent ni satisfaire ni ajuster ; existences médiocres de Lion faible, Sagittaire mou qui se confortent de faux-semblants, tel le tyranneau domestique plein de superbe dans l'intimité mais inexistant au dehors, tel l'incapable que ses velléités brouillonnes et son esprit superficiel ne mènent nulle part mais qui plastronne haut et fort, cherchant à faire illusion pour se rassurer lui-même.

Sagittaire Ascendant Vierge

La Tradition semble ici un peu à court d'idées. Rien de notable à signaler en dehors d'un front haut et arrondi de penseur. Pour le reste : la taille ordinaire, les formes et les traits peu marqués, le teint tantôt assez pâle, tantôt assez brun, l'ensemble effacé, conviendraient, semble-t-il, au portrait de Monsieur Tout-le-Monde. Réputé de consitution fragile, chétive même, le Virginien serait tout de même doté d'un assez joli visage ovale et d'un regard aussi froid qu'observateur, encore que Maurice Privat, lui, incline vers le regard vif, pétillant et spirituel. J.-P. Nicola ajoute que certains types « rappellent des sculptures taillées dans du

118

Jean-Luc Godard : le talentueux réalisateur de *A bout de souffle,* du *Mépris* et, surtout, du désormais célèbre *Pierrot le fou,* changea tout à fait de ton en 1967 avec *la Chinoise,* film qui annonçait les événements de Mai 1968. Depuis, son œuvre prend un ton plus austère.

bois dur », tandis que l'intellectuel se reconnaît facilement « à son menton fuyant, son front où domine l'étage moyen, là où les physiognomonistes situent la pensée logique et raisonnable ».

Le Sagittaire peut apporter une note plus vivante, plus vigoureuse à ce physique peu caractéristique ; plus d'aisance à une présentation souvent un peu étriquée et gauche jusqu'à la raideur ; plus de chaleur à ce contact toujours réservé, timide même du Virginien, mais l'allure générale demeure discrète et posée, la parole mesurée et précise, éloignée de la volubilité sagittarienne : ni emphase ni assurance, mais de la simplicité.

Dans sa mise, l'homme ou la femme signé de cette combinaison se montre soigné, « tiré à quatre épingles » même, attentif à la qualité des tissus, à la sobriété de la coupe comme au choix raffiné des détails. L'ensemble est impeccable, d'une élégance simple, naturelle et sans sévérité.

Ce même refus du tape-à-l'œil se retrouve dans les traits psychologiques.

Finie la superbe du Lion ; consumé, l'idéal de toute-puissance a fait long feu, la réalité de tous les jours reprend ses droits. Aux Gémeaux, cette réalité objective avait montré le bout de son nez sans se nommer, simplement déconcertante parfois autant qu'interruptrice pour un bref instant de la découverte ludique d'un environnement. Au Cancer, révélée la différence entre quiétude du dedans et hostilité du dehors, elle avait suscité un recul tout en exigeant un dépassement que le Lion avait accompli ; ici, elle va conduire à de prudents aménagements. Plus question de recevoir l'extérieur sans la protection d'un filtrage attentif ; plus question d'obéir à l'impulsion sans examen ; le Virginien redoute l'un autant que l'autre. Ses désirs sont bien toujours là, mais les satisfaire pleinement se révèle problématique ; mieux vaut dans certains cas surseoir, dans d'autres limiter, parfois même renoncer. L'essentiel est de préserver, ou mieux, de réserver ses forces même s'il faut pour cela ramener « le plaisir de vaincre à la nécessité de se suffire » (J.-P. Nicola). Alors qu'aux Gémeaux l'environnement était reçu comme un vaste ensemble dont le sujet, avec une extrême mobilité, effleurait intuitivement les multiples aspects, la réalité extérieure est ici circonscrite à un espace plus restreint, aux frontières précises, aux éléments différenciés. Ici, on limite, on classe, on raisonne, on analyse, on élimine; bref, on regarde de près en soi et autour de soi avant de se laisser aller à l'action. Circonspection, méfiance même, mesure et sang-froid, économie et prévoyance, sens critique et sélectivité, telles seront donc les principales qualités positives correspondantes.

Le revers de la médaille apparaît lorsque la nécessité d'adaptation défensive propre au signe butte chez un même sujet à la fois contre un excès de méfiance et une insuffisance de moyens (énergétiques ou intellectuels). Diverses résultantes possibles : timidité maladive, refus d'ambition, hésitation paralysante; étroitesse d'esprit; scrupulosité tatillonne, mesquinerie, formalisme; rationalisme terre à terre, scepticisme systématique, tendance à la critique stérile.

On pourrait à bon droit voir dans ce raccourci psychologique une caricature destinée à servir de repoussoir au valeureux Sagittaire. Il est de fait que les natifs des deux signes s'entendent généralement assez mal; un timoré, maniaque de l'analyse, qu'un synthétique pressé bouscule de son audace et dont, en secret, il jalouse l'optimiste bonne santé; un intuitif fougueux, convaincu de son aptitude à embrasser le monde, qui se sent les ailes sournoisement rognées par un « empêcheur » – c'est là un euphémisme – méticuleux. Condamnés à cohabiter au sein d'un même individu, vont-ils obligatoirement se comporter en ennemis irréductibles? Tout dépendra de leur force respective et surtout de la présence ou de l'absence, au-dessus d'eux, d'un pouvoir capable, en les dominant l'un et l'autre, de les faire collaborer plutôt que s'entre-déchirer.

Là où existe ce pouvoir, on ne risque plus de se noyer dans les détails, ni de se complaire dans les velléités aussi vagues qu'ambitieuses. Le goût du contrôle et de la maîtrise, la possession de la technique vont servir la réalisation méthodique de projets non dépourvus d'envergure, ni d'inspiration, mais restant dans les limites raisonnables du possible. Le rêve n'est pas interdit, à condition de ne pas le confondre avec le réel. Bien faire ce que l'on fait, du mieux possible et en toute honnêteté, tel est alors le souci majeur car il importe, ici, de mettre quotidiennement en pratique l'idéal – tant pis s'il est plus prosaïque – auquel un Sagittarien pur se borne fréquemment à aspirer, faute de pouvoir se le rendre accessible. On ne va pas non plus se fermer d'un air renfrogné aux appels du dehors, mais avant de répondre on va attendre, le temps d'observer, de juger, de préférer et, si l'on met le pied quelque part en connaissance de cause, on veille, en gardant du recul – au besoin en l'accentuant –, à préserver son quant-à-soi.

Quelque réceptif aux grands courants mondains – idées et mœurs – que soit un Soleil au Sagittaire, l'Ascendant Vierge est là qui tend à substituer au rôle d'acteur un rôle de spectateur critique. L'adhésion peut certes exister, mais elle demeure conditionnelle et relative car dépendante des faits et des résultats constatés. C'est, à l'extrême, l'attitude neutre du comptable face aux chiffres d'un bilan. Quelque épris d'aventures que puisse être ce même Soleil, il ne peut pas s'égarer très loin, retenu par un « fil à la patte » (J.-P. Nicola) qui le ramène en des lieux plus sûrement conventionnels.

L'ambivalence, déjà fréquente chez le Virginien type, ne peut ici qu'être aggravée, solution la plus courante à de telles incompatibilités : le frein et l'accélérateur jouent successivement ou – dans des domaines différents – simultanément, donnant lieu à des conduites contradictoires ou ambiguës. Il arrive en effet que, trop serré aux entournures, le vêtement craque brusquement : c'est le timide en proie à toutes les audaces – incongrues d'ailleurs –, le gentleman courtois qui se mue en charretier agressif, le prude trop rangé qui cède à une libido échevelée, le pingre pris un beau matin d'une frénésie de dépense. La surface du bureau est impeccablement nette, mais les tiroirs révèlent un inextricable fouillis. Sous l'amabilité courtoise, sinon chaleureuse, de l'interlocuteur perce subitement le mépris; sous l'accord, en apparence sincère et convaincu, se flairent, dissimulés, la réticence, le calcul, la manœuvre de sape. C'est parfois – cas extrêmes – le monsieur qui, « parti-chercher-des-allumettes », ne rentre pas chez lui; l'aide-comptable besogneux qui décide, un beau jour, de mener la grande vie. Sans doute Neptune ou Saturne, peut-être les Poissons, y sont-ils pour quelque chose mais, en vérité, l'un et l'autre, las d'une existence terne et médiocre, viennent de céder enfin à l'appel des grands espaces.

Tiraillée, elle aussi, entre le désir et la peur, l'élan et la retenue, l'étroit et le large, la vie affective n'est pas exempte de problèmes. L'Ascendant Vierge implique une méfiance fondamentale envers les excès de la passion et, si l'individu est évolué, une propension aux retours sur soi, à l'analyse critique et desséchante des émotions et des sentiments. Si le Soleil se trouve tout seul au Sagittaire, si Vénus, Jupiter, Mars ou Uranus, voire Pluton, ne viennent pas quelque part amplifier, contrecarrer ou dramatiser l'antagonisme Vierge-Sagittaire, le problème n'est pas insoluble. Ce Sagittarien-là, de type plutôt paisible, va choisir l'élu (ou l'élue) en se fondant sur un accord de bienséance, d'honnêteté réciproque, de communauté relative d'idées et de goûts qui, s'il ignore les transports sublimes du grand amour, en évite aussi les complications, sans exclure la tiédeur équilibrante de l'affection partagée. Le Soleil en Sagittaire est, au surplus, bien placé pour limiter heureusement dans la vie quotidienne certaines tendances virginiennes aussi difficiles à vivre – pour l'entourage – que stériles : ratiocinations, mesquinerie, autoritarisme «ménager», hypocondrie geignarde. Personne ne saurait évidemment s'en plaindre.

Si le Sagittaire est très «occupé», l'amour n'a plus le même sens. Pour ce Sagittarien, il est vécu comme un merveilleux moyen de connaissance du monde, comme une aventure exaltante qui, en le transportant très au-delà de ses propres limites, l'enrichit et l'ennoblit. Dans ce cas, il n'est pas exclu que, surtout dans la jeunesse, le Virginien timoré veillant à l'Ascendant se laisse déborder, une ou plusieurs fois, par son impulsif adversaire, mais... dans l'inconfort du désaccord, et donc pour une durée plus ou moins brève, ordre, convenances, raison, sécurité reprenant un jour ou l'autre la main, non sans quelques regrets d'ailleurs. Passé la quarantaine, cette méthode «des essais et des erreurs» peut aboutir à une union réalisant une solution de compromis satisfaisante, ni trop emportée ni trop terne, qui n'empêche pas cependant, ici ou là, la résurgence – musclée à grand renfort de rationalisations – d'élans plus fougueux.

Cas extrême, un thème à dominante sèche très marquée et «dissonée» a toutes les chances, quel que soit le sexe, de conduire à un attelage réactionnel prenant le contre-pied des convenances et de la morale. Sous ses airs de puritain ou de sainte nitouche couve le libertin cynique et jouisseur, d'un égoïsme froid, tenté par la débauche et obsédé par la pureté, dont la conduite déconcertante, trouble sinon déréglée, traduit le combat intérieur.

Sagittaire Ascendant Balance

C'est Vénus qui, selon la Tradition, préside aux destinées de la Balance. Heureux auspices! Ce n'est plus la Vénus terrestre, charnelle, du Taureau; c'est une Vénus aérienne, affective, qui attire en effleurant. Un tel signe ne peut qu'engendrer la beauté : silhouette mince et souple, heureusement proportionnée, joliesse du visage aux traits réguliers et fins, cheveux soyeux et ondulés, yeux largement fendus au regard plein de douceur; bref, dans cet ensemble, tout n'est que souplesse, sinuosités, harmonieuse séduction.

Il y a là de quoi affiner sensiblement le Sagittaire. Plus de type chevalin, ni de formes trop généreuses, plus d'allure exagérément sportive ou trop bien-pensante; rien de rustique ni d'exhibitionniste; l'élégance, la vraie, celle de la mesure et du bon goût. La femme ne saurait être ici que féminine, coquette avec raffinement; elle cultive l'art de plaire, servie par un instinct très sûr de la ligne et de la couleur. Il faut une Vénus bien maltraitée pour occulter un tel don. Toutefois, la composante sagittarienne avec son allant et son souci de fierté atténue la langueur des attitudes, la sinuosité de la démarche et des gestes, éloigne l'homme du style efféminé, incline la femme à rechercher dans sa présentation la «classe» et le charme.

Un même souci de l'harmonie domine les composantes psychologiques.

Ce septième signe zodiacal se place au Descendant face au Bélier Ascendant; c'est, sur un même vecteur, l'automne opposé au printemps; c'est aussi le monde de l'Objet face au monde du Sujet. Ici va débuter, en effet, la relation objectale proprement dite en ce sens que, théoriquement tout au moins, la mère va être reconnue à la fois dans sa qualité de «personne» définie, distincte, non interchangeable (alors qu'aux Gémeaux, le pré-objet est, lui, tout à fait interchangeable), et de complément, dont la présence et l'amour se révèlent indispensables à l'équilibre d'un être encore insuffisamment armé pour assurer son autonomie.

Sur cet objet vont, en cas d'évolution normale, converger à la fois les pulsions libidinales et agressives réunies avec, cependant, une nette prédominance des premières.

Ce sont l'affectivité, le sentiment qui règnent à la Balance en même temps que la nécessité de l'indispensable complément et le sentiment d'insécurité qui peut en découler. S'y ajoutent : la souplesse propre aux signes d'Air et une tendance fondamentale plus passive qu'active. On comprend que, dans ces conditions, l'être signé de la Balance se révèle non seulement sociable mais, par souci de plaire afin d'être aimé, plus porté aux compromis conciliants qu'aux bagarres acharnées, plus hésitant que fermement décidé. La Balance n'est pas, comme on le croit communément, le signe de l'équilibre infus ; elle est beaucoup plus celui des oscillations, des atermoiements, des hésitations, qui traduisent non la possession innée de l'équilibre, mais le souci et le problème de trouver, entre deux contraires également insatisfaisants, un juste milieu acceptable.

Le Sagittaire est relié à la Balance par une distance angulaire de 60 degrés, ou sextile. Cet aspect, tout comme le trigone qui le relie au Lion, est un aspect de synergie. En quel sens va-t-il agir ?

D'abord par un renforcement des tendances mondaines communes aux deux signes, en conférant en outre à la sociabilité un caractère assez nonchalant, aimable, sélectif : elle est tout autant, et même plus, d'un esthète que d'un conquérant. Le Sagittaire met ici une sourdine relative à ses réactions abruptes, autoritaires ou passionnées. Les relations y gagnent en facilité, en habileté, mais elles peuvent aussi – à moins que Saturne n'intervienne – perdre en profondeur ce qu'elles ont gagné en aisance puisque, pour l'élément Balance, l'important c'est avant tout que, même superficielles, même éphémères, les relations existent et qu'elles soient sans problèmes. Par contre, la chaleur, la générosité foncières du Sagittaire peuvent éviter le glissement vers cette indifférence aimable, mais réelle, si souvent reprochée au type Balance pur.

La mobilité est un autre trait commun aux deux signes (élément Feu, élément Air), relevant chez le premier du besoin de dépense énergétique et chez le second d'une fonction défensive. L'affectivité et l'intelligence en portent la marque.

Le Sagittaire, par souci de tout connaître et de tout embrasser, a parfois tendance à disperser ses amitiés au lieu de les sélectionner, à décevoir ses amis par des promesses non tenues – la sincérité l'emportant sur le réalisme. A la Balance on promet tout autant, par souci de se « faire bien voir », mais on ne tient pas toujours non plus : il faudrait se battre, peut-être contrarier quelqu'un ; c'est trop difficile. On est en outre facilement déçu : y aurait-il des êtres méchants, ou même simplement rugueux ? Vite, on cherche ailleurs un plus aimable, quitte à s'apercevoir bientôt que, tout compte fait... Alors pourquoi, souple comme on l'est, ne pas revenir à ce qu'on a quitté.

D'un côté, une évidente et convaincante sincérité, de l'autre, un charme incontestable ; c'est plus qu'il n'en faut pour se faire pardonner.

En amour, c'est un peu la même chanson : au Sagittaire on s'emballe avec fougue ; c'est avec grâce qu'à la Balance on s'égrène. L'addition des deux ? Elle donne un résultat variable.

Un Sagittaire fort ne vit pas dans la même dimension que son Ascendant Balance. Ce n'est pas un complément de lui-même qu'il attend, mais un dépassement qu'il recherche à travers la relation amoureuse, vécue dans l'exaltation d'une chevauchée à deux et non dans le tiède ravissement d'une idylle à la Watteau. Or cette passivité un peu molle, ce refus de la fausse note, cette peur de l'abandon, freinent son élan, affaiblissent sa fougue, mais domestiquent aussi son penchant à la révolte. Il y a donc peu de risques que, homme ou femme, il s'oriente vers le choix anticonformiste d'un partenaire de race, d'origine et de milieu totalement différents. Pas davantage de chances qu'il admette certaines attitudes typiques du Balance pur : céder, et céder encore pour avoir la paix ; fermer les yeux pour ne pas voir ; se soumettre jusqu'au masochisme pour n'être pas abandonné. Si cela lui arrive, il en souffre dans sa dignité, et plus le temps passe, plus son attitude vécue comme une faiblesse le diminue à ses propres yeux ; il lui faut un jour ou l'autre faire violence à ce soumis, à ce craintif qui est en lui, pour retrouver, par un moyen ou par un autre mais sans fracas, le sentiment de son indépendance, de sa liberté intérieure, condition d'une nécessaire estime de soi. S'il n'y parvient pas, il en est réduit aux oscillations, allant d'un pôle à l'autre sans se décider et dans le déséquilibre, usant beaucoup d'énergie – dont il ne dispose plus pour autre chose – à vouloir concilier l'inconciliable.

L'intervention d'un Jupiter bien « assis » simplifie le problème. Les deux composantes s'allient pour trouver d'heureuses solutions; c'est le maintien sans heurts de la complémentarité du couple dans une tolérance réciproque et commode, attentive à ne pas dépasser certaines limites; c'est l'harmonie des goûts, l'élégance des mœurs et du décor dans une aisance confortable, le déploiement de la vie sociale dans un milieu choisi.

Sur le plan intellectuel, c'est l'alliance d'une intelligence vive, curieuse de tout, portée aux conceptions larges et aux vues synthétiques, à une intelligence souple, prompte à établir des parallèles comme à saisir les contraires, capable d'objectivité, soucieuse de peser le pour et le contre et de penser juste. Ces qualités trouvent à s'épanouir dans le droit, la philosophie, l'esthétique notamment – car la Balance a des goûts artistiques marqués plutôt qu'un don créateur –, dans les affaires, surtout si elles se rapportent à la décoration, la mode, l'esthétique ou les objets d'art, dans la politique enfin, à tendances centristes bien évidemment.

Dans l'adaptation optimale et dans la vie quotidienne, c'est le triomphe de la bienveillance, le Sagittaire étant par nature assez naïf et la Balance cherchant à se convaincre, pour ne pas se sentir malheureuse, « que tout le monde est beau et tout le monde est gentil ». C'est aussi l'opportunisme souriant aux résultats souvent excellents sur le plan de la réussite sociale et matérielle, mais plus contestables sur le plan moral, philosophique ou politique. Mieux vaut qu'il existe, par ailleurs, des correctifs de fermeté et de réalisme, afin d'éviter les possibles dangers de semblables dispositions. Le chevaleresque et idéaliste Sagittaire peut en effet se laisser piéger par son trop pacifiste Ascendant, adepte de la non-violence par crainte du combat et refus d'admettre une réalité où le mal, en fait, existerait. On risque d'aboutir à une impasse, là encore. Il faudrait faire une omelette sans casser d'œufs, aller de l'avant tout en restant derrière, virer à gauche tout en se maintenant à droite, fédérer idéalement un ensemble de particularismes bien ancrés dans leurs singularités respectives sans bousculer personne, nulle part. Il faut un talent exceptionnel pour soutenir une telle gageure. Le succès est rare. Le plus souvent, les conduites ne sont qu'ondoyantes et leur efficacité bien mince. On s'appuie sur de séduisants présupposés théoriques que les résultats démentent; la justice et la paix tant courtisées continuent à se refuser, voire à se rebiffer. Reste à se réfugier dans l'intellectualisme, où la phraséologie tient lieu de réalisation pratique, ou dans un neutralisme aimable... qui laisse le champ libre à de plus déterminés.

Sagittaire Ascendant Scorpion

Il existe chez le Scorpion comme ailleurs bien des variantes morphologiques, allant du sujet apparemment peu robuste d'allure un peu souffreteuse à celui qui, au contraire, dégage une impression de force et de puissance. A ce sujet, J.-C. Verdier assure que la disproportion entre des membres plutôt courts et grêles et l'importance massive du tronc est caractéristique du signe, faisant paraître les sujets plus grands assis que debout.

La plupart des auteurs s'accordent sur une chevelure drue, généralement brune, un visage au teint sombre, à la mâchoire volontaire, au nez fortement saillant, aquilin, proche du bec de l'oiseau de proie, insistant plus encore sur trois éléments considérés comme spécifiques. Le regard : profondément abrité sous une arcade proéminente aux sourcils épais, il est, suivant les cas, scrutateur, inquisiteur, dominateur, fascinant ou implacable, mais d'une intensité telle qu'il est difficile d'échapper à son emprise. La voix : d'après A. Barbault, elle a un son qui « vient des entrailles ou du sexe... chez l'homme elle tend à être forte, rude ou mâle; chez la femme elle garde une certaine âpreté animale ». La poignée de main, enfin, qui selon l'auteur équivaut « à l'ébauche d'un rapt : elle veut saisir, s'emparer : on est déjà possédé ».

L'apport sagittarien, très « étranger » ici, peut atténuer l'unité de ces catactéristiques en y introduisant de la spontanéité, de la gentillesse, quelque chose d'ouvert et de simple, plus sympathique. Mais à un moment ou à un autre, le fond Scorpion réapparaît dans toute son âpre possessivité : lueur inquiétante dans le regard, expression tendue mais fermée, intonation brève, tranchante, sarcastique ou méprisante.

La démarche est rapide mais elle ne procède pas par bonds successifs, c'est plus celle d'un félin que d'un sportif; les gestes sont assez brusques. Quant à l'habillement il tend avant tout, chez l'homme, à accentuer la virilité, et s'il est négligé, ce qui arrive, il donne plus dans le style débraillé que décontracté. Chez la femme on est très loin de l'allure « scout » propre à certaines Sagittariennes; on va cultiver le mystère plutôt que le classicisme, peut-être pren-

Francis Cabrel : ce troubadour a su faire de la musique – l'art de prédilection du Sagittaire – un tremplin pour ses mots de poète.

dre à certaines heures des airs de vamp inaccessible, à tout le moins se donner du « chien », mais en évitant de tomber dans les provocations outrageusement «femelles» de certaines Scorpionnes. C'est surtout par la qualité intense, magnétique, de sa « présence » que la femme va, dans ce cas, exprimer sa composante Scorpion.

Pour les spécialistes du psychisme infantile, la période qui va des sixième-septième mois aux neuvième-dixième mois, est une période transitionnelle dont le point critique se situe vers huit mois.

Selon Spitz, c'est à huit mois que, normalement, se met en place un « deuxième organisateur du psychisme » et que se produit ce qu'il appelle la « crise d'angoisse du huitième mois ».

Ce deuxième organisateur, concept abstrait, s'établit grâce aux progrès accomplis depuis le cinquième mois tant sur le plan somatique sur sur les plans mental et psychique. Il va accroître la faculté de discrimination et permettre l'intégration de séquences d'action dirigées et volitives de plus en plus nombreuses, de plus en plus complexes et adaptées.

La crise du huitième mois est très différente des réactions de déplaisir ou de peur – déclenchées par un objet précis – observables au cours des mois précédents. C'est l'angoisse proprement dite, existentielle. Elle survient lorsque apparaît, en l'absence de la mère, un inconnu, un « étranger ». Elle déclenche des réactions allant, selon les enfants, du retrait timide et silencieux à l'extrême agitation hurlante, en passant par le retrait brusque accompagné de tentatives pour se dissimuler; mais elles traduisent toutes le refus du contact, le rejet, l'angoisse.

Toujours selon le même auteur, la bonne ou moins bonne intégration de cette crise va dépendre en grande partie de la qualité de la relation qui, depuis la naissance, se sera établie

L'humour et l'esprit de provocation d'Alain Chabat ont fait la réputation de ce Sagittaire, demeuré un grand enfant turbulent, à l'aise dans tous les registres.

entre la mère et l'enfant, de ce qui, du « bon » ou du « mauvais » objet l'aura emporté. Ajoutons que l'intrication pulsions agressives-pulsions libidinales doit ici se poursuivre et s'affirmer, condition de l'accession ultérieure à une sexualité « normale ». Or, dans la pratique, l'observation du comportement scorpionien semble montrer une prédominance de la composante agressive.

A quoi se résume, pour les astrologues, le schéma psychologique du Scorpion?

Puissance énergétique, force de concentration, grande capacité de résistante et de régénération; intelligence lucide et jugement sûr; curiosité pénétrante, « faustienne ». Le tout est mis au service d'une affirmation de l'individualité qui, de toute la contraction du vouloir, s'enracine dans le refus et trouve dans l'obstacle un stimulant optimal.

Le Scorpion se présente donc comme un individualiste rejetant et possessif dont A. Barbault dit qu'il est « sensible à l'excès... à toute incursion étrangère dans un domaine qu'il considère comme étant sa propriété exclusivement personnelle ». Dans l'inadaptation c'est un réfractaire hostile qui, par vengeance du préjudice qu'il croit à tort ou à raison avoir subi, cherche à détruire. Par ailleurs, lorsqu'il est capable de sublimer ses pulsions sexuelles, reconnues comme prédominantes chez lui, il appartient à la race des créateurs. Enfin, si A. Barbault insiste sur la « correspondance » entre le signe et le stade anal freudien, on peut tout aussi bien supposer – dans le cadre d'une hypothèse fondée au départ sur l'évolution au cours de la première année seulement – que, dans le symbolisme zodiacal, le Scorpion a, particulièrement, « à voir » avec le stade sadique-oral (qui va de six à douze mois environ).

Le signe du Scorpion n'est séparé du Sagittaire que par une distance de 30 degrés. Ce n'est plus une relation d'entente ou de conflit comme avec le trigone ou le carré; c'est, assimilable à une conjonction, une cohabitation inévitable, une relation indissociable.

Le résultat en est fort variable suivant que l'emporte l'un ou l'autre signe, et tout autant suivant la qualité de l'ambiance où les sujets, très réceptifs, se trouvent ou se sont trouvés placés. Ceux-ci ont toute chance d'être implusifs, ambitieux, fiers; susceptibles et irritables aussi, mais combatifs et généralement plus stimulés que découragés par les obstacles. L'intelligence vive et intuitive est aussi pénétrante; l'assimilation demeure prompte mais beaucoup moins fugace, la faculté d'analyse certaine.

Il existe de grandes possibilités de réalisation car le Scorpion apporte là toute sa puissance énergétique – renforcée par le besoin d'activité du Sagittaire –, son esprit méthodique, sa faculté de concentration et surtout sa volonté tenace, celle qui justement fait défaut au Sagittaire type. Grâce à ce même Scorpion l'affirmation de soi, qui demeure une nécessité, est soutenue non plus seulement par le sentiment de supériorité, mais par la fermeté de caractère. L'individu sait ici s'opposer; moins soumis à l'impératif de sociabilité, il « ne se laisse pas faire ». Grâce au Sagittaire, l'attitude est cependant plus souple, plus ouverte et plus généreuse; la volonté, moins impérieuse et brutale, sait allier l'opportunisme et le besoin de dominer, le réalisme et l'idéalisme.

Dans ce duo, le Sagittaire chante l'adaptation, l'adhésion, la participation au collectif dans ses modes, ses idées, ses tendances les plus actuelles; c'est la communication aisée et souple, le dialogue toujours ouvert dans la sympathie, la compréhension et la tolérance réciproques. On sacrifie à l'opportunisme, on prône le libéralisme, on rassemble au maximum sans trop se soucier d'homogénéité.

Mais en dessous le Scorpion n'oublie rien de ce qui, justement, le sépare, lui individu, de ce groupe et l'y oppose. On est ici assez habile pour déceler les points faibles des autres, percer à jour les inimitiés et les rivalités à l'œuvre, démonter le ressort caché des attitudes... et en jouer diaboliquement. On caresse et on fustige tour à tour; on sait donner confiance ici, menacer ou inquiéter là, ailleurs critiquer ou approuver, susciter les complicités ou fomenter la division. On tisse des fils au centre d'une toile pour y prendre ce « collectif » qu'on méprise plus ou moins inconsciemment, mais auquel on est tout de même, qu'on le veuille ou non, étroitement lié.

L'attitude idéologique peut aller jusqu'à une idéalisation extrémiste et opposante de la dureté où il entre, là encore, du mépris pour le troupeau veule et soumis, en même temps qu'une incurable nostalgie de la pureté et de la grandeur, celle d'un « ailleurs » situé tout là-haut, délivré des laideurs terrestres.

En art, le génie n'est pas rare, grâce à cette alliance de l'intensité et de l'ampleur canalisée par la puissance de sublimation et de concentration sur l'œuvre à accomplir coûte que coûte. Il peut d'ailleurs y avoir quelque chose de dévorant dans cette passion vouée à l'œuvre, objet suprême. Quels qu'en soient les modes d'expression, cet art comportera toujours, avec des dosages très variables suivant les personnalités : l'humour noir, l'ironie, la subversion, le tragique, entrecoupés d'oasis de ferveur apaisée et sereine, fruit du dépassement sagittarien.

Sur un mode moins créateur et moins exceptionnel, l'individualisme refusant et opposant peut trouver un mode d'expression adapté dans la profession, du moment qu'il est possible là de lutter contre quelque chose ou quelqu'un.

Les mêmes caractéristiques se retrouvent dans la vie affective.

En général, le Sagittaire-Scorpion n'accorde pas son amitié à n'importe qui. Même si pour des raisons de convenances sociales il s'efforce de paraître aimable et tout à fait accessible, on sent derrière le sourire l'existence d'un mur qu'on n'est pas autorisé à franchir, dans l'immédiat tout au moins. A la différence de la Balance ou du Lion, il ne recherche pas la facilité ou le brillant des relations. Il est plus exigeant. Moins prolixe que le Sagittaire pur, il étale moins ses sentiments, retenu par une sorte de pudeur; quand il les exprime, c'est avec une intensité concentrée. Il ne bluffe pas, il ne ment pas, mais il ne dit que ce qu'il veut bien révéler. Ami sûr, capable de dévouement, il entend être payé de retour. N'aimant pas à se disperser, il n'aime pas non plus partager; exclusif et ombrageux, il se dissimule volontiers derrière l'ironie. A noter enfin que, dans ses relations amicales avec le sexe opposé, le Scorpion introduit ici une assez trouble ambiguïté; le sentiment y est à la fois trop passionné et, plus ou moins inconsciemment, trop lié à des notions d'interdit ou d'inaccessible pour être aussi simple et pur qu'on se plaît à le croire : même muselée, la sexualité est toujours là.

La vie amoureuse est rarement de tout repos. Si le Sagittaire est dans la majorité des cas d'une sexualité saine et tonique, celle du Scorpion est plus impérieuse, plus âpre et plus déterminante aussi. Dans les cas bien adaptés qu'on pourrait qualifier de bénins, l'amour bourgeois peut exister mais sa pérennité n'est pas certaine. La tolérance n'existe guère, sinon à sens unique. Il peut y avoir ici plus qu'ailleurs des crises de gravité très diverse. Il est rare que le fond Scorpion ne réclame pas un jour ou l'autre sa part de déchirements et de sado-masochisme. Lorsque les facteurs d'équilibre l'emportent, on n'atteint pas aux paroxysmes tragiques, mais le climat amoureux souvent tendu sur fond d'angoisse ne peut se délivrer ni de la jalousie agressive ni des ambivalences : possession-rejet, amour-haine du Scorpion. Les paroxysmes interviennent lorsque, surtout dans un thème féminin, Mars, Pluton ou Saturne entrent en conflit avec la Lune ou Vénus, le Sagittaire ne faisant alors qu'amplifier le déséquilibre.

D'ailleurs, cette cohabitation forcée ne se réalise pas toujours à l'avantage du Sagittaire, car elle peut entraîner affectivement une espèce de discordance interne. Douée d'un amour authentique de la vie, pourvue d'une bonne santé naïve, la partie sagittarienne de l'être, qui déteste la destruction et ne la comprend pas, n'est pas à l'aise dans les subtilités tortueuses du sadomasochisme. Elle s'y désenchante. Plus vulnérable nerveusement, elle ne résiste pas indéfiniment à l'angoisse. Bref, dans le climat scorpionien, elle s'épanouit mal et se fatigue. Les forces de vie peuvent l'emporter mais, la faculté de renaître de ses cendres n'étant pas infinie, si les crises se répètent, l'épuisement survient un jour ou l'autre dans ce combat interne, et il semble bien alors que le Sagittaire ait perdu.

Sagittaire Ascendant Sagittaire

C'est évidemment le type même de l'hyper-Sagittaire, théoriquement tout au moins, car dans la pratique, compte tenu des caractéristiques mêmes du signe, l'éventail de ses incarnations possibles en rend l'unité peu évidente, en apparence tout au moins. Si l'on essaie de voir ce qui sous la multiplicité des formes demeure permanent, que trouve-t-on?

Un signe de Feu, autrement dit un tempérament caractérisé par l'importance du potentiel énergétique en quête de sa manifestation. Il s'agit toutefois d'un Feu d'automne; ce n'est plus le jaillissement anarchique du Bélier, ni la flamme *fixe* du Lion; il peut brûler à la base tout aussi intensément, plus même dans certains cas, mais à la façon de la braise qui, à la surface, crépite en gerbes d'étincelles.

C'est un stade d'évolution caractérisé par l'apparition de certains schémas nouveaux de comportements et de performances, par l'émergence de nouvelles formes de relations sociales à un niveau de complexité plus élevé que précédemment. L'enfant aborde ici la compréhension des gestes sociaux et de leur usage en qualité de véhicules pour la communication réciproque; en même temps, il manifeste une réaction, qui est un début de réponse, aux ordres et aux interdits. Il se produit une véritable imitation par le geste – sans que toutefois le contenu idéationnel soit très bien appréhendé – très différente de celle qu'on avait pu observer parfois aux Gémeaux, qui est, elle, beaucoup plus rudimentaire, et globale comme la perception; cette imitation par le geste est le précurseur du mécanisme d'identification et son développement dépend beaucoup du climat émotionnel dans lequel vit l'enfant.

On assiste, en outre, à une modification de l'orientation dans l'espace. Jusque-là, la perception s'était limitée à l'espace-berceau. Maintenant, elle tend à déborder nettement cette limite et va à la recherche de ce qui est au-delà, en même temps que les gestes traduisent le désir de s'emparer de ce qui, justement, se situe dans cet au-delà.

On rencontre à l'Ascendant une problématique groupant conquête de l'espace, liberté, sociabilité, imitation.

Le Sagittarien qui s'y trouve se présente alors comme un être éminemment excitable, mais que son extrême réceptivité au milieu tend à rendre plus réactif, hyperréactif même, que véritablement actif. C'est sous forme de réactivité incessante – musculaire, mentale, émotionnelle – que s'écoule ici l'énergie. Il peut paraître agressif; en réalité, il n'est qu'impulsif, mais d'une impulsivité que les mécanismes d'inhibition, tout aussi prompts, tendent en la stoppant à émietter. Il a en fait plus de mobilité que de puissance combative. Par ailleurs, il ne cherche pas à dominer ce qui ne ferait que l'encombrer.

Cette très grande perméabilité au milieu a pour corollaire l'extrême diversité des aptitudes et de leurs expressions, mais aussi leur discontinuité. En outre, la très vive curiosité explora-toire qui sous-tend la découverte et la conquête de l'espace a tendance à se disperser du fait de la multiplicité des impressions reçues; l'attention ne se fixe pas longtemps sur le même objet. La mémoire enregistre très vite, mais, surchargée, elle oublie aussi vite. L'intelligence est prompte; les associations d'idées y triomphent en feu d'artifice, déclenchées par les plus fugaces variations de l'ambiance, par les contiguïtés et les ressemblances essentiellement; elle a plus de verve que de profondeur car elle comprend, ou croit comprendre, trop vite sans s'attarder assez; elle saisit d'emblée les diversités, mais elle a parfois du mal à faire l'unité; elle n'excelle pas dans l'abstraction, la complexité du vivant lui convenant mieux, plus à l'aise dans la sociologie, par exemple, que dans les mathématiques. Le raisonnement procède comme la démarche, par bonds successifs, sautant des étapes, laissant des trous, commettant, faute de rigueur, des confusions. L'intuition fulgure, inspirée, prophétique parfois, apte à pressentir les analogies lointaines comme à confondre généralisations hâtives et vérités démontrées. L'imagination tout aussi alerte, colorée au surplus, s'épanouit dans le symbolisme, excelle dans la métaphore, l'allégorie, le conte. L'affectivité est bien sûr débordante mais, épuisée par la multiplicité des états d'âme ressentis à un rythme accéléré, sa tension retombe, et à l'exaltation succède la dépression; c'est le triomphe de la cyclothymie. La volonté suit le même parcours d'élans et de retombées, et l'obstacle, à la différence du Scorpion, la décourage plus qu'il ne la stimule.

Quel est l'apport du Soleil à ce schéma de base?

Il serait trop long et fastidieux d'entrer dans les nuances propres aux différentes positions possibles de ce Soleil : au-dessus ou au-dessous de l'horizon, plus ou moins angulaires. Rappelons simplement que là où il se trouve, quel que soit le signe ou le secteur, figurent une sorte de conscience éclairante, d'intention, de volonté, une énergie de synthèse, littéralement un égocentrisme. Placé dans le même signe que l'Ascendant, le Soleil renforce énergétiquement les tendances du signe mais, placé en Secteur I, il accentue la subjectivité, le narcissisme et, un peu comme s'il introduisait une composante Lion, vise en même temps à leur affirmation; le sujet a alors tendance par réflexion à être à lui-même sa propre quête, son œuvre propre en fonction de cette image idéale qu'il porte en lui.

Or, si la présence de l'Ascendant et du Soleil dans le signe accentue l'unité des tendances sagittariennes, elle en accentue aussi les problèmes éventuels.

Aux Gémeaux, situés à l'autre pôle de l'axe, le sujet commence à percevoir globalement, par de multiples signes dispersés et fugaces, l'existence d'un extérieur à lui-même, alors que son Moi n'est encore représenté que par des éléments épars et diffus. Au Sagittaire, autre signe de transition, « mutable », le Moi, qui s'est depuis organisé et « cohéré » surtout au Lion et au Scorpion, doit faire face à une nouvelle intégration, celle d'un plus grand espace et d'une communication multipliée avec « l'étranger » et le collectif. Un Ascendant au Lion ou au Scorpion pouvait l'y aider. Un Ascendant au Sagittaire beaucoup moins, par l'incessante réactivité qu'il entraîne et par l'apparition du nécessaire mais transitoire mécanisme d'imitation qu'il suscite.

En conséquence, le sentiment de soi peut ici n'être que mouvant, sans cesse projeté ailleurs, sans insertion spatiale fixe et nettement délimitée, sans permanence non plus, la notion de durée n'apparaissant qu'au Capricorne. Pour que cette nécessité congénitale d'égocentrisme puisse trouver à la fois une insertion ferme et sa bonne forme d'expression au sein d'une relation à l'étranger et au collectif en perpétuel mouvement, il est nécessaire que des éléments de stabilité et de cohésion complètent ce substratum sagittarien et que, notamment, le Soleil puisse jouer harmonieusement et fermement son rôle.

Si les éléments de cohésion font défaut, le sujet risque d'errer à travers les trop nombreuses et mouvantes sollicitations de l'extérieur sans jamais « se » trouver; sans authenticité propre, il fait penser à ces personnalités « comme si » évoquées par les psychiatres, dont le Moi se révèle sans consistance à force d'être labile. En cas de conflits graves surajoutés, et surtout si le Soleil s'y trouve impliqué, des difficultés psychiques peuvent survenir à un moment ou à un autre; elles risquent de dépasser la simple inconsistance et même l'instabilité caractérielle pour aboutir à une pathologie de l'identité proprement dite.

Sagittaire Ascendant Capricorne

La morphologie capricornienne tend à se rapprocher de celle du Sagittaire « long » sans toutefois être identique.

C'est en effet l'allongement des formes qui prévaut, mais en plus osseux et en plus sec. Le dos peut être légèrement voûté. Le visage tend lui aussi vers la longueur selon deux types : l'un exprimant la tristesse par sa bouche mince, ses yeux tombants, son nez trop long, son front haut et dégarni ; l'autre exprimant volontiers l'ironie ou l'humour, le scepticisme aussi avec son œil oblique, son sourire froid et les deux rides verticales qui encadrent la bouche. Ce second type s'allie assez bien avec le Sagittarien rétracté pour donner un visage aux méplats accusés, au front et au menton saillants, aux traits bien découpés, aux yeux allongés et légèrement enfoncés. La beauté peut ici se combiner tout particulièrement avec la distinction. Le Capricorne type a souvent, en effet, une allure aristocratique ; le Sagittaire ne lui enlève rien, mais en le rendant moins froid et moins intimidant, moins rigide, il l'humanise ; l'influence saturnienne sous-jacente se remarque en outre dans le caractère mesuré de la démarche et des gestes, la concision du langage.

Bien que la timidité capricornienne puisse trouver un écho chez le Sagittaire rétracté – qui en dépit d'attitudes de surcompensation n'est pas toujours un champion de l'assurance –, la fierté aidant à combattre cette gêne, c'est au moins une apparence d'aisance assez réussie qui va en résulter.

L'habillement de ce Sagittaire ne peut qu'être classique et sobre. L'homme n'y attache en général qu'une importance relative, liée aux nécessités sociales. Etre simplement correct peut lui suffire, mais lorsqu'il incline à l'élégance, ses choix le portent vers les couleurs sombres et les coupes assez sévères. La femme adopte la même attitude. Très saturnisée, elle se soucie plus d'économie et de solidité que de coquetterie ; elle renouvelle peu sa garde-robe et ne cherche guère – pas assez même – à se mettre en valeur ; la mise, la coiffure, la discrétion, l'absence ou la maladresse du maquillage lui donnent une apparence sérieuse, un peu terne, un peu sans âge. Sinon, elle est avant tout exigeante tant sur la coupe que sur la beauté rigoureuse des matériaux et des couleurs. Elle sait porter le noir et elle recherche les vêtements très structurés, très dépouillés, dont la perfection formelle, dans sa simplicité, est le fruit d'un art consommé ; son élégance, d'une qualité très rare, est tout à l'opposé de l'improvisation et se tient au-dessus des modes ; elle est intemporelle. Bien différente de l'exhibitionniste Sagitarienne du Lion, celle-ci eût, autrefois, choisi Balenciaga.

Que se passe-t-il au Capricorne ? Sur le plan mental, faisant suite aux progrès de la capacité de discriminer, apparaît le début de la compréhension du rapport entre les choses ; c'est l'aube des notions de causalité et de déterminisme.

Sur le plan affectif, les attitudes émotionnelles commencent à exprimer des nuances plus subtiles qui ne font que s'enrichir et s'affirmer encore dans les mois suivants.

Enfin, la maîtrise de l'imitation, si elle est normalement acquise, prélude aux phénomènes d'identification et à l'intériorisation des interdits, seul moyen pour l'enfant, comme l'écrit Spitz, de « réaliser une autonomie croissante par rapport à la mère ». On retrouve là une problématique analogue à celle du Cancer, signe placé dans le Zodiaque face au Capricorne, mais à l'octave au-dessus. Il ne s'agit plus maintenant de se retourner vers le pré-objet pour y chercher appui ou refuge au risque de s'y « fixer ». Il s'agit de s'identifier : c'est en faisant comme l'objet, bon ou moins bon, en imitant ses actions, en tenant compte de ses permissions et de ses interdictions, que l'enfant peut devenir et agir comme son modèle afin d'être en mesure, très progressivement, d'« obtenir par lui-même tout ce que sa mère lui fournissait auparavant ». Or l'attitude de la mère, le climat émotionnel qui a régné entre elle et son enfant au cours des mois précédents, peuvent faciliter ou contrarier l'enfant dans ses efforts pour l'imiter. Cela revient à exprimer autrement ce sur quoi insistent plusieurs astrologues à propos du Capricornien : l'influence de la qualité des relations familiales sur son développement et son équilibre affectif.

Autre élément majeur : après la prise en compte de l'« étranger » et d'un plus grand espace à explorer survient ici celle du Temps, de la durée. Au Capricorne, le Moi a normalement beaucoup évolué depuis le Lion : il ne lui suffit plus de se projeter dans l'espace, il cherche à éprouver sa permanence dans la durée. Il s'agit de s'édifier dans un présent qui porte en lui le passé dont il est le résultat et l'avenir qui en sera le fruit.

Ce schéma structurel est, comme celui du Scorpion, assez différent du schéma sagittarien. Pourtant, là encore, la distance de 30 degrés séparant les deux signes implique la cohabitation qui juxtapose chaud et froid, horizontal et vertical, dilatation et rétraction, espace et temps, et dont le résultat va en grande partie dépendre de la force respective des deux signes ainsi

Jean Mermoz : ancien pilote militaire, il fut le pionnier de la ligne Rio de Janeiro-Santiago et réussit la première liaison postale aérienne directe France-Amérique du Sud. Il disparut en mer au large de Dakar à l'âge de trente-cinq ans au cours d'une liaison régulière.

que des deux planètes Jupiter et Saturne, tout en notant que la composante saturnienne a toutes chances de s'affirmer au fil des années.

Avec un Ascendant Capricorne, le Sagittaire a en effet tendance à se « saturniser » plus ou moins.

Bien sûr il demeure, surtout dans la jeunesse, enthousiaste, entreprenant et généreux; actif et réactif, ennemi de la contrainte mais très réceptif au milieu; d'une affectivité débordante aux élans impétueux soumis à des lendemains dépressifs; l'intelligence reste rapide, l'attention mobile et la volonté à éclipses. Mais il y a aussi en lui quelqu'un qui est conscient de ses limites, circonspect à l'égard de ses propres emballements; un introverti capable de prendre du recul par rapport à lui-même et au monde, qui aime l'analyse et l'introspection, qui veut l'expansion mais ne la confond pas avec la fuite en avant.

Ce Sagittarien-là se sait trop impulsif, diffus, velléitaire, trop soumis aux suggestions et tenté par impatience et excès de largeur de vue de survoler les choses au lieu de les approfondir. Il est donc mieux à même que quiconque de se corriger puisque une bonne entente avec son Ascendant capricornien peut lui en fournir les moyens en même temps qu'elle lui apporte la lucidité.

Le désir de rayonnement ambitieux est généralement très fort, surtout dans le cas où le Soleil – obligatoirement levé puisqu'il précède ici l'Ascendant – occupe une position très angulaire. Dans le cas d'une synthèse optimale des deux facteurs, le personnage, même si au départ son Soleil le sollicite dans plusieurs directions, va s'efforcer d'en choisir une et de s'y tenir. S'il y parvient, toute l'énergie et les facultés vont être canalisées sur l'ascension à opérer.

Guynemer : à vingt ans, malgré une faible constitution physique, il parvient à s'engager dans l'aviation, où il se distingue rapidement. Sa maîtrise, sa bravoure, sa froide audace lui valent l'admiration de tous. Il disparaît, avec son avion, le 11 septembre 1917. Son héroïsme a fait de lui une image légendaire.

Sur le plan des affaires c'est, après un départ souvent modeste, la conquête d'espaces de plus en plus vastes de façon à devenir une puissance ; même processus lorsque cette ascension se fait sur le plan intellectuel ou politique, l'alliage de l'ambition et de l'ouverture d'esprit menant fréquemment à l'enseignement supérieur ou à la politique ; spirituelle, elle obéit à une morale très élevée qui comporte pour soi-même une ascèse, mais qui entend utiliser sa puissance au sein du monde, plutôt que dans un couvent, au profit du bien ; artistique, c'est la rigueur de la construction alliée à l'ampleur de l'inspiration et la nécessité d'une dimension philosophique.

L'ambition ne peut ici se satisfaire de rêves ou d'ébauches qu'on abandonne les uns après les autres, pas davantage d'apparences. Il lui faut des résultats concrets et stables. Pour atteindre ses objectifs, elle sait utiliser certains atouts sagittariens, intuition ou inspiration, mais elle entend les conforter d'éléments plus éprouvés : analyse lucide, objectivité, patience. On brasse moins d'idées et moins de projets, on réfléchit, on approfondit avant d'agir, on cherche à s'appuyer sur des faits et des certitudes. On programme dans le temps comme dans l'espace en essayant de consolider l'acquis au fur et à mesure. La lucidité toujours en éveil tente de calmer l'énervement et l'impatience lorsque les circonstances sont peu favorables et les projets insuffisamment mûris, maîtriser étant en effet ici une nécessité fondamentale. Il y a moins de gaspillage d'énergie, mais de la souplesse et du calcul : quand on ne peut pas enlever l'obstacle d'emblée, on le contourne.

En général, l'autorité, ferme, est elle aussi nuancée de souplesse. L'éthique, idéaliste, est celle d'une tolérance attentive à respecter la morale ; elle s'attache à la pérennité des valeurs. Elle est défendue parfois avec fougue, mais sans tomber dans la verbosité lyrique.

131

La sociabilité fondamentale du Sagittaire le conduit à participer à la vie collective, mais sur un mode qui porte l'empreinte capricornienne. L'esprit d'équipe existe mais il n'est que relatif; à quelque échelon social que ce soit, les relations aux autres tendent à perdre leur caractère spontané et familier, il s'y glisse toujours une certaine distance plus ou moins perceptible. Le personnage n'inspire pas d'emblée la sympathie des foules, ce qui d'ailleurs lui est indifférent, mais il gagne généralement à être connu. Après quoi on le recherche volontiers comme point d'appui car on lui reconnaît un jugement sûr et on le sait fiable. Dans l'examen des problèmes, il apporte un esprit de conciliation et de compréhension large tout en demeurant réaliste. Il souhaite satisfaire aux nécessités contemporaines et mondaines sans sacrifier au snobisme ou aux modes. Il essaie d'aménager sa rigueur capricornienne : il ondoie, il fait quelques concessions en vue de ménager l'avenir, tout en refusant un opportunisme éhonté. Malheureusement, à l'expérience, son idéalisme est parfois déçu; alors il « accuse le coup » et, découragé, fait retraite.

Il reprend des forces en analysant ses erreurs et lorsqu'il a mûri son échec, il réattaque le problème autrement.

La synthèse Soleil-Ascendant ne s'opère pas toujours aussi idéalement car elle équivaut, en fait, à une association de contraires.

L'égocentrisme, accentué par un Soleil angulaire, se concilie parfois assez mal avec les idéaux de justice, de liberté et de tolérance humanitaires. L'ambition aussi qui, par ailleurs, exige pour se réaliser : la continuité d'un choix, donc le sacrifice d'autres intérêts; la ténacité de la volonté, peu compatible avec les sautes d'humeur; la fermeté du caractère, qui permet de s'en tenir à ses propres décisions sans subir les influences d'alentour; le sens des responsabilités et de la discipline intérieure, qui conduisent à accepter des contraintes dont on se passerait volontiers.

Peu réussie, cette synthèse conduit à des comportements contradictoires qui traduisent la difficulté de parvenir à l'unité intérieure et gênent les réalisations. Le personnage, surtout dans sa jeunesse, fait alterner le « chaud » et le « froid », tour à tour expansif et renfermé, superficiel et grave, hâtif et pondéré, laxiste et rigoureux, enthousiaste et sceptique, désintéressé et calculateur, altruiste et égoïste, mystique et matérialiste. (On pourrait allonger cette liste déjà trop longue.) C'est en mûrissant qu'il va trouver son équilibre : le Capricorne l'y aide en lui donnant, tôt ou tard, la force de cohésion nécessaire à son unité. Le Sagittaire, de son côté, lui évite certains écueils typiquement capricorniens : le repli sur soi mélancolique par sentiment d'impuissance et d'échec ou, sinon, l'intransigeance, le sectarisme, l'excès de conceptualisme.

Enfin, des difficultés liées à des problèmes d'identification peuvent survenir lorsque le Soleil – en Secteur XII – et Saturne sont impliqués dans des rapports conflictuels dont l'expression va d'un extrême à l'autre : arrivisme forcené, surcompensatoire ou, à l'inverse, sentiment d'infériorité paralysant, accompagné de repli sur soi et de conduites d'échec, l'une ou l'autre aboutissant à bloquer plus ou moins les valeurs sagittariennes d'expansion, d'optimisme ou de tolérance. La vie affective est, elle aussi, imprégnée de cette coexistence de tendances contraires : expansion et rétraction.

Ce même Sagittarien peut avoir beaucoup de relations si les impératifs de son ambition l'exigent, relations avec lesquelles il entretient des rapports cordiaux mais de commande. L'amitié, la vraie, est beaucoup plus rare. Elle s'établit sans précipitation; même ressentie intuitivement au premier contact, il faut compter avec la retenue capricornienne : « *wait and see.* » L'estime réciproque en est une condition *sine qua non*. Exigeante sur la qualité de la réponse, elle n'a aucun goût pour la tyrannie et beaucoup trop de fierté pour se montrer jalouse mais, aidée en cela par la tendance sagittarienne à s'ingérer, elle devient assez facilement un peu conseillère, un peu moralisatrice. Sa franchise relève plus d'un principe que d'un mouvement impulsif; moins passionnelle, elle est plus rigoureuse et plus définitive. C'est une amitié qui, d'ailleurs, pardonne très mal le mensonge et qui a de la mémoire pour les bienfaits comme pour les offenses, tout en demeurant, grâce au Sagittaire, peu capable de rancune. Elle se rappelle les promesses, celles des autres mais aussi les siennes qu'elle se fait scrupule d'honorer, évitant ainsi de les formuler à la légère. Dans la difficulté, elle sait être présente et, sans excès démonstratifs, efficace.

La vie amoureuse doit ici tenir compte à la fois de l'ambition et du caractère contradictoire de l'affectivité placée entre l'élan et la crainte, le besoin de s'extérioriser et celui d'être maîtrisée. Avec un Ascendant capricornien, le sentiment est plus profond qu'épidermique; pour être contenu il n'en est pas moins exigeant ou violent, mais ses blessures cicatrisent moins facilement, car il y a alors plus de mémoire et moins de confiance en soi; il tend aussi à se défendre contre l'attachement, conscient des souffrances que celui-ci risque d'entraîner. L'être désire connaître la passion, il l'éprouve mais il hésite à y céder par peur des ravages qu'elle risque de provoquer.

Si les valeurs sagittariennes l'emportent, la vie amoureuse peut s'orienter vers la fougue en plusieurs unions successives que l'exigence et l'insécurité tendent à rompre pour les rejeter presque aussitôt. Dans un thème plus calme, elle se résout généralement vers la trentaine, après une succession d'aventures, par une union fondée sur l'estime, le crédit social, les affinités intellectuelles ou ambitieuses. C'est au détriment de tout le reste dont la résurgence peut un jour susciter brusquement une crise, en réalité longuement couvée et généralement résolue par le retour, plus ou moins nostalgique ou amer, au raisonnable. Dans les cas très adaptés, la sublimation joue un rôle prépondérant en faisant dériver l'ensemble des énergies sexuelles et affectives sur des intérêts professionnels, intellectuels ou artistiques; la volonté peut aussi maintenir la fermeté d'un choix qui a consciemment impliqué le sacrifice de ce qui, au départ, a été jugé comme transitoire et mineur.

En ce qui concerne plus particulièrement la femme, signalons qu'elle est d'autant plus ambitieuse et plus masculine que son Soleil est plus angulaire. Si ses capacités le lui permettent, elle peut essayer de tout canaliser dans une ascension professionnelle plus ou moins durement menée, quitte à s'octroyer de temps à autre des concessions que son équilibre réclame mais dont elle entend, par-dessus tout, garder la maîtrise; les partenaires choisis sont souvent plus jeunes qu'elles, ou placés dans un rapport ou de dépendance à son égard.

Plus fréquemment, elle se résout à être ambitieuse à travers le mari qu'elle aide et pousse même de toute son énergie, de toutes ses qualités d'ordre, de méthode, d'efficacité calculée. C'est une épouse fidèle. Encore faut-il que ce mari suive... Or, elle a tendance à en vouloir toujours plus. S'il réussit à la mesure de ses désirs, tout est pour le mieux, réserve faite à nouveau d'éventuelles résurgences passionnelles. Sinon, avec une frustration accentuée apparaît le sentiment d'échec, dépressif, d'autant plus qu'en général les joies de la maternité sont impropres à la combler. Le conflit peut aboutir à une expression somatique ou se résoudre, ici encore, par une sublimation intellectuelle ou artistique.

Sagittaire Ascendant Verseau

Le propre du Verseau serait, quant à l'apparence physique, de ne pas se signaler à l'attention des foules. Beaucoup moins « animal » que les précédents (Bélier, Taureau ou Lion), il se prêterait moins qu'eux à la caricature, faute de traits marquants, et subirait toute influence planétaire ou zodiacale étrangère au point de ne plus se ressembler.

Chez les auteurs, ce signe ne réussit pas à faire l'unanimité. Si J.-C. Verdier lui prête des formes rondes et une constitution asthénique, un teint clair, un grand œil mobile au regard doux, Maurice Privat le voit, lui, résistant et solide de corps, pourvu d'un visage très allongé au front haut, de pieds et de mains noueux. Un autre insiste sur la beauté de ses grands yeux expressifs, tandis que J.-P. Nicola signale l'existence de certains spécimens au regard absent, « perdu dans des brumes intérieures », et d'autres dont le regard « fixe et implacable » traduit la froide détermination de l'ambitieux ou de l'aventurier. A. Barbault, enfin, souligne la délicatesse des formes et des traits, la transparence du teint et de la peau, qui concourent à donner à l'ensemble du personnage un caractère immatériel, angélique.

Il est bien certain qu'une touche de Sagittaire, à fortiori si elle s'accompagne d'une intervention de Jupiter, Mars ou Uranus, va donner plus de poids et de relief, bref, plus de matérialité à cet être séraphique, qui, du coup, va paraître plus présent. Sa manière de s'affirmer, moins directe et moins vigoureuse que celle d'un pur Sagittarien – il y met au départ plus de timidité et de réserve –, est plus originale, en dépit d'une parole plus contenue et de gestes moins démonstratifs. Le « singulier » y perce qui, tout de suite, intéresse. Bien sûr, si Mars ou Uranus en font trop, le tableau peut être tout différent, le fracassant et l'excentrique remplaçant ce discrètement « singulier ».

La combinaison Verseau-Sagittaire peut, suivant les interventions étrangères, aboutir à différents styles vestimentaires. Avec Saturne : une mise simple bannissant la franfreluche mais où la coquetterie subsiste, un détail très personnel sachant exprimer avec bon goût une originalité discrète. Un Jupiter sage incline à un classicisme plus étoffé, mais allégé et modernisé par cette pointe de fantaisie que les Sagittariennes pures – s'il en existe – ne savent pas inventer. Avec Uranus, ou un Jupiter moins sage, c'est chez l'homme ou la femme le triomphe du « dernier cri » porté dans les bons cas avec un chic indéniable et très personnel, et, dans les moins bons, poussé jusqu'à l'extravagance d'autant plus aisément que le Sagittaire, lorsqu'il se pique d'anticonformisme, sait avoir la main lourde.

A mesure que l'on avance dans le parcours du Zodiaque, la complexité croît parallèlement au niveau de l'évolution; l'« humanité » aussi, à mesure que les instincts parlent moins souverainement.

La complexité apparaît ici d'entrée; le Verseau est en effet un signe d'Air (la mobilité expansive caractérisant cet élément), mais un signe fixe (ce qui sous-entend à l'inverse une cristallisation) dont le graphisme symbolique évoque l'Eau, autre élément fluide, et que la Tradition, enfin, place sous la tutelle d'Uranus, planète de Feu essentiellement focalisatrice et unitaire. Seule la Terre, en tant qu'élément, manque ici. De là à voir dans tout natif du Verseau un être immatériel, voire angélique, il n'y a qu'un pas que l'exemple toujours cité de Mozart incite à franchir. Certes... mais l'exception idéalement représentative ne saurait avoir valeur de règle.

L'« humanité » est tout aussi évidente, car avec le Verseau s'épanouit la socialisation commencée aux Gémeaux, précisée à la Balance, élargie au Sagittaire. Le stade de l'intégration, est dépassé; celui, capricornien, de l'édification de soi-même au sein de la durée aussi. L'être a désormais le sentiment de ce qui le dépasse dans le temps comme dans l'espace, tandis qu'entre lui-même, ses semblables et le monde s'établit une réciprocité d'appartenance et que, parallèlement, passé, présent et avenir s'unifient en « devenir ». Ce n'est plus la notion d'une communication avec le collectif qui s'impose comme au Sagittaire, mais celle d'une relation à l'Univers, de la fraternité et de la solidarité universelles, en même temps que celle du progrès nécessaire : il devient possible de transformer le monde pour le faire avancer par des découvertes, des inventions, des réformes, des révolutions.

Face au Lion égocentrique situé sur le même axe zodiacal, à l'autre pôle le Verseau ouvre deux voies possibles : l'une, plus saturnienne, est l'effacement de l'ego au profit et au service de la communauté humaine; l'autre, plus uranienne, mène à l'affirmation de l'individualité même, dans son originalité d'exemplaire unique.

On se trouve donc au Verseau très éloigné de la relative simplicité de signes « animaux » comme l'impulsif Bélier ou le possessif Taureau. Il est bien évident que, dans ces conditions d'humaine complexité, la combinaison Verseau-Sagittaire se prête assez mal à une réduction schématique.

Le tempérament est d'autant plus fougueux que la rapidité et l'instabilité des réactions, communes aux deux signes, se trouvent ici redoublées ; mais s'il est réactif, il sait aussi se montrer actif. L'impulsivité et l'enthousiasme, qui débordent souvent la réflexion, l'impatience sagittarienne, si elle se donne libre cours, entraînent des comportements changeants, trop précipités, aventureux ; l'optimisme et la confiance en soi conduisent fréquemment à la présomption.

Si à l'intérieur ou à côté de cette combinaison Verseau-Sagittaire, des éléments de retrait ou de freinage interviennent, le sujet apparaît complexe et contradictoire : impulsif et retenu, expansif en surface mais renfermé en profondeur, tenté par l'aventure surhumaine, mais aspirant au fond de soi à la sagesse.

L'intelligence, généralement prompte, se caractérise par de fulgurants éclairs d'intuition et une aptitude à comprendre les choses du dedans. Éprise de clarté, elle manque cependant assez souvent de rigueur et de cohésion, mais elle manie le paradoxe et la contradiction avec beaucoup d'aisance. Si le Verseau ou Uranus l'emportent sur le Sagittaire et Jupiter, elle a le souci de la vérité, qui pousse à comparer, chercher, scruter l'au-delà des apparences et à démystifier les idées toutes faites. Le goût de la lucidité et l'aptitude à l'autocritique orientent certains sujets vers les sciences humaines et les incitent à pratiquer l'introspection, l'autoanalyse, dans un but constructif de progrès personnel. La largeur de vue est extrême, la curiosité aussi qui s'étend, ici, à l'époque et à l'être humain tout entier, qu'elle cherche non seulement à explorer, mais à comprendre dans leurs caractéristiques, leurs idées, leurs motivations, leurs mécanismes, tout en s'efforçant de déceler ce qui y est contenu en germe.

Les sujets les plus doués sont capables d'une pensée authentiquement originale. Chez certains, l'esprit s'oriente vers les techniques, toujours avec la visée sous-jacente de progresser ou d'innover. Chez beaucoup, l'intelligence prend une tournure inventive plus ou moins marquée. Chez tous ou presque, il se manifeste à des degrés divers un intérêt pour la connaissance en tant que telle.

Ce Sagittarien a le goût des idées neuves pour lesquelles il prend fait et cause un peu trop rapidement, l'amour de la liberté, le sens et le besoin du groupe, mais il conserve en même temps une tendance plus ou moins consciente à se conformer au milieu. Une exception toutefois lorsque Mars ou Uranus interviennent en force : le sujet est alors tenté par la révolte; il pousse le refus du milieu jusqu'au défi et au scandale, cherche à bousculer les usages, les routines et les préjugés pour être lui-même à part entière; mais il lui faut une très forte personnalité pour réussir à vivre « son » aventure prométhéenne (tout le monde n'est pas Mermoz) et pour surmonter le sentiment d'insécurité provoqué par sa situation « hors norme ».

C'est en même temps un sincère, un être de foi qui croit en l'homme et en l'avenir de l'humanité – il les idéalise tous les deux – et très souvent un naïf. L'Ascendant Verseau le cérébralise tout en lui donnant non plus le besoin du seul mouvement, mais celui d'une action mise au service d'un but ou d'une cause. Le Sagittaire incline à se battre pour les faibles et les opprimés, tandis que le Verseau, lui, élargit et hausse le combat à la notion du bien commun et du progrès de l'humanité.

Dans ces conditions, un sujet équilibré pourvu d'un Moi fort est capable d'acquérir en souplesse une indépendance d'esprit et d'action authentique, en utilisant l'adaptabilité sagittarienne qui cesse d'être une fin pour n'être plus qu'un moyen. Il peut alors donner l'apparence de se soumettre aux normes du milieu mais, en réalité, il est bien décidé à en opérer le dépassement dès qu'il pourra le faire. Il est habile, quitte à se montrer changeant, à multiplier les occasions de contacts et d'alliances qui lui permettent d'utiliser les gens et les circonstances pour parvenir à ses fins. Cela se comprend d'autant mieux que, fréquemment, l'Ascendant au Verseau est ici assorti d'un Soleil en Secteur X, qui conduit le sujet à se projeter dans une activité ou une profession donnant accès au plus large espace humain possible. Ces Sagittariens doués deviennent généralement des chercheurs, des découvreurs, des réformateurs ou des rénovateurs plus ou moins hardis. Ce sont, quel que soit leur domaine d'action (industrie, finances, politique, art, philosophie, sciences), des hommes de progrès, des révolutionnaires pacifiques.

Cependant, la foi en l'homme avec l'idéalisation qu'elle implique et les rêves qu'elle suscite, et l'appartenance au groupe ont leurs revers. Ce Sagittarien-là « plane » trop souvent; il ne voit ni les gens tels qu'ils sont en réalité, ni les obstacles qui, dans le concret, peuvent s'opposer à la réalisation de ses théories et de ses désirs. Au surplus, trop dépendant du groupe dans le sentiment de sa propre existence, il manque de la fermeté nécessaire pour résister aux sollicitations des uns et des autres. Par sa naïveté, il se laisse fréquemment prendre aux pièges, aux manœuvres, aux calculs. Il lui arrive donc de tomber de haut. Autre facteur d'échec, l'insuffisance de la volonté qui, pas toujours très ferme non plus, ni très continue, ne peut pas s'élever à la hauteur des ambitions.

Un sujet d'étoffe et de dons plus médiocres se contente, en général, des apparences de l'originalité et de l'universalité. Trop jupitérien ou mercurien, il glisse vers la facilité; il s'agite, se déploie, brasse et rassemble beaucoup d'idées fumeuses et contradictoires, de vastes projets, des gens hétéroclites mais, en fait, il sonne creux; il va trop vite et trop loin sans assez de rigueur pour pouvoir aller profond. Trop uranien et pas assez doué il tend, faute de capacité à réaliser de l'authentiquement original, soit à virer à l'excentricité – qui lui tient lieu d'originalité –, soit à se réfugier, sans jamais rien réaliser,dans la croyance au talent incompris et le maniement des utopies grandioses. L'affectivité porte aussi la trace de l'apport Verseau : cérébralité, idéalisation, égalitarisme, liberté.

La vie amicale joue un rôle prépondérant. Elle obéit à la spontanéité et à la générosité communes aux deux signes. Elle ne présente ni l'exclusivisme de l'Ascendant Scorpion ni l'exigence d'estime du Capricorne, pas davantage leur sélectivité ; plus largement ouverte qu'au Sagittaire pur, elle se préoccupe moins des tabous sociaux. La maison de ce Sagittarien-là est toujours accessible aux très nombreux amis, aux « frères », tous ces frères que suscitent l'universelle curiosité et l'amour du semblable; on partage avec eux, à n'importe quelle heure du jour ou de la nuit, le vivre – avec ses goûts, ses préoccupations intellectuelles ou

Pierre Brasseur, comédien à la vie aventureuse, dont la carrière éblouissante n'a pas connu d'éclipses, jusqu'à la fin.

artistiques, ses idéaux politiques ou sociaux –, le gîte et le couvert, même s'ils sont modestes. C'est simple, égalitaire et sincère. C'est une maison où circulent vraiment beaucoup de gens ; parfois, l'hôte est déçu car il est allé trop vite pour donner sa confiance et son adhésion. Peu importe, il s'en remet et... recommence.

La vie amoureuse porte assez fréquemment la marque d'un divorce entre le cœur et la tête.

Homme ou femme, ce Sagittarien croit à l'égalité des sexes; il ne s'agit plus pour lui de dominer ni de se soumettre, mais, là encore, de tout mettre en commun. Ayant tendance à idéaliser déraisonnablement l'être aimé, il ne peut généralement qu'être déçu, ce qu'il supporte assez mal. Au surplus, émotif et sensible, il est partagé entre l'élan qui, spontanément, l'emporte vers la ferveur et l'exaltation du sentiment amoureux partagé et le souci de n'entraver ni sa liberté, ni l'expression de son originalité. Il hésite donc à s'engager et, plus intellectuel que le Sagittaire classique, il tend à dessécher ses sentiments en les passant au crible de l'analyse. Il adopte des attitudes diverses qui, chez un même individu, évoluent en général avec l'âge, mais qui toutes expriment, peu ou prou, cette problématique. Dans la jeunesse, il est sujet aux coups de foudre que l'usure de la réalité quotidienne éteint rapidement; il se résout alors au divorce. Plus âgé ou plus cérébral par nature, il choisit le, ou la, partenaire en fonction de ses affinités intellectuelles. La femme, elle, excelle à découvrir chez l'homme les talents en puissance qu'elle aime à développer à condition de ne pas y laisser son indépendance.

L'amitié amoureuse est aussi un compromis fréquemment adopté. Quant aux amitiés tout court, elles se posent très souvent en rivales du sentiment amoureux; si d'aventure le partenaire frustré dans son désir d'intimité veut leur faire obstacle, le conflit surgit et, là, il s'aperçoit bientôt qu'il n'a le choix qu'entre se soumettre ou se démettre.

136

Alexandre Soljenitsyne, le premier
écrivain à avoir décrit la condition
d'un artiste opposant au régime en
U.R.S.S. Il a vécu longtemps aux
États-Unis, et a pu retourner il y a
quelques années en Russie.

Sagittaire Ascendant Poissons

Il y aurait, selon la Tradition, deux types de Poissons qui semblent pouvoir s'allier respectivement aux deux types de Sagittaire.

Le premier type, jupitérien, construit en largeur, aurait pour caractéristiques essentielles : un torse développé, des bras et des cuisses généralement courts et charnus, des épaules basses et fuyantes. Ajoutons-y des traits plutôt imprécis, un œil rond légèrement humide au regard vaguement endormi ou, au contraire, débordant d'optimisme, un menton peu accusé et assez gras, un teint pâle, des cheveux empiétant sur les tempes. L'ensemble de la physionomie donnerait une impression d'étalement, de douceur un peu molle et de bonhomie. L'âge tendrait à accentuer le relâchement des tissus et à surcharger la silhouette jusqu'à l'obésité.

Le second type, allié de l'autre type sagittarien, serait évidemment un longiligne. Une silhouette plus étirée, ondoyante à force de souplesse, un visage mince aux traits fins, de larges yeux espacés et allongés de façon très caractéristique, des prunelles veloutées ou liquides au regard plein de rêve en feraient, homme ou femme, un être étrange et ensorcelant.

La voix au timbre un peu sourd, la parole peu articulée, une poignée de main fluide, glissante même, des gestes onctueux et vagues, des attitudes de nonchalance un peu lascive, une démarche assez traînante accentueraient l'impression générale d'abandon sensuel ou d'étrangeté rêveuse sous-jacents, comme voilés.

En général, l'homme attache ici moins d'importance à l'habillement que le Sagittarien classique, surtout s'il est du premier type. Il lui arrive de ne pas être impeccable, ce qui lui est indifférent. Quand il s'adonne à la recherche vestimentaire – cas du second type –, il tend au négligé flou, à la couleur surprenante, à l'eau de toilette ensorcellante.

La femme rejoint l'homme par son goût du vêtement fluide, du déshabillé vaporeux, des couleurs inattendues et des parfums. Elle n'est faite ni pour le style garçonnier, ni pour le sport habillé, ni pour le classicisme « bon genre », et pas davantage pour l'exhibitionnisme. Ce qu'il lui faut c'est quelque chose qui, surtout dans l'intimité, suggère tout en laissant inachevé, accentue discrètement son côté sirène, son charme indéfinissable et troublant.

Avec ce douzième signe s'achève le parcours du Zodiaque. Fin d'un cycle, « orée d'une ère nouvelle », dit l'astrologie spiritualiste qui y voit « s'accomplir le retour de la substance vers l'essence ». On peut aussi le considérer symboliquement comme la fin d'une gestation commencée neuf mois plus tôt au Cancer et menant, le mois suivant, au Bélier, à la naissance d'un être humain. On peut aussi se borner à constater simplement que s'achève ici la première année de vie avec ses acquisitions et ses insuffisances, tandis qu'au Bélier va commencer, sans solution de continuité, un autre cycle destiné à poursuivre et compléter en partie le précédent.

Face au monde virginien du visible, du rationnel, de l'infiniment petit défini et limité, le monde des Poissons est celui de l'invisible, de l'infra ou du suprarationnel, de l'infiniment grand, indéfini, illimité.

Ce signe, mutable, double, tend à diffuser en l'élargissant ce qui a été mis en mouvement au Capricorne et cristallisé au Verseau. Ce n'est plus le règne de la fraternité et de la solidarité universelles, c'est celui de l'œcuménisme, de l'accession au cosmique, du sentiment océanique cher à Romain Rolland, avec ce qu'ils impliquent de capacité de fusion de l'être dans le « Grand Tout », de sens du divin, mais aussi, toutes différences, barrières et contours abolis, d'indétermination, de globalité, voire de confusion. L'idéal de progrès, si cher au Verseau, se transforme en charité. Revue et corrigée par la sensibilité et peut-être une particulière réceptivité aux interdits, la notion de la faute y apparaît avec son corollaire de rédemption : le sens humanitaire tend à devenir ici communion des saints, oblation envers l'humanité souffrante.

Le signe des Poissons implique en même temps, de par l'élément Eau qui le constitue, une plasticité psychique exceptionnelle, une prédominance marquée de la réceptivité et de la passivité sur l'activité. Il y a bien des façons de vivre semblables composantes, de la veulerie de l'inconsistant à la contemplation du mystique évolué. Bien que le symbolisme du signe mette l'accent sur la spiritualité, celle-ci est loin de figurer toujours dans la réalité chez les sujets pourvus d'un Ascendant Poissons, fussent-ils sagittariens.

La complexité croissante de l'être et de ses manifestations à mesure qu'on avance dans le Zodiaque a déjà été signalée au Verseau. Ici, la coexistence chez un même individu de cette infinité de possibles que représentent les Poissons et de ce « multiple associant » qu'est le Sagittaire ne peut qu'élargir l'éventail des variantes psychologiques éventuelles au point de les rendre difficiles à cerner. Là plus encore qu'ailleurs, les autres composantes, surtout planétaires, sont déterminantes.

A l'Ascendant siège l'impressionnabilité; « tel qu'en lui-même » le sujet a tendance à s'imbiber littéralement de tout ce qui, de près ou de loin, l'entoure, espèce de protoplasme ou de nébuleuse qui se forme et se déforme au gré des courants et se dilate au maximum; là où est le Soleil, une unité se projette et se cherche, qui a bien du mal à se trouver à travers l'incessante et imitative réactivité propre au Sagittaire. La coexistence des deux signes ne fait donc que redoubler à deux niveaux différents une problématique commune : celle à la fois de l'accession à l'unité de l'ego et du dépassement-évasion hors des frontières de celui-ci.

Cette combinaison tend à rendre l'humeur et le comportement du sujet irréguliers; fougueux et indolent, entreprenant et craintif, rebelle et fuyant, tonique et déprimé, il apparaît difficilement saisissable à force de mobilité et déconcertant par ses contradictions.

Il est d'une sensibilité théoriquement si grande qu'on pourrait parler d'une véritable « inflation émotive » (A. Barbault). Vulnérable, il s'émeut devant toute marque de souffrance, de révolte, devant la plus légère injustice, ce d'autant plus qu'il possède une aptitude toute particulière à se mettre à la place des autres. De grands élans d'amour le portent vers son semblable en détresse, l'animent à son égard d'intentions plus généreuses qu'efficaces faute de réalisme et de persévérance.

Cependant, tous ces Sagittariens ne sont pas que des philantropes en mal d'oblation. Chez certains, la sensibilité peut s'atténuer ou même s'effacer (Lune ou Vénus mal situées ou aspectées) au profit d'une sensualité tout aussi diffuse et prégnante; elle peut aussi dériver dans des sublimations artistiques où elle trouve une forme d'expression très adaptée. Chez d'autres, en dépit d'attitudes plus ou moins superficielles et fugaces de sympathie, l'égoïsme, au fond, ne perd pas ses droits.

L'intelligence va comme partout ailleurs du plus au moins. Côté plus, elle se signale par sa souplesse et sa faculté d'assimiler rapidement. Plus réceptive que véritablement curieuse, elle ressent plus qu'elle ne cherche et ne comprend, elle embrasse plus qu'elle n'étreint véritablement à moins que, quelque part, Uranus ou Saturne ne l'y obligent, non sans difficulté. Logique, rigueur, sens critique ne sont pas ses qualités dominantes. C'est le triomphe du champ de conscience large, trop large même.

Chez les sujets doués, l'intuition commune aux deux signes peut faire merveille; capable d'accéder immédiatement non plus seulement au symbole mais au mythe, elle s'ébat en toute aisance dans l'analogie, les correspondances, l'inconscient collectif et, bien sûr, la poésie et le surréalisme. Chez les surdoués, appréhendant d'emblée ce que les autres ne soupçonnent même pas, elle est capable par éclairs de se faire inspirée, visionnaire, médiumnique.

A l'autre pôle, la nébulosité des Poissons s'ajoutant à la hâte sagittarienne, la pensée reste touffue, imprécise et l'esprit brouillon. Les associations d'idées foisonnent, les confusions aussi, par inaptitude à percevoir les différences; c'est le règne du syncrétisme et de la mentalité magique.

La combinaison Sagittaire-Poissons, jointe à cette qualité plus sensible que rationnelle de l'intelligence, favorise plus que toute autre l'éclosion du mysticisme, de qualité très variable évidemment; foi religieuse évoluée (plusieurs papes ou religieux éminents relèvent de cette signature); philosophies spiritualistes construites : attrait pour les doctrines fondées sur le dépassement ou l'anéantissement du Moi au profit de la contemplation, ou encore pour celles englobant les notions de faute, de rachat, de progrès et de cycles (réincarnation, métempsycose) : simple refuge dans l'ésotérisme « magique »; esprit de superstition.

Signalons encore un mode très positif d'alliance entre la santé sagittarienne et l'Ascendant Poissons : celui de la communion avec la nature. C'est, pour un tel sujet, le moyen de se trouver tout en repoussant ses limites jusqu'à l'infini, de se recharger en captant par un incessant échange tout ce qui lui parvient du plus lointain des « grands espaces », en s'imprégnant tout à loisir du sentiment du divin; ne le dit-on pas, ce Sagittaire, panthéiste par excellence?

Dans la lutte pour la vie, un tel personnage se montre, si les traits sagittariens l'emportent, volontiers entreprenant. Mais voyant trop large et voulant aller trop vite, il échoue fréquemment par imprévoyance. Ses moyens ne sont pas toujours à la hauteur de son ambition qu'enflamme son imagination trop vaste. Si la composante Poissons est plus affirmée, le sujet peut ressentir un sentiment d'infériorité; il tend alors à compter davantage sur sa serviabilité et son dévouement que sur sa valeur pour être récompensé de ses talents; suggestible et vulnérable, il lui arrive de stagner en dessous de ses moyens.

La compétition le stimule rarement; peu volontariste, il ne cherche pas à s'imposer mais il sait être persuasif; il ne s'oppose pas non plus et dans la discussion les arguments ont peu de prise sur lui : il échappe. En revanche, il est doué pour l'opportunisme; par intuition plus que par calcul, il a le don de se trouver là où il faut, à point nommé. Une composante Jupiter-Neptune ne fait qu'accentuer cette particularité; c'est le type de l'homme d'affaires ou du boursier qui sur un « coup » ramasse une fortune considérable, laquelle s'évanouit aussitôt pour se reconstituer sur un deuxième coup, toujours risqué au flair.

Reste le problème majeur, évoqué plus haut : centrer le Moi quelque part, en unité, et en dépasser les limites.

Si l'unité ne se fait pas, le sujet demeure irrésolu, inachevé, inconsistant ; c'est une succession de « Moi » fragiles au gré d'identifications multiples et fugaces ; il y a une incapacité à choisir une voie parmi tous les possibles, à persévérer en cristallisant. Le caractère manquant de fermeté incline au laisser-aller, à la paresse, à l'abandon des responsabilités, au sens moral élastique. En dessous, la tonalité dépressive n'est pas rare.

Dans ces conditions, le dépassement des limites est plus que problématique, s'opérant en fait par une régression : chimères, utopies, divagations des « doux dingues », délire généralement mystico-ésotérique – ou bien encore fuite hors de soi-même et du monde dans l'acool ou la drogue.

Lorsque des éléments de cohésion et de fermeté permettent l'unité et le dépassement, le sujet tend en général à donner à sa vie, même si elle demeure modeste ou obscure, un sens supérieur sous-tendu par une foi, une croyance, plus que par des principes. La notion de service ou de dévouement, le goût du sublime, un certain romantisme y sont généralement impliqués, que l'orientation soit philosophique, religieuse ou politique. Le domaine artistique demeure la sphère privilégiée, celle où toutes les qualités de l'intuition, de l'imagination et de la sensibilité ou de la sensualité sublimée trouvent leur plus bel épanouissement, tout en assurant comme la sublimation religieuse un dépassement adapté.

Envers ses amis, ce Sagittarien se révèle assez déconcertant. Bien que son accueil soit toujours cordial, son hospitalité généreuse et franche, on éprouve parfois à son contact un sentiment indéfinissable : imprécision, incertitude, qui n'est pas de la méfiance mais qui laisse dans l'expectative ; on sent, et pour cause, qu'on ne le capte pas.

A l'usage, ses qualités et ses défauts se précisent ; jamais importun, tyrannique ou mesquin, toujours indulgent, compatissant et secourable, capable de générosités inattendues, il a, à certaines heures, des élans de dévouement qui frôlent le sacrifice mais qui le plus souvent se reprennent, en silence. Il suggère, projette, envisage, donne à croire ceci ou cela, sans que ce soit d'ailleurs absolument net, mais quelques jours plus tard et sur le même sujet, il se montre évasif, dilatoire, glissant. On se perd en conjectures sur les motifs de ce revirement. Inutile de lui demander des explications : il biaise, et si on insiste il se dérobe tout à fait, mécontent ; il n'aime pas le face-à-face au fond des yeux et déteste les éclats.

Cette mouvance et ce côté fuyant, l'empêchant d'apparaître comme tout à fait fiable et sûr aux yeux de certains, le conduisent assez fréquemment à des amitiés plus renouvelées que durables. Lui conserver son amitié, c'est comprendre qu'en réalité, dans l'élan comme dans le revirement, il est sincère, que ses attitudes ne sont pas préméditées, qu'il n'y entre aucune intention de méchanceté mais pas mal d'inconscience, et que le plus souvent il ne sait pas lui-même pourquoi il a changé ; c'est aussi admettre qu'avec lui on est amené certains jours à naviguer plus ou moins entre deux eaux.

Ses tendances amoureuses sont tout aussi difficiles à étiqueter ; tout est possible dans ce mélange différemment dosé de goût de l'aventure et de la passion noble, de sentimentalité, de sensualité et de mysticisme, d'amoralité possible et de charité.

On peut rencontrer, essentiellement chez le jupitérien paisible, l'homme (ou la femme) adapté ; c'est alors le type même du conjoint facile à vivre, tolérant et conciliant, aimant ses enfants qu'il élève sainement, conscient de ses responsabilités et ne les éludant pas. Deux conditions toutefois : éviter de l'ennuyer avec les tracas domestiques qui le lassent très vite ; lui laisser la possibilité de s'évader ici où là hors du quotidien et de l'entourage. Sinon, il ne tarde pas à vivre l'amour ou le mariage comme une prison et à vouloir s'en échapper, ce d'autant plus que l'élément sagittarien, en lui, a besoin de renouveau affectif.

On rencontre aussi des romantiques d'autant plus amoureux que l'élu (e) est parfaitement inaccessible ; des rêveurs, sentimentaux un peu timides ; des instables prêts à céder à tous les vertiges de l'émotion ou de la sensation vécus un peu comme des équivalents de drogues : don juans, au charme subtilement flou à la recherche de voluptés extatiques, attirés par le lointain, l'étrange, le trouble, ou femmes errant d'aventures en aventures et toujours déçues ; des hésitants naviguant là aussi entre deux eaux, qui traînent un peu lâchement une liaison dont ils sont fatigués à cause d'un nouvel amour plus stimulant ; des dévoués un peu ambigus, un peu masochistes, qui choisissent un partenaire (malade, infortuné, victime) à réparer ou rédempter, non sans que l'élément sagittarien éprouve à certains moments le désir de se libérer ; des accomplis enfin qui, ayant réussi à transcender leurs errances, sont capables de vivre une authentique communion avec l'autre dans la richesse d'un amour partagé, complet, noble.

Le charisme émanant de ce Sagittaire aux multiples facettes fait incontestablement de John Malkovich l'un des plus grands comédiens de sa génération.

Winston Churchill, natif du Sagittaire, fut l'un des principaux artisans de la victoire des Alliés occidentaux pendant la Seconde Guerre mondiale.

Chapitre IV

Quelques personnalités nées sous le Signe du Sagittaire

Walt Disney: créateur de Mickey Mouse, Donald Duck et d'une pléiade de petits animaux maintenant connus dans le monde entier, il fut l'un des premiers à réaliser des dessins animés. Après sa mort, en 1966, il laissa les artistes qu'il avait formés continuer son œuvre.

Quelques grands noms

Ludwig van Beethoven

Dans toute approche du Sagittaire il semble indispensable de se référer à Beethoven: triple conjonction Soleil-Mercure-Lune dans le signe.

Beethoven est né le 16 ou le 17 décembre 1770, à peu près sûrement le 16, à une heure que l'on ne connaît pas. L'hypothèse d'un Ascendant Taureau émise par André Barbault paraît tout à fait vraisemblable. Dans ce thème, l'élément Feu domine suivi de l'élément Terre : thème de réalisme et d'idéalisme, de puissance, de concentration, de passion.

Beaucoup de biographes de Beethoven, tel son ami Schindler ou Romain Rolland, ont cédé à la tentation d'idéaliser « leur » grand homme au point de le passer totalement au blanc jusqu'à en faire un pur esprit, un saint, malheureuse victime de tout un chacun: de sa famille, père aussi bien que frères et neveu, de la société, notamment de l'aristocratie viennoise, de toutes les femmes enfin. Ils ont ainsi re-créé, au mépris des preuves (faits, lettres, conversations, témoignages), un Beethoven de légende qui n'a plus grand-chose ni d'humain ni de très ressemblant à son modèle.

Certes, on peut retrouver dans le personnage et l'œuvre tous les poncifs sagittariens, de l'insertion sociale brillante au dépassement, en passant par l'esprit d'indépendance, le sens de la synthèse, les préoccupations morales, politiques, philosophiques et religieuses, sans oublier la réactivité, le sens associatif et la force de composition, jusques et y compris le « pont » jeté entre ici et là-bas, avant et après. J'en passe. On peut retrouver aussi dans la conjonction Soleil-Jupiter tout l'éclat de la gloire et de la renommée qu'il a connues de son vivant, la protection qu'il a reçue des grands (dont il avait tendance à considérer les bienfaits comme lui étant normalement dus), tout le brillant de la vie mondaine qu'il a menée à Vienne surtout dans sa jeunesse. Mais Beethoven est plus que quiconque un « tout » ; son unité et sa dimension sont telles que les parties sont indissociables non seulement les unes des autres mais de l'ensemble qu'elles constituent. Qu'il s'agisse du thème, de l'homme lui-même ou de sa musique, « toutes les lignes de force peuvent s'affronter à toutes, elles agissent et réagissent les unes sur les autres avec une autonomie et une virulence décuplées ».

Ces lignes de force se nomment non seulement Sagittaire mais Taureau, Lion, Capricorne; aussi Vénus-Pluton, inséparables; Soleil-Lune, sans doute conjoints; Neptune-Saturne, plus encore accolés; Uranus surtout; sans oublier les relations existant entre les cinq derniers éléments.

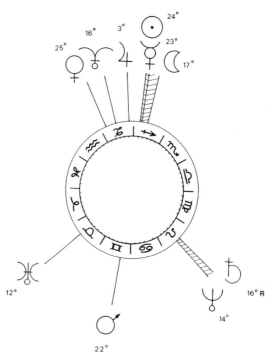

Il n'est pas possible de les commenter en détail ici. Signalons cependant le renforcement de l'élan dionysiaque (Taureau-Sagittaire) et de la nécessité de dépassement (Uranus-Sagittaire), la fécondité, l'endurance, la faculté de « se fermer au monde extérieur et de se polariser tout entier sur un centre d'intérêt défini » (J.-P. Nicola), le réalisme, plus particuliers au Taureau; la volonté réalisatrice et la puissance constructive communes au Taureau et au Lion; le sérieux, la persévérance et la hauteur d'ambition caractéristiques du Capricorne. Planétairement, c'est la conjonction Vénus-Pluton avec son potentiel créateur, sa faculté de renouvellement et de métamorphoses et sa problématique de destruction-reconstruction, qui peuvent s'exercer aussi bien sur le plan affectif que sur le plan artistique.

Uranus au Taureau concourt, avec Saturne au Lion et la belliqueuse opposition de Mars au Sagittaire, à faire de Beethoven un être au caractère difficile et inégal, opiniâtre, obstiné, souvent maussade, entier, tyrannique et possessif, capable de générosité, de bonté et de dévouement tout comme de jalousie et de suspicion maladives; caractère qui, dans les dernières années, s'aggrave en même temps que la surdité au point d'atteindre à la misanthropie et de frôler, à certaines heures pénibles, le délire de persécution. On connaît les innombrables brouilles souvent suivies de réconciliations qui ont opposé Beethoven à ses amis comme à ses protecteurs, sans parler des relations plus tragiques avec son neveu.

Uranus, s'il renforce par sa présence en Taureau le penchant à l'obstination et à l'idée fixe du signe, y puise aussi une « force nourricière propre à alimenter sa « volonté prométhéenne... tendue vers un accomplissement » (A. Barbault).

Cet Uranus, sur-rationnel, hyper-individualisant, hyper-unitaire et tourné vers le devenir, crée par le carré avec les éléments antinomiques de la conjonction Neptune-Saturne au Lion une formidable tension qui, en ces signes fixes, s'accumule et se concentre longuement avant de trouver un exutoire dans l'action (Mars à peu près au mi-point). Tout le monde sait que Beethoven composait lentement et laborieusement. D'ordinaire, il travaillait à plusieurs œuvres en même temps et chacune d'elles constituait pour lui une aventure nouvelle. « Nul compositeur n'a laissé autant de cahiers d'esquisses que Beethoven... Un cahier entier est plus d'une fois consacré à une seule structure, à un seul thème. » Ce sont autant de témoignages de son « état de veille permanent » et de son « esprit de recherche que les œuvres elles-mêmes [...] incarnent dans son aboutissement ». Cet Uranus, c'est essentiellement l'irréductible originalité et toute la « modernité » de l'œuvre beethovenienne, constante qui en fait l'unité. Ni imitation, ni « influences », ni rejet véhément du passé non plus. Il n'est pas faux de présenter Beethoven comme le musicien toujours en quête de plus d'espace vital, qui utilise le piano aux plus extrêmes dimensions du clavier à la façon de ce « grand orchestre » dont il a toujours besoin – mais ce n'est pas là le plus important.

Avec Beethoven, c'est un autre langage qui apparaît : volumes, masses, registres, intensités, sonorités, rythmes, mouvements, silences même, ruptures ou suspensions s'ajoutent aux dimensions mélodique et harmonique précédentes.

La voie qu'il suit demeure, en dépit des crises traversées, rectiligne et ascendante. C'est celle du dépassement: détachement de l'extérieur au profit de l'intériorité, détachement de soi au profit des valeurs spirituelles, du souci dominant de l'Art, affranchissement de plus en plus grand, dans la composition musicale, de toutes les limites: l'universel, le cosmique, le divin sont atteints.

On constate d'ailleurs à l'examen que les grandes étapes de l'évolution beethovenienne coïncident avec les passages des planètes lentes sur les points majeurs du thème; tel Saturne lors de son retour lui-même: premières atteintes de surdité et crise qui se solde par le testament d'Heiligenstadt et, un peu plus tard, par l'*Héroïque;* surtout période allant de 1812 à 1827 où l'on trouve de nouveau à l'œuvre Saturne mais plus encore Neptune qui amorce une conjonction avec les trois éléments du Sagittaire, suivi d'Uranus qui le rejoint en 1820-1821: les deux antinomiques ne sont plus en conflit, ils s'associent pour actualiser le potentiel sagittarien dans son expression la plus haute, la plus spiritualisée, la plus spécifiquement originale; dans le même temps, Pluton en Poissons au carré du Sagittaire porte la tension créatrice à son comble mais non sans apporter des connotations de destruction. C'est l'époque des chefs-d'œuvre les plus spécifiquement beethoveniens: dernières sonates, *Variations Diabelli*, *Missa Solemnis*, *Neuvième Symphonie*, derniers quatuors. C'est, parallèlement, la période des pires tristesses affectives, des misères physiques et de la surdité qui ne cessent de s'aggraver.

Et ce n'est pas le moindre prodige ni la moindre vertu de Beethoven que de s'être, au moment de sa plus grande déchéance physique, obstiné à faire triompher les forces de vie, et d'avoir eu le pouvoir, au terme du combat de Jacob avec l'Ange, de métamorphoser le désespoir en espérance et la souffrance en joie (cette *Ode à la Joie* de Schiller, il cherchait depuis 1792 à la mettre en musique!).

Cette esquisse de Beethoven ne vise qu'à ramener l'ensemble à son essentiel; pour une approche moins sommaire et moins infidèle il faudrait aborder beaucoup d'autres éléments; citons simplement parmi eux et à l'exclusion de toute analyse d'œuvre: la relation (Taureau, Sagittaire, Neptune) chez Beethoven entre le sentiment et le sentiment religieux (sorte de panthéisme très différent de la rêverie cancérienne de Rousseau à qui on compare parfois un peu abusivement Beethoven); sentiments et aspirations, plus qu'idées, sociopolitiques, culte de la force et du héros, « aspiration au surhomme » qui préfigure celle de Nietzsche et de Wagner (ensemble Uranus-Taureau-Lion); relation à la femme et vie sentimentale qui ont fait travailler tant d'imaginations, suscité tant de recherches et fait couler tant d'encre, ambiguïté du pôle masculin et du pôle féminin, paternel-maternel (ensemble Vénus-Pluton, conjonction Soleil-Lune à l'opposition de Mars); problèmes posés par la relation de Beethoven avec son neveu et ses conséquences tragiques; conflits entre le désir et le renoncement, sentiments de culpabilité (Saturne essentiellement).

Tout cela examiné mais sûrement pas élucidé ne modifie pas ce qui constitue l'essentiel de Beethoven dont « l'idéal n'est pas comme celui de Bach la perfection mais le dépassement » (E. Buchet). Pour André Boucourechliev: « Inclassable à l'intérieur de sa propre œuvre, Beethoven l'est également à l'intérieur des catégories historiques: son œuvre les dépasse, les défie, refuse de s'y laisser enfermer. »

Irréductible, inexplicable, Beethoven, foncièrement humain avec ses faiblesses comme avec son appartenance profonde à la terre mais en même temps très au-delà de l'humain, toujours proche au cœur de qui sait l'écouter et l'entendre, toujours nouveau, actuel et immortel, peut-il symboliser le Centaure sagittarien dans son plus noble accomplissement? Sans doute, mais il semble bien toutefois que, là encore, Beethoven dépasse ce symbole et demeure « inclassable ».

Jacques Chirac

Né le 29 novembre 1932, il est diplômé de l'Institut d'études politiques de Paris et de la Summer School de l'Université de Harvard. Il commence sa carrière de jeune surdoué comme auditeur à la Cour des comptes, puis il devient ministre de l'Agriculture en 1972, ministre de l'Intérieur de mars à mai 1974, et Premier ministre dès le début de la présidence de Valéry Giscard d'Estaing. Il dira lui-même de cette période qu'il était trop jeune pour assumer ces fonctions (il avait 42 ans) et présente la démission de son gouvernement le 25 août 1976, à la suite de dissensions avec celui qu'il avait contribué à faire élire, en créant une scission au sein du Parti gaulliste et en détournant les voix initialement dirigées vers Jacques Chaban Delmas. Maire de Paris en 1977, à nouveau Premier ministre en 1986 (il est le premier de la cohabitation, sous la présidence de François Mitterrand) il a assumé ses fonctions de Maire de Paris jusqu'en mai 1995, date à laquelle il est élu président de la République, après une campagne pleine d'envergure. Sa nature jupitérienne par le Sagittaire (adaptation à l'establishment, héritier et porte-flambeau d'une tradition) est contredite par une forte influence uranienne (par son ascendant Verseau), qui le soumet à d'irrésistibles intuitions : celles-ci l'incitent à prendre des décisions soudaines, qui peuvent apparaître comme irrationnelles, mais qui sont le fruit d'une logique interne. Il peut, sous cette influence, être incompris et isolé dans ses choix fondamentaux, surtout depuis qu'Uranus réactive ces tendances (soit depuis janvier 1996 et jusqu'en mars 2003). Mais elle lui insuffle un esprit authentiquement réformateur, qui résiste aux tentations du confort et de l'immobilisme bourgeois, un besoin de progrès social et une intense capacité à le promouvoir. Il devra faire un effort particulier pour s'expliquer, se faire comprendre, communiquer ses intimes convictions sans cesser de symboliser l'homme chaleureux et bienveillant qu'il est pour ses électeurs mais sans se laisser non plus enfermer dans des stéréotypes étouffants. Le 5 mai 2002, fort de la mobilisation contre l'extrême droite entre les deux tours du scrutin présidentiel, il a été aisément réélu.

Maria Callas

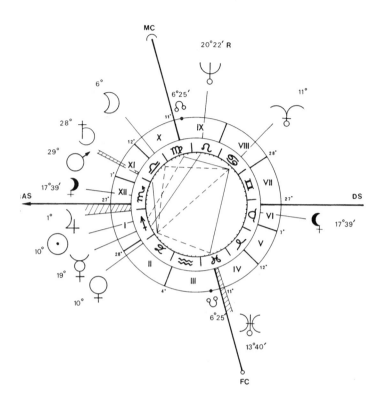

Chez Maria Callas, le Sagittaire est considérablement valorisé : on y trouve, au 1er degré, Jupiter conjoint à l'Ascendant, un peu plus loin le Soleil, conjoint à Jupiter, et enfin Mercure, conjoint au Soleil.

Planétairement, Jupiter dans son signe s'impose à l'Ascendant, mais Uranus, très angulaire au Fond-du-Ciel Poissons carré à la conjonction Soleil-Mercure, prend un relief saisissant. Quant à Pluton, il renforce la donnée de base Scorpion par sa présence en Secteur VIII, analogue terrestre du signe.

Avec la conjoncture Jupiter-Soleil, c'est l'instinct d'expansion maximal ajouté au sens de la grandeur et de l'éclat; c'est littéralement magnifique. Le sextile à une Lune-Balance, bien différente de la Lune-Gémeaux que nous verrons tout à l'heure chez Edith Piaf, la met en accord avec une imagination et une sensibilité très fines, mélodieuses, très féminines, artistes (c'est, par exemple, la Lune de Chopin); enfin, le trigone de Mercure à Neptune en Lion Secteur IX apporte le soutien d'une intelligence sensible, éprise de spiritualité et capable d'intuitions « inspirées ».

Ce Jupiter-Soleil de l'Ascendant a sans doute signé la silhouette pléthorique de la « grosse fille à lunettes » qu'était, de son propre aveu, Maria Callas dans sa jeunesse, mais aussi l'ampleur et l'éclat de sa voix, capable par ailleurs de tant de nuances délicates et expressives (sextile à Lune-Balance), tout comme son sens du théâtre et celui du rôle à incarner. Incarner est d'ailleurs ici le mot propre : elle ne « jouait » pas, elle « était » réellement chacune de ses héroïnes, plus que d'autres

interprètes, la conjonction se trouvant en Secteur I, cet « au-plus-près-du-corps ».

Deuxième dominante du thème, cet Uranus en Poissons. Il introduit une exigence abrupte : celle de rassembler, unifier et verticaliser toute l'ampleur du Sagittaire et l'illimité informe des Poissons; entreprise difficile et coûteuse; le succès est rare. Chez l'exceptionnelle Maria Callas, il va se charger de lancer la flèche sagittarienne. Le trigone à Pluton lui permet de canaliser et de sublimer toute la puissance instinctive. Par son carré à la conjonction Soleil-Mercure il accroît la tension réalisatrice : instinct, volonté, intelligence sont mis, d'une façon quasi dictatoriale, au service d'un idéal égocentrique qui veut, du fond de l'être, s'affirmer « originalement » en faisant reculer les limites du Moi et du possible. Entreprise non sans risques : tout le « survolté » qu'implique ce carré entraîne en effet une surtension nerveuse épuisante, conduit à des comportements outrés, insolents ou provocateurs, à des réactions excessives : caprices spectaculaires de la vedette, caractère brusque, cassant, autoritaire, totalitarisme exigeant (pour soi comme pour les autres) de son engagement artistique. Cet excès a, pour partie, contribué à malmener la voix (des simples irrégularités à la brisure) et le cœur (brusque dénouement du 16 septembre 1977).

S'orientant vers le chant, Maria Callas ne pouvait que choisir l'opéra : seul, il correspondait à la fois à l'ampleur, la hauteur, l'éclat de ses moyens et de ses ambitions, et à son sens inné du spectaculaire. C'est

Uranus qui, lui, a signé la cantatrice « révolutionnaire », celle dont la modernité a secoué la sclérose des interprétations classiques, celle qui, de façon unique a su fouiller (trigone Uranus-Pluton) et exprimer, dans un registre prodigieusement étendu, nuancé et subtil, la psychologie profonde de ses héroïnes au point de les rendre vivantes.

Reste le soubassement Scorpion renforcé par ce Pluton en Secteur VIII. Un tel fond, possessif, puissamment énergétique et irritable, ne pouvait qu'intensifier Uranus. Il transparaît aussi dans le timbre si particulier de la voix lorsque, presque animale, elle exprime la passion, dans le magnétisme et l'exceptionnelle présence de la cantatrice : en imposant ses rôles, qu'elle a sinon créés du moins recréés, Callas s'impose, le spectateur ne peut y échapper.

Qui sont ses héroïnes?

L'harmonieuse Lune de la Balance, qui suggère l'accomplissement de la femme dans et par le couple, si elle est sextile à Jupiter-Soleil, ce qui amplifie et anoblit la tendance, reçoit un carré de Pluton : ici, la crise, toujours latente, couve, gronde, éclate. L'accomplissement féminin se fait, ou échoue, dans la destruction ou l'autodestruction, le chaos, le drame (on retrouvera quelque chose d'un peu voisin chez Edith Piaf mais à l'octave en-dessous, en beaucoup plus mobile, moins altier et plus... concret). Ce même Pluton est en opposition large d'une Vénus en Capricorne comme celle de Piaf. Vénus en Capricorne est dite souvent froide, ou inhibée ou triste. Ce n'est pas toujours faux, mais le terme de « minérale » lui conviendrait sans doute mieux : compacte, rigide, dans son avidité satisfaite ou non, rigoureuse dans son sens de la forme, comme pétrifiée par le temps sans égard à la durée. Elle est ici, à l'inverse de ce qui passe chez Piaf, au sextile de Mars et Saturne étroitement conjoints en Balance; c'est donc une Vénus triplement saturnienne, capable d'élans et de chaleur (sextile de Mars) mais sensible plus que tout

autre au changement, qu'elle n'admet pas; sérieuse, grave, absolutiste, elle donne et exige sans concession la fidélité. L'opposition à Pluton en fait une espèce de glace brûlante impitoyable qui ignore le pardon comme le partage, livrée à l'angoisse dans le conflit de l'Eros et de la mort, de la haine et de l'amour.

Ses héroïnes ne pouvaient donc être que tragiques, vouées à des amours fatales, à de mortelles passions, mais tragiques « classiquement », à la façon des héroïnes antiques. Ce n'est pas un hasard si le rôle de Norma avait sa préférence : cette prêtresse druidique, par son accès au divin, « collait » particulièrement bien au symbolisme d'un Mercure-Sagittaire au trigone d'un Neptune en Secteur IX ; en outre, pour tragique que soit le dénouement de son histoire, un dépassement s'y opère où le positif se trouve inclus dans le négatif : en effet, bien que ce soit dans la mort et les flammes, Norma réussit à reconquérir celui qu'elle aime, parvenant ainsi à figer la durée.

Callas avait certainement rencontré en Onassis un homme qui, personnellement et socialement, était tout à fait dans la ligne de sa conjonction Soleil-Jupiter (ce qui était au-delà de ces apparences lui appartient et ne nous concerne pas). Il y eut Saturne et Pluton; Saturne qui transitait à la conjonction de Vénus lors de sa séparation d'avec son mari, passait au carré de Vénus, à l'opposition de la Lune et au carré de Pluton au moment de la mort de celui-ci.

Callas avait sans doute par sa signature Scorpion la faculté de renaître de ses cendres et de transmuer le plomb en or, comme les très grands artistes; par le Sagittaire, le souci et le don d'accéder à l'universel et au divin; par Uranus, l'exigence et la possibilité d'une originalité hors normes, mais...

A ce degré d'exception, cet être de légende, ce mythe qu'elle a été et demeure, s'il peut relativement s'appréhender à travers son thème, ne saurait, moins que quiconque, être « expliqué ». Ou : grandeur et limite de l'astrologie.

Jane Fonda

Jane Fonda se présente comme une Sagittarienne et une Jupitérienne bon teint (Soleil et Vénus en Sagittaire, Jupiter angulaire au Descendant à l'entrée du Verseau), doublée par son Ascendant d'une Cancérienne. Le thème, par ailleurs, s'articule autour d'une double opposition de Pluton, angulaire à l'Ascendant, à Jupiter et d'un Saturne Poissons, angulaire au méridien, à Neptune Vierge. L'ensemble du thème est riche et attachant, mais complexe et contradictoire.

Jane Fonda n'appartient pas à la catégorie des Jupitériens très conformistes : elle n'en a ni le physique ni l'emploi.

Sa beauté évoque essentiellement celle d'un coursier fougueux et sauvage (Vénus au Sagittaire), parfois aussi (Cancer) celle d'un jeune félin ingénu dont elle a les allures souples et gracieuses, l'indépendance et le coup de griffe prompt ; le rôle de « Pussy Cat » lui convenait, à cet égard, on ne peut mieux. L'allure, l'élégance ont en outre ce quelque chose de libre et d'audacieux qu'apporte le Jupiter Verseau sans que, bien sûr, la

limite du bon goût soit jamais franchie. Pluton, lui, ajoute un magnétisme auquel il est difficile de résister, tandis que la Lune au Lion complète l'ensemble par un éclat (regard, geste, chevelure) volontiers superbe.

Sous cette enveloppe plus que séduisante, Jupiter en Secteur VII ne demande qu'à s'épanouir dans une affirmation sociale bien « intégrée » et confortable, mais indépendante.

A l'opposé, Pluton pose sans concessions, d'entrée et même si elles ne sont pas conscientes, une question : où est ma vérité?, et une exigence: obéir à cette vérité sans se préoccuper des normes ou du qu'en dira-t-on. D'où, à la base, un ferment de crises, de remises en question et, en découlant, des alternances de conformité et de rébellion, des virages, des retournements, une inquiétude latente aussi.

Le sextile de Jupiter à Saturne, outre le réalisme qu'il confère, vient surtout compléter l'exigence de Pluton. Cet aspect relie l'intériorité et le qualitatif (Saturne) à l'extériorité et au quantitatif (Jupiter). Dans ce cas, la

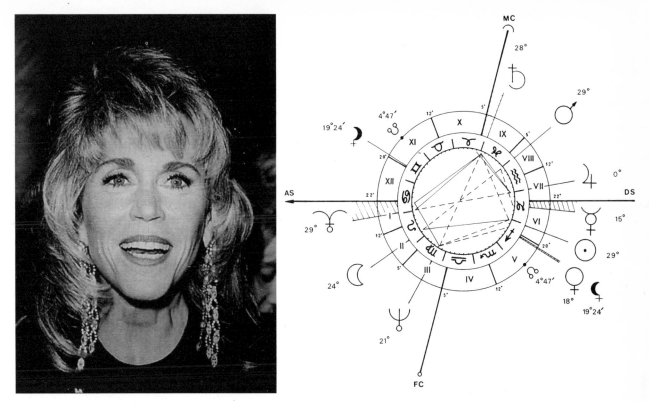

Jane Fonda: elle débuta aux États-Unis dans des rôles de jeune femme ravissante et passablement stupide. Heureusement, son intelligence, son besoin de se dépasser, son vrai talent de comédienne lui permirent de se faire reconnaître dans des rôles extrêmement difficiles: Klute, On achève bien les chevaux, Julia, le Syndrome chinois.

réussite ne saurait se contenter des signes apparents que constituent la position sociale, la richesse ou la célébrité ; elle requiert quelque chose de plus profond, de plus intemporel, des valeurs « vraies ».

En outre on est, avec ce Saturne, assez loin du garçon manqué, enthousiaste et extraverti, qu'a été Jane Fonda dans sa prime jeunesse. Ici, le Sagittaire rentre dans l'ombre. Localisé dans les Poissons, opposé à Neptune et carré au Soleil, c'est un Saturne très émotif qui incline à la timidité, au retrait sur soi, à la crainte, qui tend à bloquer l'affirmation de soi-même lorsqu'elle doit se faire contre les autres ; Jane Fonda signale d'ailleurs elle-même la difficulté qu'elle avait, à ses débuts au théâtre, à exprimer des sentiments d'hostilité ou de ressentiment. Il peut en découler des conduites de renoncement par impuissance et la tentation de jouer les rôles de victime ou, tout au moins, l'idéalisme universaliste du Sagittaire aidant, à s'identifier aux sacrifiés du monde entier. D'ailleurs Uranus, facteur d'individualisation et d'affirmation de soi, qui se trouve ici au trigone de Mercure en Secteur VI Capricorne, va dans le même sens en introduisant tout comme la conjonction Soleil-Vénus en Secteur VI la notion de service. L'ensemble porte en outre à intellectualiser et à prendre la vie au sérieux.

Après avoir, comme tout Sagittaire qui se respecte, erré quelque peu à la recherche d'une vocation (peinture, journalisme, théâtre), Jane Fonda semblait s'être fixée au cinéma, satisfaisant ainsi à Jupiter qui, on le sait, oriente volontiers, entre autres, vers la carrière d'acteur.

La rencontre avec Vadim, l'expérience qui s'ensuivit et Mai 68 allaient progressivement amener l'opposition Jupiter-Pluton au jour.

Qu'elle ait obéi, pour partie, à son inclination Saturne-Neptune comme aux obscures sollicitations de Pluton et de son carré Vénus-Neptune en cédant aux talents persuasifs du scorpionien Vadim, c'est vraisemblable ; mais avec le rôle de Barbarella, la réduction de sa propre personne à ce stéréotype de sexe-femme-chose, déjà édité sous d'autres traits, c'en était trop, et pour la fière Sagittarienne et pour Saturne.

Révolte sans doute salutaire, qui trouva à la faveur des événements de Mai 68 un exutoire politique et le moyen d'utiliser positivement les capacités intellectuelles de Saturne et d'Uranus. A l'automne 1968 d'ailleurs, Pluton et Uranus transitaient la conjonction de Neptune et au carré du Soleil, débloquant ce dernier ; l'expérience avec Vadim portait ses fruits.

Problèmes des Noirs, des Indiens, condition féminine, guerre du Viêt-nam, Jane étudia, analysa tout furieusement, puis partit au combat, actualisant là son opposition Lune-Mars et son semi-carré Mercure-Mars, fort désireux de batailles et de joutes oratoires, ayant dans le même temps trouvé le moyen de s'affirmer elle-même en prenant fait et cause pour tous ces opprimés auxquels elle s'identifiait.

Depuis, elle s'est mariée et a divorcé d'un écrivain activiste, Tom Hayden, dont elle a eu un fils (de son union avec Vadim elle avait déjà une fille). Revenue au cinéma pour notre plus grand plaisir après une période où l'aérobic était son cheval de bataille, elle semble avoir trouvé un équilibre et pu concilier les exigences de sa nature cancérienne attachée au « nid » et de ce Sagittaire désireux, fût-ce en incarnant certains rôles à l'écran, de servir une cause de justice et de liberté tout en demeurant socialement intégré mais non « conforme ». Elle s'est enfin remariée au patron de CNN, Ted Turner.

Eugène Ionesco

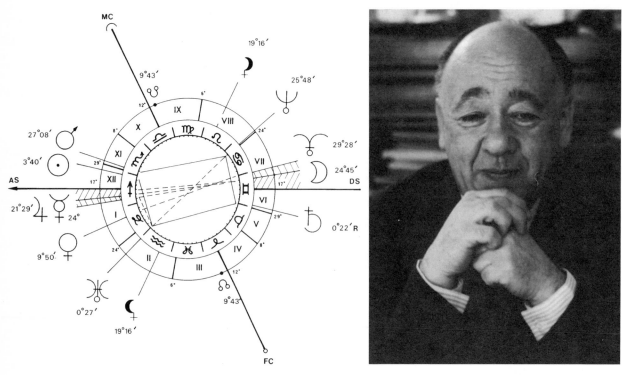

Eugène Ionesco: devenu célèbre avec les Chaises, la Cantatrice chauve, *il n'a jamais épuisé sa verve, son originalité foncière, son humour désespéré d'homme de théâtre, de poète et d'écrivain.*

Analyser convenablement le thème d'Eugène Ionesco demanderait un chapitre entier; contentons-nous ici d'un aperçu succinct.

Thème assez remarquable par sa structure : un jeu d'oppositions encadrées de deux trigones et deux sextiles dont la contradiction centrale illustre de façon très personnelle la dialectique Sagittaire-Gémeaux.

Un plus que Sagittaire ! Le signe contient à la fois le Soleil, l'Ascendant, Jupiter qui lui est conjoint et Mercure tout proche de Jupiter.

L'astrologie traditionnelle est sauve, sa symbolique du Sagittaire aussi : l'étranger, les grands voyages, l'expatriation. En effet Ionesco, né en Roumanie, est venu en France peu de mois après sa naissance. La morphologie jupitérienne est respectée : silhouette enrobée confortablement, visage rond, crâne chauve; le type d'insertion sociale aussi : Ionesco est considéré, célèbre et membre de l'Académie. L'intérêt du thème n'est pas là.

La conjonction Jupiter-Mercure de l'Ascendant assure une très grande adaptabilité : bon équilibre nerveux, souplesse de l'intellect, sens de la synthèse aussi bien que sens pratique, et surtout, par une très grande richesse d'associations des idées et des mots, un sens surabondant du verbe; Vénus, par sa large conjonction à Mercure, en apportant son sens de la forme ajoute le don artistique.

Une conjonction de Mars-Scorpion au Soleil complète l'ensemble par une énergie puissante, fort combative et conquérante, très en prise sur le réel. Son sextile à Uranus laisse supposer que l'individu porteur de ce thème s'emploiera de son mieux à dégager et affirmer sa singularité hors des sentiers battus, à la différence de ce que laissait augurer un Jupiter parfaitement bien installé dans la conformité. Un trigone à Neptune-Cancer lui accorde sans heurts toutes les ressources de la sensibilité, de l'intuition, et du rêve. De quoi, en somme, si toutes ces promesses se réalisent, pouvoir « intégrer » l'opposition de Neptune à Uranus : un Uranus du Verseau inventif mais porteur de son exigence d'unité et de réduction à l'essentiel, en pleine contradiction avec un Neptune Cancer épandant une sensibilité envahissante, hanté (il est en Secteur VIII) par les phantasmes du bienheureux nirvâna maternel.

Autre contradiction, cette même conjonction Soleil-Mars est en opposition de Saturne en Gémeaux : c'est l'alternance, ou la coexistence, de l'acte réalisateur et de l'impuissance, de l'élan et du renoncement, de l'impulsion et de la réflexion. La localisation de Saturne implique en outre une notion de contrainte, d'obligation quotidienne. En soi, le sextile de Saturne à Neptune suscite une réceptivité particulière à cet inconnu situé au-delà des sens en même temps qu'il conduit à une prise de distance par rapport aux apparences, implicitement admises comme évidences indiscutables, et à une critique de celles-ci fondée sur des constatations de faits. De son côté, le trigone de Saturne à Uranus pousse le besoin de l'analyse des faits jusqu'à la dissection; la rumination de Saturne, son sens aigu de l'argumentation (il est en Gémeaux), alliés à l'intuition inventive d'Uranus, peuvent déboucher en déclic sur une conclusion insolite propre à laisser pantois, sur une « vérité... unique, le plus souvent percutante et révolutionnaire » (J.P.-Nicola).

Tel est le cadre entourant l'opposition majeure Sagittaire-Gémeaux. Le signe des Gémeaux est occupé, on vient de le voir, par Saturne mais aussi par une Lune très angulaire au Descendant, conjointe à Pluton et en opposition de la conjonction Jupiter-Mercure de l'Ascendant. Mercure, de par sa maîtrise sur les trois planètes des Gémeaux, prend une importance déterminante et c'est au niveau de sa conjonction à Jupiter que vont se situer à la fois le mal et son remède.

Les Gémeaux diffusent tous azimuts les valeurs d'une Lune placée sous le signe de l'instantanéité ; c'est à la surface un véritable kaléidoscope de reflets sans consistance ni permanence, une succession accélérée d'impressions, d'images, d'émotions en attente de formes, le tout sur fond d'angoisse car Pluton est tout près, inquiétant, véritable marmite de Pandore en attente de séisme révélant. Pluton, on l'a déjà vu, n'a que faire des certitudes ou conventions physiques ou métaphysiques simples et bien établies. Il aime à faire surgir pour le meilleur ou pour le pire, et violemment, des remises en question fondamentales.

En face, la conjonction Jupiter-Mercure à l'Ascendant : « oralité » épanouie et satisfaite, sentiment de sa propre existence confortablement installé dans le réel, encore (Sagittaire) qu'assez mobile et rendu tributaire des fantaisies d'une Lune instable qui, placée à l'autre extrémité du vecteur, indique une contradiction. Si Pluton, quelque jour libère, ses « monstres », que va-t-il advenir ?

Le drame, pour Ionesco, se produit lorsqu'il se met en tête, idée bien sagittarienne, d'apprendre l'anglais. Le heurt avec cette langue « étrangère » déclenche un processus inattendu : la « familiarité » des mots français, leur « savoir » implicite, leur habituelle faculté de communiquer avec autrui, se désagrègent : c'est le séisme. Le contenu se dissocie du contenant, les formes se vident, le sens s'écroule. C'est, vertigineuse, la « tragédie du langage ». Avec elle, l'effondrement de la réalité intérieure qui vole en éclats.

A ce moment-là, Uranus en transit passe sur la conjonction Lune-Pluton du thème de Ionesco tandis que Jupiter, en face, repasse sur sa position natale : en éclair la « révélation » jaillit. Tel Epiméthée, Uranus en libérant les « monstres » plutoniens vient d'actualiser les données fondamentales les plus problématiques du thème jusqu'alors, semble-t-il, emprisonnées ou assoupies. Va-t-il rester, au fond, l'espérance ?

Si l'on ajoute que Jupiter représente, entre autres choses, la formation du langage et Mercure sa diffusion, on est tenté de supposer que la fonction même du langage peut se trouver mise en question et, avec elle, la conjonction Jupiter-Mercure se trouvant à l'Ascendant, le sentiment d'identité lui-même. Peut-être...

Ce qui est plus certain c'est que, à se trouver funambulant ainsi sur le fil du rasoir, d'aucuns, moins solides ou moins doués que Ionesco, y eussent perdu l'esprit. Mais Ionesco étant ce qu'il est, hors toute possibilité d'appréciation astrologique, réussit à tirer parti de cette dissociation plus qu'alarmante. Il est hors de doute qu'il a « éprouvé » cette « tragédie du langage » (il le dit lui-même) en une expérience peu courante et difficile. D'ailleurs ce morcellement, plutonien, et ce vide, saturnien, de la réalité intérieure, il les traduit ainsi : « Il m'arrive de sentir que les choses se vident... les mots ne sont que des bruits... tout semble se vola-

tiliser, tout est menacé d'un effondrement imminent et silencieux, dans je ne sais quel abîme au-delà du jour et de la nuit », ou, en raccourci, par un titre : *Journal en miettes.*

Mais, rassemblant tout le positif des génies planétaires bons et moins bons qui avaient présidé à sa naissance, Ionesco trouve le moyen de se débarrasser de l'alarmant phénomène en le projetant sur le papier puis sur la scène au moyen même des cadavres répandus : les mots ; mystère de cet espèce d'exorcisme qu'est la sublimation. Il écrit ainsi sa première pièce, cette *Cantatrice chauve* qui, telle l'Arlésienne, n'apparaît jamais. Sa vocation d'écrivain est née ; l'espérance était bien restée au fond.

Pourquoi le théâtre au lieu du roman ? Peut-être en partie parce qu'avec ses personnages de chair et d'os, ses objets, son décor, certitudes concrètes pour l'œil, il se révèle meilleur garant de la réalité extérieure qu'une page écrite. Ionesco le dira : « Le théâtre est pour moi la projection sur scène du monde du dedans. »

Théâtre tissé « d'éléments contradictoires », issu « de l'esprit onirique et de l'observation naturaliste », transcription d'un monde habité « de forces antagonistes », de « désirs profonds oubliés et retrouvés », d'« obsessions obscures » où « l'intérieur et l'extérieur se rejoignent ». Théâtre de l'absurde, théâtre d'avant-garde ? Ne serait-ce là, comme l'ont prétendu certains, déconcertés, que « jeu » d'intellectuel doué, ce jeu si cher aux Gémeaux ? Voire.

Tout au long de son œuvre Ionesco, déversant intentionnellement dialogues, répliques absurdes et fadaises convaincues, ne cesse de rendre l'insolite quotidien, le comique tragique et le tragique burlesque ; c'est à la fois l'horreur d'exister et l'angoisse du néant, l'encombrement de la présence et l'angoisse de l'absence. Au-dessus de l'insolite flotte, permanent, le malaise profond qui se décharge en rire, analogue sur bien des points au comique de Raymond Devos : malaise du vide, de l'irréalité, de l'incertitude absolue en réponse à une question fondamentale. Irréalité de soi-même que la mise en scène elle-même et aussi le recours à la multiplication des objets, meubles essentiellement, tentent de conjurer (Mars au Scorpion tenant, lui, à conserver la réalité). Ecoutons sur ce point Ionesco : « Tout est contestable à l'intérieur de soi-même ; ce qui est faits, objets, est incontestable. » Dans ce théâtre la mort est toujours présente, inséparable de la vie, tout comme dans le *Journal en miettes* le souvenir des rêves de la nuit, obsédant, imprègne le jour.

Contradictions ? Qu'en pense Ionesco ? « Je ne crois pas qu'il faille surmonter, résoudre les contradictions. Ce serait s'appauvrir ; il faut laisser les contradictions s'épanouir en toute liberté. »

Contradiction suprême, paradoxe absolu ou atteinte d'un au-delà de l'absurde, cette œuvre ? Succession d'anti-pièces, de notes et contre-notes, écrite et parlée au moyen même de ces mots fauteurs de vide ; pétrie d'« incommunicabilité » mais destinée à être communiquée, et qui déclenche un fleuve de commentaires, d'exégèses et de plagiats gorgés de mots !

L'astrologue pourrait à son tour dire son « mot » – ce qui est déjà fait – et, s'il se voulait cuistre, qualifier Ionesco de quelque vocable pesamment technique et « signifiant ». Il est sans doute plus enrichissant et plus conforme aussi à la singularité vivante de l'homme et de l'œuvre, de rêver, en sympathie toute sagittarienne avec l'auteur, à cette étonnante aventure poétique et ce non moins étonnant voyage intérieur qu'il a tenté, à sa façon, de nous « communiquer ».

Paul Meurisse

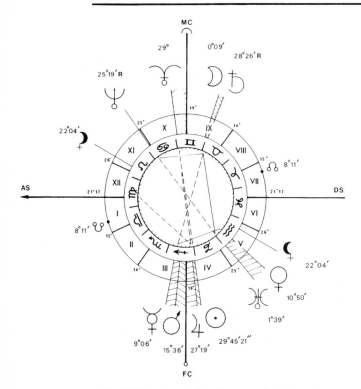

Paul Meurisse, à la réserve très britannique, a mené une carrière de comédien exemplaire et fut certainement l'un des plus grands « comiques » de sa génération.

Paul Meurisse est une illustration très réussie, et fort personnelle, de la combinaison Sagittaire Ascendant Vierge.

Comme il est de règle pour les individualités marquantes, le thème ne présente pas moins de trois planètes angulaires : Pluton domine au méridien tandis que Mars et Jupiter encadrent le Fond-du-Ciel. Zodiacalement, alors que le signe de la Vierge est vide, celui du Sagittaire comporte quatre planètes en large conjonction : Mercure, Mars, Jupiter, Soleil.

C'est là, d'évidence, un vigoureux Sagittaire. Mais... il y a tout le reste.

Le Soleil se trouve à l'extrême fin du Sagittaire, à quelques minutes seulement du Capricorne qui, de ce fait, le marque sans doute légèrement de sa propre tonalité.

La Lune, très mobile et capricieuse aux Gémeaux mais au premier degré du signe, se trouve, de par une conjonction étroite, inséparable d'un Saturne-Taureau on ne peut plus secondaire et fixe : curieux alliage. Le trigone de cette conjonction à un Uranus-Verseau, s'il ajoute de l'originalité tend aussi, par défense, à intellectualiser la sensibilité, ce d'autant mieux que Vénus, en conjonction large d'Uranus en Verseau, peu conventionnelle mais plutôt cérébrale, est au sextile de Mercure au Sagittaire. Ajoutons pour mémoire, l'aspect étant très large, que l'opposition de cette conjonction Lune-Saturne à Mercure met en contradiction toute la facilité prompte mais dispersée et superficielle, tout le « trop vite dit » de cette planète, avec l'exigence réaliste de Saturne qui, lui, s'en tient

aux faits et ne considère pour certain que ce que l'expérience a vérifié.

Tous ces éléments où le « sec » prédomine s'accordent avec l'Ascendant Vierge pour accentuer la cérébralité et le sens critique, imposer la réserve à la manifestation des sentiments, susciter la méfiance raisonnée envers les emportements de l'instinct, de l'imagination et de la sensibilité. Ici, le débridement n'est pas de mise, le « vite fait bien fait » non plus. C'est l'horreur du laisser-aller, le souci de la précision et du détail, de la « belle forme » : un aristocrate froid.

Aux antipodes, la fougue sagittarienne.

Quel instinct de conquête dans ce Mars angulaire! Quelle adresse (conjonction à Mercure) et quelle ampleur (conjonction à Jupiter)! L'horreur de toute contrainte (sesqui-carré à Uranus) est égale au besoin de rechercher ce qui résiste pour en triompher. La répartie est fulgurante et, de préférence, sarcastique; elle a le mérite de la franchise. Quel atout aussi pour s'imposer jusqu'au vedettariat auquel aspire cette conjonction Jupiter-Soleil quelque peu pléthorique!

L'opposition de cette dernière à Pluton angulaire implique, on l'a déjà vu, quelque profonde mise en question, un refus ou une révolte dont la résultante est fonction du contexte.

Ici, tout le potentiel instinctif et agressif de la planète tend à se projeter sur un mode plus ou moins intellectuel (il est aux Gémeaux et dans la sphère de l'émergence sociale en Secteur X), l'inquiétude intérieure pouvant, si le reste du thème le permet, mener à une recherche difficile mais féconde tandis que, en face, Jupiter au Sagittaire se fait le champion de l'épanouissement social dans l'ordre et la dignité.

Or, en dehors de cette opposition, le thème ne présente aucun aspect de conflit majeur. Juxtaposition de contraires, mais ni dissociation ni écartèlement.

Au fil des ans une assez remarquable synthèse va s'opérer, Saturne et le sec domestiquant le Feu de Mars pour satisfaire à l'impérieux Pluton. Collaboration intelligente et non guerre entre deux exigences et deux partenaires, où l'un va s'employer à maîtriser l'autre progressivement, attentif à ne pas l'écraser afin qu'il puisse donner le meilleur de lui-même, comme à ne pas se laisser déborder par lui. C'est en raccourci et dans son meilleur accomplissement, au dernier tiers de sa vie, le Paul Meurisse cavalier et le Paul Meurisse acteur.

C'est aussi, autre forme de maîtrise, autre trait dominant qu'on retrouve à chaque ligne sous sa plume, l'extraordinaire sens de l'humour, mécanisme défensif-offensif, cet humour percutant et froid, souvent noir, un peu distant, toujours empreint de distinction, jamais méchant gratuitement.

Si l'on en croit le livre de ses souvenirs, ces *Éperons de la liberté,* au titre si évocateur d'un Mars au Sagittaire, Paul Meurisse, élevé dans un milieu provincial bourgeois, a été un enfant « difficile » : hypertrophie du sens critique, allergie à la contrainte et passion de la liberté, remarquable obstination doublée du sens de l'opportun, goût de la provocation; maints collèges l'accueillirent dont il s'ingénia, avec bonheur, à se faire renvoyer.

Partir... Être libre et faire de grandes choses... Oui, « mais partir où, et faire quoi? ». L'adolescent Meurisse était, en dépit de sa fougue, trop réaliste pour se contenter de chimères.

L'illumination lui vient un soir, dans une salle de cinéma « parlant » : « les acteurs étaient des dieux » inaccessibles que la magie du verbe venait de faire « hommes »; c'est décidé, il sera acteur. Projet évidemment peu conforme, surtout à l'époque, aux mœurs bourgeoises; il fallait attendre. Savoir attendre a toujours été l'un de ses principes de base; il ne l'a ni découvert ni appris, c'était inné (et bien saturnien), l'expérience n'ayant fait que le confirmer. Champion de l'obstruction passive, il réussit à tripler sa première pour se retrouver, sur l'injonction paternelle, clerc de notaire. Il cherche et trouve la chanson comme biais d'accès au théâtre. Il se produit ici et là, en amateur, guettant la chance jusqu'au jour où, mûre, la difficile décision est mise à exécution : il part, seul, pour Paris. Période de vaches maigres, de course aux « crochets » radiophoniques et aux petites annonces, suivie d'une

période un peu meilleure où il se produit au cabaret et au music-hall; sur le plan de la qualité, ce ne sont encore que des à-peu-près; en dépit d'un air parfois rieur, il a déjà cette élégance stricte et glacée et, dans l'expression du profil, quelque chose du cheval de race.

Vient le moment de sa rencontre et de ses relations avec Piaf, qui devaient durer deux ans; relations « inconventionnelles », hautes en couleurs, entre deux êtres aux antipodes l'un de l'autre. Avec son flair aigu, Piaf, sous le chanteur assez conventionnel, détecte l'originalité du contraste interne (froid-chaud) et surtout la fibre du comédien. A son contact, Meurisse découvre le travail et la foi : la vocation n'est pas donnée, elle s'acquiert et se mérite; lui-même, par son dilettantisme, est en train de glisser vers la facilité. Nouvelle mutation : insensiblement, il va passer du cabaret et du music-hall au théâtre. Avec *le Bel Indifférent,* pièce en un acte écrite pour lui et Piaf par Cocteau, il découvre que « jouer... est un acte d'amour ». C'est le virage, définitif (Pluton transite à l'opposition d'Uranus et au sextile de la conjonction Lune-Saturne).

Après, ce sera toute la carrière jusqu'à l'ultime reprise du rôle, solaire, de Sacha Guitry, longue suite de films et de pièces où, d'années en année, à travers l'excellent et l'un peu moins bon, le talent de l'acteur n'a cessé de s'affirmer et de se parfaire dans toute sa rigueur et son originalité.

Acteur qui a toujours préféré le théâtre au cinéma parce qu'il s'y sentait son « maître absolu » au lieu de n'être « qu'un pion sur un échiquier »; acteur qui a pu incarner avec un égal talent des personnages aussi différents que Brutus et l'Hurluberlu, Judas et le « sale égoïste », en passant par les rôles de « durs », bien faits pour lui plaire temporairement, et celui, burlesque du « Monocle », une de ses meilleures trouvailles. Acteur profondément indépendant, difficile pour lui-même, qui confondait dans une même exigence respect de soi et respect du public, difficile à manier aussi, le « seul qui fit plier Clouzot » lequel n'avait, lui, aucun humour.

Homme secret et singulier, fait d'une étonnante cohérence de contrastes : cavalier appartenant à une aristocratie, celle de la Haute École, homme de goût raffiné, moraliste aux jugements sévères mais lucides, homme de mémoire et de tendresse secrètes doué de l'intelligence du cœur, homme de courage silencieux et de foi qui, jusqu'au bout, dans une ligne bien sagittarienne mais sur un mode très original, demeura fidèle à trois religions : le cheval, l'amour du public, la liberté; mais la liberté qui « s'acquiert dans l'orgueil de la solitude et sa terrible alternative : tout perdre ou tout gagner ».

Francis Huster

Ce Sagittaire qui en a les traits caractéristiques – puissante organisation sous des dehors lunaires, amour du sport (avec un côté fair-play), boulimique de travail et de vie – est né le 8 décembre 1947 à Neuilly d'une famille d'origine slave. Après avoir raflé tous les prix d'excellence et passé son baccalauréat au lycée Carnot, il s'adonne à sa vocation : le théâtre. Reçu premier au Conservatoire, il

entre au cours René Simon. En 1970, il commence sa carrière au cinéma dans un rôle tourmenté : *La Faute de l'abbé Mouret* de Georges Franju. En 1971, il est engagé par la Comédie-Française, où il apprend et perfectionne son jeu classique. Il pensait y rester un an, il y reste dix ans ! Il quitte la Comédie-Française pour une carrière théâtrale moins académique et multiplie les

rôles au cinéma, notamment avec Nina Companeez, qui saura le mettre en valeur en dévoilant les brillantes facettes de son talent : *Faustine et le bel été, Colinot Trousse-Chemise, Comme sur des roulettes* et, à la télévision, le feuilleton *Les Dames de la côte* le font accéder à une popularité dont il n'a cessé de se défier, préférant poursuivre sa carrière sans concession. Il travaille aussi sous la houlette de Jeanne Moreau, en 1975 (*Lumière*) et en 1978 (*L'Adolescente*), sous celle de Claude Lelouch, dont il est l'un des acteurs fétiches (*Si c'était à refaire, Un autre homme, une autre chance, Les Uns et les autres, Edith et Marcel, Il y a des jours et des lunes*). Il tourne aussi sous la direction de Serge Gainsbourg (*Équateur*), de Paul Boujenah (*Le Faucon*), de Andrzej Zulawski (*La Femme publique, L'Amour braque*). Cet homme-orchestre, capable de jouer les rôles les plus romantiques comme les plus réalistes, d'enseigner la comédie (au cours Florent, où pendant vingt ans, dit-il, il a été le père de tous les élèves du Cours et où il a rencontré celle qui partage sa vie, l'actrice Cristiana Reali), de passer derrière la caméra, avec *On a volé Charlie Spencer* (il entend d'ailleurs renouveler l'expérience bientôt) est aussi un comédien superstitieux, qui déteste le vert, porte une photo fétiche dans sa poche pour chaque première et touche le buste de Molière chaque soir avant d'entrer en scène. Il dévore tous les auteurs contemporains, de Jean d'Ormesson à Patrick Modiano, et voue un culte à Camus. « Touche-à-tout de génie », selon Jean-Claude Brialy, athlète accompli, qui joue au football tous les dimanches, mais qui est aussi doué en boxe, en vélo ou en ski, il se nourrit de chocolats chauds, de crèmes glacées, de frites McDo et boit du Coca Cola. Il retrouve sa sœur et sa mère – pour laquelle il a une grande admiration – au cours d'un déjeuner rituel et hebdomadaire. Il collectionne les petits soldats de plomb de l'époque napoléonienne, regarde tous les programmes à la télévision en zappant jusqu'à trois heures du matin, se lève tôt et a la phobie de l'eau. Il est capable d'incarner les anti-héros seul sur une scène pendant deux heures, dans la pièce intitulée *La Peste*, une performance remarquable où il apparaît sans maquillage, pour « rougir et pâlir à volonté », de lire plusieurs ouvrages en une semaine, d'apprendre son prochain rôle au théâtre en prenant des notes pour un film ou l'adaptation d'une nouvelle pièce. Il joue à nouveau un héros romantique, Joseph, dans un feuilleton pour TF1 tourné à Cuba, en 1996, sous la direction de Jean Sagols, avec sa bien-aimée (*Terre indigo*) et projette d'acquérir son propre théâtre pour pouvoir monter les pièces de son choix. Il forme un couple passionné avec Cristiana Reali, une Italo-Brésilienne de charme qui vient d'être sacrée égérie de Lancôme. « Qu'elle est belle, qu'elle est lumineuse ! Comment une fille comme ça (si jeune, si belle, si intelligente et si sexy) peut-elle aimer un type comme moi, (vingt ans plus vieux) ? » avoue-t-il aux journalistes du *Figaro*, avec une lueur d'inquiétude. Mais il la voit devenir une star au même titre qu'Adjani ou Binoche, aussi ne veut-il pas que les réalisateurs ne l'associent trop à lui et ne se découragent de l'employer. Un vrai Pygmalion pour elle, qui a su diriger sa carrière progressivement, en lui confiant des rôles de plus en plus importants et difficiles. C'est le théâtre qui scelle leur union, comme le couple Renaud-Barrault ou Burton-Taylor, selon ses propres dires. Et leur union est aussi volcanique que l'était celle de ces monstres sacrés !

Édith Piaf

Chez Édith Piaf c'est, surtout, le Scorpion qui apparaît valorisé. En effet le Sagittaire, aussi en Secteur I, est vide de planètes, la conjonction Soleil-Mercure se plaçant à l'entrée du Secteur II, alors que le Secteur VIII, analogue du Scorpion, en contient trois : Pluton, comme chez Callas, Saturne et Neptune. Quant à Jupiter, il n'est ni à l'Ascendant ni en Sagittaire mais, relativement angulaire, en Secteur IV Poissons où il aspire à une dilatation de tout l'être, à une illimité capable d'abolir toutes les frontières entre le Moi et le Non-Moi.

En outre la Lune, maîtresse du Secteur VIII, se trouve très angulaire aux Gémeaux – Secteur VII. Dès le départ, Piaf apparaît donc comme une Lunaire très différente de la Solaire Callas : l'opéra, le déploiement spatial et temporel du théâtre, le classicisme de la tragédie antique ne peuvent être son registre ; le sien, tout aussi intense mais moins grandiose et plus familier, sera « la chanson » après, toutefois, la « goualante » de ses débuts. Cette Lune qui lui conserve un aspect d'adolescente en mal de croissance alors que l'ensemble Scorpion-Secteur VIII lui confère un extraordinaire

157

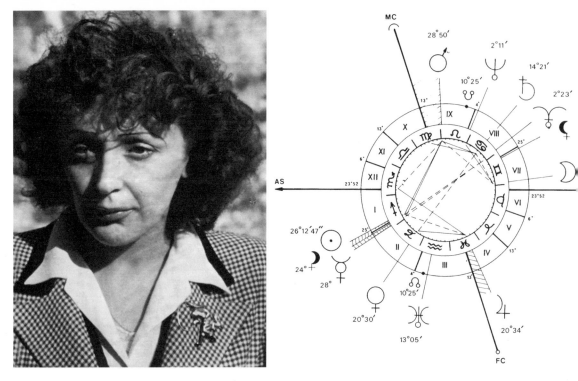

Edith Piaf tenait de son signe, le Sagittaire, ce goût profond de la mélodie ainsi que la faculté de poursuivre et d'atteindre ses buts, quels que fussent les événements et les obstacles.

magnétisme, en fait un être enfantin, émotif et instable, tout entier livré à la fugacité de ses impressions et d'une imagination amplifiée, idéalisée, « inspirée » même par le sextile à Neptune. Sa voix, elle, « venue des entrailles », est une voix de Scorpion, le caractère expressionniste de ses chansons aussi.

Autre face du thème, ce Mars du Lion qui domine en Secteur IX au voisinage du méridien: un Mars puissant, réalisateur et « très aspecté » : sextile à Pluton, trigone à la conjonction Soleil-Mercure, carré à la Lune. L'ensemble virilise très fortement le personnage, lui donnant l'esprit et la combativité d'un homme, d'autant que le carré Lune-Mars tend à jouer dans le sens d'un rejet de la condition de femme, ou d'une revanche sur cette condition. C'est un Mars capable de violentes colères comme d'un courage herculéen – on connaît l'épuisant acharnement de Piaf au travail – servi par une intelligence mordante et un sens critique aigu, qualités et défauts dont son entourage a pu à maintes reprises faire les frais, mais qui lui ont permis d'atteindre au talent que l'on sait.

La vie amoureuse agitée de Piaf reflète en partie cette composante virile. L'opposition en Secteur VIII-II de Pluton-Cancer à la conjonction Soleil-Mercure dans l'axe de la Lune Noire, ajoutée au carré Lune-Mars, implique des conflits liés à l'enfance – enfance catastrophique que l'on connaît – où la condition de femme et la relation à l'homme (l'image masculine étant par Mercure celle du « jeune homme ») sont vécues sur un mode ambivalent de recherche-rejet, révolte-soumission. Il faut ajouter à cela, toujours dans l'axe VIII-II, l'opposition d'un Saturne très régressif en Cancer à une Vénus localisée, comme chez Callas, en Capricorne. C'est un deuil incurable, lié sans doute à l'abandon maternel, que Piaf porte dans sa petite robe noire, une faim impossible à assouvir, un froid impossible à réchauffer, dont elle cherhce la guérison d'amour en amour, prenant puis rejetant, dans une quête qui ira s'accélérant, toujours recommencée, toujours échouée, toujours neuve. « L'amour, toujours l'amour! » L'opposition Pluton-Mercure n'arrange rien en mettant obstacle au contrôle régulateur de Mercure, en donnant à l'esprit un côté tourmenté, inquiet, compliqué, destructeur .

Par ailleurs, le carré de ce même Mars à l'Ascendant malmène le corps : dans la prime enfance d'abord, par les accidents et les opérations de la maturité, plus encore par le surmenage et les excès incessants, jusqu'à ce que survienne l'épuisement, Phénix ne pouvant plus renaître de ses cendres, Neptune ayant à la fin ajouté sa composante dissolvante.

De cet univers noir le Sagittaire paraît absent. En fait, il ne l'est pas. Certes, le magnétisme de la chanteuse, sa voix et son chant lui-même viennent du sexe et des entrailles, mais la flèche sagittarienne est bien là qui, aidée par le combat de Mars, se dégage et s'élance pour atteindre une cible... Poissons.

Jupiter est en effet dans ce signe en Secteur IV. Qu'il ait contribué, par son trigone à l'Ascendant, à donner à Piaf cet appétit océanique de vie et cet immense rire de santé dont parle Meurisse, c'est probable; qu'il l'ait couverte d'or (un or que, par générosité ou insouciance, incapacité à retenir ou besoin de mépriser, elle a jeté par les fenêtres), sans doute . Mais c'est lui aussi qui, en lui insufflant sa foi miséricordieuse, foi dans le chant, foi dans l'amour, foi naïve en Dieu, « transfigurait » en le sanctifiant ce Scorpion déchiré et souvent pitoyable, au point d'imposer silence – un silence très particulier, quasi religieux – dès la première note, à un public confondu.

Chapitre V

A la recherche de votre « Moi » profond

Fresque du palais Schifanoia à Ferrare, par F. del Cossa. Ce personnage allégorique au visage fin et doux, mais à la silhouette garçonnière, porte dans ses mains la dualité du signe : la flèche, expression d'une certaine virilité, et l'arceau, symbole clos de la féminité.

Dans quel Signe se trouvaient les Planètes à votre naissance

Comment utiliser les Tables des positions planétaires

Les planètes, le Soleil et la Lune sont des points d'émissions énergétiques qui correspondent chacun à une certaine expression de votre personnalité.

Mais ces corps célestes n'agissent pas directement sur nous.

Entre eux et la Terre, le Zodiaque avec ses douze signes différents constitue une sorte de bande abstraite à travers laquelle va s'exercer l'action des astres sur la Terre.

Ainsi la planète Jupiter n'agit-elle pas directement sur vous mais à travers le signe zodiacal dans lequel, vue de la Terre, elle se trouvait au moment de votre naissance.

C'est pourquoi, pour connaître le mode d'action complet de Jupiter sur vous, vous devez rechercher ce signe.

Les Tables des positions planétaires de 1920 à 2010 vous permettront de trouver d'un seul coup d'œil pour l'année et le jour de votre naissance le signe zodiacal dans lequel se trouvait chacune des huit planètes de Mercure à Pluton.

Pour la Lune, vous procédez différemment car cet astre se déplace beaucoup plus rapidement que les planètes, si bien qu'il vous faut tenir compte de votre heure de naissance pour connaître son signe zodiacal.

Dans les Tables de positions planétaires vous trouvez la position de la Lune à midi, temps universel de Greenwich, près de Londres.

Comme la Lune parcourt en moyenne 12 degrés zodiacaux par jour, elle reste environ deux jours et demi dans un signe puisque chaque signe compte 30 degrés zodiacaux.

Toutes les deux heures la Lune parcourt 1 degré zodiacal et c'est en fonction de cela que nous trouverons sa position finale.

Pratiquement, voici comment vous allez opérer.

1) Si les Tables des positions planétaires vous indiquent une position de la Lune comprise entre 6 et 23 degrés de n'importe quel signe zodiacal, cela veut dire que la Lune est restée toute la journée dans ce signe, quelle que soit votre heure de naissance.

2) Si ces *Tables* vous indiquent une position 0, 1, 2, 3, 4, 5, ou 24, 25, 26, 27, 28, 29 degrés d'un signe zodiacal, vous devez tenir compte de votre heure et de votre lieu de naissance pour découvrir si la Lune était encore dans le signe zodiacal précédent ou était déjà passée dans le signe suivant. Vous procédez pour cela comme indiqué à la page 217.

DECOUVREZ DANS QUEL SIGNE SE TROUVAIENT LES PLANETES A VOTRE NAISSANCE

1920	MERCURE	VENUS	MARS	JUPITER	SATURNE	URANUS	NEPTUNE	PLUTON	LUNE *
22 NOVEMBRE	SCORPION	CAPRICORNE	CAPRICORNE	VIERGE	VIERGE	POISSONS	LION	CANCER	12 BELIER
23 NOVEMBRE	SCORPION	CAPRICORNE	CAPRICORNE	VIERGE	VIERGE	POISSONS	LION	CANCER	26 BELIER
24 NOVEMBRE	SCORPION	CAPRICORNE	CAPRICORNE	VIERGE	VIERGE	POISSONS	LION	CANCER	10 TAUREAU
25 NOVEMBRE	SCORPION	CAPRICORNE	CAPRICORNE	VIERGE	VIERGE	POISSONS	LION	CANCER	25 TAUREAU
26 NOVEMBRE	SCORPION	CAPRICORNE	CAPRICORNE	VIERGE	VIERGE	POISSONS	LION	CANCER	10 GEMEAUX
27 NOVEMBRE	SCORPION	CAPRICORNE	CAPRICORNE	VIERGE	VIERGE	POISSONS	LION	CANCER	25 GEMEAUX
28 NOVEMBRE	SCORPION	CAPRICORNE	VERSEAU	VIERGE	VIERGE	POISSONS	LION	CANCER	10 CANCER
29 NOVEMBRE	SCORPION	CAPRICORNE	VERSEAU	VIERGE	VIERGE	POISSONS	LION	CANCER	24 CANCER
30 NOVEMBRE	SCORPION	CAPRICORNE	VERSEAU	VIERGE	VIERGE	POISSONS	LION	CANCER	9 LION
1 DECEMBRE	SCORPION	CAPRICORNE	VERSEAU	VIERGE	VIERGE	POISSONS	LION	CANCER	23 LION
2 DECEMBRE	SCORPION	CAPRICORNE	VERSEAU	VIERGE	VIERGE	POISSONS	LION	CANCER	7 VIERGE
3 DECEMBRE	SCORPION	CAPRICORNE	VERSEAU	VIERGE	VIERGE	POISSONS	LION	CANCER	21 VIERGE
4 DECEMBRE	SCORPION	CAPRICORNE	VERSEAU	VIERGE	VIERGE	POISSONS	LION	CANCER	4 BALANCE
5 DECEMBRE	SCORPION	CAPRICORNE	VERSEAU	VIERGE	VIERGE	POISSONS	LION	CANCER	17 BALANCE
6 DECEMBRE	SCORPION	CAPRICORNE	VERSEAU	VIERGE	VIERGE	POISSONS	LION	CANCER	0 SCORPION
7 DECEMBRE	SCORPION	CAPRICORNE	VERSEAU	VIERGE	VIERGE	POISSONS	LION	CANCER	12 SCORPION
8 DECEMBRE	SCORPION	CAPRICORNE	VERSEAU	VIERGE	VIERGE	POISSONS	LION	CANCER	25 SCORPION
9 DECEMBRE	SCORPION	CAPRICORNE	VERSEAU	VIERGE	VIERGE	POISSONS	LION	CANCER	7 SAGITTAIRE
10 DECEMBRE	SCORPION	CAPRICORNE	VERSEAU	VIERGE	VIERGE	POISSONS	LION	CANCER	19 SAGITTAIRE
11 DECEMBRE	SAGITTAIRE	CAPRICORNE	VERSEAU	VIERGE	VIERGE	POISSONS	LION	CANCER	1 CAPRICORNE
12 DECEMBRE	SAGITTAIRE	VERSEAU	VERSEAU	VIERGE	VIERGE	POISSONS	LION	CANCER	13 CAPRICORNE
13 DECEMBRE	SAGITTAIRE	VERSEAU	VERSEAU	VIERGE	VIERGE	POISSONS	LION	CANCER	24 CAPRICORNE
14 DECEMBRE	SAGITTAIRE	VERSEAU	VERSEAU	VIERGE	VIERGE	POISSONS	LION	CANCER	6 VERSEAU
15 DECEMBRE	SAGITTAIRE	VERSEAU	VERSEAU	VIERGE	VIERGE	POISSONS	LION	CANCER	18 VERSEAU
16 DECEMBRE	SAGITTAIRE	VERSEAU	VERSEAU	VIERGE	VIERGE	POISSONS	LION	CANCER	0 POISSON
17 DECEMBRE	SAGITTAIRE	VERSEAU	VERSEAU	VIERGE	VIERGE	POISSONS	LION	CANCER	12 POISSONS
18 DECEMBRE	SAGITTAIRE	VERSEAU	VERSEAU	VIERGE	VIERGE	POISSONS	LION	CANCER	25 POISSONS
19 DECEMBRE	SAGITTAIRE	VERSEAU	VERSEAU	VIERGE	VIERGE	POISSONS	LION	CANCER	7 BELIER
20 DECEMBRE	SAGITTAIRE	VERSEAU	VERSEAU	VIERGE	VIERGE	POISSONS	LION	CANCER	20 BELIER
21 DECEMBRE	SAGITTAIRE	VERSEAU	VERSEAU	VIERGE	VIERGE	POISSONS	LION	CANCER	4 TAUREAU
22 DECEMBRE	SAGITTAIRE	VERSEAU	VERSEAU	VIERGE	VIERGE	POISSONS	LION	CANCER	18 TAUREAU

	ENTRE DANS LE SIGNE DU		LE 22 NOVEMBRE	A 14 h 00		
LE SOLEIL		SAGITTAIRE	1920		* LES CHIFFRES INDIQUENT LES DEGRES	
	QUITTE LE SIGNE DU		LE 22 DECEMBRE	A 3 h 00		

1921	MERCURE	VENUS	MARS	JUPITER	SATURNE	URANUS	NEPTUNE	PLUTON	LUNE *
22 NOVEMBRE	SCORPION	SCORPION	BALANCE	BALANCE	BALANCE	POISSONS	LION	CANCER	0 VIERGE
23 NOVEMBRE	SCORPION	SCORPION	BALANCE	BALANCE	BALANCE	POISSONS	LION	CANCER	14 VIERGE
24 NOVEMBRE	SCORPION	SCORPION	BALANCE	BALANCE	BALANCE	POISSONS	LION	CANCER	28 VIERGE
25 NOVEMBRE	SCORPION	SCORPION	BALANCE	BALANCE	BALANCE	POISSONS	LION	CANCER	12 BALANCE
26 NOVEMBRE	SCORPION	SCORPION	BALANCE	BALANCE	BALANCE	POISSONS	LION	CANCER	25 BALANCE
27 NOVEMBRE	SCORPION	SCORPION	BALANCE	BALANCE	BALANCE	POISSONS	LION	CANCER	9 SCORPION
28 NOVEMBRE	SCORPION	SCORPION	BALANCE	BALANCE	BALANCE	POISSONS	LION	CANCER	22 SCORPION
29 NOVEMBRE	SCORPION	SCORPION	BALANCE	BALANCE	BALANCE	POISSONS	LION	CANCER	6 SAGITTAIRE
30 NOVEMBRE	SCORPION	SCORPION	BALANCE	BALANCE	BALANCE	POISSONS	LION	CANCER	19 SAGITTAIRE
1 DECEMBRE	SCORPION	SCORPION	BALANCE	BALANCE	BALANCE	POISSONS	LION	CANCER	2 CAPRICORNE
2 DECEMBRE	SCORPION	SCORPION	BALANCE	BALANCE	BALANCE	POISSONS	LION	CANCER	14 CAPRICORNE
3 DECEMBRE	SCORPION	SCORPION	BALANCE	BALANCE	BALANCE	POISSONS	LION	CANCER	26 CAPRICORNE
4 DECEMBRE	SCORPION	SCORPION	BALANCE	BALANCE	BALANCE	POISSONS	LION	CANCER	8 VERSEAU
5 DECEMBRE	SAGITTAIRE	SCORPION	BALANCE	BALANCE	BALANCE	POISSONS	LION	CANCER	20 VERSEAU
6 DECEMBRE	SAGITTAIRE	SCORPION	BALANCE	BALANCE	BALANCE	POISSONS	LION	CANCER	2 POISSONS
7 DECEMBRE	SAGITTAIRE	SCORPION	BALANCE	BALANCE	BALANCE	POISSONS	LION	CANCER	14 POISSONS
8 DECEMBRE	SAGITTAIRE	SAGITTAIRE	BALANCE	BALANCE	BALANCE	POISSONS	LION	CANCER	26 POISSONS
9 DECEMBRE	SAGITTAIRE	SAGITTAIRE	BALANCE	BALANCE	BALANCE	POISSONS	LION	CANCER	8 BELIER
10 DECEMBRE	SAGITTAIRE	SAGITTAIRE	BALANCE	BALANCE	BALANCE	POISSONS	LION	CANCER	20 BELIER
11 DECEMBRE	SAGITTAIRE	SAGITTAIRE	BALANCE	BALANCE	BALANCE	POISSONS	LION	CANCER	3 TAUREAU
12 DECEMBRE	SAGITTAIRE	SAGITTAIRE	BALANCE	BALANCE	BALANCE	POISSONS	LION	CANCER	16 TAUREAU
13 DECEMBRE	SAGITTAIRE	SAGITTAIRE	BALANCE	BALANCE	BALANCE	POISSONS	LION	CANCER	0 GEMEAUX
14 DECEMBRE	SAGITTAIRE	SAGITTAIRE	BALANCE	BALANCE	BALANCE	POISSONS	LION	CANCER	14 GEMEAUX
15 DECEMBRE	SAGITTAIRE	SAGITTAIRE	BALANCE	BALANCE	BALANCE	POISSONS	LION	CANCER	28 GEMEAUX
16 DECEMBRE	SAGITTAIRE	SAGITTAIRE	BALANCE	BALANCE	BALANCE	POISSONS	LION	CANCER	12 CANCER
17 DECEMBRE	SAGITTAIRE	SAGITTAIRE	BALANCE	BALANCE	BALANCE	POISSONS	LION	CANCER	27 CANCER
18 DECEMBRE	SAGITTAIRE	SAGITTAIRE	BALANCE	BALANCE	BALANCE	POISSONS	LION	CANCER	12 LION
19 DECEMBRE	SAGITTAIRE	SAGITTAIRE	BALANCE	BALANCE	BALANCE	POISSONS	LION	CANCER	26 LION
20 DECEMBRE	SAGITTAIRE	SAGITTAIRE	BALANCE	BALANCE	BALANCE	POISSONS	LION	CANCER	10 VIERGE
21 DECEMBRE	SAGITTAIRE	SAGITTAIRE	BALANCE	BALANCE	BALANCE	POISSONS	LION	CANCER	25 VIERGE
22 DECEMBRE	SAGITTAIRE	SAGITTAIRE	BALANCE	BALANCE	BALANCE	POISSONS	LION	CANCER	8 BALANCE

	ENTRE DANS LE SIGNE DU		LE 22 NOVEMBRE	A 20 h 10		
LE SOLEIL		SAGITTAIRE	1920		* LES CHIFFRES INDIQUENT LES DEGRES	
	QUITTE LE SIGNE DU		LE 22 DECEMBRE	A 9 h 00		

DECOUVREZ DANS QUEL SIGNE SE TROUVAIENT LES PLANETES A VOTRE NAISSANCE

1922	MERCURE	VENUS	MARS	JUPITER	SATURNE	URANUS	NEPTUNE	PLUTON	LUNE *
23 NOVEMBRE	SCORPION	SAGITTAIRE	VERSEAU	SCORPION	BALANCE	POISSONS	LION	CANCER	28 CAPRICORNE
24 NOVEMBRE	SCORPION	SAGITTAIRE	VERSEAU	SCORPION	BALANCE	POISSONS	LION	CANCER	10 VERSEAU
25 NOVEMBRE	SCORPION	SAGITTAIRE	VERSEAU	SCORPION	BALANCE	POISSONS	LION	CANCER	23 VERSEAU
26 NOVEMBRE	SCORPION	SAGITTAIRE	VERSEAU	SCORPION	BALANCE	POISSONS	LION	CANCER	5 POISSONS
27 NOVEMBRE	SCORPION	SAGITTAIRE	VERSEAU	SCORPION	BALANCE	POISSONS	LION	CANCER	17 POISSONS
28 NOVEMBRE	SAGITTAIRE	SAGITTAIRE	VERSEAU	SCORPION	BALANCE	POISSONS	LION	CANCER	29 POISSONS
29 NOVEMBRE	SAGITTAIRE	SCORPION	VERSEAU	SCORPION	BALANCE	POISSONS	LION	CANCER	10 BELIER
30 NOVEMBRE	SAGITTAIRE	SCORPION	VERSEAU	SCORPION	BALANCE'	POISSONS	LION	CANCER	22 BELIER
1 DECEMBRE	SAGITTAIRE	SCORPION	VERSEAU	SCORPION	BALANCE	POISSONS	LION	CANCER	4 TAUREAU
2 DECEMBRE	SAGITTAIRE	SCORPION	VERSEAU	SCORPION	BALANCE	POISSONS	LION	CANCER	16 TAUREAU
3 DECEMBRE	SAGITTAIRE	SCORPION	VERSEAU	SCORPION	BALANCE	POISSONS	LION	CANCER	29 TAUREAU
4 DECEMBRE	SAGITTAIRE	SCORPION	VERSEAU	SCORPION	BALANCE	POISSONS	LION	CANCER	12 GEMEAUX
5 DECEMBRE	SAGITTAIRE	SCORPION	VERSEAU	SCORPION	BALANCE	POISSONS	LION	CANCER	24 GEMEAUX
6 DECEMBRE	SAGITTAIRE	SCORPION	VERSEAU	SCORPION	BALANCE	POISSONS	LION	CANCER	8 CANCER
7 DECEMBRE	SAGITTAIRE	SCORPION	VERSEAU	SCORPION	BALANCE	POISSONS	LION	CANCER	21 CANCER
8 DECEMBRE	SAGITTAIRE	SCORPION	VERSEAU	SCORPION	BALANCE	POISSONS	LION	CANCER	4 LION
9 DECEMBRE	SAGITTAIRE	SCORPION	VERSEAU	SCORPION	BALANCE	POISSONS	LION	CANCER	18 LION
10 DECEMBRE	SAGITTAIRE	SCORPION	VERSEAU	SCORPION	BALANCE	POISSONS	LION	CANCER	2 VIERGE
11 DECEMBRE	SAGITTAIRE	SCORPION	VERSEAU	SCORPION	BALANCE	POISSONS	LION	CANCER	16 VIERGE
12 DECEMBRE	SAGITTAIRE	SCORPION	POISSONS	SCORPION	BALANCE	POISSONS	LION	CANCER	0 BALANCE
13 DECEMBRE	SAGITTAIRE	SCORPION	POISSONS	SCORPION	BALANCE	POISSONS	LION	CANCER	14 BALANCE
14 DECEMBRE	SAGITTAIRE	SCORPION	POISSONS	SCORPION	BALANCE	POISSONS	LION	CANCER	28 BALANCE
15 DECEMBRE	SAGITTAIRE	SCORPION	POISSONS	SCORPION	BALANCE	POISSONS	LION	CANCER	13 SCORPION
16 DECEMBRE	SAGITTAIRE	SCORPION	POISSONS	SCORPION	BALANCE	POISSONS	LION	CANCER	27 SCORPION
17 DECEMBRE	CAPRICORNE	SCORPION	POISSONS	SCORPION	BALANCE	POISSONS	LION	CANCER	11 SAGITTAIRE
18 DECEMBRE	CAPRICORNE	SCORPION	POISSONS	SCORPION	BALANCE	POISSONS	LION	CANCER	25 SAGITTAIRE
19 DECEMBRE	CAPRICORNE	SCORPION	POISSONS	SCORPION	BALANCE	POISSONS	LION	CANCER	9 CAPRICORNE
20 DECEMBRE	CAPRICORNE	SCORPION	POISSONS	SCORPION	BALANCE	POISSONS	LION	CANCER	22 CAPRICORNE
21 DECEMBRE	CAPRICORNE	SCORPION	POISSONS	SCORPION	BALANCE	POISSONS	LION	CANCER	6 VERSEAU
22 DECEMBRE	CAPRICORNE	SCORPION	POISSONS	SCORPION	BALANCE	POISSONS	LION	CANCER	18 VERSEAU

	ENTRE DANS LE SIGNE DU		LE 23 NOVEMBRE	A 1 h 45	
LE SOLEIL	SAGITTAIRE		1922	✱ LES CHIFFRES INDIQUENT LES DEGRES	
	QUITTE LE SIGNE DU		LE 22 DECEMBRE	A 14 h 45	

1923	MERCURE	VENUS	MARS	JUPITER	SATURNE	URANUS	NEPTUNE	PLUTON	LUNE *
23 NOVEMBRE	SAGITTAIRE	SAGITTAIRE	BALANCE	SCORPION	BALANCE	POISSONS	LION	CANCER	29 TAUREAU
24 NOVEMBRE	SAGITTAIRE	SAGITTAIRE	BALANCE	SCORPION	BALANCE	POISSONS	LION	CANCER	11 GEMEAUX
25 NOVEMBRE	SAGITTAIRE	SAGITTAIRE	BALANCE	SAGITTAIRE	BALANCE	POISSONS	LION	CANCER	23 GEMEAUX
26 NOVEMBRE	SAGITTAIRE	SAGITTAIRE	BALANCE	SAGITTAIRE	BALANCE	POISSONS	LION	CANCER	6 CANCER
27 NOVEMBRE	SAGITTAIRE	SAGITTAIRE	BALANCE	SAGITTAIRE	BALANCE	POISSONS	LION	CANCER	18 CANCER
28 NOVEMBRE	SAGITTAIRE	SAGITTAIRE	BALANCE	SAGITTAIRE	BALANCE	POISSONS	LION	CANCER	0 LION
29 NOVEMBRE	SAGITTAIRE	SAGITTAIRE	BALANCE	SAGITTAIRE	BALANCE	POISSONS	LION	CANCER	13 LION
30 NOVEMBRE	SAGITTAIRE	SAGITTAIRE	BALANCE	SAGITTAIRE	BALANCE	POISSONS	LION	CANCER	26 LION
1 DECEMBRE	SAGITTAIRE	SAGITTAIRE	BALANCE	SAGITTAIRE	BALANCE	POISSONS	LION	CANCER	9 VIERGE
2 DECEMBRE	SAGITTAIRE	CAPRICORNE	BALANCE	SAGITTAIRE	BALANCE	POISSONS	LION	CANCER	22 VIERGE
3 DECEMBRE	SAGITTAIRE	CAPRICORNE	BALANCE	SAGITTAIRE	BALANCE	POISSONS	LION	CANCER	6 BALANCE
4 DECEMBRE	SAGITTAIRE	CAPRICORNE	SCORPION	SAGITTAIRE	BALANCE	POISSONS	LION	CANCER	21 BALANCE
5 DECEMBRE	SAGITTAIRE	CAPRICORNE	SCORPION	SAGITTAIRE	BALANCE	POISSONS	LION	CANCER	6 SCORPION
6 DECEMBRE	SAGITTAIRE	CAPRICORNE	SCORPION	SAGITTAIRE	BALANCE	POISSONS	LION	CANCER	21 SCORPION
7 DECEMBRE	SAGITTAIRE	CAPRICORNE	SCORPION	SAGITTAIRE	BALANCE	POISSONS	LION	CANCER	6 SAGITTAIRE
8 DECEMBRE	SAGITTAIRE	CAPRICORNE	SCORPION	SAGITTAIRE	BALANCE	POISSONS	LION	CANCER	21 SAGITTAIRE
9 DECEMBRE	SAGITTAIRE	CAPRICORNE	SCORPION	SAGITTAIRE	BALANCE	POISSONS	LION	CANCER	6 CAPRICORNE
10 DECEMBRE	CAPRICORNE	CAPRICORNE	SCORPION	SAGITTAIRE	BALANCE	POISSONS	LION	CANCER	21 CAPRICORNE
11 DECEMBRE	CAPRICORNE	CAPRICORNE	SCORPION	SAGITTAIRE	BALANCE	POISSONS	LION	CANCER	5 VERSEAU
12 DECEMBRE	CAPRICORNE	CAPRICORNE	SCORPION	SAGITTAIRE	BALANCE	POISSONS	LION	CANCER	18 VERSEAU
13 DECEMBRE	CAPRICORNE	CAPRICORNE	SCORPION	SAGITTAIRE	BALANCE	POISSONS	LION	CANCER	2 POISSONS
14 DECEMBRE	CAPRICORNE	CAPRICORNE	SCORPION	SAGITTAIRE	BALANCE	POISSONS	LION	CANCER	14 POISSONS
15 DECEMBRE	CAPRICORNE	CAPRICORNE	SCORPION	SAGITTAIRE	BALANCE	POISSONS	LION	CANCER	27 POISSONS
16 DECEMBRE	CAPRICORNE	CAPRICORNE	SCORPION	SAGITTAIRE	BALANCE	POISSONS	LION	CANCER	9 BELIER
17 DECEMBRE	CAPRICORNE	CAPRICORNE	SCORPION	SAGITTAIRE	BALANCE	POISSONS	LION	CANCER	21 BELIER
18 DECEMBRE	CAPRICORNE	CAPRICORNE	SCORPION	SAGITTAIRE	BALANCE	POISSONS	LION	CANCER	2 TAUREAU
19 DECEMBRE	CAPRICORNE	CAPRICORNE	SCORPION	SAGITTAIRE	BALANCE	POISSONS	LION	CANCER	14 TAUREAU
20 DECEMBRE	CAPRICORNE	CAPRICORNE	SCORPION	SAGITTAIRE	SCORPION	POISSONS	LION	CANCER	26 TAUREAU
21 DECEMBRE	CAPRICORNE	CAPRICORNE	SCORPION	SAGITTAIRE	SCORPION	POISSONS	LION	CANCER	8 GEMEAUX
22 DECEMBRE	CAPRICORNE	CAPRICORNE	SCORPION	SAGITTAIRE	SCORPION	POISSONS	LION	CANCER	20 GEMEAUX

	ENTRE DANS LE SIGNE DU		LE 23 NOVEMBRE	A 7 h 45	
LE SOLEIL	SAGITTAIRE		1923	✱ LES CHIFFRES INDIQUENT LES DEGRES	
	QUITTE LE SIGNE DU		LE 22 DECEMBRE	A 20 h 40	

DECOUVREZ DANS QUEL SIGNE SE TROUVAIENT LES PLANETES A VOTRE NAISSANCE

1924	MERCURE	VENUS	MARS	JUPITER	SATURNE	URANUS	NEPTUNE	PLUTON	LUNE *
22 NOVEMBRE	SAGITTAIRE	BALANCE	POISSONS	SAGITTAIRE	SCORPION	POISSONS	LION	CANCER	3 BALANCE
23 NOVEMBRE	SAGITTAIRE	BALANCE	POISSONS	SAGITTAIRE	SCORPION	POISSONS	LION	CANCER	16 BALANCE
24 NOVEMBRE	SAGITTAIRE	BALANCE	POISSONS	SAGITTAIRE	SCORPION	POISSONS	LION	CANCER	1 SCORPION
25 NOVEMBRE	SAGITTAIRE	BALANCE	POISSONS	SAGITTAIRE	SCORPION	POISSONS	LION	CANCER	15 SCORPION
26 NOVEMBRE	SAGITTAIRE	BALANCE	POISSONS	SAGITTAIRE	SCORPION	POISSONS	LION	CANCER	1 SAGITTAIRE
27 NOVEMBRE	SAGITTAIRE	SCORPION	POISSONS	SAGITTAIRE	SCORPION	POISSONS	LION	CANCER	16 SAGITTAIRE
28 NOVEMBRE	SAGITTAIRE	SCORPION	POISSONS	SAGITTAIRE	SCORPION	POISSONS	LION	CANCER	1 CAPRICORNE
29 NOVEMBRE	SAGITTAIRE	SCORPION	POISSONS	SAGITTAIRE	SCORPION	POISSONS	LION	CANCER	16 CAPRICORNE
30 NOVEMBRE	SAGITTAIRE	SCORPION	POISSONS	SAGITTAIRE	SCORPION	POISSONS	LION	CANCER	1 VERSEAU
1 DECEMBRE	SAGITTAIRE	SCORPION	POISSONS	SAGITTAIRE	SCORPION	POISSONS	LION	CANCER	15 VERSEAU
2 DECEMBRE	SAGITTAIRE	SCORPION	POISSONS	SAGITTAIRE	SCORPION	POISSONS	LION	CANCER	29 VERSEAU
3 DECEMBRE	CAPRICORNE	SCORPION	POISSONS	SAGITTAIRE	SCORPION	POISSONS	LION	CANCER	12 POISSONS
4 DECEMBRE	CAPRICORNE	SCORPION	POISSONS	SAGITTAIRE	SCORPION	POISSONS	LION	CANCER	25 POISSONS
5 DECEMBRE	CAPRICORNE	SCORPION	POISSONS	SAGITTAIRE	SCORPION	POISSONS	LION	CANCER	8 BELIER
6 DECEMBRE	CAPRICORNE	SCORPION	POISSONS	SAGITTAIRE	SCORPION	POISSONS	LION	CANCER	21 BELIER
7 DECEMBRE	CAPRICORNE	SCORPION	POISSONS	SAGITTAIRE	SCORPION	POISSONS	LION	CANCER	3 TAUREAU
8 DECEMBRE	CAPRICORNE	SCORPION	POISSONS	SAGITTAIRE	SCORPION	POISSONS	LION	CANCER	15 TAUREAU
9 DECEMBRE	CAPRICORNE	SCORPION	POISSONS	SAGITTAIRE	SCORPION	POISSONS	LION	CANCER	27 TAUREAU
10 DECEMBRE	CAPRICORNE	SCORPION	POISSONS	SAGITTAIRE	SCORPION	POISSONS	LION	CANCER	9 GEMEAUX
11 DECEMBRE	CAPRICORNE	SCORPION	POISSONS	SAGITTAIRE	SCORPION	POISSONS	LION	CANCER	21 GEMEAUX
12 DECEMBRE	CAPRICORNE	SCORPION	POISSONS	SAGITTAIRE	SCORPION	POISSONS	LION	CANCER	3 CANCER
13 DECEMBRE	CAPRICORNE	SCORPION	POISSONS	SAGITTAIRE	SCORPION	POISSONS	LION	CANCER	15 CANCER
14 DECEMBRE	CAPRICORNE	SCORPION	POISSONS	SAGITTAIRE	SCORPION	POISSONS	LION	CANCER	27 CANCER
15 DECEMBRE	CAPRICORNE	SCORPION	POISSONS	SAGITTAIRE	SCORPION	POISSONS	LION	CANCER	8 LION
16 DECEMBRE	CAPRICORNE	SCORPION	POISSONS	SAGITTAIRE	SCORPION	POISSONS	LION	CANCER	20 LION
17 DECEMBRE	CAPRICORNE	SCORPION	POISSONS	SAGITTAIRE	SCORPION	POISSONS	LION	CANCER	3 VIERGE
18 DECEMBRE	CAPRICORNE	SCORPION	POISSONS	CAPRICORNE	SCORPION	POISSONS	LION	CANCER	15 VIERGE
19 DECEMBRE	CAPRICORNE	SCORPION	BELIER	CAPRICORNE	SCORPION	POISSONS	LION	CANCER	28 VIERGE
20 DECEMBRE	CAPRICORNE	SCORPION	BELIER	CAPRICORNE	SCORPION	POISSONS	LION	CANCER	11 BALANCE
21 DECEMBRE	CAPRICORNE	SCORPION	BELIER	CAPRICORNE	SCORPION	POISSONS	LION	CANCER	25 BALANCE
22 DECEMBRE	CAPRICORNE	SAGITTAIRE	BELIER	CAPRICORNE	SCORPION	POISSONS	LION	CANCER	9 SCORPION

LE SOLEIL
ENTRE DANS LE SIGNE DU SAGITTAIRE LE 22 NOVEMBRE 1924 A 13 h 30
QUITTE LE SIGNE DU LE 22 DECEMBRE A 2 h 30

* LES CHIFFRES INDIQUENT LES DEGRES

1925	MERCURE	VENUS	MARS	JUPITER	SATURNE	URANUS	NEPTUNE	PLUTON	LUNE *
22 NOVEMBRE	SAGITTAIRE	CAPRICORNE	SCORPION	CAPRICORNE	SCORPION	POISSONS	LION	CANCER	22 VERSEAU
23 NOVEMBRE	SAGITTAIRE	CAPRICORNE	SCORPION	CAPRICORNE	SCORPION	POISSONS	LION	CANCER	6 POISSONS
24 NOVEMBRE	SAGITTAIRE	CAPRICORNE	SCORPION	CAPRICORNE	SCORPION	POISSONS	LION	CANCER	20 POISSONS
25 NOVEMBRE	SAGITTAIRE	CAPRICORNE	SCORPION	CAPRICORNE	SCORPION	POISSONS	LION	CANCER	3 BELIER
26 NOVEMBRE	SAGITTAIRE	CAPRICORNE	SCORPION	CAPRICORNE	SCORPION	POISSONS	LION	CANCER	17 BELIER
27 NOVEMBRE	SAGITTAIRE	CAPRICORNE	SCORPION	CAPRICORNE	SCORPION	POISSONS	LION	CANCER	0 TAUREAU
28 NOVEMBRE	SAGITTAIRE	CAPRICORNE	SCORPION	CAPRICORNE	SCORPION	POISSONS	LION	CANCER	14 TAUREAU
29 NOVEMBRE	SAGITTAIRE	CAPRICORNE	SCORPION	CAPRICORNE	SCORPION	POISSONS	LION	CANCER	27 TAUREAU
30 NOVEMBRE	SAGITTAIRE	CAPRICORNE	SCORPION	CAPRICORNE	SCORPION	POISSONS	LION	CANCER	9 GEMEAUX
1 DECEMBRE	SAGITTAIRE	CAPRICORNE	SCORPION	CAPRICORNE	SCORPION	POISSONS	LION	CANCER	22 GEMEAUX
2 DECEMBRE	SAGITTAIRE	CAPRICORNE	SCORPION	CAPRICORNE	SCORPION	POISSONS	LION	CANCER	4 CANCER
3 DECEMBRE	SAGITTAIRE	CAPRICORNE	SCORPION	CAPRICORNE	SCORPION	POISSONS	LION	CANCER	16 CANCER
4 DECEMBRE	SAGITTAIRE	CAPRICORNE	SCORPION	CAPRICORNE	SCORPION	POISSONS	LION	CANCER	28 CANCER
5 DECEMBRE	SAGITTAIRE	CAPRICORNE	SCORPION	CAPRICORNE	SCORPION	POISSONS	LION	CANCER	10 LION
6 DECEMBRE	SAGITTAIRE	VERSEAU	SCORPION	CAPRICORNE	SCORPION	POISSONS	LION	CANCER	22 LION
7 DECEMBRE	SAGITTAIRE	VERSEAU	SCORPION	CAPRICORNE	SCORPION	POISSONS	LION	CANCER	4 VIERGE
8 DECEMBRE	SAGITTAIRE	VERSEAU	SCORPION	CAPRICORNE	SCORPION	POISSONS	LION	CANCER	15 VIERGE
9 DECEMBRE	SAGITTAIRE	VERSEAU	SCORPION	CAPRICORNE	SCORPION	POISSONS	LION	CANCER	28 VIERGE
10 DECEMBRE	SAGITTAIRE	VERSEAU	SCORPION	CAPRICORNE	SCORPION	POISSONS	LION	CANCER	10 BALANCE
11 DECEMBRE	SAGITTAIRE	VERSEAU	SCORPION	CAPRICORNE	SCORPION	POISSONS	LION	CANCER	23 BALANCE
12 DECEMBRE	SAGITTAIRE	VERSEAU	SCORPION	CAPRICORNE	SCORPION	POISSONS	LION	CANCER	6 SCORPION
13 DECEMBRE	SAGITTAIRE	VERSEAU	SCORPION	CAPRICORNE	SCORPION	POISSONS	LION	CANCER	20 SCORPION
14 DECEMBRE	SAGITTAIRE	VERSEAU	SCORPION	CAPRICORNE	SCORPION	POISSONS	LION	CANCER	4 SAGITTAIRE
15 DECEMBRE	SAGITTAIRE	VERSEAU	SCORPION	CAPRICORNE	SCORPION	POISSONS	LION	CANCER	19 SAGITTAIRE
16 DECEMBRE	SAGITTAIRE	VERSEAU	SCORPION	CAPRICORNE	SCORPION	POISSONS	LION	CANCER	3 CAPRICORNE
17 DECEMBRE	SAGITTAIRE	VERSEAU	SCORPION	CAPRICORNE	SCORPION	POISSONS	LION	CANCER	18 CAPRICORNE
18 DECEMBRE	SAGITTAIRE	VERSEAU	SCORPION	CAPRICORNE	SCORPION	POISSONS	LION	CANCER	3 VERSEAU
19 DECEMBRE	SAGITTAIRE	VERSEAU	SCORPION	CAPRICORNE	SCORPION	POISSONS	LION	CANCER	18 VERSEAU
20 DECEMBRE	SAGITTAIRE	VERSEAU	SCORPION	CAPRICORNE	SCORPION	POISSONS	LION	CANCER	2 POISSONS
21 DECEMBRE	SAGITTAIRE	VERSEAU	SCORPION	CAPRICORNE	SCORPION	POISSONS	LION	CANCER	16 POISSONS
22 DECEMBRE	SAGITTAIRE	VERSEAU	SCORPION	CAPRICORNE	SCORPION	POISSONS	LION	CANCER	0 BELIER

LE SOLEIL
ENTRE DANS LE SIGNE DU SAGITTAIRE LE 22 NOVEMBRE 1925 A 19 h 20
QUITTE LE SIGNE DU LE 22 DECEMBRE A 8 h 25

* LES CHIFFRES INDIQUENT LES DEGRES

DECOUVREZ DANS QUEL SIGNE SE TROUVAIENT LES PLANETES A VOTRE NAISSANCE

1926	MERCURE	VENUS	MARS	JUPITER	SATURNE	URANUS	NEPTUNE	PLUTON	LUNE *
23 NOVEMBRE	SAGITTAIRE	SAGITTAIRE	TAUREAU	VERSEAU	SCORPION	POISSONS	LION	CANCER	18 CANCER
24 NOVEMBRE	SAGITTAIRE	SAGITTAIRE	TAUREAU	VERSEAU	SCORPION	POISSONS	LION	CANCER	0 LION
25 NOVEMBRE	SAGITTAIRE	SAGITTAIRE	TAUREAU	VERSEAU	SCORPION	POISSONS	LION	CANCER	12 LION
26 NOVEMBRE	SAGITTAIRE	SAGITTAIRE	TAUREAU	VERSEAU	SCORPION	POISSONS	LION	CANCER	24 LION
27 NOVEMBRE	SAGITTAIRE	SAGITTAIRE	TAUREAU	VERSEAU	SCORPION	POISSONS	LION	CANCER	6 VIERGE
28 NOVEMBRE	SCORPION	SAGITTAIRE	TAUREAU	VERSEAU	SCORPION	POISSONS	LION	CANCER	18 VIERGE
29 NOVEMBRE	SCORPION	SAGITTAIRE	TAUREAU	VERSEAU	SCORPION	POISSONS	LION	CANCER	0 BALANCE
30 NOVEMBRE	SCORPION	SAGITTAIRE	TAUREAU	VERSEAU	SCORPION	POISSONS	LION	CANCER	12 BALANCE
1 DECEMBRE	SCORPION	SAGITTAIRE	TAUREAU	VERSEAU	SCORPION	POISSONS	LION	CANCER	24 BALANCE
2 DECEMBRE	SCORPION	SAGITTAIRE	TAUREAU	VERSEAU	SCORPION	POISSONS	LION	CANCER	7 SCORPION
3 DECEMBRE	SCORPION	SAGITTAIRE	TAUREAU	VERSEAU	SAGITTAIRE	POISSONS	LION	CANCER	19 SCORPION
4 DECEMBRE	SCORPION	SAGITTAIRE	TAUREAU	VERSEAU	SAGITTAIRE	POISSONS	LION	CANCER	2 SAGITTAIRE
5 DECEMBRE	SCORPION	SAGITTAIRE	TAUREAU	VERSEAU	SAGITTAIRE	POISSONS	LION	CANCER	15 SAGITTAIRE
6 DECEMBRE	SCORPION	SAGITTAIRE	TAUREAU	VERSEAU	SAGITTAIRE	POISSONS	LION	CANCER	29 SAGITTAIRE
7 DECEMBRE	SCORPION	SAGITTAIRE	TAUREAU	VERSEAU	SAGITTAIRE	POISSONS	LION	CANCER	12 CAPRICORNE
8 DECEMBRE	SCORPION	SAGITTAIRE	TAUREAU	VERSEAU	SAGITTAIRE	POISSONS	LION	CANCER	26 CAPRICORNE
9 DECEMBRE	SCORPION	SAGITTAIRE	TAUREAU	VERSEAU	SAGITTAIRE	POISSONS	LION	CANCER	10 VERSEAU
10 DECEMBRE	SCORPION	SAGITTAIRE	TAUREAU	VERSEAU	SAGITTAIRE	POISSONS	LION	CANCER	24 VERSEAU
11 DECEMBRE	SCORPION	SAGITTAIRE	TAUREAU	VERSEAU	SAGITTAIRE	POISSONS	LION	CANCER	8 POISSONS
12 DECEMBRE	SCORPION	SAGITTAIRE	TAUREAU	VERSEAU	SAGITTAIRE	POISSONS	LION	CANCER	22 POISSONS
13 DECEMBRE	SCORPION	SAGITTAIRE	TAUREAU	VERSEAU	SAGITTAIRE	POISSONS	LION	CANCER	6 BELIER
14 DECEMBRE	SAGITTAIRE	SAGITTAIRE	TAUREAU	VERSEAU	SAGITTAIRE	POISSONS	LION	CANCER	21 BELIER
15 DECEMBRE	SAGITTAIRE	SAGITTAIRE	TAUREAU	VERSEAU	SAGITTAIRE	POISSONS	LION	CANCER	5 TAUREAU
16 DECEMBRE	SAGITTAIRE	SAGITTAIRE	TAUREAU	VERSEAU	SAGITTAIRE	POISSONS	LION	CANCER	19 TAUREAU
17 DECEMBRE	SAGITTAIRE	CAPRICORNE	TAUREAU	VERSEAU	SAGITTAIRE	POISSONS	LION	CANCER	3 GEMEAUX
18 DECEMBRE	SAGITTAIRE	CAPRICORNE	TAUREAU	VERSEAU	SAGITTAIRE	POISSONS	LION	CANCER	16 GEMEAUX
19 DECEMBRE	SAGITTAIRE	CAPRICORNE	TAUREAU	VERSEAU	SAGITTAIRE	POISSONS	LION	CANCER	0 CANCER
20 DECEMBRE	SAGITTAIRE	CAPRICORNE	TAUREAU	VERSEAU	SAGITTAIRE	POISSONS	LION	CANCER	13 CANCER
21 DECEMBRE	SAGITTAIRE	CAPRICORNE	TAUREAU	VERSEAU	SAGITTAIRE	POISSONS	LION	CANCER	25 CANCER
22 DECEMBRE	SAGITTAIRE	CAPRICORNE	TAUREAU	VERSEAU	SAGITTAIRE	POISSONS	LION	CANCER	8 LION

ENTRE DANS LE SIGNE DU   LE 23 NOVEMBRE   A 1 h 15
LE SOLEIL   SAGITTAIRE   1926   * LES CHIFFRES INDIQUENT LES DEGRES
QUITTE LE SIGNE DU   LE 22 DECEMBRE   A 14 h 20

1927	MERCURE	VENUS	MARS	JUPITER	SATURNE	URANUS	NEPTUNE	PLUTON	LUNE *
23 NOVEMBRE	SCORPION	BALANCE	SCORPION	POISSONS	SAGITTAIRE	POISSONS	LION	CANCER	20 SCORPION
24 NOVEMBRE	SCORPION	BALANCE	SCORPION	POISSONS	SAGITTAIRE	POISSONS	LION	CANCER	2 SAGITTAIRE
25 NOVEMBRE	SCORPION	BALANCE	SCORPION	POISSONS	SAGITTAIRE	POISSONS	LION	CANCER	14 SAGITTAIRE
26 NOVEMBRE	SCORPION	BALANCE	SCORPION	POISSONS	SAGITTAIRE	POISSONS	LION	CANCER	26 SAGITTAIRE
27 NOVEMBRE	SCORPION	BALANCE	SCORPION	POISSONS	SAGITTAIRE	POISSONS	LION	CANCER	8 CAPRICORNE
28 NOVEMBRE	SCORPION	BALANCE	SCORPION	POISSONS	SAGITTAIRE	POISSONS	LION	CANCER	21 CAPRICORNE
29 NOVEMBRE	SCORPION	BALANCE	SCORPION	POISSONS	SAGITTAIRE	POISSONS	LION	CANCER	4 VERSEAU
30 NOVEMBRE	SCORPION	BALANCE	SCORPION	POISSONS	SAGITTAIRE	POISSONS	LION	CANCER	17 VERSEAU
1 DECEMBRE	SCORPION	BALANCE	SCORPION	POISSONS	SAGITTAIRE	POISSONS	LION	CANCER	0 POISSONS
2 DECEMBRE	SCORPION	BALANCE	SCORPION	POISSONS	SAGITTAIRE	POISSONS	LION	CANCER	14 POISSONS
3 DECEMBRE	SCORPION	BALANCE	SCORPION	POISSONS	SAGITTAIRE	POISSONS	LION	CANCER	28 POISSONS
4 DECEMBRE	SCORPION	BALANCE	SCORPION	POISSONS	SAGITTAIRE	POISSONS	LION	CANCER	13 BELIER
5 DECEMBRE	SCORPION	BALANCE	SCORPION	POISSONS	SAGITTAIRE	POISSONS	LION	CANCER	27 BELIER
6 DECEMBRE	SCORPION	BALANCE	SCORPION	POISSONS	SAGITTAIRE	POISSONS	LION	CANCER	12 TAUREAU
7 DECEMBRE	SCORPION	BALANCE	SCORPION	POISSONS	SAGITTAIRE	POISSONS	LION	CANCER	27 TAUREAU
8 DECEMBRE	SCORPION	BALANCE	SAGITTAIRE	POISSONS	SAGITTAIRE	POISSONS	LION	CANCER	12 GEMEAUX
9 DECEMBRE	SAGITTAIRE	SCORPION	SAGITTAIRE	POISSONS	SAGITTAIRE	POISSONS	LION	CANCER	27 GEMEAUX
10 DECEMBRE	SAGITTAIRE	SCORPION	SAGITTAIRE	POISSONS	SAGITTAIRE	POISSONS	LION	CANCER	11 CANCER
11 DECEMBRE	SAGITTAIRE	SCORPION	SAGITTAIRE	POISSONS	SAGITTAIRE	POISSONS	LION	CANCER	25 CANCER
12 DECEMBRE	SAGITTAIRE	SCORPION	SAGITTAIRE	POISSONS	SAGITTAIRE	POISSONS	LION	CANCER	8 LION
13 DECEMBRE	SAGITTAIRE	SCORPION	SAGITTAIRE	POISSONS	SAGITTAIRE	POISSONS	LION	CANCER	21 LION
14 DECEMBRE	SAGITTAIRE	SCORPION	SAGITTAIRE	POISSONS	SAGITTAIRE	POISSONS	LION	CANCER	4 VIERGE
15 DECEMBRE	SAGITTAIRE	SCORPION	SAGITTAIRE	POISSONS	SAGITTAIRE	POISSONS	LION	CANCER	17 VIERGE
16 DECEMBRE	SAGITTAIRE	SCORPION	SAGITTAIRE	POISSONS	SAGITTAIRE	POISSONS	LION	CANCER	29 VIERGE
17 DECEMBRE	SAGITTAIRE	SCORPION	SAGITTAIRE	POISSONS	SAGITTAIRE	POISSONS	LION	CANCER	11 BALANCE
18 DECEMBRE	SAGITTAIRE	SCORPION	SAGITTAIRE	POISSONS	SAGITTAIRE	POISSONS	LION	CANCER	23 BALANCE
19 DECEMBRE	SAGITTAIRE	SCORPION	SAGITTAIRE	POISSONS	SAGITTAIRE	POISSONS	LION	CANCER	4 SCORPION
20 DECEMBRE	SAGITTAIRE	SCORPION	SAGITTAIRE	POISSONS	SAGITTAIRE	POISSONS	LION	CANCER	16 SCORPION
21 DECEMBRE	SAGITTAIRE	SCORPION	SAGITTAIRE	POISSONS	SAGITTAIRE	POISSONS	LION	CANCER	28 SCORPION
22 DECEMBRE	SAGITTAIRE	SCORPION	SAGITTAIRE	POISSONS	SAGITTAIRE	POISSONS	LION	CANCER	10 SAGITTAIRE

ENTRE DANS LE SIGNE DU   LE 23 NOVEMBRE   A 7 h 00
LE SOLEIL   SAGITTAIRE   1927   * LES CHIFFRES INDIQUENT LES DEGRES
QUITTE LE SIGNE DU   LE 22 DECEMBRE   A 20 h 00

DECOUVREZ DANS QUEL SIGNE SE TROUVAIENT LES PLANETES A VOTRE NAISSANCE

1928	MERCURE	VENUS	MARS	JUPITER	SATURNE	URANUS	NEPTUNE	PLUTON	LUNE ✱
22 NOVEMBRE	SCORPION	CAPRICORNE	CANCER	TAUREAU	SAGITTAIRE	BELIER	VIERGE	CANCER	23 POISSONS
23 NOVEMBRE	SCORPION	CAPRICORNE	CANCER	TAUREAU	SAGITTAIRE	BELIER	VIERGE	CANCER	7 BELIER
24 NOVEMBRE	SCORPION	CAPRICORNE	CANCER	TAUREAU	SAGITTAIRE	BELIER	VIERGE	CANCER	21 BELIER
25 NOVEMBRE	SCORPION	CAPRICORNE	CANCER	TAUREAU	SAGITTAIRE	BELIER	VIERGE	CANCER	6 TAUREAU
26 NOVEMBRE	SCORPION	CAPRICORNE	CANCER	TAUREAU	SAGITTAIRE	BELIER	VIERGE	CANCER	21 TAUREAU
27 NOVEMBRE	SCORPION	CAPRICORNE	CANCER	TAUREAU	SAGITTAIRE	BELIER	VIERGE	CANCER	6 GEMEAUX
28 NOVEMBRE	SCORPION	CAPRICORNE	CANCER	TAUREAU	SAGITTAIRE	BELIER	VIERGE	CANCER	22 GEMEAUX
29 NOVEMBRE	SCORPION	CAPRICORNE	CANCER	TAUREAU	SAGITTAIRE	BELIER	VIERGE	CANCER	7 CANCER
30 NOVEMBRE	SCORPION	CAPRICORNE	CANCER	TAUREAU	SAGITTAIRE	BELIER	VIERGE	CANCER	22 CANCER
1 DECEMBRE	SCORPION	CAPRICORNE	CANCER	TAUREAU	SAGITTAIRE	BELIER	VIERGE	CANCER	6 LION
2 DECEMBRE	SAGITTAIRE	CAPRICORNE	CANCER	TAUREAU	SAGITTAIRE	BELIER	VIERGE	CANCER	20 LION
3 DECEMBRE	SAGITTAIRE	CAPRICORNE	CANCER	TAUREAU	SAGITTAIRE	BELIER	VIERGE	CANCER	3 VIERGE
4 DECEMBRE	SAGITTAIRE	CAPRICORNE	CANCER	TAUREAU	SAGITTAIRE	BELIER	VIERGE	CANCER	17 VIERGE
5 DECEMBRE	SAGITTAIRE	CAPRICORNE	CANCER	TAUREAU	SAGITTAIRE	BELIER	VIERGE	CANCER	29 VIERGE
6 DECEMBRE	SAGITTAIRE	CAPRICORNE	CANCER	TAUREAU	SAGITTAIRE	BELIER	VIERGE	CANCER	12 BALANCE
7 DECEMBRE	SAGITTAIRE	CAPRICORNE	CANCER	TAUREAU	SAGITTAIRE	BELIER	VIERGE	CANCER	24 BALANCE
8 DECEMBRE	SAGITTAIRE	CAPRICORNE	CANCER	TAUREAU	SAGITTAIRE	BELIER	VIERGE	CANCER	6 SCORPION
9 DECEMBRE	SAGITTAIRE	CAPRICORNE	CANCER	TAUREAU	SAGITTAIRE	BELIER	VIERGE	CANCER	18 SCORPION
10 DECEMBRE	SAGITTAIRE	CAPRICORNE	CANCER	TAUREAU	SAGITTAIRE	BELIER	VIERGE	CANCER	29 SCORPION
11 DECEMBRE	SAGITTAIRE	CAPRICORNE	CANCER	TAUREAU	SAGITTAIRE	BELIER	VIERGE	CANCER	11 SAGITTAIRE
12 DECEMBRE	SAGITTAIRE	VERSEAU	CANCER	TAUREAU	SAGITTAIRE	BELIER	VIERGE	CANCER	23 SAGITTAIRE
13 DECEMBRE	SAGITTAIRE	VERSEAU	CANCER	TAUREAU	SAGITTAIRE	BELIER	VIERGE	CANCER	5 CAPRICORNE
14 DECEMBRE	SAGITTAIRE	VERSEAU	CANCER	TAUREAU	SAGITTAIRE	BELIER	VIERGE	CANCER	17 CAPRICORNE
15 DECEMBRE	SAGITTAIRE	VERSEAU	CANCER	TAUREAU	SAGITTAIRE	BELIER	VIERGE	CANCER	29 CAPRICORNE
16 DECEMBRE	SAGITTAIRE	VERSEAU	CANCER	TAUREAU	SAGITTAIRE	BELIER	VIERGE	CANCER	11 VERSEAU
17 DECEMBRE	SAGITTAIRE	VERSEAU	CANCER	TAUREAU	SAGITTAIRE	BELIER	VIERGE	CANCER	23 VERSEAU
18 DECEMBRE	SAGITTAIRE	VERSEAU	CANCER	TAUREAU	SAGITTAIRE	BELIER	VIERGE	CANCER	6 POISSONS
19 DECEMBRE	SAGITTAIRE	VERSEAU	CANCER	TAUREAU	SAGITTAIRE	BELIER	VIERGE	CANCER	19 POISSONS
20 DECEMBRE	SAGITTAIRE	VERSEAU	GEMEAUX	TAUREAU	SAGITTAIRE	BELIER	VIERGE	CANCER	2 BELIER
21 DECEMBRE	CAPRICORNE	VERSEAU	GEMEAUX	TAUREAU	SAGITTAIRE	BELIER	VIERGE	CANCER	16 BELIER
22 DECEMBRE	CAPRICORNE	VERSEAU	GEMEAUX	TAUREAU	SAGITTAIRE	BELIER	VIERGE	CANCER	0 TAUREAU

	ENTRE DANS LE SIGNE DU	LE 22 NOVEMBRE	A 12 h 45	
LE SOLEIL	SAGITTAIRE	1928		✱ LES CHIFFRES INDIQUENT LES DEGRES
	QUITTE LE SIGNE DU	LE 22 DECEMBRE	1 h 50	

1929	MERCURE	VENUS	MARS	JUPITER	SATURNE	URANUS	NEPTUNE	PLUTON	LUNE ✱
22 NOVEMBRE	SCORPION	SCORPION	SAGITTAIRE	GEMEAUX	SAGITTAIRE	BELIER	VIERGE	CANCER	14 LION
23 NOVEMBRE	SCORPION	SCORPION	SAGITTAIRE	GEMEAUX	SAGITTAIRE	BELIER	VIERGE	CANCER	28 LION
24 NOVEMBRE	SAGITTAIRE	SCORPION	SAGITTAIRE	GEMEAUX	SAGITTAIRE	BELIER	VIERGE	CANCER	12 VIERGE
25 NOVEMBRE	SAGITTAIRE	SCORPION	SAGITTAIRE	GEMEAUX	SAGITTAIRE	BELIER	VIERGE	CANCER	26 VIERGE
26 NOVEMBRE	SAGITTAIRE	SCORPION	SAGITTAIRE	GEMEAUX	SAGITTAIRE	BELIER	VIERGE	CANCER	9 BALANCE
27 NOVEMBRE	SAGITTAIRE	SCORPION	SAGITTAIRE	GEMEAUX	SAGITTAIRE	BELIER	VIERGE	CANCER	22 BALANCE
28 NOVEMBRE	SAGITTAIRE	SCORPION	SAGITTAIRE	GEMEAUX	SAGITTAIRE	BELIER	VIERGE	CANCER	5 SCORPION
29 NOVEMBRE	SAGITTAIRE	SCORPION	SAGITTAIRE	GEMEAUX	SAGITTAIRE	BELIER	VIERGE	CANCER	17 SCORPION
30 NOVEMBRE	SAGITTAIRE	SCORPION	SAGITTAIRE	GEMEAUX	CAPRICORNE	BELIER	VIERGE	CANCER	0 SAGITTAIRE
1 DECEMBRE	SAGITTAIRE	SCORPION	SAGITTAIRE	GEMEAUX	CAPRICORNE	BELIER	VIERGE	CANCER	12 SAGITTAIRE
2 DECEMBRE	SAGITTAIRE	SCORPION	SAGITTAIRE	GEMEAUX	CAPRICORNE	BELIER	VIERGE	CANCER	24 SAGITTAIRE
3 DECEMBRE	SAGITTAIRE	SCORPION	SAGITTAIRE	GEMEAUX	CAPRICORNE	BELIER	VIERGE	CANCER	6 CAPRICORNE
4 DECEMBRE	SAGITTAIRE	SCORPION	SAGITTAIRE	GEMEAUX	CAPRICORNE	BELIER	VIERGE	CANCER	18 CAPRICORNE
5 DECEMBRE	SAGITTAIRE	SCORPION	SAGITTAIRE	GEMEAUX	CAPRICORNE	BELIER	VIERGE	CANCER	0 VERSEAU
6 DECEMBRE	SAGITTAIRE	SCORPION	SAGITTAIRE	GEMEAUX	CAPRICORNE	BELIER	VIERGE	CANCER	12 VERSEAU
7 DECEMBRE	SAGITTAIRE	SAGITTAIRE	SAGITTAIRE	GEMEAUX	CAPRICORNE	BELIER	VIERGE	CANCER	23 VERSEAU
8 DECEMBRE	SAGITTAIRE	SAGITTAIRE	SAGITTAIRE	GEMEAUX	CAPRICORNE	BELIER	VIERGE	CANCER	5 POISSONS
9 DECEMBRE	SAGITTAIRE	SAGITTAIRE	SAGITTAIRE	GEMEAUX	CAPRICORNE	BELIER	VIERGE	CANCER	18 POISSONS
10 DECEMBRE	SAGITTAIRE	SAGITTAIRE	SAGITTAIRE	GEMEAUX	CAPRICORNE	BELIER	VIERGE	CANCER	0 BELIER
11 DECEMBRE	SAGITTAIRE	SAGITTAIRE	SAGITTAIRE	GEMEAUX	CAPRICORNE	BELIER	VIERGE	CANCER	13 BELIER
12 DECEMBRE	SAGITTAIRE	SAGITTAIRE	SAGITTAIRE	GEMEAUX	CAPRICORNE	BELIER	VIERGE	CANCER	26 BELIER
13 DECEMBRE	SAGITTAIRE	SAGITTAIRE	SAGITTAIRE	GEMEAUX	CAPRICORNE	BELIER	VIERGE	CANCER	10 TAUREAU
14 DECEMBRE	CAPRICORNE	SAGITTAIRE	SAGITTAIRE	GEMEAUX	CAPRICORNE	BELIER	VIERGE	CANCER	24 TAUREAU
15 DECEMBRE	CAPRICORNE	SAGITTAIRE	SAGITTAIRE	GEMEAUX	CAPRICORNE	BELIER	VIERGE	CANCER	9 GEMEAUX
16 DECEMBRE	CAPRICORNE	SAGITTAIRE	SAGITTAIRE	GEMEAUX	CAPRICORNE	BELIER	VIERGE	CANCER	24 GEMEAUX
17 DECEMBRE	CAPRICORNE	SAGITTAIRE	SAGITTAIRE	GEMEAUX	CAPRICORNE	BELIER	VIERGE	CANCER	9 CANCER
18 DECEMBRE	CAPRICORNE	SAGITTAIRE	SAGITTAIRE	GEMEAUX	CAPRICORNE	BELIER	VIERGE	CANCER	24 CANCER
19 DECEMBRE	CAPRICORNE	SAGITTAIRE	SAGITTAIRE	GEMEAUX	CAPRICORNE	BELIER	VIERGE	CANCER	9 LION
20 DECEMBRE	CAPRICORNE	SAGITTAIRE	SAGITTAIRE	GEMEAUX	CAPRICORNE	BELIER	VIERGE	CANCER	24 LION
21 DECEMBRE	CAPRICORNE	SAGITTAIRE	SAGITTAIRE	GEMEAUX	CAPRICORNE	BELIER	VIERGE	CANCER	8 VIERGE
22 DECEMBRE	CAPRICORNE	SAGITTAIRE	SAGITTAIRE	GEMEAUX	CAPRICORNE	BELIER	VIERGE	CANCER	22 VIERGE

	ENTRE DANS LE SIGNE DU	LE 22 NOVEMBRE	A 18 h 30	
LE SOLEIL	SAGITTAIRE	1929		✱ LES CHIFFRES INDIQUENT LES DEGRES
	QUITTE LE SIGNE DU	LE 22 DECEMBRE	A 7 h 40	

166

DECOUVREZ DANS QUEL SIGNE SE TROUVAIENT LES PLANETES A VOTRE NAISSANCE

1930	MERCURE	VENUS	MARS	JUPITER	SATURNE	URANUS	NEPTUNE	PLUTON	LUNE *
23 NOVEMBRE	SAGITTAIRE	SCORPION	LION	CANCER	CAPRICORNE	BELIER	VIERGE	CANCER	7 CAPRICORNE
24 NOVEMBRE	SAGITTAIRE	SCORPION	LION	CANCER	CAPRICORNE	BELIER	VIERGE	CANCER	20 CAPRICORNE
25 NOVEMBRE	SAGITTAIRE	SCORPION	LION	CANCER	CAPRICORNE	BELIER	VIERGE	CANCER	2 VERSEAU
26 NOVEMBRE	SAGITTAIRE	SCORPION	LION	CANCER	CAPRICORNE	BELIER	VIERGE	CANCER	14 VERSEAU
27 NOVEMBRE	SAGITTAIRE	SCORPION	LION	CANCER	CAPRICORNE	BELIER	VIERGE	CANCER	26 VERSEAU
28 NOVEMBRE	SAGITTAIRE	SCORPION	LION	CANCER	CAPRICORNE	BELIER	VIERGE	CANCER	8 POISSONS
29 NOVEMBRE	SAGITTAIRE	SCORPION	LION	CANCER	CAPRICORNE	BELIER	VIERGE	CANCER	20 POISSONS
30 NOVEMBRE	SAGITTAIRE	SCORPION	LION	CANCER	CAPRICORNE	BELIER	VIERGE	CANCER	2 BELIER
1 DECEMBRE	SAGITTAIRE	SCORPION	LION	CANCER	CAPRICORNE	BELIER	VIERGE	CANCER	14 BELIER
2 DECEMBRE	SAGITTAIRE	SCORPION	LION	CANCER	CAPRICORNE	BELIER	VIERGE	CANCER	26 BELIER
3 DECEMBRE	SAGITTAIRE	SCORPION	LION	CANCER	CAPRICORNE	BELIER	VIERGE	CANCER	9 TAUREAU
4 DECEMBRE	SAGITTAIRE	SCORPION	LION	CANCER	CAPRICORNE	BELIER	VIERGE	CANCER	22 TAUREAU
5 DECEMBRE	SAGITTAIRE	SCORPION	LION	CANCER	CAPRICORNE	BELIER	VIERGE	CANCER	6 GEMEAUX
6 DECEMBRE	SAGITTAIRE	SCORPION	LION	CANCER	CAPRICORNE	BELIER	VIERGE	CANCER	19 GEMEAUX
7 DECEMBRE	CAPRICORNE	SCORPION	LION	CANCER	CAPRICORNE	BELIER	VIERGE	CANCER	3 CANCER
8 DECEMBRE	CAPRICORNE	SCORPION	LION	CANCER	CAPRICORNE	BELIER	VIERGE	CANCER	18 CANCER
9 DECEMBRE	CAPRICORNE	SCORPION	LION	CANCER	CAPRICORNE	BELIER	VIERGE	CANCER	2 LION
10 DECEMBRE	CAPRICORNE	SCORPION	LION	CANCER	CAPRICORNE	BELIER	VIERGE	CANCER	17 LION
11 DECEMBRE	CAPRICORNE	SCORPION	LION	CANCER	CAPRICORNE	BELIER	VIERGE	CANCER	1 VIERGE
12 DECEMBRE	CAPRICORNE	SCORPION	LION	CANCER	CAPRICORNE	BELIER	VIERGE	CANCER	15 VIERGE
13 DECEMBRE	CAPRICORNE	SCORPION	LION	CANCER	CAPRICORNE	BELIER	VIERGE	CANCER	29 VIERGE
14 DECEMBRE	CAPRICORNE	SCORPION	LION	CANCER	CAPRICORNE	BELIER	VIERGE	CANCER	13 BALANCE
15 DECEMBRE	CAPRICORNE	SCORPION	LION	CANCER	CAPRICORNE	BELIER	VIERGE	CANCER	27 BALANCE
16 DECEMBRE	CAPRICORNE	SCORPION	LION	CANCER	CAPRICORNE	BELIER	VIERGE	CANCER	10 SCORPION
17 DECEMBRE	CAPRICORNE	SCORPION	LION	CANCER	CAPRICORNE	BELIER	VIERGE	CANCER	24 SCORPION
18 DECEMBRE	CAPRICORNE	SCORPION	LION	CANCER	CAPRICORNE	BELIER	VIERGE	CANCER	7 SAGITTAIRE
19 DECEMBRE	CAPRICORNE	SCORPION	LION	CANCER	CAPRICORNE	BELIER	VIERGE	CANCER	20 SAGITTAIRE
20 DECEMBRE	CAPRICORNE	SCORPION	LION	CANCER	CAPRICORNE	BELIER	VIERGE	CANCER	3 CAPRICORNE
21 DECEMBRE	CAPRICORNE	SCORPION	LION	CANCER	CAPRICORNE	BELIER	VIERGE	CANCER	15 CAPRICORNE
22 DECEMBRE	CAPRICORNE	SCORPION	LION	CANCER	CAPRICORNE	BELIER	VIERGE	CANCER	28 CAPRICORNE

	ENTRE DANS LE SIGNE DU		LE 23 NOVEMBRE	A 0 h 15	
LE SOLEIL		SAGITTAIRE	1930	* LES CHIFFRES INDIQUENT LES DEGRES	
	QUITTE LE SIGNE DU		LE 22 DECEMBRE	A 13 h 30	

1931	MERCURE	VENUS	MARS	JUPITER	SATURNE	URANUS	NEPTUNE	PLUTON	LUNE *
23 NOVEMBRE	SAGITTAIRE	SAGITTAIRE	SAGITTAIRE	LION	CAPRICORNE	BELIER	VIERGE	CANCER	10 TAUREAU
24 NOVEMBRE	SAGITTAIRE	SAGITTAIRE	SAGITTAIRE	LION	CAPRICORNE	BELIER	VIERGE	CANCER	22 TAUREAU
25 NOVEMBRE	SAGITTAIRE	SAGITTAIRE	SAGITTAIRE	LION	CAPRICORNE	BELIER	VIERGE	CANCER	4 GEMEAUX
26 NOVEMBRE	SAGITTAIRE	SAGITTAIRE	SAGITTAIRE	LION	CAPRICORNE	BELIER	VIERGE	CANCER	17 GEMEAUX
27 NOVEMBRE	SAGITTAIRE	SAGITTAIRE	SAGITTAIRE	LION	CAPRICORNE	BELIER	VIERGE	CANCER	0 CANCER
28 NOVEMBRE	SAGITTAIRE	SAGITTAIRE	SAGITTAIRE	LION	CAPRICORNE	BELIER	VIERGE	CANCER	13 CANCER
29 NOVEMBRE	SAGITTAIRE	SAGITTAIRE	SAGITTAIRE	LION	CAPRICORNE	BELIER	VIERGE	CANCER	26 CANCER
30 NOVEMBRE	SAGITTAIRE	SAGITTAIRE	SAGITTAIRE	LION	CAPRICORNE	BELIER	VIERGE	CANCER	9 LION
1 DECEMBRE	SAGITTAIRE	SAGITTAIRE	SAGITTAIRE	LION	CAPRICORNE	BELIER	VIERGE	CANCER	23 LION
2 DECEMBRE	CAPRICORNE	CAPRICORNE	SAGITTAIRE	LION	CAPRICORNE	BELIER	VIERGE	CANCER	6 VIERGE
3 DECEMBRE	CAPRICORNE	CAPRICORNE	SAGITTAIRE	LION	CAPRICORNE	BELIER	VIERGE	CANCER	20 VIERGE
4 DECEMBRE	CAPRICORNE	CAPRICORNE	SAGITTAIRE	LION	CAPRICORNE	BELIER	VIERGE	CANCER	5 BALANCE
5 DECEMBRE	CAPRICORNE	CAPRICORNE	SAGITTAIRE	LION	CAPRICORNE	BELIER	VIERGE	CANCER	19 BALANCE
6 DECEMBRE	CAPRICORNE	CAPRICORNE	SAGITTAIRE	LION	CAPRICORNE	BELIER	VIERGE	CANCER	3 SCORPION
7 DECEMBRE	CAPRICORNE	CAPRICORNE	SAGITTAIRE	LION	CAPRICORNE	BELIER	VIERGE	CANCER	18 SCORPION
8 DECEMBRE	CAPRICORNE	CAPRICORNE	SAGITTAIRE	LION	CAPRICORNE	BELIER	VIERGE	CANCER	3 SAGITTAIRE
9 DECEMBRE	CAPRICORNE	CAPRICORNE	SAGITTAIRE	LION	CAPRICORNE	BELIER	VIERGE	CANCER	17 SAGITTAIRE
10 DECEMBRE	CAPRICORNE	CAPRICORNE	CAPRICORNE	LION	CAPRICORNE	BELIER	VIERGE	CANCER	1 CAPRICORNE
11 DECEMBRE	CAPRICORNE	CAPRICORNE	CAPRICORNE	LION	CAPRICORNE	BELIER	VIERGE	CANCER	15 CAPRICORNE
12 DECEMBRE	CAPRICORNE	CAPRICORNE	CAPRICORNE	LION	CAPRICORNE	BELIER	VIERGE	CANCER	28 CAPRICORNE
13 DECEMBRE	CAPRICORNE	CAPRICORNE	CAPRICORNE	LION	CAPRICORNE	BELIER	VIERGE	CANCER	11 VERSEAU
14 DECEMBRE	CAPRICORNE	CAPRICORNE	CAPRICORNE	LION	CAPRICORNE	BELIER	VIERGE	CANCER	24 VERSEAU
15 DECEMBRE	CAPRICORNE	CAPRICORNE	CAPRICORNE	LION	CAPRICORNE	BELIER	VIERGE	CANCER	6 POISSONS
16 DECEMBRE	CAPRICORNE	CAPRICORNE	CAPRICORNE	LION	CAPRICORNE	BELIER	VIERGE	CANCER	18 POISSONS
17 DECEMBRE	CAPRICORNE	CAPRICORNE	CAPRICORNE	LION	CAPRICORNE	BELIER	VIERGE	CANCER	0 BELIER
18 DECEMBRE	CAPRICORNE	CAPRICORNE	CAPRICORNE	LION	CAPRICORNE	BELIER	VIERGE	CANCER	12 BELIER
19 DECEMBRE	CAPRICORNE	CAPRICORNE	CAPRICORNE	LION	CAPRICORNE	BELIER	VIERGE	CANCER	24 BELIER
20 DECEMBRE	SAGITTAIRE	CAPRICORNE	CAPRICORNE	LION	CAPRICORNE	BELIER	VIERGE	CANCER	6 TAUREAU
21 DECEMBRE	SAGITTAIRE	CAPRICORNE	CAPRICORNE	LION	CAPRICORNE	BELIER	VIERGE	CANCER	18 TAUREAU
22 DECEMBRE	SAGITTAIRE	CAPRICORNE	CAPRICORNE	LION	CAPRICORNE	BELIER	VIERGE	CANCER	0 GEMEAUX

	ENTRE DANS LE SIGNE DU		LE 23 NOVEMBRE	A 6 h 15	
LE SOLEIL		SAGITTAIRE	1931	* LES CHIFFRES INDIQUENT LES DEGRES	
	QUITTE LE SIGNE DU		LE 22 DECEMBRE	A 19 h 15	

167

DECOUVREZ DANS QUEL SIGNE SE TROUVAIENT LES PLANETES A VOTRE NAISSANCE

1932	MERCURE	VENUS	MARS	JUPITER	SATURNE	URANUS	NEPTUNE	PLUTON	LUNE *
22 NOVEMBRE	SAGITTAIRE	BALANCE	VIERGE	VIERGE	VERSEAU	BELIER	VIERGE	CANCER	14 VIERGE
23 NOVEMBRE	SAGITTAIRE	BALANCE	VIERGE	VIERGE	VERSEAU	BELIER	VIERGE	CANCER	28 VIERGE
24 NOVEMBRE	SAGITTAIRE	BALANCE	VIERGE	VIERGE	VERSEAU	BELIER	VIERGE	CANCER	12 BALANCE
25 NOVEMBRE	SAGITTAIRE	BALANCE	VIERGE	VIERGE	VERSEAU	BELIER	VIERGE	CANCER	27 BALANCE
26 NOVEMBRE	SAGITTAIRE	BALANCE	VIERGE	VIERGE	VERSEAU	BELIER	VIERGE	CANCER	12 SCORPION
27 NOVEMBRE	SAGITTAIRE	SCORPION	VIERGE	VIERGE	VERSEAU	BELIER	VIERGE	CANCER	27 SCORPION
28 NOVEMBRE	SAGITTAIRE	SCORPION	VIERGE	VIERGE	VERSEAU	BELIER	VIERGE	CANCER	12 SAGITTAIRE
29 NOVEMBRE	SAGITTAIRE	SCORPION	VIERGE	VIERGE	VERSEAU	BELIER	VIERGE	CANCER	28 SAGITTAIRE
30 NOVEMBRE	SAGITTAIRE	SCORPION	VIERGE	VIERGE	VERSEAU	BELIER	VIERGE	CANCER	12 CAPRICORNE
1 DECEMBRE	SAGITTAIRE	SCORPION	VIERGE	VIERGE	VERSEAU	BELIER	VIERGE	CANCER	27 CAPRICORNE
2 DECEMBRE	SAGITTAIRE	SCORPION	VIERGE	VIERGE	VERSEAU	BELIER	VIERGE	CANCER	11 VERSEAU
3 DECEMBRE	SAGITTAIRE	SCORPION	VIERGE	VIERGE	VERSEAU	BELIER	VIERGE	CANCER	24 VERSEAU
4 DECEMBRE	SAGITTAIRE	SCORPION	VIERGE	VIERGE	VERSEAU	BELIER	VIERGE	CANCER	7 POISSONS
5 DECEMBRE	SAGITTAIRE	SCORPION	VIERGE	VIERGE	VERSEAU	BELIER	VIERGE	CANCER	20 POISSONS
6 DECEMBRE	SAGITTAIRE	SCORPION	VIERGE	VIERGE	VERSEAU	BELIER	VIERGE	CANCER	2 BELIER
7 DECEMBRE	SAGITTAIRE	SCORPION	VIERGE	VIERGE	VERSEAU	BELIER	VIERGE	CANCER	14 BELIER
8 DECEMBRE	SAGITTAIRE	SCORPION	VIERGE	VIERGE	VERSEAU	BELIER	VIERGE	CANCER	26 BELIER
9 DECEMBRE	SAGITTAIRE	SCORPION	VIERGE	VIERGE	VERSEAU	BELIER	VIERGE	CANCER	8 TAUREAU
10 DECEMBRE	SAGITTAIRE	SCORPION	VIERGE	VIERGE	VERSEAU	BELIER	VIERGE	CANCER	20 TAUREAU
11 DECEMBRE	SAGITTAIRE	SCORPION	VIERGE	VIERGE	VERSEAU	BELIER	VIERGE	CANCER	1 GEMEAUX
12 DECEMBRE	SAGITTAIRE	SCORPION	VIERGE	VIERGE	VERSEAU	BELIER	VIERGE	CANCER	13 GEMEAUX
13 DECEMBRE	SAGITTAIRE	SCORPION	VIERGE	VIERGE	VERSEAU	BELIER	VIERGE	CANCER	25 GEMEAUX
14 DECEMBRE	SAGITTAIRE	SCORPION	VIERGE	VIERGE	VERSEAU	BELIER	VIERGE	CANCER	8 CANCER
15 DECEMBRE	SAGITTAIRE	SCORPION	VIERGE	VIERGE	VERSEAU	BELIER	VIERGE	CANCER	20 CANCER
16 DECEMBRE	SAGITTAIRE	SCORPION	VIERGE	VIERGE	VERSEAU	BELIER	VIERGE	CANCER	2 LION
17 DECEMBRE	SAGITTAIRE	SCORPION	VIERGE	VIERGE	VERSEAU	BELIER	VIERGE	CANCER	15 LION
18 DECEMBRE	SAGITTAIRE	SCORPION	VIERGE	VIERGE	VERSEAU	BELIER	VIERGE	CANCER	27 LION
19 DECEMBRE	SAGITTAIRE	SCORPION	VIERGE	VIERGE	VERSEAU	BELIER	VIERGE	CANCER	10 VIERGE
20 DECEMBRE	SAGITTAIRE	SCORPION	VIERGE	VIERGE	VERSEAU	BELIER	VIERGE	CANCER	24 VIERGE
21 DECEMBRE	SAGITTAIRE	SAGITTAIRE	VIERGE	VIERGE	VERSEAU	BELIER	VIERGE	CANCER	7 BALANCE
22 DECEMBRE	SAGITTAIRE	SAGITTAIRE	VIERGE	VIERGE	VERSEAU	BELIER	VIERGE	CANCER	21 BALANCE

ENTRE DANS LE SIGNE DU   LE 22 NOVEMBRE   A 12 h 00
LE SOLEIL   SAGITTAIRE   1932   * LES CHIFFRES INDIQUENT LES DEGRES
QUITTE LE SIGNE DU   LE 22 DECEMBRE   A 1 h 00

1933	MERCURE	VENUS	MARS	JUPITER	SATURNE	URANUS	NEPTUNE	PLUTON	LUNE *
22 NOVEMBRE	SCORPION	CAPRICORNE	CAPRICORNE	BALANCE	VERSEAU	BELIER	VIERGE	CANCER	6 VERSEAU
23 NOVEMBRE	SCORPION	CAPRICORNE	CAPRICORNE	BALANCE	VERSEAU	BELIER	VIERGE	CANCER	20 VERSEAU
24 NOVEMBRE	SCORPION	CAPRICORNE	CAPRICORNE	BALANCE	VERSEAU	BELIER	VIERGE	CANCER	4 POISSONS
25 NOVEMBRE	SCORPION	CAPRICORNE	CAPRICORNE	BALANCE	VERSEAU	BELIER	VIERGE	CANCER	17 POISSONS
26 NOVEMBRE	SCORPION	CAPRICORNE	CAPRICORNE	BALANCE	VERSEAU	BELIER	VIERGE	CANCER	0 BELIER
27 NOVEMBRE	SCORPION	CAPRICORNE	CAPRICORNE	BALANCE	VERSEAU	BELIER	VIERGE	CANCER	13 BELIER
28 NOVEMBRE	SCORPION	CAPRICORNE	CAPRICORNE	BALANCE	VERSEAU	BELIER	VIERGE	CANCER	25 BELIER
29 NOVEMBRE	SCORPION	CAPRICORNE	CAPRICORNE	BALANCE	VERSEAU	BELIER	VIERGE	CANCER	8 TAUREAU
30 NOVEMBRE	SCORPION	CAPRICORNE	CAPRICORNE	BALANCE	VERSEAU	BELIER	VIERGE	CANCER	20 TAUREAU
1 DECEMBRE	SCORPION	CAPRICORNE	CAPRICORNE	BALANCE	VERSEAU	BELIER	VIERGE	CANCER	2 GEMEAUX
2 DECEMBRE	SCORPION	CAPRICORNE	CAPRICORNE	BALANCE	VERSEAU	BELIER	VIERGE	CANCER	14 GEMEAUX
3 DECEMBRE	SCORPION	CAPRICORNE	CAPRICORNE	BALANCE	VERSEAU	BELIER	VIERGE	CANCER	26 GEMEAUX
4 DECEMBRE	SCORPION	CAPRICORNE	CAPRICORNE	BALANCE	VERSEAU	BELIER	VIERGE	CANCER	8 CANCER
5 DECEMBRE	SCORPION	CAPRICORNE	CAPRICORNE	BALANCE	VERSEAU	BELIER	VIERGE	CANCER	20 CANCER
6 DECEMBRE	SCORPION	VERSEAU	CAPRICORNE	BALANCE	VERSEAU	BELIER	VIERGE	CANCER	2 LION
7 DECEMBRE	SCORPION	VERSEAU	CAPRICORNE	BALANCE	VERSEAU	BELIER	VIERGE	CANCER	14 LION
8 DECEMBRE	SCORPION	VERSEAU	CAPRICORNE	BALANCE	VERSEAU	BELIER	VIERGE	CANCER	26 LION
9 DECEMBRE	SCORPION	VERSEAU	CAPRICORNE	BALANCE	VERSEAU	BELIER	VIERGE	CANCER	8 VIERGE
10 DECEMBRE	SCORPION	VERSEAU	CAPRICORNE	BALANCE	VERSEAU	BELIER	VIERGE	CANCER	20 VIERGE
11 DECEMBRE	SCORPION	VERSEAU	CAPRICORNE	BALANCE	VERSEAU	BELIER	VIERGE	CANCER	3 BALANCE
12 DECEMBRE	SAGITTAIRE	VERSEAU	CAPRICORNE	BALANCE	VERSEAU	BELIER	VIERGE	CANCER	17 BALANCE
13 DECEMBRE	SAGITTAIRE	VERSEAU	CAPRICORNE	BALANCE	VERSEAU	BELIER	VIERGE	CANCER	1 SCORPION
14 DECEMBRE	SAGITTAIRE	VERSEAU	CAPRICORNE	BALANCE	VERSEAU	BELIER	VIERGE	CANCER	15 SCORPION
15 DECEMBRE	SAGITTAIRE	VERSEAU	CAPRICORNE	BALANCE	VERSEAU	BELIER	VIERGE	CANCER	0 SAGITTAIRE
16 DECEMBRE	SAGITTAIRE	VERSEAU	CAPRICORNE	BALANCE	VERSEAU	BELIER	VIERGE	CANCER	15 SAGITTAIRE
17 DECEMBRE	SAGITTAIRE	VERSEAU	CAPRICORNE	BALANCE	VERSEAU	BELIER	VIERGE	CANCER	0 CAPRICORNE
18 DECEMBRE	SAGITTAIRE	VERSEAU	CAPRICORNE	BALANCE	VERSEAU	BELIER	VIERGE	CANCER	15 CAPRICORNE
19 DECEMBRE	SAGITTAIRE	VERSEAU	CAPRICORNE	BALANCE	VERSEAU	BELIER	VIERGE	CANCER	1 VERSEAU
20 DECEMBRE	SAGITTAIRE	VERSEAU	CAPRICORNE	BALANCE	VERSEAU	BELIER	VIERGE	CANCER	15 VERSEAU
21 DECEMBRE	SAGITTAIRE	VERSEAU	CAPRICORNE	BALANCE	VERSEAU	BELIER	VIERGE	CANCER	0 POISSONS
22 DECEMBRE	SAGITTAIRE	VERSEAU	CAPRICORNE	BALANCE	VERSEAU	BELIER	VIERGE	CANCER	13 POISSONS

ENTRE DANS LE SIGNE DU   LE 22 NOVEMBRE   A 17 h 45
LE SOLEIL   SAGITTAIRE   1933   * LES CHIFFRES INDIQUENT LES DEGRES
QUITTE LE SIGNE DU   LE 22 DECEMBRE   A 6 h 45

DECOUVREZ DANS QUEL SIGNE SE TROUVAIENT LES PLANETES
A VOTRE NAISSANCE

1934	MERCURE	VENUS	MARS	JUPITER	SATURNE	URANUS	NEPTUNE	PLUTON	LUNE ✱
22 NOVEMBRE	SCORPION	SAGITTAIRE	VIERGE	SCORPION	VERSEAU	BELIER	VIERGE	CANCER	15 GEMEAUX
23 NOVEMBRE	SCORPION	SAGITTAIRE	VIERGE	SCORPION	VERSEAU	BELIER	VIERGE	CANCER	27 GEMEAUX
24 NOVEMBRE	SCORPION	SAGITTAIRE	VIERGE	SCORPION	VERSEAU	BELIER	VIERGE	CANCER	10 CANCER
25 NOVEMBRE	SCORPION	SAGITTAIRE	VIERGE	SCORPION	VERSEAU	BELIER	VIERGE	CANCER	22 CANCER
26 NOVEMBRE	SCORPION	SAGITTAIRE	VIERGE	SCORPION	VERSEAU	BELIER	VIERGE	CANCER	4 LION
27 NOVEMBRE	SCORPION	SAGITTAIRE	VIERGE	SCORPION	VERSEAU	BELIER	VIERGE	CANCER	15 LION
28 NOVEMBRE	SCORPION	SAGITTAIRE	VIERGE	SCORPION	VERSEAU	BELIER	VIERGE	CANCER	27 LION
29 NOVEMBRE	SCORPION	SAGITTAIRE	VIERGE	SCORPION	VERSEAU	BELIER	VIERGE	CANCER	9 VIERGE
30 NOVEMBRE	SCORPION	SAGITTAIRE	VIERGE	SCORPION	VERSEAU	BELIER	VIERGE	CANCER	21 VIERGE
1 DECEMBRE	SCORPION	SAGITTAIRE	VIERGE	SCORPION	VERSEAU	BELIER	VIERGE	CANCER	3 BALANCE
2 DECEMBRE	SCORPION	SAGITTAIRE	VIERGE	SCORPION	VERSEAU	BELIER	VIERGE	CANCER	16 BALANCE
3 DECEMBRE	SCORPION	SAGITTAIRE	VIERGE	SCORPION	VERSEAU	BELIER	VIERGE	CANCER	29 BALANCE
4 DECEMBRE	SCORPION	SAGITTAIRE	VIERGE	SCORPION	VERSEAU	BELIER	VIERGE	CANCER	12 SCORPION
5 DECEMBRE	SCORPION	SAGITTAIRE	VIERGE	SCORPION	VERSEAU	BELIER	VIERGE	CANCER	26 SCORPION
6 DECEMBRE	SAGITTAIRE	SAGITTAIRE	VIERGE	SCORPION	VERSEAU	BELIER	VIERGE	CANCER	10 SAGITTAIRE
7 DECEMBRE	SAGITTAIRE	SAGITTAIRE	VIERGE	SCORPION	VERSEAU	BELIER	VIERGE	CANCER	25 SAGITTAIRE
8 DECEMBRE	SAGITTAIRE	SAGITTAIRE	VIERGE	SCORPION	VERSEAU	BELIER	VIERGE	CANCER	9 CAPRICORNE
9 DECEMBRE	SAGITTAIRE	SAGITTAIRE	VIERGE	SCORPION	VERSEAU	BELIER	VIERGE	CANCER	24 CAPRICORNE
10 DECEMBRE	SAGITTAIRE	SAGITTAIRE	VIERGE	SCORPION	VERSEAU	BELIER	VIERGE	CANCER	8 VERSEAU
11 DECEMBRE	SAGITTAIRE	SAGITTAIRE	BALANCE	SCORPION	VERSEAU	BELIER	VIERGE	CANCER	23 VERSEAU
12 DECEMBRE	SAGITTAIRE	SAGITTAIRE	BALANCE	SCORPION	VERSEAU	BELIER	VIERGE	CANCER	7 POISSONS
13 DECEMBRE	SAGITTAIRE	SAGITTAIRE	BALANCE	SCORPION	VERSEAU	BELIER	VIERGE	CANCER	21 POISSONS
14 DECEMBRE	SAGITTAIRE	SAGITTAIRE	BALANCE	SCORPION	VERSEAU	BELIER	VIERGE	CANCER	5 BELIER
15 DECEMBRE	SAGITTAIRE	SAGITTAIRE	BALANCE	SCORPION	VERSEAU	BELIER	VIERGE	CANCER	19 BELIER
16 DECEMBRE	SAGITTAIRE	CAPRICORNE	BALANCE	SCORPION	VERSEAU	BELIER	VIERGE	CANCER	2 TAUREAU
17 DECEMBRE	SAGITTAIRE	CAPRICORNE	BALANCE	SCORPION	VERSEAU	BELIER	VIERGE	CANCER	15 TAUREAU
18 DECEMBRE	SAGITTAIRE	CAPRICORNE	BALANCE	SCORPION	VERSEAU	BELIER	VIERGE	CANCER	28 TAUREAU
19 DECEMBRE	SAGITTAIRE	CAPRICORNE	BALANCE	SCORPION	VERSEAU	BELIER	VIERGE	CANCER	11 GEMEAUX
20 DECEMBRE	SAGITTAIRE	CAPRICORNE	BALANCE	SCORPION	VERSEAU	BELIER	VIERGE	CANCER	23 GEMEAUX
21 DECEMBRE	SAGITTAIRE	CAPRICORNE	BALANCE	SCORPION	VERSEAU	BELIER	VIERGE	CANCER	6 CANCER
22 DECEMBRE	SAGITTAIRE	CAPRICORNE	BALANCE	SCORPION	VERSEAU	BELIER	VIERGE	CANCER	18 CANCER

	ENTRE DANS LE SIGNE DU		LE 22 NOVEMBRE	A 23 h 30	
LE SOLEIL		SAGITTAIRE	1934	✱ LES CHIFFRES INDIQUENT LES DEGRES	
	QUITTE LE SIGNE DU		LE 22 DECEMBRE	A 12 h 35	

1935	MERCURE	VENUS	MARS	JUPITER	SATURNE	URANUS	NEPTUNE	PLUTON	LUNE ✱
23 NOVEMBRE	SCORPION	BALANCE	CAPRICORNE	SAGITTAIRE	POISSONS	TAUREAU	VIERGE	CANCER	0 SCORPION
24 NOVEMBRE	SCORPION	BALANCE	CAPRICORNE	SAGITTAIRE	POISSONS	TAUREAU	VIERGE	CANCER	12 SCORPION
25 NOVEMBRE	SCORPION	BALANCE	CAPRICORNE	SAGITTAIRE	POISSONS	TAUREAU	VIERGE	CANCER	25 SCORPION
26 NOVEMBRE	SCORPION	BALANCE	CAPRICORNE	SAGITTAIRE	POISSONS	TAUREAU	VIERGE	CANCER	8 SAGITTAIRE
27 NOVEMBRE	SCORPION	BALANCE	CAPRICORNE	SAGITTAIRE	POISSONS	TAUREAU	VIERGE	CANCER	21 SAGITTAIRE
28 NOVEMBRE	SCORPION	BALANCE	CAPRICORNE	SAGITTAIRE	POISSONS	TAUREAU	VIERGE	CANCER	4 CAPRICORNE
29 NOVEMBRE	SAGITTAIRE	BALANCE	CAPRICORNE	SAGITTAIRE	POISSONS	TAUREAU	VIERGE	CANCER	17 CAPRICORNE
30 NOVEMBRE	SAGITTAIRE	BALANCE	CAPRICORNE	SAGITTAIRE	POISSONS	TAUREAU	VIERGE	CANCER	1 VERSEAU
1 DECEMBRE	SAGITTAIRE	BALANCE	CAPRICORNE	SAGITTAIRE	POISSONS	TAUREAU	VIERGE	CANCER	15 VERSEAU
2 DECEMBRE	SAGITTAIRE	BALANCE	CAPRICORNE	SAGITTAIRE	POISSONS	TAUREAU	VIERGE	CANCER	28 VERSEAU
3 DECEMBRE	SAGITTAIRE	BALANCE	CAPRICORNE	SAGITTAIRE	POISSONS	TAUREAU	VIERGE	CANCER	13 POISSONS
4 DECEMBRE	SAGITTAIRE	BALANCE	CAPRICORNE	SAGITTAIRE	POISSONS	TAUREAU	VIERGE	CANCER	27 POISSONS
5 DECEMBRE	SAGITTAIRE	BALANCE	CAPRICORNE	SAGITTAIRE	POISSONS	TAUREAU	VIERGE	CANCER	11 BELIER
6 DECEMBRE	SAGITTAIRE	BALANCE	CAPRICORNE	SAGITTAIRE	POISSONS	TAUREAU	VIERGE	CANCER	25 BELIER
7 DECEMBRE	SAGITTAIRE	BALANCE	VERSEAU	SAGITTAIRE	POISSONS	TAUREAU	VIERGE	CANCER	10 TAUREAU
8 DECEMBRE	SAGITTAIRE	BALANCE	VERSEAU	SAGITTAIRE	POISSONS	TAUREAU	VIERGE	CANCER	24 TAUREAU
9 DECEMBRE	SAGITTAIRE	SCORPION	VERSEAU	SAGITTAIRE	POISSONS	TAUREAU	VIERGE	CANCER	8 GEMEAUX
10 DECEMBRE	SAGITTAIRE	SCORPION	VERSEAU	SAGITTAIRE	POISSONS	TAUREAU	VIERGE	CANCER	22 GEMEAUX
11 DECEMBRE	SAGITTAIRE	SCORPION	VERSEAU	SAGITTAIRE	POISSONS	TAUREAU	VIERGE	CANCER	5 CANCER
12 DECEMBRE	SAGITTAIRE	SCORPION	VERSEAU	SAGITTAIRE	POISSONS	TAUREAU	VIERGE	CANCER	18 CANCER
13 DECEMBRE	SAGITTAIRE	SCORPION	VERSEAU	SAGITTAIRE	POISSONS	TAUREAU	VIERGE	CANCER	1 LION
14 DECEMBRE	SAGITTAIRE	SCORPION	VERSEAU	SAGITTAIRE	POISSONS	TAUREAU	VIERGE	CANCER	14 LION
15 DECEMBRE	SAGITTAIRE	SCORPION	VERSEAU	SAGITTAIRE	POISSONS	TAUREAU	VIERGE	CANCER	26 LION
16 DECEMBRE	SAGITTAIRE	SCORPION	VERSEAU	SAGITTAIRE	POISSONS	TAUREAU	VIERGE	CANCER	8 VIERGE
17 DECEMBRE	SAGITTAIRE	SCORPION	VERSEAU	SAGITTAIRE	POISSONS	TAUREAU	VIERGE	CANCER	20 VIERGE
18 DECEMBRE	CAPRICORNE	SCORPION	VERSEAU	SAGITTAIRE	POISSONS	TAUREAU	VIERGE	CANCER	2 BALANCE
19 DECEMBRE	CAPRICORNE	SCORPION	VERSEAU	SAGITTAIRE	POISSONS	TAUREAU	VIERGE	CANCER	14 BALANCE
20 DECEMBRE	CAPRICORNE	SCORPION	VERSEAU	SAGITTAIRE	POISSONS	TAUREAU	VIERGE	CANCER	26 BALANCE
21 DECEMBRE	CAPRICORNE	SCORPION	VERSEAU	SAGITTAIRE	POISSONS	TAUREAU	VIERGE	CANCER	8 SCORPION
22 DECEMBRE	CAPRICORNE	SCORPION	VERSEAU	SAGITTAIRE	POISSONS	TAUREAU	VIERGE	CANCER	20 SCORPION

	ENTRE DANS LE SIGNE DU		LE 23 NOVEMBRE	A 5 h 20	
LE SOLEIL		SAGITTAIRE	1935	✱ LES CHIFFRES INDIQUENT LES DEGRES	
	QUITTE LE SIGNE DU		LE 22 DECEMBRE	A 18 h 20	

DECOUVREZ DANS QUEL SIGNE SE TROUVAIENT LES PLANETES A VOTRE NAISSANCE

1936	MERCURE	VENUS	MARS	JUPITER	SATURNE	URANUS	NEPTUNE	PLUTON	LUNE ✳
22 NOVEMBRE	SAGITTAIRE	CAPRICORNE	BALANCE	SAGITTAIRE	POISSONS	TAUREAU	VIERGE	CANCER	5 POISSDNS
23 NOVEMBRE	SAGITTAIRE	CAPRICORNE	BALANCE	SAGITTAIRE	POISSONS	TAUREAU	VIERGE	CANCER	19 POISSONS
24 NOVEMBRE	SAGITTAIRE	CAPRICORNE	BALANCE	SAGITTAIRE	POISSONS	TAUREAU	VIERGE	CANCER	4 BELIER
25 NOVEMBRE	SAGITTAIRE	CAPRICORNE	BALANCE	SAGITTAIRE	POISSONS	TAUREAU	VIERGE	CANCER	18 BELIER
26 NOVEMBRE	SAGITTAIRE	CAPRICORNE	BALANCE	SAGITTAIRE	POISSONS	TAUREAU	VIERGE	CANCER	3 TAUREAU
27 NOVEMBRE	SAGITTAIRE	CAPRICORNE	BALANCE	SAGITTAIRE	POISSONS	TAUREAU	VIERGE	CANCER	18 TAUREAU
28 NOVEMBRE	SAGITTAIRE	CAPRICORNE	BALANCE	SAGITTAIRE	POISSONS	TAUREAU	VIERGE	CANCER	3 GEMEAUX
29 NOVEMBRE	SAGITTAIRE	CAPRICORNE	BALANCE	SAGITTAIRE	POISSONS	TAUREAU	VIERGE	CANCER	18 GEMEAUX
30 NOVEMBRE	SAGITTAIRE	CAPRICORNE	BALANCE	SAGITTAIRE	POISSONS	TAUREAU	VIERGE	CANCER	3 CANCER
1 DECEMBRE	SAGITTAIRE	CAPRICORNE	BALANCE	SAGITTAIRE	POISSONS	TAUREAU	VIERGE	CANCER	17 CANCER
2 DECEMBRE	SAGITTAIRE	CAPRICORNE	BALANCE	CAPRICORNE	POISSONS	TAUREAU	VIERGE	CANCER	1 LION
3 DECEMBRE	SAGITTAIRE	CAPRICORNE	BALANCE	CAPRICORNE	POISSONS	TAUREAU	VIERGE	CANCER	14 LION
4 DECEMBRE	SAGITTAIRE	CAPRICORNE	BALANCE	CAPRICORNE	POISSONS	TAUREAU	VIERGE	CANCER	27 LION
5 DECEMBRE	SAGITTAIRE	CAPRICORNE	BALANCE	CAPRICORNE	POISSONS	TAUREAU	VIERGE	CANCER	10 VIERGE
6 DECEMBRE	SAGITTAIRE	CAPRICORNE	BALANCE	CAPRICORNE	POISSONS	TAUREAU	VIERGE	CANCER	22 VIERGE
7 DECEMBRE	SAGITTAIRE	CAPRICORNE	BALANCE	CAPRICORNE	POISSONS	TAUREAU	VIERGE	CANCER	4 BALANCE
8 DECEMBRE	SAGITTAIRE	CAPRICORNE	BALANCE	CAPRICORNE	POISSONS	TAUREAU	VIERGE	CANCER	16 BALANCE
9 DECEMBRE	SAGITTAIRE	CAPRICORNE	BALANCE	CAPRICORNE	POISSONS	TAUREAU	VIERGE	CANCER	28 BALANCE
10 DECEMBRE	CAPRICORNE	CAPRICORNE	BALANCE	CAPRICORNE	POISSONS	TAUREAU	VIERGE	CANCER	10 SCORPION
11 DECEMBRE	CAPRICORNE	CAPRICORNE	BALANCE	CAPRICORNE	POISSONS	TAUREAU	VIERGE	CANCER	22 SCORPION
12 DECEMBRE	CAPRICORNE	VERSEAU	BALANCE	CAPRICORNE	POISSONS	TAUREAU	VIERGE	CANCER	4 SAGITTAIRE
13 DECEMBRE	CAPRICORNE	VERSEAU	BALANCE	CAPRICORNE	POISSONS	TAUREAU	VIERGE	CANCER	16 SAGITTAIRE
14 DECEMBRE	CAPRICORNE	VERSEAU	BALANCE	CAPRICORNE	POISSONS	TAUREAU	VIERGE	CANCER	28 SAGITTAIRE
15 DECEMBRE	CAPRICORNE	VERSEAU	BALANCE	CAPRICORNE	POISSONS	TAUREAU	VIERGE	CANCER	10 CAPRICORNE
16 DECEMBRE	CAPRICORNE	VERSEAU	BALANCE	CAPRICORNE	POISSONS	TAUREAU	VIERGE	CANCER	23 CAPRICORNE
17 DECEMBRE	CAPRICORNE	VERSEAU	BALANCE	CAPRICORNE	POISSONS	TAUREAU	VIERGE	CANCER	6 VERSEAU
18 DECEMBRE	CAPRICORNE	VERSEAU	BALANCE	CAPRICORNE	POISSONS	TAUREAU	VIERGE	CANCER	19 VERSEAU
19 DECEMBRE	CAPRICORNE	VERSEAU	BALANCE	CAPRICORNE	POISSONS	TAUREAU	VIERGE	CANCER	2 POISSONS
20 DECEMBRE	CAPRICORNE	VERSEAU	BALANCE	CAPRICORNE	POISSONS	TAUREAU	VIERGE	CANCER	16 POISSONS
21 DECEMBRE	CAPRICORNE	VERSEAU	BALANCE	CAPRICORNE	POISSONS	TAUREAU	VIERGE	CANCER	29 POISSONS
22 DECEMBRE	CAPRICORNE	VERSEAU	BALANCE	CAPRICORNE	POISSONS	TAUREAU	VIERGE	CANCER	13 BELIER

LE SOLEIL
ENTRE DANS LE SIGNE DU — LE 22 NOVEMBRE — A 11 h 10
SAGITTAIRE — 1936 — ✳ LES CHIFFRES INDIQUENT LES DEGRES
QUITTE LE SIGNE DU — LE 22 DECEMBRE — A 0 h 15

1937	MERCURE	VENUS	MARS	JUPITER	SATURNE	URANUS	NEPTUNE	PLUTON	LUNE ✳
22 NOVEMBRE	SAGITTAIRE	SCORPION	VERSEAU	CAPRICORNE	POISSONS	TAUREAU	VIERGE	LION	27 CANCER
23 NOVEMBRE	SAGITTAIRE	SCORPION	VERSEAU	CAPRICORNE	POISSONS	TAUREAU	VIERGE	LION	11 LION
24 NOVEMBRE	SAGITTAIRE	SCORPION	VERSEAU	CAPRICORNE	POISSONS	TAUREAU	VIERGE	LION	25 LION
25 NOVEMBRE	SAGITTAIRE	SCORPION	VERSEAU	CAPRICORNE	POISSONS	TAUREAU	VIERGE	LION	9 VIERGE
26 NOVEMBRE	SAGITTAIRE	SCORPION	VERSEAU	CAPRICORNE	POISSONS	TAUREAU	VIERGE	LION	22 VIERGE
27 NOVEMBRE	SAGITTAIRE	SCORPION	VERSEAU	CAPRICORNE	POISSONS	TAUREAU	VIERGE	CANCER	4 BALANCE
28 NOVEMBRE	SAGITTAIRE	SCORPION	VERSEAU	CAPRICORNE	POISSONS	TAUREAU	VIERGE	CANCER	17 BALANCE
29 NOVEMBRE	SAGITTAIRE	SCORPION	VERSEAU	CAPRICORNE	POISSONS	TAUREAU	VIERGE	CANCER	29 BALANCE
30 NOVEMBRE	SAGITTAIRE	SCORPION	VERSEAU	CAPRICORNE	POISSONS	TAUREAU	VIERGE	CANCER	11 SCORPION
1 DECEMBRE	SAGITTAIRE	SCORPION	VERSEAU	CAPRICORNE	POISSONS	TAUREAU	VIERGE	CANCER	23 SCORPION
2 DECEMBRE	SAGITTAIRE	SCORPION	VERSEAU	CAPRICORNE	POISSONS	TAUREAU	VIERGE	CANCER	5 SAGITTAIRE
3 DECEMBRE	SAGITTAIRE	SCORPION	VERSEAU	CAPRICORNE	POISSONS	TAUREAU	VIERGE	CANCER	16 SAGITTAIRE
4 DECEMBRE	CAPRICORNE	SCORPION	VERSEAU	CAPRICORNE	POISSONS	TAUREAU	VIERGE	CANCER	28 SAGITTAIRE
5 DECEMBRE	CAPRICORNE	SCORPION	VERSEAU	CAPRICORNE	POISSONS	TAUREAU	VIERGE	CANCER	10 CAPRICORNE
6 DECEMBRE	CAPRICORNE	SCORPION	VERSEAU	CAPRICORNE	POISSONS	TAUREAU	VIERGE	CANCER	22 CAPRICORNE
7 DECEMBRE	CAPRICORNE	SAGITTAIRE	VERSEAU	CAPRICORNE	POISSONS	TAUREAU	VIERGE	CANCER	4 VERSEAU
8 DECEMBRE	CAPRICORNE	SAGITTAIRE	VERSEAU	CAPRICORNE	POISSONS	TAUREAU	VIERGE	CANCER	16 VERSEAU
9 DECEMBRE	CAPRICORNE	SAGITTAIRE	VERSEAU	CAPRICORNE	POISSONS	TAUREAU	VIERGE	CANCER	28 VERSEAU
10 DECEMBRE	CAPRICORNE	SAGITTAIRE	VERSEAU	CAPRICORNE	POISSONS	TAUREAU	VIERGE	CANCER	11 POISSONS
11 DECEMBRE	CAPRICORNE	SAGITTAIRE	VERSEAU	CAPRICORNE	POISSONS	TAUREAU	VIERGE	CANCER	24 POISSONS
12 DECEMBRE	CAPRICORNE	SAGITTAIRE	VERSEAU	CAPRICORNE	POISSONS	TAUREAU	VIERGE	CANCER	8 BELIER
13 DECEMBRE	CAPRICORNE	SAGITTAIRE	VERSEAU	CAPRICORNE	POISSONS	TAUREAU	VIERGE	CANCER	21 BELIER
14 DECEMBRE	CAPRICORNE	SAGITTAIRE	VERSEAU	CAPRICORNE	POISSONS	TAUREAU	VIERGE	CANCER	6 TAUREAU
15 DECEMBRE	CAPRICORNE	SAGITTAIRE	VERSEAU	CAPRICORNE	POISSONS	TAUREAU	VIERGE	CANCER	20 TAUREAU
16 DECEMBRE	CAPRICORNE	SAGITTAIRE	VERSEAU	CAPRICORNE	POISSONS	TAUREAU	VIERGE	CANCER	6 GEMEAUX
17 DECEMBRE	CAPRICORNE	SAGITTAIRE	VERSEAU	CAPRICORNE	POISSONS	TAUREAU	VIERGE	CANCER	21 GEMEAUX
18 DECEMBRE	CAPRICORNE	SAGITTAIRE	VERSEAU	CAPRICORNE	POISSONS	TAUREAU	VIERGE	CANCER	6 CANCER
19 DECEMBRE	CAPRICORNE	SAGITTAIRE	VERSEAU	CAPRICORNE	POISSONS	TAUREAU	VIERGE	CANCER	21 CANCER
20 DECEMBRE	CAPRICORNE	SAGITTAIRE	VERSEAU	VERSEAU	POISSONS	TAUREAU	VIERGE	CANCER	6 LION
21 DECEMBRE	CAPRICORNE	SAGITTAIRE	VERSEAU	VERSEAU	POISSONS	TAUREAU	VIERGE	CANCER	20 LION
22 DECEMBRE	CAPRICORNE	SAGITTAIRE	POISSONS	VERSEAU	POISSONS	TAUREAU	VIERGE	CANCER	4 VIERGE

LE SOLEIL
ENTRE DANS LE SIGNE DU — LE 22 NOVEMBRE — A 17 h 00
SAGITTAIRE — 1937 — ✳ LES CHIFFRES INDIQUENT LES DEGRES
QUITTE LE SIGNE DU — LE 22 DECEMBRE — A 6 h 10

DECOUVREZ DANS QUEL SIGNE SE TROUVAIENT LES PLANETES A VOTRE NAISSANCE

1938	MERCURE	VENUS	MARS	JUPITER	SATURNE	URANUS	NEPTUNE	PLUTON	LUNE ✱
22 NOVEMBRE	SAGITTAIRE	SCORPION	BALANCE	VERSEAU	BELIER	TAUREAU	VIERGE	LION	5 SAGITTAIRE
23 NOVEMBRE	SAGITTAIRE	SCORPION	BALANCE	VERSEAU	BELIER	TAUREAU	VIERGE	LION	17 SAGITTAIRE
24 NOVEMBRE	SAGITTAIRE	SCORPION	BALANCE	VERSEAU	BELIER	TAUREAU	VIERGE	LION	29 SAGITTAIRE
25 NOVEMBRE	SAGITTAIRE	SCORPION	BALANCE	VERSEAU	BELIER	TAUREAU	VIERGE	LION	11 CAPRICORNE
26 NOVEMBRE	SAGITTAIRE	SCORPION	BALANCE	VERSEAU	BELIER	TAUREAU	VIERGE	LION	23 CAPRICORNE
27 NOVEMBRE	SAGITTAIRE	SCORPION	BALANCE	VERSEAU	BELIER	TAUREAU	VIERGE	LION	5 VERSEAU
28 NOVEMBRE	SAGITTAIRE	SCORPION	BALANCE	VERSEAU	BELIER	TAUREAU	VIERGE	LION	17 VERSEAU
29 NOVEMBRE	SAGITTAIRE	SCORPION	BALANCE	VERSEAU	BELIER	TAUREAU	VIERGE	LION	29 VERSEAU
30 NOVEMBRE	SAGITTAIRE	SCORPION	BALANCE	VERSEAU	BELIER	TAUREAU	VIERGE	LION	11 POISSONS
1 DECEMBRE	SAGITTAIRE	SCORPION	BALANCE	VERSEAU	BELIER	TAUREAU	VIERGE	LION	23 POISSONS
2 DECEMBRE	SAGITTAIRE	SCORPION	BALANCE	VERSEAU	BELIER	TAUREAU	VIERGE	LION	6 BELIER
3 DECEMBRE	SAGITTAIRE	SCORPION	BALANCE	VERSEAU	BELIER	TAUREAU	VIERGE	LION	19 BELIER
4 DECEMBRE	SAGITTAIRE	SCORPION	BALANCE	VERSEAU	BELIER	TAUREAU	VIERGE	LION	2 TAUREAU
5 DECEMBRE	SAGITTAIRE	SCORPION	BALANCE	VERSEAU	BELIER	TAUREAU	VIERGE	LION	16 TAUREAU
6 DECEMBRE	SAGITTAIRE	SCORPION	BALANCE	VERSEAU	BELIER	TAUREAU	VIERGE	LION	1 GEMEAUX
7 DECEMBRE	SAGITTAIRE	SCORPION	BALANCE	VERSEAU	BELIER	TAUREAU	VIERGE	LION	15 GEMEAUX
8 DECEMBRE	SAGITTAIRE	SCORPION	BALANCE	VERSEAU	BELIER	TAUREAU	VIERGE	LION	0 CANCER
9 DECEMBRE	SAGITTAIRE	SCORPION	BALANCE	VERSEAU	BELIER	TAUREAU	VIERGE	LION	15 CANCER
10 DECEMBRE	SAGITTAIRE	SCORPION	BALANCE	VERSEAU	BELIER	TAUREAU	VIERGE	LION	0 LION
11 DECEMBRE	SAGITTAIRE	SCORPION	BALANCE	VERSEAU	BELIER	TAUREAU	VIERGE	LION	15 LION
12 DECEMBRE	SAGITTAIRE	SCORPION	SCORPION	VERSEAU	BELIER	TAUREAU	VIERGE	LION	29 LION
13 DECEMBRE	SAGITTAIRE	SCORPION	SCORPION	VERSEAU	BELIER	TAUREAU	VIERGE	LION	13 VIERGE
14 DECEMBRE	SAGITTAIRE	SCORPION	SCORPION	VERSEAU	BELIER	TAUREAU	VIERGE	LION	27 VIERGE
15 DECEMBRE	SAGITTAIRE	SCORPION	SCORPION	VERSEAU	BELIER	TAUREAU	VIERGE	LION	11 BALANCE
16 DECEMBRE	SAGITTAIRE	SCORPION	SCORPION	VERSEAU	BELIER	TAUREAU	VIERGE	LION	24 BALANCE
17 DECEMBRE	SAGITTAIRE	SCORPION	SCORPION	VERSEAU	BELIER	TAUREAU	VIERGE	LION	6 SCORPION
18 DECEMBRE	SAGITTAIRE	SCORPION	SCORPION	VERSEAU	BELIER	TAUREAU	VIERGE	LION	19 SCORPION
19 DECEMBRE	SAGITTAIRE	SCORPION	SCORPION	VERSEAU	BELIER	TAUREAU	VIERGE	LION	1 SAGITTAIRE
20 DECEMBRE	SAGITTAIRE	SCORPION	SCORPION	VERSEAU	BELIER	TAUREAU	VIERGE	LION	14 SAGITTAIRE
21 DECEMBRE	SAGITTAIRE	SCORPION	SCORPION	VERSEAU	BELIER	TAUREAU	VIERGE	LION	26 SAGITTAIRE
22 DECEMBRE	SAGITTAIRE	SCORPION	SCORPION	VERSEAU	BELIER	TAUREAU	VIERGE	LION	8 CAPRICORNE

	ENTRE DANS LE SIGNE DU		LE 22 NOVEMBRE	A 22 h 55		
LE SOLEIL		SAGITTAIRE	1938		✱ LES CHIFFRES INDIQUENT LES DEGRES	
	QUITTE LE SIGNE DU		LE 22 DECEMBRE	A 12 h 00		

1939	MERCURE	VENUS	MARS	JUPITER	SATURNE	URANUS	NEPTUNE	PLUTON	LUNE ✱
23 NOVEMBRE	SAGITTAIRE	SAGITTAIRE	POISSONS	POISSONS	BELIER	TAUREAU	VIERGE	LION	20 BELIER
24 NOVEMBRE	SAGITTAIRE	SAGITTAIRE	POISSONS	POISSONS	BELIER	TAUREAU	VIERGE	LION	2 TAUREAU
25 NOVEMBRE	SAGITTAIRE	SAGITTAIRE	POISSONS	POISSONS	BELIER	TAUREAU	VIERGE	LION	15 TAUREAU
26 NOVEMBRE	SAGITTAIRE	SAGITTAIRE	POISSONS	POISSONS	BELIER	TAUREAU	VIERGE	LION	28 TAUREAU
27 NOVEMBRE	SAGITTAIRE	SAGITTAIRE	POISSONS	POISSONS	BELIER	TAUREAU	VIERGE	LION	11 GEMEAUX
28 NOVEMBRE	SAGITTAIRE	SAGITTAIRE	POISSONS	POISSONS	BELIER	TAUREAU	VIERGE	LION	25 GEMEAUX
29 NOVEMBRE	SAGITTAIRE	SAGITTAIRE	POISSONS	POISSONS	BELIER	TAUREAU	VIERGE	LION	9 CANCER
30 NOVEMBRE	SAGITTAIRE	SAGITTAIRE	POISSONS	POISSONS	BELIER	TAUREAU	VIERGE	LION	23 CANCER
1 DECEMBRE	SAGITTAIRE	CAPRICORNE	POISSONS	POISSONS	BELIER	TAUREAU	VIERGE	LION	7 LION
2 DECEMBRE	SAGITTAIRE	CAPRICORNE	POISSONS	POISSONS	BELIER	TAUREAU	VIERGE	LION	21 LION
3 DECEMBRE	SCORPION	CAPRICORNE	POISSONS	POISSONS	BELIER	TAUREAU	VIERGE	LION	5 VIERGE
4 DECEMBRE	SCORPION	CAPRICORNE	POISSONS	POISSONS	BELIER	TAUREAU	VIERGE	LION	19 VIERGE
5 DECEMBRE	SCORPION	CAPRICORNE	POISSONS	POISSONS	BELIER	TAUREAU	VIERGE	LION	4 BALANCE
6 DECEMBRE	SCORPION	CAPRICORNE	POISSONS	POISSONS	BELIER	TAUREAU	VIERGE	LION	18 BALANCE
7 DECEMBRE	SCORPION	CAPRICORNE	POISSONS	POISSONS	BELIER	TAUREAU	VIERGE	LION	1 SCORPION
8 DECEMBRE	SCORPION	CAPRICORNE	POISSONS	POISSONS	BELIER	TAUREAU	VIERGE	LION	15 SCORPION
9 DECEMBRE	SCORPION	CAPRICORNE	POISSONS	POISSONS	BELIER	TAUREAU	VIERGE	LION	29 SCORPION
10 DECEMBRE	SCORPION	CAPRICORNE	POISSONS	POISSONS	BELIER	TAUREAU	VIERGE	LION	12 SAGITTAIRE
11 DECEMBRE	SCORPION	CAPRICORNE	POISSONS	POISSONS	BELIER	TAUREAU	VIERGE	LION	25 SAGITTAIRE
12 DECEMBRE	SCORPION	CAPRICORNE	POISSONS	POISSONS	BELIER	TAUREAU	VIERGE	LION	8 CAPRICORNE
13 DECEMBRE	SCORPION	CAPRICORNE	POISSONS	POISSONS	BELIER	TAUREAU	VIERGE	LION	21 CAPRICORNE
14 DECEMBRE	SAGITTAIRE	CAPRICORNE	POISSONS	POISSONS	BELIER	TAUREAU	VIERGE	LION	3 VERSEAU
15 DECEMBRE	SAGITTAIRE	CAPRICORNE	POISSONS	POISSONS	BELIER	TAUREAU	VIERGE	LION	16 VERSEAU
16 DECEMBRE	SAGITTAIRE	CAPRICORNE	POISSONS	POISSONS	BELIER	TAUREAU	VIERGE	LION	28 VERSEAU
17 DECEMBRE	SAGITTAIRE	CAPRICORNE	POISSONS	POISSONS	BELIER	TAUREAU	VIERGE	LION	9 POISSONS
18 DECEMBRE	SAGITTAIRE	CAPRICORNE	POISSONS	POISSONS	BELIER	TAUREAU	VIERGE	LION	21 POISSONS
19 DECEMBRE	SAGITTAIRE	CAPRICORNE	POISSONS	POISSONS	BELIER	TAUREAU	VIERGE	LION	3 BELIER
20 DECEMBRE	SAGITTAIRE	CAPRICORNE	POISSONS	POISSONS	BELIER	TAUREAU	VIERGE	LION	15 BELIER
21 DECEMBRE	SAGITTAIRE	CAPRICORNE	POISSONS	BELIER	BELIER	TAUREAU	VIERGE	LION	27 BELIER
22 DECEMBRE	SAGITTAIRE	CAPRICORNE	POISSONS	BELIER	BELIER	TAUREAU	VIERGE	LION	10 TAUREAU

	ENTRE DANS LE SIGNE DU		LE 23 NOVEMBRE	A 4 h 45		
LE SOLEIL		SAGITTAIRE	1939		✱ LES CHIFFRES INDIQUENT LES DEGRES	
	QUITTE LE SIGNE DU		LE 22 DECEMBRE	A 17 h 50		

DECOUVREZ DANS QUEL SIGNE SE TROUVAIENT LES PLANETES
A VOTRE NAISSANCE

1940	MERCURE	VENUS	MARS	JUPITER	SATURNE	URANUS	NEPTUNE	PLUTON	LUNE ✷
22 NOVEMBRE	SCORPION	BALANCE	SCORPION	TAUREAU	TAUREAU	TAUREAU	VIERGE	LION	27 LION
23 NOVEMBRE	SCORPION	BALANCE	SCORPION	TAUREAU	TAUREAU	TAUREAU	VIERGE	LION	11 VIERGE
24 NOVEMBRE	SCORPION	BALANCE	SCORPION	TAUREAU	TAUREAU	TAUREAU	VIERGE	LION	25 VIERGE
25 NOVEMBRE	SCORPION	BALANCE	SCORPION	TAUREAU	TAUREAU	TAUREAU	VIERGE	LION	10 BALANCE
26 NOVEMBRE	SCORPION	BALANCE	SCORPION	TAUREAU	TAUREAU	TAUREAU	VIERGE	LION	24 BALANCE
27 NOVEMBRE	SCORPION	SCORPION	SCORPION	TAUREAU	TAUREAU	TAUREAU	VIERGE	LION	9 SCORPION
28 NOVEMBRE	SCORPION	SCORPION	SCORPION	TAUREAU	TAUREAU	TAUREAU	VIERGE	LION	24 SCORPION
29 NOVEMBRE	SCORPION	SCORPION	SCORPION	TAUREAU	TAUREAU	TAUREAU	VIERGE	LION	9 SAGITTAIRE
30 NOVEMBRE	SCORPION	SCORPION	SCORPION	TAUREAU	TAUREAU	TAUREAU	VIERGE	LION	23 SAGITTAIRE
1 DECEMBRE	SCORPION	SCORPION	SCORPION	TAUREAU	TAUREAU	TAUREAU	VIERGE	LION	7 CAPRICORNE
2 DECEMBRE	SCORPION	SCORPION	SCORPION	TAUREAU	TAUREAU	TAUREAU	VIERGE	LION	21 CAPRICORNE
3 DECEMBRE	SCORPION	SCORPION	SCORPION	TAUREAU	TAUREAU	TAUREAU	VIERGE	LION	4 VERSEAU
4 DECEMBRE	SCORPION	SCORPION	SCORPION	TAUREAU	TAUREAU	TAUREAU	VIERGE	LION	17 VERSEAU
5 DECEMBRE	SCORPION	SCORPION	SCORPION	TAUREAU	TAUREAU	TAUREAU	VIERGE	LION	0 POISSONS
6 DECEMBRE	SCORPION	SCORPION	SCORPION	TAUREAU	TAUREAU	TAUREAU	VIERGE	LION	12 POISSONS
7 DECEMBRE	SCORPION	SCORPION	SCORPION	TAUREAU	TAUREAU	TAUREAU	VIERGE	LION	24 POISSONS
8 DECEMBRE	SCORPION	SCORPION	SCORPION	TAUREAU	TAUREAU	TAUREAU	VIERGE	LION	6 BELIER
9 DECEMBRE	SCORPION	SCORPION	SCORPION	TAUREAU	TAUREAU	TAUREAU	VIERGE	LION	18 BELIER
10 DECEMBRE	SAGITTAIRE	SCORPION	SCORPION	TAUREAU	TAUREAU	TAUREAU	VIERGE	LION	29 BELIER
11 DECEMBRE	SAGITTAIRE	SCORPION	SCORPION	TAUREAU	TAUREAU	TAUREAU	VIERGE	LION	11 TAUREAU
12 DECEMBRE	SAGITTAIRE	SCORPION	SCORPION	TAUREAU	TAUREAU	TAUREAU	VIERGE	LION	23 TAUREAU
13 DECEMBRE	SAGITTAIRE	SCORPION	SCORPION	TAUREAU	TAUREAU	TAUREAU	VIERGE	LION	6 GEMEAUX
14 DECEMBRE	SAGITTAIRE	SCORPION	SCORPION	TAUREAU	TAUREAU	TAUREAU	VIERGE	LION	18 GEMEAUX
15 DECEMBRE	SAGITTAIRE	SCORPION	SCORPION	TAUREAU	TAUREAU	TAUREAU	VIERGE	LION	1 CANCER
16 DECEMBRE	SAGITTAIRE	SCORPION	SCORPION	TAUREAU	TAUREAU	TAUREAU	VIERGE	LION	14 CANCER
17 DECEMBRE	SAGITTAIRE	SCORPION	SCORPION	TAUREAU	TAUREAU	TAUREAU	VIERGE	LION	27 CANCER
18 DECEMBRE	SAGITTAIRE	SCORPION	SCORPION	TAUREAU	TAUREAU	TAUREAU	VIERGE	LION	11 LION
19 DECEMBRE	SAGITTAIRE	SCORPION	SCORPION	TAUREAU	TAUREAU	TAUREAU	VIERGE	LION	24 LION
20 DECEMBRE	SAGITTAIRE	SCORPION	SCORPION	TAUREAU	TAUREAU	TAUREAU	VIERGE	LION	8 VIERGE
21 DECEMBRE	SAGITTAIRE	SAGITTAIRE	SCORPION	TAUREAU	TAUREAU	TAUREAU	VIERGE	LION	22 VIERGE

	ENTRE DANS LE SIGNE DU			LE 22 NOVEMBRE		A 10 h 35			
LE SOLEIL			SAGITTAIRE		1940		✷ LES CHIFFRES INDIQUENT LES DEGRES		
	QUITTE LE SIGNE DU			LE 21 DECEMBRE		A 23 h 40			

1941	MERCURE	VENUS	MARS	JUPITER	SATURNE	URANUS	NEPTUNE	PLUTON	LUNE ✷
22 NOVEMBRE	SCORPION	CAPRICORNE	BELIER	GEMEAUX	TAUREAU	TAUREAU	VIERGE	LION	19 CAPRICORNE
23 NOVEMBRE	SCORPION	CAPRICORNE	BELIER	GEMEAUX	TAUREAU	TAUREAU	VIERGE	LION	3 VERSEAU
24 NOVEMBRE	SCORPION	CAPRICORNE	BELIER	GEMEAUX	TAUREAU	TAUREAU	VIERGE	LION	16 VERSEAU
25 NOVEMBRE	SCORPION	CAPRICORNE	BELIER	GEMEAUX	TAUREAU	TAUREAU	VIERGE	LION	0 POISSONS
26 NOVEMBRE	SCORPION	CAPRICORNE	BELIER	GEMEAUX	TAUREAU	TAUREAU	VIERGE	LION	12 POISSONS
27 NOVEMBRE	SCORPION	CAPRICORNE	BELIER	GEMEAUX	TAUREAU	TAUREAU	VIERGE	LION	25 POISSONS
28 NOVEMBRE	SCORPION	CAPRICORNE	BELIER	GEMEAUX	TAUREAU	TAUREAU	VIERGE	LION	7 BELIER
29 NOVEMBRE	SCORPION	CAPRICORNE	BELIER	GEMEAUX	TAUREAU	TAUREAU	VIERGE	LION	19 BELIER
30 NOVEMBRE	SCORPION	CAPRICORNE	BELIER	GEMEAUX	TAUREAU	TAUREAU	VIERGE	LION	1 TAUREAU
1 DECEMBRE	SCORPION	CAPRICORNE	BELIER	GEMEAUX	TAUREAU	TAUREAU	VIERGE	LION	13 TAUREAU
2 DECEMBRE	SCORPION	CAPRICORNE	BELIER	GEMEAUX	TAUREAU	TAUREAU	VIERGE	LION	25 TAUREAU
3 DECEMBRE	SAGITTAIRE	CAPRICORNE	BELIER	GEMEAUX	TAUREAU	TAUREAU	VIERGE	LION	7 GEMEAUX
4 DECEMBRE	SAGITTAIRE	CAPRICORNE	BELIER	GEMEAUX	TAUREAU	TAUREAU	VIERGE	LION	19 GEMEAUX
5 DECEMBRE	SAGITTAIRE	CAPRICORNE	BELIER	GEMEAUX	TAUREAU	TAUREAU	VIERGE	LION	0 CANCER
6 DECEMBRE	SAGITTAIRE	VERSEAU	BELIER	GEMEAUX	TAUREAU	TAUREAU	VIERGE	LION	13 CANCER
7 DECEMBRE	SAGITTAIRE	VERSEAU	BELIER	GEMEAUX	TAUREAU	TAUREAU	VIERGE	LION	25 CANCER
8 DECEMBRE	SAGITTAIRE	VERSEAU	BELIER	GEMEAUX	TAUREAU	TAUREAU	VIERGE	LION	7 LION
9 DECEMBRE	SAGITTAIRE	VERSEAU	BELIER	GEMEAUX	TAUREAU	TAUREAU	VIERGE	LION	20 LION
10 DECEMBRE	SAGITTAIRE	VERSEAU	BELIER	GEMEAUX	TAUREAU	TAUREAU	VIERGE	LION	2 VIERGE
11 DECEMBRE	SAGITTAIRE	VERSEAU	BELIER	GEMEAUX	TAUREAU	TAUREAU	VIERGE	LION	15 VIERGE
12 DECEMBRE	SAGITTAIRE	VERSEAU	BELIER	GEMEAUX	TAUREAU	TAUREAU	VIERGE	LION	29 VIERGE
13 DECEMBRE	SAGITTAIRE	VERSEAU	BELIER	GEMEAUX	TAUREAU	TAUREAU	VIERGE	LION	12 BALANCE
14 DECEMBRE	SAGITTAIRE	VERSEAU	BELIER	GEMEAUX	TAUREAU	TAUREAU	VIERGE	LION	27 BALANCE
15 DECEMBRE	SAGITTAIRE	VERSEAU	BELIER	GEMEAUX	TAUREAU	TAUREAU	VIERGE	LION	11 SCORPION
16 DECEMBRE	SAGITTAIRE	VERSEAU	BELIER	GEMEAUX	TAUREAU	TAUREAU	VIERGE	LION	26 SCORPION
17 DECEMBRE	SAGITTAIRE	VERSEAU	BELIER	GEMEAUX	TAUREAU	TAUREAU	VIERGE	LION	12 SAGITTAIRE
18 DECEMBRE	SAGITTAIRE	VERSEAU	BELIER	GEMEAUX	TAUREAU	TAUREAU	VIERGE	LION	27 SAGITTAIRE
19 DECEMBRE	SAGITTAIRE	VERSEAU	BELIER	GEMEAUX	TAUREAU	TAUREAU	VIERGE	LION	12 CAPRICORNE
20 DECEMBRE	SAGITTAIRE	VERSEAU	BELIER	GEMEAUX	TAUREAU	TAUREAU	VIERGE	LION	27 CAPRICORNE
21 DECEMBRE	SAGITTAIRE	VERSEAU	BELIER	GEMEAUX	TAUREAU	TAUREAU	VIERGE	LION	11 VERSEAU
22 DECEMBRE	CAPRICORNE	VERSEAU	BELIER	GEMEAUX	TAUREAU	TAUREAU	VIERGE	LION	25 VERSEAU

	ENTRE DANS LE SIGNE DU			LE 22 NOVEMBRE		A 16 h 25			
LE SOLEIL			SAGITTAIRE		1941		✷ LES CHIFFRES INDIQUENT LES DEGRES		
	QUITTE LE SIGNE DU			LE 22 DECEMBRE		A 5 h 30			

172

DECOUVREZ DANS QUEL SIGNE SE TROUVAIENT LES PLANETES A VOTRE NAISSANCE

1942	MERCURE	VENUS	MARS	JUPITER	SATURNE	URANUS	NEPTUNE	PLUTON	LUNE *
22 NOVEMBRE	SCORPION	SAGITTAIRE	SCORPION	CANCER	GEMEAUX	GEMEAUX	BALANCE	LION	25 TAUREAU
23 NOVEMBRE	SCORPION	SAGITTAIRE	SCORPION	CANCER	GEMEAUX	GEMEAUX	BALANCE	LION	7 GEMEAUX
24 NOVEMBRE	SCORPION	SAGITTAIRE	SCORPION	CANCER	GEMEAUX	GEMEAUX	BALANCE	LION	20 GEMEAUX
25 NOVEMBRE	SCORPION	SAGITTAIRE	SCORPION	CANCER	GEMEAUX	GEMEAUX	BALANCE	LION	2 CANCER
26 NOVEMBRE	SAGITTAIRE	SAGITTAIRE	SCORPION	CANCER	GEMEAUX	GEMEAUX	BALANCE	LION	13 CANCER
27 NOVEMBRE	SAGITTAIRE	SAGITTAIRE	SCORPION	CANCER	GEMEAUX	GEMEAUX	BALANCE	LION	25 CANCER
28 NOVEMBRE	SAGITTAIRE	SAGITTAIRE	SCORPION	CANCER	GEMEAUX	GEMEAUX	BALANCE	LION	7 LION
29 NOVEMBRE	SAGITTAIRE	SAGITTAIRE	SCORPION	CANCER	GEMEAUX	GEMEAUX	BALANCE	LION	19 LION
30 NOVEMBRE	SAGITTAIRE	SAGITTAIRE	SCORPION	CANCER	GEMEAUX	GEMEAUX	BALANCE	LION	1 VIERGE
1 DECEMBRE	SAGITTAIRE	SAGITTAIRE	SCORPION	CANCER	GEMEAUX	GEMEAUX	BALANCE	LION	13 VIERGE
2 DECEMBRE	SAGITTAIRE	SAGITTAIRE	SCORPION	CANCER	GEMEAUX	GEMEAUX	BALANCE	LION	26 VIERGE
3 DECEMBRE	SAGITTAIRE	SAGITTAIRE	SCORPION	CANCER	GEMEAUX	GEMEAUX	BALANCE	LION	9 BALANCE
4 DECEMBRE	SAGITTAIRE	SAGITTAIRE	SCORPION	CANCER	GEMEAUX	GEMEAUX	BALANCE	LION	23 BALANCE
5 DECEMBRE	SAGITTAIRE	SAGITTAIRE	SCORPION	CANCER	GEMEAUX	GEMEAUX	BALANCE	LION	7 SCORPION
6 DECEMBRE	SAGITTAIRE	SAGITTAIRE	SCORPION	CANCER	GEMEAUX	GEMEAUX	BALANCE	LION	21 SCORPION
7 DECEMBRE	SAGITTAIRE	SAGITTAIRE	SCORPION	CANCER	GEMEAUX	GEMEAUX	BALANCE	LION	6 SAGITTAIRE
8 DECEMBRE	SAGITTAIRE	SAGITTAIRE	SCORPION	CANCER	GEMEAUX	GEMEAUX	BALANCE	LION	21 SAGITTAIRE
9 DECEMBRE	SAGITTAIRE	SAGITTAIRE	SCORPION	CANCER	GEMEAUX	GEMEAUX	BALANCE	LION	7 CAPRICORNE
10 DECEMBRE	SAGITTAIRE	SAGITTAIRE	SCORPION	CANCER	GEMEAUX	GEMEAUX	BALANCE	LION	22 CAPRICORNE
11 DECEMBRE	SAGITTAIRE	SAGITTAIRE	SCORPION	CANCER	GEMEAUX	GEMEAUX	BALANCE	LION	6 VERSEAU
12 DECEMBRE	SAGITTAIRE	SAGITTAIRE	SCORPION	CANCER	GEMEAUX	GEMEAUX	BALANCE	LION	21 VERSEAU
13 DECEMBRE	SAGITTAIRE	SAGITTAIRE	SCORPION	CANCER	GEMEAUX	GEMEAUX	BALANCE	LION	5 POISSONS
14 DECEMBRE	SAGITTAIRE	SAGITTAIRE	SCORPION	CANCER	GEMEAUX	GEMEAUX	BALANCE	LION	19 POISSONS
15 DECEMBRE	CAPRICORNE	SAGITTAIRE	SCORPION	CANCER	GEMEAUX	GEMEAUX	BALANCE	LION	2 BELIER
16 DECEMBRE	CAPRICORNE	CAPRICORNE	SAGITTAIRE	CANCER	GEMEAUX	GEMEAUX	BALANCE	LION	15 BELIER
17 DECEMBRE	CAPRICORNE	CAPRICORNE	SAGITTAIRE	CANCER	GEMEAUX	GEMEAUX	BALANCE	LION	27 BELIER
18 DECEMBRE	CAPRICORNE	CAPRICORNE	SAGITTAIRE	CANCER	GEMEAUX	GEMEAUX	BALANCE	LION	10 TAUREAU
19 DECEMBRE	CAPRICORNE	CAPRICORNE	SAGITTAIRE	CANCER	GEMEAUX	GEMEAUX	BALANCE	LION	22 TAUREAU
20 DECEMBRE	CAPRICORNE	CAPRICORNE	SAGITTAIRE	CANCER	GEMEAUX	GEMEAUX	BALANCE	LION	4 GEMEAUX
21 DECEMBRE	CAPRICORNE	CAPRICORNE	SAGITTAIRE	CANCER	GEMEAUX	GEMEAUX	BALANCE	LION	16 GEMEAUX
22 DECEMBRE	CAPRICORNE	CAPRICORNE	SAGITTAIRE	CANCER	GEMEAUX	GEMEAUX	BALANCE	LION	28 GEMEAUX

	ENTRE DANS LE SIGNE DU			LE 22 NOVEMBRE		A 22 h 10			
LE SOLEIL			SAGITTAIRE		1942		* LES CHIFFRES INDIQUENT LES DEGRES		
	QUITTE LE SIGNE DU			LE 22 DECEMBRE		A 11 h 20			

1943	MERCURE	VENUS	MARS	JUPITER	SATURNE	URANUS	NEPTUNE	PLUTON	LUNE *
23 NOVEMBRE	SAGITTAIRE	BALANCE	GEMEAUX	LION	GEMEAUX	GEMEAUX	BALANCE	LION	9 BALANCE
24 NOVEMBRE	SAGITTAIRE	BALANCE	GEMEAUX	LION	GEMEAUX	GEMEAUX	BALANCE	LION	22 BALANCE
25 NOVEMBRE	SAGITTAIRE	BALANCE	GEMEAUX	LION	GEMEAUX	GEMEAUX	BALANCE	LION	5 SCORPION
26 NOVEMBRE	SAGITTAIRE	BALANCE	GEMEAUX	LION	GEMEAUX	GEMEAUX	BALANCE	LION	18 SCORPION
27 NOVEMBRE	SAGITTAIRE	BALANCE	GEMEAUX	LION	GEMEAUX	GEMEAUX	BALANCE	LION	2 SAGITTAIRE
28 NOVEMBRE	SAGITTAIRE	BALANCE	GEMEAUX	LION	GEMEAUX	GEMEAUX	BALANCE	LION	16 SAGITTAIRE
29 NOVEMBRE	SAGITTAIRE	BALANCE	GEMEAUX	LION	GEMEAUX	GEMEAUX	BALANCE	LION	0 CAPRICORNE
30 NOVEMBRE	SAGITTAIRE	BALANCE	GEMEAUX	LION	GEMEAUX	GEMEAUX	BALANCE	LION	15 CAPRICORNE
1 DECEMBRE	SAGITTAIRE	BALANCE	GEMEAUX	LION	GEMEAUX	GEMEAUX	BALANCE	LION	29 CAPRICORNE
2 DECEMBRE	SAGITTAIRE	BALANCE	GEMEAUX	LION	GEMEAUX	GEMEAUX	BALANCE	LION	13 VERSEAU
3 DECEMBRE	SAGITTAIRE	BALANCE	GEMEAUX	LION	GEMEAUX	GEMEAUX	BALANCE	LION	28 VERSEAU
4 DECEMBRE	SAGITTAIRE	BALANCE	GEMEAUX	LION	GEMEAUX	GEMEAUX	BALANCE	LION	12 POISSONS
5 DECEMBRE	SAGITTAIRE	BALANCE	GEMEAUX	LION	GEMEAUX	GEMEAUX	BALANCE	LION	26 POISSONS
6 DECEMBRE	SAGITTAIRE	BALANCE	GEMEAUX	LION	GEMEAUX	GEMEAUX	BALANCE	LION	9 BELIER
7 DECEMBRE	SAGITTAIRE	BALANCE	GEMEAUX	LION	GEMEAUX	GEMEAUX	BALANCE	LION	23 BELIER
8 DECEMBRE	CAPRICORNE	SCORPION	GEMEAUX	LION	GEMEAUX	GEMEAUX	BALANCE	LION	7 TAUREAU
9 DECEMBRE	CAPRICORNE	SCORPION	GEMEAUX	LION	GEMEAUX	GEMEAUX	BALANCE	LION	20 TAUREAU
10 DECEMBRE	CAPRICORNE	SCORPION	GEMEAUX	LION	GEMEAUX	GEMEAUX	BALANCE	LION	3 GEMEAUX
11 DECEMBRE	CAPRICORNE	SCORPION	GEMEAUX	LION	GEMEAUX	GEMEAUX	BALANCE	LION	16 GEMEAUX
12 DECEMBRE	CAPRICORNE	SCORPION	GEMEAUX	LION	GEMEAUX	GEMEAUX	BALANCE	LION	29 GEMEAUX
13 DECEMBRE	CAPRICORNE	SCORPION	GEMEAUX	LION	GEMEAUX	GEMEAUX	BALANCE	LION	11 CANCER
14 DECEMBRE	CAPRICORNE	SCORPION	GEMEAUX	LION	GEMEAUX	GEMEAUX	BALANCE	LION	23 CANCER
15 DECEMBRE	CAPRICORNE	SCORPION	GEMEAUX	LION	GEMEAUX	GEMEAUX	BALANCE	LION	5 LION
16 DECEMBRE	CAPRICORNE	SCORPION	GEMEAUX	LION	GEMEAUX	GEMEAUX	BALANCE	LION	17 LION
17 DECEMBRE	CAPRICORNE	SCORPION	GEMEAUX	LION	GEMEAUX	GEMEAUX	BALANCE	LION	29 LION
18 DECEMBRE	CAPRICORNE	SCORPION	GEMEAUX	LION	GEMEAUX	GEMEAUX	BALANCE	LION	11 VIERGE
19 DECEMBRE	CAPRICORNE	SCORPION	GEMEAUX	LION	GEMEAUX	GEMEAUX	BALANCE	LION	23 VIERGE
20 DECEMBRE	CAPRICORNE	SCORPION	GEMEAUX	LION	GEMEAUX	GEMEAUX	BALANCE	LION	5 BALANCE
21 DECEMBRE	CAPRICORNE	SCORPION	GEMEAUX	LION	GEMEAUX	GEMEAUX	BALANCE	LION	17 BALANCE
22 DECEMBRE	CAPRICORNE	SCORPION	GEMEAUX	LION	GEMEAUX	GEMEAUX	BALANCE	LION	0 SCORPION

	ENTRE DANS LE SIGNE DU			LE 23 NOVEMBRE		A 4 h 10			
LE SOLEIL			SAGITTAIRE		1943		* LES CHIFFRES INDIQUENT LES DEGRES		
	QUITTE LE SIGNE DU			LE 22 DECEMBRE		A 17 h 15			

DECOUVREZ DANS QUEL SIGNE SE TROUVAIENT LES PLANETES A VOTRE NAISSANCE

1944	MERCURE	VENUS	MARS	JUPITER	SATURNE	URANUS	NEPTUNE	PLUTON	LUNE *
22 NOVEMBRE	SAGITTAIRE	CAPRICORNE	SCORPION	VIERGE	CANCER	GEMEAUX	BALANCE	LION	19 VERSEAU
23 NOVEMBRE	SAGITTAIRE	CAPRICORNE	SCORPION	VIERGE	CANCER	GEMEAUX	BALANCE	LION	3 POISSONS
24 NOVEMBRE	SAGITTAIRE	CAPRICORNE	SCORPION	VIERGE	CANCER	GEMEAUX	BALANCE	LION	17 POISSONS
25 NOVEMBRE	SAGITTAIRE	CAPRICORNE	SCORPION	VIERGE	CANCER	GEMEAUX	BALANCE	LION	2 BELIER
26 NOVEMBRE	SAGITTAIRE	CAPRICORNE	SAGITTAIRE	VIERGE	CANCER	GEMEAUX	BALANCE	LION	16 BELIER
27 NOVEMBRE	SAGITTAIRE	CAPRICORNE	SAGITTAIRE	VIERGE	CANCER	GEMEAUX	BALANCE	LION	1 TAUREAU
28 NOVEMBRE	SAGITTAIRE	CAPRICORNE	SAGITTAIRE	VIERGE	CANCER	GEMEAUX	BALANCE	LION	15 TAUREAU
29 NOVEMBRE	SAGITTAIRE	CAPRICORNE	SAGITTAIRE	VIERGE	CANCER	GEMEAUX	BALANCE	LION	0 GEMEAUX
30 NOVEMBRE	SAGITTAIRE	CAPRICORNE	SAGITTAIRE	VIERGE	CANCER	GEMEAUX	BALANCE	LION	14 GEMEAUX
1 DECEMBRE	SAGITTAIRE	CAPRICORNE	SAGITTAIRE	VIERGE	CANCER	GEMEAUX	BALANCE	LION	28 GEMEAUX
2 DECEMBRE	CAPRICORNE	CAPRICORNE	SAGITTAIRE	VIERGE	CANCER	GEMEAUX	BALANCE	LION	11 CANCER
3 DECEMBRE	CAPRICORNE	CAPRICORNE	SAGITTAIRE	VIERGE	CANCER	GEMEAUX	BALANCE	LION	24 CANCER
4 DECEMBRE	CAPRICORNE	CAPRICORNE	SAGITTAIRE	VIERGE	CANCER	GEMEAUX	BALANCE	LION	7 LION
5 DECEMBRE	CAPRICORNE	CAPRICORNE	SAGITTAIRE	VIERGE	CANCER	GEMEAUX	BALANCE	LION	20 LION
6 DECEMBRE	CAPRICORNE	CAPRICORNE	SAGITTAIRE	VIERGE	CANCER	GEMEAUX	BALANCE	LION	2 VIERGE
7 DECEMBRE	CAPRICORNE	CAPRICORNE	SAGITTAIRE	VIERGE	CANCER	GEMEAUX	BALANCE	LION	14 VIERGE
8 DECEMBRE	CAPRICORNE	CAPRICORNE	SAGITTAIRE	VIERGE	CANCER	GEMEAUX	BALANCE	LION	25 VIERGE
9 DECEMBRE	CAPRICORNE	CAPRICORNE	SAGITTAIRE	VIERGE	CANCER	GEMEAUX	BALANCE	LION	7 BALANCE
10 DECEMBRE	CAPRICORNE	CAPRICORNE	SAGITTAIRE	VIERGE	CANCER	GEMEAUX	BALANCE	LION	19 BALANCE
11 DECEMBRE	CAPRICORNE	VERSEAU	SAGITTAIRE	VIERGE	CANCER	GEMEAUX	BALANCE	LION	1 SCORPION
12 DECEMBRE	CAPRICORNE	VERSEAU	SAGITTAIRE	VIERGE	CANCER	GEMEAUX	BALANCE	LION	14 SCORPION
13 DECEMBRE	CAPRICORNE	VERSEAU	SAGITTAIRE	VIERGE	CANCER	GEMEAUX	BALANCE	LION	26 SCORPION
14 DECEMBRE	CAPRICORNE	VERSEAU	SAGITTAIRE	VIERGE	CANCER	GEMEAUX	BALANCE	LION	9 SAGITTAIRE
15 DECEMBRE	CAPRICORNE	VERSEAU	SAGITTAIRE	VIERGE	CANCER	GEMEAUX	BALANCE	LION	22 SAGITTAIRE
16 DECEMBRE	CAPRICORNE	VERSEAU	SAGITTAIRE	VIERGE	CANCER	GEMEAUX	BALANCE	LION	5 CAPRICORNE
17 DECEMBRE	CAPRICORNE	VERSEAU	SAGITTAIRE	VIERGE	CANCER	GEMEAUX	BALANCE	LION	18 CAPRICORNE
18 DECEMBRE	CAPRICORNE	VERSEAU	SAGITTAIRE	VIERGE	CANCER	GEMEAUX	BALANCE	LION	2 VERSEAU
19 DECEMBRE	CAPRICORNE	VERSEAU	SAGITTAIRE	VIERGE	CANCER	GEMEAUX	BALANCE	LION	16 VERSEAU
20 DECEMBRE	CAPRICORNE	VERSEAU	SAGITTAIRE	VIERGE	CANCER	GEMEAUX	BALANCE	LION	0 POISSONS
21 DECEMBRE	CAPRICORNE	VERSEAU	SAGITTAIRE	VIERGE	CANCER	GEMEAUX	BALANCE	LION	14 POISSONS

ENTRE DANS LE SIGNE DU   LE 22 NOVEMBRE   A 10 h 00
LE SOLEIL   SAGITTAIRE   1944   * LES CHIFFRES INDIQUENT LES DEGRES
QUITTE LE SIGNE DU   LE 21 DECEMBRE   A 23 h 00

1945	MERCURE	VENUS	MARS	JUPITER	SATURNE	URANUS	NEPTUNE	PLUTON	LUNE *
22 NOVEMBRE	SAGITTAIRE	SCORPION	LION	BALANCE	CANCER	GEMEAUX	BALANCE	LION	9 CANCER
23 NOVEMBRE	SAGITTAIRE	SCORPION	LION	BALANCE	CANCER	GEMEAUX	BALANCE	LION	23 CANCER
24 NOVEMBRE	SAGITTAIRE	SCORPION	LION	BALANCE	CANCER	GEMEAUX	BALANCE	LION	7 LION
25 NOVEMBRE	SAGITTAIRE	SCORPION	LION	BALANCE	CANCER	GEMEAUX	BALANCE	LION	20 LION
26 NOVEMBRE	SAGITTAIRE	SCORPION	LION	BALANCE	CANCER	GEMEAUX	BALANCE	LION	3 VIERGE
27 NOVEMBRE	SAGITTAIRE	SCORPION	LION	BALANCE	CANCER	GEMEAUX	BALANCE	LION	15 VIERGE
28 NOVEMBRE	SAGITTAIRE	SCORPION	LION	BALANCE	CANCER	GEMEAUX	BALANCE	LION	27 VIERGE
29 NOVEMBRE	SAGITTAIRE	SCORPION	LION	BALANCE	CANCER	GEMEAUX	BALANCE	LION	10 BALANCE
30 NOVEMBRE	SAGITTAIRE	SCORPION	LION	BALANCE	CANCER	GEMEAUX	BALANCE	LION	21 BALANCE
1 DECEMBRE	SAGITTAIRE	SCORPION	LION	BALANCE	CANCER	GEMEAUX	BALANCE	LION	3 SCORPION
2 DECEMBRE	SAGITTAIRE	SCORPION	LION	BALANCE	CANCER	GEMEAUX	BALANCE	LION	15 SCORPION
3 DECEMBRE	SAGITTAIRE	SCORPION	LION	BALANCE	CANCER	GEMEAUX	BALANCE	LION	27 SCORPION
4 DECEMBRE	SAGITTAIRE	SCORPION	LION	BALANCE	CANCER	GEMEAUX	BALANCE	LION	9 SAGITTAIRE
5 DECEMBRE	SAGITTAIRE	SCORPION	LION	BALANCE	CANCER	GEMEAUX	BALANCE	LION	21 SAGITTAIRE
6 DECEMBRE	SAGITTAIRE	SAGITTAIRE	LION	BALANCE	CANCER	GEMEAUX	BALANCE	LION	3 CAPRICORNE
7 DECEMBRE	SAGITTAIRE	SAGITTAIRE	LION	BALANCE	CANCER	GEMEAUX	BALANCE	LION	15 CAPRICORNE
8 DECEMBRE	SAGITTAIRE	SAGITTAIRE	LION	BALANCE	CANCER	GEMEAUX	BALANCE	LION	28 CAPRICORNE
9 DECEMBRE	SAGITTAIRE	SAGITTAIRE	LION	BALANCE	CANCER	GEMEAUX	BALANCE	LION	10 VERSEAU
10 DECEMBRE	SAGITTAIRE	SAGITTAIRE	LION	BALANCE	CANCER	GEMEAUX	BALANCE	LION	23 VERSEAU
11 DECEMBRE	SAGITTAIRE	SAGITTAIRE	LION	BALANCE	CANCER	GEMEAUX	BALANCE	LION	7 POISSONS
12 DECEMBRE	SAGITTAIRE	SAGITTAIRE	LION	BALANCE	CANCER	GEMEAUX	BALANCE	LION	20 POISSONS
13 DECEMBRE	SAGITTAIRE	SAGITTAIRE	LION	BALANCE	CANCER	GEMEAUX	BALANCE	LION	4 BELIER
14 DECEMBRE	SAGITTAIRE	SAGITTAIRE	LION	BALANCE	CANCER	GEMEAUX	BALANCE	LION	18 BELIER
15 DECEMBRE	SAGITTAIRE	SAGITTAIRE	LION	BALANCE	CANCER	GEMEAUX	BALANCE	LION	3 TAUREAU
16 DECEMBRE	SAGITTAIRE	SAGITTAIRE	LION	BALANCE	CANCER	GEMEAUX	BALANCE	LION	18 TAUREAU
17 DECEMBRE	SAGITTAIRE	SAGITTAIRE	LION	BALANCE	CANCER	GEMEAUX	BALANCE	LION	3 GEMEAUX
18 DECEMBRE	SAGITTAIRE	SAGITTAIRE	LION	BALANCE	CANCER	GEMEAUX	BALANCE	LION	18 GEMEAUX
19 DECEMBRE	SAGITTAIRE	SAGITTAIRE	LION	BALANCE	CANCER	GEMEAUX	BALANCE	LION	2 CANCER
20 DECEMBRE	SAGITTAIRE	SAGITTAIRE	LION	BALANCE	CANCER	GEMEAUX	BALANCE	LION	17 CANCER
21 DECEMBRE	SAGITTAIRE	SAGITTAIRE	LION	BALANCE	CANCER	GEMEAUX	BALANCE	LION	1 LION
22 DECEMBRE	SAGITTAIRE	SAGITTAIRE	LION	BALANCE	CANCER	GEMEAUX	BALANCE	LION	15 LION

ENTRE DANS LE SIGNE DU   LE 22 NOVEMBRE   A 15 h 40
LE SOLEIL   SAGITTAIRE   1945   * LES CHIFFRES INDIQUENT LES DEGRES
QUITTE LE SIGNE DU   LE 22 DECEMBRE   A 4 h 50

174

DECOUVREZ DANS QUEL SIGNE SE TROUVAIENT LES PLANETES
A VOTRE NAISSANCE

1946	MERCURE	VENUS	MARS	JUPITER	SATURNE	URANUS	NEPTUNE	PLUTON	LUNE *
22 NOVEMBRE	SCORPION	SCORPION	SAGITTAIRE	SCORPION	LION	GEMEAUX	BALANCE	LION	16 SCORPION
23 NOVEMBRE	SCORPION	SCORPION	SAGITTAIRE	SCORPION	LION	GEMEAUX	BALANCE	LION	28 SCORPION
24 NOVEMBRE	SCORPION	SCORPION	SAGITTAIRE	SCORPION	LION	GEMEAUX	BALANCE	LION	10 SAGITTAIRE
25 NOVEMBRE	SCORPION	SCORPION	SAGITTAIRE	SCORPION	LION	GEMEAUX	BALANCE	LION	21 SAGITTAIRE
26 NOVEMBRE	SCORPION	SCORPION	SAGITTAIRE	SCORPION	LION	GEMEAUX	BALANCE	LION	3 CAPRICORNE
27 NOVEMBRE	SCORPION	SCORPION	SAGITTAIRE	SCORPION	LION	GEMEAUX	BALANCE	LION	15 CAPRICORNE
28 NOVEMBRE	SCORPION	SCORPION	SAGITTAIRE	SCORPION	LION	GEMEAUX	BALANCE	LION	27 CAPRICORNE
29 NOVEMBRE	SCORPION	SCORPION	SAGITTAIRE	SCORPION	LION	GEMEAUX	BALANCE	LION	9 VERSEAU
30 NOVEMBRE	SCORPION	SCORPION	SAGITTAIRE	SCORPION	LION	GEMEAUX	BALANCE	LION	21 VERSEAU
1 DECEMBRE	SCORPION	SCORPION	SAGITTAIRE	SCORPION	LION	GEMEAUX	BALANCE	LION	4 POISSONS
2 DECEMBRE	SCORPION	SCORPION	SAGITTAIRE	SCORPION	LION	GEMEAUX	BALANCE	LION	16 POISSONS
3 DECEMBRE	SCORPION	SCORPION	SAGITTAIRE	SCORPION	LION	GEMEAUX	BALANCE	LION	0 BELIER
4 DECEMBRE	SCORPION	SCORPION	SAGITTAIRE	SCORPION	LION	GEMEAUX	BALANCE	LION	13 BELIER
5 DECEMBRE	SCORPION	SCORPION	SAGITTAIRE	SCORPION	LION	GEMEAUX	BALANCE	LION	27 BELIER
6 DECEMBRE	SCORPION	SCORPION	SAGITTAIRE	SCORPION	LION	GEMEAUX	BALANCE	LION	12 TAUREAU
7 DECEMBRE	SCORPION	SCORPION	SAGITTAIRE	SCORPION	LION	GEMEAUX	BALANCE	LION	27 TAUREAU
8 DECEMBRE	SCORPION	SCORPION	SAGITTAIRE	SCORPION	LION	GEMEAUX	BALANCE	LION	12 GEMEAUX
9 DECEMBRE	SCORPION	SCORPION	SAGITTAIRE	SCORPION	LION	GEMEAUX	BALANCE	LION	27 GEMEAUX
10 DECEMBRE	SCORPION	SCORPION	SAGITTAIRE	SCORPION	LION	GEMEAUX	BALANCE	LION	12 CANCER
11 DECEMBRE	SCORPION	SCORPION	SAGITTAIRE	SCORPION	LION	GEMEAUX	BALANCE	LION	27 CANCER
12 DECEMBRE	SCORPION	SCORPION	SAGITTAIRE	SCORPION	LION	GEMEAUX	BALANCE	LION	12 LION
13 DECEMBRE	SAGITTAIRE	SCORPION	SAGITTAIRE	SCORPION	LION	GEMEAUX	BALANCE	LION	26 LION
14 DECEMBRE	SAGITTAIRE	SCORPION	SAGITTAIRE	SCORPION	LION	GEMEAUX	BALANCE	LION	10 VIERGE
15 DECEMBRE	SAGITTAIRE	SCORPION	SAGITTAIRE	SCORPION	LION	GEMEAUX	BALANCE	LION	23 VIERGE
16 DECEMBRE	SAGITTAIRE	SCORPION	SAGITTAIRE	SCORPION	LION	GEMEAUX	BALANCE	LION	6 BALANCE
17 DECEMBRE	SAGITTAIRE	SCORPION	CAPRICORNE	SCORPION	LION	GEMEAUX	BALANCE	LION	19 BALANCE
18 DECEMBRE	SAGITTAIRE	SCORPION	CAPRICORNE	SCORPION	LION	GEMEAUX	BALANCE	LION	1 SCORPION
19 DECEMBRE	SAGITTAIRE	SCORPION	CAPRICORNE	SCORPION	LION	GEMEAUX	BALANCE	LION	13 SCORPION
20 DECEMBRE	SAGITTAIRE	SCORPION	CAPRICORNE	SCORPION	LION	GEMEAUX	BALANCE	LION	25 SCORPION
21 DECEMBRE	SAGITTAIRE	SCORPION	CAPRICORNE	SCORPION	LION	GEMEAUX	BALANCE	LION	7 SAGITTAIRE
22 DECEMBRE	SAGITTAIRE	SCORPION	CAPRICORNE	SCORPION	LION	GEMEAUX	BALANCE	LION	18 SAGITTAIRE

	ENTRE DANS LE SIGNE DU		LE 22 NOVEMBRE		A 21 h 30			
LE SOLEIL		SAGITTAIRE		1946		* LES CHIFFRES INDIQUENT LES DEGRES		
	QUITTE LE SIGNE DU		LE 22 DECEMBRE		A 10 h 40			

1947	MERCURE	VENUS	MARS	JUPITER	SATURNE	URANUS	NEPTUNE	PLUTON	LUNE *
23 NOVEMBRE	SCORPION	SAGITTAIRE	LION	SAGITTAIRE	LION	GEMEAUX	BALANCE	LION	29 POISSONS
24 NOVEMBRE	SCORPION	SAGITTAIRE	LION	SAGITTAIRE	LION	GEMEAUX	BALANCE	LION	12 BELIER
25 NOVEMBRE	SCORPION	SAGITTAIRE	LION	SAGITTAIRE	LION	GEMEAUX	BALANCE	LION	25 BELIER
26 NOVEMBRE	SCORPION	SAGITTAIRE	LION	SAGITTAIRE	LION	GEMEAUX	BALANCE	LION	9 TAUREAU
27 NOVEMBRE	SCORPION	SAGITTAIRE	LION	SAGITTAIRE	LION	GEMEAUX	BALANCE	LION	23 TAUREAU
28 NOVEMBRE	SCORPION	SAGITTAIRE	LION	SAGITTAIRE	LION	GEMEAUX	BALANCE	LION	7 GEMEAUX
29 NOVEMBRE	SCORPION	SAGITTAIRE	LION	SAGITTAIRE	LION	GEMEAUX	BALANCE	LION	21 GEMEAUX
30 NOVEMBRE	SCORPION	SAGITTAIRE	LION	SAGITTAIRE	LION	GEMEAUX	BALANCE	LION	6 CANCER
1 DECEMBRE	SCORPION	CAPRICORNE	VIERGE	SAGITTAIRE	LION	GEMEAUX	BALANCE	LION	21 CANCER
2 DECEMBRE	SCORPION	CAPRICORNE	VIERGE	SAGITTAIRE	LION	GEMEAUX	BALANCE	LION	5 LION
3 DECEMBRE	SCORPION	CAPRICORNE	VIERGE	SAGITTAIRE	LION	GEMEAUX	BALANCE	LION	20 LION
4 DECEMBRE	SCORPION	CAPRICORNE	VIERGE	SAGITTAIRE	LION	GEMEAUX	BALANCE	LION	4 VIERGE
5 DECEMBRE	SCORPION	CAPRICORNE	VIERGE	SAGITTAIRE	LION	GEMEAUX	BALANCE	LION	18 VIERGE
6 DECEMBRE	SCORPION	CAPRICORNE	VIERGE	SAGITTAIRE	LION	GEMEAUX	BALANCE	LION	2 BALANCE
7 DECEMBRE	SCORPION	CAPRICORNE	VIERGE	SAGITTAIRE	LION	GEMEAUX	BALANCE	LION	15 BALANCE
8 DECEMBRE	SAGITTAIRE	CAPRICORNE	VIERGE	SAGITTAIRE	LION	GEMEAUX	BALANCE	LION	28 BALANCE
9 DECEMBRE	SAGITTAIRE	CAPRICORNE	VIERGE	SAGITTAIRE	LION	GEMEAUX	BALANCE	LION	11 SCORPION
10 DECEMBRE	SAGITTAIRE	CAPRICORNE	VIERGE	SAGITTAIRE	LION	GEMEAUX	BALANCE	LION	24 SCORPION
11 DECEMBRE	SAGITTAIRE	CAPRICORNE	VIERGE	SAGITTAIRE	LION	GEMEAUX	BALANCE	LION	7 SAGITTAIRE
12 DECEMBRE	SAGITTAIRE	CAPRICORNE	VIERGE	SAGITTAIRE	LION	GEMEAUX	BALANCE	LION	19 SAGITTAIRE
13 DECEMBRE	SAGITTAIRE	CAPRICORNE	VIERGE	SAGITTAIRE	LION	GEMEAUX	BALANCE	LION	1 CAPRICORNE
14 DECEMBRE	SAGITTAIRE	CAPRICORNE	VIERGE	SAGITTAIRE	LION	GEMEAUX	BALANCE	LION	13 CAPRICORNE
15 DECEMBRE	SAGITTAIRE	CAPRICORNE	VIERGE	SAGITTAIRE	LION	GEMEAUX	BALANCE	LION	25 CAPRICORNE
16 DECEMBRE	SAGITTAIRE	CAPRICORNE	VIERGE	SAGITTAIRE	LION	GEMEAUX	BALANCE	LION	7 VERSEAU
17 DECEMBRE	SAGITTAIRE	CAPRICORNE	VIERGE	SAGITTAIRE	LION	GEMEAUX	BALANCE	LION	19 VERSEAU
18 DECEMBRE	SAGITTAIRE	CAPRICORNE	VIERGE	SAGITTAIRE	LION	GEMEAUX	BALANCE	LION	1 POISSONS
19 DECEMBRE	SAGITTAIRE	CAPRICORNE	VIERGE	SAGITTAIRE	LION	GEMEAUX	BALANCE	LION	13 POISSONS
20 DECEMBRE	SAGITTAIRE	CAPRICORNE	VIERGE	SAGITTAIRE	LION	GEMEAUX	BALANCE	LION	25 POISSONS
21 DECEMBRE	SAGITTAIRE	CAPRICORNE	VIERGE	SAGITTAIRE	LION	GEMEAUX	BALANCE	LION	7 BELIER
22 DECEMBRE	SAGITTAIRE	CAPRICORNE	VIERGE	SAGITTAIRE	LION	GEMEAUX	BALANCE	LION	20 BELIER

	ENTRE DANS LE SIGNE DU		LE 23 NOVEMBRE		A 3 h25			
LE SOLEIL		SAGITTAIRE		1947		* LES CHIFFRES INDIQUENT LES DEGRES		
	QUITTE LE SIGNE DU		LE 22 DECEMBRE		A 16 h 30			

175

DECOUVREZ DANS QUEL SIGNE SE TROUVAIENT LES PLANETES A VOTRE NAISSANCE

1948	MERCURE	VENUS	MARS	JUPITER	SATURNE	URANUS	NEPTUNE	PLUTON	LUNE ✱
22 NOVEMBRE	SCORPION	BALANCE	SAGITTAIRE	CAPRICORNE	VIERGE	GEMEAUX	BALANCE	LION	12 LION
23 NOVEMBRE	SCORPION	BALANCE	SAGITTAIRE	CAPRICORNE	VIERGE	GEMEAUX	BALANCE	LION	26 LION
24 NOVEMBRE	SCORPION	BALANCE	SAGITTAIRE	CAPRICORNE	VIERGE	GEMEAUX	BALANCE	LION	10 VIERGE
25 NOVEMBRE	SCORPION	BALANCE	SAGITTAIRE	CAPRICORNE	VIERGE	GEMEAUX	BALANCE	LION	24 VIERGE
26 NOVEMBRE	SCORPION	SCORPION	SAGITTAIRE	CAPRICORNE	VIERGE	GEMEAUX	BALANCE	LION	8 BALANCE
27 NOVEMBRE	SCORPION	SCORPION	CAPRICORNE	CAPRICORNE	VIERGE	GEMEAUX	BALANCE	LION	22 BALANCE
28 NOVEMBRE	SCORPION	SCORPION	CAPRICORNE	CAPRICORNE	VIERGE	GEMEAUX	BALANCE	LION	7 SCORPION
29 NOVEMBRE	SCORPION	SCORPION	CAPRICORNE	CAPRICORNE	VIERGE	GEMEAUX	BALANCE	LION	21 SCORPION
30 NOVEMBRE	SAGITTAIRE	SCORPION	CAPRICORNE	CAPRICORNE	VIERGE	GEMEAUX	BALANCE	LION	4 SAGITTAIRE
1 DECEMBRE	SAGITTAIRE	SCORPION	CAPRICORNE	CAPRICORNE	VIERGE	GEMEAUX	BALANCE	LION	18 SAGITTAIRE
2 DECEMBRE	SAGITTAIRE	SCORPION	CAPRICORNE	CAPRICORNE	VIERGE	GEMEAUX	BALANCE	LION	1 CAPRICORNE
3 DECEMBRE	SAGITTAIRE	SCORPION	CAPRICORNE	CAPRICORNE	VIERGE	GEMEAUX	BALANCE	LION	14 CAPRICORNE
4 DECEMBRE	SAGITTAIRE	SCORPION	CAPRICORNE	CAPRICORNE	VIERGE	GEMEAUX	BALANCE	LION	27 CAPRICORNE
5 DECEMBRE	SAGITTAIRE	SCORPION	CAPRICORNE	CAPRICORNE	VIERGE	GEMEAUX	BALANCE	LION	9 VERSEAU
6 DECEMBRE	SAGITTAIRE	SCORPION	CAPRICORNE	CAPRICORNE	VIERGE	GEMEAUX	BALANCE	LION	21 VERSEAU
7 DECEMBRE	SAGITTAIRE	SCORPION	CAPRICORNE	CAPRICORNE	VIERGE	GEMEAUX	BALANCE	LION	3 POISSONS
8 DECEMBRE	SAGITTAIRE	SCORPION	CAPRICORNE	CAPRICORNE	VIERGE	GEMEAUX	BALANCE	LION	15 POISSONS
9 DECEMBRE	SAGITTAIRE	SCORPION	CAPRICORNE	CAPRICORNE	VIERGE	GEMEAUX	BALANCE	LION	27 POISSONS
10 DECEMBRE	SAGITTAIRE	SCORPION	CAPRICORNE	CAPRICORNE	VIERGE	GEMEAUX	BALANCE	LION	9 BELIER
11 DECEMBRE	SAGITTAIRE	SCORPION	CAPRICORNE	CAPRICORNE	VIERGE	GEMEAUX	BALANCE	LION	21 BELIER
12 DECEMBRE	SAGITTAIRE	SCORPION	CAPRICORNE	CAPRICORNE	VIERGE	GEMEAUX	BALANCE	LION	3 TAUREAU
13 DECEMBRE	SAGITTAIRE	SCORPION	CAPRICORNE	CAPRICORNE	VIERGE	GEMEAUX	BALANCE	LION	16 TAUREAU
14 DECEMBRE	SAGITTAIRE	SCORPION	CAPRICORNE	CAPRICORNE	VIERGE	GEMEAUX	BALANCE	LION	29 TAUREAU
15 DECEMBRE	SAGITTAIRE	SCORPION	CAPRICORNE	CAPRICORNE	VIERGE	GEMEAUX	BALANCE	LION	12 GEMEAUX
16 DECEMBRE	SAGITTAIRE	SCORPION	CAPRICORNE	CAPRICORNE	VIERGE	GEMEAUX	BALANCE	LION	26 GEMEAUX
17 DECEMBRE	SAGITTAIRE	SCORPION	CAPRICORNE	CAPRICORNE	VIERGE	GEMEAUX	BALANCE	LION	10 CANCER
18 DECEMBRE	SAGITTAIRE	SCORPION	CAPRICORNE	CAPRICORNE	VIERGE	GEMEAUX	BALANCE	LION	24 CANCER
19 DECEMBRE	CAPRICORNE	SCORPION	CAPRICORNE	CAPRICORNE	VIERGE	GEMEAUX	BALANCE	LION	8 LION
20 DECEMBRE	CAPRICORNE	SAGITTAIRE	CAPRICORNE	CAPRICORNE	VIERGE	GEMEAUX	BALANCE	LION	22 LION
21 DECEMBRE	CAPRICORNE	SAGITTAIRE	CAPRICORNE	CAPRICORNE	VIERGE	GEMEAUX	BALANCE	LION	7 VIERGE

	ENTRE DANS LE SIGNE DU		LE 22 NOVEMBRE	A 9 h 15	
LE SOLEIL		SAGITTAIRE	1948		✱ LES CHIFFRES INDIQUENT LES DEGRES
	QUITTE LE SIGNE DU		LE 21 DECEMBRE	A 22 h 20	

1949	MERCURE	VENUS	MARS	JUPITER	SATURNE	URANUS	NEPTUNE	PLUTON	LUNE ✱
22 NOVEMBRE	SAGITTAIRE	CAPRICORNE	VIERGE	CAPRICORNE	VIERGE	CANCER	BALANCE	LION	29 SAGITTAIRE
23 NOVEMBRE	SAGITTAIRE	CAPRICORNE	VIERGE	CAPRICORNE	VIERGE	CANCER	BALANCE	LION	14 CAPRICORNE
24 NOVEMBRE	SAGITTAIRE	CAPRICORNE	VIERGE	CAPRICORNE	VIERGE	CANCER	BALANCE	LION	27 CAPRICORNE
25 NOVEMBRE	SAGITTAIRE	CAPRICORNE	VIERGE	CAPRICORNE	VIERGE	CANCER	BALANCE	LION	10 VERSEAU
26 NOVEMBRE	SAGITTAIRE	CAPRICORNE	VIERGE	CAPRICORNE	VIERGE	CANCER	BALANCE	LION	23 VERSEAU
27 NOVEMBRE	SAGITTAIRE	CAPRICORNE	VIERGE	CAPRICORNE	VIERGE	CANCER	BALANCE	LION	6 POISSONS
28 NOVEMBRE	SAGITTAIRE	CAPRICORNE	VIERGE	CAPRICORNE	VIERGE	CANCER	BALANCE	LION	18 POISSONS
29 NOVEMBRE	SAGITTAIRE	CAPRICORNE	VIERGE	CAPRICORNE	VIERGE	CANCER	BALANCE	LION	0 BELIER
30 NOVEMBRE	SAGITTAIRE	CAPRICORNE	VIERGE	CAPRICORNE	VIERGE	CANCER	BALANCE	LION	11 BELIER
1 DECEMBRE	SAGITTAIRE	CAPRICORNE	VIERGE	VERSEAU	VIERGE	CANCER	BALANCE	LION	23 BELIER
2 DECEMBRE	SAGITTAIRE	CAPRICORNE	VIERGE	VERSEAU	VIERGE	CANCER	BALANCE	LION	5 TAUREAU
3 DECEMBRE	SAGITTAIRE	CAPRICORNE	VIERGE	VERSEAU	VIERGE	CANCER	BALANCE	LION	17 TAUREAU
4 DECEMBRE	SAGITTAIRE	CAPRICORNE	VIERGE	VERSEAU	VIERGE	CANCER	BALANCE	LION	29 TAUREAU
5 DECEMBRE	SAGITTAIRE	CAPRICORNE	VIERGE	VERSEAU	VIERGE	CANCER	BALANCE	LION	11 GEMEAUX
6 DECEMBRE	SAGITTAIRE	VERSEAU	VIERGE	VERSEAU	VIERGE	CANCER	BALANCE	LION	24 GEMEAUX
7 DECEMBRE	SAGITTAIRE	VERSEAU	VIERGE	VERSEAU	VIERGE	CANCER	BALANCE	LION	6 CANCER
8 DECEMBRE	SAGITTAIRE	VERSEAU	VIERGE	VERSEAU	VIERGE	CANCER	BALANCE	LION	19 CANCER
9 DECEMBRE	SAGITTAIRE	VERSEAU	VIERGE	VERSEAU	VIERGE	CANCER	BALANCE	LION	2 LION
10 DECEMBRE	SAGITTAIRE	VERSEAU	VIERGE	VERSEAU	VIERGE	CANCER	BALANCE	LION	15 LION
11 DECEMBRE	SAGITTAIRE	VERSEAU	VIERGE	VERSEAU	VIERGE	CANCER	BALANCE	LION	29 LION
12 DECEMBRE	CAPRICORNE	VERSEAU	VIERGE	VERSEAU	VIERGE	CANCER	BALANCE	LION	12 VIERGE
13 DECEMBRE	CAPRICORNE	VERSEAU	VIERGE	VERSEAU	VIERGE	CANCER	BALANCE	LION	26 VIERGE
14 DECEMBRE	CAPRICORNE	VERSEAU	VIERGE	VERSEAU	VIERGE	CANCER	BALANCE	LION	10 BALANCE
15 DECEMBRE	CAPRICORNE	VERSEAU	VIERGE	VERSEAU	VIERGE	CANCER	BALANCE	LION	25 BALANCE
16 DECEMBRE	CAPRICORNE	VERSEAU	VIERGE	VERSEAU	VIERGE	CANCER	BALANCE	LION	9 SCORPION
17 DECEMBRE	CAPRICORNE	VERSEAU	VIERGE	VERSEAU	VIERGE	CANCER	BALANCE	LION	24 SCORPION
18 DECEMBRE	CAPRICORNE	VERSEAU	VIERGE	VERSEAU	VIERGE	CANCER	BALANCE	LION	8 SAGITTAIRE
19 DECEMBRE	CAPRICORNE	VERSEAU	VIERGE	VERSEAU	VIERGE	CANCER	BALANCE	LION	23 SAGITTAIRE
20 DECEMBRE	CAPRICORNE	VERSEAU	VIERGE	VERSEAU	VIERGE	CANCER	BALANCE	LION	7 CAPRICORNE
21 DECEMBRE	CAPRICORNE	VERSEAU	VIERGE	VERSEAU	VIERGE	CANCER	BALANCE	LION	21 CAPRICORNE
22 DECEMBRE	CAPRICORNE	VERSEAU	VIERGE	VERSEAU	VIERGE	CANCER	BALANCE	LION	5 VERSEAU

	ENTRE DANS LE SIGNE DU		LE 22 NOVEMBRE	A 15 h 00	
LE SOLEIL		SAGITTAIRE	1949		✱ LES CHIFFRES INDIQUENT LES DEGRES
	QUITTE LE SIGNE DU		LE 22 DECEMBRE	A 4 h 10	

DECOUVREZ DANS QUEL SIGNE SE TROUVAIENT LES PLANETES A VOTRE NAISSANCE

1950	MERCURE	VENUS	MARS	JUPITER	SATURNE	URANUS	NEPTUNE	PLUTON	LUNE ✱
22 NOVEMBRE	SAGITTAIRE	SAGITTAIRE	CAPRICORNE	VERSEAU	BALANCE	CANCER	BALANCE	LION	6 TAUREAU
23 NOVEMBRE	SAGITTAIRE	SAGITTAIRE	CAPRICORNE	VERSEAU	BALANCE	CANCER	BALANCE	LION	18 TAUREAU
24 NOVEMBRE	SAGITTAIRE	SAGITTAIRE	CAPRICORNE	VERSEAU	BALANCE	CANCER	BALANCE	LION	0 GEMEAUX
25 NOVEMBRE	SAGITTAIRE	SAGITTAIRE	CAPRICORNE	VERSEAU	BALANCE	CANCER	BALANCE	LION	12 GEMEAUX
26 NOVEMBRE	SAGITTAIRE	SAGITTAIRE	CAPRICORNE	VERSEAU	BALANCE	CANCER	BALANCE	LION	24 GEMEAUX
27 NOVEMBRE	SAGITTAIRE	SAGITTAIRE	CAPRICORNE	VERSEAU	BALANCE	CANCER	BALANCE	LION	6 CANCER
28 NOVEMBRE	SAGITTAIRE	SAGITTAIRE	CAPRICORNE	VERSEAU	BALANCE	CANCER	BALANCE	LION	18 CANCER
29 NOVEMBRE	SAGITTAIRE	SAGITTAIRE	CAPRICORNE	VERSEAU	BALANCE	CANCER	BALANCE	LION	0 LION
30 NOVEMBRE	SAGITTAIRE	SAGITTAIRE	CAPRICORNE	VERSEAU	BALANCE	CANCER	BALANCE	LION	12 LION
1 DECEMBRE	SAGITTAIRE	SAGITTAIRE	CAPRICORNE	VERSEAU	BALANCE	CANCER	BALANCE	LION	24 LION
2 DECEMBRE	SAGITTAIRE	SAGITTAIRE	CAPRICORNE	POISSONS	BALANCE	CANCER	BALANCE	LION	7 VIERGE
3 DECEMBRE	SAGITTAIRE	SAGITTAIRE	CAPRICORNE	POISSONS	BALANCE	CANCER	BALANCE	LION	20 VIERGE
4 DECEMBRE	SAGITTAIRE	SAGITTAIRE	CAPRICORNE	POISSONS	BALANCE	CANCER	BALANCE	LION	4 BALANCE
5 DECEMBRE	CAPRICORNE	SAGITTAIRE	CAPRICORNE	POISSONS	BALANCE	CANCER	BALANCE	LION	18 BALANCE
6 DECEMBRE	CAPRICORNE	SAGITTAIRE	CAPRICORNE	POISSONS	BALANCE	CANCER	BALANCE	LION	3 SCORPION
7 DECEMBRE	CAPRICORNE	SAGITTAIRE	CAPRICORNE	POISSONS	BALANCE	CANCER	BALANCE	LION	17 SCORPION
8 DECEMBRE	CAPRICORNE	SAGITTAIRE	CAPRICORNE	POISSONS	BALANCE	CANCER	BALANCE	LION	3 SAGITTAIRE
9 DECEMBRE	CAPRICORNE	SAGITTAIRE	CAPRICORNE	POISSONS	BALANCE	CANCER	BALANCE	LION	18 SAGITTAIRE
10 DECEMBRE	CAPRICORNE	SAGITTAIRE	CAPRICORNE	POISSONS	BALANCE	CANCER	BALANCE	LION	3 CAPRICORNE
11 DECEMBRE	CAPRICORNE	SAGITTAIRE	CAPRICORNE	POISSONS	BALANCE	CANCER	BALANCE	LION	18 CAPRICORNE
12 DECEMBRE	CAPRICORNE	SAGITTAIRE	CAPRICORNE	POISSONS	BALANCE	CANCER	BALANCE	LION	3 VERSEAU
13 DECEMBRE	CAPRICORNE	SAGITTAIRE	CAPRICORNE	POISSONS	BALANCE	CANCER	BALANCE	LION	17 VERSEAU
14 DECEMBRE	CAPRICORNE	SAGITTAIRE	CAPRICORNE	POISSONS	BALANCE	CANCER	BALANCE	LION	1 POISSONS
15 DECEMBRE	CAPRICORNE	CAPRICORNE	VERSEAU	POISSONS	BALANCE	CANCER	BALANCE	LION	14 POISSONS
16 DECEMBRE	CAPRICORNE	CAPRICORNE	VERSEAU	POISSONS	BALANCE	CANCER	BALANCE	LION	27 POISSONS
17 DECEMBRE	CAPRICORNE	CAPRICORNE	VERSEAU	POISSONS	BALANCE	CANCER	BALANCE	LION	9 BELIER
18 DECEMBRE	CAPRICORNE	CAPRICORNE	VERSEAU	POISSONS	BALANCE	CANCER	BALANCE	LION	21 BELIER
19 DECEMBRE	CAPRICORNE	CAPRICORNE	VERSEAU	POISSONS	BALANCE	CANCER	BALANCE	LION	3 TAUREAU
20 DECEMBRE	CAPRICORNE	CAPRICORNE	VERSEAU	POISSONS	BALANCE	CANCER	BALANCE	LION	15 TAUREAU
21 DECEMBRE	CAPRICORNE	CAPRICORNE	VERSEAU	POISSONS	BALANCE	CANCER	BALANCE	LION	27 TAUREAU
22 DECEMBRE	CAPRICORNE	CAPRICORNE	VERSEAU	POISSONS	BALANCE	CANCER	BALANCE	LION	9 GEMEAUX

	ENTRE DANS LE SIGNE DU		LE 22 NOVEMBRE	A 20 h 50	
LE SOLEIL		SAGITTAIRE	1950	✱ LES CHIFFRES INDIQUENT LES DEGRES	
	QUITTE LE SIGNE DU		LE 22 DECEMBRE	A 10 h 00	

1951	MERCURE	VENUS	MARS	JUPITER	SATURNE	URANUS	NEPTUNE	PLUTON	LUNE ✱
23 NOVEMBRE	SAGITTAIRE	BALANCE	VIERGE	BELIER	BALANCE	CANCER	BALANCE	LION	19 VIERGE
24 NOVEMBRE	SAGITTAIRE	BALANCE	BALANCE	BELIER	BALANCE	CANCER	BALANCE	LION	2 BALANCE
25 NOVEMBRE	SAGITTAIRE	BALANCE	BALANCE	BELIER	BALANCE	CANCER	BALANCE	LION	15 BALANCE
26 NOVEMBRE	SAGITTAIRE	BALANCE	BALANCE	BELIER	BALANCE	CANCER	BALANCE	LION	29 BALANCE
27 NOVEMBRE	SAGITTAIRE	BALANCE	BALANCE	BELIER	BALANCE	CANCER	BALANCE	LION	13 SCORPION
28 NOVEMBRE	SAGITTAIRE	BALANCE	BALANCE	BELIER	BALANCE	CANCER	BALANCE	LION	28 SCORPION
29 NOVEMBRE	SAGITTAIRE	BALANCE	BALANCE	BELIER	BALANCE	CANCER	BALANCE	LION	13 SAGITTAIRE
30 NOVEMBRE	SAGITTAIRE	BALANCE	BALANCE	BELIER	BALANCE	CANCER	BALANCE	LION	28 SAGITTAIRE
1 DECEMBRE	SAGITTAIRE	BALANCE	BALANCE	BELIER	BALANCE	CANCER	BALANCE	LION	13 CAPRICORNE
2 DECEMBRE	CAPRICORNE	BALANCE	BALANCE	BELIER	BALANCE	CANCER	BALANCE	LION	27 CAPRICORNE
3 DECEMBRE	CAPRICORNE	BALANCE	BALANCE	BELIER	BALANCE	CANCER	BALANCE	LION	12 VERSEAU
4 DECEMBRE	CAPRICORNE	BALANCE	BALANCE	BELIER	BALANCE	CANCER	BALANCE	LION	26 VERSEAU
5 DECEMBRE	CAPRICORNE	BALANCE	BALANCE	BELIER	BALANCE	CANCER	BALANCE	LION	10 POISSONS
6 DECEMBRE	CAPRICORNE	BALANCE	BALANCE	BELIER	BALANCE	CANCER	BALANCE	LION	23 POISSONS
7 DECEMBRE	CAPRICORNE	BALANCE	BALANCE	BELIER	BALANCE	CANCER	BALANCE	LION	7 BELIER
8 DECEMBRE	CAPRICORNE	SCORPION	BALANCE	BELIER	BALANCE	CANCER	BALANCE	LION	20 BELIER
9 DECEMBRE	CAPRICORNE	SCORPION	BALANCE	BELIER	BALANCE	CANCER	BALANCE	LION	2 TAUREAU
10 DECEMBRE	CAPRICORNE	SCORPION	BALANCE	BELIER	BALANCE	CANCER	BALANCE	LION	15 TAUREAU
11 DECEMBRE	CAPRICORNE	SCORPION	BALANCE	BELIER	BALANCE	CANCER	BALANCE	LION	27 TAUREAU
12 DECEMBRE	CAPRICORNE	SCORPION	BALANCE	BELIER	BALANCE	CANCER	BALANCE	LION	9 GEMEAUX
13 DECEMBRE	SAGITTAIRE	SCORPION	BALANCE	BELIER	BALANCE	CANCER	BALANCE	LION	21 GEMEAUX
14 DECEMBRE	SAGITTAIRE	SCORPION	BALANCE	BELIER	BALANCE	CANCER	BALANCE	LION	3 CANCER
15 DECEMBRE	SAGITTAIRE	SCORPION	BALANCE	BELIER	BALANCE	CANCER	BALANCE	LION	15 CANCER
16 DECEMBRE	SAGITTAIRE	SCORPION	BALANCE	BELIER	BALANCE	CANCER	BALANCE	LION	27 CANCER
17 DECEMBRE	SAGITTAIRE	SCORPION	BALANCE	BELIER	BALANCE	CANCER	BALANCE	LION	9 LION
18 DECEMBRE	SAGITTAIRE	SCORPION	BALANCE	BELIER	BALANCE	CANCER	BALANCE	LION	21 LION
19 DECEMBRE	SAGITTAIRE	SCORPION	BALANCE	BELIER	BALANCE	CANCER	BALANCE	LION	3 VIERGE
20 DECEMBRE	SAGITTAIRE	SCORPION	BALANCE	BELIER	BALANCE	CANCER	BALANCE	LION	15 VIERGE
21 DECEMBRE	SAGITTAIRE	SCORPION	BALANCE	BELIER	BALANCE	CANCER	BALANCE	LION	27 VIERGE
22 DECEMBRE	SAGITTAIRE	SCORPION	BALANCE	BELIER	BALANCE	CANCER	BALANCE	LION	10 BALANCE

	ENTRE DANS LE SIGNE DU		LE 23 NOVEMBRE	A 2 h 40	
LE SOLEIL		SAGITTAIRE	1951	✱ LES CHIFFRES INDIQUENT LES DEGRES	
	QUITTE LE SIGNE DU		LE 22 DECEMBRE	A 15 h 45	

177

DECOUVREZ DANS QUEL SIGNE SE TROUVAIENT LES PLANETES A VOTRE NAISSANCE

1952	MERCURE	VENUS	MARS	JUPITER	SATURNE	URANUS	NEPTUNE	PLUTON	LUNE ✴
22 NOVEMBRE	SAGITTAIRE	CAPRICORNE	VERSEAU	TAUREAU	BALANCE	CANCER	BALANCE	LION	4 VERSEAU
23 NOVEMBRE	SAGITTAIRE	CAPRICORNE	VERSEAU	TAUREAU	BALANCE	CANCER	BALANCE	LION	18 VERSEAU
24 NOVEMBRE	SAGITTAIRE	CAPRICORNE	VERSEAU	TAUREAU	BALANCE	CANCER	BALANCE	LION	2 POISSONS
25 NOVEMBRE	SAGITTAIRE	CAPRICORNE	VERSEAU	TAUREAU	BALANCE	CANCER	BALANCE	LION	16 POISSONS
26 NOVEMBRE	SAGITTAIRE	CAPRICORNE	VERSEAU	TAUREAU	BALANCE	CANCER	BALANCE	LION	0 BELIER
27 NOVEMBRE	SAGITTAIRE	CAPRICORNE	VERSEAU	TAUREAU	BALANCE	CANCER	BALANCE	LION	14 BELIER
28 NOVEMBRE	SAGITTAIRE	CAPRICORNE	VERSEAU	TAUREAU	BALANCE	CANCER	BALANCE	LION	28 BELIER
29 NOVEMBRE	SAGITTAIRE	CAPRICORNE	VERSEAU	TAUREAU	BALANCE	CANCER	BALANCE	LION	12 TAUREAU
30 NOVEMBRE	SAGITTAIRE	CAPRICORNE	VERSEAU	TAUREAU	BALANCE	CANCER	BALANCE	LION	25 TAUREAU
1 DECEMBRE	SAGITTAIRE	CAPRICORNE	VERSEAU	TAUREAU	BALANCE	CANCER	BALANCE	LION	9 GEMEAUX
2 DECEMBRE	SAGITTAIRE	CAPRICORNE	VERSEAU	TAUREAU	BALANCE	CANCER	BALANCE	LION	22 GEMEAUX
3 DECEMBRE	SAGITTAIRE	CAPRICORNE	VERSEAU	TAUREAU	BALANCE	CANCER	BALANCE	LION	4 CANCER
4 DECEMBRE	SAGITTAIRE	CAPRICORNE	VERSEAU	TAUREAU	BALANCE	CANCER	BALANCE	LION	17 CANCER
5 DECEMBRE	SAGITTAIRE	CAPRICORNE	VERSEAU	TAUREAU	BALANCE	CANCER	BALANCE	LION	29 CANCER
6 DECEMBRE	SAGITTAIRE	CAPRICORNE	VERSEAU	TAUREAU	BALANCE	CANCER	BALANCE	LION	11 LION
7 DECEMBRE	SAGITTAIRE	CAPRICORNE	VERSEAU	TAUREAU	BALANCE	CANCER	BALANCE	LION	23 LION
8 DECEMBRE	SAGITTAIRE	CAPRICORNE	VERSEAU	TAUREAU	BALANCE	CANCER	BALANCE	LION	5 VIERGE
9 DECEMBRE	SAGITTAIRE	CAPRICORNE	VERSEAU	TAUREAU	BALANCE	CANCER	BALANCE	LION	16 VIERGE
10 DECEMBRE	SAGITTAIRE	CAPRICORNE	VERSEAU	TAUREAU	BALANCE	CANCER	BALANCE	LION	28 VIERGE
11 DECEMBRE	SAGITTAIRE	VERSEAU	VERSEAU	TAUREAU	BALANCE	CANCER	BALANCE	LION	11 BALANCE
12 DECEMBRE	SAGITTAIRE	VERSEAU	VERSEAU	TAUREAU	BALANCE	CANCER	BALANCE	LION	23 BALANCE
13 DECEMBRE	SAGITTAIRE	VERSEAU	VERSEAU	TAUREAU	BALANCE	CANCER	BALANCE	LION	6 SCORPION
14 DECEMBRE	SAGITTAIRE	VERSEAU	VERSEAU	TAUREAU	BALANCE	CANCER	BALANCE	LION	19 SCORPION
15 DECEMBRE	SAGITTAIRE	VERSEAU	VERSEAU	TAUREAU	BALANCE	CANCER	BALANCE	LION	3 SAGITTAIRE
16 DECEMBRE	SAGITTAIRE	VERSEAU	VERSEAU	TAUREAU	BALANCE	CANCER	BALANCE	LION	16 SAGITTAIRE
17 DECEMBRE	SAGITTAIRE	VERSEAU	VERSEAU	TAUREAU	BALANCE	CANCER	BALANCE	LION	1 CAPRICORNE
18 DECEMBRE	SAGITTAIRE	VERSEAU	VERSEAU	TAUREAU	BALANCE	CANCER	BALANCE	LION	15 CAPRICORNE
19 DECEMBRE	SAGITTAIRE	VERSEAU	VERSEAU	TAUREAU	BALANCE	CANCER	BALANCE	LION	0 VERSEAU
20 DECEMBRE	SAGITTAIRE	VERSEAU	VERSEAU	TAUREAU	BALANCE	CANCER	BALANCE	LION	14 VERSEAU
21 DECEMBRE	SAGITTAIRE	VERSEAU	VERSEAU	TAUREAU	BALANCE	CANCER	BALANCE	LION	29 VERSEAU

	ENTRE DANS LE SIGNE DU		LE 22 NOVEMBRE	A 8 h 20	
LE SOLEIL		SAGITTAIRE	1952	✴ LES CHIFFRES INDIQUENT LES DEGRES	
	QUITTE LE SIGNE DU		LE 21 DECEMBRE	A 21 h 30	

1953	MERCURE	VENUS	MARS	JUPITER	SATURNE	URANUS	NEPTUNE	PLUTON	LUNE ✴
22 NOVEMBRE	SCORPION	SCORPION	BALANCE	GEMEAUX	SCORPION	CANCER	BALANCE	LION	20 GEMEAUX
23 NOVEMBRE	SCORPION	SCORPION	BALANCE	GEMEAUX	SCORPION	CANCER	BALANCE	LION	4 CANCER
24 NOVEMBRE	SCORPION	SCORPION	BALANCE	GEMEAUX	SCORPION	CANCER	BALANCE	LION	17 CANCER
25 NOVEMBRE	SCORPION	SCORPION	BALANCE	GEMEAUX	SCORPION	CANCER	BALANCE	LION	0 LION
26 NOVEMBRE	SCORPION	SCORPION	BALANCE	GEMEAUX	SCORPION	CANCER	BALANCE	LION	13 LION
27 NOVEMBRE	SCORPION	SCORPION	BALANCE	GEMEAUX	SCORPION	CANCER	BALANCE	LION	25 LION
28 NOVEMBRE	SCORPION	SCORPION	BALANCE	GEMEAUX	SCORPION	CANCER	BALANCE	LION	7 VIERGE
29 NOVEMBRE	SCORPION	SCORPION	BALANCE	GEMEAUX	SCORPION	CANCER	BALANCE	LION	19 VIERGE
30 NOVEMBRE	SCORPION	SCORPION	BALANCE	GEMEAUX	SCORPION	CANCER	BALANCE	LION	1 BALANCE
1 DECEMBRE	SCORPION	SCORPION	BALANCE	GEMEAUX	SCORPION	CANCER	BALANCE	LION	13 BALANCE
2 DECEMBRE	SCORPION	SCORPION	BALANCE	GEMEAUX	SCORPION	CANCER	BALANCE	LION	25 BALANCE
3 DECEMBRE	SCORPION	SCORPION	BALANCE	GEMEAUX	SCORPION	CANCER	BALANCE	LION	7 SCORPION
4 DECEMBRE	SCORPION	SCORPION	BALANCE	GEMEAUX	SCORPION	CANCER	BALANCE	LION	19 SCORPION
5 DECEMBRE	SCORPION	SCORPION	BALANCE	GEMEAUX	SCORPION	CANCER	BALANCE	LION	2 SAGITTAIRE
6 DECEMBRE	SCORPION	SAGITTAIRE	BALANCE	GEMEAUX	SCORPION	CANCER	BALANCE	LION	14 SAGITTAIRE
7 DECEMBRE	SCORPION	SAGITTAIRE	BALANCE	GEMEAUX	SCORPION	CANCER	BALANCE	LION	27 SAGITTAIRE
8 DECEMBRE	SCORPION	SAGITTAIRE	BALANCE	GEMEAUX	SCORPION	CANCER	BALANCE	LION	10 CAPRICORNE
9 DECEMBRE	SCORPION	SAGITTAIRE	BALANCE	GEMEAUX	SCORPION	CANCER	BALANCE	LION	24 CAPRICORNE
10 DECEMBRE	SCORPION	SAGITTAIRE	BALANCE	GEMEAUX	SCORPION	CANCER	BALANCE	LION	7 VERSEAU
11 DECEMBRE	SAGITTAIRE	SAGITTAIRE	BALANCE	GEMEAUX	SCORPION	CANCER	BALANCE	LION	21 VERSEAU
12 DECEMBRE	SAGITTAIRE	SAGITTAIRE	BALANCE	GEMEAUX	SCORPION	CANCER	BALANCE	LION	4 POISSONS
13 DECEMBRE	SAGITTAIRE	SAGITTAIRE	BALANCE	GEMEAUX	SCORPION	CANCER	BALANCE	LION	18 POISSONS
14 DECEMBRE	SAGITTAIRE	SAGITTAIRE	BALANCE	GEMEAUX	SCORPION	CANCER	BALANCE	LION	3 BELIER
15 DECEMBRE	SAGITTAIRE	SAGITTAIRE	BALANCE	GEMEAUX	SCORPION	CANCER	BALANCE	LION	17 BELIER
16 DECEMBRE	SAGITTAIRE	SAGITTAIRE	BALANCE	GEMEAUX	SCORPION	CANCER	BALANCE	LION	1 TAUREAU
17 DECEMBRE	SAGITTAIRE	SAGITTAIRE	BALANCE	GEMEAUX	SCORPION	CANCER	BALANCE	LION	16 TAUREAU
18 DECEMBRE	SAGITTAIRE	SAGITTAIRE	BALANCE	GEMEAUX	SCORPION	CANCER	BALANCE	LION	0 GEMEAUX
19 DECEMBRE	SAGITTAIRE	SAGITTAIRE	BALANCE	GEMEAUX	SCORPION	CANCER	BALANCE	LION	14 GEMEAUX
20 DECEMBRE	SAGITTAIRE	SAGITTAIRE	SCORPION	GEMEAUX	SCORPION	CANCER	BALANCE	LION	28 GEMEAUX
21 DECEMBRE	SAGITTAIRE	SAGITTAIRE	SCORPION	GEMEAUX	SCORPION	CANCER	BALANCE	LION	12 CANCER
22 DECEMBRE	SAGITTAIRE	SAGITTAIRE	SCORPION	GEMEAUX	SCORPION	CANCER	BALANCE	LION	25 CANCER

	ENTRE DANS LE SIGNE DU		LE 22 NOVEMBRE	A 14 h 10	
LE SOLEIL		SAGITTAIRE	1953	✴ LES CHIFFRES INDIQUENT LES DEGRES	
	QUITTE LE SIGNE DU		LE 22 DECEMBRE	A 3 h 15	

DECOUVREZ DANS QUEL SIGNE SE TROUVAIENT LES PLANETES A VOTRE NAISSANCE

1954	MERCURE	VENUS	MARS	JUPITER	SATURNE	URANUS	NEPTUNE	PLUTON	LUNE *
22 NOVEMBRE	SCORPION	SCORPION	VERSEAU	CANCER	SCORPION	CANCER	BALANCE	LION	27 BALANCE
23 NOVEMBRE	SCORPION	SCORPION	VERSEAU	CANCER	SCORPION	CANCER	BALANCE	LION	8 SCORPION
24 NOVEMBRE	SCORPION	SCORPION	VERSEAU	CANCER	SCORPION	CANCER	BALANCE	LION	20 SCORPION
25 NOVEMBRE	SCORPION	SCORPION	VERSEAU	CANCER	SCORPION	CANCER	BALANCE	LION	2 SAGITTAIRE
26 NOVEMBRE	SCORPION	SCORPION	VERSEAU	CANCER	SCORPION	CANCER	BALANCE	LION	14 SAGITTAIRE
27 NOVEMBRE	SCORPION	SCORPION	VERSEAU	CANCER	SCORPION	CANCER	BALANCE	LION	26 SAGITTAIRE
28 NOVEMBRE	SCORPION	SCORPION	VERSEAU	CANCER	SCORPION	CANCER	BALANCE	LION	8 CAPRICORNE
29 NOVEMBRE	SCORPION	SCORPION	VERSEAU	CANCER	SCORPION	CANCER	BALANCE	LION	20 CAPRICORNE
30 NOVEMBRE	SCORPION	SCORPION	VERSEAU	CANCER	SCORPION	CANCER	BALANCE	LION	3 VERSEAU
1 DECEMBRE	SCORPION	SCORPION	VERSEAU	CANCER	SCORPION	CANCER	BALANCE	LION	15 VERSEAU
2 DECEMBRE	SCORPION	SCORPION	VERSEAU	CANCER	SCORPION	CANCER	BALANCE	LION	28 VERSEAU
3 DECEMBRE	SCORPION	SCORPION	VERSEAU	CANCER	SCORPION	CANCER	BALANCE	LION	12 POISSONS
4 DECEMBRE	SAGITTAIRE	SCORPION	POISSONS	CANCER	SCORPION	CANCER	BALANCE	LION	25 POISSONS
5 DECEMBRE	SAGITTAIRE	SCORPION	POISSONS	CANCER	SCORPION	CANCER	BALANCE	LION	9 BELIER
6 DECEMBRE	SAGITTAIRE	SCORPION	POISSONS	CANCER	SCORPION	CANCER	BALANCE	LION	24 BELIER
7 DECEMBRE	SAGITTAIRE	SCORPION	POISSONS	CANCER	SCORPION	CANCER	BALANCE	LION	9 TAUREAU
8 DECEMBRE	SAGITTAIRE	SCORPION	POISSONS	CANCER	SCORPION	CANCER	BALANCE	LION	24 TAUREAU
9 DECEMBRE	SAGITTAIRE	SCORPION	POISSONS	CANCER	SCORPION	CANCER	BALANCE	LION	9 GEMEAUX
10 DECEMBRE	SAGITTAIRE	SCORPION	POISSONS	CANCER	SCORPION	CANCER	BALANCE	LION	24 GEMEAUX
11 DECEMBRE	SAGITTAIRE	SCORPION	POISSONS	CANCER	SCORPION	CANCER	BALANCE	LION	9 CANCER
12 DECEMBRE	SAGITTAIRE	SCORPION	POISSONS	CANCER	SCORPION	CANCER	BALANCE	LION	23 CANCER
13 DECEMBRE	SAGITTAIRE	SCORPION	POISSONS	CANCER	SCORPION	CANCER	BALANCE	LION	7 LION
14 DECEMBRE	SAGITTAIRE	SCORPION	POISSONS	CANCER	SCORPION	CANCER	BALANCE	LION	21 LION
15 DECEMBRE	SAGITTAIRE	SCORPION	POISSONS	CANCER	SCORPION	CANCER	BALANCE	LION	4 VIERGE
16 DECEMBRE	SAGITTAIRE	SCORPION	POISSONS	CANCER	SCORPION	CANCER	BALANCE	LION	17 VIERGE
17 DECEMBRE	SAGITTAIRE	SCORPION	POISSONS	CANCER	SCORPION	CANCER	BALANCE	LION	29 VIERGE
18 DECEMBRE	SAGITTAIRE	SCORPION	POISSONS	CANCER	SCORPION	CANCER	BALANCE	LION	11 BALANCE
19 DECEMBRE	SAGITTAIRE	SCORPION	POISSONS	CANCER	SCORPION	CANCER	BALANCE	LION	23 BALANCE
20 DECEMBRE	SAGITTAIRE	SCORPION	POISSONS	CANCER	SCORPION	CANCER	BALANCE	LION	5 SCORPION
21 DECEMBRE	SAGITTAIRE	SCORPION	POISSONS	CANCER	SCORPION	CANCER	BALANCE	LION	17 SCORPION
22 DECEMBRE	SAGITTAIRE	SCORPION	POISSONS	CANCER	SCORPION	CANCER	BALANCE	LION	29 SCORPION

	ENTRE DANS LE SIGNE DU		LE 22 NOVEMBRE	A 20 h 00	
LE SOLEIL		SAGITTAIRE	1954	* LES CHIFFRES INDIQUENT LES DEGRES	
	QUITTE LE SIGNE DU		LE 22 DECEMBRE	A 9 h 10	

1955	MERCURE	VENUS	MARS	JUPITER	SATURNE	URANUS	NEPTUNE	PLUTON	LUNE *
23 NOVEMBRE	SCORPION	SAGITTAIRE	BALANCE	VIERGE	SCORPION	LION	BALANCE	LION	9 POISSONS
24 NOVEMBRE	SCORPION	SAGITTAIRE	BALANCE	VIERGE	SCORPION	LION	BALANCE	LION	22 POISSONS
25 NOVEMBRE	SCORPION	SAGITTAIRE	BALANCE	VIERGE	SCORPION	LION	BALANCE	LION	5 BELIER
26 NOVEMBRE	SCORPION	SAGITTAIRE	BALANCE	VIERGE	SCORPION	LION	BALANCE	LION	19 BELIER
27 NOVEMBRE	SAGITTAIRE	SAGITTAIRE	BALANCE	VIERGE	SCORPION	LION	BALANCE	LION	4 TAUREAU
28 NOVEMBRE	SAGITTAIRE	SAGITTAIRE	BALANCE	VIERGE	SCORPION	LION	BALANCE	LION	18 TAUREAU
29 NOVEMBRE	SAGITTAIRE	SAGITTAIRE	SCORPION	VIERGE	SCORPION	LION	BALANCE	LION	3 GEMEAUX
30 NOVEMBRE	SAGITTAIRE	CAPRICORNE	SCORPION	VIERGE	SCORPION	LION	BALANCE	LION	18 GEMEAUX
1 DECEMBRE	SAGITTAIRE	CAPRICORNE	SCORPION	VIERGE	SCORPION	LION	BALANCE	LION	4 CANCER
2 DECEMBRE	SAGITTAIRE	CAPRICORNE	SCORPION	VIERGE	SCORPION	LION	BALANCE	LION	19 CANCER
3 DECEMBRE	SAGITTAIRE	CAPRICORNE	SCORPION	VIERGE	SCORPION	LION	BALANCE	LION	3 LION
4 DECEMBRE	SAGITTAIRE	CAPRICORNE	SCORPION	VIERGE	SCORPION	LION	BALANCE	LION	18 LION
5 DECEMBRE	SAGITTAIRE	CAPRICORNE	SCORPION	VIERGE	SCORPION	LION	BALANCE	LION	1 VIERGE
6 DECEMBRE	SAGITTAIRE	CAPRICORNE	SCORPION	VIERGE	SCORPION	LION	BALANCE	LION	15 VIERGE
7 DECEMBRE	SAGITTAIRE	CAPRICORNE	SCORPION	VIERGE	SCORPION	LION	BALANCE	LION	28 VIERGE
8 DECEMBRE	SAGITTAIRE	CAPRICORNE	SCORPION	VIERGE	SCORPION	LION	BALANCE	LION	11 BALANCE
9 DECEMBRE	SAGITTAIRE	CAPRICORNE	SCORPION	VIERGE	SCORPION	LION	BALANCE	LION	23 BALANCE
10 DECEMBRE	SAGITTAIRE	CAPRICORNE	SCORPION	VIERGE	SCORPION	LION	BALANCE	LION	6 SCORPION
11 DECEMBRE	SAGITTAIRE	CAPRICORNE	SCORPION	VIERGE	SCORPION	LION	BALANCE	LION	18 SCORPION
12 DECEMBRE	SAGITTAIRE	CAPRICORNE	SCORPION	VIERGE	SCORPION	LION	BALANCE	LION	0 SAGITTAIRE
13 DECEMBRE	SAGITTAIRE	CAPRICORNE	SCORPION	VIERGE	SCORPION	LION	BALANCE	LION	12 SAGITTAIRE
14 DECEMBRE	SAGITTAIRE	CAPRICORNE	SCORPION	VIERGE	SCORPION	LION	BALANCE	LION	24 SAGITTAIRE
15 DECEMBRE	SAGITTAIRE	CAPRICORNE	SCORPION	VIERGE	SCORPION	LION	BALANCE	LION	5 CAPRICORNE
16 DECEMBRE	CAPRICORNE	CAPRICORNE	SCORPION	VIERGE	SCORPION	LION	BALANCE	LION	17 CAPRICORNE
17 DECEMBRE	CAPRICORNE	CAPRICORNE	SCORPION	VIERGE	SCORPION	LION	BALANCE	LION	29 CAPRICORNE
18 DECEMBRE	CAPRICORNE	CAPRICORNE	SCORPION	VIERGE	SCORPION	LION	BALANCE	LION	11 VERSEAU
19 DECEMBRE	CAPRICORNE	CAPRICORNE	SCORPION	VIERGE	SCORPION	LION	BALANCE	LION	23 VERSEAU
20 DECEMBRE	CAPRICORNE	CAPRICORNE	SCORPION	VIERGE	SCORPION	LION	BALANCE	LION	5 POISSONS
21 DECEMBRE	CAPRICORNE	CAPRICORNE	SCORPION	VIERGE	SCORPION	LION	BALANCE	LION	18 POISSONS
22 DECEMBRE	CAPRICORNE	CAPRICORNE	SCORPION	VIERGE	SCORPION	LION	BALANCE	LION	1 BELIER

	ENTRE DANS LE SIGNE DU		LE 23 NOVEMBRE	A 1 h 50	
LE SOLEIL		SAGITTAIRE	1955	* LES CHIFFRES INDIQUENT LES DEGRES	
	QUITTE LE SIGNE DU		LE 22 DECEMBRE	A 15 h 00	

179

DECOUVREZ DANS QUEL SIGNE SE TROUVAIENT LES PLANETES
A VOTRE NAISSANCE

1956	MERCURE	VENUS	MARS	JUPITER	SATURNE	URANUS	NEPTUNE	PLUTON	LUNE ✻
22 NOVEMBRE	SAGITTAIRE	BALANCE	POISSONS	VIERGE	SAGITTAIRE	LION	SCORPION	VIERGE	26 CANCER
23 NOVEMBRE	SAGITTAIRE	BALANCE	POISSONS	VIERGE	SAGITTAIRE	LION	SCORPION	VIERGE	10 LION
24 NOVEMBRE	SAGITTAIRE	BALANCE	POISSONS	VIERGE	SAGITTAIRE	LION	SCORPION	VIERGE	25 LION
25 NOVEMBRE	SAGITTAIRE	BALANCE	POISSONS	VIERGE	SAGITTAIRE	LION	SCORPION	VIERGE	9 VIERGE
26 NOVEMBRE	9AGITTAIRE	SCORPION	POISSONS	VIERGE	SAGITTAIRE	LION	SCORPION	VIERGE	23 VIERGE
27 NOVEMBRE	SAGITTAIRE	SCORPION	POISSONS	VIERGE	SAGITTAIRE	LION	SCORPION	VIERGE	6 BALANCE
28 NOVEMBRE	SAGITTAIRE	SCORPION	POISSONS	VIERGE	SAGITTAIRE	LION	SCORPION	VIERGE	20 BALANCE
29 NOVEMBRE	SAGITTAIRE	SCORPION	POISSONS	VIERGE	SAGITTAIRE	LION	SCORPION	VIERGE	3 SCORPION
30 NOVEMBRE	SAGITTAIRE	SCORPION	POISSONS	VIERGE	SAGITTAIRE	LION	SCORPION	VIERGE	16 SCORPION
1 DECEMBRE	SAGITTAIRE	SCORPION	POISSONS	VIERGE	SAGITTAIRE	LION	SCORPION	VIERGE	29 SCORPION
2 DECEMBRE	SAGITTAIRE	SCORPION	POISSONS	VIERGE	SAGITTAIRE	LION	SCORPION	VIERGE	12 SAGITTAIRE
3 DECEMBRE	SAGITTAIRE	SCORPION	POISSONS	VIERGE	SAGITTAIRE	LION	SCORPION	VIERGE	24 SAGITTAIRE
4 DECEMBRE	SAGITTAIRE	SCORPION	POISSONS	VIERGE	SAGITTAIRE	LION	SCORPION	VIERGE	6 CAPRICORNE
5 DECEMBRE	SAGITTAIRE	SCORPION	POISSONS	VIERGE	SAGITTAIRE	LION	SCORPION	VIERGE	19 CAPRICORNE
6 DECEMBRE	SAGITTAIRE	SCORPION	BELIER	VIERGE	SAGITTAIRE	LION	SCORPION	VIERGE	1 VERSEAU
7 DECEMBRE	SAGITTAIRE	SCORPION	BELIER	VIERGE	SAGITTAIRE	LION	SCORPION	VIERGE	12 VERSEAU
8 DECEMBRE	CAPRICORNE	SCORPION	BELIER	VIERGE	SAGITTAIRE	LION	SCORPION	VIERGE	24 VERSEAU
9 DECEMBRE	CAPRICORNE	SCORPION	BELIER	VIERGE	SAGITTAIRE	LION	SCORPION	VIERGE	6 POISSONS
10 DECEMBRE	CAPRICORNE	SCORPION	BELIER	VIERGE	SAGITTAIRE	LION	SCORPION	VIERGE	18 POISSONS
11 DECEMBRE	CAPRICORNE	SCORPION	BELIER	VIERGE	SAGITTAIRE	LION	SCORPION	VIERGE	0 BELIER
12 DECEMBRE	CAPRICORNE	SCORPION	BELIER	VIERGE	SAGITTAIRE	LION	SCORPION	VIERGE	13 BELIER
13 DECEMBRE	CAPRICORNE	SCORPION	BELIER	BALANCE	SAGITTAIRE	LION	SCORPION	VIERGE	26 BELIER
14 DECEMBRE	CAPRICORNE	SCORPION	BELIER	BALANCE	SAGITTAIRE	LION	SCORPION	VIERGE	9 TAUREAU
15 DECEMBRE	CAPRICORNE	SCORPION	BELIER	BALANCE	SAGITTAIRE	LION	SCORPION	VIERGE	23 TAUREAU
16 DECEMBRE	CAPRICORNE	SCORPION	BELIER	BALANCE	SAGITTAIRE	LION	SCORPION	VIERGE	7 GEMEAUX
17 DECEMBRE	CAPRICORNE	SCORPION	BELIER	BALANCE	SAGITTAIRE	LION	SCORPION	VIERGE	21 GEMEAUX
18 DECEMBRE	CAPRICORNE	SCORPION	BELIER	BALANCE	SAGITTAIRE	LION	SCORPION	VIERGE	6 CANCER
19 DECEMBRE	CAPRICORNE	SCORPION	BELIER	BALANCE	SAGITTAIRE	LION	SCORPION	VIERGE	21 CANCER
20 DECEMBRE	CAPRICORNE	SAGITTAIRE	BELIER	BALANCE	SAGITTAIRE	LION	SCORPION	VIERGE	6 LION
21 DECEMBRE	CAPRICORNE	SAGITTAIRE	BELIER	BALANCE	SAGITTAIRE	LION	SCORPION	VIERGE	21 LION

	ENTRE DANS LE SIGNE DU		LE 22 NOVEMBRE		A 7 h 40	
LE SOLEIL		SAGITTAIRE		1956		✻ LES CHIFFRES INDIQUENT LES DEGRES
	QUITTE LE SIGNE DU		LE 21 DECEMBRE		A 20 h 45	

1957	MERCURE	VENUS	MARS	JUPITER	SATURNE	URANUS	NEPTUNE	PLUTON	LUNE ✻
22 NOVEMBRE	SAGITTAIRE	CAPRICORNE	SCORPION	BALANCE	SAGITTAIRE	LION	SCORPION	VIERGE	10 SAGITTAIRE
23 NOVEMBRE	SAGITTAIRE	CAPRICORNE	SCORPION	BALANCE	SAGITTAIRE	LION	SCORPION	VIERGE	24 SAGITTAIRE
24 NOVEMBRE	SAGITTAIRE	CAPRICORNE	SCORPION	BALANCE	SAGITTAIRE	LION	SCORPION	VIERGE	7 CAPRICORNE
25 NOVEMBRE	SAGITTAIRE	CAPRICORNE	SCORPION	BALANCE	SAGITTAIRE	LION	SCORPION	VIERGE	20 CAPRICORNE
26 NOVEMBRE	SAGITTAIRE	CAPRICORNE	SCORPION	BALANCE	SAGITTAIRE	LION	SCORPION	VIERGE	3 VERSEAU
27 NOVEMBRE	SAGITTAIRE	CAPRICORNE	SCORPION	BALANCE	SAGITTAIRE	LION	SCORPION	VIERGE	15 VERSEAU
28 NOVEMBRE	SAGITTAIRE	CAPRICORNE	SCORPION	BALANCE	SAGITTAIRE	LION	SCORPION	VIERGE	27 VERSEAU
29 NOVEMBRE	SAGITTAIRE	CAPRICORNE	SCORPION	BALANCE	SAGITTAIRE	LION	SCORPION	VIERGE	9 POISSONS
30 NOVEMBRE	SAGITTAIRE	CAPRICORNE	SCORPION	BALANCE	SAGITTAIRE	LION	SCORPION	VIERGE	21 POISSONS
1 DECEMBRE	SAGITTAIRE	CAPRICORNE	SCORPION	BALANCE	SAGITTAIRE	LION	SCORPION	VIERGE	3 BELIER
2 DECEMBRE	CAPRICORNE	CAPRICORNE	SCORPION	BALANCE	SAGITTAIRE	LION	SCORPION	VIERGE	15 BELIER
3 DECEMBRE	CAPRICORNE	CAPRICORNE	SCORPION	BALANCE	SAGITTAIRE	LION	SCORPION	VIERGE	27 BELIER
4 DECEMBRE	CAPRICORNE	CAPRICORNE	SCORPION	BALANCE	SAGITTAIRE	LION	SCORPION	VIERGE	9 TAUREAU
5 DECEMBRE	CAPRICORNE	CAPRICORNE	SCORPION	BALANCE	SAGITTAIRE	LION	SCORPION	VIERGE	22 TAUREAU
6 DECEMBRE	CAPRICORNE	CAPRICORNE	SCORPION	BALANCE	SAGITTAIRE	LION	SCORPION	VIERGE	5 GEMEAUX
7 DECEMBRE	CAPRICORNE	VERSEAU	SCORPION	BALANCE	SAGITTAIRE	LION	SCORPION	VIERGE	18 GEMEAUX
8 DECEMBRE	CAPRICORNE	VERSEAU	SCORPION	BALANCE	SAGITTAIRE	LION	SCORPION	VIERGE	1 CANCER
9 DECEMBRE	CAPRICORNE	VERSEAU	SCORPION	BALANCE	SAGITTAIRE	LION	SCORPION	VIERGE	15 CANCER
10 DECEMBRE	CAPRICORNE	VERSEAU	SCORPION	BALANCE	SAGITTAIRE	LION	SCORPION	VIERGE	29 CANCER
11 DECEMBRE	CAPRICORNE	VERSEAU	SCORPION	BALANCE	SAGITTAIRE	LION	SCORPION	VIERGE	13 LION
12 DECEMBRE	CAPRICORNE	VERSEAU	SCORPION	BALANCE	SAGITTAIRE	LION	SCORPION	VIERGE	27 LION
13 DECEMBRE	CAPRICORNE	VERSEAU	SCORPION	BALANCE	SAGITTAIRE	LION	SCORPION	VIERGE	11 VIERGE
14 DECEMBRE	CAPRICORNE	VERSEAU	SCORPION	BALANCE	SAGITTAIRE	LION	SCORPION	VIERGE	25 VIERGE
15 DECEMBRE	CAPRICORNE	VERSEAU	SCORPION	BALANCE	SAGITTAIRE	LION	SCORPION	VIERGE	9 BALANCE
16 DECEMBRE	CAPRICORNE	VERSEAU	SCORPION	BALANCE	SAGITTAIRE	LION	SCORPION	VIERGE	23 BALANCE
17 DECEMBRE	CAPRICORNE	VERSEAU	SCORPION	BALANCE	SAGITTAIRE	LION	SCORPION	VIERGE	7 SCORPION
18 DECEMBRE	CAPRICORNE	VERSEAU	SCORPION	BALANCE	SAGITTAIRE	LION	SCORPION	VIERGE	21 SCORPION
19 DECEMBRE	CAPRICORNE	VERSEAU	SCORPION	BALANCE	SAGITTAIRE	LION	SCORPION	VIERGE	5 SAGITTAIRE
20 DECEMBRE	CAPRICORNE	VERSEAU	SCORPION	BALANCE	SAGITTAIRE	LION	SCORPION	VIERGE	19 SAGITTAIRE
21 DECEMBRE	CAPRICORNE	VERSEAU	SCORPION	BALANCE	SAGITTAIRE	LION	SCORPION	VIERGE	2 CAPRICORNE
22 DECEMBRE	CAPRICORNE	VERSEAU	SCORPION	BALANCE	SAGITTAIRE	LION	SCORPION	VIERGE	15 CAPRICORNE

	ENTRE DANS LE SIGNE DU		LE 22 NOVEMBRE		A 13 h 30	
LE SOLEIL		SAGITTAIRE		1957		✻ LES CHIFFRES INDIQUENT LES DEGRES
	QUITTE LE SIGNE DU		LE 22 DECEMBRE		A 2 h 40	

DECOUVREZ DANS QUEL SIGNE SE TROUVAIENT LES PLANETES A VOTRE NAISSANCE

1958	MERCURE	VENUS	MARS	JUPITER	SATURNE	URANUS	NEPTUNE	PLUTON	LUNE *
22 NOVEMBRE	SAGITTAIRE	SAGITTAIRE	TAUREAU	SCORPION	SAGITTAIRE	LION	SCORPION	VIERGE	17 BELIER
23 NOVEMBRE	SAGITTAIRE	SAGITTAIRE	TAUREAU	SCORPION	SAGITTAIRE	LION	SCORPION	VIERGE	28 BELIER
24 NOVEMBRE	SAGITTAIRE	SAGITTAIRE	TAUREAU	SCORPION	SAGITTAIRE	LION	SCORPION	VIERGE	10 TAUREAU
25 NOVEMBRE	SAGITTAIRE	SAGITTAIRE	TAUREAU	SCORPION	SAGITTAIRE	LION	SCORPION	VIERGE	22 TAUREAU
26 NOVEMBRE	SAGITTAIRE	SAGITTAIRE	TAUREAU	SCORPION	SAGITTAIRE	LION	SCORPION	VIERGE	4 GEMEAUX
27 NOVEMBRE	SAGITTAIRE	SAGITTAIRE	TAUREAU	SCORPION	SAGITTAIRE	LION	SCORPION	VIERGE	16 GEMEAUX
28 NOVEMBRE	SAGITTAIRE	SAGITTAIRE	TAUREAU	SCORPION	SAGITTAIRE	LION	SCORPION	VIERGE	29 GEMEAUX
29 NOVEMBRE	SAGITTAIRE	SAGITTAIRE	TAUREAU	SCORPION	SAGITTAIRE	LION	SCORPION	VIERGE	11 CANCER
30 NOVEMBRE	SAGITTAIRE	SAGITTAIRE	TAUREAU	SCORPION	SAGITTAIRE	LION	SCORPION	VIERGE	24 CANCER
1 DECEMBRE	SAGITTAIRE	SAGITTAIRE	TAUREAU	SCORPION	SAGITTAIRE	LION	SCORPION	VIERGE	7 LION
2 DECEMBRE	SAGITTAIRE	SAGITTAIRE	TAUREAU	SCORPION	SAGITTAIRE	LION	SCORPION	VIERGE	20 LION
3 DECEMBRE	SAGITTAIRE	SAGITTAIRE	TAUREAU	SCORPION	SAGITTAIRE	LION	SCORPION	VIERGE	3 VIERGE
4 DECEMBRE	SAGITTAIRE	SAGITTAIRE	TAUREAU	SCORPION	SAGITTAIRE	LION	SCORPION	VIERGE	17 VIERGE
5 DECEMBRE	SAGITTAIRE	SAGITTAIRE	TAUREAU	SCORPION	SAGITTAIRE	LION	SCORPION	VIERGE	1 BALANCE
6 DECEMBRE	SAGITTAIRE	SAGITTAIRE	TAUREAU	SCORPION	SAGITTAIRE	LION	SCORPION	VIERGE	15 BALANCE
7 DECEMBRE	SAGITTAIRE	SAGITTAIRE	TAUREAU	SCORPION	SAGITTAIRE	LION	SCORPION	VIERGE	0 SCORPION
8 DECEMBRE	SAGITTAIRE	SAGITTAIRE	TAUREAU	SCORPION	SAGITTAIRE	LION	SCORPION	VIERGE	15 SCORPION
9 DECEMBRE	SAGITTAIRE	SAGITTAIRE	TAUREAU	SCORPION	SAGITTAIRE	LION	SCORPION	VIERGE	0 SAGITTAIRE
10 DECEMBRE	SAGITTAIRE	SAGITTAIRE	TAUREAU	SCORPION	SAGITTAIRE	LION	SCORPION	VIERGE	15 SAGITTAIRE
11 DECEMBRE	SAGITTAIRE	SAGITTAIRE	TAUREAU	SCORPION	SAGITTAIRE	LION	SCORPION	VIERGE	29 SAGITTAIRE
12 DECEMBRE	SAGITTAIRE	SAGITTAIRE	TAUREAU	SCORPION	SAGITTAIRE	LION	SCORPION	VIERGE	14 CAPRICORNE
13 DECEMBRE	SAGITTAIRE	SAGITTAIRE	TAUREAU	SCORPION	SAGITTAIRE	LION	SCORPION	VIERGE	28 CAPRICORNE
14 DECEMBRE	SAGITTAIRE	CAPRICORNE	TAUREAU	SCORPION	SAGITTAIRE	LION	SCORPION	VIERGE	11 VERSEAU
15 DECEMBRE	SAGITTAIRE	CAPRICORNE	TAUREAU	SCORPION	SAGITTAIRE	LION	SCORPION	VIERGE	24 VERSEAU
16 DECEMBRE	SAGITTAIRE	CAPRICORNE	TAUREAU	SCORPION	SAGITTAIRE	LION	SCORPION	VIERGE	7 POISSONS
17 DECEMBRE	SAGITTAIRE	CAPRICORNE	TAUREAU	SCORPION	SAGITTAIRE	LION	SCORPION	VIERGE	19 POISSONS
18 DECEMBRE	SAGITTAIRE	CAPRICORNE	TAUREAU	SCORPION	SAGITTAIRE	LION	SCORPION	VIERGE	1 BELIER
19 DECEMBRE	SAGITTAIRE	CAPRICORNE	TAUREAU	SCORPION	SAGITTAIRE	LION	SCORPION	VIERGE	13 BELIER
20 DECEMBRE	SAGITTAIRE	CAPRICORNE	TAUREAU	SCORPION	SAGITTAIRE	LION	SCORPION	VIERGE	25 BELIER
21 DECEMBRE	SAGITTAIRE	CAPRICORNE	TAUREAU	SCORPION	SAGITTAIRE	LION	SCORPION	VIERGE	7 TAUREAU
22 DECEMBRE	SAGITTAIRE	CAPRICORNE	TAUREAU	SCORPION	SAGITTAIRE	LION	SCORPION	VIERGE	19 TAUREAU

	ENTRE DANS LE SIGNE DU		LE 22 NOVEMBRE	A 19 h 15	
LE SOLEIL		SAGITTAIRE	1958	* LES CHIFFRES INDIQUENT LES DEGRES	
	QUITTE LE SIGNE DU		LE 22 DECEMBRE	A 8 h 30	

1959	MERCURE	VENUS	MARS	JUPITER	SATURNE	URANUS	NEPTUNE	PLUTON	LUNE *
23 NOVEMBRE	SAGITTAIRE	BALANCE	SCORPION	SAGITTAIRE	CAPRICORNE	LION	SCORPION	VIERGE	0 VIERGE
24 NOVEMBRE	SAGITTAIRE	BALANCE	SCORPION	SAGITTAIRE	CAPRICORNE	LION	SCORPION	VIERGE	13 VIERGE
25 NOVEMBRE	SCORPION	BALANCE	SCORPION	SAGITTAIRE	CAPRICORNE	LION	SCORPION	VIERGE	26 VIERGE
26 NOVEMBRE	SCORPION	BALANCE	SCORPION	SAGITTAIRE	CAPRICORNE	LION	SCORPION	VIERGE	10 BALANCE
27 NOVEMBRE	SCORPION	BALANCE	SCORPION	SAGITTAIRE	CAPRICORNE	LION	SCORPION	VIERGE	24 BALANCE
28 NOVEMBRE	SCORPION	BALANCE	SCORPION	SAGITTAIRE	CAPRICORNE	LION	SCORPION	VIERGE	9 SCORPION
29 NOVEMBRE	SCORPION	BALANCE	SCORPION	SAGITTAIRE	CAPRICORNE	LION	SCORPION	VIERGE	24 SCORPION
30 NOVEMBRE	SCORPION	BALANCE	SCORPION	SAGITTAIRE	CAPRICORNE	LION	SCORPION	VIERGE	9 SAGITTAIRE
1 DECEMBRE	SCORPION	BALANCE	SCORPION	SAGITTAIRE	CAPRICORNE	LION	SCORPION	VIERGE	24 SAGITTAIRE
2 DECEMBRE	SCORPION	BALANCE	SCORPION	SAGITTAIRE	CAPRICORNE	LION	SCORPION	VIERGE	10 CAPRICORNE
3 DECEMBRE	SCORPION	BALANCE	SCORPION	SAGITTAIRE	CAPRICORNE	LION	SCORPION	VIERGE	24 CAPRICORNE
4 DECEMBRE	SCORPION	BALANCE	SAGITTAIRE	SAGITTAIRE	CAPRICORNE	LION	SCORPION	VIERGE	9 VERSEAU
5 DECEMBRE	SCORPION	BALANCE	SAGITTAIRE	SAGITTAIRE	CAPRICORNE	LION	SCORPION	VIERGE	23 VERSEAU
6 DECEMBRE	SCORPION	BALANCE	SAGITTAIRE	SAGITTAIRE	CAPRICORNE	LION	SCORPION	VIERGE	6 POISSONS
7 DECEMBRE	SCORPION	BALANCE	SAGITTAIRE	SAGITTAIRE	CAPRICORNE	LION	SCORPION	VIERGE	19 POISSONS
8 DECEMBRE	SCORPION	SCORPION	SAGITTAIRE	SAGITTAIRE	CAPRICORNE	LION	SCORPION	VIERGE	2 BELIER
9 DECEMBRE	SCORPION	SCORPION	SAGITTAIRE	SAGITTAIRE	CAPRICORNE	LION	SCORPION	VIERGE	14 BELIER
10 DECEMBRE	SCORPION	SCORPION	SAGITTAIRE	SAGITTAIRE	CAPRICORNE	LION	SCORPION	VIERGE	26 BELIER
11 DECEMBRE	SCORPION	SCORPION	SAGITTAIRE	SAGITTAIRE	CAPRICORNE	LION	SCORPION	VIERGE	8 TAUREAU
12 DECEMBRE	SCORPION	SCORPION	SAGITTAIRE	SAGITTAIRE	CAPRICORNE	LION	SCORPION	VIERGE	20 TAUREAU
13 DECEMBRE	SCORPION	SCORPION	SAGITTAIRE	SAGITTAIRE	CAPRICORNE	LION	SCORPION	VIERGE	2 GEMEAUX
14 DECEMBRE	SAGITTAIRE	SCORPION	SAGITTAIRE	SAGITTAIRE	CAPRICORNE	LION	SCORPION	VIERGE	14 GEMEAUX
15 DECEMBRE	SAGITTAIRE	SCORPION	SAGITTAIRE	SAGITTAIRE	CAPRICORNE	LION	SCORPION	VIERGE	26 GEMEAUX
16 DECEMBRE	SAGITTAIRE	SCORPION	SAGITTAIRE	SAGITTAIRE	CAPRICORNE	LION	SCORPION	VIERGE	8 CANCER
17 DECEMBRE	SAGITTAIRE	SCORPION	SAGITTAIRE	SAGITTAIRE	CAPRICORNE	LION	SCORPION	VIERGE	20 CANCER
18 DECEMBRE	SAGITTAIRE	SCORPION	SAGITTAIRE	SAGITTAIRE	CAPRICORNE	LION	SCORPION	VIERGE	2 LION
19 DECEMBRE	SAGITTAIRE	SCORPION	SAGITTAIRE	SAGITTAIRE	CAPRICORNE	LION	SCORPION	VIERGE	14 LION
20 DECEMBRE	SAGITTAIRE	SCORPION	SAGITTAIRE	SAGITTAIRE	CAPRICORNE	LION	SCORPION	VIERGE	26 LION
21 DECEMBRE	SAGITTAIRE	SCORPION	SAGITTAIRE	SAGITTAIRE	CAPRICORNE	LION	SCORPION	VIERGE	9 VIERGE
22 DECEMBRE	SAGITTAIRE	SCORPION	SAGITTAIRE	SAGITTAIRE	CAPRICORNE	LION	SCORPION	VIERGE	22 VIERGE

	ENTRE DANS LE SIGNE DU		LE 23 NOVEMBRE	A 1 h 10	
LE SOLEIL		SAGITTAIRE	1959	* LES CHIFFRES INDIQUENT LES DEGRES	
	QUITTE LE SIGNE DU		LE 22 DECEMBRE	A 14 h 20	

DECOUVREZ DANS QUEL SIGNE SE TROUVAIENT LES PLANETES A VOTRE NAISSANCE

1960	MERCURE	VENUS	MARS	JUPITER	SATURNE	URANUS	NEPTUNE	PLUTON	LUNE *
22 NOVEMBRE	SCORPION	CAPRICORNE	CANCER	CAPRICORNE	CAPRICORNE	LION	SCORPION	VIERGE	18 CAPRICORNE
23 NOVEMBRE	SCORPION	CAPRICORNE	CANCER	CAPRICORNE	CAPRICORNE	LION	SCORPION	VIERGE	3 VERSEAU
24 NOVEMBRE	SCORPION	CAPRICORNE	CANCER	CAPRICORNE	CAPRICORNE	LION	SCORPION	VIERGE	17 VERSEAU
25 NOVEMBRE	SCORPION	CAPRICORNE	CANCER	CAPRICORNE	CAPRICORNE	LION	SCORPION	VIERGE	1 POISSONS
26 NOVEMBRE	SCORPION	CAPRICORNE	CANCER	CAPRICORNE	CAPRICORNE	LION	SCORPION	VIERGE	15 POISSONS
27 NOVEMBRE	SCORPION	CAPRICORNE	CANCER	CAPRICORNE	CAPRICORNE	LION	SCORPION	VIERGE	28 POISSONS
28 NOVEMBRE	SCORPION	CAPRICORNE	CANCER	CAPRICORNE	CAPRICORNE	LION	SCORPION	VIERGE	11 BELIER
29 NOVEMBRE	SCORPION	CAPRICORNE	CANCER	CAPRICORNE	CAPRICORNE	LION	SCORPION	VIERGE	24 BELIER
30 NOVEMBRE	SCORPION	CAPRICORNE	CANCER	CAPRICORNE	CAPRICORNE	LION	SCORPION	VIERGE	7 TAUREAU
1 DECEMBRE	SCORPION	CAPRICORNE	CANCER	CAPRICORNE	CAPRICORNE	LION	SCORPION	VIERGE	20 TAUREAU
2 DECEMBRE	SCORPION	CAPRICORNE	CANCER	CAPRICORNE	CAPRICORNE	LION	SCORPION	VIERGE	2 GEMEAUX
3 DECEMBRE	SCORPION	CAPRICORNE	CANCER	CAPRICORNE	CAPRICORNE	LION	SCORPION	VIERGE	15 GEMEAUX
4 DECEMBRE	SCORPION	CAPRICORNE	CANCER	CAPRICORNE	CAPRICORNE	LION	SCORPION	VIERGE	27 GEMEAUX
5 DECEMBRE	SCORPION	CAPRICORNE	CANCER	CAPRICORNE	CAPRICORNE	LION	SCORPION	VIERGE	9 CANCER
6 DECEMBRE	SCORPION	CAPRICORNE	CANCER	CAPRICORNE	CAPRICORNE	LION	SCORPION	VIERGE	21 CANGER
7 DECEMBRE	SCORPION	CAPRICORNE	CANCER	CAPRICORNE	CAPRICORNE	LION	SCORPION	VIERGE	2 LION
8 DECEMBRE	SAGITTAIRE	CAPRICORNE	CANCER	CAPRICORNE	CAPRICORNE	LION	SCORPION	VIERGE	14 LION
9 DECEMBRE	SAGITTAIRE	CAPRICORNE	CANCER	CAPRICORNE	CAPRICORNE	LION	SCORPION	VIERGE	26 LION
10 DECEMBRE	SAGITTAIRE	VERSEAU	CANCER	CAPRICORNE	CAPRICORNE	LION	SCORPION	VIERGE	8 VIERGE
11 DECEMBRE	SAGITTAIRE	VERSEAU	CANCER	CAPRICORNE	CAPRICORNE	LION	SCORPION	VIERGE	20 VIERGE
12 DECEMBRE	SAGITTAIRE	VERSEAU	CANCER	CAPRICORNE	CAPRICORNE	LION	SCORPION	VIERGE	3 BALANCE
13 DECEMBRE	SAGITTAIRE	VERSEAU	CANCER	CAPRICORNE	CAPRICORNE	LION	SCORPION	VIERGE	16 BALANCE
14 DECEMBRE	SAGITTAIRE	VERSEAU	CANCER	CAPRICORNE	CAPRICORNE	LION	SCORPION	VIERGE	29 BALANCE
15 DECEMBRE	SAGITTAIRE	VERSEAU	CANCER	CAPRICORNE	CAPRICORNE	LION	SCORPION	VIERGE	13 SCORPION
16 DECEMBRE	SAGITTAIRE	VERSEAU	CANCER	CAPRICORNE	CAPRICORNE	LION	SCORPION	VIERGE	28 SCORPION
17 DECEMBRE	SAGITTAIRE	VERSEAU	CANCER	CAPRICORNE	CAPRICORNE	LION	SCORPION	VIERGE	12 SAGITTAIRE
18 DECEMBRE	SAGITTAIRE	VERSEAU	CANCER	CAPRICORNE	CAPRICORNE	LION	SCORPION	VIERGE	27 SAGITTAIRE
19 DECEMBRE	SAGITTAIRE	VERSEAU	CANCER	CAPRICORNE	CAPRICORNE	LION	SCORPION	VIERGE	12 CAPRICORNE
20 DECEMBRE	SAGITTAIRE	VERSEAU	CANCER	CAPRICORNE	CAPRICORNE	LION	SCORPION	VIERGE	27 CAPRICORNE
21 DECEMBRE	SAGITTAIRE	VERSEAU	CANCER	CAPRICORNE	CAPRICORNE	LION	SCORPION	VIERGE	12 VERSEAU

	ENTRE DANS LE SIGNE DU		LE 22 NOVEMBRE	A 7 h 05	
LE SOLEIL		SAGITTAIRE	1960		* LES CHIFFRES INDIQUENT LES DEGRES
	QUITTE LE SIGNE DU		LE 21 DECEMBRE	A 20 h 10	

1961	MERCURE	VENUS	MARS	JUPITER	SATURNE	URANUS	NEPTUNE	PLUTON	LUNE *
22 NOVEMBRE	SCORPION	SCORPION	SAGITTAIRE	VERSEAU	CAPRICORNE	VIERGE	SCORPION	VIERGE	1 GEMEAUX
23 NOVEMBRE	SCORPION	SCORPION	SAGITTAIRE	VERSEAU	CAPRICORNE	VIERGE	SCORPION	VIERGE	14 GEMEAUX
24 NOVEMBRE	SCORPION	SCORPION	SAGITTAIRE	VERSEAU	CAPRICORNE	VIERGE	SCORPION	VIERGE	27 GEMEAUX
25 NOVEMBRE	SCORPION	SCORPION	SAGITTAIRE	VERSEAU	CAPRICORNE	VIERGE	SCORPION	VIERGE	10 CANCER
26 NOVEMBRE	SCORPION	SCORPION	SAGITTAIRE	VERSEAU	CAPRICORNE	VIERGE	SCORPION	VIERGE	23 CANCER
27 NOVEMBRE	SCORPION	SCORPION	SAGITTAIRE	VERSEAU	CAPRICORNE	VIERGE	SCORPION	VIERGE	5 LION
28 NOVEMBRE	SCORPION	SCORPION	SAGITTAIRE	VERSEAU	CAPRICORNE	VIERGE	SCORPION	VIERGE	17 LION
29 NOVEMBRE	SCORPION	SCORPION	SAGITTAIRE	VERSEAU	CAPRICORNE	VIERGE	SCORPION	VIERGE	28 LION
30 NOVEMBRE	SCORPION	SCORPION	SAGITTAIRE	VERSEAU	CAPRICORNE	VIERGE	SCORPION	VIERGE	10 VIERGE
1 DECEMBRE	SAGITTAIRE	SCORPION	SAGITTAIRE	VERSEAU	CAPRICORNE	VIERGE	SCORPION	VIERGE	22 VIERGE
2 DECEMBRE	SAGITTAIRE	SCORPION	SAGITTAIRE	VERSEAU	CAPRICORNE	VIERGE	SCORPION	VIERGE	4 BALANCE
3 DECEMBRE	SAGITTAIRE	SCORPION	SAGITTAIRE	VERSEAU	CAPRICORNE	VIERGE	SCORPION	VIERGE	16 BALANCE
4 DECEMBRE	SAGITTAIRE	SCORPION	SAGITTAIRE	VERSEAU	CAPRICORNE	VIERGE	SCORPION	VIERGE	29 BALANCE
5 DECEMBRE	SAGITTAIRE	SAGITTAIRE	SAGITTAIRE	VERSEAU	CAPRICORNE	VIERGE	SCORPION	VIERGE	12 SCORPION
6 DECEMBRE	SAGITTAIRE	SAGITTAIRE	SAGITTAIRE	VERSEAU	CAPRICORNE	VIERGE	SCORPION	VIERGE	25 SCORPION
7 DECEMBRE	SAGITTAIRE	SAGITTAIRE	SAGITTAIRE	VERSEAU	CAPRICORNE	VIERGE	SCORPION	VIERGE	9 SAGITTAIRE
8 DECEMBRE	SAGITTAIRE	SAGITTAIRE	SAGITTAIRE	VERSEAU	CAPRICORNE	VIERGE	SCORPION	VIERGE	22 SAGITTAIRE
9 DECEMBRE	SAGITTAIRE	SAGITTAIRE	SAGITTAIRE	VERSEAU	CAPRICORNE	VIERGE	SCORPION	VIERGE	6 CAPRICORNE
10 DECEMBRE	SAGITTAIRE	SAGITTAIRE	SAGITTAIRE	VERSEAU	CAPRICORNE	VIERGE	SCORPION	VIERGE	21 CAPRICORNE
11 DECEMBRE	SAGITTAIRE	SAGITTAIRE	SAGITTAIRE	VERSEAU	CAPRICORNE	VIERGE	SCORPION	VIERGE	5 VERSEAU
12 DECEMBRE	SAGITTAIRE	SAGITTAIRE	SAGITTAIRE	VERSEAU	CAPRICORNE	VIERGE	SCORPION	VIERGE	19 VERSEAU
13 DECEMBRE	SAGITTAIRE	SAGITTAIRE	SAGITTAIRE	VERSEAU	CAPRICORNE	VIERGE	SCORPION	VIERGE	3 POISSONS
14 DECEMBRE	SAGITTAIRE	SAGITTAIRE	SAGITTAIRE	VERSEAU	CAPRICORNE	VIERGE	SCORPION	VIERGE	18 POISSONS
15 DECEMBRE	SAGITTAIRE	SAGITTAIRE	SAGITTAIRE	VERSEAU	CAPRICORNE	VIERGE	SCORPION	VIERGE	2 BELIER
16 DECEMBRE	SAGITTAIRE	SAGITTAIRE	SAGITTAIRE	VERSEAU	CAPRICORNE	VIERGE	SCORPION	VIERGE	15 BELIER
17 DECEMBRE	SAGITTAIRE	SAGITTAIRE	SAGITTAIRE	VERSEAU	CAPRICORNE	VIERGE	SCORPION	VIERGE	29 BELIER
18 DECEMBRE	SAGITTAIRE	SAGITTAIRE	SAGITTAIRE	VERSEAU	CAPRICORNE	VIERGE	SCORPION	VIERGE	13 TAUREAU
19 DECEMBRE	SAGITTAIRE	SAGITTAIRE	SAGITTAIRE	VERSEAU	CAPRICORNE	VIERGE	SCORPION	VIERGE	26 TAUREAU
20 DECEMBRE	CAPRICORNE	SAGITTAIRE	SAGITTAIRE	VERSEAU	CAPRICORNE	VIERGE	SCORPION	VIERGE	10 GEMEAUX
21 DECEMBRE	CAPRICORNE	SAGITTAIRE	SAGITTAIRE	VERSEAU	CAPRICORNE	VIERGE	SCORPION	VIERGE	23 GEMEAUX
22 DECEMBRE	CAPRICORNE	SAGITTAIRE	SAGITTAIRE	VERSEAU	CAPRICORNE	VIERGE	SCORPION	VIERGE	6 CANCER

	ENTRE DANS LE SIGNE DU		LE 22 NOVEMBRE	A 13 h 00	
LE SOLEIL		SAGITTAIRE	1961		* LES CHIFFRES INDIQUENT LES DEGRES
	QUITTE LE SIGNE DU		LE 22 DECEMBRE	A 2 h 10	

DECOUVREZ DANS QUEL SIGNE SE TROUVAIENT LES PLANETES A VOTRE NAISSANCE

1962	MERCURE	VENUS	MARS	JUPITER	SATURNE	URANUS	NEPTUNE	PLUTON	LUNE ✱
22 NOVEMBRE	SCORPION	SCORPION	LION	POISSONS	VERSEAU	VIERGE	SCORPION	VIERGE	7 BALANCE
23 NOVEMBRE	SCORPION	SCORPION	LION	POISSONS	VERSEAU	VIERGE	SCORPION	VIERGE	18 BALANCE
24 NOVEMBRE	SAGITTAIRE	SCORPION	LION	POISSONS	VERSEAU	VIERGE	SCORPION	VIERGE	0 SCORPION
25 NOVEMBRE	SAGITTAIRE	SCORPION	LION	POISSONS	VERSEAU	VIERGE	SCORPION	VIERGE	12 SCORPION
26 NOVEMBRE	SAGITTAIRE	SCORPION	LION	POISSONS	VERSEAU	VIERGE	SCORPION	VIERGE	25 SCORPION
27 NOVEMBRE	SAGITTAIRE	SCORPION	LION	POISSONS	VERSEAU	VIERGE	SCORPION	VIERGE	7 SAGITTAIRE
28 NOVEMBRE	SAGITTAIRE	SCORPION	LION	POISSONS	VERSEAU	VIERGE	SCORPION	VIERGE	20 SAGITTAIRE
29 NOVEMBRE	SAGITTAIRE	SCORPION	LION	POISSONS	VERSEAU	VIERGE	SCORPION	VIERGE	2 CAPRICORNE
30 NOVEMBRE	SAGITTAIRE	SCORPION	LION	POISSONS	VERSEAU	VIERGE	SCORPION	VIERGE	15 CAPRICORNE
1 DECEMBRE	SAGITTAIRE	SCORPION	LION	POISSONS	VERSEAU	VIERGE	SCORPION	VIERGE	28 CAPRICORNE
2 DECEMBRE	SAGITTAIRE	SCORPION	LION	POISSONS	VERSEAU	VIERGE	SCORPION	VIERGE	12 VERSEAU
3 DECEMBRE	SAGITTAIRE	SCORPION	LION	POISSONS	VERSEAU	VIERGE	SCORPION	VIERGE	25 VERSEAU
4 DECEMBRE	SAGITTAIRE	SCORPION	LION	POISSONS	VERSEAU	VIERGE	SCORPION	VIERGE	9 POISSONS
5 DECEMBRE	SAGITTAIRE	SCORPION	LION	POISSONS	VERSEAU	VIERGE	SCORPION	VIERGE	23 POISSONS
6 DECEMBRE	SAGITTAIRE	SCORPION	LION	POISSONS	VERSEAU	VIERGE	SCORPION	VIERGE	7 BELIER
7 DECEMBRE	SAGITTAIRE	SCORPION	LION	POISSONS	VERSEAU	VIERGE	SCORPION	VIERGE	22 BELIER
8 DECEMBRE	SAGITTAIRE	SCORPION	LION	POISSONS	VERSEAU	VIERGE	SCORPION	VIERGE	6 TAUREAU
9 DECEMBRE	SAGITTAIRE	SCORPION	LION	POISSONS	VERSEAU	VIERGE	SCORPION	VIERGE	21 TAUREAU
10 DECEMBRE	SAGITTAIRE	SCORPION	LION	POISSONS	VERSEAU	VIERGE	SCORPION	VIERGE	6 GEMEAUX
11 DECEMBRE	SAGITTAIRE	SCORPION	LION	POISSONS	VERSEAU	VIERGE	SCORPION	VIERGE	20 GEMEAUX
12 DECEMBRE	SAGITTAIRE	SCORPION	LION	POISSONS	VERSEAU	VIERGE	SCORPION	VIERGE	4 CANCER
13 DECEMBRE	CAPRICORNE	SCORPION	LION	POISSONS	VERSEAU	VIERGE	SCORPION	VIERGE	18 CANCER
14 DECEMBRE	CAPRICORNE	SCORPION	LION	POISSONS	VERSEAU	VIERGE	SCORPION	VIERGE	1 LION
15 DECEMBRE	CAPRICORNE	SCORPION	LION	POISSONS	VERSEAU	VIERGE	SCORPION	VIERGE	14 LION
16 DECEMBRE	CAPRICORNE	SCORPION	LION	POISSONS	VERSEAU	VIERGE	SCORPION	VIERGE	27 LION
17 DECEMBRE	CAPRICORNE	SCORPION	LION	POISSONS	VERSEAU	VIERGE	SCORPION	VIERGE	9 VIERGE
18 DECEMBRE	CAPRICORNE	SCORPION	LION	POISSONS	VERSEAU	VIERGE	SCORPION	VIERGE	21 VIERGE
19 DECEMBRE	CAPRICORNE	SCORPION	LION	POISSONS	VERSEAU	VIERGE	SCORPION	VIERGE	3 BALANCE
20 DECEMBRE	CAPRICORNE	SCORPION	LION	POISSONS	VERSEAU	VIERGE	SCORPION	VIERGE	15 BALANCE
21 DECEMBRE	CAPRICORNE	SCORPION	LION	POISSONS	VERSEAU	VIERGE	SCORPION	VIERGE	27 BALANCE
22 DECEMBRE	CAPRICORNE	SCORPION	LION	POISSONS	VERSEAU	VIERGE	SCORPION	VIERGE	9 SCORPION

	ENTRE DANS LE SIGNE DU		LE 22 NOVEMBRE	A 18 h 50	
LE SOLEIL		SAGITTAIRE	1962	✱ LES CHIFFRES INDIQUENT LES DEGRES	
	QUITTE LE SIGNE DU		LE 22 DECEMBRE	A 8 h 00	

1963	MERCURE	VENUS	MARS	JUPITER	SATURNE	URANUS	NEPTUNE	PLUTON	LUNE ✱
23 NOVEMBRE	SAGITTAIRE	SAGITTAIRE	SAGITTAIRE	BELIER	VERSEAU	VIERGE	SCORPION	VIERGE	20 VERSEAU
24 NOVEMBRE	SAGITTAIRE	SAGITTAIRE	SAGITTAIRE	BELIER	VERSEAU	VIERGE	SCORPION	VIERGE	3 POISSONS
25 NOVEMBRE	SAGITTAIRE	SAGITTAIRE	SAGITTAIRE	BELIER	VERSEAU	VIERGE	SCORPION	VIERGE	17 POISSONS
26 NOVEMBRE	SAGITTAIRE	SAGITTAIRE	SAGITTAIRE	BELIER	VERSEAU	VIERGE	SCORPION	VIERGE	1 BELIER
27 NOVEMBRE	SAGITTAIRE	SAGITTAIRE	SAGITTAIRE	BELIER	VERSEAU	VIERGE	SCORPION	VIERGE	15 BELIER
28 NOVEMBRE	SAGITTAIRE	SAGITTAIRE	SAGITTAIRE	BELIER	VERSEAU	VIERGE	SCORPION	VIERGE	0 TAUREAU
29 NOVEMBRE	SAGITTAIRE	SAGITTAIRE	SAGITTAIRE	BELIER	VERSEAU	VIERGE	SCORPION	VIERGE	15 TAUREAU
30 NOVEMBRE	SAGITTAIRE	CAPRICORNE	SAGITTAIRE	BELIER	VERSEAU	VIERGE	SCORPION	VIERGE	0 GEMEAUX
1 DECEMBRE	SAGITTAIRE	CAPRICORNE	SAGITTAIRE	BELIER	VERSEAU	VIERGE	SCORPION	VIERGE	15 GEMEAUX
2 DECEMBRE	SAGITTAIRE	CAPRICORNE	SAGITTAIRE	BELIER	VERSEAU	VIERGE	SCORPION	VIERGE	0 CANCER
3 DECEMBRE	SAGITTAIRE	CAPRICORNE	SAGITTAIRE	BELIER	VERSEAU	VIERGE	SCORPION	VIERGE	15 CANCER
4 DECEMBRE	SAGITTAIRE	CAPRICORNE	SAGITTAIRE	BELIER	VERSEAU	VIERGE	SCORPION	VIERGE	29 CANCER
5 DECEMBRE	SAGITTAIRE	CAPRICORNE	CAPRICORNE	BELIER	VERSEAU	VIERGE	SCORPION	VIERGE	13 LION
6 DECEMBRE	CAPRICORNE	CAPRICORNE	CAPRICORNE	BELIER	VERSEAU	VIERGE	SCORPION	VIERGE	27 LION
7 DECEMBRE	CAPRICORNE	CAPRICORNE	CAPRICORNE	BELIER	VERSEAU	VIERGE	SCORPION	VIERGE	10 VIERGE
8 DECEMBRE	CAPRICORNE	CAPRICORNE	CAPRICORNE	BELIER	VERSEAU	VIERGE	SCORPION	VIERGE	22 VIERGE
9 DECEMBRE	CAPRICORNE	CAPRICORNE	CAPRICORNE	BELIER	VERSEAU	VIERGE	SCORPION	VIERGE	5 BALANCE
10 DECEMBRE	CAPRICORNE	CAPRICORNE	CAPRICORNE	BELIER	VERSEAU	VIERGE	SCORPION	VIERGE	17 BALANCE
11 DECEMBRE	CAPRICORNE	CAPRICORNE	CAPRICORNE	BELIER	VERSEAU	VIERGE	SCORPION	VIERGE	29 BALANCE
12 DECEMBRE	CAPRICORNE	CAPRICORNE	CAPRICORNE	BELIER	VERSEAU	VIERGE	SCORPION	VIERGE	10 SCORPION
13 DECEMBRE	CAPRICORNE	CAPRICORNE	CAPRICORNE	BELIER	VERSEAU	VIERGE	SCORPION	VIERGE	22 SCORPION
14 DECEMBRE	CAPRICORNE	CAPRICORNE	CAPRICORNE	BELIER	VERSEAU	VIERGE	SCORPION	VIERGE	4 SAGITTAIRE
15 DECEMBRE	CAPRICORNE	CAPRICORNE	CAPRICORNE	BELIER	VERSEAU	VIERGE	SCORPION	VIERGE	16 SAGITTAIRE
16 DECEMBRE	CAPRICORNE	CAPRICORNE	CAPRICORNE	BELIER	VERSEAU	VIERGE	SCORPION	VIERGE	28 SAGITTAIRE
17 DECEMBRE	CAPRICORNE	CAPRICORNE	CAPRICORNE	BELIER	VERSEAU	VIERGE	SCORPION	VIERGE	10 CAPRICORNE
18 DECEMBRE	CAPRICORNE	CAPRICORNE	CAPRICORNE	BELIER	VERSEAU	VIERGE	SCORPION	VIERGE	22 CAPRICORNE
19 DECEMBRE	CAPRICORNE	CAPRICORNE	CAPRICORNE	BELIER	VERSEAU	VIERGE	SCORPION	VIERGE	5 VERSEAU
20 DECEMBRE	CAPRICORNE	CAPRICORNE	CAPRICORNE	BELIER	VERSEAU	VIERGE	SCORPION	VIERGE	17 VERSEAU
21 DECEMBRE	CAPRICORNE	CAPRICORNE	CAPRICORNE	BELIER	VERSEAU	VIERGE	SCORPION	VIERGE	0 POISSONS
22 DECEMBRE	CAPRICORNE	CAPRICORNE	CAPRICORNE	BELIER	VERSEAU	VIERGE	SCORPION	VIERGE	13 POISSONS

	ENTRE DANS LE SIGNE DU		LE 23 NOVEMBRE	A 0 h 40	
LE SOLEIL		SAGITTAIRE	1963	✱ LES CHIFFRES INDIQUENT LES DEGRES	
	QUITTE LE SIGNE DU		LE 22 DECEMBRE	13 h 50	

DECOUVREZ DANS QUEL SIGNE SE TROUVAIENT LES PLANETES A VOTRE NAISSANCE

1964	MERCURE	VENUS	MARS	JUPITER	SATURNE	URANUS	NEPTUNE	PLUTON	LUNE *
22 NOVEMBRE	SAGITTAIRE	BALANCE	VIERGE	TAUREAU	VERSEAU	VIERGE	SCORPION	VIERGE	10 CANCER
23 NOVEMBRE	SAGITTAIRE	BALANCE	VIERGE	TAUREAU	VERSEAU	VIERGE	SCORPION	VIERGE	24 CANCER
24 NOVEMBRE	SAGITTAIRE	BALANCE	VIERGE	TAUREAU	VERSEAU	VIERGE	SCORPION	VIERGE	9 LION
25 NOVEMBRE	SAGITTAIRE	SCORPION	VIERGE	TAUREAU	VERSEAU	VIERGE	SCORPION	VIERGE	23 LION
26 NOVEMBRE	SAGITTAIRE	SCORPION	VIERGE	TAUREAU	VERSEAU	VIERGE	SCORPION	VIERGE	6 VIERGE
27 NOVEMBRE	SAGITTAIRE	SCORPION	VIERGE	TAUREAU	VERSEAU	VIERGE	SCORPION	VIERGE	20 VIERGE
28 NOVEMBRE	SAGITTAIRE	SCORPION	VIERGE	TAUREAU	VERSEAU	VIERGE	SCORPION	VIERGE	3 BALANCE
29 NOVEMBRE	SAGITTAIRE	SCORPION	VIERGE	TAUREAU	VERSEAU	VIERGE	SCORPION	VIERGE	16 BALANCE
30 NOVEMBRE	SAGITTAIRE	SCORPION	VIERGE	TAUREAU	VERSEAU	VIERGE	SCORPION	VIERGE	28 BALANCE
1 DECEMBRE	CAPRICORNE	SCORPION	VIERGE	TAUREAU	VERSEAU	VIERGE	SCORPION	VIERGE	11 SCORPION
2 DECEMBRE	CAPRICORNE	SCORPION	VIERGE	TAUREAU	VERSEAU	VIERGE	SCORPION	VIERGE	23 SCORPION
3 DECEMBRE	CAPRICORNE	SCORPION	VIERGE	TAUREAU	VERSEAU	VIERGE	SCORPION	VIERGE	5 SAGITTAIRE
4 DECEMBRE	CAPRICORNE	SCORPION	VIERGE	TAUREAU	VERSEAU	VIERGE	SCORPION	VIERGE	17 SAGITTAIRE
5 DECEMBRE	CAPRICORNE	SCORPION	VIERGE	TAUREAU	VERSEAU	VIERGE	SCORPION	VIERGE	29 SAGITTAIRE
6 DECEMBRE	CAPRICORNE	SCORPION	VIERGE	TAUREAU	VERSEAU	VIERGE	SCORPION	VIERGE	11 CAPRICORNE
7 DECEMBRE	CAPRICORNE	SCORPION	VIERGE	TAUREAU	VERSEAU	VIERGE	SCORPION	VIERGE	22 CAPRICORNE
8 DECEMBRE	CAPRICORNE	SCORPION	VIERGE	TAUREAU	VERSEAU	VIERGE	SCORPION	VIERGE	4 VERSEAU
9 DECEMBRE	CAPRICORNE	SCORPION	VIERGE	TAUREAU	VERSEAU	VIERGE	SCORPION	VIERGE	16 VERSEAU
10 DECEMBRE	CAPRICORNE	SCORPION	VIERGE	TAUREAU	VERSEAU	VIERGE	SCORPION	VIERGE	28 VERSEAU
11 DECEMBRE	CAPRICORNE	SCORPION	VIERGE	TAUREAU	VERSEAU	VIERGE	SCORPION	VIERGE	10 POISSONS
12 DECEMBRE	CAPRICORNE	SCORPION	VIERGE	TAUREAU	VERSEAU	VIERGE	SCORPION	VIERGE	23 POISSONS
13 DECEMBRE	CAPRICORNE	SCORPION	VIERGE	TAUREAU	VERSEAU	VIERGE	SCORPION	VIERGE	6 BELIER
14 DECEMBRE	CAPRICORNE	SCORPION	VIERGE	TAUREAU	VERSEAU	VIERGE	SCORPION	VIERGE	20 BELIER
15 DECEMBRE	CAPRICORNE	SCORPION	VIERGE	TAUREAU	VERSEAU	VIERGE	SCORPION	VIERGE	3 TAUREAU
16 DECEMBRE	CAPRICORNE	SCORPION	VIERGE	TAUREAU	POISSONS	VIERGE	SCORPION	VIERGE	18 TAUREAU
17 DECEMBRE	SAGITTAIRE	SCORPION	VIERGE	TAUREAU	POISSONS	VIERGE	SCORPION	VIERGE	3 GEMEAUX
18 DECEMBRE	SAGITTAIRE	SCORPION	VIERGE	TAUREAU	POISSONS	VIERGE	SCORPION	VIERGE	18 GEMEAUX
19 DECEMBRE	SAGITTAIRE	SAGITTAIRE	VIERGE	TAUREAU	POISSONS	VIERGE	SCORPION	VIERGE	3 CANCER
20 DECEMBRE	SAGITTAIRE	SAGITTAIRE	VIERGE	TAUREAU	POISSONS	VIERGE	SCORPION	VIERGE	18 CANCER
21 DECEMBRE	SAGITTAIRE	SAGITTAIRE	VIERGE	TAUREAU	POISSONS	VIERGE	SCORPION	VIERGE	3 LION

ENTRE DANS LE SIGNE DU   LE 22 NOVEMBRE   A 7 h 00
LE SOLEIL   SAGITTAIRE   1964   * LES CHIFFRES INDIQUENT LES DEGRES
QUITTE LE SIGNE DU   LE 21 DECEMBRE   A 20 h 10

1965	MERCURE	VENUS	MARS	JUPITER	SATURNE	URANUS	NEPTUNE	PLUTON	LUNE *
22 NOVEMBRE	SAGITTAIRE	CAPRICORNE	CAPRICORNE	GEMEAUX	POISSONS	VIERGE	SCORPION	VIERGE	22 SCORPION
23 NOVEMBRE	SAGITTAIRE	CAPRICORNE	CAPRICORNE	GEMEAUX	POISSONS	VIERGE	SCORPION	VIERGE	5 SAGITTAIRE
24 NOVEMBRE	SAGITTAIRE	CAPRICORNE	CAPRICORNE	GEMEAUX	POISSONS	VIERGE	SCORPION	VIERGE	17 SAGITTAIRE
25 NOVEMBRE	SAGITTAIRE	CAPRICORNE	CAPRICORNE	GEMEAUX	POISSONS	VIERGE	SCORPION	VIERGE	0 CAPRICORNE
26 NOVEMBRE	SAGITTAIRE	CAPRICORNE	CAPRICORNE	GEMEAUX	POISSONS	VIERGE	SCORPION	VIERGE	12 CAPRICORNE
27 NOVEMBRE	SAGITTAIRE	CAPRICORNE	CAPRICORNE	GEMEAUX	POISSONS	VIERGE	SCORPION	VIERGE	24 CAPRICORNE
28 NOVEMBRE	SAGITTAIRE	CAPRICORNE	CAPRICORNE	GEMEAUX	POISSONS	VIERGE	SCORPION	VIERGE	6 VERSEAU
29 NOVEMBRE	SAGITTAIRE	CAPRICORNE	CAPRICORNE	GEMEAUX	POISSONS	VIERGE	SCORPION	VIERGE	18 VERSEAU
30 NOVEMBRE	SAGITTAIRE	CAPRICORNE	CAPRICORNE	GEMEAUX	POISSONS	VIERGE	SCORPION	VIERGE	0 POISSONS
1 DECEMBRE	SAGITTAIRE	CAPRICORNE	CAPRICORNE	GEMEAUX	POISSONS	VIERGE	SCORPION	VIERGE	12 POISSONS
2 DECEMBRE	SAGITTAIRE	CAPRICORNE	CAPRICORNE	GEMEAUX	POISSONS	VIERGE	SCORPION	VIERGE	24 POISSONS
3 DECEMBRE	SAGITTAIRE	CAPRICORNE	CAPRICORNE	GEMEAUX	POISSONS	VIERGE	SCORPION	VIERGE	6 BELIER
4 DECEMBRE	SAGITTAIRE	CAPRICORNE	CAPRICORNE	GEMEAUX	POISSONS	VIERGE	SCORPION	VIERGE	19 BELIER
5 DECEMBRE	SAGITTAIRE	CAPRICORNE	CAPRICORNE	GEMEAUX	POISSONS	VIERGE	SCORPION	VIERGE	2 TAUREAU
6 DECEMBRE	SAGITTAIRE	CAPRICORNE	CAPRICORNE	GEMEAUX	POISSONS	VIERGE	SCORPION	VIERGE	15 TAUREAU
7 DECEMBRE	SAGITTAIRE	VERSEAU	CAPRICORNE	GEMEAUX	POISSONS	VIERGE	SCORPION	VIERGE	29 TAUREAU
8 DECEMBRE	SAGITTAIRE	VERSEAU	CAPRICORNE	GEMEAUX	POISSONS	VIERGE	SCORPION	VIERGE	13 GEMEAUX
9 DECEMBRE	SAGITTAIRE	VERSEAU	CAPRICORNE	GEMEAUX	POISSONS	VIERGE	SCORPION	VIERGE	27 GEMEAUX
10 DECEMBRE	SAGITTAIRE	VERSEAU	CAPRICORNE	GEMEAUX	POISSONS	VIERGE	SCORPION	VIERGE	12 CANCER
11 DECEMBRE	SAGITTAIRE	VERSEAU	CAPRICORNE	GEMEAUX	POISSONS	VIERGE	SCORPION	VIERGE	27 CANCER
12 DECEMBRE	SAGITTAIRE	VERSEAU	CAPRICORNE	GEMEAUX	POISSONS	VIERGE	SCORPION	VIERGE	11 LION
13 DECEMBRE	SAGITTAIRE	VERSEAU	CAPRICORNE	GEMEAUX	POISSONS	VIERGE	SCORPION	VIERGE	26 LION
14 DECEMBRE	SAGITTAIRE	VERSEAU	CAPRICORNE	GEMEAUX	POISSONS	VIERGE	SCORPION	VIERGE	10 VIERGE
15 DECEMBRE	SAGITTAIRE	VERSEAU	CAPRICORNE	GEMEAUX	POISSONS	VIERGE	SCORPION	VIERGE	24 VIERGE
16 DECEMBRE	SAGITTAIRE	VERSEAU	CAPRICORNE	GEMEAUX	POISSONS	VIERGE	SCORPION	VIERGE	8 BALANCE
17 DECEMBRE	SAGITTAIRE	VERSEAU	CAPRICORNE	GEMEAUX	POISSONS	VIERGE	SCORPION	VIERGE	22 BALANCE
18 DECEMBRE	SAGITTAIRE	VERSEAU	CAPRICORNE	GEMEAUX	POISSONS	VIERGE	SCORPION	VIERGE	5 SCORPION
19 DECEMBRE	SAGITTAIRE	VERSEAU	CAPRICORNE	GEMEAUX	POISSONS	VIERGE	SCORPION	VIERGE	18 SCORPION
20 DECEMBRE	SAGITTAIRE	VERSEAU	CAPRICORNE	GEMEAUX	POISSONS	VIERGE	SCORPION	VIERGE	1 SAGITTAIRE
21 DECEMBRE	SAGITTAIRE	VERSEAU	CAPRICORNE	GEMEAUX	POISSONS	VIERGE	SCORPION	VIERGE	13 SAGITTAIRE
22 DECEMBRE	SAGITTAIRE	VERSEAU	CAPRICORNE	GEMEAUX	POISSONS	VIERGE	SCORPION	VIERGE	26 SAGITTAIRE

ENTRE DANS LE SIGNE DU   LE 22 NOVEMBRE   A 12 h 15
LE SOLEIL   SAGITTAIRE   1965   * LES CHIFFRES INDIQUENT LES DEGRES
QUITTE LE SIGNE DU   LE 22 DECEMBRE   A 1 h 30

184

DECOUVREZ DANS QUEL SIGNE SE TROUVAIENT LES PLANETES A VOTRE NAISSANCE

1966	MERCURE	VENUS	MARS	JUPITER	SATURNE	URANUS	NEPTUNE	PLUTON	LUNE *
22 NOVEMBRE	SCORPION	SAGITTAIRE	VIERGE	LION	POISSONS	VIERGE	SCORPION	VIERGE	26 POISSONS
23 NOVEMBRE	SCORPION	SAGITTAIRE	VIERGE	LION	POISSONS	VIERGE	SCORPION	VIERGE	8 BELIER
24 NOVEMBRE	SCORPION	SAGITTAIRE	VIERGE	LION	POISSONS	VIERGE	SCORPION	VIERGE	20 BELIER
25 NOVEMBRE	SCORPION	SAGITTAIRE	VIERGE	LION	POISSONS	VIERGE	SCORPION	VIERGE	2 TAUREAU
26 NOVEMBRE	SCORPION	SAGITTAIRE	VIERGE	LION	POISSONS	VIERGE	SCORPION	VIERGE	15 TAUREAU
27 NOVEMBRE	SCORPION	SAGITTAIRE	VIERGE	LION	POISSONS	VIERGE	SCORPION	VIERGE	27 TAUREAU
28 NOVEMBRE	SCORPION	SAGITTAIRE	VIERGE	LION	POISSONS	VIERGE	SCORPION	VIERGE	10 GEMEAUX
29 NOVEMBRE	SCORPION	SAGITTAIRE	VIERGE	LION	POISSONS	VIERGE	SCORPION	VIERGE	23 GEMEAUX
30 NOVEMBRE	SCORPION	SAGITTAIRE	VIERGE	LION	POISSONS	VIERGE	SCORPION	VIERGE	6 CANCER
1 DECEMBRE	SCORPION	SAGITTAIRE	VIERGE	LION	POISSONS	VIERGE	SCORPION	VIERGE	20 CANCER
2 DECEMBRE	SCORPION	SAGITTAIRE	VIERGE	LION	POISSONS	VIERGE	SCORPION	VIERGE	4 LION
3 DECEMBRE	SCORPION	SAGITTAIRE	VIERGE	LION	POISSONS	VIERGE	SCORPION	VIERGE	18 LION
4 DECEMBRE	SCORPION	SAGITTAIRE	BALANCE	LION	POISSONS	VIERGE	SCORPION	VIERGE	2 VIERGE
5 DECEMBRE	SCORPION	SAGITTAIRE	BALANCE	LION	POISSONS	VIERGE	SCORPION	VIERGE	16 VIERGE
6 DECEMBRE	SCORPION	SAGITTAIRE	BALANCE	LION	POISSONS	VIERGE	SCORPION	VIERGE	0 BALANCE
7 DECEMBRE	SCORPION	SAGITTAIRE	BALANCE	LION	POISSONS	VIERGE	SCORPION	VIERGE	14 BALANCE
8 DECEMBRE	SCORPION	SAGITTAIRE	BALANCE	LION	POISSONS	VIERGE	SCORPION	VIERGE	28 BALANCE
9 DECEMBRE	SCORPION	SAGITTAIRE	BALANCE	LION	POISSONS	VIERGE	SCORPION	VIERGE	13 SCORPION
10 DECEMBRE	SCORPION	SAGITTAIRE	BALANCE	LION	POISSONS	VIERGE	SCORPION	VIERGE	27 SCORPION
11 DECEMBRE	SCORPION	SAGITTAIRE	BALANCE	LION	POISSONS	VIERGE	SCORPION	VIERGE	11 SAGITTAIRE
12 DECEMBRE	SAGITTAIRE	SAGITTAIRE	BALANCE	LION	POISSONS	VIERGE	SCORPION	VIERGE	24 SAGITTAIRE
13 DECEMBRE	SAGITTAIRE	SAGITTAIRE	BALANCE	LION	POISSONS	VIERGE	SCORPION	VIERGE	8 CAPRICORNE
14 DECEMBRE	SAGITTAIRE	CAPRICORNE	BALANCE	LION	POISSONS	VIERGE	SCORPION	VIERGE	21 CAPRICORNE
15 DECEMBRE	SAGITTAIRE	CAPRICORNE	BALANCE	LION	POISSONS	VIERGE	SCORPION	VIERGE	4 VERSEAU
16 DECEMBRE	SAGITTAIRE	CAPRICORNE	BALANCE	LION	POISSONS	VIERGE	SCORPION	VIERGE	16 VERSEAU
17 DECEMBRE	SAGITTAIRE	CAPRICORNE	BALANCE	LION	POISSONS	VIERGE	SCORPION	VIERGE	29 VERSEAU
18 DECEMBRE	SAGITTAIRE	CAPRICORNE	BALANCE	LION	POISSONS	VIERGE	SCORPION	VIERGE	11 POISSONS
19 DECEMBRE	SAGITTAIRE	CAPRICORNE	BALANCE	LION	POISSONS	VIERGE	SCORPION	VIERGE	22 POISSONS
20 DECEMBRE	SAGITTAIRE	CAPRICORNE	BALANCE	LION	POISSONS	VIERGE	SCORPION	VIERGE	4 BELIER
21 DECEMBRE	SAGITTAIRE	CAPRICORNE	BALANCE	LION	POISSONS	VIERGE	SCORPION	VIERGE	16 BELIER
22 DECEMBRE	SAGITTAIRE	CAPRICORNE	BALANCE	LION	POISSONS	VIERGE	SCORPION	VIERGE	28 BELIER

	ENTRE DANS LE SIGNE DU	LE 22 NOVEMBRE	A 18 h 00	
LE SOLEIL	SAGITTAIRE	1966		* LES CHIFFRES INDIQUENT LES DEGRES
	QUITTE LE SIGNE DU	LE 22 DECEMBRE	A 7 h 15	

1967	MERCURE	VENUS	MARS	JUPITER	SATURNE	URANUS	NEPTUNE	PLUTON	LUNE *
23 NOVEMBRE	SCORPION	BALANCE	CAPRICORNE	VIERGE	BELIER	VIERGE	SCORPION	VIERGE	12 LION
24 NOVEMBRE	SCORPION	BALANCE	CAPRICORNE	VIERGE	BELIER	VIERGE	SCORPION	VIERGE	25 LION
25 NOVEMBRE	SCORPION	BALANCE	CAPRICORNE	VIERGE	BELIER	VIERGE	SCORPION	VIERGE	8 VIERGE
26 NOVEMBRE	SCORPION	BALANCE	CAPRICORNE	VIERGE	BELIER	VIERGE	SCORPION	VIERGE	22 VIERGE
27 NOVEMBRE	SCORPION	BALANCE	CAPRICORNE	VIERGE	BELIER	VIERGE	SCORPION	VIERGE	6 BALANCE
28 NOVEMBRE	SCORPION	BALANCE	CAPRICORNE	VIERGE	BELIER	VIERGE	SCORPION	VIERGE	21 BALANCE
29 NOVEMBRE	SCORPION	BALANCE	CAPRICORNE	VIERGE	BELIER	VIERGE	SCORPION	VIERGE	6 SCORPION
30 NOVEMBRE	SCORPION	BALANCE	CAPRICORNE	VIERGE	BELIER	VIERGE	SCORPION	VIERGE	21 SCORPION
1 DECEMBRE	SCORPION	BALANCE	CAPRICORNE	VIERGE	BELIER	VIERGE	SCORPION	VIERGE	6 SAGITTAIRE
2 DECEMBRE	SCORPION	BALANCE	VERSEAU	VIERGE	BELIER	VIERGE	SCORPION	VIERGE	21 SAGITTAIRE
3 DECEMBRE	SCORPION	BALANCE	VERSEAU	VIERGE	BELIER	VIERGE	SCORPION	VIERGE	5 CAPRICORNE
4 DECEMBRE	SCORPION	BALANCE	VERSEAU	VIERGE	BELIER	VIERGE	SCORPION	VIERGE	20 CAPRICORNE
5 DECEMBRE	SCORPION	BALANCE	VERSEAU	VIERGE	BELIER	VIERGE	SCORPION	VIERGE	4 VERSEAU
6 DECEMBRE	SAGITTAIRE	BALANCE	VERSEAU	VIERGE	BELIER	VIERGE	SCORPION	VIERGE	17 VERSEAU
7 DECEMBRE	SAGITTAIRE	SCORPION	VERSEAU	VIERGE	BELIER	VIERGE	SCORPION	VIERGE	0 POISSONS
8 DECEMBRE	SAGITTAIRE	SCORPION	VERSEAU	VIERGE	BELIER	VIERGE	SCORPION	VIERGE	13 POISSONS
9 DECEMBRE	SAGITTAIRE	SCORPION	VERSEAU	VIERGE	BELIER	VIERGE	SCORPION	VIERGE	25 POISSONS
10 DECEMBRE	SAGITTAIRE	SCORPION	VERSEAU	VIERGE	BELIER	VIERGE	SCORPION	VIERGE	7 BELIER
11 DECEMBRE	SAGITTAIRE	SCORPION	VERSEAU	VIERGE	BELIER	VIERGE	SCORPION	VIERGE	19 BELIER
12 DECEMBRE	SAGITTAIRE	SCORPION	VERSEAU	VIERGE	BELIER	VIERGE	SCORPION	VIERGE	0 TAUREAU
13 DECEMBRE	SAGITTAIRE	SCORPION	VERSEAU	VIERGE	BELIER	VIERGE	SCORPION	VIERGE	12 TAUREAU
14 DECEMBRE	SAGITTAIRE	SCORPION	VERSEAU	VIERGE	BELIER	VIERGE	SCORPION	VIERGE	24 TAUREAU
15 DECEMBRE	SAGITTAIRE	SCORPION	VERSEAU	VIERGE	BELIER	VIERGE	SCORPION	VIERGE	6 GEMEAUX
16 DECEMBRE	SAGITTAIRE	SCORPION	VERSEAU	VIERGE	BELIER	VIERGE	SCORPION	VIERGE	18 GEMEAUX
17 DECEMBRE	SAGITTAIRE	SCORPION	VERSEAU	VIERGE	BELIER	VIERGE	SCORPION	VIERGE	1 CANCER
18 DECEMBRE	SAGITTAIRE	SCORPION	VERSEAU	VIERGE	BELIER	VIERGE	SCORPION	VIERGE	13 CANCER
19 DECEMBRE	SAGITTAIRE	SCORPION	VERSEAU	VIERGE	BELIER	VIERGE	SCORPION	VIERGE	26 CANCER
20 DECEMBRE	SAGITTAIRE	SCORPION	VERSEAU	VIERGE	BELIER	VIERGE	SCORPION	VIERGE	9 LION
21 DECEMBRE	SAGITTAIRE	SCORPION	VERSEAU	VIERGE	BELIER	VIERGE	SCORPION	VIERGE	22 LION
22 DECEMBRE	SAGITTAIRE	SCORPION	VERSEAU	VIERGE	BELIER	VIERGE	SCORPION	VIERGE	5 VIERGE

	ENTRE DANS LE SIGNE DU	LE 23 NOVEMBRE	A 0 h 00	
LE SOLEIL	SAGITTAIRE	1967		* LES CHIFFRES INDIQUENT LES DEGRES
	QUITTE LE SIGNE DU	LE 22 DECEMBRE	A 13 h 00	

DECOUVREZ DANS QUEL SIGNE SE TROUVAIENT LES PLANETES A VOTRE NAISSANCE

1968	MERCURE	VENUS	MARS	JUPITER	SATURNE	URANUS	NEPTUNE	PLUTON	LUNE *
22 NOVEMBRE	SCORPION	CAPRICORNE	BALANCE	BALANCE	BELIER	BALANCE	SCORPION	VIERGE	1 CAPRICORNE
23 NOVEMBRE	SCORPION	CAPRICORNE	BALANCE	BALANCE	BELIER	BALANCE	SCORPION	VIERGE	16 CAPRICORNE
24 NOVEMBRE	SCORPION	CAPRICORNE	BALANCE	BALANCE	BELIER	BALANCE	SCORPION	VIERGE	0 VERSEAU
25 NOVEMBRE	SCORPION	CAPRICORNE	BALANCE	BALANCE	BELIER	BALANCE	SCORPION	VIERGE	14 VERSEAU
26 NOVEMBRE	SCORPION	CAPRICORNE	BALANCE	BALANCE	BELIER	BALANCE	SCORPION	VIERGE	28 VERSEAU
27 NOVEMBRE	SCORPION	CAPRICORNE	BALANCE	BALANCE	BELIER	BALANCE	SCORPION	VIERGE	11 POISSONS
28 NOVEMBRE	SAGITTAIRE	CAPRICORNE	BALANCE	BALANCE	BELIER	BALANCE	SCORPION	VIERGE	24 POISSONS
29 NOVEMBRE	SAGITTAIRE	CAPRICORNE	BALANCE	BALANCE	BELIER	BALANCE	SCORPION	VIERGE	7 BELIER
30 NOVEMBRE	SAGITTAIRE	CAPRICORNE	BALANCE	BALANCE	BELIER	BALANCE	SCORPION	VIERGE	19 BELIER
1 DECEMBRE	SAGITTAIRE	CAPRICORNE	BALANCE	BALANCE	BELIER	BALANCE	SCORPION	VIERGE	1 TAUREAU
2 DECEMBRE	SAGITTAIRE	CAPRICORNE	BALANCE	BALANCE	BELIER	BALANCE	SCORPION	VIERGE	13 TAUREAU
3 DECEMBRE	SAGITTAIRE	CAPRICORNE	BALANCE	BALANCE	BELIER	BALANCE	SCORPION	VIERGE	25 TAUREAU
4 DECEMBRE	SAGITTAIRE	CAPRICORNE	BALANCE	BALANCE	BELIER	BALANCE	SCORPION	VIERGE	7 GEMEAUX
5 DECEMBRE	SAGITTAIRE	CAPRICORNE	BALANCE	BALANCE	BELIER	BALANCE	SCORPION	VIERGE	19 GEMEAUX
6 DECEMBRE	SAGITTAIRE	CAPRICORNE	BALANCE	BALANCE	BELIER	BALANCE	SCORPION	VIERGE	1 CANCER
7 DECEMBRE	SAGITTAIRE	CAPRICORNE	BALANCE	BALANCE	BELIER	BALANCE	SCORPION	VIERGE	13 CANCER
8 DECEMBRE	SAGITTAIRE	CAPRICORNE	BALANCE	BALANCE	BELIER	BALANCE	SCORPION	VIERGE	25 CANCER
9 DECEMBRE	SAGITTAIRE	CAPRICORNE	BALANCE	BALANCE	BELIER	BALANCE	SCORPION	VIERGE	7 LION
10 DECEMBRE	SAGITTAIRE	VERSEAU	BALANCE	BALANCE	BELIER	BALANCE	SCORPION	VIERGE	19 LION
11 DECEMBRE	SAGITTAIRE	VERSEAU	BALANCE	BALANCE	BELIER	BALANCE	SCORPION	VIERGE	1 VIERGE
12 DECEMBRE	SAGITTAIRE	VERSEAU	BALANCE	BALANCE	BELIER	BALANCE	SCORPION	VIERGE	14 VIERGE
13 DECEMBRE	SAGITTAIRE	VERSEAU	BALANCE	BALANCE	BELIER	BALANCE	SCORPION	VIERGE	27 VIERGE
14 DECEMBRE	SAGITTAIRE	VERSEAU	BALANCE	BALANCE	BELIER	BALANCE	SCORPION	VIERGE	10 BALANCE
15 DECEMBRE	SAGITTAIRE	VERSEAU	BALANCE	BALANCE	BELIER	BALANCE	SCORPION	VIERGE	24 BALANCE
16 DECEMBRE	SAGITTAIRE	VERSEAU	BALANCE	BALANCE	BELIER	BALANCE	SCORPION	VIERGE	8 SCORPION
17 DECEMBRE	CAPRICORNE	VERSEAU	BALANCE	BALANCE	BELIER	BALANCE	SCORPION	VIERGE	23 SCORPION
18 DECEMBRE	CAPRICORNE	VERSEAU	BALANCE	BALANCE	BELIER	BALANCE	SCORPION	VIERGE	8 SAGITTAIRE
19 DECEMBRE	CAPRICORNE	VERSEAU	BALANCE	BALANCE	BELIER	BALANCE	SCORPION	VIERGE	24 SAGITTAIRE
20 DECEMBRE	CAPRICORNE	VERSEAU	BALANCE	BALANCE	BELIER	BALANCE	SCORPION	VIERGE	9 CAPRICORNE
21 DECEMBRE	CAPRICORNE	VERSEAU	BALANCE	BALANCE	BELIER	BALANCE	SCORPION	VIERGE	24 CAPRICORNE

	ENTRE DANS LE SIGNE DU		LE 22 NOVEMBRE	A 5 h 35	
LE SOLEIL		SAGITTAIRE	1968	* LES CHIFFRES INDIQUENT LES DEGRES
	QUITTE LE SIGNE DU		LE 21 DECEMBRE	A 18 h 45	

1969	MERCURE	VENUS	MARS	JUPITER	SATURNE	URANUS	NEPTUNE	PLUTON	LUNE *
22 NOVEMBRE	SAGITTAIRE	SCORPION	VERSEAU	BALANCE	TAUREAU	BALANCE	SCORPION	VIERGE	12 TAUREAU
23 NOVEMBRE	SAGITTAIRE	SCORPION	VERSEAU	BALANCE	TAUREAU	BALANCE	SCORPION	VIERGE	25 TAUREAU
24 NOVEMBRE	SAGITTAIRE	SCORPION	VERSEAU	BALANCE	TAUREAU	BALANCE	SCORPION	VIERGE	8 GEMEAUX
25 NOVEMBRE	SAGITTAIRE	SCORPION	VERSEAU	BALANCE	TAUREAU	BALANCE	SCORPION	VIERGE	20 GEMEAUX
26 NOVEMBRE	SAGITTAIRE	SCORPION	VERSEAU	BALANCE	TAUREAU	BALANCE	SCORPION	VIERGE	2 CANCER
27 NOVEMBRE	SAGITTAIRE	SCORPION	VERSEAU	BALANCE	TAUREAU	BALANCE	SCORPION	VIERGE	14 CANCER
28 NOVEMBRE	SAGITTAIRE	SCORPION	VERSEAU	BALANCE	TAUREAU	BALANCE	SCORPION	VIERGE	26 CANCER
29 NOVEMBRE	SAGITTAIRE	SCORPION	VERSEAU	BALANCE	TAUREAU	BALANCE	SCORPION	VIERGE	8 LION
30 NOVEMBRE	SAGITTAIRE	SCORPION	VERSEAU	BALANCE	TAUREAU	BALANCE	SCORPION	VIERGE	20 LION
1 DECEMBRE	SAGITTAIRE	SCORPION	VERSEAU	BALANCE	TAUREAU	BALANCE	SCORPION	VIERGE	2 VIERGE
2 DECEMBRE	SAGITTAIRE	SCORPION	VERSEAU	BALANCE	TAUREAU	BALANCE	SCORPION	VIERGE	14 VIERGE
3 DECEMBRE	SAGITTAIRE	SCORPION	VERSEAU	BALANCE	TAUREAU	BALANCE	SCORPION	VIERGE	26 VIERGE
4 DECEMBRE	SAGITTAIRE	SCORPION	VERSEAU	BALANCE	TAUREAU	BALANCE	SCORPION	VIERGE	9 BALANCE
5 DECEMBRE	SAGITTAIRE	SAGITTAIRE	VERSEAU	BALANCE	TAUREAU	BALANCE	SCORPION	VIERGE	22 BALANCE
6 DECEMBRE	SAGITTAIRE	SAGITTAIRE	VERSEAU	BALANCE	TAUREAU	BALANCE	SCORPION	VIERGE	5 SCORPION
7 DECEMBRE	SAGITTAIRE	SAGITTAIRE	VERSEAU	BALANCE	TAUREAU	BALANCE	SCORPION	VIERGE	19 SCORPION
8 DECEMBRE	SAGITTAIRE	SAGITTAIRE	VERSEAU	BALANCE	TAUREAU	BALANCE	SCORPION	VIERGE	3 SAGITTAIRE
9 DECEMBRE	SAGITTAIRE	SAGITTAIRE	VERSEAU	BALANCE	TAUREAU	BALANCE	SCORPION	VIERGE	18 SAGITTAIRE
10 DECEMBRE	CAPRICORNE	SAGITTAIRE	VERSEAU	BALANCE	TAUREAU	BALANCE	SCORPION	VIERGE	3 CAPRICORNE
11 DECEMBRE	CAPRICORNE	SAGITTAIRE	VERSEAU	BALANCE	TAUREAU	BALANCE	SCORPION	VIERGE	18 CAPRICORNE
12 DECEMBRE	CAPRICORNE	SAGITTAIRE	VERSEAU	BALANCE	TAUREAU	BALANCE	SCORPION	VIERGE	3 VERSEAU
13 DECEMBRE	CAPRICORNE	SAGITTAIRE	VERSEAU	BALANCE	TAUREAU	BALANCE	SCORPION	VIERGE	18 VERSEAU
14 DECEMBRE	CAPRICORNE	SAGITTAIRE	VERSEAU	BALANCE	TAUREAU	BALANCE	SCORPION	VIERGE	2 POISSONS
15 DECEMBRE	CAPRICORNE	SAGITTAIRE	VERSEAU	BALANCE	TAUREAU	BALANCE	SCORPION	VIERGE	16 POISSONS
16 DECEMBRE	CAPRICORNE	SAGITTAIRE	POISSONS	BALANCE	TAUREAU	BALANCE	SCORPION	VIERGE	0 BELIER
17 DECEMBRE	CAPRICORNE	SAGITTAIRE	POISSONS	SCORPION	TAUREAU	BALANCE	SCORPION	VIERGE	13 BELIER
18 DECEMBRE	CAPRICORNE	SAGITTAIRE	POISSONS	SCORPION	TAUREAU	BALANCE	SCORPION	VIERGE	26 BELIER
19 DECEMBRE	CAPRICORNE	SAGITTAIRE	POISSONS	SCORPION	TAUREAU	BALANCE	SCORPION	VIERGE	9 TAUREAU
20 DECEMBRE	CAPRICORNE	SAGITTAIRE	POISSONS	SCORPION	TAUREAU	BALANCE	SCORPION	VIERGE	22 TAUREAU
21 DECEMBRE	CAPRICORNE	SAGITTAIRE	POISSONS	SCORPION	TAUREAU	BALANCE	SCORPION	VIERGE	4 GEMEAUX
22 DECEMBRE	CAPRICORNE	SAGITTAIRE	POISSONS	SCORPION	TAUREAU	BALANCE	SCORPION	VIERGE	16 GEMEAUX

	ENTRE DANS LE SIGNE DU		LE 22 NOVEMBRE	A 11 h 10	
LE SOLEIL		SAGITTAIRE	1969	* LES CHIFFRES INDIQUENT LES DEGRES
	QUITTE LE SIGNE DU		LE 22 DECEMBRE	A 0 h 30	

DECOUVREZ DANS QUEL SIGNE SE TROUVAIENT LES PLANETES A VOTRE NAISSANCE

1970	MERCURE	VENUS	MARS	JUPITER	SATURNE	URANUS	NEPTUNE	PLUTON	LUNE *
22 NOVEMBRE	SAGITTAIRE	SCORPION	BALANCE	SCORPION	TAUREAU	BALANCE	SAGITTAIRE	VIERGE	16 VIERGE
23 NOVEMBRE	SAGITTAIRE	SCORPION	BALANCE	SCORPION	TAUREAU	BALANCE	SAGITTAIRE	VIERGE	28 VIERGE
24 NOVEMBRE	SAGITTAIRE	SCORPION	BALANCE	SCORPION	TAUREAU	BALANCE	SAGITTAIRE	VIERGE	10 BALANCE
25 NOVEMBRE	SAGITTAIRE	SCORPION	BALANCE	SCORPION	TAUREAU	BALANCE	SAGITTAIRE	VIERGE	22 BALANCE
26 NOVEMBRE	SAGITTAIRE	SCORPION	BALANCE	SCORPION	TAUREAU	BALANCE	SAGITTAIRE	VIERGE	5 SCORPION
27 NOVEMBRE	SAGITTAIRE	SCORPION	BALANCE	SCORPION	TAUREAU	BALANCE	SAGITTAIRE	VIERGE	18 SCORPION
28 NOVEMBRE	SAGITTAIRE	SCORPION	BALANCE	SCORPION	TAUREAU	BALANCE	SAGITTAIRE	VIERGE	1 SAGITTAIRE
29 NOVEMBRE	SAGITTAIRE	SCORPION	BALANCE	SCORPION	TAUREAU	BALANCE	SAGITTAIRE	VIERGE	14 SAGITTAIRE
30 NOVEMBRE	SAGITTAIRE	SCORPION	BALANCE	SCORPION	TAUREAU	BALANCE	SAGITTAIRE	VIERGE	28 SAGITTAIRE
1 DECEMBRE	SAGITTAIRE	SCORPION	BALANCE	SCORPION	TAUREAU	BALANCE	SAGITTAIRE	VIERGE	12 CAPRICORNE
2 DECEMBRE	SAGITTAIRE	SCORPION	BALANCE	SCORPION	TAUREAU	BALANCE	SAGITTAIRE	VIERGE	26 CAPRICORNE
3 DECEMBRE	CAPRICORNE	SCORPION	BALANCE	SCORPION	TAUREAU	BALANCE	SAGITTAIRE	VIERGE	10 VERSEAU
4 DECEMBRE	CAPRICORNE	SCORPION	BALANCE	SCORPION	TAUREAU	BALANCE	SAGITTAIRE	VIERGE	24 VERSEAU
5 DECEMBRE	CAPRICORNE	SCORPION	BALANCE	SCORPION	TAUREAU	BALANCE	SAGITTAIRE	VIERGE	8 POISSONS
6 DECEMBRE	CAPRICORNE	SCORPION	BALANCE	SCORPION	TAUREAU	BALANCE	SAGITTAIRE	VIERGE	22 POISSONS
7 DECEMBRE	CAPRICORNE	SCORPION	SCORPION	SCORPION	TAUREAU	BALANCE	SAGITTAIRE	VIERGE	6 BELIER
8 DECEMBRE	CAPRICORNE	SCORPION	SCORPION	SCORPION	TAUREAU	BALANCE	SAGITTAIRE	VIERGE	20 BELIER
9 DECEMBRE	CAPRICORNE	SCORPION	SCORPION	SCORPION	TAUREAU	BALANCE	SAGITTAIRE	VIERGE	4 TAUREAU
10 DECEMBRE	CAPRICORNE	SCORPION	SCORPION	SCORPION	TAUREAU	BALANCE	SAGITTAIRE	VIERGE	18 TAUREAU
11 DECEMBRE	CAPRICORNE	SCORPION	SCORPION	SCORPION	TAUREAU	BALANCE	SAGITTAIRE	VIERGE	2 GEMEAUX
12 DECEMBRE	CAPRICORNE	SCORPION	SCORPION	SCORPION	TAUREAU	BALANCE	SAGITTAIRE	VIERGE	15 GEMEAUX
13 DECEMBRE	CAPRICORNE	SCORPION	SCORPION	SCORPION	TAUREAU	BALANCE	SAGITTAIRE	VIERGE	28 GEMEAUX
14 DECEMBRE	CAPRICORNE	SCORPION	SCORPION	SCORPION	TAUREAU	BALANCE	SAGITTAIRE	VIERGE	11 CANCER
15 DECEMBRE	CAPRICORNE	SCORPION	SCORPION	SCORPION	TAUREAU	BALANCE	SAGITTAIRE	VIERGE	24 CANCER
16 DECEMBRE	CAPRICORNE	SCORPION	SCORPION	SCORPION	TAUREAU	BALANCE	SAGITTAIRE	VIERGE	6 LION
17 DECEMBRE	CAPRICORNE	SCORPION	SCORPION	SCORPION	TAUREAU	BALANCE	SAGITTAIRE	VIERGE	18 LION
18 DECEMBRE	CAPRICORNE	SCORPION	SCORPION	SCORPION	TAUREAU	BALANCE	SAGITTAIRE	VIERGE	0 VIERGE
19 DECEMBRE	CAPRICORNE	SCORPION	SCORPION	SCORPION	TAUREAU	BALANCE	SAGITTAIRE	VIERGE	12 VIERGE
20 DECEMBRE	CAPRICORNE	SCORPION	SCORPION	SCORPION	TAUREAU	BALANCE	SAGITTAIRE	VIERGE	24 VIERGE
21 DECEMBRE	CAPRICORNE	SCORPION	SCORPION	SCORPION	TAUREAU	BALANCE	SAGITTAIRE	VIERGE	6 BALANCE
22 DECEMBRE	CAPRICORNE	SCORPION	SCORPION	SCORPION	TAUREAU	BALANCE	SAGITTAIRE	VIERGE	18 BALANCE

	ENTRE DANS LE SIGNE DU		LE 22 NOVEMBRE	A 17 h 10	
LE SOLEIL		SAGITTAIRE	1970	* LES CHIFFRES INDIQUENT LES DEGRES	
	QUITTE LE SIGNE DU		LE 22 DECEMBRE	A 6 h 20	

1971	MERCURE	VENUS	MARS	JUPITER	SATURNE	URANUS	NEPTUNE	PLUTON	LUNE *
22 NOVEMBRE	SAGITTAIRE	SAGITTAIRE	POISSONS	SAGITTAIRE	GEMEAUX	BALANCE	SAGITTAIRE	BALANCE	20 CAPRICORNE
23 NOVEMBRE	SAGITTAIRE	SAGITTAIRE	POISSONS	SAGITTAIRE	GEMEAUX	BALANCE	SAGITTAIRE	BALANCE	3 VERSEAU
24 NOVEMBRE	SAGITTAIRE	SAGITTAIRE	POISSONS	SAGITTAIRE	GEMEAUX	BALANCE	SAGITTAIRE	BALANCE	16 VERSEAU
25 NOVEMBRE	SAGITTAIRE	SAGITTAIRE	POISSONS	SAGITTAIRE	GEMEAUX	BALANCE	SAGITTAIRE	BALANCE	0 POISSONS
26 NOVEMBRE	SAGITTAIRE	SAGITTAIRE	POISSONS	SAGITTAIRE	GEMEAUX	BALANCE	SAGITTAIRE	BALANCE	14 POISSONS
27 NOVEMBRE	SAGITTAIRE	SAGITTAIRE	POISSONS	SAGITTAIRE	GEMEAUX	BALANCE	SAGITTAIRE	BALANCE	28 POISSONS
28 NOVEMBRE	SAGITTAIRE	SAGITTAIRE	POISSONS	SAGITTAIRE	GEMEAUX	BALANCE	SAGITTAIRE	BALANCE	12 BELIER
29 NOVEMBRE	SAGITTAIRE	CAPRICORNE	POISSONS	SAGITTAIRE	GEMEAUX	BALANCE	SAGITTAIRE	BALANCE	27 BELIER
30 NOVEMBRE	SAGITTAIRE	CAPRICORNE	POISSONS	SAGITTAIRE	GEMEAUX	BALANCE	SAGITTAIRE	BALANCE	12 TAUREAU
1 DECEMBRE	SAGITTAIRE	CAPRICORNE	POISSONS	SAGITTAIRE	GEMEAUX	BALANCE	SAGITTAIRE	BALANCE	27 TAUREAU
2 DECEMBRE	SAGITTAIRE	CAPRICORNE	POISSONS	SAGITTAIRE	GEMEAUX	BALANCE	SAGITTAIRE	BALANCE	12 GEMEAUX
3 DECEMBRE	SAGITTAIRE	CAPRICORNE	POISSONS	SAGITTAIRE	GEMEAUX	BALANCE	SAGITTAIRE	BALANCE	26 GEMEAUX
4 DECEMBRE	SAGITTAIRE	CAPRICORNE	POISSONS	SAGITTAIRE	GEMEAUX	BALANCE	SAGITTAIRE	BALANCE	10 CANCER
5 DECEMBRE	SAGITTAIRE	CAPRICORNE	POISSONS	SAGITTAIRE	GEMEAUX	BALANCE	SAGITTAIRE	BALANCE	24 CANCER
6 DECEMBRE	SAGITTAIRE	CAPRICORNE	POISSONS	SAGITTAIRE	GEMEAUX	BALANCE	SAGITTAIRE	BALANCE	7 LION
7 DECEMBRE	SAGITTAIRE	CAPRICORNE	POISSONS	SAGITTAIRE	GEMEAUX	BALANCE	SAGITTAIRE	BALANCE	20 LION
8 DECEMBRE	SAGITTAIRE	CAPRICORNE	POISSONS	SAGITTAIRE	GEMEAUX	BALANCE	SAGITTAIRE	BALANCE	2 VIERGE
9 DECEMBRE	SAGITTAIRE	CAPRICORNE	POISSONS	SAGITTAIRE	GEMEAUX	BALANCE	SAGITTAIRE	BALANCE	15 VIERGE
10 DECEMBRE	SAGITTAIRE	CAPRICORNE	POISSONS	SAGITTAIRE	GEMEAUX	BALANCE	SAGITTAIRE	BALANCE	27 VIERGE
11 DECEMBRE	SAGITTAIRE	CAPRICORNE	POISSONS	SAGITTAIRE	GEMEAUX	BALANCE	SAGITTAIRE	BALANCE	8 BALANCE
12 DECEMBRE	SAGITTAIRE	CAPRICORNE	POISSONS	SAGITTAIRE	GEMEAUX	BALANCE	SAGITTAIRE	BALANCE	20 BALANCE
13 DECEMBRE	SAGITTAIRE	CAPRICORNE	POISSONS	SAGITTAIRE	GEMEAUX	BALANCE	SAGITTAIRE	BALANCE	2 SCORPION
14 DECEMBRE	SAGITTAIRE	CAPRICORNE	POISSONS	SAGITTAIRE	GEMEAUX	BALANCE	SAGITTAIRE	BALANCE	14 SCORPION
15 DECEMBRE	SAGITTAIRE	CAPRICORNE	POISSONS	SAGITTAIRE	GEMEAUX	BALANCE	SAGITTAIRE	BALANCE	26 SCORPION
16 DECEMBRE	SAGITTAIRE	CAPRICORNE	POISSONS	SAGITTAIRE	GEMEAUX	BALANCE	SAGITTAIRE	BALANCE	9 SAGITTAIRE
17 DECEMBRE	SAGITTAIRE	CAPRICORNE	POISSONS	SAGITTAIRE	GEMEAUX	BALANCE	SAGITTAIRE	BALANCE	21 SAGITTAIRE
18 DECEMBRE	SAGITTAIRE	CAPRICORNE	POISSONS	SAGITTAIRE	GEMEAUX	BALANCE	SAGITTAIRE	BALANCE	4 CAPRICORNE
19 DECEMBRE	SAGITTAIRE	CAPRICORNE	POISSONS	SAGITTAIRE	GEMEAUX	BALANCE	SAGITTAIRE	BALANCE	17 CAPRICORNE
20 DECEMBRE	SAGITTAIRE	CAPRICORNE	POISSONS	SAGITTAIRE	GEMEAUX	BALANCE	SAGITTAIRE	BALANCE	0 VERSEAU
21 DECEMBRE	SAGITTAIRE	CAPRICORNE	POISSONS	SAGITTAIRE	GEMEAUX	BALANCE	SAGITTAIRE	BALANCE	13 VERSEAU
22 DECEMBRE	SAGITTAIRE	CAPRICORNE	POISSONS	SAGITTAIRE	GEMEAUX	BALANCE	SAGITTAIRE	BALANCE	27 VERSEAU

	ENTRE DANS LE SIGNE DU		LE 22 NOVEMBRE	A 23 h 00	
LE SOLEIL		SAGITTAIRE	1971	* LES CHIFFRES INDIQUENT LES DEGRES	
	QUITTE LE SIGNE DU		LE 22 DECEMBRE	A 12 h 10	

DECOUVREZ DANS QUEL SIGNE SE TROUVAIENT LES PLANETES
A VOTRE NAISSANCE

1972	MERCURE	VENUS	MARS	JUPITER	SATURNE	URANUS	NEPTUNE	PLUTON	LUNE *
22 NOVEMBRE	SAGITTAIRE	BALANCE	SCORPION	CAPRICORNE	GEMEAUX	BALANCE	SAGITTAIRE	BALANCE	22 GEMEAUX
23 NOVEMBRE	SAGITTAIRE	BALANCE	SCORPION	CAPRICORNE	GEMEAUX	BALANCE	SAGITTAIRE	BALANCE	7 CANCER
24 NOVEMBRE	SAGITTAIRE	BALANCE	SCORPION	CAPRICORNE	GEMEAUX	BALANCE	SAGITTAIRE	BALANCE	21 CANCER
25 NOVEMBRE	SAGITTAIRE	SCORPION	SCORPION	CAPRICORNE	GEMEAUX	BALANCE	SAGITTAIRE	BALANCE	5 LION
26 NOVEMBRE	SAGITTAIRE	SCORPION	SCORPION	CAPRICORNE	GEMEAUX	BALANCE	SAGITTAIRE	BALANCE	19 LION
27 NOVEMBRE	SAGITTAIRE	SCORPION	SCORPION	CAPRICORNE	GEMEAUX	BALANCE	SAGITTAIRE	BALANCE	2 VIERGE
28 NOVEMBRE	SAGITTAIRE	SCORPION	SCORPION	CAPRICORNE	GEMEAUX	BALANCE	SAGITTAIRE	BALANCE	15 VIERGE
29 NOVEMBRE	SCORPION	SCORPION	SCORPION	CAPRICORNE	GEMEAUX	BALANCE	SAGITTAIRE	BALANCE	27 VIERGE
30 NOVEMBRE	SCORPION	SCORPION	SCORPION	CAPRICORNE	GEMEAUX	BALANCE	SAGITTAIRE	BALANCE	10 BALANCE
1 DECEMBRE	SCORPION	SCORPION	SCORPION	CAPRICORNE	GEMEAUX	BALANCE	SAGITTAIRE	BALANCE	22 BALANCE
2 DECEMBRE	SCORPION	SCORPION	SCORPION	CAPRICORNE	GEMEAUX	BALANCE	SAGITTAIRE	BALANCE	4 SCORPION
3 DECEMBRE	SCORPION	SCORPION	SCORPION	CAPRICORNE	GEMEAUX	BALANCE	SAGITTAIRE	BALANCE	16 SCORPION
4 DECEMBRE	SCORPION	SCORPION	SCORPION	CAPRICORNE	GEMEAUX	BALANCE	SAGITTAIRE	BALANCE	28 SCORPION
5 DECEMBRE	SCORPION	SCORPION	SCORPION	CAPRICORNE	GEMEAUX	BALANCE	SAGITTAIRE	BALANCE	9 SAGITTAIRE
6 DECEMBRE	SCORPION	SCORPION	SCORPION	CAPRICORNE	GEMEAUX	BALANCE	SAGITTAIRE	BALANCE	21 SAGITTAIRE
7 DECEMBRE	SCORPION	SCORPION	SCORPION	CAPRICORNE	GEMEAUX	BALANCE	SAGITTAIRE	BALANCE	3 CAPRICORNE
8 DECEMBRE	SCORPION	SCORPION	SCORPION	CAPRICORNE	GEMEAUX	BALANCE	SAGITTAIRE	BALANCE	15 CAPRICORNE
9 DECEMBRE	SCORPION	SCORPION	SCORPION	CAPRICORNE	GEMEAUX	BALANCE	SAGITTAIRE	BALANCE	27 CAPRICORNE
10 DECEMBRE	SCORPION	SCORPION	SCORPION	CAPRICORNE	GEMEAUX	BALANCE	SAGITTAIRE	BALANCE	9 VERSEAU
11 DECEMBRE	SCORPION	SCORPION	SCORPION	CAPRICORNE	GEMEAUX	BALANCE	SAGITTAIRE	BALANCE	22 VERSEAU
12 DECEMBRE	SCORPION	SCORPION	SCORPION	CAPRICORNE	GEMEAUX	BALANCE	SAGITTAIRE	BALANCE	5 POISSONS
13 DECEMBRE	SAGITTAIRE	SCORPION	SCORPION	CAPRICORNE	GEMEAUX	BALANCE	SAGITTAIRE	BALANCE	18 POISSONS
14 DECEMBRE	SAGITTAIRE	SCORPION	SCORPION	CAPRICORNE	GEMEAUX	BALANCE	SAGITTAIRE	BALANCE	1 BELIER
15 DECEMBRE	SAGITTAIRE	SCORPION	SCORPION	CAPRICORNE	GEMEAUX	BALANCE	SAGITTAIRE	BALANCE	15 BELIER
16 DECEMBRE	SAGITTAIRE	SCORPION	SCORPION	CAPRICORNE	GEMEAUX	BALANCE	SAGITTAIRE	BALANCE	0 TAUREAU
17 DECEMBRE	SAGITTAIRE	SCORPION	SCORPION	CAPRICORNE	GEMEAUX	BALANCE	SAGITTAIRE	BALANCE	14 TAUREAU
18 DECEMBRE	SAGITTAIRE	SCORPION	SCORPION	CAPRICORNE	GEMEAUX	BALANCE	SAGITTAIRE	BALANCE	29 TAUREAU
19 DECEMBRE	SAGITTAIRE	SAGITTAIRE	SCORPION	CAPRICORNE	GEMEAUX	BALANCE	SAGITTAIRE	BALANCE	15 GEMEAUX
20 DECEMBRE	SAGITTAIRE	SAGITTAIRE	SCORPION	CAPRICORNE	GEMEAUX	BALANCE	SAGITTAIRE	BALANCE	0 CANCER
21 DECEMBRE	SAGITTAIRE	SAGITTAIRE	SCORPION	CAPRICORNE	GEMEAUX	BALANCE	SAGITTAIRE	BALANCE	15 CANCER

	ENTRE DANS LE SIGNE DU		LE 22 NOVEMBRE	A 4 h 50	
LE SOLEIL		SAGITTAIRE	1972	* LES CHIFFRES INDIQUENT LES DEGRES	
	QUITTE LE SIGNE DU		LE 21 DECEMBRE	A 18 h 00	

1973	MERCURE	VENUS	MARS	JUPITER	SATURNE	URANUS	NEPTUNE	PLUTON	LUNE *
22 NOVEMBRE	SCORPION	CAPRICORNE	BELIER	VERSEAU	CANCER	BALANCE	SAGITTAIRE	BALANCE	3 SCORPION
23 NOVEMBRE	SCORPION	CAPRICORNE	BELIER	VERSEAU	CANCER	BALANCE	SAGITTAIRE	BALANCE	16 SCORPION
24 NOVEMBRE	SCORPION	CAPRICORNE	BELIER	VERSEAU	CANCER	BALANCE	SAGITTAIRE	BALANCE	28 SCORPION
25 NOVEMBRE	SCORPION	CAPRICORNE	BELIER	VERSEAU	CANCER	BALANCE	SAGITTAIRE	BALANCE	10 SAGITTAIRE
26 NOVEMBRE	SCORPION	CAPRICORNE	BELIER	VERSEAU	CANCER	BALANCE	SAGITTAIRE	BALANCE	22 SAGITTAIRE
27 NOVEMBRE	SCORPION	CAPRICORNE	BELIER	VERSEAU	CANCER	BALANCE	SAGITTAIRE	BALANCE	4 CAPRICORNE
28 NOVEMBRE	SCORPION	CAPRICORNE	BELIER	VERSEAU	CANCER	BALANCE	SAGITTAIRE	BALANCE	16 CAPRICORNE
29 NOVEMBRE	SCORPION	CAPRICORNE	BELIER	VERSEAU	CANCER	BALANCE	SAGITTAIRE	BALANCE	28 CAPRICORNE
30 NOVEMBRE	SCORPION	CAPRICORNE	BELIER	VERSEAU	CANCER	BALANCE	SAGITTAIRE	BALANCE	9 VERSEAU
1 DECEMBRE	SCORPION	CAPRICORNE	BELIER	VERSEAU	CANCER	BALANCE	SAGITTAIRE	BALANCE	21 VERSEAU
2 DECEMBRE	SCORPION	CAPRICORNE	BELIER	VERSEAU	CANCER	BALANCE	SAGITTAIRE	BALANCE	3 POISSONS
3 DECEMBRE	SCORPION	CAPRICORNE	BELIER	VERSEAU	CANCER	BALANCE	SAGITTAIRE	BALANCE	16 POISSONS
4 DECEMBRE	SCORPION	CAPRICORNE	BELIER	VERSEAU	CANCER	BALANCE	SAGITTAIRE	BALANCE	29 POISSONS
5 DECEMBRE	SCORPION	CAPRICORNE	BELIER	VERSEAU	CANCER	BALANCE	SAGITTAIRE	BALANCE	12 BELIER
6 DECEMBRE	SCORPION	CAPRICORNE	BELIER	VERSEAU	CANCER	BALANCE	SAGITTAIRE	BALANCE	26 BELIER
7 DECEMBRE	SCORPION	CAPRICORNE	BELIER	VERSEAU	CANCER	BALANCE	SAGITTAIRE	BALANCE	10 TAUREAU
8 DECEMBRE	SCORPION	VERSEAU	BELIER	VERSEAU	CANCER	BALANCE	SAGITTAIRE	BALANCE	24 TAUREAU
9 DECEMBRE	SAGITTAIRE	VERSEAU	BELIER	VERSEAU	CANCER	BALANCE	SAGITTAIRE	BALANCE	9 GEMEAUX
10 DECEMBRE	SAGITTAIRE	VERSEAU	BELIER	VERSEAU	CANCER	BALANCE	SAGITTAIRE	BALANCE	24 GEMEAUX
11 DECEMBRE	SAGITTAIRE	VERSEAU	BELIER	VERSEAU	CANCER	BALANCE	SAGITTAIRE	BALANCE	9 CANCER
12 DECEMBRE	SAGITTAIRE	VERSEAU	BELIER	VERSEAU	CANCER	BALANCE	SAGITTAIRE	BALANCE	24 CANCER
13 DECEMBRE	SAGITTAIRE	VERSEAU	BELIER	VERSEAU	CANCER	BALANCE	SAGITTAIRE	BALANCE	9 LION
14 DECEMBRE	SAGITTAIRE	VERSEAU	BELIER	VERSEAU	CANCER	BALANCE	SAGITTAIRE	BALANCE	24 LION
15 DECEMBRE	SAGITTAIRE	VERSEAU	BELIER	VERSEAU	CANCER	BALANCE	SAGITTAIRE	BALANCE	8 VIERGE
16 DECEMBRE	SAGITTAIRE	VERSEAU	BELIER	VERSEAU	CANCER	BALANCE	SAGITTAIRE	BALANCE	21 VIERGE
17 DECEMBRE	SAGITTAIRE	VERSEAU	BELIER	VERSEAU	CANCER	BALANCE	SAGITTAIRE	BALANCE	5 BALANCE
18 DECEMBRE	SAGITTAIRE	VERSEAU	BELIER	VERSEAU	CANCER	BALANCE	SAGITTAIRE	BALANCE	18 BALANCE
19 DECEMBRE	SAGITTAIRE	VERSEAU	BELIER	VERSEAU	CANCER	BALANCE	SAGITTAIRE	BALANCE	0 SCORPION
20 DECEMBRE	SAGITTAIRE	VERSEAU	BELIER	VERSEAU	CANCER	BALANCE	SAGITTAIRE	BALANCE	13 SCORPION
21 DECEMBRE	SAGITTAIRE	VERSEAU	BELIER	VERSEAU	CANCER	BALANCE	SAGITTAIRE	BALANCE	25 SCORPION
22 DECEMBRE	SAGITTAIRE	VERSEAU	BELIER	VERSEAU	CANCER	BALANCE	SAGITTAIRE	BALANCE	7 SAGITTAIRE

	ENTRE DANS LE SIGNE DU		LE 22 NOVEMBRE	A 10 h 40	
LE SOLEIL		SAGITTAIRE	1973	* LES CHIFFRES INDIQUENT LES DEGRES	
	QUITTE LE SIGNE DU		LE 22 DECEMBRE	A 0 h 00	

DECOUVREZ DANS QUEL SIGNE SE TROUVAIENT LES PLANETES A VOTRE NAISSANCE

1974	MERCURE	VENUS	MARS	JUPITER	SATURNE	URANUS	NEPTUNE	PLUTON	LUNE ✱
22 NOVEMBRE	SCORPION	SAGITTAIRE	SCORPION	POISSONS	CANCER	SCORPION	SAGITTAIRE	BALANCE	6 POISSONS
23 NOVEMBRE	SCORPION	SAGITTAIRE	SCORPION	POISSONS	CANCER	SCORPION	SAGITTAIRE	BALANCE	18 POISSONS
24 NOVEMBRE	SCORPION	SAGITTAIRE	SCORPION	POISSONS	CANCER	SCORPION	SAGITTAIRE	BALANCE	0 BELIER
25 NOVEMBRE	SCORPION	SAGITTAIRE	SCORPION	POISSONS	CANCER	SCORPION	SAGITTAIRE	BALANCE	12 BELIER
26 NOVEMBRE	SCORPION	SAGITTAIRE	SCORPION	POISSONS	CANCER	SCORPION	SAGITTAIRE	BALANCE	25 BELIER
27 NOVEMBRE	SCORPION	SAGITTAIRE	SCORPION	POISSONS	CANCER	SCORPION	SAGITTAIRE	BALANCE	8 TAUREAU
28 NOVEMBRE	SCORPION	SAGITTAIRE	SCORPION	POISSONS	CANCER	SCORPION	SAGITTAIRE	BALANCE	21 TAUREAU
29 NOVEMBRE	SCORPION	SAGITTAIRE	SCORPION	POISSONS	CANCER	SCORPION	SAGITTAIRE	BALANCE	5 GEMEAUX
30 NOVEMBRE	SCORPION	SAGITTAIRE	SCORPION	POISSONS	CANCER	SCORPION	SAGITTAIRE	BALANCE	19 GEMEAUX
1 DECEMBRE	SCORPION	SAGITTAIRE	SCORPION	POISSONS	CANCER	SCORPION	SAGITTAIRE	BALANCE	3 CANCER
2 DECEMBRE	SAGITTAIRE	SAGITTAIRE	SCORPION	POISSONS	CANCER	SCORPION	SAGITTAIRE	BALANCE	17 CANCER
3 DECEMBRE	SAGITTAIRE	SAGITTAIRE	SCORPION	POISSONS	CANCER	SCORPION	SAGITTAIRE	BALANCE	2 LION
4 DECEMBRE	SAGITTAIRE	SAGITTAIRE	SCORPION	POISSONS	CANCER	SCORPION	SAGITTAIRE	BALANCE	16 LION
5 DECEMBRE	SAGITTAIRE	SAGITTAIRE	SCORPION	POISSONS	CANCER	SCORPION	SAGITTAIRE	BALANCE	0 VIERGE
6 DECEMBRE	SAGITTAIRE	SAGITTAIRE	SCORPION	POISSONS	CANCER	SCORPION	SAGITTAIRE	BALANCE	15 VIERGE
7 DECEMBRE	SAGITTAIRE	SAGITTAIRE	SCORPION	POISSONS	CANCER	SCORPION	SAGITTAIRE	BALANCE	29 VIERGE
8 DECEMBRE	SAGITTAIRE	SAGITTAIRE	SCORPION	POISSONS	CANCER	SCORPION	SAGITTAIRE	BALANCE	13 BALANCE
9 DECEMBRE	SAGITTAIRE	SAGITTAIRE	SCORPION	POISSONS	CANCER	SCORPION	SAGITTAIRE	BALANCE	26 BALANCE
10 DECEMBRE	SAGITTAIRE	SAGITTAIRE	SCORPION	POISSONS	CANCER	SCORPION	SAGITTAIRE	BALANCE	10 SCORPION
11 DECEMBRE	SAGITTAIRE	SAGITTAIRE	SAGITTAIRE	POISSONS	CANCER	SCORPION	SAGITTAIRE	BALANCE	23 SCORPION
12 DECEMBRE	SAGITTAIRE	SAGITTAIRE	SAGITTAIRE	POISSONS	CANCER	SCORPION	SAGITTAIRE	BALANCE	6 SAGITTAIRE
13 DECEMBRE	SAGITTAIRE	CAPRICORNE	SAGITTAIRE	POISSONS	CANCER	SCORPION	SAGITTAIRE	BALANCE	19 SAGITTAIRE
14 DECEMBRE	SAGITTAIRE	CAPRICORNE	SAGITTAIRE	POISSONS	CANCER	SCORPION	SAGITTAIRE	BALANCE	1 CAPRICORNE
15 DECEMBRE	SAGITTAIRE	CAPRICORNE	SAGITTAIRE	POISSONS	CANCER	SCORPION	SAGITTAIRE	BALANCE	14 CAPRICORNE
16 DECEMBRE	SAGITTAIRE	CAPRICORNE	SAGITTAIRE	POISSONS	CANCER	SCORPION	SAGITTAIRE	BALANCE	26 CAPRICORNE
17 DECEMBRE	SAGITTAIRE	CAPRICORNE	SAGITTAIRE	POISSONS	CANCER	SCORPION	SAGITTAIRE	BALANCE	8 VERSEAU
18 DECEMBRE	SAGITTAIRE	CAPRICORNE	SAGITTAIRE	POISSONS	CANCER	SCORPION	SAGITTAIRE	BALANCE	20 VERSEAU
19 DECEMBRE	SAGITTAIRE	CAPRICORNE	SAGITTAIRE	POISSONS	CANCER	SCORPION	SAGITTAIRE	BALANCE	2 POISSONS
20 DECEMBRE	SAGITTAIRE	CAPRICORNE	SAGITTAIRE	POISSONS	CANCER	SCORPION	SAGITTAIRE	BALANCE	13 POISSONS
21 DECEMBRE	CAPRICORNE	CAPRICORNE	SAGITTAIRE	POISSONS	CANCER	SCORPION	SAGITTAIRE	BALANCE	25 POISSONS
22 DECEMBRE	CAPRICORNE	CAPRICORNE	SAGITTAIRE	POISSONS	CANCER	SCORPION	SAGITTAIRE	BALANCE	7 BELIER

	ENTRE DANS LE SIGNE DU		LE 22 NOVEMBRE		A 16 h 25				
LE SOLEIL		SAGITTAIRE		1974		✱ LES CHIFFRES INDIQUENT LES DEGRES			
	QUITTE LE SIGNE DU		LE 22 DECEMBRE		A 5 h 45				

1975	MERCURE	VENUS	MARS	JUPITER	SATURNE	URANUS	NEPTUNE	PLUTON	LUNE ✱
22 NOVEMBRE	SCORPION	BALANCE	CANCER	BELIER	LION	SCORPION	SAGITTAIRE	BALANCE	11 CANCER
23 NOVEMBRE	SCORPION	BALANCE	CANCER	BELIER	LION	SCORPION	SAGITTAIRE	BALANCE	25 CANCER
24 NOVEMBRE	SCORPION	BALANCE	CANCER	BELIER	LION	SCORPION	SAGITTAIRE	BALANCE	8 LION
25 NOVEMBRE	SAGITTAIRE	BALANCE	CANCER	BELIER	LION	SCORPION	SAGITTAIRE	BALANCE	22 LION
26 NOVEMBRE	SAGITTAIRE	BALANCE	GEMEAUX	BELIER	LION	SCORPION	SAGITTAIRE	BALANCE	6 VIERGE
27 NOVEMBRE	SAGITTAIRE	BALANCE	GEMEAUX	BELIER	LION	SCORPION	SAGITTAIRE	BALANCE	20 VIERGE
28 NOVEMBRE	SAGITTAIRE	BALANCE	GEMEAUX	BELIER	LION	SCORPION	SAGITTAIRE	BALANCE	5 BALANCE
29 NOVEMBRE	SAGITTAIRE	BALANCE	GEMEAUX	BELIER	LION	SCORPION	SAGITTAIRE	BALANCE	19 BALANCE
30 NOVEMBRE	SAGITTAIRE	BALANCE	GEMEAUX	BELIER	LION	SCORPION	SAGITTAIRE	BALANCE	4 SCORPION
1 DECEMBRE	SAGITTAIRE	BALANCE	GEMEAUX	BELIER	LION	SCORPION	SAGITTAIRE	BALANCE	18 SCORPION
2 DECEMBRE	SAGITTAIRE	BALANCE	GEMEAUX	BELIER	LION	SCORPION	SAGITTAIRE	BALANCE	2 SAGITTAIRE
3 DECEMBRE	SAGITTAIRE	BALANCE	GEMEAUX	BELIER	LION	SCORPION	SAGITTAIRE	BALANCE	16 SAGITTAIRE
4 DECEMBRE	SAGITTAIRE	BALANCE	GEMEAUX	BELIER	LION	SCORPION	SAGITTAIRE	BALANCE	0 CAPRICORNE
5 DECEMBRE	SAGITTAIRE	BALANCE	GEMEAUX	BELIER	LION	SCORPION	SAGITTAIRE	BALANCE	14 CAPRICORNE
6 DECEMBRE	SAGITTAIRE	BALANCE	GEMEAUX	BELIER	LION	SCORPION	SAGITTAIRE	BALANCE	27 CAPRICORNE
7 DECEMBRE	SAGITTAIRE	SCORPION	GEMEAUX	BELIER	LION	SCORPION	SAGITTAIRE	BALANCE	10 VERSEAU
8 DECEMBRE	SAGITTAIRE	SCORPION	GEMEAUX	BELIER	LION	SCORPION	SAGITTAIRE	BALANCE	22 VERSEAU
9 DECEMBRE	SAGITTAIRE	SCORPION	GEMEAUX	BELIER	LION	SCORPION	SAGITTAIRE	BALANCE	4 POISSONS
10 DECEMBRE	SAGITTAIRE	SCORPION	GEMEAUX	BELIER	LION	SCORPION	SAGITTAIRE	BALANCE	16 POISSONS
11 DECEMBRE	SAGITTAIRE	SCORPION	GEMEAUX	BELIER	LION	SCORPION	SAGITTAIRE	BALANCE	28 POISSONS
12 DECEMBRE	SAGITTAIRE	SCORPION	GEMEAUX	BELIER	LION	SCORPION	SAGITTAIRE	BALANCE	10 BELIER
13 DECEMBRE	SAGITTAIRE	SCORPION	GEMEAUX	BELIER	LION	SCORPION	SAGITTAIRE	BALANCE	22 BELIER
14 DECEMBRE	CAPRICORNE	SCORPION	GEMEAUX	BELIER	LION	SCORPION	SAGITTAIRE	BALANCE	4 TAUREAU
15 DECEMBRE	CAPRICORNE	SCORPION	GEMEAUX	BELIER	LION	SCORPION	SAGITTAIRE	BALANCE	16 TAUREAU
16 DECEMBRE	CAPRICORNE	SCORPION	GEMEAUX	BELIER	LION	SCORPION	SAGITTAIRE	BALANCE	29 TAUREAU
17 DECEMBRE	CAPRICORNE	SCORPION	GEMEAUX	BELIER	LION	SCORPION	SAGITTAIRE	BALANCE	11 GEMEAUX
18 DECEMBRE	CAPRICORNE	SCORPION	GEMEAUX	BELIER	LION	SCORPION	SAGITTAIRE	BALANCE	24 GEMEAUX
19 DECEMBRE	CAPRICORNE	SCORPION	GEMEAUX	BELIER	LION	SCORPION	SAGITTAIRE	BALANCE	8 CANCER
20 DECEMBRE	CAPRICORNE	SCORPION	GEMEAUX	BELIER	LION	SCORPION	SAGITTAIRE	BALANCE	21 CANCER
21 DECEMBRE	CAPRICORNE	SCORPION	GEMEAUX	BELIER	LION	SCORPION	SAGITTAIRE	BALANCE	5 LION
22 DECEMBRE	CAPRICORNE	SCORPION	GEMEAUX	BELIER	LION	SCORPION	SAGITTAIRE	BALANCE	19 LION

	ENTRE DANS LE SIGNE DU		LE 22 NOVEMBRE		A 22 h 15				
LE SOLEIL		SAGITTAIRE		1975		✱ LES CHIFFRES INDIQUENT LES DEGRES			
	QUITTE LE SIGNE DU		LE 22 DECEMBRE		A 11 h 30				

DECOUVREZ DANS QUEL SIGNE SE TROUVAIENT LES PLANETES A VOTRE NAISSANCE

1976	MERCURE	VENUS	MARS	JUPITER	SATURNE	URANUS	NEPTUNE	PLUTON	LUNE ∗
22 NOVEMBRE	SAGITTAIRE	CAPRICORNE	SAGITTAIRE	TAUREAU	LION	SCORPION	SAGITTAIRE	BALANCE	12 SAGITTAIRE
23 NOVEMBRE	SAGITTAIRE	CAPRICORNE	SAGITTAIRE	TAUREAU	LION	SCORPION	SAGITTAIRE	BALANCE	27 SAGITTAIRE
24 NOVEMBRE	SAGITTAIRE	CAPRICORNE	SAGITTAIRE	TAUREAU	LION	SCORPION	SAGITTAIRE	BALANCE	12 CAPRICORNE
25 NOVEMBRE	SAGITTAIRE	CAPRICORNE	SAGITTAIRE	TAUREAU	LION	SCORPION	SAGITTAIRE	BALANCE	26 CAPRICORNE
26 NOVEMBRE	SAGITTAIRE	CAPRICORNE	SAGITTAIRE	TAUREAU	LION	SCORPION	SAGITTAIRE	BALANCE	10 VERSEAU
27 NOVEMBRE	SAGITTAIRE	CAPRICORNE	SAGITTAIRE	TAUREAU	LION	SCORPION	SAGITTAIRE	BALANCE	23 VERSEAU
28 NOVEMBRE	SAGITTAIRE	CAPRICORNE	SAGITTAIRE	TAUREAU	LION	SCORPION	SAGITTAIRE	BALANCE	6 POISSONS
29 NOVEMBRE	SAGITTAIRE	CAPRICORNE	SAGITTAIRE	TAUREAU	LION	SCORPION	SAGITTAIRE	BALANCE	18 POISSONS
30 NOVEMBRE	SAGITTAIRE	CAPRICORNE	SAGITTAIRE	TAUREAU	LION	SCORPION	SAGITTAIRE	BALANCE	0 BELIER
1 DECEMBRE	SAGITTAIRE	CAPRICORNE	SAGITTAIRE	TAUREAU	LION	SCORPION	SAGITTAIRE	BALANCE	12 BELIER
2 DECEMBRE	SAGITTAIRE	CAPRICORNE	SAGITTAIRE	TAUREAU	LION	SCORPION	SAGITTAIRE	BALANCE	24 BELIER
3 DECEMBRE	SAGITTAIRE	CAPRICORNE	SAGITTAIRE	TAUREAU	LION	SCORPION	SAGITTAIRE	BALANCE	6 TAUREAU
4 DECEMBRE	SAGITTAIRE	CAPRICORNE	SAGITTAIRE	TAUREAU	LION	SCORPION	SAGITTAIRE	BALANCE	17 TAUREAU
5 DECEMBRE	SAGITTAIRE	CAPRICORNE	SAGITTAIRE	TAUREAU	LION	SCORPION	SAGITTAIRE	BALANCE	29 TAUREAU
6 DECEMBRE	CAPRICORNE	CAPRICORNE	SAGITTAIRE	TAUREAU	LION	SCORPION	SAGITTAIRE	BALANCE	11 GEMEAUX
7 DECEMBRE	CAPRICORNE	CAPRICORNE	SAGITTAIRE	TAUREAU	LION	SCORPION	SAGITTAIRE	BALANCE	23 GEMEAUX
8 DECEMBRE	CAPRICORNE	CAPRICORNE	SAGITTAIRE	TAUREAU	LION	SCORPION	SAGITTAIRE	BALANCE	6 CANCER
9 DECEMBRE	CAPRICORNE	CAPRICORNE	SAGITTAIRE	TAUREAU	LION	SCORPION	SAGITTAIRE	BALANCE	18 CANCER
10 DECEMBRE	CAPRICORNE	VERSEAU	SAGITTAIRE	TAUREAU	LION	SCORPION	SAGITTAIRE	BALANCE	1 LION
11 DECEMBRE	CAPRICORNE	VERSEAU	SAGITTAIRE	TAUREAU	LION	SCORPION	SAGITTAIRE	BALANCE	13 LION
12 DECEMBRE	CAPRICORNE	VERSEAU	SAGITTAIRE	TAUREAU	LION	SCORPION	SAGITTAIRE	BALANCE	26 LION
13 DECEMBRE	CAPRICORNE	VERSEAU	SAGITTAIRE	TAUREAU	LION	SCORPION	SAGITTAIRE	BALANCE	10 VIERGE
14 DECEMBRE	CAPRICORNE	VERSEAU	SAGITTAIRE	TAUREAU	LION	SCORPION	SAGITTAIRE	BALANCE	23 VIERGE
15 DECEMBRE	CAPRICORNE	VERSEAU	SAGITTAIRE	TAUREAU	LION	SCORPION	SAGITTAIRE	BALANCE	7 BALANCE
16 DECEMBRE	CAPRICORNE	VERSEAU	SAGITTAIRE	TAUREAU	LION	SCORPION	SAGITTAIRE	BALANCE	21 BALANCE
17 DECEMBRE	CAPRICORNE	VERSEAU	SAGITTAIRE	TAUREAU	LION	SCORPION	SAGITTAIRE	BALANCE	6 SCORPION
18 DECEMBRE	CAPRICORNE	VERSEAU	SAGITTAIRE	TAUREAU	LION	SCORPION	SAGITTAIRE	BALANCE	20 SCORPION
19 DECEMBRE	CAPRICORNE	VERSEAU	SAGITTAIRE	TAUREAU	LION	SCORPION	SAGITTAIRE	BALANCE	5 SAGITTAIRE
20 DECEMBRE	CAPRICORNE	VERSEAU	SAGITTAIRE	TAUREAU	LION	SCORPION	SAGITTAIRE	BALANCE	20 SAGITTAIRE
21 DECEMBRE	CAPRICORNE	VERSEAU	SAGITTAIRE	TAUREAU	LION	SCORPION	SAGITTAIRE	BALANCE	5 CAPRICORNE

	ENTRE DANS LE SIGNE DU		LE 22 NOVEMBRE	A 4 h 00	
LE SOLEIL		SAGITTAIRE	1976	∗ LES CHIFFRES INDIQUENT LES DEGRES	
	QUITTE LE SIGNE DU		LE 21 DECEMBRE	A 16 h 50	

1977	MERCURE	VENUS	MARS	JUPITER	SATURNE	URANUS	NEPTUNE	PLUTON	LUNE ∗
22 NOVEMBRE	SAGITTAIRE	SCORPION	LION	CANCER	VIERGE	SCORPION	SAGITTAIRE	BALANCE	24 BELIER
23 NOVEMBRE	SAGITTAIRE	SCORPION	LION	CANCER	VIERGE	SCORPION	SAGITTAIRE	BALANCE	6 TAUREAU
24 NOVEMBRE	SAGITTAIRE	SCORPION	LION	CANCER	VIERGE	SCORPION	SAGITTAIRE	BALANCE	18 TAUREAU
25 NOVEMBRE	SAGITTAIRE	SCORPION	LION	CANCER	VIERGE	SCORPION	SAGITTAIRE	BALANCE	0 GEMEAUX
26 NOVEMBRE	SAGITTAIRE	SCORPION	LION	CANCER	VIERGE	SCORPION	SAGITTAIRE	BALANCE	12 GEMEAUX
27 NOVEMBRE	SAGITTAIRE	SCORPION	LION	CANCER	VIERGE	SCORPION	SAGITTAIRE	BALANCE	24 GEMEAUX
28 NOVEMBRE	SAGITTAIRE	SCORPION	LION	CANCER	VIERGE	SCORPION	SAGITTAIRE	BALANCE	6 CANCER
29 NOVEMBRE	SAGITTAIRE	SCORPION	LION	CANCER	VIERGE	SCORPION	SAGITTAIRE	BALANCE	18 CANCER
30 NOVEMBRE	SAGITTAIRE	SCORPION	LION	CANCER	VIERGE	SCORPION	SAGITTAIRE	BALANCE	0 LION
1 DECEMBRE	CAPRICORNE	SCORPION	LION	CANCER	VIERGE	SCORPION	SAGITTAIRE	BALANCE	12 LION
2 DECEMBRE	CAPRICORNE	SCORPION	LION	CANCER	VIERGE	SCORPION	SAGITTAIRE	BALANCE	24 LION
3 DECEMBRE	CAPRICORNE	SCORPION	LION	CANCER	VIERGE	SCORPION	SAGITTAIRE	BALANCE	6 VIERGE
4 DECEMBRE	CAPRICORNE	SAGITTAIRE	LION	CANCER	VIERGE	SCORPION	SAGITTAIRE	BALANCE	19 VIERGE
5 DECEMBRE	CAPRICORNE	SAGITTAIRE	LION	CANCER	VIERGE	SCORPION	SAGITTAIRE	BALANCE	2 BALANCE
6 DECEMBRE	CAPRICORNE	SAGITTAIRE	LION	CANCER	VIERGE	SCORPION	SAGITTAIRE	BALANCE	16 BALANCE
7 DECEMBRE	CAPRICORNE	SAGITTAIRE	LION	CANCER	VIERGE	SCORPION	SAGITTAIRE	BALANCE	0 SCORPION
8 DECEMBRE	CAPRICORNE	SAGITTAIRE	LION	CANCER	VIERGE	SCORPION	SAGITTAIRE	BALANCE	14 SCORPION
9 DECEMBRE	CAPRICORNE	SAGITTAIRE	LION	CANCER	VIERGE	SCORPION	SAGITTAIRE	BALANCE	29 SCORPION
10 DECEMBRE	CAPRICORNE	SAGITTAIRE	LION	CANCER	VIERGE	SCORPION	SAGITTAIRE	BALANCE	15 SAGITTAIRE
11 DECEMBRE	CAPRICORNE	SAGITTAIRE	LION	CANCER	VIERGE	SCORPION	SAGITTAIRE	BALANCE	0 CAPRICORNE
12 DECEMBRE	CAPRICORNE	SAGITTAIRE	LION	CANCER	VIERGE	SCORPION	SAGITTAIRE	BALANCE	15 CAPRICORNE
13 DECEMBRE	CAPRICORNE	SAGITTAIRE	LION	CANCER	VIERGE	SCORPION	SAGITTAIRE	BALANCE	0 VERSEAU
14 DECEMBRE	CAPRICORNE	SAGITTAIRE	LION	CANCER	VIERGE	SCORPION	SAGITTAIRE	BALANCE	15 VERSEAU
15 DECEMBRE	CAPRICORNE	SAGITTAIRE	LION	CANCER	VIERGE	SCORPION	SAGITTAIRE	BALANCE	29 VERSEAU
16 DECEMBRE	CAPRICORNE	SAGITTAIRE	LION	CANCER	VIERGE	SCORPION	SAGITTAIRE	BALANCE	13 POISSONS
17 DECEMBRE	CAPRICORNE	SAGITTAIRE	LION	CANCER	VIERGE	SCORPION	SAGITTAIRE	BALANCE	26 POISSONS
18 DECEMBRE	CAPRICORNE	SAGITTAIRE	LION	CANCER	VIERGE	SCORPION	SAGITTAIRE	BALANCE	9 BELIER
19 DECEMBRE	CAPRICORNE	SAGITTAIRE	LION	CANCER	VIERGE	SCORPION	SAGITTAIRE	BALANCE	21 BELIER
20 DECEMBRE	CAPRICORNE	SAGITTAIRE	LION	CANCER	VIERGE	SCORPION	SAGITTAIRE	BALANCE	3 TAUREAU
21 DECEMBRE	SAGITTAIRE	SAGITTAIRE	LION	CANCER	VIERGE	SCORPION	SAGITTAIRE	BALANCE	15 TAUREAU

	ENTRE DANS LE SIGNE DU		LE 22 NOVEMBRE	A 9 h 50	
LE SOLEIL		SAGITTAIRE	1977	∗ LES CHIFFRES INDIQUENT LES DEGRES	
	QUITTE LE SIGNE DU		LE 21 DECEMBRE	A 23 h 10	

DECOUVREZ DANS QUEL SIGNE SE TROUVAIENT LES PLANETES
A VOTRE NAISSANCE

1978	MERCURE	VENUS	MARS	JUPITER	SATURNE	URANUS	NEPTUNE	PLUTON	LUNE ✱
22 NOVEMBRE	SAGITTAIRE	SCORPION	SAGITTAIRE	LION	VIERGE	SCORPION	SAGITTAIRE	BALANCE	25 LION
23 NOVEMBRE	SAGITTAIRE	SCORPION	SAGITTAIRE	LION	VIERGE	SCORPION	SAGITTAIRE	BALANCE	7 VIERGE
24 NOVEMBRE	SAGITTAIRE	SCORPION	SAGITTAIRE	LION	VIERGE	SCORPION	SAGITTAIRE	BALANCE	19 VIERGE
25 NOVEMBRE	SAGITTAIRE	SCORPION	SAGITTAIRE	LION	VIERGE	SCORPION	SAGITTAIRE	BALANCE	2 BALANCE
26 NOVEMBRE	SAGITTAIRE	SCORPION	SAGITTAIRE	LION	VIERGE	SCORPION	SAGITTAIRE	BALANCE	14 BALANCE
27 NOVEMBRE	SAGITTAIRE	SCORPION	SAGITTAIRE	LION	VIERGE	SCORPION	SAGITTAIRE	BALANCE	28 BALANCE
28 NOVEMBRE	SAGITTAIRE	SCORPION	SAGITTAIRE	LION	VIERGE	SCORPION	SAGITTAIRE	BALANCE	11 SCORPION
29 NOVEMBRE	SAGITTAIRE	SCORPION	SAGITTAIRE	LION	VIERGE	SCORPION	SAGITTAIRE	BALANCE	25 SCORPION
30 NOVEMBRE	SAGITTAIRE	SCORPION	SAGITTAIRE	LION	VIERGE	SCORPION	SAGITTAIRE	BALANCE	10 SAGITTAIRE
1 DECEMBRE	SAGITTAIRE	SCORPION	SAGITTAIRE	LION	VIERGE	SCORPION	SAGITTAIRE	BALANCE	24 SAGITTAIRE
2 DECEMBRE	SAGITTAIRE	SCORPION	SAGITTAIRE	LION	VIERGE	SCORPION	SAGITTAIRE	BALANCE	9 CAPRICORNE
3 DECEMBRE	SAGITTAIRE	SCORPION	SAGITTAIRE	LION	VIERGE	SCORPION	SAGITTAIRE	BALANCE	24 CAPRICORNE
4 DECEMBRE	SAGITTAIRE	SCORPION	SAGITTAIRE	LION	VIERGE	SCORPION	SAGITTAIRE	BALANCE	8 VERSEAU
5 DECEMBRE	SAGITTAIRE	SCORPION	SAGITTAIRE	LION	VIERGE	SCORPION	SAGITTAIRE	BALANCE	23 VERSEAU
6 DECEMBRE	SAGITTAIRE	SCORPION	SAGITTAIRE	LION	VIERGE	SCORPION	SAGITTAIRE	BALANCE	7 POISSONS
7 DECEMBRE	SAGITTAIRE	SCORPION	SAGITTAIRE	LION	VIERGE	SCORPION	SAGITTAIRE	BALANCE	21 POISSONS
8 DECEMBRE	SAGITTAIRE	SCORPION	SAGITTAIRE	LION	VIERGE	SCORPION	SAGITTAIRE	BALANCE	4 BELIER
9 DECEMBRE	SAGITTAIRE	SCORPION	SAGITTAIRE	LION	VIERGE	SCORPION	SAGITTAIRE	BALANCE	18 BELIER
10 DECEMBRE	SAGITTAIRE	SCORPION	SAGITTAIRE	LION	VIERGE	SCORPION	SAGITTAIRE	BALANCE	1 TAUREAU
11 DECEMBRE	SAGITTAIRE	SCORPION	SAGITTAIRE	LION	VIERGE	SCORPION	SAGITTAIRE	BALANCE	14 TAUREAU
12 DECEMBRE	SAGITTAIRE	SCORPION	SAGITTAIRE	LION	VIERGE	SCORPION	SAGITTAIRE	BALANCE	27 TAUREAU
13 DECEMBRE	SAGITTAIRE	SCORPION	CAPRICORNE	LION	VIERGE	SCORPION	SAGITTAIRE	BALANCE	9 GEMEAUX
14 DECEMBRE	SAGITTAIRE	SCORPION	CAPRICORNE	LION	VIERGE	SCORPION	SAGITTAIRE	BALANCE	22 GEMEAUX
15 DECEMBRE	SAGITTAIRE	SCORPION	CAPRICORNE	LION	VIERGE	SCORPION	SAGITTAIRE	BALANCE	4 CANCER
16 DECEMBRE	SAGITTAIRE	SCORPION	CAPRICORNE	LION	VIERGE	SCORPION	SAGITTAIRE	BALANCE	16 CANCER
17 DECEMBRE	SAGITTAIRE	SCORPION	CAPRICORNE	LION	VIERGE	SCORPION	SAGITTAIRE	BALANCE	28 CANCER
18 DECEMBRE	SAGITTAIRE	SCORPION	CAPRICORNE	LION	VIERGE	SCORPION	SAGITTAIRE	BALANCE	10 LION
19 DECEMBRE	SAGITTAIRE	SCORPION	CAPRICORNE	LION	VIERGE	SCORPION	SAGITTAIRE	BALANCE	22 LION
20 DECEMBRE	SAGITTAIRE	SCORPION	CAPRICORNE	LION	VIERGE	SCORPION	SAGITTAIRE	BALANCE	3 VIERGE
21 DECEMBRE	SAGITTAIRE	SCORPION	CAPRICORNE	LION	VIERGE	SCORPION	SAGITTAIRE	BALANCE	15 VIERGE
22 DECEMBRE	SAGITTAIRE	SCORPION	CAPRICORNE	LION	VIERGE	SCORPION	SAGITTAIRE	BALANCE	27 VIERGE

	ENTRE DANS LE SIGNE DU		LE 22 NOVEMBRE		A 15 h 50		
LE SOLEIL		SAGITTAIRE		1978		✱ LES CHIFFRES INDIQUENT LES DEGRES	
	QUITTE LE SIGNE DU		LE 22 DECEMBRE		A 5 h 00		

1979	MERCURE	VENUS	MARS	JUPITER	SATURNE	URANUS	NEPTUNE	PLUTON	LUNE ✱
22 NOVEMBRE	SCORPION	SAGITTAIRE	VIERGE	VIERGE	VIERGE	SCORPION	SAGITTAIRE	BALANCE	3 CAPRICORNE
23 NOVEMBRE	SCORPION	SAGITTAIRE	VIERGE	VIERGE	VIERGE	SCORPION	SAGITTAIRE	BALANCE	17 CAPRICORNE
24 NOVEMBRE	SCORPION	SAGITTAIRE	VIERGE	VIERGE	VIERGE	SCORPION	SAGITTAIRE	BALANCE	0 VERSEAU
25 NOVEMBRE	SCORPION	SAGITTAIRE	VIERGE	VIERGE	VIERGE	SCORPION	SAGITTAIRE	BALANCE	14 VERSEAU
26 NOVEMBRE	SCORPION	SAGITTAIRE	VIERGE	VIERGE	VIERGE	SCORPION	SAGITTAIRE	BALANCE	28 VERSEAU
27 NOVEMBRE	SCORPION	SAGITTAIRE	VIERGE	VIERGE	VIERGE	SCORPION	SAGITTAIRE	BALANCE	12 POISSONS
28 NOVEMBRE	SCORPION	SAGITTAIRE	VIERGE	VIERGE	VIERGE	SCORPION	SAGITTAIRE	BALANCE	27 POISSONS
29 NOVEMBRE	SCORPION	CAPRICORNE	VIERGE	VIERGE	VIERGE	SCORPION	SAGITTAIRE	BALANCE	11 BELIER
30 NOVEMBRE	SCORPION	CAPRICORNE	VIERGE	VIERGE	VIERGE	SCORPION	SAGITTAIRE	BALANCE	25 BELIER
1 DECEMBRE	SCORPION	CAPRICORNE	VIERGE	VIERGE	VIERGE	SCORPION	SAGITTAIRE	BALANCE	9 TAUREAU
2 DECEMBRE	SCORPION	CAPRICORNE	VIERGE	VIERGE	VIERGE	SCORPION	SAGITTAIRE	BALANCE	23 TAUREAU
3 DECEMBRE	SCORPION	CAPRICORNE	VIERGE	VIERGE	VIERGE	SCORPION	SAGITTAIRE	BALANCE	7 GEMEAUX
4 DECEMBRE	SCORPION	CAPRICORNE	VIERGE	VIERGE	VIERGE	SCORPION	SAGITTAIRE	BALANCE	21 GEMEAUX
5 DECEMBRE	SCORPION	CAPRICORNE	VIERGE	VIERGE	VIERGE	SCORPION	SAGITTAIRE	BALANCE	4 CANCER
6 DECEMBRE	SCORPION	CAPRICORNE	VIERGE	VIERGE	VIERGE	SCORPION	SAGITTAIRE	BALANCE	17 CANCER
7 DECEMBRE	SCORPION	CAPRICORNE	VIERGE	VIERGE	VIERGE	SCORPION	SAGITTAIRE	BALANCE	0 LION
8 DECEMBRE	SCORPION	CAPRICORNE	VIERGE	VIERGE	VIERGE	SCORPION	SAGITTAIRE	BALANCE	12 LION
9 DECEMBRE	SCORPION	CAPRICORNE	VIERGE	VIERGE	VIERGE	SCORPION	SAGITTAIRE	BALANCE	24 LION
10 DECEMBRE	SCORPION	CAPRICORNE	VIERGE	VIERGE	VIERGE	SCORPION	SAGITTAIRE	BALANCE	6 VIERGE
11 DECEMBRE	SCORPION	CAPRICORNE	VIERGE	VIERGE	VIERGE	SCORPION	SAGITTAIRE	BALANCE	18 VIERGE
12 DECEMBRE	SCORPION	CAPRICORNE	VIERGE	VIERGE	VIERGE	SCORPION	SAGITTAIRE	BALANCE	29 VIERGE
13 DECEMBRE	SAGITTAIRE	CAPRICORNE	VIERGE	VIERGE	VIERGE	SCORPION	SAGITTAIRE	BALANCE	11 BALANCE
14 DECEMBRE	SAGITTAIRE	CAPRICORNE	VIERGE	VIERGE	VIERGE	SCORPION	SAGITTAIRE	BALANCE	23 BALANCE
15 DECEMBRE	SAGITTAIRE	CAPRICORNE	VIERGE	VIERGE	VIERGE	SCORPION	SAGITTAIRE	BALANCE	6 SCORPION
16 DECEMBRE	SAGITTAIRE	CAPRICORNE	VIERGE	VIERGE	VIERGE	SCORPION	SAGITTAIRE	BALANCE	18 SCORPION
17 DECEMBRE	SAGITTAIRE	CAPRICORNE	VIERGE	VIERGE	VIERGE	SCORPION	SAGITTAIRE	BALANCE	2 SAGITTAIRE
18 DECEMBRE	SAGITTAIRE	CAPRICORNE	VIERGE	VIERGE	VIERGE	SCORPION	SAGITTAIRE	BALANCE	15 SAGITTAIRE
19 DECEMBRE	SAGITTAIRE	CAPRICORNE	VIERGE	VIERGE	VIERGE	SCORPION	SAGITTAIRE	BALANCE	29 SAGITTAIRE
20 DECEMBRE	SAGITTAIRE	CAPRICORNE	VIERGE	VIERGE	VIERGE	SCORPION	SAGITTAIRE	BALANCE	12 CAPRICORNE
21 DECEMBRE	SAGITTAIRE	CAPRICORNE	VIERGE	VIERGE	VIERGE	SCORPION	SAGITTAIRE	BALANCE	27 CAPRICORNE
22 DECEMBRE	SAGITTAIRE	CAPRICORNE	VIERGE	VIERGE	VIERGE	SCORPION	SAGITTAIRE	BALANCE	11 VERSEAU

	ENTRE DANS LE SIGNE DU		LE 22 NOVEMBRE		A 21 h 15		
LE SOLEIL		SAGITTAIRE		1979		✱ LES CHIFFRES INDIQUENT LES DEGRES	
	QUITTE LE SIGNE DU		LE 22 DECEMBRE		A 11 h 00		

1980	MERCURE	VENUS	MARS	JUPITER	SATURNE	URANUS	NEPTUNE	PLUTON	LUNE *
22 NOVEMBRE	SCORPION	BALANCE	CAPRICORNE	BALANCE	BALANCE	SCORPION	SAGITTAIRE	BALANCE	3 GEMEAUX
23 NOVEMBRE	SCORPION	BALANCE	CAPRICORNE	BALANCE	BALANCE	SCORPION	SAGITTAIRE	BALANCE	18 GEMEAUX
24 NOVEMBRE	SCORPION	SCORPION	CAPRICORNE	BALANCE	BALANCE	SCORPION	SAGITTAIRE	BALANCE	2 CANCER
25 NOVEMBRE	SCORPION	SCORPION	CAPRICORNE	BALANCE	BALANCE	SCORPION	SAGITTAIRE	BALANCE	16 CANCER
26 NOVEMBRE	SCORPION	SCORPION	CAPRICORNE	BALANCE	BALANCE	SCORPION	SAGITTAIRE	BALANCE	0 LION
27 NOVEMBRE	SCORPION	SCORPION	CAPRICORNE	BALANCE	BALANCE	SCORPION	SAGITTAIRE	BALANCE	13 LION
28 NOVEMBRE	SCORPION	SCORPION	CAPRICORNE	BALANCE	BALANCE	SCORPION	SAGITTAIRE	BALANCE	26 LION
29 NOVEMBRE	SCORPION	SCORPION	CAPRICORNE	BALANCE	BALANCE	SCORPION	SAGITTAIRE	BALANCE	8 VIERGE
30 NOVEMBRE	SCORPION	SCORPION	CAPRICORNE	BALANCE	BALANCE	SCORPION	SAGITTAIRE	BALANCE	20 VIERGE
1 DECEMBRE	SCORPION	SCORPION	CAPRICORNE	BALANCE	BALANCE	SCORPION	SAGITTAIRE	BALANCE	2 BALANCE
2 DECEMBRE	SCORPION	SCORPION	CAPRICORNE	BALANCE	BALANCE	SCORPION	SAGITTAIRE	BALANCE	14 BALANCE
3 DECEMBRE	SCORPION	SCORPION	CAPRICORNE	BALANCE	BALANCE	SCORPION	SAGITTAIRE	BALANCE	26 BALANCE
4 DECEMBRE	SCORPION	SCORPION	CAPRICORNE	BALANCE	BALANCE	SCORPION	SAGITTAIRE	BALANCE	8 SCORPION
5 DECEMBRE	SCORPION	SCORPION	CAPRICORNE	BALANCE	BALANCE	SCORPION	SAGITTAIRE	BALANCE	20 SCORPION
6 DECEMBRE	SAGITTAIRE	SCORPION	CAPRICORNE	BALANCE	BALANCE	SCORPION	SAGITTAIRE	BALANCE	2 SAGITTAIRE
7 DECEMBRE	SAGITTAIRE	SCORPION	CAPRICORNE	BALANCE	BALANCE	SCORPION	SAGITTAIRE	BALANCE	14 SAGITTAIRE
8 DECEMBRE	SAGITTAIRE	SCORPION	CAPRICORNE	BALANCE	BALANCE	SCORPION	SAGITTAIRE	BALANCE	26 SAGITTAIRE
9 DECEMBRE	SAGITTAIRE	SCORPION	CAPRICORNE	BALANCE	BALANCE	SCORPION	SAGITTAIRE	BALANCE	9 CAPRICORNE
10 DECEMBRE	SAGITTAIRE	SCORPION	CAPRICORNE	BALANCE	BALANCE	SCORPION	SAGITTAIRE	BALANCE	22 CAPRICORNE
11 DECEMBRE	SAGITTAIRE	SCORPION	CAPRICORNE	BALANCE	BALANCE	SCORPION	SAGITTAIRE	BALANCE	5 VERSEAU
12 DECEMBRE	SAGITTAIRE	SCORPION	CAPRICORNE	BALANCE	BALANCE	SCORPION	SAGITTAIRE	BALANCE	18 VERSEAU
13 DECEMBRE	SAGITTAIRE	SCORPION	CAPRICORNE	BALANCE	BALANCE	SCORPION	SAGITTAIRE	BALANCE	1 POISSONS
14 DECEMBRE	SAGITTAIRE	SCORPION	CAPRICORNE	BALANCE	BALANCE	SCORPION	SAGITTAIRE	BALANCE	15 POISSONS
15 DECEMBRE	SAGITTAIRE	SCORPION	CAPRICORNE	BALANCE	BALANCE	SCORPION	SAGITTAIRE	BALANCE	29 POISSONS
16 DECEMBRE	SAGITTAIRE	SCORPION	CAPRICORNE	BALANCE	BALANCE	SCORPION	SAGITTAIRE	BALANCE	13 BELIER
17 DECEMBRE	SAGITTAIRE	SCORPION	CAPRICORNE	BALANCE	BALANCE	SCORPION	SAGITTAIRE	BALANCE	27 BELIER
18 DECEMBRE	SAGITTAIRE	SAGITTAIRE	CAPRICORNE	BALANCE	BALANCE	SCORPION	SAGITTAIRE	BALANCE	12 TAUREAU
19 DECEMBRE	SAGITTAIRE	SAGITTAIRE	CAPRICORNE	BALANCE	BALANCE	SCORPION	SAGITTAIRE	BALANCE	27 TAUREAU
20 DECEMBRE	SAGITTAIRE	SAGITTAIRE	CAPRICORNE	BALANCE	BALANCE	SCORPION	SAGITTAIRE	BALANCE	11 GEMEAUX
21 DECEMBRE	SAGITTAIRE	SAGITTAIRE	CAPRICORNE	BALANCE	BALANCE	SCORPION	SAGITTAIRE	BALANCE	26 GEMEAUX

	ENTRE DANS LE SIGNE DU	LE 22 NOVEMBRE	A 3 h 15
LE SOLEIL	SAGITTAIRE	1980	* LES CHIFFRES INDIQUENT LES DEGRES
	QUITTE LE SIGNE DU	LE 21 DECEMBRE	A 16 h 40

1981	MERCURE	VENUS	MARS	JUPITER	SATURNE	URANUS	NEPTUNE	PLUTON	LUNE *
22 NOVEMBRE	SCORPION	CAPRICORNE	VIERGE	BALANCE	BALANCE	SAGITTAIRE	SAGITTAIRE	BALANCE	15 BALANCE
23 NOVEMBRE	SCORPION	CAPRICORNE	VIERGE	BALANCE	BALANCE	SAGITTAIRE	SAGITTAIRE	BALANCE	27 BALANCE
24 NOVEMBRE	SCORPION	CAPRICORNE	VIERGE	BALANCE	BALANCE	SAGITTAIRE	SAGITTAIRE	BALANCE	9 SCORPION
25 NOVEMBRE	SCORPION	CAPRICORNE	VIERGE	BALANCE	BALANCE	SAGITTAIRE	SAGITTAIRE	BALANCE	21 SCORPION
26 NOVEMBRE	SCORPION	CAPRICORNE	VIERGE	BALANCE	BALANCE	SAGITTAIRE	SAGITTAIRE	BALANCE	3 SAGITTAIRE
27 NOVEMBRE	SCORPION	CAPRICORNE	VIERGE	SCORPION	BALANCE	SAGITTAIRE	SAGITTAIRE	BALANCE	14 SAGITTAIRE
28 NOVEMBRE	SCORPION	CAPRICORNE	VIERGE	SCORPION	BALANCE	SAGITTAIRE	SAGITTAIRE	BALANCE	26 SAGITTAIRE
29 NOVEMBRE	SAGITTAIRE	CAPRICORNE	VIERGE	SCORPION	BALANCE	SAGITTAIRE	SAGITTAIRE	BALANCE	8 CAPRICORNE
30 NOVEMBRE	SAGITTAIRE	CAPRICORNE	VIERGE	SCORPION	BALANCE	SAGITTAIRE	SAGITTAIRE	BALANCE	20 CAPRICORNE
1 DECEMBRE	SAGITTAIRE	CAPRICORNE	VIERGE	SCORPION	BALANCE	SAGITTAIRE	SAGITTAIRE	BALANCE	2 VERSEAU
2 DECEMBRE	SAGITTAIRE	CAPRICORNE	VIERGE	SCORPION	BALANCE	SAGITTAIRE	SAGITTAIRE	BALANCE	14 VERSEAU
3 DECEMBRE	SAGITTAIRE	CAPRICORNE	VIERGE	SCORPION	BALANCE	SAGITTAIRE	SAGITTAIRE	BALANCE	27 VERSEAU
4 DECEMBRE	SAGITTAIRE	CAPRICORNE	VIERGE	SCORPION	BALANCE	SAGITTAIRE	SAGITTAIRE	BALANCE	10 POISSONS
5 DECEMBRE	SAGITTAIRE	CAPRICORNE	VIERGE	SCORPION	BALANCE	SAGITTAIRE	SAGITTAIRE	BALANCE	23 POISSONS
6 DECEMBRE	SAGITTAIRE	CAPRICORNE	VIERGE	SCORPION	BALANCE	SAGITTAIRE	SAGITTAIRE	BALANCE	7 BELIER
7 DECEMBRE	SAGITTAIRE	CAPRICORNE	VIERGE	SCORPION	BALANCE	SAGITTAIRE	SAGITTAIRE	BALANCE	21 BELIER
8 DECEMBRE	SAGITTAIRE	CAPRICORNE	VIERGE	SCORPION	BALANCE	SAGITTAIRE	SAGITTAIRE	BALANCE	5 TAUREAU
9 DECEMBRE	SAGITTAIRE	VERSEAU	VIERGE	SCORPION	BALANCE	SAGITTAIRE	SAGITTAIRE	BALANCE	20 TAUREAU
10 DECEMBRE	SAGITTAIRE	VERSEAU	VIERGE	SCORPION	BALANCE	SAGITTAIRE	SAGITTAIRE	BALANCE	6 GEMEAUX
11 DECEMBRE	SAGITTAIRE	VERSEAU	VIERGE	SCORPION	BALANCE	SAGITTAIRE	SAGITTAIRE	BALANCE	21 GEMEAUX
12 DECEMBRE	SAGITTAIRE	VERSEAU	VIERGE	SCORPION	BALANCE	SAGITTAIRE	SAGITTAIRE	BALANCE	6 CANCER
13 DECEMBRE	SAGITTAIRE	VERSEAU	VIERGE	SCORPION	BALANCE	SAGITTAIRE	SAGITTAIRE	BALANCE	21 CANCER
14 DECEMBRE	SAGITTAIRE	VERSEAU	VIERGE	SCORPION	BALANCE	SAGITTAIRE	SAGITTAIRE	BALANCE	6 LION
15 DECEMBRE	SAGITTAIRE	VERSEAU	VIERGE	SCORPION	BALANCE	SAGITTAIRE	SAGITTAIRE	BALANC6	20 LION
16 DECEMBRE	SAGITTAIRE	VERSEAU	BALANCE	SCORPION	BALANCE	SAGITTAIRE	SAGITTAIRE	BALANCE	3 VIERGE
17 DECEMBRE	SAGITTAIRE	VERSEAU	BALANCE	SCORPION	BALANCE	SAGITTAIRE	SAGITTAIRE	BALANCE	16 VIERGE
18 DECEMBRE	CAPRICORNE	VERSEAU	BALANCE	SCORPION	BALANCE	SAGITTAIRE	SAGITTAIRE	BALANCE	29 VIERGE
19 DECEMBRE	CAPRICORNE	VERSEAU	BALANCE	SCORPION	BALANCE	SAGITTAIRE	SAGITTAIRE	BALANCE	12 BALANCE
20 DECEMBRE	CAPRICORNE	VERSEAU	BALANCE	SCORPION	BALANCE	SAGITTAIRE	SAGITTAIRE	BALANCE	24 BALANCE
21 DECEMBRE	CAPRICORNE	VERSEAU	BALANCE	SCORPION	BALANCE	SAGITTAIRE	SAGITTAIRE	BALANCE	6 SCORPION

	ENTRE DANS LE SIGNE DU	LE 22 NOVEMBRE	A 9 h 30
LE SOLEIL	SAGITTAIRE	1981	* LES CHIFFRES INDIQUENT LES DEGRES
	QUITTE LE SIGNE DU	LE 21 DECEMBRE	A 22 h 30

DECOUVREZ DANS QUEL SIGNE SE TROUVAIENT LES PLANETES A VOTRE NAISSANCE

1982	MERCURE	VENUS	MARS	JUPITER	SATURNE	URANUS	NEPTUNE	PLUTON	LUNE *
22 NOVEMBRE	SAGITTAIRE	SAGITTAIRE	CAPRICORNE	SCORPION	BALANCE	SAGITTAIRE	SAGITTAIRE	BALANCE	15 VERSEAU
23 NOVEMBRE	SAGITTAIRE	SAGITTAIRE	CAPRICORNE	SCORPION	BALANCE	SAGITTAIRE	SAGITTAIRE	BALANCE	27 VERSEAU
24 NOVEMBRE	SAGITTAIRE	SAGITTAIRE	CAPRICORNE	SCORPION	BALANCE	SAGITTAIRE	SAGITTAIRE	BALANCE	9 POISSONS
25 NOVEMBRE	SAGITTAIRE	SAGITTAIRE	CAPRICORNE	SCORPION	BALANCE	SAGITTAIRE	SAGITTAIRE	BALANCE	22 POISSONS
26 NOVEMBRE	SAGITTAIRE	SAGITTAIRE	CAPRICORNE	SCORPION	BALANCE	SAGITTAIRE	SAGITTAIRE	BALANCE	4 BELIER
27 NOVEMBRE	SAGITTAIRE	SAGITTAIRE	CAPRICORNE	SCORPION	BALANCE	SAGITTAIRE	SAGITTAIRE	BALANCE	18 BELIER
28 NOVEMBRE	SAGITTAIRE	SAGITTAIRE	CAPRICORNE	SCORPION	BALANCE	SAGITTAIRE	SAGITTAIRE	BALANCE	2 TAUREAU
29 NOVEMBRE	SAGITTAIRE	SAGITTAIRE	CAPRICORNE	SCORPION	SCORPION	SAGITTAIRE	SAGITTAIRE	BALANCE	16 TAUREAU
30 NOVEMBRE	SAGITTAIRE	SAGITTAIRE	CAPRICORNE	SCORPION	SCORPION	SAGITTAIRE	SAGITTAIRE	BALANCE	1 GEMEAUX
1 DECEMBRE	SAGITTAIRE	SAGITTAIRE	CAPRICORNE	SCORPION	SCORPION	SAGITTAIRE	SAGITTAIRE	BALANCE	15 GEMEAUX
2 DECEMBRE	SAGITTAIRE	SAGITTAIRE	CAPRICORNE	SCORPION	SCORPION	SAGITTAIRE	SAGITTAIRE	BALANCE	0 CANCER
3 DECEMBRE	SAGITTAIRE	SAGITTAIRE	CAPRICORNE	SCORPION	SCORPION	SAGITTAIRE	SAGITTAIRE	BALANCE	15 CANCER
4 DECEMBRE	SAGITTAIRE	SAGITTAIRE	CAPRICORNE	SCORPION	SCORPION	SAGITTAIRE	SAGITTAIRE	BALANCE	0 LION
5 DECEMBRE	SAGITTAIRE	SAGITTAIRE	CAPRICORNE	SCORPION	SCORPION	SAGITTAIRE	SAGITTAIRE	BALANCE	15 LION
6 DECEMBRE	SAGITTAIRE	SAGITTAIRE	CAPRICORNE	SCORPION	SCORPION	SAGITTAIRE	SAGITTAIRE	BALANCE	29 LION
7 DECEMBRE	SAGITTAIRE	SAGITTAIRE	CAPRICORNE	SCORPION	SCORPION	SAGITTAIRE	SAGITTAIRE	BALANCE	13 VIERGE
8 DECEMBRE	SAGITTAIRE	SAGITTAIRE	CAPRICORNE	SCORPION	SCORPION	SAGITTAIRE	SAGITTAIRE	BALANCE	26 VIERGE
9 DECEMBRE	SAGITTAIRE	SAGITTAIRE	CAPRICORNE	SCORPION	SCORPION	SAGITTAIRE	SAGITTAIRE	BALANCE	9 BALANCE
10 DECEMBRE	SAGITTAIRE	SAGITTAIRE	VERSEAU	SCORPION	SCORPION	SAGITTAIRE	SAGITTAIRE	BALANCE	22 BALANCE
11 DECEMBRE	CAPRICORNE	SAGITTAIRE	VERSEAU	SCORPION	SCORPION	SAGITTAIRE	SAGITTAIRE	BALANCE	5 SCORPION
12 DECEMBRE	CAPRICORNE	SAGITTAIRE	VERSEAU	SCORPION	SCORPION	SAGITTAIRE	SAGITTAIRE	BALANCE	18 SCORPION
13 DECEMBRE	CAPRICORNE	CAPRICORNE	VERSEAU	SCORPION	SCORPION	SAGITTAIRE	SAGITTAIRE	BALANCE	0 SAGITTAIRE
14 DECEMBRE	CAPRICORNE	CAPRICORNE	VERSEAU	SCORPION	SCORPION	SAGITTAIRE	SAGITTAIRE	BALANCE	12 SAGITTAIRE
15 DECEMBRE	CAPRICORNE	CAPRICORNE	VERSEAU	SCORPION	SCORPION	SAGITTAIRE	SAGITTAIRE	BALANCE	24 SAGITTAIRE
16 DECEMBRE	CAPRICORNE	CAPRICORNE	VERSEAU	SCORPION	SCORPION	SAGITTAIRE	SAGITTAIRE	BALANCE	6 CAPRICORNE
17 DECEMBRE	CAPRICORNE	CAPRICORNE	VERSEAU	SCORPION	SCORPION	SAGITTAIRE	SAGITTAIRE	BALANCE	18 CAPRICORNE
18 DECEMBRE	CAPRICORNE	CAPRICORNE	VERSEAU	SCORPION	SCORPION	SAGITTAIRE	SAGITTAIRE	BALANCE	0 VERSEAU
19 DECEMBRE	CAPRICORNE	CAPRICORNE	VERSEAU	SCORPION	SCORPION	SAGITTAIRE	SAGITTAIRE	BALANCE	11 VERSEAU
20 DECEMBRE	CAPRICORNE	CAPRICORNE	VERSEAU	SCORPION	SCORPION	SAGITTAIRE	SAGITTAIRE	BALANCE	23 VERSEAU
21 DECEMBRE	CAPRICORNE	CAPRICORNE	VERSEAU	SCORPION	SCORPION	SAGITTAIRE	SAGITTAIRE	BALANCE	5 POISSONS
22 DECEMBRE	CAPRICORNE	CAPRICORNE	VERSEAU	SCORPION	SCORPION	SAGITTAIRE	SAGITTAIRE	BALANCE	17 POISSONS

LE SOLEIL — ENTRE DANS LE SIGNE DU SAGITTAIRE LE 22 NOVEMBRE 1982 A 15 h 00

QUITTE LE SIGNE DU LE 22 DECEMBRE A 4 h 15

* LES CHIFFRES INDIQUENT LES DEGRES

1983	MERCURE	VENUS	MARS	JUPITER	SATURNE	URANUS	NEPTUNE	PLUTON	LUNE *
22 NOVEMBRE	SAGITTAIRE	BALANCE	BALANCE	SAGITTAIRE	SCORPION	SAGITTAIRE	SAGITTAIRE	SCORPION	24 GEMEAUX
23 NOVEMBRE	SAGITTAIRE	BALANCE	BALANCE	SAGITTAIRE	SCORPION	SAGITTAIRE	SAGITTAIRE	SCORPION	8 CANCER
24 NOVEMBRE	SAGITTAIRE	BALANCE	BALANCE	SAGITTAIRE	SCORPION	SAGITTAIRE	SAGITTAIRE	SCORPION	22 CANCER
25 NOVEMBRE	SAGITTAIRE	BALANCE	BALANCE	SAGITTAIRE	SCORPION	SAGITTAIRE	SAGITTAIRE	SCORPION	7 LION
26 NOVEMBRE	SAGITTAIRE	BALANCE	BALANCE	SAGITTAIRE	SCORPION	SAGITTAIRE	SAGITTAIRE	SCORPION	21 LION
27 NOVEMBRE	SAGITTAIRE	BALANCE	BALANCE	SAGITTAIRE	SCORPION	SAGITTAIRE	SAGITTAIRE	SCORPION	5 VIERGE
28 NOVEMBRE	SAGITTAIRE	BALANCE	BALANCE	SAGITTAIRE	SCORPION	SAGITTAIRE	SAGITTAIRE	SCORPION	19 VIERGE
29 NOVEMBRE	SAGITTAIRE	BALANCE	BALANCE	SAGITTAIRE	SCORPION	SAGITTAIRE	SAGITTAIRE	SCORPION	3 BALANCE
30 NOVEMBRE	SAGITTAIRE	BALANCE	BALANCE	SAGITTAIRE	SCORPION	SAGITTAIRE	SAGITTAIRE	SCORPION	17 BALANCE
1 DECEMBRE	SAGITTAIRE	BALANCE	BALANCE	SAGITTAIRE	SCORPION	SAGITTAIRE	SAGITTAIRE	SCORPION	1 SCORPION
2 DECEMBRE	SAGITTAIRE	BALANCE	BALANCE	SAGITTAIRE	SCORPION	SAGITTAIRE	SAGITTAIRE	SCORPION	15 SCORPION
3 DECEMBRE	SAGITTAIRE	BALANCE	BALANCE	SAGITTAIRE	SCORPION	SAGITTAIRE	SAGITTAIRE	SCORPION	28 SCORPION
4 DECEMBRE	CAPRICORNE	BALANCE	BALANCE	SAGITTAIRE	SCORPION	SAGITTAIRE	SAGITTAIRE	SCORPION	11 SAGITTAIRE
5 DECEMBRE	CAPRICORNE	BALANCE	BALANCE	SAGITTAIRE	SCORPION	SAGITTAIRE	SAGITTAIRE	SCORPION	24 SAGITTAIRE
6 DECEMBRE	CAPRICORNE	BALANCE	BALANCE	SAGITTAIRE	SCORPION	SAGITTAIRE	SAGITTAIRE	SCORPION	7 CAPRICORNE
7 DECEMBRE	CAPRICORNE	SCORPION	BALANCE	SAGITTAIRE	SCORPION	SAGITTAIRE	SAGITTAIRE	SCORPION	19 CAPRICORNE
8 DECEMBRE	CAPRICORNE	SCORPION	BALANCE	SAGITTAIRE	SCORPION	SAGITTAIRE	SAGITTAIRE	SCORPION	1 VERSEAU
9 DECEMBRE	CAPRICORNE	SCORPION	BALANCE	SAGITTAIRE	SCORPION	SAGITTAIRE	SAGITTAIRE	SCORPION	13 VERSEAU
10 DECEMBRE	CAPRICORNE	SCORPION	BALANCE	SAGITTAIRE	SCORPION	SAGITTAIRE	SAGITTAIRE	SCORPION	25 VERSEAU
11 DECEMBRE	CAPRICORNE	SCORPION	BALANCE	SAGITTAIRE	SCORPION	SAGITTAIRE	SAGITTAIRE	SCORPION	7 POISSONS
12 DECEMBRE	CAPRICORNE	SCORPION	BALANCE	SAGITTAIRE	SCORPION	SAGITTAIRE	SAGITTAIRE	SCORPION	19 POISSONS
13 DECEMBRE	CAPRICORNE	SCORPION	BALANCE	SAGITTAIRE	SCORPION	SAGITTAIRE	SAGITTAIRE	SCORPION	1 BELIER
14 DECEMBRE	CAPRICORNE	SCORPION	BALANCE	SAGITTAIRE	SCORPION	SAGITTAIRE	SAGITTAIRE	SCORPION	13 BELIER
15 DECEMBRE	CAPRICORNE	SCORPION	BALANCE	SAGITTAIRE	SCORPION	SAGITTAIRE	SAGITTAIRE	SCORPION	26 BELIER
16 DECEMBRE	CAPRICORNE	SCORPION	BALANCE	SAGITTAIRE	SCORPION	SAGITTAIRE	SAGITTAIRE	SCORPION	8 TAUREAU
17 DECEMBRE	CAPRICORNE	SCORPION	BALANCE	SAGITTAIRE	SCORPION	SAGITTAIRE	SAGITTAIRE	SCORPION	22 TAUREAU
18 DECEMBRE	CAPRICORNE	SCORPION	BALANCE	SAGITTAIRE	SCORPION	SAGITTAIRE	SAGITTAIRE	SCORPION	5 GEMEAUX
19 DECEMBRE	CAPRICORNE	SCORPION	BALANCE	SAGITTAIRE	SCORPION	SAGITTAIRE	SAGITTAIRE	SCORPION	19 GEMEAUX
20 DECEMBRE	CAPRICORNE	SCORPION	BALANCE	SAGITTAIRE	SCORPION	SAGITTAIRE	SAGITTAIRE	SCORPION	3 CANCER
21 DECEMBRE	CAPRICORNE	SCORPION	BALANCE	SAGITTAIRE	SCORPION	SAGITTAIRE	SAGITTAIRE	SCORPION	18 CANCER
22 DECEMBRE	CAPRICORNE	SCORPION	BALANCE	SAGITTAIRE	SCORPION	SAGITTAIRE	SAGITTAIRE	SCORPION	2 LION

LE SOLEIL — ENTRE DANS LE SIGNE DU SAGITTAIRE LE 22 NOVEMBRE 1983 A 21 h 15

QUITTE LE SIGNE DU LE 22 DECEMBRE A 10 h 15

* LES CHIFFRES INDIQUENT LES DEGRES

DECOUVREZ DANS QUEL SIGNE SE TROUVAIENT LES PLANETES A VOTRE NAISSANCE

1984	MERCURE	VENUS	MARS	JUPITER	SATURNE	URANUS	NEPTUNE	PLUTON	LUNE *
22 NOVEMBRE	SAGITTAIRE	CAPRICORNE	VERSEAU	CAPRICORNE	SCORPION	SAGITTAIRE	CAPRICORNE	SCORPION	24 SCORPION
23 NOVEMBRE	SAGITTAIRE	CAPRICORNE	VERSEAU	CAPRICORNE	SCORPION	SAGITTAIRE	CAPRICORNE	SCORPION	8 SAGITTAIRE
24 NOVEMBRE	SAGITTAIRE	CAPRICORNE	VERSEAU	CAPRICORNE	SCORPION	SAGITTAIRE	CAPRICORNE	SCORPION	23 SAGITTAIRE
25 NOVEMBRE	SAGITTAIRE	CAPRICORNE	VERSEAU	CAPRICORNE	SCORPION	SAGITTAIRE	CAPRICORNE	SCORPION	6 CAPRICORNE
26 NOVEMBRE	SAGITTAIRE	CAPRICORNE	VERSEAU	CAPRICORNE	SCORPION	SAGITTAIRE	CAPRICORNE	SCORPION	20 CAPRICORNE
27 NOVEMBRE	SAGITTAIRE	CAPRICORNE	VERSEAU	CAPRICORNE	SCORPION	SAGITTAIRE	CAPRICORNE	SCORPION	3 VERSEAU
28 NOVEMBRE	SAGITTAIRE	CAPRICORNE	VERSEAU	CAPRICORNE	SCORPION	SAGITTAIRE	CAPRICORNE	SCORPION	15 VERSEAU
29 NOVEMBRE	SAGITTAIRE	CAPRICORNE	VERSEAU	CAPRICORNE	SCORPION	SAGITTAIRE	CAPRICORNE	SCORPION	28 VERSEAU
30 NOVEMBRE	SAGITTAIRE	CAPRICORNE	VERSEAU	CAPRICORNE	SCORPION	SAGITTAIRE	CAPRICORNE	SCORPION	10 POISSONS
1 DECEMBRE	SAGITTAIRE	CAPRICORNE	VERSEAU	CAPRICORNE	SCORPION	SAGITTAIRE	CAPRICORNE	SCORPION	22 POISSONS
2 DECEMBRE	CAPRICORNE	CAPRICORNE	VERSEAU	CAPRICORNE	SCORPION	SAGITTAIRE	CAPRICORNE	SCORPION	4 BELIER
3 DECEMBRE	CAPRICORNE	CAPRICORNE	VERSEAU	CAPRICORNE	SCORPION	SAGITTAIRE	CAPRICORNE	SCORPION	16 BELIER
4 DECEMBRE	CAPRICORNE	CAPRICORNE	VERSEAU	CAPRICORNE	SCORPION	SAGITTAIRE	CAPRICORNE	SCORPION	27 BELIER
5 DECEMBRE	CAPRICORNE	CAPRICORNE	VERSEAU	CAPRICORNE	SCORPION	SAGITTAIRE	CAPRICORNE	SCORPION	10 TAUREAU
6 DECEMBRE	CAPRICORNE	CAPRICORNE	VERSEAU	CAPRICORNE	SCORPION	SAGITTAIRE	CAPRICORNE	SCORPION	22 TAUREAU
7 DECEMBRE	CAPRICORNE	CAPRICORNE	VERSEAU	CAPRICORNE	SCORPION	SAGITTAIRE	CAPRICORNE	SCORPION	4 GEMEAUX
8 DECEMBRE	SAGITTAIRE	CAPRICORNE	VERSEAU	CAPRICORNE	SCORPION	SAGITTAIRE	CAPRICORNE	SCORPION	17 GEMEAUX
9 DECEMBRE	SAGITTAIRE	VERSEAU	VERSEAU	CAPRICORNE	SCORPION	SAGITTAIRE	CAPRICORNE	SCORPION	0 CANCER
10 DECEMBRE	SAGITTAIRE	VERSEAU	VERSEAU	CAPRICORNE	SCORPION	SAGITTAIRE	CAPRICORNE	SCORPION	13 CANCER
11 DECEMBRE	SAGITTAIRE	VERSEAU	VERSEAU	CAPRICORNE	SCORPION	SAGITTAIRE	CAPRICORNE	SCORPION	26 CANCER
12 DECEMBRE	SAGITTAIRE	VERSEAU	VERSEAU	CAPRICORNE	SCORPION	SAGITTAIRE	CAPRICORNE	SCORPION	10 LION
13 DECEMBRE	SAGITTAIRE	VERSEAU	VERSEAU	CAPRICORNE	SCORPION	SAGITTAIRE	CAPRICORNE	SCORPION	24 LION
14 DECEMBRE	SAGITTAIRE	VERSEAU	VERSEAU	CAPRICORNE	SCORPION	SAGITTAIRE	CAPRICORNE	SCORPION	7 VIERGE
15 DECEMBRE	SAGITTAIRE	VERSEAU	VERSEAU	CAPRICORNE	SCORPION	SAGITTAIRE	CAPRICORNE	SCORPION	21 VIERGE
16 DECEMBRE	SAGITTAIRE	VERSEAU	VERSEAU	CAPRICORNE	SCORPION	SAGITTAIRE	CAPRICORNE	SCORPION	6 BALANCE
17 DECEMBRE	SAGITTAIRE	VERSEAU	VERSEAU	CAPRICORNE	SCORPION	SAGITTAIRE	CAPRICORNE	SCORPION	20 BALANCE
18 DECEMBRE	SAGITTAIRE	VERSEAU	VERSEAU	CAPRICORNE	SCORPION	SAGITTAIRE	CAPRICORNE	SCORPION	4 SCORPION
19 DECEMBRE	SAGITTAIRE	VERSEAU	VERSEAU	CAPRICORNE	SCORPION	SAGITTAIRE	CAPRICORNE	SCORPION	18 SCORPION
20 DECEMBRE	SAGITTAIRE	VERSEAU	VERSEAU	CAPRICORNE	SCORPION	SAGITTAIRE	CAPRICORNE	SCORPION	3 SAGITTAIRE
21 DECEMBRE	SAGITTAIRE	VERSEAU	VERSEAU	CAPRICORNE	SCORPION	SAGITTAIRE	CAPRICORNE	SCORPION	17 SAGITTAIRE

	ENTRE DANS LE SIGNE DU		LE 22 NOVEMBRE	A 2 h 45	
LE SOLEIL		SAGITTAIRE	1984		* LES CHIFFRES INDIQUENT LES DEGRES
	QUITTE LE SIGNE DU		LE 21 DECEMBRE	A 16 h 10	

1985	MERCURE	VENUS	MARS	JUPITER	SATURNE	URANUS	NEPTUNE	PLUTON	LUNE *
22 NOVEMBRE	SAGITTAIRE	SCORPION	BALANCE	VERSEAU	SAGITTAIRE	SAGITTAIRE	CAPRICORNE	SCORPION	5 BELIER
23 NOVEMBRE	SAGITTAIRE	SCORPION	BALANCE	VERSEAU	SAGITTAIRE	SAGITTAIRE	CAPRICORNE	SCORPION	17 BELIER
24 NOVEMBRE	SAGITTAIRE	SCORPION	BALANCE	VERSEAU	SAGITTAIRE	SAGITTAIRE	CAPRICORNE	SCORPION	29 BELIER
25 NOVEMBRE	SAGITTAIRE	SCORPION	BALANCE	VERSEAU	SAGITTAIRE	SAGITTAIRE	CAPRICORNE	SCORPION	11 TAUREAU
26 NOVEMBRE	SAGITTAIRE	SCORPION	BALANCE	VERSEAU	SAGITTAIRE	SAGITTAIRE	CAPRICORNE	SCORPION	23 TAUREAU
27 NOVEMBRE	SAGITTAIRE	SCORPION	BALANCE	VERSEAU	SAGITTAIRE	SAGITTAIRE	CAPRICORNE	SCORPION	5 GEMEAUX
28 NOVEMBRE	SAGITTAIRE	SCORPION	BALANCE	VERSEAU	SAGITTAIRE	SAGITTAIRE	CAPRICORNE	SCORPION	16 GEMEAUX
29 NOVEMBRE	SAGITTAIRE	SCORPION	BALANCE	VERSEAU	SAGITTAIRE	SAGITTAIRE	CAPRICORNE	SCORPION	28 GEMEAUX
30 NOVEMBRE	SAGITTAIRE	SCORPION	BALANCE	VERSEAU	SAGITTAIRE	SAGITTAIRE	CAPRICORNE	SCORPION	11 CANCER
1 DECEMBRE	SAGITTAIRE	SCORPION	BALANCE	VERSEAU	SAGITTAIRE	SAGITTAIRE	CAPRICORNE	SCORPION	23 CANCER
2 DECEMBRE	SAGITTAIRE	SCORPION	BALANCE	VERSEAU	SAGITTAIRE	SAGITTAIRE	CAPRICORNE	SCORPION	5 LION
3 DECEMBRE	SAGITTAIRE	SCORPION	BALANCE	VERSEAU	SAGITTAIRE	SAGITTAIRE	CAPRICORNE	SCORPION	18 LION
4 DECEMBRE	SAGITTAIRE	SAGITTAIRE	BALANCE	VERSEAU	SAGITTAIRE	SAGITTAIRE	CAPRICORNE	SCORPION	1 VIERGE
5 DECEMBRE	SCORPION	SAGITTAIRE	BALANCE	VERSEAU	SAGITTAIRE	SAGITTAIRE	CAPRICORNE	SCORPION	15 VIERGE
6 DECEMBRE	SCORPION	SAGITTAIRE	BALANCE	VERSEAU	SAGITTAIRE	SAGITTAIRE	CAPRICORNE	SCORPION	28 VIERGE
7 DECEMBRE	SCORPION	SAGITTAIRE	BALANCE	VERSEAU	SAGITTAIRE	SAGITTAIRE	CAPRICORNE	SCORPION	12 BALANCE
8 DECEMBRE	SCORPION	SAGITTAIRE	BALANCE	VERSEAU	SAGITTAIRE	SAGITTAIRE	CAPRICORNE	SCORPION	27 BALANCE
9 DECEMBRE	SCORPION	SAGITTAIRE	BALANCE	VERSEAU	SAGITTAIRE	SAGITTAIRE	CAPRICORNE	SCORPION	11 SCORPION
10 DECEMBRE	SCORPION	SAGITTAIRE	BALANCE	VERSEAU	SAGITTAIRE	SAGITTAIRE	CAPRICORNE	SCORPION	26 SCORPION
11 DECEMBRE	SCORPION	SAGITTAIRE	BALANCE	VERSEAU	SAGITTAIRE	SAGITTAIRE	CAPRICORNE	SCORPION	11 SAGITTAIRE
12 DECEMBRE	SAGITTAIRE	SAGITTAIRE	BALANCE	VERSEAU	SAGITTAIRE	SAGITTAIRE	CAPRICORNE	SCORPION	27 SAGITTAIRE
13 DECEMBRE	SAGITTAIRE	SAGITTAIRE	BALANCE	VERSEAU	SAGITTAIRE	SAGITTAIRE	CAPRICORNE	SCORPION	11 CAPRICORNE
14 DECEMBRE	SAGITTAIRE	SAGITTAIRE	BALANCE	VERSEAU	SAGITTAIRE	SAGITTAIRE	CAPRICORNE	SCORPION	26 CAPRICORNE
15 DECEMBRE	SAGITTAIRE	SAGITTAIRE	SCORPION	VERSEAU	SAGITTAIRE	SAGITTAIRE	CAPRICORNE	SCORPION	10 VERSEAU
16 DECEMBRE	SAGITTAIRE	SAGITTAIRE	SCORPION	VERSEAU	SAGITTAIRE	SAGITTAIRE	CAPRICORNE	SCORPION	24 VERSEAU
17 DECEMBRE	SAGITTAIRE	SAGITTAIRE	SCORPION	VERSEAU	SAGITTAIRE	SAGITTAIRE	CAPRICORNE	SCORPION	7 POISSONS
18 DECEMBRE	SAGITTAIRE	SAGITTAIRE	SCORPION	VERSEAU	SAGITTAIRE	SAGITTAIRE	CAPRICORNE	SCORPION	20 POISSONS
19 DECEMBRE	SAGITTAIRE	SAGITTAIRE	SCORPION	VERSEAU	SAGITTAIRE	SAGITTAIRE	CAPRICORNE	SCORPION	2 BELIER
20 DECEMBRE	SAGITTAIRE	SAGITTAIRE	SCORPION	VERSEAU	SAGITTAIRE	SAGITTAIRE	CAPRICORNE	SCORPION	14 BELIER
21 DECEMBRE	SAGITTAIRE	SAGITTAIRE	SCORPION	VERSEAU	SAGITTAIRE	SAGITTAIRE	CAPRICORNE	SCORPION	26 BELIER

	ENTRE DANS LE SIGNE DU		LE 22 NOVEMBRE	A 8 h 30	
LE SOLEIL		SAGITTAIRE	1985		* LES CHIFFRES INDIQUENT LES DEGRES
	QUITTE LE SIGNE DU		LE 21 DECEMBRE	A 21 h 30	

194

DECOUVREZ DANS QUEL SIGNE SE TROUVAIENT LES PLANETES A VOTRE NAISSANCE

1986	MERCURE	VENUS	MARS	JUPITER	SATURNE	URANUS	NEPTUNE	PLUTON	LUNE *
22 NOVEMBRE	SCORPION	SCORPION	VERSEAU	POISSONS	SAGITTAIRE	SAGITTAIRE	CAPRICORNE	SCORPION	5 LION
23 NOVEMBRE	SCORPION	SCORPION	VERSEAU	POISSONS	SAGITTAIRE	SAGITTAIRE	CAPRICORNE	SCORPION	17 LION
24 NOVEMBRE	SCORPION	SCORPION	VERSEAU	POISSONS	SAGITTAIRE	SAGITTAIRE	CAPRICORNE	SCORPION	29 LION
25 NOVEMBRE	SCORPION	SCORPION	VERSEAU	POISSONS	SAGITTAIRE	SAGITTAIRE	CAPRICORNE	SCORPION	12 VIERGE
26 NOVEMBRE	SCORPION	SCORPION	POISSONS	POISSONS	SAGITTAIRE	SAGITTAIRE	CAPRICORNE	SCORPION	25 VIERGE
27 NOVEMBRE	SCORPION	SCORPION	POISSONS	POISSONS	SAGITTAIRE	SAGITTAIRE	CAPRICORNE	SCORPION	8 BALANCE
28 NOVEMBRE	SCORPION	SCORPION	POISSONS	POISSONS	SAGITTAIRE	SAGITTAIRE	CAPRICORNE	SCORPION	22 BALANCE
29 NOVEMBRE	SCORPION	SCORPION	POISSONS	POISSONS	SAGITTAIRE	SAGITTAIRE	CAPRICORNE	SCORPION	6 SCORPION
30 NOVEMBRE	SCORPION	SCORPION	POISSONS	POISSONS	SAGITTAIRE	SAGITTAIRE	CAPRICORNE	SCORPION	21 SCORPION
1 DECEMBRE	SCORPION	SCORPION	POISSONS	POISSONS	SAGITTAIRE	SAGITTAIRE	CAPRICORNE	SCORPION	6 SAGITTAIRE
2 DECEMBRE	SCORPION	SCORPION	POISSONS	POISSONS	SAGITTAIRE	SAGITTAIRE	CAPRICORNE	SCORPION	21 SAGITTAIRE
3 DECEMBRE	SCORPION	SCORPION	POISSONS	POISSONS	SAGITTAIRE	SAGITTAIRE	CAPRICORNE	SCORPION	6 CAPRICORNE
4 DECEMBRE	SCORPION	SCORPION	POISSONS	POISSONS	SAGITTAIRE	SAGITTAIRE	CAPRICORNE	SCORPION	21 CAPRICORNE
5 DECEMBRE	SCORPION	SCORPION	POISSONS	POISSONS	SAGITTAIRE	SAGITTAIRE	CAPRICORNE	SCORPION	6 VERSEAU
6 DECEMBRE	SCORPION	SCORPION	POISSONS	POISSONS	SAGITTAIRE	SAGITTAIRE	CAPRICORNE	SCORPION	20 VERSEAU
7 DECEMBRE	SCORPION	SCORPION	POISSONS	POISSONS	SAGITTAIRE	SAGITTAIRE	CAPRICORNE	SCORPION	4 POISSONS
8 DECEMBRE	SCORPION	SCORPION	POISSONS	POISSONS	SAGITTAIRE	SAGITTAIRE	CAPRICORNE	SCORPION	18 POISSONS
9 DECEMBRE	SCORPION	SCORPION	POISSONS	POISSONS	SAGITTAIRE	SAGITTAIRE	CAPRICORNE	SCORPION	1 BELIER
10 DECEMBRE	SAGITTAIRE	SCORPION	POISSONS	POISSONS	SAGITTAIRE	SAGITTAIRE	CAPRICORNE	SCORPION	14 BELIER
11 DECEMBRE	SAGITTAIRE	SCORPION	POISSONS	POISSONS	SAGITTAIRE	SAGITTAIRE	CAPRICORNE	SCORPION	26 BELIER
12 DECEMBRE	SAGITTAIRE	SCORPION	POISSONS	POISSONS	SAGITTAIRE	SAGITTAIRE	CAPRICORNE	SCORPION	8 TAUREAU
13 DECEMBRE	SAGITTAIRE	SCORPION	POISSONS	POISSONS	SAGITTAIRE	SAGITTAIRE	CAPRICORNE	SCORPION	20 TAUREAU
14 DECEMBRE	SAGITTAIRE	SCORPION	POISSONS	POISSONS	SAGITTAIRE	SAGITTAIRE	CAPRICORNE	SCORPION	2 GEMEAUX
15 DECEMBRE	SAGITTAIRE	SCORPION	POISSONS	POISSONS	SAGITTAIRE	SAGITTAIRE	CAPRICORNE	SCORPION	14 GEMEAUX
16 DECEMBRE	SAGITTAIRE	SCORPION	POISSONS	POISSONS	SAGITTAIRE	SAGITTAIRE	CAPRICORNE	SCORPION	26 GEMEAUX
17 DECEMBRE	SAGITTAIRE	SCORPION	POISSONS	POISSONS	SAGITTAIRE	SAGITTAIRE	CAPRICORNE	SCORPION	8 CANCER
18 DECEMBRE	SAGITTAIRE	SCORPION	POISSONS	POISSONS	SAGITTAIRE	SAGITTAIRE	CAPRICORNE	SCORPION	20 CANCER
19 DECEMBRE	SAGITTAIRE	SCORPION	POISSONS	POISSONS	SAGITTAIRE	SAGITTAIRE	CAPRICORNE	SCORPION	2 LION
20 DECEMBRE	SAGITTAIRE	SCORPION	POISSONS	POISSONS	SAGITTAIRE	SAGITTAIRE	CAPRICORNE	SCORPION	14 LION
21 DECEMBRE	SAGITTAIRE	SCORPION	POISSONS	POISSONS	SAGITTAIRE	SAGITTAIRE	CAPRICORNE	SCORPION	26 LION
22 DECEMBRE	SAGITTAIRE	SCORPION	POISSONS	POISSONS	SAGITTAIRE	SAGITTAIRE	CAPRICORNE	SCORPION	8 VIERGE

LE SOLEIL ENTRE DANS LE SIGNE DU SAGITTAIRE LE 22 NOVEMBRE 1986 A 14 h 30
QUITTE LE SIGNE DU LE 22 DECEMBRE A 3 h 45
* LES CHIFFRES INDIQUENT LES DEGRES

1987	MERCURE	VENUS	MARS	JUPITER	SATURNE	URANUS	NEPTUNE	PLUTON	LUNE *
22 NOVEMBRE	SCORPION	SAGITTAIRE	BALANCE	BELIER	SAGITTAIRE	SAGITTAIRE	CAPRICORNE	SCORPION	16 SAGITTAIRE
23 NOVEMBRE	SCORPION	SAGITTAIRE	BALANCE	BELIER	SAGITTAIRE	SAGITTAIRE	CAPRICORNE	SCORPION	0 CAPRICORNE
24 NOVEMBRE	SCORPION	SAGITTAIRE	SCORPION	BELIER	SAGITTAIRE	SAGITTAIRE	CAPRICORNE	SCORPION	14 CAPRICORNE
25 NOVEMBRE	SCORPION	SAGITTAIRE	SCORPION	BELIER	SAGITTAIRE	SAGITTAIRE	CAPRICORNE	SCORPION	29 CAPRICORNE
26 NOVEMBRE	SCORPION	SAGITTAIRE	SCORPION	BELIER	SAGITTAIRE	SAGITTAIRE	CAPRICORNE	SCORPION	13 VERSEAU
27 NOVEMBRE	SCORPION	SAGITTAIRE	SCORPION	BELIER	SAGITTAIRE	SAGITTAIRE	CAPRICORNE	SCORPION	28 VERSEAU
28 NOVEMBRE	SCORPION	CAPRICORNE	SCORPION	BELIER	SAGITTAIRE	SAGITTAIRE	CAPRICORNE	SCORPION	12 POISSONS
29 NOVEMBRE	SCORPION	CAPRICORNE	SCORPION	BELIER	SAGITTAIRE	SAGITTAIRE	CAPRICORNE	SCORPION	25 POISSONS
30 NOVEMBRE	SCORPION	CAPRICORNE	SCORPION	BELIER	SAGITTAIRE	SAGITTAIRE	CAPRICORNE	SCORPION	9 BELIER
1 DECEMBRE	SCORPION	CAPRICORNE	SCORPION	BELIER	SAGITTAIRE	SAGITTAIRE	CAPRICORNE	SCORPION	22 BELIER
2 DECEMBRE	SCORPION	CAPRICORNE	SCORPION	BELIER	SAGITTAIRE	SAGITTAIRE	CAPRICORNE	SCORPION	6 TAUREAU
3 DECEMBRE	SCORPION	CAPRICORNE	SCORPION	BELIER	SAGITTAIRE	SAGITTAIRE	CAPRICORNE	SCORPION	19 TAUREAU
4 DECEMBRE	SAGITTAIRE	CAPRICORNE	SCORPION	BELIER	SAGITTAIRE	SAGITTAIRE	CAPRICORNE	SCORPION	2 GEMEAUX
5 DECEMBRE	SAGITTAIRE	CAPRICORNE	SCORPION	BELIER	SAGITTAIRE	SAGITTAIRE	CAPRICORNE	SCORPION	14 GEMEAUX
6 DECEMBRE	SAGITTAIRE	CAPRICORNE	SCORPION	BELIER	SAGITTAIRE	SAGITTAIRE	CAPRICORNE	SCORPION	27 GEMEAUX
7 DECEMBRE	SAGITTAIRE	CAPRICORNE	SCORPION	BELIER	SAGITTAIRE	SAGITTAIRE	CAPRICORNE	SCORPION	9 CANCER
8 DECEMBRE	SAGITTAIRE	CAPRICORNE	SCORPION	BELIER	SAGITTAIRE	SAGITTAIRE	CAPRICORNE	SCORPION	21 CANCER
9 DECEMBRE	SAGITTAIRE	CAPRICORNE	SCORPION	BELIER	SAGITTAIRE	SAGITTAIRE	CAPRICORNE	SCORPION	3 LION
10 DECEMBRE	SAGITTAIRE	CAPRICORNE	SCORPION	BELIER	SAGITTAIRE	SAGITTAIRE	CAPRICORNE	SCORPION	15 LION
11 DECEMBRE	SAGITTAIRE	CAPRICORNE	SCORPION	BELIER	SAGITTAIRE	SAGITTAIRE	CAPRICORNE	SCORPION	27 LION
12 DECEMBRE	SAGITTAIRE	CAPRICORNE	SCORPION	BELIER	SAGITTAIRE	SAGITTAIRE	CAPRICORNE	SCORPION	9 VIERGE
13 DECEMBRE	SAGITTAIRE	CAPRICORNE	SCORPION	BELIER	SAGITTAIRE	SAGITTAIRE	CAPRICORNE	SCORPION	21 VIERGE
14 DECEMBRE	SAGITTAIRE	CAPRICORNE	SCORPION	BELIER	SAGITTAIRE	SAGITTAIRE	CAPRICORNE	SCORPION	3 BALANCE
15 DECEMBRE	SAGITTAIRE	CAPRICORNE	SCORPION	BELIER	SAGITTAIRE	SAGITTAIRE	CAPRICORNE	SCORPION	15 BALANCE
16 DECEMBRE	SAGITTAIRE	CAPRICORNE	SCORPION	BELIER	SAGITTAIRE	SAGITTAIRE	CAPRICORNE	SCORPION	28 BALANCE
17 DECEMBRE	SAGITTAIRE	CAPRICORNE	SCORPION	BELIER	SAGITTAIRE	SAGITTAIRE	CAPRICORNE	SCORPION	11 SCORPION
18 DECEMBRE	SAGITTAIRE	CAPRICORNE	SCORPION	BELIER	SAGITTAIRE	SAGITTAIRE	CAPRICORNE	SCORPION	25 SCORPION
19 DECEMBRE	SAGITTAIRE	CAPRICORNE	SCORPION	BELIER	SAGITTAIRE	SAGITTAIRE	CAPRICORNE	SCORPION	9 SAGITTAIRE
20 DECEMBRE	SAGITTAIRE	CAPRICORNE	SCORPION	BELIER	SAGITTAIRE	SAGITTAIRE	CAPRICORNE	SCORPION	24 SAGITTAIRE
21 DECEMBRE	SAGITTAIRE	CAPRICORNE	SCORPION	BELIER	SAGITTAIRE	SAGITTAIRE	CAPRICORNE	SCORPION	9 CAPRICORNE
22 DECEMBRE	SAGITTAIRE	VERSEAU	SCORPION	BELIER	SAGITTAIRE	SAGITTAIRE	CAPRICORNE	SCORPION	24 CAPRICORNE

LE SOLEIL ENTRE DANS LE SIGNE DU SAGITTAIRE LE 22 NOVEMBRE 1987 A 20 h 00
QUITTE LE SIGNE DU LE 22 DECEMBRE A 9 h 15
* LES CHIFFRES INDIQUENT LES DEGRES

DECOUVREZ DANS QUEL SIGNE SE TROUVAIENT LES PLANETES A VOTRE NAISSANCE

1988	MERCURE	VENUS	MARS	JUPITER	SATURNE	URANUS	NEPTUNE	PLUTON	LUNE *
22 NOVEMBRE	SCORPION	BALANCE	BELIER	GEMEAUX	CAPRICORNE	SAGITTAIRE	CAPRICORNE	SCORPION	15 TAUREAU
23 NOVEMBRE	SCORPION	BALANCE	BELIER	GEMEAUX	CAPRICORNE	SAGITTAIRE	CAPRICORNE	SCORPION	29 TAUREAU
24 NOVEMBRE	SCORPION	SCORPION	BELIER	GEMEAUX	CAPRICORNE	SAGITTAIRE	CAPRICORNE	SCORPION	13 GEMEAUX
25 NOVEMBRE	SAGITTAIRE	SCORPION	BELIER	GEMEAUX	CAPRICORNE	SAGITTAIRE	CAPRICORNE	SCORPION	27 GEMEAUX
26 NOVEMBRE	SAGITTAIRE	SCORPION	BELIER	GEMEAUX	CAPRICORNE	SAGITTAIRE	CAPRICORNE	SCORPION	10 CANCER
27 NOVEMBRE	SAGITTAIRE	SCORPION	BELIER	GEMEAUX	CAPRICORNE	SAGITTAIRE	CAPRICORNE	SCORPION	23 CANCER
28 NOVEMBRE	SAGITTAIRE	SCORPION	BELIER	GEMEAUX	CAPRICORNE	SAGITTAIRE	CAPRICORNE	SCORPION	5 LION
29 NOVEMBRE	SAGITTAIRE	SCORPION	BELIER	GEMEAUX	CAPRICORNE	SAGITTAIRE	CAPRICORNE	SCORPION	18 LION
30 NOVEMBRE	SAGITTAIRE	SCORPION	BELIER	GEMEAUX	CAPRICORNE	SAGITTAIRE	CAPRICORNE	SCORPION	0 VIERGE
1 DECEMBRE	SAGITTAIRE	SCORPION	BELIER	TAUREAU	CAPRICORNE	SAGITTAIRE	CAPRICORNE	SCORPION	12 VIERGE
2 DECEMBRE	SAGITTAIRE	SCORPION	BELIER	TAUREAU	CAPRICORNE	SAGITTAIRE	CAPRICORNE	SCORPION	23 VIERGE
3 DECEMBRE	SAGITTAIRE	SCORPION	BELIER	TAUREAU	CAPRICORNE	CAPRICORNE	CAPRICORNE	SCORPION	5 BALANCE
4 DECEMBRE	SAGITTAIRE	SCORPION	BELIER	TAUREAU	CAPRICORNE	CAPRICORNE	CAPRICORNE	SCORPION	17 BALANCE
5 DECEMBRE	SAGITTAIRE	SCORPION	BELIER	TAUREAU	CAPRICORNE	CAPRICORNE	CAPRICORNE	SCORPION	29 BALANCE
6 DECEMBRE	SAGITTAIRE	SCORPION	BELIER	TAUREAU	CAPRICORNE	CAPRICORNE	CAPRICORNE	SCORPION	12 SCORPION
7 DECEMBRE	SAGITTAIRE	SCORPION	BELIER	TAUREAU	CAPRICORNE	CAPRICORNE	CAPRICORNE	SCORPION	24 SCORPION
8 DECEMBRE	SAGITTAIRE	SCORPION	BELIER	TAUREAU	CAPRICORNE	CAPRICORNE	CAPRICORNE	SCORPION	7 SAGITTAIRE
9 DECEMBRE	SAGITTAIRE	SCORPION	BELIER	TAUREAU	CAPRICORNE	CAPRICORNE	CAPRICORNE	SCORPION	21 SAGITTAIRE
10 DECEMBRE	SAGITTAIRE	SCORPION	BELIER	TAUREAU	CAPRICORNE	CAPRICORNE	CAPRICORNE	SCORPION	4 CAPRICORNE
11 DECEMBRE	SAGITTAIRE	SCORPION	BELIER	TAUREAU	CAPRICORNE	CAPRICORNE	CAPRICORNE	SCORPION	18 CAPRICORNE
12 DECEMBRE	SAGITTAIRE	SCORPION	BELIER	TAUREAU	CAPRICORNE	CAPRICORNE	CAPRICORNE	SCORPION	2 VERSEAU
13 DECEMBRE	SAGITTAIRE	SCORPION	BELIER	TAUREAU	CAPRICORNE	CAPRICORNE	CAPRICORNE	SCORPION	16 VERSEAU
14 DECEMBRE	CAPRICORNE	SCORPION	BELIER	TAUREAU	CAPRICORNE	CAPRICORNE	CAPRICORNE	SCORPION	0 POISSONS
15 DECEMBRE	CAPRICORNE	SCORPION	BELIER	TAUREAU	CAPRICORNE	CAPRICORNE	CAPRICORNE	SCORPION	14 POISSONS
16 DECEMBRE	CAPRICORNE	SCORPION	BELIER	TAUREAU	CAPRICORNE	CAPRICORNE	CAPRICORNE	SCORPION	28 POISSONS
17 DECEMBRE	CAPRICORNE	SCORPION	BELIER	TAUREAU	CAPRICORNE	CAPRICORNE	CAPRICORNE	SCORPION	12 BELIER
18 DECEMBRE	CAPRICORNE	SAGITTAIRE	BELIER	TAUREAU	CAPRICORNE	CAPRICORNE	CAPRICORNE	SCORPION	26 BELIER
19 DECEMBRE	CAPRICORNE	SAGITTAIRE	BELIER	TAUREAU	CAPRICORNE	CAPRICORNE	CAPRICORNE	SCORPION	10 TAUREAU
20 DECEMBRE	CAPRICORNE	SAGITTAIRE	BELIER	TAUREAU	CAPRICORNE	CAPRICORNE	CAPRICORNE	SCORPION	24 TAUREAU
21 DECEMBRE	CAPRICORNE	SAGITTAIRE	BELIER	TAUREAU	CAPRICORNE	CAPRICORNE	CAPRICORNE	SCORPION	8 GEMEAUX

	ENTRE DANS LE SIGNE DU		LE 22 NOVEMBRE	A 1 h 40	
LE SOLEIL		SAGITTAIRE		1988	* LES CHIFFRES INDIQUENT LES DEGRES
	QUITTE LE SIGNE DU		LE 21 DECEMBRE	A 15 h 05	

1989	MERCURE	VENUS	MARS	JUPITER	SATURNE	URANUS	NEPTUNE	PLUTON	LUNE *
22 NOVEMBRE	SAGITTAIRE	CAPRICORNE	SCORPION	CANCER	CAPRICORNE	CAPRICORNE	CAPRICORNE	SCORPION	25 VIERGE
23 NOVEMBRE	SAGITTAIRE	CAPRICORNE	SCORPION	CANCER	CAPRICORNE	CAPRICORNE	CAPRICORNE	SCORPION	7 BALANCE
24 NOVEMBRE	SAGITTAIRE	CAPRICORNE	SCORPION	CANCER	CAPRICORNE	CAPRICORNE	CAPRICORNE	SCORPION	19 BALANCE
25 NOVEMBRE	SAGITTAIRE	CAPRICORNE	SCORPION	CANCER	CAPRICORNE	CAPRICORNE	CAPRICORNE	SCORPION	1 SCORPION
26 NOVEMBRE	SAGITTAIRE	CAPRICORNE	SCORPION	CANCER	CAPRICORNE	CAPRICORNE	CAPRICORNE	SCORPION	13 SCORPION
27 NOVEMBRE	SAGITTAIRE	CAPRICORNE	SCORPION	CANCER	CAPRICORNE	CAPRICORNE	CAPRICORNE	SCORPION	25 SCORPION
28 NOVEMBRE	SAGITTAIRE	CAPRICORNE	SCORPION	CANCER	CAPRICORNE	CAPRICORNE	CAPRICORNE	SCORPION	7 SAGITTAIRE
29 NOVEMBRE	SAGITTAIRE	CAPRICORNE	SCORPION	CANCER	CAPRICORNE	CAPRICORNE	CAPRICORNE	SCORPION	19 SAGITTAIRE
30 NOVEMBRE	SAGITTAIRE	CAPRICORNE	SCORPION	CANCER	CAPRICORNE	CAPRICORNE	CAPRICORNE	SCORPION	1 CAPRICORNE
1 DECEMBRE	SAGITTAIRE	CAPRICORNE	SCORPION	CANCER	CAPRICORNE	CAPRICORNE	CAPRICORNE	SCORPION	14 CAPRICORNE
2 DECEMBRE	SAGITTAIRE	CAPRICORNE	SCORPION	CANCER	CAPRICORNE	CAPRICORNE	CAPRICORNE	SCORPION	27 CAPRICORNE
3 DECEMBRE	SAGITTAIRE	CAPRICORNE	SCORPION	CANCER	CAPRICORNE	CAPRICORNE	CAPRICORNE	SCORPION	9 VERSEAU
4 DECEMBRE	SAGITTAIRE	CAPRICORNE	SCORPION	CANCER	CAPRICORNE	CAPRICORNE	CAPRICORNE	SCORPION	23 VERSEAU
5 DECEMBRE	SAGITTAIRE	CAPRICORNE	SCORPION	CANCER	CAPRICORNE	CAPRICORNE	CAPRICORNE	SCORPION	6 POISSONS
6 DECEMBRE	SAGITTAIRE	CAPRICORNE	SCORPION	CANCER	CAPRICORNE	CAPRICORNE	CAPRICORNE	SCORPION	20 POISSONS
7 DECEMBRE	SAGITTAIRE	CAPRICORNE	SCORPION	CANCER	CAPRICORNE	CAPRICORNE	CAPRICORNE	SCORPION	4 BELIER
8 DECEMBRE	CAPRICORNE	CAPRICORNE	SCORPION	CANCER	CAPRICORNE	CAPRICORNE	CAPRICORNE	SCORPION	18 BELIER
9 DECEMBRE	CAPRICORNE	CAPRICORNE	SCORPION	CANCER	CAPRICORNE	CAPRICORNE	CAPRICORNE	SCORPION	3 TAUREAU
10 DECEMBRE	CAPRICORNE	VERSEAU	SCORPION	CANCER	CAPRICORNE	CAPRICORNE	CAPRICORNE	SCORPION	18 TAUREAU
11 DECEMBRE	CAPRICORNE	VERSEAU	SCORPION	CANCER	CAPRICORNE	CAPRICORNE	CAPRICORNE	SCORPION	3 GEMEAUX
12 DECEMBRE	CAPRICORNE	VERSEAU	SCORPION	CANCER	CAPRICORNE	CAPRICORNE	CAPRICORNE	SCORPION	18 GEMEAUX
13 DECEMBRE	CAPRICORNE	VERSEAU	SCORPION	CANCER	CAPRICORNE	CAPRICORNE	CAPRICORNE	SCORPION	2 CANCER
14 DECEMBRE	CAPRICORNE	VERSEAU	SCORPION	CANCER	CAPRICORNE	CAPRICORNE	CAPRICORNE	SCORPION	17 CANCER
15 DECEMBRE	CAPRICORNE	VERSEAU	SCORPION	CANCER	CAPRICORNE	CAPRICORNE	CAPRICORNE	SCORPION	0 LION
16 DECEMBRE	CAPRICORNE	VERSEAU	SCORPION	CANCER	CAPRICORNE	CAPRICORNE	CAPRICORNE	SCORPION	14 LION
17 DECEMBRE	CAPRICORNE	VERSEAU	SCORPION	CANCER	CAPRICORNE	CAPRICORNE	CAPRICORNE	SCORPION	27 LION
18 DECEMBRE	CAPRICORNE	VERSEAU	SAGITTAIRE	CANCER	CAPRICORNE	CAPRICORNE	CAPRICORNE	SCORPION	9 VIERGE
19 DECEMBRE	CAPRICORNE	VERSEAU	SAGITTAIRE	CANCER	CAPRICORNE	CAPRICORNE	CAPRICORNE	SCORPION	22 VIERGE
20 DECEMBRE	CAPRICORNE	VERSEAU	SAGITTAIRE	CANCER	CAPRICORNE	CAPRICORNE	CAPRICORNE	SCORPION	4 BALANCE
21 DECEMBRE	CAPRICORNE	VERSEAU	SAGITTAIRE	CANCER	CAPRICORNE	CAPRICORNE	CAPRICORNE	SCORPION	16 BALANCE

	ENTRE DANS LE SIGNE DU		LE 22 NOVEMBRE	A 7 h 45	
LE SOLEIL		SAGITTAIRE		1989	* LES CHIFFRES INDIQUENT LES DEGRES
	QUITTE LE SIGNE DU		LE 21 DECEMBRE	A 21 h 00	

196

DÉCOUVREZ DANS QUEL SIGNE SE TROUVAIENT LES PLANÈTES A VOTRE NAISSANCE

1990	MERCURE	VENUS	MARS	JUPITER	SATURNE	URANUS	NEPTUNE	PLUTON	LUNE*
22 NOVEMBRE	SAGITTAIRE	SAGITTAIRE	GEMEAUX	LION	CAPRICORNE	CAPRICORNE	CAPRICORNE	SCORPION	25 CAPRICORNE
23 NOVEMBRE	SAGITTAIRE	SAGITTAIRE	GEMEAUX	LION	CAPRICORNE	CAPRICORNE	CAPRICORNE	SCORPION	7 VERSEAU
24 NOVEMBRE	SAGITTAIRE	SAGITTAIRE	GEMEAUX	LION	CAPRICORNE	CAPRICORNE	CAPRICORNE	SCORPION	19 VERSEAU
25 NOVEMBRE	SAGITTAIRE	SAGITTAIRE	GEMEAUX	LION	CAPRICORNE	CAPRICORNE	CAPRICORNE	SCORPION	2 POISSONS
26 NOVEMBRE	SAGITTAIRE	SAGITTAIRE	GEMEAUX	LION	CAPRICORNE	CAPRICORNE	CAPRICORNE	SCORPION	15 POISSONS
27 NOVEMBRE	SAGITTAIRE	SAGITTAIRE	GEMEAUX	LION	CAPRICORNE	CAPRICORNE	CAPRICORNE	SCORPION	28 POISSONS
28 NOVEMBRE	SAGITTAIRE	SAGITTAIRE	GEMEAUX	LION	CAPRICORNE	CAPRICORNE	CAPRICORNE	SCORPION	12 BELIER
29 NOVEMBRE	SAGITTAIRE	SAGITTAIRE	GEMEAUX	LION	CAPRICORNE	CAPRICORNE	CAPRICORNE	SCORPION	27 BELIER
30 NOVEMBRE	SAGITTAIRE	SAGITTAIRE	GEMEAUX	LION	CAPRICORNE	CAPRICORNE	CAPRICORNE	SCORPION	12 TAUREAU
1 DECEMBRE	SAGITTAIRE	SAGITTAIRE	GEMEAUX	LION	CAPRICORNE	CAPRICORNE	CAPRICORNE	SCORPION	27 TAUREAU
2 DECEMBRE	CAPRICORNE	SAGITTAIRE	GEMEAUX	LION	CAPRICORNE	CAPRICORNE	CAPRICORNE	SCORPION	12 GEMEAUX
3 DECEMBRE	CAPRICORNE	SAGITTAIRE	GEMEAUX	LION	CAPRICORNE	CAPRICORNE	CAPRICORNE	SCORPION	27 GEMEAUX
4 DECEMBRE	CAPRICORNE	SAGITTAIRE	GEMEAUX	LION	CAPRICORNE	CAPRICORNE	CAPRICORNE	SCORPION	13 CANCER
5 DECEMBRE	CAPRICORNE	SAGITTAIRE	GEMEAUX	LION	CAPRICORNE	CAPRICORNE	CAPRICORNE	SCORPION	27 CANCER
6 DECEMBRE	CAPRICORNE	SAGITTAIRE	GEMEAUX	LION	CAPRICORNE	CAPRICORNE	CAPRICORNE	SCORPION	12 LION
7 DECEMBRE	CAPRICORNE	SAGITTAIRE	GEMEAUX	LION	CAPRICORNE	CAPRICORNE	CAPRICORNE	SCORPION	25 LION
8 DECEMBRE	CAPRICORNE	SAGITTAIRE	GEMEAUX	LION	CAPRICORNE	CAPRICORNE	CAPRICORNE	SCORPION	9 VIERGE
9 DECEMBRE	CAPRICORNE	SAGITTAIRE	GEMEAUX	LION	CAPRICORNE	CAPRICORNE	CAPRICORNE	SCORPION	22 VIERGE
10 DECEMBRE	CAPRICORNE	SAGITTAIRE	GEMEAUX	LION	CAPRICORNE	CAPRICORNE	CAPRICORNE	SCORPION	4 BALANCE
11 DECEMBRE	CAPRICORNE	SAGITTAIRE	GEMEAUX	LION	CAPRICORNE	CAPRICORNE	CAPRICORNE	SCORPION	17 BALANCE
12 DECEMBRE	CAPRICORNE	CAPRICORNE	GEMEAUX	LION	CAPRICORNE	CAPRICORNE	CAPRICORNE	SCORPION	29 BALANCE
13 DECEMBRE	CAPRICORNE	CAPRICORNE	GEMEAUX	LION	CAPRICORNE	CAPRICORNE	CAPRICORNE	SCORPION	11 SCORPION
14 DECEMBRE	CAPRICORNE	CAPRICORNE	TAUREAU	LION	CAPRICORNE	CAPRICORNE	CAPRICORNE	SCORPION	23 SCORPION
15 DECEMBRE	CAPRICORNE	CAPRICORNE	TAUREAU	LION	CAPRICORNE	CAPRICORNE	CAPRICORNE	SCORPION	5 SAGITTAIRE
16 DECEMBRE	CAPRICORNE	CAPRICORNE	TAUREAU	LION	CAPRICORNE	CAPRICORNE	CAPRICORNE	SCORPION	17 SAGITTAIRE
17 DECEMBRE	CAPRICORNE	CAPRICORNE	TAUREAU	LION	CAPRICORNE	CAPRICORNE	CAPRICORNE	SCORPION	28 SAGITTAIRE
18 DECEMBRE	CAPRICORNE	CAPRICORNE	TAUREAU	LION	CAPRICORNE	CAPRICORNE	CAPRICORNE	SCORPION	10 CAPRICORNE
19 DECEMBRE	CAPRICORNE	CAPRICORNE	TAUREAU	LION	CAPRICORNE	CAPRICORNE	CAPRICORNE	SCORPION	22 CAPRICORNE
20 DECEMBRE	CAPRICORNE	CAPRICORNE	TAUREAU	LION	CAPRICORNE	CAPRICORNE	CAPRICORNE	SCORPION	4 VERSEAU
21 DECEMBRE	CAPRICORNE	CAPRICORNE	TAUREAU	LION	CAPRICORNE	CAPRICORNE	CAPRICORNE	SCORPION	16 VERSEAU
22 DECEMBRE	CAPRICORNE	CAPRICORNE	TAUREAU	LION	CAPRICORNE	CAPRICORNE	CAPRICORNE	SCORPION	29 VERSEAU

LE SOLEIL ENTRE DANS LE SIGNE DU SAGITTAIRE LE 22 NOVEMBRE 1990 A 13 h 40
QUITTE LE SIGNE DU LE 22 DECEMBRE A 3 h 00
* LES CHIFFRES INDIQUENT LES DEGRÉS

1991	MERCURE	VENUS	MARS	JUPITER	SATURNE	URANUS	NEPTUNE	PLUTON	LUNE*
22 NOVEMBRE	SAGITTAIRE	BALANCE	SCORPION	VIERGE	VERSEAU	CAPRICORNE	CAPRICORNE	SCORPION	7 GEMEAUX
23 NOVEMBRE	SAGITTAIRE	BALANCE	SCORPION	VIERGE	VERSEAU	CAPRICORNE	CAPRICORNE	SCORPION	21 GEMEAUX
24 NOVEMBRE	SAGITTAIRE	BALANCE	SCORPION	VIERGE	VERSEAU	CAPRICORNE	CAPRICORNE	SCORPION	6 CANCER
25 NOVEMBRE	SAGITTAIRE	BALANCE	SCORPION	VIERGE	VERSEAU	CAPRICORNE	CAPRICORNE	SCORPION	21 CANCER
26 NOVEMBRE	SAGITTAIRE	BALANCE	SCORPION	VIERGE	VERSEAU	CAPRICORNE	CAPRICORNE	SCORPION	5 LION
27 NOVEMBRE	SAGITTAIRE	BALANCE	SCORPION	VIERGE	VERSEAU	CAPRICORNE	CAPRICORNE	SCORPION	20 LION
28 NOVEMBRE	SAGITTAIRE	BALANCE	SCORPION	VIERGE	VERSEAU	CAPRICORNE	CAPRICORNE	SCORPION	4 VIERGE
29 NOVEMBRE	SAGITTAIRE	BALANCE	SAGITTAIRE	VIERGE	VERSEAU	CAPRICORNE	CAPRICORNE	SCORPION	17 VIERGE
30 NOVEMBRE	SAGITTAIRE	BALANCE	SAGITTAIRE	VIERGE	VERSEAU	CAPRICORNE	CAPRICORNE	SCORPION	1 BALANCE
1 DECEMBRE	SAGITTAIRE	BALANCE	SAGITTAIRE	VIERGE	VERSEAU	CAPRICORNE	CAPRICORNE	SCORPION	14 BALANCE
2 DECEMBRE	SAGITTAIRE	BALANCE	SAGITTAIRE	VIERGE	VERSEAU	CAPRICORNE	CAPRICORNE	SCORPION	27 BALANCE
3 DECEMBRE	SAGITTAIRE	BALANCE	SAGITTAIRE	VIERGE	VERSEAU	CAPRICORNE	CAPRICORNE	SCORPION	10 SCORPION
4 DECEMBRE	SAGITTAIRE	BALANCE	SAGITTAIRE	VIERGE	VERSEAU	CAPRICORNE	CAPRICORNE	SCORPION	23 SCORPION
5 DECEMBRE	SAGITTAIRE	BALANCE	SAGITTAIRE	VIERGE	VERSEAU	CAPRICORNE	CAPRICORNE	SCORPION	5 SAGITTAIRE
6 DECEMBRE	SAGITTAIRE	SCORPION	SAGITTAIRE	VIERGE	VERSEAU	CAPRICORNE	CAPRICORNE	SCORPION	17 SAGITTAIRE
7 DECEMBRE	SAGITTAIRE	SCORPION	SAGITTAIRE	VIERGE	VERSEAU	CAPRICORNE	CAPRICORNE	SCORPION	29 SAGITTAIRE
8 DECEMBRE	SAGITTAIRE	SCORPION	SAGITTAIRE	VIERGE	VERSEAU	CAPRICORNE	CAPRICORNE	SCORPION	11 CAPRICORNE
9 DECEMBRE	SAGITTAIRE	SCORPION	SAGITTAIRE	VIERGE	VERSEAU	CAPRICORNE	CAPRICORNE	SCORPION	23 CAPRICORNE
10 DECEMBRE	SAGITTAIRE	SCORPION	SAGITTAIRE	VIERGE	VERSEAU	CAPRICORNE	CAPRICORNE	SCORPION	5 VERSEAU
11 DECEMBRE	SAGITTAIRE	SCORPION	SAGITTAIRE	VIERGE	VERSEAU	CAPRICORNE	CAPRICORNE	SCORPION	17 VERSEAU
12 DECEMBRE	SAGITTAIRE	SCORPION	SAGITTAIRE	VIERGE	VERSEAU	CAPRICORNE	CAPRICORNE	SCORPION	28 VERSEAU
13 DECEMBRE	SAGITTAIRE	SCORPION	SAGITTAIRE	VIERGE	VERSEAU	CAPRICORNE	CAPRICORNE	SCORPION	11 POISSONS
14 DECEMBRE	SAGITTAIRE	SCORPION	SAGITTAIRE	VIERGE	VERSEAU	CAPRICORNE	CAPRICORNE	SCORPION	23 POISSONS
15 DECEMBRE	SAGITTAIRE	SCORPION	SAGITTAIRE	VIERGE	VERSEAU	CAPRICORNE	CAPRICORNE	SCORPION	5 BELIER
16 DECEMBRE	SAGITTAIRE	SCORPION	SAGITTAIRE	VIERGE	VERSEAU	CAPRICORNE	CAPRICORNE	SCORPION	18 BELIER
17 DECEMBRE	SAGITTAIRE	SCORPION	SAGITTAIRE	VIERGE	VERSEAU	CAPRICORNE	CAPRICORNE	SCORPION	2 TAUREAU
18 DECEMBRE	SAGITTAIRE	SCORPION	SAGITTAIRE	VIERGE	VERSEAU	CAPRICORNE	CAPRICORNE	SCORPION	16 TAUREAU
19 DECEMBRE	SAGITTAIRE	SCORPION	SAGITTAIRE	VIERGE	VERSEAU	CAPRICORNE	CAPRICORNE	SCORPION	0 GEMEAUX
20 DECEMBRE	SAGITTAIRE	SCORPION	SAGITTAIRE	VIERGE	VERSEAU	CAPRICORNE	CAPRICORNE	SCORPION	15 GEMEAUX
21 DECEMBRE	SAGITTAIRE	SCORPION	SAGITTAIRE	VIERGE	VERSEAU	CAPRICORNE	CAPRICORNE	SCORPION	0 CANCER
22 DECEMBRE	SAGITTAIRE	SCORPION	SAGITTAIRE	VIERGE	VERSEAU	CAPRICORNE	CAPRICORNE	SCORPION	15 CANCER

LE SOLEIL ENTRE DANS LE SIGNE DU SAGITTAIRE LE 22 NOVEMBRE 1991 A 19 h 30
QUITTE LE SIGNE DU LE 22 DECEMBRE A 8 h 50
* LES CHIFFRES INDIQUENT LES DEGRÉS

DÉCOUVREZ DANS QUEL SIGNE SE TROUVAIENT LES PLANÈTES A VOTRE NAISSANCE

1992	MERCURE	VENUS	MARS	JUPITER	SATURNE	URANUS	NEPTUNE	PLUTON	LUNE*
22 NOVEMBRE	SCORPION	CAPRICORNE	CANCER	BALANCE	VERSEAU	CAPRICORNE	CAPRICORNE	SCORPION	6 SCORPION
23 NOVEMBRE	SCORPION	CAPRICORNE	CANCER	BALANCE	VERSEAU	CAPRICORNE	CAPRICORNE	SCORPION	20 SCORPION
24 NOVEMBRE	SCORPION	CAPRICORNE	CANCER	BALANCE	VERSEAU	CAPRICORNE	CAPRICORNE	SCORPION	4 SAGITTAIRE
25 NOVEMBRE	SCORPION	CAPRICORNE	CANCER	BALANCE	VERSEAU	CAPRICORNE	CAPRICORNE	SCORPION	17 SAGITTAIRE
26 NOVEMBRE	SCORPION	CAPRICORNE	CANCER	BALANCE	VERSEAU	CAPRICORNE	CAPRICORNE	SCORPION	0 CAPRICORNE
27 NOVEMBRE	SCORPION	CAPRICORNE	CANCER	BALANCE	VERSEAU	CAPRICORNE	CAPRICORNE	SCORPION	13 CAPRICORNE
28 NOVEMBRE	SCORPION	CAPRICORNE	CANCER	BALANCE	VERSEAU	CAPRICORNE	CAPRICORNE	SCORPION	25 CAPRICORNE
29 NOVEMBRE	SCORPION	CAPRICORNE	CANCER	BALANCE	VERSEAU	CAPRICORNE	CAPRICORNE	SCORPION	7 VERSEAU
30 NOVEMBRE	SCORPION	CAPRICORNE	CANCER	BALANCE	VERSEAU	CAPRICORNE	CAPRICORNE	SCORPION	19 VERSEAU
1 DECEMBRE	SCORPION	CAPRICORNE	CANCER	BALANCE	VERSEAU	CAPRICORNE	CAPRICORNE	SCORPION	1 POISSONS
2 DECEMBRE	SCORPION	CAPRICORNE	CANCER	BALANCE	VERSEAU	CAPRICORNE	CAPRICORNE	SCORPION	13 POISSONS
3 DECEMBRE	SCORPION	CAPRICORNE	CANCER	BALANCE	VERSEAU	CAPRICORNE	CAPRICORNE	SCORPION	25 POISSONS
4 DECEMBRE	SCORPION	CAPRICORNE	CANCER	BALANCE	VERSEAU	CAPRICORNE	CAPRICORNE	SCORPION	7 BELIER
5 DECEMBRE	SCORPION	CAPRICORNE	CANCER	BALANCE	VERSEAU	CAPRICORNE	CAPRICORNE	SCORPION	19 BELIER
6 DECEMBRE	SCORPION	CAPRICORNE	CANCER	BALANCE	VERSEAU	CAPRICORNE	CAPRICORNE	SCORPION	2 TAUREAU
7 DECEMBRE	SCORPION	CAPRICORNE	CANCER	BALANCE	VERSEAU	CAPRICORNE	CAPRICORNE	SCORPION	14 TAUREAU
8 DECEMBRE	SCORPION	CAPRICORNE	CANCER	BALANCE	VERSEAU	CAPRICORNE	CAPRICORNE	SCORPION	28 TAUREAU
9 DECEMBRE	SCORPION	VERSEAU	CANCER	BALANCE	VERSEAU	CAPRICORNE	CAPRICORNE	SCORPION	11 GEMEAUX
10 DECEMBRE	SCORPION	VERSEAU	CANCER	BALANCE	VERSEAU	CAPRICORNE	CAPRICORNE	SCORPION	25 GEMEAUX
11 DECEMBRE	SCORPION	VERSEAU	CANCER	BALANCE	VERSEAU	CAPRICORNE	CAPRICORNE	SCORPION	9 CANCER
12 DECEMBRE	SAGITTAIRE	VERSEAU	CANCER	BALANCE	VERSEAU	CAPRICORNE	CAPRICORNE	SCORPION	23 CANCER
13 DECEMBRE	SAGITTAIRE	VERSEAU	CANCER	BALANCE	VERSEAU	CAPRICORNE	CAPRICORNE	SCORPION	8 LION
14 DECEMBRE	SAGITTAIRE	VERSEAU	CANCER	BALANCE	VERSEAU	CAPRICORNE	CAPRICORNE	SCORPION	22 LION
15 DECEMBRE	SAGITTAIRE	VERSEAU	CANCER	BALANCE	VERSEAU	CAPRICORNE	CAPRICORNE	SCORPION	6 VIERGE
16 DECEMBRE	SAGITTAIRE	VERSEAU	CANCER	BALANCE	VERSEAU	CAPRICORNE	CAPRICORNE	SCORPION	20 VIERGE
17 DECEMBRE	SAGITTAIRE	VERSEAU	CANCER	BALANCE	VERSEAU	CAPRICORNE	CAPRICORNE	SCORPION	5 BALANCE
18 DECEMBRE	SAGITTAIRE	VERSEAU	CANCER	BALANCE	VERSEAU	CAPRICORNE	CAPRICORNE	SCORPION	19 BALANCE
19 DECEMBRE	SAGITTAIRE	VERSEAU	CANCER	BALANCE	VERSEAU	CAPRICORNE	CAPRICORNE	SCORPION	2 SCORPION
20 DECEMBRE	SAGITTAIRE	VERSEAU	CANCER	BALANCE	VERSEAU	CAPRICORNE	CAPRICORNE	SCORPION	16 SCORPION
21 DECEMBRE	SAGITTAIRE	VERSEAU	CANCER	BALANCE	VERSEAU	CAPRICORNE	CAPRICORNE	SCORPION	29 SCORPION

LE SOLEIL	ENTRE DANS LE SIGNE DU	SAGITTAIRE	LE 22 NOVEMBRE	1992	A 1 h 20	* LES CHIFFRES INDIQUENT LES DEGRÉS
	QUITTE LE SIGNE DU		LE 21 DECEMBRE		A 14 h 35	

1993	MERCURE	VENUS	MARS	JUPITER	SATURNE	URANUS	NEPTUNE	PLUTON	LUNE*
22 NOVEMBRE	SCORPION	SCORPION	SAGITTAIRE	SCORPION	VERSEAU	CAPRICORNE	CAPRICORNE	SCORPION	16 POISSONS
23 NOVEMBRE	SCORPION	SCORPION	SAGITTAIRE	SCORPION	VERSEAU	CAPRICORNE	CAPRICORNE	SCORPION	27 POISSONS
24 NOVEMBRE	SCORPION	SCORPION	SAGITTAIRE	SCORPION	VERSEAU	CAPRICORNE	CAPRICORNE	SCORPION	9 BELIER
25 NOVEMBRE	SCORPION	SCORPION	SAGITTAIRE	SCORPION	VERSEAU	CAPRICORNE	CAPRICORNE	SCORPION	21 BELIER
26 NOVEMBRE	SCORPION	SCORPION	SAGITTAIRE	SCORPION	VERSEAU	CAPRICORNE	CAPRICORNE	SCORPION	3 TAUREAU
27 NOVEMBRE	SCORPION	SCORPION	SAGITTAIRE	SCORPION	VERSEAU	CAPRICORNE	CAPRICORNE	SCORPION	15 TAUREAU
28 NOVEMBRE	SCORPION	SCORPION	SAGITTAIRE	SCORPION	VERSEAU	CAPRICORNE	CAPRICORNE	SCORPION	17 TAUREAU
29 NOVEMBRE	SCORPION	SCORPION	SAGITTAIRE	SCORPION	VERSEAU	CAPRICORNE	CAPRICORNE	SCORPION	10 GEMEAUX
30 NOVEMBRE	SCORPION	SCORPION	SAGITTAIRE	SCORPION	VERSEAU	CAPRICORNE	CAPRICORNE	SCORPION	22 GEMEAUX
1 DECEMBRE	SCORPION	SCORPION	SAGITTAIRE	SCORPION	VERSEAU	CAPRICORNE	CAPRICORNE	SCORPION	5 CANCER
2 DECEMBRE	SCORPION	SCORPION	SAGITTAIRE	SCORPION	VERSEAU	CAPRICORNE	CAPRICORNE	SCORPION	18 CANCER
3 DECEMBRE	SCORPION	SAGITTAIRE	SAGITTAIRE	SCORPION	VERSEAU	CAPRICORNE	CAPRICORNE	SCORPION	1 LION
4 DECEMBRE	SCORPION	SAGITTAIRE	SAGITTAIRE	SCORPION	VERSEAU	CAPRICORNE	CAPRICORNE	SCORPION	14 LION
5 DECEMBRE	SCORPION	SAGITTAIRE	SAGITTAIRE	SCORPION	VERSEAU	CAPRICORNE	CAPRICORNE	SCORPION	28 LION
6 DECEMBRE	SCORPION	SAGITTAIRE	SAGITTAIRE	SCORPION	VERSEAU	CAPRICORNE	CAPRICORNE	SCORPION	12 VIERGE
7 DECEMBRE	SAGITTAIRE	SAGITTAIRE	SAGITTAIRE	SCORPION	VERSEAU	CAPRICORNE	CAPRICORNE	SCORPION	26 VIERGE
8 DECEMBRE	SAGITTAIRE	SAGITTAIRE	SAGITTAIRE	SCORPION	VERSEAU	CAPRICORNE	CAPRICORNE	SCORPION	10 BALANCE
9 DECEMBRE	SAGITTAIRE	SAGITTAIRE	SAGITTAIRE	SCORPION	VERSEAU	CAPRICORNE	CAPRICORNE	SCORPION	25 BALANCE
10 DECEMBRE	SAGITTAIRE	SAGITTAIRE	SAGITTAIRE	SCORPION	VERSEAU	CAPRICORNE	CAPRICORNE	SCORPION	9 SCORPION
11 DECEMBRE	SAGITTAIRE	SAGITTAIRE	SAGITTAIRE	SCORPION	VERSEAU	CAPRICORNE	CAPRICORNE	SCORPION	24 SCORPION
12 DECEMBRE	SAGITTAIRE	SAGITTAIRE	SAGITTAIRE	SCORPION	VERSEAU	CAPRICORNE	CAPRICORNE	SCORPION	8 SAGITTAIRE
13 DECEMBRE	SAGITTAIRE	SAGITTAIRE	SAGITTAIRE	SCORPION	VERSEAU	CAPRICORNE	CAPRICORNE	SCORPION	23 SAGITTAIRE
14 DECEMBRE	SAGITTAIRE	SAGITTAIRE	SAGITTAIRE	SCORPION	VERSEAU	CAPRICORNE	CAPRICORNE	SCORPION	7 CAPRICORNE
15 DECEMBRE	SAGITTAIRE	SAGITTAIRE	SAGITTAIRE	SCORPION	VERSEAU	CAPRICORNE	CAPRICORNE	SCORPION	20 CAPRICORNE
16 DECEMBRE	SAGITTAIRE	SAGITTAIRE	SAGITTAIRE	SCORPION	VERSEAU	CAPRICORNE	CAPRICORNE	SCORPION	4 VERSEAU
17 DECEMBRE	SAGITTAIRE	SAGITTAIRE	SAGITTAIRE	SCORPION	VERSEAU	CAPRICORNE	CAPRICORNE	SCORPION	17 VERSEAU
18 DECEMBRE	SAGITTAIRE	SAGITTAIRE	SAGITTAIRE	SCORPION	VERSEAU	CAPRICORNE	CAPRICORNE	SCORPION	29 VERSEAU
19 DECEMBRE	SAGITTAIRE	SAGITTAIRE	SAGITTAIRE	SCORPION	VERSEAU	CAPRICORNE	CAPRICORNE	SCORPION	11 POISSONS
20 DECEMBRE	SAGITTAIRE	SAGITTAIRE	CAPRICORNE	SCORPION	VERSEAU	CAPRICORNE	CAPRICORNE	SCORPION	24 POISSONS
21 DECEMBRE	SAGITTAIRE	SAGITTAIRE	CAPRICORNE	SCORPION	VERSEAU	CAPRICORNE	CAPRICORNE	SCORPION	5 BELIER

LE SOLEIL	ENTRE DANS LE SIGNE DU	SAGITTAIRE	LE 22 NOVEMBRE	1993	A 7 h 00	* LES CHIFFRES INDIQUENT LES DEGRÉS
	QUITTE LE SIGNE DU		LE 21 DECEMBRE		A 20 h 20	

DÉCOUVREZ DANS QUEL SIGNE SE TROUVAIENT LES PLANÈTES A VOTRE NAISSANCE

1994	MERCURE	VENUS	MARS	JUPITER	SATURNE	URANUS	NEPTUNE	PLUTON	LUNE*
22 NOVEMBRE	SCORPION	SCORPION	LION	SCORPION	POISSONS	CAPRICORNE	CAPRICORNE	SCORPION	16 CANCER
23 NOVEMBRE	SCORPION	SCORPION	LION	SCORPION	POISSONS	CAPRICORNE	CAPRICORNE	SCORPION	28 CANCER
24 NOVEMBRE	SCORPION	SCORPION	LION	SCORPION	POISSONS	CAPRICORNE	CAPRICORNE	SCORPION	10 LION
25 NOVEMBRE	SCORPION	SCORPION	LION	SCORPION	POISSONS	CAPRICORNE	CAPRICORNE	SCORPION	23 LION
26 NOVEMBRE	SCORPION	SCORPION	LION	SCORPION	POISSONS	CAPRICORNE	CAPRICORNE	SCORPION	6 VIERGE
27 NOVEMBRE	SCORPION	SCORPION	LION	SCORPION	POISSONS	CAPRICORNE	CAPRICORNE	SCORPION	20 VIERGE
28 NOVEMBRE	SCORPION	SCORPION	LION	SCORPION	POISSONS	CAPRICORNE	CAPRICORNE	SCORPION	4 BALANCE
29 NOVEMBRE	SCORPION	SCORPION	LION	SCORPION	POISSONS	CAPRICORNE	CAPRICORNE	SCORPION	18 BALANCE
30 NOVEMBRE	SAGITTAIRE	SCORPION	LION	SCORPION	POISSONS	CAPRICORNE	CAPRICORNE	SCORPION	3 SCORPION
1 DECEMBRE	SAGITTAIRE	SCORPION	LION	SCORPION	POISSONS	CAPRICORNE	CAPRICORNE	SCORPION	18 SCORPION
2 DECEMBRE	SAGITTAIRE	SCORPION	LION	SCORPION	POISSONS	CAPRICORNE	CAPRICORNE	SCORPION	3 SAGITTAIRE
3 DECEMBRE	SAGITTAIRE	SCORPION	LION	SCORPION	POISSONS	CAPRICORNE	CAPRICORNE	SCORPION	18 SAGITTAIRE
4 DECEMBRE	SAGITTAIRE	SCORPION	LION	SCORPION	POISSONS	CAPRICORNE	CAPRICORNE	SCORPION	3 CAPRICORNE
5 DECEMBRE	SAGITTAIRE	SCORPION	LION	SCORPION	POISSONS	CAPRICORNE	CAPRICORNE	SCORPION	18 CAPRICORNE
6 DECEMBRE	SAGITTAIRE	SCORPION	LION	SCORPION	POISSONS	CAPRICORNE	CAPRICORNE	SCORPION	2 VERSEAU
7 DECEMBRE	SAGITTAIRE	SCORPION	LION	SCORPION	POISSONS	CAPRICORNE	CAPRICORNE	SCORPION	16 VERSEAU
8 DECEMBRE	SAGITTAIRE	SCORPION	LION	SCORPION	POISSONS	CAPRICORNE	CAPRICORNE	SCORPION	29 VERSEAU
9 DECEMBRE	SAGITTAIRE	SCORPION	LION	SAGITTAIRE	POISSONS	CAPRICORNE	CAPRICORNE	SCORPION	12 POISSONS
10 DECEMBRE	SAGITTAIRE	SCORPION	LION	SAGITTAIRE	POISSONS	CAPRICORNE	CAPRICORNE	SCORPION	25 POISSONS
11 DECEMBRE	SAGITTAIRE	SCORPION	LION	SAGITTAIRE	POISSONS	CAPRICORNE	CAPRICORNE	SCORPION	7 BELIER
12 DECEMBRE	SAGITTAIRE	SCORPION	VIERGE	SAGITTAIRE	POISSONS	CAPRICORNE	CAPRICORNE	SCORPION	19 BELIER
13 DECEMBRE	SAGITTAIRE	SCORPION	VIERGE	SAGITTAIRE	POISSONS	CAPRICORNE	CAPRICORNE	SCORPION	1 TAUREAU
14 DECEMBRE	SAGITTAIRE	SCORPION	VIERGE	SAGITTAIRE	POISSONS	CAPRICORNE	CAPRICORNE	SCORPION	13 TAUREAU
15 DECEMBRE	SAGITTAIRE	SCORPION	VIERGE	SAGITTAIRE	POISSONS	CAPRICORNE	CAPRICORNE	SCORPION	25 TAUREAU
16 DECEMBRE	SAGITTAIRE	SCORPION	VIERGE	SAGITTAIRE	POISSONS	CAPRICORNE	CAPRICORNE	SCORPION	7 GEMEAUX
17 DECEMBRE	SAGITTAIRE	SCORPION	VIERGE	SAGITTAIRE	POISSONS	CAPRICORNE	CAPRICORNE	SCORPION	18 GEMEAUX
18 DECEMBRE	SAGITTAIRE	SCORPION	VIERGE	SAGITTAIRE	POISSONS	CAPRICORNE	CAPRICORNE	SCORPION	0 CANCER
19 DECEMBRE	CAPRICORNE	SCORPION	VIERGE	SAGITTAIRE	POISSONS	CAPRICORNE	CAPRICORNE	SCORPION	13 CANCER
20 DECEMBRE	CAPRICORNE	SCORPION	VIERGE	SAGITTAIRE	POISSONS	CAPRICORNE	CAPRICORNE	SCORPION	25 CANCER
21 DECEMBRE	CAPRICORNE	SCORPION	VIERGE	SAGITTAIRE	POISSONS	CAPRICORNE	CAPRICORNE	SCORPION	7 LION
22 DECEMBRE	CAPRICORNE	SCORPION	VIERGE	SAGITTAIRE	POISSONS	CAPRICORNE	CAPRICORNE	SCORPION	20 LION

LE SOLEIL — ENTRE DANS LE SIGNE DU SAGITTAIRE LE 22 NOVEMBRE 1994 A 13 h 00
QUITTE LE SIGNE DU LE 22 DECEMBRE A 2 h 15
* LES CHIFFRES INDIQUENT LES DEGRÉS

1995	MERCURE	VENUS	MARS	JUPITER	SATURNE	URANUS	NEPTUNE	PLUTON	LUNE*
22 NOVEMBRE	SCORPION	SAGITTAIRE	SAGITTAIRE	SAGITTAIRE	POISSONS	CAPRICORNE	CAPRICORNE	SAGITTAIRE	27 SCORPION
23 NOVEMBRE	SAGITTAIRE	SAGITTAIRE	SAGITTAIRE	SAGITTAIRE	POISSONS	CAPRICORNE	CAPRICORNE	SAGITTAIRE	12 SAGITTAIRE
24 NOVEMBRE	SAGITTAIRE	SAGITTAIRE	SAGITTAIRE	SAGITTAIRE	POISSONS	CAPRICORNE	CAPRICORNE	SAGITTAIRE	27 SAGITTAIRE
25 NOVEMBRE	SAGITTAIRE	SAGITTAIRE	SAGITTAIRE	SAGITTAIRE	POISSONS	CAPRICORNE	CAPRICORNE	SAGITTAIRE	12 CAPRICORNE
26 NOVEMBRE	SAGITTAIRE	SAGITTAIRE	SAGITTAIRE	SAGITTAIRE	POISSONS	CAPRICORNE	CAPRICORNE	SAGITTAIRE	27 CAPRICORNE
27 NOVEMBRE	SAGITTAIRE	SAGITTAIRE	SAGITTAIRE	SAGITTAIRE	POISSONS	CAPRICORNE	CAPRICORNE	SAGITTAIRE	12 VERSEAU
28 NOVEMBRE	SAGITTAIRE	CAPRICORNE	SAGITTAIRE	SAGITTAIRE	POISSONS	CAPRICORNE	CAPRICORNE	SAGITTAIRE	26 VERSEAU
29 NOVEMBRE	SAGITTAIRE	CAPRICORNE	SAGITTAIRE	SAGITTAIRE	POISSONS	CAPRICORNE	CAPRICORNE	SAGITTAIRE	9 POISSONS
30 NOVEMBRE	SAGITTAIRE	CAPRICORNE	SAGITTAIRE	SAGITTAIRE	POISSONS	CAPRICORNE	CAPRICORNE	SAGITTAIRE	23 POISSONS
1 DECEMBRE	SAGITTAIRE	CAPRICORNE	CAPRICORNE	SAGITTAIRE	POISSONS	CAPRICORNE	CAPRICORNE	SAGITTAIRE	6 BELIER
2 DECEMBRE	SAGITTAIRE	CAPRICORNE	CAPRICORNE	SAGITTAIRE	POISSONS	CAPRICORNE	CAPRICORNE	SAGITTAIRE	18 BELIER
3 DECEMBRE	SAGITTAIRE	CAPRICORNE	CAPRICORNE	SAGITTAIRE	POISSONS	CAPRICORNE	CAPRICORNE	SAGITTAIRE	1 TAUREAU
4 DECEMBRE	SAGITTAIRE	CAPRICORNE	CAPRICORNE	SAGITTAIRE	POISSONS	CAPRICORNE	CAPRICORNE	SAGITTAIRE	13 TAUREAU
5 DECEMBRE	SAGITTAIRE	CAPRICORNE	CAPRICORNE	SAGITTAIRE	POISSONS	CAPRICORNE	CAPRICORNE	SAGITTAIRE	25 TAUREAU
6 DECEMBRE	SAGITTAIRE	CAPRICORNE	CAPRICORNE	SAGITTAIRE	POISSONS	CAPRICORNE	CAPRICORNE	SAGITTAIRE	7 GEMEAUX
7 DECEMBRE	SAGITTAIRE	CAPRICORNE	CAPRICORNE	SAGITTAIRE	POISSONS	CAPRICORNE	CAPRICORNE	SAGITTAIRE	19 GEMEAUX
8 DECEMBRE	SAGITTAIRE	CAPRICORNE	CAPRICORNE	SAGITTAIRE	POISSONS	CAPRICORNE	CAPRICORNE	SAGITTAIRE	1 CANCER
9 DECEMBRE	SAGITTAIRE	CAPRICORNE	CAPRICORNE	SAGITTAIRE	POISSONS	CAPRICORNE	CAPRICORNE	SAGITTAIRE	13 CANCER
10 DECEMBRE	SAGITTAIRE	CAPRICORNE	CAPRICORNE	SAGITTAIRE	POISSONS	CAPRICORNE	CAPRICORNE	SAGITTAIRE	25 CANCER
11 DECEMBRE	SAGITTAIRE	CAPRICORNE	CAPRICORNE	SAGITTAIRE	POISSONS	CAPRICORNE	CAPRICORNE	SAGITTAIRE	7 LION
12 DECEMBRE	CAPRICORNE	CAPRICORNE	CAPRICORNE	SAGITTAIRE	POISSONS	CAPRICORNE	CAPRICORNE	SAGITTAIRE	19 LION
13 DECEMBRE	CAPRICORNE	CAPRICORNE	CAPRICORNE	SAGITTAIRE	POISSONS	CAPRICORNE	CAPRICORNE	SAGITTAIRE	1 VIERGE
14 DECEMBRE	CAPRICORNE	CAPRICORNE	CAPRICORNE	SAGITTAIRE	POISSONS	CAPRICORNE	CAPRICORNE	SAGITTAIRE	13 VIERGE
15 DECEMBRE	CAPRICORNE	CAPRICORNE	CAPRICORNE	SAGITTAIRE	POISSONS	CAPRICORNE	CAPRICORNE	SAGITTAIRE	26 VIERGE
16 DECEMBRE	CAPRICORNE	CAPRICORNE	CAPRICORNE	SAGITTAIRE	POISSONS	CAPRICORNE	CAPRICORNE	SAGITTAIRE	9 BALANCE
17 DECEMBRE	CAPRICORNE	CAPRICORNE	CAPRICORNE	SAGITTAIRE	POISSONS	CAPRICORNE	CAPRICORNE	SAGITTAIRE	22 BALANCE
18 DECEMBRE	CAPRICORNE	CAPRICORNE	CAPRICORNE	SAGITTAIRE	POISSONS	CAPRICORNE	CAPRICORNE	SAGITTAIRE	6 SCORPION
19 DECEMBRE	CAPRICORNE	CAPRICORNE	CAPRICORNE	SAGITTAIRE	POISSONS	CAPRICORNE	CAPRICORNE	SAGITTAIRE	20 SCORPION
20 DECEMBRE	CAPRICORNE	CAPRICORNE	CAPRICORNE	SAGITTAIRE	POISSONS	CAPRICORNE	CAPRICORNE	SAGITTAIRE	5 SAGITTAIRE
21 DECEMBRE	CAPRICORNE	CAPRICORNE	CAPRICORNE	SAGITTAIRE	POISSONS	CAPRICORNE	CAPRICORNE	SAGITTAIRE	20 SAGITTAIRE
22 DECEMBRE	CAPRICORNE	CAPRICORNE	CAPRICORNE	SAGITTAIRE	POISSONS	CAPRICORNE	CAPRICORNE	SAGITTAIRE	6 CAPRICORNE

LE SOLEIL — ENTRE DANS LE SIGNE DU SAGITTAIRE LE 22 NOVEMBRE 1995 A 18 h 55
QUITTE LE SIGNE DU LE 22 DECEMBRE A 8 h 10
* LES CHIFFRES INDIQUENT LES DEGRÉS

DÉCOUVREZ DANS QUEL SIGNE SE TROUVAIENT LES PLANÈTES A VOTRE NAISSANCE

1996	MERCURE	VENUS	MARS	JUPITER	SATURNE	URANUS	NEPTUNE	PLUTON	LUNE*
22 NOVEMBRE	SAGITTAIRE	BALANCE	VIERGE	CAPRICORNE	BELIER	VERSEAU	CAPRICORNE	SAGITTAIRE	27 BELIER
23 NOVEMBRE	SAGITTAIRE	SCORPION	VIERGE	CAPRICORNE	BELIER	VERSEAU	CAPRICORNE	SAGITTAIRE	11 TAUREAU
24 NOVEMBRE	SAGITTAIRE	SCORPION	VIERGE	CAPRICORNE	BELIER	VERSEAU	CAPRICORNE	SAGITTAIRE	24 TAUREAU
25 NOVEMBRE	SAGITTAIRE	SCORPION	VIERGE	CAPRICORNE	BELIER	VERSEAU	CAPRICORNE	SAGITTAIRE	7 GEMEAUX
26 NOVEMBRE	SAGITTAIRE	SCORPION	VIERGE	CAPRICORNE	BELIER	VERSEAU	CAPRICORNE	SAGITTAIRE	20 GEMEAUX
27 NOVEMBRE	SAGITTAIRE	SCORPION	VIERGE	CAPRICORNE	BELIER	VERSEAU	CAPRICORNE	SAGITTAIRE	2 CANCER
28 NOVEMBRE	SAGITTAIRE	SCORPION	VIERGE	CAPRICORNE	BELIER	VERSEAU	CAPRICORNE	SAGITTAIRE	15 CANCER
29 NOVEMBRE	SAGITTAIRE	SCORPION	VIERGE	CAPRICORNE	BELIER	VERSEAU	CAPRICORNE	SAGITTAIRE	27 CANCER
30 NOVEMBRE	SAGITTAIRE	SCORPION	VIERGE	CAPRICORNE	BELIER	VERSEAU	CAPRICORNE	SAGITTAIRE	9 LION
1 DECEMBRE	SAGITTAIRE	SCORPION	VIERGE	CAPRICORNE	BELIER	VERSEAU	CAPRICORNE	SAGITTAIRE	21 LION
2 DECEMBRE	SAGITTAIRE	SCORPION	VIERGE	CAPRICORNE	BELIER	VERSEAU	CAPRICORNE	SAGITTAIRE	3 VIERGE
3 DECEMBRE	SAGITTAIRE	SCORPION	VIERGE	CAPRICORNE	BELIER	VERSEAU	CAPRICORNE	SAGITTAIRE	14 VIERGE
4 DECEMBRE	SAGITTAIRE	SCORPION	VIERGE	CAPRICORNE	BELIER	VERSEAU	CAPRICORNE	SAGITTAIRE	26 VIERGE
5 DECEMBRE	CAPRICORNE	SCORPION	VIERGE	CAPRICORNE	BELIER	VERSEAU	CAPRICORNE	SAGITTAIRE	9 BALANCE
6 DECEMBRE	CAPRICORNE	SCORPION	VIERGE	CAPRICORNE	BELIER	VERSEAU	CAPRICORNE	SAGITTAIRE	21 BALANCE
7 DECEMBRE	CAPRICORNE	SCORPION	VIERGE	CAPRICORNE	BELIER	VERSEAU	CAPRICORNE	SAGITTAIRE	4 SCORPION
8 DECEMBRE	CAPRICORNE	SCORPION	VIERGE	CAPRICORNE	BELIER	VERSEAU	CAPRICORNE	SAGITTAIRE	18 SCORPION
9 DECEMBRE	CAPRICORNE	SCORPION	VIERGE	CAPRICORNE	BELIER	VERSEAU	CAPRICORNE	SAGITTAIRE	1 SAGITTAIRE
10 DECEMBRE	CAPRICORNE	SCORPION	VIERGE	CAPRICORNE	BELIER	VERSEAU	CAPRICORNE	SAGITTAIRE	16 SAGITTAIRE
11 DECEMBRE	CAPRICORNE	SCORPION	VIERGE	CAPRICORNE	BELIER	VERSEAU	CAPRICORNE	SAGITTAIRE	0 CAPRICORNE
12 DECEMBRE	CAPRICORNE	SCORPION	VIERGE	CAPRICORNE	BELIER	VERSEAU	CAPRICORNE	SAGITTAIRE	15 CAPRICORNE
13 DECEMBRE	CAPRICORNE	SCORPION	VIERGE	CAPRICORNE	BELIER	VERSEAU	CAPRICORNE	SAGITTAIRE	0 VERSEAU
14 DECEMBRE	CAPRICORNE	SCORPION	VIERGE	CAPRICORNE	BELIER	VERSEAU	CAPRICORNE	SAGITTAIRE	14 VERSEAU
15 DECEMBRE	CAPRICORNE	SCORPION	VIERGE	CAPRICORNE	BELIER	VERSEAU	CAPRICORNE	SAGITTAIRE	29 VERSEAU
16 DECEMBRE	CAPRICORNE	SCORPION	VIERGE	CAPRICORNE	BELIER	VERSEAU	CAPRICORNE	SAGITTAIRE	13 POISSONS
17 DECEMBRE	CAPRICORNE	SAGITTAIRE	VIERGE	CAPRICORNE	BELIER	VERSEAU	CAPRICORNE	SAGITTAIRE	27 POISSONS
18 DECEMBRE	CAPRICORNE	SAGITTAIRE	VIERGE	CAPRICORNE	BELIER	VERSEAU	CAPRICORNE	SAGITTAIRE	11 BELIER
19 DECEMBRE	CAPRICORNE	SAGITTAIRE	VIERGE	CAPRICORNE	BELIER	VERSEAU	CAPRICORNE	SAGITTAIRE	24 BELIER
20 DECEMBRE	CAPRICORNE	SAGITTAIRE	VIERGE	CAPRICORNE	BELIER	VERSEAU	CAPRICORNE	SAGITTAIRE	7 TAUREAU
21 DECEMBRE	CAPRICORNE	SAGITTAIRE	VIERGE	CAPRICORNE	BELIER	VERSEAU	CAPRICORNE	SAGITTAIRE	20 TAUREAU

LE SOLEIL — ENTRE DANS LE SIGNE DU SAGITTAIRE LE 22 NOVEMBRE 1996 A 0 h 40 / QUITTE LE SIGNE DU LE 21 DECEMBRE A 14 h 00 — * LES CHIFFRES INDIQUENT LES DEGRÉS

1997	MERCURE	VENUS	MARS	JUPITER	SATURNE	URANUS	NEPTUNE	PLUTON	LUNE*
22 NOVEMBRE	SAGITTAIRE	CAPRICORNE	CAPRICORNE	VERSEAU	BELIER	VERSEAU	CAPRICORNE	SAGITTAIRE	5 VIERGE
23 NOVEMBRE	SAGITTAIRE	CAPRICORNE	CAPRICORNE	VERSEAU	BELIER	VERSEAU	CAPRICORNE	SAGITTAIRE	17 VIERGE
24 NOVEMBRE	SAGITTAIRE	CAPRICORNE	CAPRICORNE	VERSEAU	BELIER	VERSEAU	CAPRICORNE	SAGITTAIRE	29 VIERGE
25 NOVEMBRE	SAGITTAIRE	CAPRICORNE	CAPRICORNE	VERSEAU	BELIER	VERSEAU	CAPRICORNE	SAGITTAIRE	11 BALANCE
26 NOVEMBRE	SAGITTAIRE	CAPRICORNE	CAPRICORNE	VERSEAU	BELIER	VERSEAU	CAPRICORNE	SAGITTAIRE	23 BALANCE
27 NOVEMBRE	SAGITTAIRE	CAPRICORNE	CAPRICORNE	VERSEAU	BELIER	VERSEAU	CAPRICORNE	SAGITTAIRE	5 SCORPION
28 NOVEMBRE	SAGITTAIRE	CAPRICORNE	CAPRICORNE	VERSEAU	BELIER	VERSEAU	CAPRICORNE	SAGITTAIRE	17 SCORPION
29 NOVEMBRE	SAGITTAIRE	CAPRICORNE	CAPRICORNE	VERSEAU	BELIER	VERSEAU	CAPRICORNE	SAGITTAIRE	0 SAGITTAIRE
30 NOVEMBRE	SAGITTAIRE	CAPRICORNE	CAPRICORNE	VERSEAU	BELIER	VERSEAU	CAPRICORNE	SAGITTAIRE	13 SAGITTAIRE
1 DECEMBRE	CAPRICORNE	CAPRICORNE	CAPRICORNE	VERSEAU	BELIER	VERSEAU	CAPRICORNE	SAGITTAIRE	26 SAGITTAIRE
2 DECEMBRE	CAPRICORNE	CAPRICORNE	CAPRICORNE	VERSEAU	BELIER	VERSEAU	CAPRICORNE	SAGITTAIRE	9 CAPRICORNE
3 DECEMBRE	CAPRICORNE	CAPRICORNE	CAPRICORNE	VERSEAU	BELIER	VERSEAU	CAPRICORNE	SAGITTAIRE	23 CAPRICORNE
4 DECEMBRE	CAPRICORNE	CAPRICORNE	CAPRICORNE	VERSEAU	BELIER	VERSEAU	CAPRICORNE	SAGITTAIRE	7 VERSEAU
5 DECEMBRE	CAPRICORNE	CAPRICORNE	CAPRICORNE	VERSEAU	BELIER	VERSEAU	CAPRICORNE	SAGITTAIRE	20 VERSEAU
6 DECEMBRE	CAPRICORNE	CAPRICORNE	CAPRICORNE	VERSEAU	BELIER	VERSEAU	CAPRICORNE	SAGITTAIRE	4 POISSONS
7 DECEMBRE	CAPRICORNE	CAPRICORNE	CAPRICORNE	VERSEAU	BELIER	VERSEAU	CAPRICORNE	SAGITTAIRE	18 POISSONS
8 DECEMBRE	CAPRICORNE	CAPRICORNE	CAPRICORNE	VERSEAU	BELIER	VERSEAU	CAPRICORNE	SAGITTAIRE	2 BELIER
9 DECEMBRE	CAPRICORNE	CAPRICORNE	CAPRICORNE	VERSEAU	BELIER	VERSEAU	CAPRICORNE	SAGITTAIRE	17 BELIER
10 DECEMBRE	CAPRICORNE	CAPRICORNE	CAPRICORNE	VERSEAU	BELIER	VERSEAU	CAPRICORNE	SAGITTAIRE	1 TAUREAU
11 DECEMBRE	CAPRICORNE	CAPRICORNE	CAPRICORNE	VERSEAU	BELIER	VERSEAU	CAPRICORNE	SAGITTAIRE	15 TAUREAU
12 DECEMBRE	CAPRICORNE	VERSEAU	CAPRICORNE	VERSEAU	BELIER	VERSEAU	CAPRICORNE	SAGITTAIRE	29 TAUREAU
13 DECEMBRE	CAPRICORNE	VERSEAU	CAPRICORNE	VERSEAU	BELIER	VERSEAU	CAPRICORNE	SAGITTAIRE	13 GEMEAUX
14 DECEMBRE	SAGITTAIRE	VERSEAU	CAPRICORNE	VERSEAU	BELIER	VERSEAU	CAPRICORNE	SAGITTAIRE	27 GEMEAUX
15 DECEMBRE	SAGITTAIRE	VERSEAU	CAPRICORNE	VERSEAU	BELIER	VERSEAU	CAPRICORNE	SAGITTAIRE	11 CANCER
16 DECEMBRE	SAGITTAIRE	VERSEAU	CAPRICORNE	VERSEAU	BELIER	VERSEAU	CAPRICORNE	SAGITTAIRE	24 CANCER
17 DECEMBRE	SAGITTAIRE	VERSEAU	CAPRICORNE	VERSEAU	BELIER	VERSEAU	CAPRICORNE	SAGITTAIRE	7 LION
18 DECEMBRE	SAGITTAIRE	VERSEAU	VERSEAU	VERSEAU	BELIER	VERSEAU	CAPRICORNE	SAGITTAIRE	19 LION
19 DECEMBRE	SAGITTAIRE	VERSEAU	VERSEAU	VERSEAU	BELIER	VERSEAU	CAPRICORNE	SAGITTAIRE	1 VIERGE
20 DECEMBRE	SAGITTAIRE	VERSEAU	VERSEAU	VERSEAU	BELIER	VERSEAU	CAPRICORNE	SAGITTAIRE	13 VIERGE
21 DECEMBRE	SAGITTAIRE	VERSEAU	VERSEAU	VERSEAU	BELIER	VERSEAU	CAPRICORNE	SAGITTAIRE	25 VIERGE

LE SOLEIL — ENTRE DANS LE SIGNE DU SAGITTAIRE LE 22 NOVEMBRE 1997 A 6 h 40 / QUITTE LE SIGNE DU LE 21 DECEMBRE A 20 h 00 — * LES CHIFFRES INDIQUENT LES DEGRÉS

DÉCOUVREZ DANS QUEL SIGNE SE TROUVAIENT LES PLANÈTES A VOTRE NAISSANCE

1998	MERCURE	VENUS	MARS	JUPITER	SATURNE	URANUS	NEPTUNE	PLUTON	LUNE*
22 NOVEMBRE	SAGITTAIRE	SAGITTAIRE	VIERGE	POISSONS	BELIER	VERSEAU	CAPRICORNE	SAGITTAIRE	6 CAPRICORNE
23 NOVEMBRE	SAGITTAIRE	SAGITTAIRE	VIERGE	POISSONS	BELIER	VERSEAU	CAPRICORNE	SAGITTAIRE	19 CAPRICORNE
24 NOVEMBRE	SAGITTAIRE	SAGITTAIRE	VIERGE	POISSONS	BELIER	VERSEAU	CAPRICORNE	SAGITTAIRE	1 VERSEAU
25 NOVEMBRE	SAGITTAIRE	SAGITTAIRE	VIERGE	POISSONS	BELIER	VERSEAU	CAPRICORNE	SAGITTAIRE	14 VERSEAU
26 NOVEMBRE	SAGITTAIRE	SAGITTAIRE	VIERGE	POISSONS	BELIER	VERSEAU	CAPRICORNE	SAGITTAIRE	27 VERSEAU
27 NOVEMBRE	SAGITTAIRE	SAGITTAIRE	VIERGE	POISSONS	BELIER	VERSEAU	CAPRICORNE	SAGITTAIRE	11 POISSONS
28 NOVEMBRE	SAGITTAIRE	SAGITTAIRE	BALANCE	POISSONS	BELIER	VERSEAU	VERSEAU	SAGITTAIRE	25 POISSONS
29 NOVEMBRE	SAGITTAIRE	SAGITTAIRE	BALANCE	POISSONS	BELIER	VERSEAU	VERSEAU	SAGITTAIRE	9 BELIER
30 NOVEMBRE	SAGITTAIRE	SAGITTAIRE	BALANCE	POISSONS	BELIER	VERSEAU	VERSEAU	SAGITTAIRE	24 BELIER
1 DECEMBRE	SAGITTAIRE	SAGITTAIRE	BALANCE	POISSONS	BELIER	VERSEAU	VERSEAU	SAGITTAIRE	8 TAUREAU
2 DECEMBRE	SAGITTAIRE	SAGITTAIRE	BALANCE	POISSONS	BELIER	VERSEAU	VERSEAU	SAGITTAIRE	24 TAUREAU
3 DECEMBRE	SAGITTAIRE	SAGITTAIRE	BALANCE	POISSONS	BELIER	VERSEAU	VERSEAU	SAGITTAIRE	9 GEMEAUX
4 DECEMBRE	SAGITTAIRE	SAGITTAIRE	BALANCE	POISSONS	BELIER	VERSEAU	VERSEAU	SAGITTAIRE	24 GEMEAUX
5 DECEMBRE	SAGITTAIRE	SAGITTAIRE	BALANCE	POISSONS	BELIER	VERSEAU	VERSEAU	SAGITTAIRE	9 CANCER
6 DECEMBRE	SAGITTAIRE	SAGITTAIRE	BALANCE	POISSONS	BELIER	VERSEAU	VERSEAU	SAGITTAIRE	23 CANCER
7 DECEMBRE	SAGITTAIRE	SAGITTAIRE	BALANCE	POISSONS	BELIER	VERSEAU	VERSEAU	SAGITTAIRE	7 LION
8 DECEMBRE	SAGITTAIRE	SAGITTAIRE	BALANCE	POISSONS	BELIER	VERSEAU	VERSEAU	SAGITTAIRE	20 LION
9 DECEMBRE	SAGITTAIRE	SAGITTAIRE	BALANCE	POISSONS	BELIER	VERSEAU	VERSEAU	SAGITTAIRE	3 VIERGE
10 DECEMBRE	SAGITTAIRE	SAGITTAIRE	BALANCE	POISSONS	BELIER	VERSEAU	VERSEAU	SAGITTAIRE	15 VIERGE
11 DECEMBRE	SAGITTAIRE	SAGITTAIRE	BALANCE	POISSONS	BELIER	VERSEAU	VERSEAU	SAGITTAIRE	27 VIERGE
12 DECEMBRE	SAGITTAIRE	CAPRICORNE	BALANCE	POISSONS	BELIER	VERSEAU	VERSEAU	SAGITTAIRE	9 BALANCE
13 DECEMBRE	SAGITTAIRE	CAPRICORNE	BALANCE	POISSONS	BELIER	VERSEAU	VERSEAU	SAGITTAIRE	21 BALANCE
14 DECEMBRE	SAGITTAIRE	CAPRICORNE	BALANCE	POISSONS	BELIER	VERSEAU	VERSEAU	SAGITTAIRE	3 SCORPION
15 DECEMBRE	SAGITTAIRE	CAPRICORNE	BALANCE	POISSONS	BELIER	VERSEAU	VERSEAU	SAGITTAIRE	15 SCORPION
16 DECEMBRE	SAGITTAIRE	CAPRICORNE	BALANCE	POISSONS	BELIER	VERSEAU	VERSEAU	SAGITTAIRE	27 SCORPION
17 DECEMBRE	SAGITTAIRE	CAPRICORNE	BALANCE	POISSONS	BELIER	VERSEAU	VERSEAU	SAGITTAIRE	9 SAGITTAIRE
18 DECEMBRE	SAGITTAIRE	CAPRICORNE	BALANCE	POISSONS	BELIER	VERSEAU	VERSEAU	SAGITTAIRE	21 SAGITTAIRE
19 DECEMBRE	SAGITTAIRE	CAPRICORNE	BALANCE	POISSONS	BELIER	VERSEAU	VERSEAU	SAGITTAIRE	3 CAPRICORNE
20 DECEMBRE	SAGITTAIRE	CAPRICORNE	BALANCE	POISSONS	BELIER	VERSEAU	VERSEAU	SAGITTAIRE	16 CAPRICORNE
21 DECEMBRE	SAGITTAIRE	CAPRICORNE	BALANCE	POISSONS	BELIER	VERSEAU	VERSEAU	SAGITTAIRE	28 CAPRICORNE
22 DECEMBRE	SAGITTAIRE	CAPRICORNE	BALANCE	POISSONS	BELIER	VERSEAU	VERSEAU	SAGITTAIRE	11 VERSEAU

LE SOLEIL	ENTRE DANS LE SIGNE DU	SAGITTAIRE	LE 22 NOVEMBRE	1998	A 12 h 30	* LES CHIFFRES INDIQUENT LES DEGRÉS
	QUITTE LE SIGNE DU		LE 22 DECEMBRE		A 1 h 50	

1999	MERCURE	VENUS	MARS	JUPITER	SATURNE	URANUS	NEPTUNE	PLUTON	LUNE*
22 NOVEMBRE	SCORPION	BALANCE	CAPRICORNE	BELIER	TAUREAU	VERSEAU	VERSEAU	SAGITTAIRE	18 TAUREAU
23 NOVEMBRE	SCORPION	BALANCE	CAPRICORNE	BELIER	TAUREAU	VERSEAU	VERSEAU	SAGITTAIRE	3 GEMEAUX
24 NOVEMBRE	SCORPION	BALANCE	CAPRICORNE	BELIER	TAUREAU	VERSEAU	VERSEAU	SAGITTAIRE	19 GEMEAUX
25 NOVEMBRE	SCORPION	BALANCE	CAPRICORNE	BELIER	TAUREAU	VERSEAU	VERSEAU	SAGITTAIRE	4 CANCER
26 NOVEMBRE	SCORPION	BALANCE	VERSEAU	BELIER	TAUREAU	VERSEAU	VERSEAU	SAGITTAIRE	19 CANCER
27 NOVEMBRE	SCORPION	BALANCE	VERSEAU	BELIER	TAUREAU	VERSEAU	VERSEAU	SAGITTAIRE	3 LION
28 NOVEMBRE	SCORPION	BALANCE	VERSEAU	BELIER	TAUREAU	VERSEAU	VERSEAU	SAGITTAIRE	17 LION
29 NOVEMBRE	SCORPION	BALANCE	VERSEAU	BELIER	TAUREAU	VERSEAU	VERSEAU	SAGITTAIRE	1 VIERGE
30 NOVEMBRE	SCORPION	BALANCE	VERSEAU	BELIER	TAUREAU	VERSEAU	VERSEAU	SAGITTAIRE	14 VIERGE
1 DECEMBRE	SCORPION	BALANCE	VERSEAU	BELIER	TAUREAU	VERSEAU	VERSEAU	SAGITTAIRE	27 VIERGE
2 DECEMBRE	SCORPION	BALANCE	VERSEAU	BELIER	TAUREAU	VERSEAU	VERSEAU	SAGITTAIRE	9 BALANCE
3 DECEMBRE	SCORPION	BALANCE	VERSEAU	BELIER	TAUREAU	VERSEAU	VERSEAU	SAGITTAIRE	22 BALANCE
4 DECEMBRE	SCORPION	BALANCE	VERSEAU	BELIER	TAUREAU	VERSEAU	VERSEAU	SAGITTAIRE	4 SCORPION
5 DECEMBRE	SCORPION	BALANCE	VERSEAU	BELIER	TAUREAU	VERSEAU	VERSEAU	SAGITTAIRE	16 SCORPION
6 DECEMBRE	SCORPION	SCORPION	VERSEAU	BELIER	TAUREAU	VERSEAU	VERSEAU	SAGITTAIRE	28 SCORPION
7 DECEMBRE	SCORPION	SCORPION	VERSEAU	BELIER	TAUREAU	VERSEAU	VERSEAU	SAGITTAIRE	10 SAGITTAIRE
8 DECEMBRE	SCORPION	SCORPION	VERSEAU	BELIER	TAUREAU	VERSEAU	VERSEAU	SAGITTAIRE	22 SAGITTAIRE
9 DECEMBRE	SCORPION	SCORPION	VERSEAU	BELIER	TAUREAU	VERSEAU	VERSEAU	SAGITTAIRE	3 CAPRICORNE
10 DECEMBRE	SCORPION	SCORPION	VERSEAU	BELIER	TAUREAU	VERSEAU	VERSEAU	SAGITTAIRE	15 CAPRICORNE
11 DECEMBRE	SAGITTAIRE	SCORPION	VERSEAU	BELIER	TAUREAU	VERSEAU	VERSEAU	SAGITTAIRE	27 CAPRICORNE
12 DECEMBRE	SAGITTAIRE	SCORPION	VERSEAU	BELIER	TAUREAU	VERSEAU	VERSEAU	SAGITTAIRE	9 VERSEAU
13 DECEMBRE	SAGITTAIRE	SCORPION	VERSEAU	BELIER	TAUREAU	VERSEAU	VERSEAU	SAGITTAIRE	21 VERSEAU
14 DECEMBRE	SAGITTAIRE	SCORPION	VERSEAU	BELIER	TAUREAU	VERSEAU	VERSEAU	SAGITTAIRE	4 POISSONS
15 DECEMBRE	SAGITTAIRE	SCORPION	VERSEAU	BELIER	TAUREAU	VERSEAU	VERSEAU	SAGITTAIRE	16 POISSONS
16 DECEMBRE	SAGITTAIRE	SCORPION	VERSEAU	BELIER	TAUREAU	VERSEAU	VERSEAU	SAGITTAIRE	29 POISSONS
17 DECEMBRE	SAGITTAIRE	SCORPION	VERSEAU	BELIER	TAUREAU	VERSEAU	VERSEAU	SAGITTAIRE	13 BELIER
18 DECEMBRE	SAGITTAIRE	SCORPION	VERSEAU	BELIER	TAUREAU	VERSEAU	VERSEAU	SAGITTAIRE	27 BELIER
19 DECEMBRE	SAGITTAIRE	SCORPION	VERSEAU	BELIER	TAUREAU	VERSEAU	VERSEAU	SAGITTAIRE	11 TAUREAU
20 DECEMBRE	SAGITTAIRE	SCORPION	VERSEAU	BELIER	TAUREAU	VERSEAU	VERSEAU	SAGITTAIRE	26 TAUREAU
21 DECEMBRE	SAGITTAIRE	SCORPION	VERSEAU	BELIER	TAUREAU	VERSEAU	VERSEAU	SAGITTAIRE	11 GEMEAUX
22 DECEMBRE	SAGITTAIRE	SCORPION	VERSEAU	BELIER	TAUREAU	VERSEAU	VERSEAU	SAGITTAIRE	27 GEMEAUX

LE SOLEIL	ENTRE DANS LE SIGNE DU	SAGITTAIRE	LE 22 NOVEMBRE	1999	A 18 h 20	* LES CHIFFRES INDIQUENT LES DEGRÉS
	QUITTE LE SIGNE DU		LE 22 DECEMBRE		A 7 h 40	

201

DÉCOUVREZ DANS QUEL SIGNE SE TROUVAIENT LES PLANÈTES
A VOTRE NAISSANCE

2000	MERCURE	VENUS	MARS	JUPITER	SATURNE	URANUS	NEPTUNE	PLUTON	LUNE*
22 NOVEMBRE	SCORPION	CAPRICORNE	BALANCE	GEMEAUX	TAUREAU	VERSEAU	VERSEAU	SAGITTAIRE	19 BALANCE
23 NOVEMBRE	SCORPION	CAPRICORNE	BALANCE	GEMEAUX	TAUREAU	VERSEAU	VERSEAU	SAGITTAIRE	3 SCORPION
24 NOVEMBRE	SCORPION	CAPRICORNE	BALANCE	GEMEAUX	TAUREAU	VERSEAU	VERSEAU	SAGITTAIRE	16 SCORPION
25 NOVEMBRE	SCORPION	CAPRICORNE	BALANCE	GEMEAUX	TAUREAU	VERSEAU	VERSEAU	SAGITTAIRE	28 SCORPION
26 NOVEMBRE	SCORPION	CAPRICORNE	BALANCE	GEMEAUX	TAUREAU	VERSEAU	VERSEAU	SAGITTAIRE	10 SAGITTAIRE
27 NOVEMBRE	SCORPION	CAPRICORNE	BALANCE	GEMEAUX	TAUREAU	VERSEAU	VERSEAU	SAGITTAIRE	23 SAGITTAIRE
28 NOVEMBRE	SCORPION	CAPRICORNE	BALANCE	GEMEAUX	TAUREAU	VERSEAU	VERSEAU	SAGITTAIRE	5 CAPRICORNE
29 NOVEMBRE	SCORPION	CAPRICORNE	BALANCE	GEMEAUX	TAUREAU	VERSEAU	VERSEAU	SAGITTAIRE	17 CAPRICORNE
30 NOVEMBRE	SCORPION	CAPRICORNE	BALANCE	GEMEAUX	TAUREAU	VERSEAU	VERSEAU	SAGITTAIRE	29 CAPRICORNE
1 DECEMBRE	SCORPION	CAPRICORNE	BALANCE	GEMEAUX	TAUREAU	VERSEAU	VERSEAU	SAGITTAIRE	11 VERSEAU
2 DECEMBRE	SCORPION	CAPRICORNE	BALANCE	GEMEAUX	TAUREAU	VERSEAU	VERSEAU	SAGITTAIRE	22 VERSEAU
3 DECEMBRE	SCORPION	CAPRICORNE	BALANCE	GEMEAUX	TAUREAU	VERSEAU	VERSEAU	SAGITTAIRE	4 POISSONS
4 DECEMBRE	SAGITTAIRE	CAPRICORNE	BALANCE	GEMEAUX	TAUREAU	VERSEAU	VERSEAU	SAGITTAIRE	16 POISSONS
5 DECEMBRE	SAGITTAIRE	CAPRICORNE	BALANCE	GEMEAUX	TAUREAU	VERSEAU	VERSEAU	SAGITTAIRE	29 POISSONS
6 DECEMBRE	SAGITTAIRE	CAPRICORNE	BALANCE	GEMEAUX	TAUREAU	VERSEAU	VERSEAU	SAGITTAIRE	12 BELIER
7 DECEMBRE	SAGITTAIRE	CAPRICORNE	BALANCE	GEMEAUX	TAUREAU	VERSEAU	VERSEAU	SAGITTAIRE	25 BELIER
8 DECEMBRE	SAGITTAIRE	VERSEAU	BALANCE	GEMEAUX	TAUREAU	VERSEAU	VERSEAU	SAGITTAIRE	8 TAUREAU
9 DECEMBRE	SAGITTAIRE	VERSEAU	BALANCE	GEMEAUX	TAUREAU	VERSEAU	VERSEAU	SAGITTAIRE	22 TAUREAU
10 DECEMBRE	SAGITTAIRE	VERSEAU	BALANCE	GEMEAUX	TAUREAU	VERSEAU	VERSEAU	SAGITTAIRE	7 GEMEAUX
11 DECEMBRE	SAGITTAIRE	VERSEAU	BALANCE	GEMEAUX	TAUREAU	VERSEAU	VERSEAU	SAGITTAIRE	22 GEMEAUX
12 DECEMBRE	SAGITTAIRE	VERSEAU	BALANCE	GEMEAUX	TAUREAU	VERSEAU	VERSEAU	SAGITTAIRE	7 CANCER
13 DECEMBRE	SAGITTAIRE	VERSEAU	BALANCE	GEMEAUX	TAUREAU	VERSEAU	VERSEAU	SAGITTAIRE	21 CANCER
14 DECEMBRE	SAGITTAIRE	VERSEAU	BALANCE	GEMEAUX	TAUREAU	VERSEAU	VERSEAU	SAGITTAIRE	5 LION
15 DECEMBRE	SAGITTAIRE	VERSEAU	BALANCE	GEMEAUX	TAUREAU	VERSEAU	VERSEAU	SAGITTAIRE	21 LION
16 DECEMBRE	SAGITTAIRE	VERSEAU	BALANCE	GEMEAUX	TAUREAU	VERSEAU	VERSEAU	SAGITTAIRE	5 VIERGE
17 DECEMBRE	SAGITTAIRE	VERSEAU	BALANCE	GEMEAUX	TAUREAU	VERSEAU	VERSEAU	SAGITTAIRE	19 VIERGE
18 DECEMBRE	SAGITTAIRE	VERSEAU	BALANCE	GEMEAUX	TAUREAU	VERSEAU	VERSEAU	SAGITTAIRE	3 BALANCE
19 DECEMBRE	SAGITTAIRE	VERSEAU	BALANCE	GEMEAUX	TAUREAU	VERSEAU	VERSEAU	SAGITTAIRE	16 BALANCE
20 DECEMBRE	SAGITTAIRE	VERSEAU	BALANCE	GEMEAUX	TAUREAU	VERSEAU	VERSEAU	SAGITTAIRE	29 BALANCE
21 DECEMBRE	SAGITTAIRE	VERSEAU	BALANCE	GEMEAUX	TAUREAU	VERSEAU	VERSEAU	SAGITTAIRE	12 SCORPION

LE SOLEIL	ENTRE DANS LE SIGNE DU	SAGITTAIRE	LE 22 NOVEMBRE	2000	A 0 h 15	* LES CHIFFRES INDIQUENT LES DEGRÉS
	QUITTE LE SIGNE DU		LE 21 DECEMBRE		A 13 h 30	

DÉCOUVREZ DANS QUEL SIGNE SE TROUVAIENT LES PLANÈTES
A VOTRE NAISSANCE

2001	MERCURE	VÉNUS	MARS	JUPITER	SATURNE	URANUS	NEPTUNE	PLUTON	LUNE*
22 NOVEMBRE	SCORPION	SCORPION	VERSEAU	CANCER	GÉMEAUX	VERSEAU	VERSEAU	SAGITTAIRE	25 VERSEAU
23 NOVEMBRE	SCORPION	SCORPION	VERSEAU	CANCER	GÉMEAUX	VERSEAU	VERSEAU	SAGITTAIRE	7 POISSONS
24 NOVEMBRE	SCORPION	SCORPION	VERSEAU	CANCER	GÉMEAUX	VERSEAU	VERSEAU	SAGITTAIRE	19 POISSONS
25 NOVEMBRE	SCORPION	SCORPION	VERSEAU	CANCER	GÉMEAUX	VERSEAU	VERSEAU	SAGITTAIRE	1 BÉLIER
26 NOVEMBRE	SCORPION	SCORPION	VERSEAU	CANCER	GÉMEAUX	VERSEAU	VERSEAU	SAGITTAIRE	13 BÉLIER
27 NOVEMBRE	SAGITTAIRE	SCORPION	VERSEAU	CANCER	GÉMEAUX	VERSEAU	VERSEAU	SAGITTAIRE	25 BÉLIER
28 NOVEMBRE	SAGITTAIRE	SCORPION	VERSEAU	CANCER	GÉMEAUX	VERSEAU	VERSEAU	SAGITTAIRE	8 TAUREAU
29 NOVEMBRE	SAGITTAIRE	SCORPION	VERSEAU	CANCER	GÉMEAUX	VERSEAU	VERSEAU	SAGITTAIRE	21 TAUREAU
30 NOVEMBRE	SAGITTAIRE	SCORPION	VERSEAU	CANCER	GÉMEAUX	VERSEAU	VERSEAU	SAGITTAIRE	4 GÉMEAUX
1 DÉCEMBRE	SAGITTAIRE	SCORPION	VERSEAU	CANCER	GÉMEAUX	VERSEAU	VERSEAU	SAGITTAIRE	17 GÉMEAUX
2 DÉCEMBRE	SAGITTAIRE	SAGITTAIRE	VERSEAU	CANCER	GÉMEAUX	VERSEAU	VERSEAU	SAGITTAIRE	1 CANCER
3 DÉCEMBRE	SAGITTAIRE	SAGITTAIRE	VERSEAU	CANCER	GÉMEAUX	VERSEAU	VERSEAU	SAGITTAIRE	15 CANCER
4 DÉCEMBRE	SAGITTAIRE	SAGITTAIRE	VERSEAU	CANCER	GÉMEAUX	VERSEAU	VERSEAU	SAGITTAIRE	29 CANCER
5 DÉCEMBRE	SAGITTAIRE	SAGITTAIRE	VERSEAU	CANCER	GÉMEAUX	VERSEAU	VERSEAU	SAGITTAIRE	13 LION
6 DÉCEMBRE	SAGITTAIRE	SAGITTAIRE	VERSEAU	CANCER	GÉMEAUX	VERSEAU	VERSEAU	SAGITTAIRE	27 LION
7 DÉCEMBRE	SAGITTAIRE	SAGITTAIRE	VERSEAU	CANCER	GÉMEAUX	VERSEAU	VERSEAU	SAGITTAIRE	11 VIERGE
8 DÉCEMBRE	SAGITTAIRE	SAGITTAIRE	VERSEAU	CANCER	GÉMEAUX	VERSEAU	VERSEAU	SAGITTAIRE	25 VIERGE
9 DÉCEMBRE	SAGITTAIRE	SAGITTAIRE	POISSONS	CANCER	GÉMEAUX	VERSEAU	VERSEAU	SAGITTAIRE	9 BALANCE
10 DÉCEMBRE	SAGITTAIRE	SAGITTAIRE	POISSONS	CANCER	GÉMEAUX	VERSEAU	VERSEAU	SAGITTAIRE	23 BALANCE
11 DÉCEMBRE	SAGITTAIRE	SAGITTAIRE	POISSONS	CANCER	GÉMEAUX	VERSEAU	VERSEAU	SAGITTAIRE	7 SCORPION
12 DÉCEMBRE	SAGITTAIRE	SAGITTAIRE	POISSONS	CANCER	GÉMEAUX	VERSEAU	VERSEAU	SAGITTAIRE	21 SCORPION
13 DÉCEMBRE	SAGITTAIRE	SAGITTAIRE	POISSONS	CANCER	GÉMEAUX	VERSEAU	VERSEAU	SAGITTAIRE	5 SAGITTAIRE
14 DÉCEMBRE	SAGITTAIRE	SAGITTAIRE	POISSONS	CANCER	GÉMEAUX	VERSEAU	VERSEAU	SAGITTAIRE	18 SAGITTAIRE
15 DÉCEMBRE	SAGITTAIRE	SAGITTAIRE	POISSONS	CANCER	GÉMEAUX	VERSEAU	VERSEAU	SAGITTAIRE	2 CAPRICORNE
16 DÉCEMBRE	CAPRICORNE	SAGITTAIRE	POISSONS	CANCER	GÉMEAUX	VERSEAU	VERSEAU	SAGITTAIRE	14 CAPRICORNE
17 DÉCEMBRE	CAPRICORNE	SAGITTAIRE	POISSONS	CANCER	GÉMEAUX	VERSEAU	VERSEAU	SAGITTAIRE	27 CAPRICORNE
18 DÉCEMBRE	CAPRICORNE	SAGITTAIRE	POISSONS	CANCER	GÉMEAUX	VERSEAU	VERSEAU	SAGITTAIRE	9 VERSEAU
19 DÉCEMBRE	CAPRICORNE	SAGITTAIRE	POISSONS	CANCER	GÉMEAUX	VERSEAU	VERSEAU	SAGITTAIRE	21 VERSEAU
20 DÉCEMBRE	CAPRICORNE	SAGITTAIRE	POISSONS	CANCER	GÉMEAUX	VERSEAU	VERSEAU	SAGITTAIRE	3 POISSONS
21 DÉCEMBRE	CAPRICORNE	SAGITTAIRE	POISSONS	CANCER	GÉMEAUX	VERSEAU	VERSEAU	SAGITTAIRE	15 POISSONS

LE SOLEIL	ENTRE DANS LE SIGNE DU	SAGITTAIRE	LE 22 NOVEMBRE	2001	À 6 h 00	* LES CHIFFRES INDIQUENT LES DEGRÉS
	QUITTE LE SIGNE DU		LE 21 DÉCEMBRE		À 19 h 20	

2002	MERCURE	VÉNUS	MARS	JUPITER	SATURNE	URANUS	NEPTUNE	PLUTON	LUNE*
22 NOVEMBRE	SAGITTAIRE	SCORPION	BALANCE	LION	GÉMEAUX	VERSEAU	VERSEAU	SAGITTAIRE	28 GÉMEAUX
23 NOVEMBRE	SAGITTAIRE	SCORPION	BALANCE	LION	GÉMEAUX	VERSEAU	VERSEAU	SAGITTAIRE	10 CANCER
24 NOVEMBRE	SAGITTAIRE	SCORPION	BALANCE	LION	GÉMEAUX	VERSEAU	VERSEAU	SAGITTAIRE	23 CANCER
25 NOVEMBRE	SAGITTAIRE	SCORPION	BALANCE	LION	GÉMEAUX	VERSEAU	VERSEAU	SAGITTAIRE	6 LION
26 NOVEMBRE	SAGITTAIRE	SCORPION	BALANCE	LION	GÉMEAUX	VERSEAU	VERSEAU	SAGITTAIRE	20 LION
27 NOVEMBRE	SAGITTAIRE	SCORPION	BALANCE	LION	GÉMEAUX	VERSEAU	VERSEAU	SAGITTAIRE	3 VIERGE
28 NOVEMBRE	SAGITTAIRE	SCORPION	BALANCE	LION	GÉMEAUX	VERSEAU	VERSEAU	SAGITTAIRE	17 VIERGE
29 NOVEMBRE	SAGITTAIRE	SCORPION	BALANCE	LION	GÉMEAUX	VERSEAU	VERSEAU	SAGITTAIRE	1 BALANCE
30 NOVEMBRE	SAGITTAIRE	SCORPION	BALANCE	LION	GÉMEAUX	VERSEAU	VERSEAU	SAGITTAIRE	16 BALANCE
1 DÉCEMBRE	SAGITTAIRE	SCORPION	BALANCE	LION	GÉMEAUX	VERSEAU	VERSEAU	SAGITTAIRE	1 SCORPION
2 DÉCEMBRE	SAGITTAIRE	SCORPION	SCORPION	LION	GÉMEAUX	VERSEAU	VERSEAU	SAGITTAIRE	16 SCORPION
3 DÉCEMBRE	SAGITTAIRE	SCORPION	SCORPION	LION	GÉMEAUX	VERSEAU	VERSEAU	SAGITTAIRE	1 SAGITTAIRE
4 DÉCEMBRE	SAGITTAIRE	SCORPION	SCORPION	LION	GÉMEAUX	VERSEAU	VERSEAU	SAGITTAIRE	15 SAGITTAIRE
5 DÉCEMBRE	SAGITTAIRE	SCORPION	SCORPION	LION	GÉMEAUX	VERSEAU	VERSEAU	SAGITTAIRE	29 SAGITTAIRE
6 DÉCEMBRE	SAGITTAIRE	SCORPION	SCORPION	LION	GÉMEAUX	VERSEAU	VERSEAU	SAGITTAIRE	13 CAPRICORNE
7 DÉCEMBRE	SAGITTAIRE	SCORPION	SCORPION	LION	GÉMEAUX	VERSEAU	VERSEAU	SAGITTAIRE	27 CAPRICORNE
8 DÉCEMBRE	SAGITTAIRE	SCORPION	SCORPION	LION	GÉMEAUX	VERSEAU	VERSEAU	SAGITTAIRE	10 VERSEAU
9 DÉCEMBRE	CAPRICORNE	SCORPION	SCORPION	LION	GÉMEAUX	VERSEAU	VERSEAU	SAGITTAIRE	23 VERSEAU
10 DÉCEMBRE	CAPRICORNE	SCORPION	SCORPION	LION	GÉMEAUX	VERSEAU	VERSEAU	SAGITTAIRE	5 POISSONS
11 DÉCEMBRE	CAPRICORNE	SCORPION	SCORPION	LION	GÉMEAUX	VERSEAU	VERSEAU	SAGITTAIRE	18 POISSONS
12 DÉCEMBRE	CAPRICORNE	SCORPION	SCORPION	LION	GÉMEAUX	VERSEAU	VERSEAU	SAGITTAIRE	0 BÉLIER
13 DÉCEMBRE	CAPRICORNE	SCORPION	SCORPION	LION	GÉMEAUX	VERSEAU	VERSEAU	SAGITTAIRE	11 BÉLIER
14 DÉCEMBRE	CAPRICORNE	SCORPION	SCORPION	LION	GÉMEAUX	VERSEAU	VERSEAU	SAGITTAIRE	23 BÉLIER
15 DÉCEMBRE	CAPRICORNE	SCORPION	SCORPION	LION	GÉMEAUX	VERSEAU	VERSEAU	SAGITTAIRE	5 TAUREAU
16 DÉCEMBRE	CAPRICORNE	SCORPION	SCORPION	LION	GÉMEAUX	VERSEAU	VERSEAU	SAGITTAIRE	17 TAUREAU
17 DÉCEMBRE	CAPRICORNE	SCORPION	SCORPION	LION	GÉMEAUX	VERSEAU	VERSEAU	SAGITTAIRE	29 TAUREAU
18 DÉCEMBRE	CAPRICORNE	SCORPION	SCORPION	LION	GÉMEAUX	VERSEAU	VERSEAU	SAGITTAIRE	12 GÉMEAUX
19 DÉCEMBRE	CAPRICORNE	SCORPION	SCORPION	LION	GÉMEAUX	VERSEAU	VERSEAU	SAGITTAIRE	24 GÉMEAUX
20 DÉCEMBRE	CAPRICORNE	SCORPION	SCORPION	LION	GÉMEAUX	VERSEAU	VERSEAU	SAGITTAIRE	7 CANCER
21 DÉCEMBRE	CAPRICORNE	SCORPION	SCORPION	LION	GÉMEAUX	VERSEAU	VERSEAU	SAGITTAIRE	20 CANCER
22 DÉCEMBRE	CAPRICORNE	SCORPION	SCORPION	LION	GÉMEAUX	VERSEAU	VERSEAU	SAGITTAIRE	3 LION

LE SOLEIL	ENTRE DANS LE SIGNE DU	SAGITTAIRE	LE 22 NOVEMBRE	2002	À 11 h 50	* LES CHIFFRES INDIQUENT LES DEGRÉS
	QUITTE LE SIGNE DU		LE 22 DÉCEMBRE		À 1 h 10	

2003	MERCURE	VÉNUS	MARS	JUPITER	SATURNE	URANUS	NEPTUNE	PLUTON	LUNE*
22 NOVEMBRE	SAGITTAIRE	SAGITTAIRE	POISSONS	VIERGE	CANCER	VERSEAU	VERSEAU	SAGITTAIRE	10 SCORPION
23 NOVEMBRE	SAGITTAIRE	SAGITTAIRE	POISSONS	VIERGE	CANCER	VERSEAU	VERSEAU	SAGITTAIRE	25 SCORPION
24 NOVEMBRE	SAGITTAIRE	SAGITTAIRE	POISSONS	VIERGE	CANCER	VERSEAU	VERSEAU	SAGITTAIRE	10 SAGITTAIRE
25 NOVEMBRE	SAGITTAIRE	SAGITTAIRE	POISSONS	VIERGE	CANCER	VERSEAU	VERSEAU	SAGITTAIRE	25 SAGITTAIRE
26 NOVEMBRE	SAGITTAIRE	SAGITTAIRE	POISSONS	VIERGE	CANCER	VERSEAU	VERSEAU	SAGITTAIRE	10 CAPRICORNE
27 NOVEMBRE	SAGITTAIRE	CAPRICORNE	POISSONS	VIERGE	CANCER	VERSEAU	VERSEAU	SAGITTAIRE	24 CAPRICORNE
28 NOVEMBRE	SAGITTAIRE	CAPRICORNE	POISSONS	VIERGE	CANCER	VERSEAU	VERSEAU	SAGITTAIRE	8 VERSEAU
29 NOVEMBRE	SAGITTAIRE	CAPRICORNE	POISSONS	VIERGE	CANCER	VERSEAU	VERSEAU	SAGITTAIRE	22 VERSEAU
30 NOVEMBRE	SAGITTAIRE	CAPRICORNE	POISSONS	VIERGE	CANCER	VERSEAU	VERSEAU	SAGITTAIRE	5 POISSONS
1 DÉCEMBRE	SAGITTAIRE	CAPRICORNE	POISSONS	VIERGE	CANCER	VERSEAU	VERSEAU	SAGITTAIRE	18 POISSONS
2 DÉCEMBRE	SAGITTAIRE	CAPRICORNE	POISSONS	VIERGE	CANCER	VERSEAU	VERSEAU	SAGITTAIRE	1 BÉLIER
3 DÉCEMBRE	CAPRICORNE	CAPRICORNE	POISSONS	VIERGE	CANCER	VERSEAU	VERSEAU	SAGITTAIRE	13 BÉLIER
4 DÉCEMBRE	CAPRICORNE	CAPRICORNE	POISSONS	VIERGE	CANCER	VERSEAU	VERSEAU	SAGITTAIRE	25 BÉLIER
5 DÉCEMBRE	CAPRICORNE	CAPRICORNE	POISSONS	VIERGE	CANCER	VERSEAU	VERSEAU	SAGITTAIRE	7 TAUREAU
6 DÉCEMBRE	CAPRICORNE	CAPRICORNE	POISSONS	VIERGE	CANCER	VERSEAU	VERSEAU	SAGITTAIRE	19 TAUREAU
7 DÉCEMBRE	CAPRICORNE	CAPRICORNE	POISSONS	VIERGE	CANCER	VERSEAU	VERSEAU	SAGITTAIRE	0 GÉMEAUX
8 DÉCEMBRE	CAPRICORNE	CAPRICORNE	POISSONS	VIERGE	CANCER	VERSEAU	VERSEAU	SAGITTAIRE	12 GÉMEAUX
9 DÉCEMBRE	CAPRICORNE	CAPRICORNE	POISSONS	VIERGE	CANCER	VERSEAU	VERSEAU	SAGITTAIRE	24 GÉMEAUX
10 DÉCEMBRE	CAPRICORNE	CAPRICORNE	POISSONS	VIERGE	CANCER	VERSEAU	VERSEAU	SAGITTAIRE	6 CANCER
11 DÉCEMBRE	CAPRICORNE	CAPRICORNE	POISSONS	VIERGE	CANCER	VERSEAU	VERSEAU	SAGITTAIRE	18 CANCER
12 DÉCEMBRE	CAPRICORNE	CAPRICORNE	POISSONS	VIERGE	CANCER	VERSEAU	VERSEAU	SAGITTAIRE	0 LION
13 DÉCEMBRE	CAPRICORNE	CAPRICORNE	POISSONS	VIERGE	CANCER	VERSEAU	VERSEAU	SAGITTAIRE	13 LION
14 DÉCEMBRE	CAPRICORNE	CAPRICORNE	POISSONS	VIERGE	CANCER	VERSEAU	VERSEAU	SAGITTAIRE	26 LION
15 DÉCEMBRE	CAPRICORNE	CAPRICORNE	POISSONS	VIERGE	CANCER	VERSEAU	VERSEAU	SAGITTAIRE	9 VIERGE
16 DÉCEMBRE	CAPRICORNE	CAPRICORNE	POISSONS	VIERGE	CANCER	VERSEAU	VERSEAU	SAGITTAIRE	22 VIERGE
17 DÉCEMBRE	CAPRICORNE	CAPRICORNE	BÉLIER	VIERGE	CANCER	VERSEAU	VERSEAU	SAGITTAIRE	5 BALANCE
18 DÉCEMBRE	CAPRICORNE	CAPRICORNE	BÉLIER	VIERGE	CANCER	VERSEAU	VERSEAU	SAGITTAIRE	19 BALANCE
19 DÉCEMBRE	CAPRICORNE	CAPRICORNE	BÉLIER	VIERGE	CANCER	VERSEAU	VERSEAU	SAGITTAIRE	3 SCORPION
20 DÉCEMBRE	CAPRICORNE	CAPRICORNE	BÉLIER	VIERGE	CANCER	VERSEAU	VERSEAU	SAGITTAIRE	18 SCORPION
21 DÉCEMBRE	CAPRICORNE	VERSEAU	BÉLIER	VIERGE	CANCER	VERSEAU	VERSEAU	SAGITTAIRE	3 SAGITTAIRE
22 DÉCEMBRE	CAPRICORNE	VERSEAU	BÉLIER	VIERGE	CANCER	VERSEAU	VERSEAU	SAGITTAIRE	18 SAGITTAIRE

	ENTRE DANS LE SIGNE DU		SAGITTAIRE	LE 22 NOVEMBRE	2003	À 17 h 40	* LES CHIFFRES INDIQUENT LES DEGRÉS
LE SOLEIL	QUITTE LE SIGNE DU			LE 22 DÉCEMBRE		À 7 h 00	

2004	MERCURE	VÉNUS	MARS	JUPITER	SATURNE	URANUS	NEPTUNE	PLUTON	LUNE*
21 NOVEMBRE	SAGITTAIRE	BALANCE	SCORPION	BALANCE	CANCER	POISSONS	VERSEAU	SAGITTAIRE	28 POISSONS
22 NOVEMBRE	SAGITTAIRE	BALANCE	SCORPION	BALANCE	CANCER	POISSONS	VERSEAU	SAGITTAIRE	11 BÉLIER
23 NOVEMBRE	SAGITTAIRE	SCORPION	SCORPION	BALANCE	CANCER	POISSONS	VERSEAU	SAGITTAIRE	23 BÉLIER
24 NOVEMBRE	SAGITTAIRE	SCORPION	SCORPION	BALANCE	CANCER	POISSONS	VERSEAU	SAGITTAIRE	6 TAUREAU
25 NOVEMBRE	SAGITTAIRE	SCORPION	SCORPION	BALANCE	CANCER	POISSONS	VERSEAU	SAGITTAIRE	19 TAUREAU
26 NOVEMBRE	SAGITTAIRE	SCORPION	SCORPION	BALANCE	CANCER	POISSONS	VERSEAU	SAGITTAIRE	1 GÉMEAUX
27 NOVEMBRE	SAGITTAIRE	SCORPION	SCORPION	BALANCE	CANCER	POISSONS	VERSEAU	SAGITTAIRE	13 GÉMEAUX
28 NOVEMBRE	SAGITTAIRE	SCORPION	SCORPION	BALANCE	CANCER	POISSONS	VERSEAU	SAGITTAIRE	25 GÉMEAUX
29 NOVEMBRE	SAGITTAIRE	SCORPION	SCORPION	BALANCE	CANCER	POISSONS	VERSEAU	SAGITTAIRE	7 CANCER
30 NOVEMBRE	SAGITTAIRE	SCORPION	SCORPION	BALANCE	CANCER	POISSONS	VERSEAU	SAGITTAIRE	19 CANCER
1 DÉCEMBRE	SAGITTAIRE	SCORPION	SCORPION	BALANCE	CANCER	POISSONS	VERSEAU	SAGITTAIRE	1 LION
2 DÉCEMBRE	SAGITTAIRE	SCORPION	SCORPION	BALANCE	CANCER	POISSONS	VERSEAU	SAGITTAIRE	12 LION
3 DÉCEMBRE	SAGITTAIRE	SCORPION	SCORPION	BALANCE	CANCER	POISSONS	VERSEAU	SAGITTAIRE	24 LION
4 DÉCEMBRE	SAGITTAIRE	SCORPION	SCORPION	BALANCE	CANCER	POISSONS	VERSEAU	SAGITTAIRE	7 VIERGE
5 DÉCEMBRE	SAGITTAIRE	SCORPION	SCORPION	BALANCE	CANCER	POISSONS	VERSEAU	SAGITTAIRE	19 VIERGE
6 DÉCEMBRE	SAGITTAIRE	SCORPION	SCORPION	BALANCE	CANCER	POISSONS	VERSEAU	SAGITTAIRE	2 BALANCE
7 DÉCEMBRE	SAGITTAIRE	SCORPION	SCORPION	BALANCE	CANCER	POISSONS	VERSEAU	SAGITTAIRE	15 BALANCE
8 DÉCEMBRE	SAGITTAIRE	SCORPION	SCORPION	BALANCE	CANCER	POISSONS	VERSEAU	SAGITTAIRE	29 BALANCE
9 DÉCEMBRE	SAGITTAIRE	SCORPION	SCORPION	BALANCE	CANCER	POISSONS	VERSEAU	SAGITTAIRE	13 SCORPION
10 DÉCEMBRE	SAGITTAIRE	SCORPION	SCORPION	BALANCE	CANCER	POISSONS	VERSEAU	SAGITTAIRE	27 SCORPION
11 DÉCEMBRE	SAGITTAIRE	SCORPION	SCORPION	BALANCE	CANCER	POISSONS	VERSEAU	SAGITTAIRE	12 SAGITTAIRE
12 DÉCEMBRE	SAGITTAIRE	SCORPION	SCORPION	BALANCE	CANCER	POISSONS	VERSEAU	SAGITTAIRE	27 SAGITTAIRE
13 DÉCEMBRE	SAGITTAIRE	SCORPION	SCORPION	BALANCE	CANCER	POISSONS	VERSEAU	SAGITTAIRE	12 CAPRICORNE
14 DÉCEMBRE	SAGITTAIRE	SCORPION	SCORPION	BALANCE	CANCER	POISSONS	VERSEAU	SAGITTAIRE	27 CAPRICORNE
15 DÉCEMBRE	SAGITTAIRE	SCORPION	SCORPION	BALANCE	CANCER	POISSONS	VERSEAU	SAGITTAIRE	13 VERSEAU
16 DÉCEMBRE	SAGITTAIRE	SCORPION	SCORPION	BALANCE	CANCER	POISSONS	VERSEAU	SAGITTAIRE	27 VERSEAU
17 DÉCEMBRE	SAGITTAIRE	SAGITTAIRE	SCORPION	BALANCE	CANCER	POISSONS	VERSEAU	SAGITTAIRE	11 POISSONS
18 DÉCEMBRE	SAGITTAIRE	SAGITTAIRE	SCORPION	BALANCE	CANCER	POISSONS	VERSEAU	SAGITTAIRE	25 POISSONS
19 DÉCEMBRE	SAGITTAIRE	SAGITTAIRE	SCORPION	BALANCE	CANCER	POISSONS	VERSEAU	SAGITTAIRE	8 BÉLIER
20 DÉCEMBRE	SAGITTAIRE	SAGITTAIRE	SCORPION	BALANCE	CANCER	POISSONS	VERSEAU	SAGITTAIRE	21 BÉLIER
21 DÉCEMBRE	SAGITTAIRE	SAGITTAIRE	SCORPION	BALANCE	CANCER	POISSONS	VERSEAU	SAGITTAIRE	3 TAUREAU

	ENTRE DANS LE SIGNE DU		SAGITTAIRE	LE 21 NOVEMBRE	2004	À 22 h 20	* LES CHIFFRES INDIQUENT LES DEGRÉS
LE SOLEIL	QUITTE LE SIGNE DU			LE 21 DÉCEMBRE		À 12 h 40	

DÉCOUVREZ DANS QUEL SIGNE SE TROUVAIENT LES PLANÈTES A VOTRE NAISSANCE

2005	MERCURE	VÉNUS	MARS	JUPITER	SATURNE	URANUS	NEPTUNE	PLUTON	LUNE*
22 NOVEMBRE	SAGITTAIRE	CAPRICORNE	TAUREAU	SCORPION	LION	POISSONS	VERSEAU	SAGITTAIRE	15 LION
23 NOVEMBRE	SAGITTAIRE	CAPRICORNE	TAUREAU	SCORPION	LION	POISSONS	VERSEAU	SAGITTAIRE	27 LION
24 NOVEMBRE	SAGITTAIRE	CAPRICORNE	TAUREAU	SCORPION	LION	POISSONS	VERSEAU	SAGITTAIRE	9 VIERGE
25 NOVEMBRE	SAGITTAIRE	CAPRICORNE	TAUREAU	SCORPION	LION	POISSONS	VERSEAU	SAGITTAIRE	21 VIERGE
26 NOVEMBRE	SCORPION	CAPRICORNE	TAUREAU	SCORPION	LION	POISSONS	VERSEAU	SAGITTAIRE	3 BALANCE
27 NOVEMBRE	SCORPION	CAPRICORNE	TAUREAU	SCORPION	LION	POISSONS	VERSEAU	SAGITTAIRE	15 BALANCE
28 NOVEMBRE	SCORPION	CAPRICORNE	TAUREAU	SCORPION	LION	POISSONS	VERSEAU	SAGITTAIRE	28 BALANCE
29 NOVEMBRE	SCORPION	CAPRICORNE	TAUREAU	SCORPION	LION	POISSONS	VERSEAU	SAGITTAIRE	11 SCORPION
30 NOVEMBRE	SCORPION	CAPRICORNE	TAUREAU	SCORPION	LION	POISSONS	VERSEAU	SAGITTAIRE	24 SCORPION
1 DÉCEMBRE	SCORPION	CAPRICORNE	TAUREAU	SCORPION	LION	POISSONS	VERSEAU	SAGITTAIRE	8 SAGITTAIRE
2 DÉCEMBRE	SCORPION	CAPRICORNE	TAUREAU	SCORPION	LION	POISSONS	VERSEAU	SAGITTAIRE	22 SAGITTAIRE
3 DÉCEMBRE	SCORPION	CAPRICORNE	TAUREAU	SCORPION	LION	POISSONS	VERSEAU	SAGITTAIRE	6 CAPRICORNE
4 DÉCEMBRE	SCORPION	CAPRICORNE	TAUREAU	SCORPION	LION	POISSONS	VERSEAU	SAGITTAIRE	21 CAPRICORNE
5 DÉCEMBRE	SCORPION	CAPRICORNE	TAUREAU	SCORPION	LION	POISSONS	VERSEAU	SAGITTAIRE	5 VERSEAU
6 DÉCEMBRE	SCORPION	CAPRICORNE	TAUREAU	SCORPION	LION	POISSONS	VERSEAU	SAGITTAIRE	20 VERSEAU
7 DÉCEMBRE	SCORPION	CAPRICORNE	TAUREAU	SCORPION	LION	POISSONS	VERSEAU	SAGITTAIRE	4 POISSONS
8 DÉCEMBRE	SCORPION	CAPRICORNE	TAUREAU	SCORPION	LION	POISSONS	VERSEAU	SAGITTAIRE	18 POISSONS
9 DÉCEMBRE	SCORPION	CAPRICORNE	TAUREAU	SCORPION	LION	POISSONS	VERSEAU	SAGITTAIRE	2 BÉLIER
10 DÉCEMBRE	SCORPION	CAPRICORNE	TAUREAU	SCORPION	LION	POISSONS	VERSEAU	SAGITTAIRE	16 BÉLIER
11 DÉCEMBRE	SCORPION	CAPRICORNE	TAUREAU	SCORPION	LION	POISSONS	VERSEAU	SAGITTAIRE	29 BÉLIER
12 DÉCEMBRE	SCORPION	CAPRICORNE	TAUREAU	SCORPION	LION	POISSONS	VERSEAU	SAGITTAIRE	13 TAUREAU
13 DÉCEMBRE	SAGITTAIRE	CAPRICORNE	TAUREAU	SCORPION	LION	POISSONS	VERSEAU	SAGITTAIRE	26 TAUREAU
14 DÉCEMBRE	SAGITTAIRE	CAPRICORNE	TAUREAU	SCORPION	LION	POISSONS	VERSEAU	SAGITTAIRE	9 GÉMEAUX
15 DÉCEMBRE	SAGITTAIRE	CAPRICORNE	TAUREAU	SCORPION	LION	POISSONS	VERSEAU	SAGITTAIRE	22 GÉMEAUX
16 DÉCEMBRE	SAGITTAIRE	VERSEAU	TAUREAU	SCORPION	LION	POISSONS	VERSEAU	SAGITTAIRE	4 CANCER
17 DÉCEMBRE	SAGITTAIRE	VERSEAU	TAUREAU	SCORPION	LION	POISSONS	VERSEAU	SAGITTAIRE	17 CANCER
18 DÉCEMBRE	SAGITTAIRE	VERSEAU	TAUREAU	SCORPION	LION	POISSONS	VERSEAU	SAGITTAIRE	29 CANCER
19 DÉCEMBRE	SAGITTAIRE	VERSEAU	TAUREAU	SCORPION	LION	POISSONS	VERSEAU	SAGITTAIRE	11 LION
20 DÉCEMBRE	SAGITTAIRE	VERSEAU	TAUREAU	SCORPION	LION	POISSONS	VERSEAU	SAGITTAIRE	23 LION
21 DÉCEMBRE	SAGITTAIRE	VERSEAU	TAUREAU	SCORPION	LION	POISSONS	VERSEAU	SAGITTAIRE	5 VIERGE

LE SOLEIL	ENTRE DANS LE SIGNE DU	SAGITTAIRE	LE 22 NOVEMBRE	2005	À 5 h 15	* LES CHIFFRES INDIQUENT LES DEGRÉS
	QUITTE LE SIGNE DU		LE 21 DÉCEMBRE		À 18 h 30	

2006	MERCURE	VÉNUS	MARS	JUPITER	SATURNE	URANUS	NEPTUNE	PLUTON	LUNE*
22 NOVEMBRE	SCORPION	SAGITTAIRE	SCORPION	SCORPION	LION	POISSONS	VERSEAU	SAGITTAIRE	19 SAGITTAIRE
23 NOVEMBRE	SCORPION	SAGITTAIRE	SCORPION	SCORPION	LION	POISSONS	VERSEAU	SAGITTAIRE	2 CAPRICORNE
24 NOVEMBRE	SCORPION	SAGITTAIRE	SCORPION	SAGITTAIRE	LION	POISSONS	VERSEAU	SAGITTAIRE	15 CAPRICORNE
25 NOVEMBRE	SCORPION	SAGITTAIRE	SCORPION	SAGITTAIRE	LION	POISSONS	VERSEAU	SAGITTAIRE	28 CAPRICORNE
26 NOVEMBRE	SCORPION	SAGITTAIRE	SCORPION	SAGITTAIRE	LION	POISSONS	VERSEAU	SAGITTAIRE	2 VERSEAU
27 NOVEMBRE	SCORPION	SAGITTAIRE	SCORPION	SAGITTAIRE	LION	POISSONS	VERSEAU	SAGITTAIRE	25 VERSEAU
28 NOVEMBRE	SCORPION	SAGITTAIRE	SCORPION	SAGITTAIRE	LION	POISSONS	VERSEAU	SAGITTAIRE	9 POISSONS
29 NOVEMBRE	SCORPION	SAGITTAIRE	SCORPION	SAGITTAIRE	LION	POISSONS	VERSEAU	SAGITTAIRE	23 POISSONS
30 NOVEMBRE	SCORPION	SAGITTAIRE	SCORPION	SAGITTAIRE	LION	POISSONS	VERSEAU	SAGITTAIRE	8 BÉLIER
1 DÉCEMBRE	SCORPION	SAGITTAIRE	SCORPION	SAGITTAIRE	LION	POISSONS	VERSEAU	SAGITTAIRE	22 BÉLIER
2 DÉCEMBRE	SCORPION	SAGITTAIRE	SCORPION	SAGITTAIRE	LION	POISSONS	VERSEAU	SAGITTAIRE	6 TAUREAU
3 DÉCEMBRE	SCORPION	SAGITTAIRE	SCORPION	SAGITTAIRE	LION	POISSONS	VERSEAU	SAGITTAIRE	21 TAUREAU
4 DÉCEMBRE	SCORPION	SAGITTAIRE	SCORPION	SAGITTAIRE	LION	POISSONS	VERSEAU	SAGITTAIRE	5 GÉMEAUX
5 DÉCEMBRE	SCORPION	SAGITTAIRE	SCORPION	SAGITTAIRE	LION	POISSONS	VERSEAU	SAGITTAIRE	20 GÉMEAUX
6 DÉCEMBRE	SCORPION	SAGITTAIRE	SAGITTAIRE	SAGITTAIRE	LION	POISSONS	VERSEAU	SAGITTAIRE	4 CANCER
7 DÉCEMBRE	SCORPION	SAGITTAIRE	SAGITTAIRE	SAGITTAIRE	LION	POISSONS	VERSEAU	SAGITTAIRE	17 CANCER
8 DÉCEMBRE	SAGITTAIRE	SAGITTAIRE	SAGITTAIRE	SAGITTAIRE	LION	POISSONS	VERSEAU	SAGITTAIRE	0 LION
9 DÉCEMBRE	SAGITTAIRE	SAGITTAIRE	SAGITTAIRE	SAGITTAIRE	LION	POISSONS	VERSEAU	SAGITTAIRE	13 LION
10 DÉCEMBRE	SAGITTAIRE	SAGITTAIRE	SAGITTAIRE	SAGITTAIRE	LION	POISSONS	VERSEAU	SAGITTAIRE	25 LION
11 DÉCEMBRE	SAGITTAIRE	CAPRICORNE	SAGITTAIRE	SAGITTAIRE	LION	POISSONS	VERSEAU	SAGITTAIRE	7 VIERGE
12 DÉCEMBRE	SAGITTAIRE	CAPRICORNE	SAGITTAIRE	SAGITTAIRE	LION	POISSONS	VERSEAU	SAGITTAIRE	19 VIERGE
13 DÉCEMBRE	SAGITTAIRE	CAPRICORNE	SAGITTAIRE	SAGITTAIRE	LION	POISSONS	VERSEAU	SAGITTAIRE	1 BALANCE
14 DÉCEMBRE	SAGITTAIRE	CAPRICORNE	SAGITTAIRE	SAGITTAIRE	LION	POISSONS	VERSEAU	SAGITTAIRE	13 BALANCE
15 DÉCEMBRE	SAGITTAIRE	CAPRICORNE	SAGITTAIRE	SAGITTAIRE	LION	POISSONS	VERSEAU	SAGITTAIRE	25 BALANCE
16 DÉCEMBRE	SAGITTAIRE	CAPRICORNE	SAGITTAIRE	SAGITTAIRE	LION	POISSONS	VERSEAU	SAGITTAIRE	7 SCORPION
17 DÉCEMBRE	SAGITTAIRE	CAPRICORNE	SAGITTAIRE	SAGITTAIRE	LION	POISSONS	VERSEAU	SAGITTAIRE	19 SCORPION
18 DÉCEMBRE	SAGITTAIRE	CAPRICORNE	SAGITTAIRE	SAGITTAIRE	LION	POISSONS	VERSEAU	SAGITTAIRE	2 SAGITTAIRE
19 DÉCEMBRE	SAGITTAIRE	CAPRICORNE	SAGITTAIRE	SAGITTAIRE	LION	POISSONS	VERSEAU	SAGITTAIRE	15 SAGITTAIRE
20 DÉCEMBRE	SAGITTAIRE	CAPRICORNE	SAGITTAIRE	SAGITTAIRE	LION	POISSONS	VERSEAU	SAGITTAIRE	28 SAGITTAIRE
21 DÉCEMBRE	SAGITTAIRE	CAPRICORNE	SAGITTAIRE	SAGITTAIRE	LION	POISSONS	VERSEAU	SAGITTAIRE	11 CAPRICORNE
22 DÉCEMBRE	SAGITTAIRE	CAPRICORNE	SAGITTAIRE	SAGITTAIRE	LION	POISSONS	VERSEAU	SAGITTAIRE	25 CAPRICORNE

LE SOLEIL	ENTRE DANS LE SIGNE DU	SAGITTAIRE	LE 22 NOVEMBRE	2006	À 11 h 00	* LES CHIFFRES INDIQUENT LES DEGRÉS
	QUITTE LE SIGNE DU		LE 22 DÉCEMBRE		À 0 h 20	

DÉCOUVREZ DANS QUEL SIGNE SE TROUVAIENT LES PLANÈTES A VOTRE NAISSANCE

2007	MERCURE	VÉNUS	MARS	JUPITER	SATURNE	URANUS	NEPTUNE	PLUTON	LUNE*
22 NOVEMBRE	SCORPION	BALANCE	CANCER	SAGITTAIRE	VIERGE	POISSONS	VERSEAU	SAGITTAIRE	0 TAUREAU
23 NOVEMBRE	SCORPION	BALANCE	CANCER	SAGITTAIRE	VIERGE	POISSONS	VERSEAU	SAGITTAIRE	15 TAUREAU
24 NOVEMBRE	SCORPION	BALANCE	CANCER	SAGITTAIRE	VIERGE	POISSONS	VERSEAU	SAGITTAIRE	0 GÉMEAUX
25 NOVEMBRE	SCORPION	BALANCE	CANCER	SAGITTAIRE	VIERGE	POISSONS	VERSEAU	SAGITTAIRE	15 GÉMEAUX
26 NOVEMBRE	SCORPION	BALANCE	CANCER	SAGITTAIRE	VIERGE	POISSONS	VERSEAU	SAGITTAIRE	0 CANCER
27 NOVEMBRE	SCORPION	BALANCE	CANCER	SAGITTAIRE	VIERGE	POISSONS	VERSEAU	SAGITTAIRE	15 CANCER
28 NOVEMBRE	SCORPION	BALANCE	CANCER	SAGITTAIRE	VIERGE	POISSONS	VERSEAU	SAGITTAIRE	29 CANCER
29 NOVEMBRE	SCORPION	BALANCE	CANCER	SAGITTAIRE	VIERGE	POISSONS	VERSEAU	SAGITTAIRE	13 LION
30 NOVEMBRE	SCORPION	BALANCE	CANCER	SAGITTAIRE	VIERGE	POISSONS	VERSEAU	SAGITTAIRE	26 LION
1 DÉCEMBRE	SAGITTAIRE	BALANCE	CANCER	SAGITTAIRE	VIERGE	POISSONS	VERSEAU	SAGITTAIRE	7 VIERGE
2 DÉCEMBRE	SAGITTAIRE	BALANCE	CANCER	SAGITTAIRE	VIERGE	POISSONS	VERSEAU	SAGITTAIRE	21 VIERGE
3 DÉCEMBRE	SAGITTAIRE	BALANCE	CANCER	SAGITTAIRE	VIERGE	POISSONS	VERSEAU	SAGITTAIRE	3 BALANCE
4 DÉCEMBRE	SAGITTAIRE	BALANCE	CANCER	SAGITTAIRE	VIERGE	POISSONS	VERSEAU	SAGITTAIRE	15 BALANCE
5 DÉCEMBRE	SAGITTAIRE	BALANCE	CANCER	SAGITTAIRE	VIERGE	POISSONS	VERSEAU	SAGITTAIRE	27 BALANCE
6 DÉCEMBRE	SAGITTAIRE	SCORPION	CANCER	SAGITTAIRE	VIERGE	POISSONS	VERSEAU	SAGITTAIRE	9 SCORPION
7 DÉCEMBRE	SAGITTAIRE	SCORPION	CANCER	SAGITTAIRE	VIERGE	POISSONS	VERSEAU	SAGITTAIRE	21 SCORPION
8 DÉCEMBRE	SAGITTAIRE	SCORPION	CANCER	SAGITTAIRE	VIERGE	POISSONS	VERSEAU	SAGITTAIRE	2 SAGITTAIRE
9 DÉCEMBRE	SAGITTAIRE	SCORPION	CANCER	SAGITTAIRE	VIERGE	POISSONS	VERSEAU	SAGITTAIRE	14 SAGITTAIRE
10 DÉCEMBRE	SAGITTAIRE	SCORPION	CANCER	SAGITTAIRE	VIERGE	POISSONS	VERSEAU	SAGITTAIRE	27 SAGITTAIRE
11 DÉCEMBRE	SAGITTAIRE	SCORPION	CANCER	SAGITTAIRE	VIERGE	POISSONS	VERSEAU	SAGITTAIRE	9 CAPRICORNE
12 DÉCEMBRE	SAGITTAIRE	SCORPION	CANCER	SAGITTAIRE	VIERGE	POISSONS	VERSEAU	SAGITTAIRE	21 CAPRICORNE
13 DÉCEMBRE	SAGITTAIRE	SCORPION	CANCER	SAGITTAIRE	VIERGE	POISSONS	VERSEAU	SAGITTAIRE	4 VERSEAU
14 DÉCEMBRE	SAGITTAIRE	SCORPION	CANCER	SAGITTAIRE	VIERGE	POISSONS	VERSEAU	SAGITTAIRE	17 VERSEAU
15 DÉCEMBRE	SAGITTAIRE	SCORPION	CANCER	SAGITTAIRE	VIERGE	POISSONS	VERSEAU	SAGITTAIRE	0 POISSONS
16 DÉCEMBRE	SAGITTAIRE	SCORPION	CANCER	SAGITTAIRE	VIERGE	POISSONS	VERSEAU	SAGITTAIRE	13 POISSONS
17 DÉCEMBRE	SAGITTAIRE	SCORPION	CANCER	SAGITTAIRE	VIERGE	POISSONS	VERSEAU	SAGITTAIRE	26 POISSONS
18 DÉCEMBRE	SAGITTAIRE	SCORPION	CANCER	SAGITTAIRE	VIERGE	POISSONS	VERSEAU	SAGITTAIRE	10 BÉLIER
19 DÉCEMBRE	SAGITTAIRE	SCORPION	CANCER	CAPRICORNE	VIERGE	POISSONS	VERSEAU	SAGITTAIRE	24 BÉLIER
20 DÉCEMBRE	SAGITTAIRE	SCORPION	CANCER	CAPRICORNE	VIERGE	POISSONS	VERSEAU	SAGITTAIRE	9 TAUREAU
21 DÉCEMBRE	CAPRICORNE	SCORPION	CANCER	CAPRICORNE	VIERGE	POISSONS	VERSEAU	SAGITTAIRE	24 TAUREAU
22 DÉCEMBRE	CAPRICORNE	SCORPION	CANCER	CAPRICORNE	VIERGE	POISSONS	VERSEAU	SAGITTAIRE	9 GÉMEAUX

LE SOLEIL	ENTRE DANS LE SIGNE DU	SAGITTAIRE	LE 22 NOVEMBRE	2007	À 16 h 50	* LES CHIFFRES INDIQUENT LES DEGRÉS
	QUITTE LE SIGNE DU		LE 22 DÉCEMBRE		À 6 h 05	

2008	MERCURE	VÉNUS	MARS	JUPITER	SATURNE	URANUS	NEPTUNE	PLUTON	LUNE*
21 NOVEMBRE	SCORPION	CAPRICORNE	SAGITTAIRE	CAPRICORNE	VIERGE	POISSONS	VERSEAU	SAGITTAIRE	20 VIERGE
22 NOVEMBRE	SCORPION	CAPRICORNE	SAGITTAIRE	CAPRICORNE	VIERGE	POISSONS	VERSEAU	SAGITTAIRE	2 BALANCE
23 NOVEMBRE	SAGITTAIRE	CAPRICORNE	SAGITTAIRE	CAPRICORNE	VIERGE	POISSONS	VERSEAU	SAGITTAIRE	15 BALANCE
24 NOVEMBRE	SAGITTAIRE	CAPRICORNE	SAGITTAIRE	CAPRICORNE	VIERGE	POISSONS	VERSEAU	SAGITTAIRE	27 BALANCE
25 NOVEMBRE	SAGITTAIRE	CAPRICORNE	SAGITTAIRE	CAPRICORNE	VIERGE	POISSONS	VERSEAU	SAGITTAIRE	9 SCORPION
26 NOVEMBRE	SAGITTAIRE	CAPRICORNE	SAGITTAIRE	CAPRICORNE	VIERGE	POISSONS	VERSEAU	SAGITTAIRE	21 SCORPION
27 NOVEMBRE	SAGITTAIRE	CAPRICORNE	SAGITTAIRE	CAPRICORNE	VIERGE	POISSONS	VERSEAU	CAPRICORNE	
28 NOVEMBRE	SAGITTAIRE	CAPRICORNE	SAGITTAIRE	CAPRICORNE	VIERGE	POISSONS	VERSEAU	CAPRICORNE	15 SAGITTAIRE
29 NOVEMBRE	SAGITTAIRE	CAPRICORNE	SAGITTAIRE	CAPRICORNE	VIERGE	POISSONS	VERSEAU	CAPRICORNE	27 SAGITTAIRE
30 NOVEMBRE	SAGITTAIRE	CAPRICORNE	SAGITTAIRE	CAPRICORNE	VIERGE	POISSONS	VERSEAU	CAPRICORNE	9 CAPRICORNE
1 DÉCEMBRE	SAGITTAIRE	CAPRICORNE	SAGITTAIRE	CAPRICORNE	VIERGE	POISSONS	VERSEAU	CAPRICORNE	21 CAPRICORNE
2 DÉCEMBRE	SAGITTAIRE	CAPRICORNE	SAGITTAIRE	CAPRICORNE	VIERGE	POISSONS	VERSEAU	CAPRICORNE	3 VERSEAU
3 DÉCEMBRE	SAGITTAIRE	CAPRICORNE	SAGITTAIRE	CAPRICORNE	VIERGE	POISSONS	VERSEAU	CAPRICORNE	15 VERSEAU
4 DÉCEMBRE	SAGITTAIRE	CAPRICORNE	SAGITTAIRE	CAPRICORNE	VIERGE	POISSONS	VERSEAU	CAPRICORNE	27 VERSEAU
5 DÉCEMBRE	SAGITTAIRE	CAPRICORNE	SAGITTAIRE	CAPRICORNE	VIERGE	POISSONS	VERSEAU	CAPRICORNE	9 POISSONS
6 DÉCEMBRE	SAGITTAIRE	CAPRICORNE	SAGITTAIRE	CAPRICORNE	VIERGE	POISSONS	VERSEAU	CAPRICORNE	22 POISSONS
7 DÉCEMBRE	SAGITTAIRE	CAPRICORNE	SAGITTAIRE	CAPRICORNE	VIERGE	POISSONS	VERSEAU	CAPRICORNE	5 BÉLIER
8 DÉCEMBRE	SAGITTAIRE	VERSEAU	SAGITTAIRE	CAPRICORNE	VIERGE	POISSONS	VERSEAU	CAPRICORNE	19 BÉLIER
9 DÉCEMBRE	SAGITTAIRE	VERSEAU	SAGITTAIRE	CAPRICORNE	VIERGE	POISSONS	VERSEAU	CAPRICORNE	3 TAUREAU
10 DÉCEMBRE	SAGITTAIRE	VERSEAU	SAGITTAIRE	CAPRICORNE	VIERGE	POISSONS	VERSEAU	CAPRICORNE	18 TAUREAU
11 DÉCEMBRE	SAGITTAIRE	VERSEAU	SAGITTAIRE	CAPRICORNE	VIERGE	POISSONS	VERSEAU	CAPRICORNE	3 GÉMEAUX
12 DÉCEMBRE	CAPRICORNE	VERSEAU	SAGITTAIRE	CAPRICORNE	VIERGE	POISSONS	VERSEAU	CAPRICORNE	18 GÉMEAUX
13 DÉCEMBRE	CAPRICORNE	VERSEAU	SAGITTAIRE	CAPRICORNE	VIERGE	POISSONS	VERSEAU	CAPRICORNE	3 CANCER
14 DÉCEMBRE	CAPRICORNE	VERSEAU	SAGITTAIRE	CAPRICORNE	VIERGE	POISSONS	VERSEAU	CAPRICORNE	18 CANCER
15 DÉCEMBRE	CAPRICORNE	VERSEAU	SAGITTAIRE	CAPRICORNE	VIERGE	POISSONS	VERSEAU	CAPRICORNE	3 LION
16 DÉCEMBRE	CAPRICORNE	VERSEAU	SAGITTAIRE	CAPRICORNE	VIERGE	POISSONS	VERSEAU	CAPRICORNE	18 LION
17 DÉCEMBRE	CAPRICORNE	VERSEAU	SAGITTAIRE	CAPRICORNE	VIERGE	POISSONS	VERSEAU	CAPRICORNE	2 VIERGE
18 DÉCEMBRE	CAPRICORNE	VERSEAU	SAGITTAIRE	CAPRICORNE	VIERGE	POISSONS	VERSEAU	CAPRICORNE	16 VIERGE
19 DÉCEMBRE	CAPRICORNE	VERSEAU	SAGITTAIRE	CAPRICORNE	VIERGE	POISSONS	VERSEAU	CAPRICORNE	29 VIERGE
20 DÉCEMBRE	CAPRICORNE	VERSEAU	SAGITTAIRE	CAPRICORNE	VIERGE	POISSONS	VERSEAU	CAPRICORNE	12 BALANCE
21 DÉCEMBRE	CAPRICORNE	VERSEAU	SAGITTAIRE	CAPRICORNE	VIERGE	POISSONS	VERSEAU	SAGITTAIRE	24 BALANCE

LE SOLEIL	ENTRE DANS LE SIGNE DU	SAGITTAIRE	LE 21 NOVEMBRE	2008	À 22 h 40	* LES CHIFFRES INDIQUENT LES DEGRÉS
	QUITTE LE SIGNE DU		LE 21 DÉCEMBRE		À 12 h 00	

DÉCOUVREZ DANS QUEL SIGNE SE TROUVAIENT LES PLANÈTES
A VOTRE NAISSANCE

2009	MERCURE	VÉNUS	MARS	JUPITER	SATURNE	URANUS	NEPTUNE	PLUTON	LUNE*
22 NOVEMBRE	SAGITTAIRE	SCORPION	LION	VERSEAU	BALANCE	POISSONS	VERSEAU	CAPRICORNE	4 VERSEAU
23 NOVEMBRE	SAGITTAIRE	SCORPION	LION	VERSEAU	BALANCE	POISSONS	VERSEAU	CAPRICORNE	16 VERSEAU
24 NOVEMBRE	SAGITTAIRE	SCORPION	LION	VERSEAU	BALANCE	POISSONS	VERSEAU	CAPRICORNE	28 VERSEAU
25 NOVEMBRE	SAGITTAIRE	SCORPION	LION	VERSEAU	BALANCE	POISSONS	VERSEAU	CAPRICORNE	10 POISSONS
26 NOVEMBRE	SAGITTAIRE	SCORPION	LION	VERSEAU	BALANCE	POISSONS	VERSEAU	CAPRICORNE	22 POISSONS
27 NOVEMBRE	SAGITTAIRE	SCORPION	LION	VERSEAU	BALANCE	POISSONS	VERSEAU	CAPRICORNE	5 BÉLIER
28 NOVEMBRE	SAGITTAIRE	SCORPION	LION	VERSEAU	BALANCE	POISSONS	VERSEAU	CAPRICORNE	18 BÉLIER
29 NOVEMBRE	SAGITTAIRE	SCORPION	LION	VERSEAU	BALANCE	POISSONS	VERSEAU	CAPRICORNE	1 TAUREAU
30 NOVEMBRE	SAGITTAIRE	SCORPION	LION	VERSEAU	BALANCE	POISSONS	VERSEAU	CAPRICORNE	14 TAUREAU
1 DÉCEMBRE	SAGITTAIRE	SCORPION	LION	VERSEAU	BALANCE	POISSONS	VERSEAU	CAPRICORNE	28 TAUREAU
2 DÉCEMBRE	SAGITTAIRE	SAGITTAIRE	LION	VERSEAU	BALANCE	POISSONS	VERSEAU	CAPRICORNE	13 GÉMEAUX
3 DÉCEMBRE	SAGITTAIRE	SAGITTAIRE	LION	VERSEAU	BALANCE	POISSONS	VERSEAU	CAPRICORNE	28 GÉMEAUX
4 DÉCEMBRE	SAGITTAIRE	SAGITTAIRE	LION	VERSEAU	BALANCE	POISSONS	VERSEAU	CAPRICORNE	12 CANCER
5 DÉCEMBRE	SAGITTAIRE	SAGITTAIRE	LION	VERSEAU	BALANCE	POISSONS	VERSEAU	CAPRICORNE	27 CANCER
6 DÉCEMBRE	CAPRICORNE	SAGITTAIRE	LION	VERSEAU	BALANCE	POISSONS	VERSEAU	CAPRICORNE	12 LION
7 DÉCEMBRE	CAPRICORNE	SAGITTAIRE	LION	VERSEAU	BALANCE	POISSONS	VERSEAU	CAPRICORNE	26 LION
8 DÉCEMBRE	CAPRICORNE	SAGITTAIRE	LION	VERSEAU	BALANCE	POISSONS	VERSEAU	CAPRICORNE	10 VIERGE
9 DÉCEMBRE	CAPRICORNE	SAGITTAIRE	LION	VERSEAU	BALANCE	POISSONS	VERSEAU	CAPRICORNE	24 VIERGE
10 DÉCEMBRE	CAPRICORNE	SAGITTAIRE	LION	VERSEAU	BALANCE	POISSONS	VERSEAU	CAPRICORNE	7 BALANCE
11 DÉCEMBRE	CAPRICORNE	SAGITTAIRE	LION	VERSEAU	BALANCE	POISSONS	VERSEAU	CAPRICORNE	21 BALANCE
12 DÉCEMBRE	CAPRICORNE	SAGITTAIRE	LION	VERSEAU	BALANCE	POISSONS	VERSEAU	CAPRICORNE	4 SCORPION
13 DÉCEMBRE	CAPRICORNE	SAGITTAIRE	LION	VERSEAU	BALANCE	POISSONS	VERSEAU	CAPRICORNE	17 SCORPION
14 DÉCEMBRE	CAPRICORNE	SAGITTAIRE	LION	VERSEAU	BALANCE	POISSONS	VERSEAU	CAPRICORNE	0 SAGITTAIRE
15 DÉCEMBRE	CAPRICORNE	SAGITTAIRE	LION	VERSEAU	BALANCE	POISSONS	VERSEAU	CAPRICORNE	12 SAGITTAIRE
16 DÉCEMBRE	CAPRICORNE	SAGITTAIRE	LION	VERSEAU	BALANCE	POISSONS	VERSEAU	CAPRICORNE	25 SAGITTAIRE
17 DÉCEMBRE	CAPRICORNE	SAGITTAIRE	LION	VERSEAU	BALANCE	POISSONS	VERSEAU	CAPRICORNE	7 CAPRICORNE
18 DÉCEMBRE	CAPRICORNE	SAGITTAIRE	LION	VERSEAU	BALANCE	POISSONS	VERSEAU	CAPRICORNE	19 CAPRICORNE
19 DÉCEMBRE	CAPRICORNE	SAGITTAIRE	LION	VERSEAU	BALANCE	POISSONS	VERSEAU	CAPRICORNE	1 VERSEAU
20 DÉCEMBRE	CAPRICORNE	SAGITTAIRE	LION	VERSEAU	BALANCE	POISSONS	VERSEAU	CAPRICORNE	13 VERSEAU
21 DÉCEMBRE	CAPRICORNE	SAGITTAIRE	LION	VERSEAU	BALANCE	POISSONS	VERSEAU	CAPRICORNE	24 VERSEAU

LE SOLEIL	ENTRE DANS LE SIGNE DU	SAGITTAIRE	LE 22 NOVEMBRE	2009	À 4 h 20	* LES CHIFFRES INDIQUENT LES DEGRÉS
	QUITTE LE SIGNE DU		LE 21 DÉCEMBRE		À 17 h 45	

2010	MERCURE	VÉNUS	MARS	JUPITER	SATURNE	URANUS	NEPTUNE	PLUTON	LUNE*
22 NOVEMBRE	SAGITTAIRE	BALANCE	SAGITTAIRE	POISSONS	BALANCE	POISSONS	VERSEAU	CAPRICORNE	10 GÉMEAUX
23 NOVEMBRE	SAGITTAIRE	BALANCE	SAGITTAIRE	POISSONS	BALANCE	POISSONS	VERSEAU	CAPRICORNE	23 GÉMEAUX
24 NOVEMBRE	SAGITTAIRE	BALANCE	SAGITTAIRE	POISSONS	BALANCE	POISSONS	VERSEAU	CAPRICORNE	6 CANCER
25 NOVEMBRE	SAGITTAIRE	BALANCE	SAGITTAIRE	POISSONS	BALANCE	POISSONS	VERSEAU	CAPRICORNE	20 CANCER
26 NOVEMBRE	SAGITTAIRE	BALANCE	SAGITTAIRE	POISSONS	BALANCE	POISSONS	VERSEAU	CAPRICORNE	4 LION
27 NOVEMBRE	SAGITTAIRE	BALANCE	SAGITTAIRE	POISSONS	BALANCE	POISSONS	VERSEAU	CAPRICORNE	17 LION
28 NOVEMBRE	SAGITTAIRE	BALANCE	SAGITTAIRE	POISSONS	BALANCE	POISSONS	VERSEAU	CAPRICORNE	1 VIERGE
29 NOVEMBRE	SAGITTAIRE	BALANCE	SAGITTAIRE	POISSONS	BALANCE	POISSONS	VERSEAU	CAPRICORNE	15 VIERGE
30 NOVEMBRE	SAGITTAIRE	SCORPION	SAGITTAIRE	POISSONS	BALANCE	POISSONS	VERSEAU	CAPRICORNE	0 BALANCE
1 DÉCEMBRE	CAPRICORNE	SCORPION	SAGITTAIRE	POISSONS	BALANCE	POISSONS	VERSEAU	CAPRICORNE	14 BALANCE
2 DÉCEMBRE	CAPRICORNE	SCORPION	SAGITTAIRE	POISSONS	BALANCE	POISSONS	VERSEAU	CAPRICORNE	28 BALANCE
3 DÉCEMBRE	CAPRICORNE	SCORPION	SAGITTAIRE	POISSONS	BALANCE	POISSONS	VERSEAU	CAPRICORNE	13 SCORPION
4 DÉCEMBRE	CAPRICORNE	SCORPION	SAGITTAIRE	POISSONS	BALANCE	POISSONS	VERSEAU	CAPRICORNE	27 SCORPION
5 DÉCEMBRE	CAPRICORNE	SCORPION	SAGITTAIRE	POISSONS	BALANCE	POISSONS	VERSEAU	CAPRICORNE	10 SAGITTAIRE
6 DÉCEMBRE	CAPRICORNE	SCORPION	SAGITTAIRE	POISSONS	BALANCE	POISSONS	VERSEAU	CAPRICORNE	24 SAGITTAIRE
7 DÉCEMBRE	CAPRICORNE	SCORPION	SAGITTAIRE	POISSONS	BALANCE	POISSONS	VERSEAU	CAPRICORNE	7 CAPRICORNE
8 DÉCEMBRE	CAPRICORNE	SCORPION	CAPRICORNE	POISSONS	BALANCE	POISSONS	VERSEAU	CAPRICORNE	20 CAPRICORNE
9 DÉCEMBRE	CAPRICORNE	SCORPION	CAPRICORNE	POISSONS	BALANCE	POISSONS	VERSEAU	CAPRICORNE	2 VERSEAU
10 DÉCEMBRE	CAPRICORNE	SCORPION	CAPRICORNE	POISSONS	BALANCE	POISSONS	VERSEAU	CAPRICORNE	15 VERSEAU
11 DÉCEMBRE	CAPRICORNE	SCORPION	CAPRICORNE	POISSONS	BALANCE	POISSONS	VERSEAU	CAPRICORNE	27 VERSEAU
12 DÉCEMBRE	CAPRICORNE	SCORPION	SAGITTAIRE	POISSONS	BALANCE	POISSONS	VERSEAU	CAPRICORNE	9 POISSONS
13 DÉCEMBRE	CAPRICORNE	SCORPION	SAGITTAIRE	POISSONS	BALANCE	POISSONS	VERSEAU	CAPRICORNE	21 POISSONS
14 DÉCEMBRE	CAPRICORNE	SCORPION	SAGITTAIRE	POISSONS	BALANCE	POISSONS	VERSEAU	CAPRICORNE	2 BÉLIER
15 DÉCEMBRE	CAPRICORNE	SCORPION	SAGITTAIRE	POISSONS	BALANCE	POISSONS	VERSEAU	CAPRICORNE	14 BÉLIER
16 DÉCEMBRE	CAPRICORNE	SCORPION	SAGITTAIRE	POISSONS	BALANCE	POISSONS	VERSEAU	CAPRICORNE	27 BÉLIER
17 DÉCEMBRE	CAPRICORNE	SCORPION	SAGITTAIRE	POISSONS	BALANCE	POISSONS	VERSEAU	CAPRICORNE	9 TAUREAU
18 DÉCEMBRE	CAPRICORNE	SCORPION	SAGITTAIRE	POISSONS	BALANCE	POISSONS	VERSEAU	CAPRICORNE	22 TAUREAU
19 DÉCEMBRE	SAGITTAIRE	SCORPION	SAGITTAIRE	POISSONS	BALANCE	POISSONS	VERSEAU	CAPRICORNE	5 GÉMEAUX
20 DÉCEMBRE	SAGITTAIRE	SCORPION	SAGITTAIRE	POISSONS	BALANCE	POISSONS	VERSEAU	CAPRICORNE	18 GÉMEAUX
21 DÉCEMBRE	SAGITTAIRE	SCORPION	SAGITTAIRE	POISSONS	BALANCE	POISSONS	VERSEAU	CAPRICORNE	2 CANCER

LE SOLEIL	ENTRE DANS LE SIGNE DU	SAGITTAIRE	LE 22 NOVEMBRE	2010	À 10 h 15	* LES CHIFFRES INDIQUENT LES DEGRÉS
	QUITTE LE SIGNE DU		LE 21 DÉCEMBRE		À 23 h 35	

Portrait de Jean Genet par Jean Marais, natif du Sagittaire.

Comment interpréter Jupiter
dans les Signes

Jupiter, « maître » du Sagittaire et planète la plus volumineuse du système solaire, incarne l'ampleur, l'autorité, la puissance, mais, plutôt bon vivant en dépit de son caractère parfois autoritaire, il ignore, selon la mythologie, la mesquinerie, la rigidité et l'intolérance.

Tel, il symbolise la Loi et l'appareil du pouvoir, les institutions (le pouvoir en soi étant dévolu au Soleil). Il représente, par extension, les protecteurs et les gens influents, les classes dirigeantes; l'enseignement supérieur officiel, les religions établies et leurs représentants; la richesse (banques) et, politiquement, le système capitaliste du type démocratie libérale. Sur le plan physiologique on lui attribue la fonction hépatique et la circulation artérielle.

Vu sous un autre angle, il paraît agir comme un principe d'assimilation, d'élargissement et de maintien d'équilibre (Verdier). Il tend à coordonner (coordination entre l'objectif et le subjectif, le réel et l'imaginaire, le dehors et le dedans), à cohérer, construire en vue d'unifier globalement. Dans la formation du Moi, il interviendrait, au stade de la mentalité magique, comme élément d'expérimentation des « rapports de force et des hiérarchies naturelles » (J.-P. Nicola) et, ultérieurement, comme facteur d'« intégration au groupe extra-familial sans que la famille perde de son influence ». En fait, il paraît bien, en effet, présider au début de la socialisation.

Là où il se trouve, il tend, selon A. Barbault, à dilater, amplifier, épanouir, unissant l'instinct à la raison, l'impulsion à la réflexion, le terrestre au céleste en vue de satisfaire, avec abondance et sur un mode socialisé, les appétits personnels.

Très extraverti et syntone, facteur d'appétence, d'ouverture au monde et d'adaptation au milieu, il aspire au bien-être prospère, à la réussite (affective, matérielle, sociale); optimiste, confiant et généreux, soucieux de tolérance et de paix, il ne demande qu'à répandre, organiser ou diriger, bref, « représenter ». Michel Gauquelin dans ses statistiques l'a trouvé dominant chez les politiciens et les acteurs. On le retrouvera d'ailleurs un peu plus loin au Lion, signe par excellence de la représentation et du « paraître », chez plusieurs hommes politiques ou acteurs de cinéma.

Dans un thème, Jupiter se colore différemment suivant sa position en signe, s'oriente plus particulièrement dans tel ou tel domaine suivant sa position en Secteur, se manifeste d'une façon plus ou moins nette et plus ou moins heureuse suivant son importance relative et ses relations aux autres planètes. Les indications qui vont suivre sur ses positions zodiacales ne se réfèrent qu'au général. Dans le particulier, les processus ou tendances qu'il représente peuvent se trouver déviés, combattus, inversés même, amoindris ou au contraire poussés jusqu'à l'outrance, suivant ce que sont tous les autres éléments du thème.

Jupiter en Sagittaire

C'est ici que Jupiter, traditionnellement considéré comme le maître du signe, se trouve par excellence chez lui. Ses caractéristiques, positives et négatives, s'y expriment donc, hors tous aspects avec d'autres planètes, à l'état pur et librement. Ici plus qu'ailleurs, comme c'était le cas pour la combinaison Ascendant-Soleil, la résultante de cette position va dépendre du reste du thème.

Elle peut se borner à confirmer l'élan dionysiaque du signe dans une aptitude à savourer la joie de vivre sous toutes ses formes : joie du sport, joie des sens, joie de goûter les beautés de la nature ou de découvrir en voyage des horizons inconnus; c'est la syntonie majeure de l'optimiste né qui prend le temps comme il vient, sûr, à tort ou à raison, de pouvoir toujours retomber sur ses pattes, et jamais encombré de problèmes métaphysiques superflus; ce peut être aussi sur un mode moins animal, le contentement du monsieur, ou de la dame, confortablement installé dans le conformime de bon ton d'une situation bien assise.

Par cette combinaison, le principe de coopération, de participation, de liaison entre les choses, les êtres et les mondes, la nécessité de l'insertion sociale, se trouvent généralement portés à leur maximum sur un mode généreux et enthousiaste. Cependant, l'enracinement, la concentration, le vouloir, en soi, font ici défaut.

Aussi le sujet, actif et serviable, a-t-il fréquemment tendance à s'épanouir au sein de la collectivité, se dépensant avec beaucoup d'entregent pour mettre en relation tout le monde avec tout le monde, sans perdre de vue ses intérêts personnels, mais ce n'est pas lui qui donne le ton; il se borne à suivre celui que lui imposent les modes et les dirigeants de son époque (affaires, art ou politique). Son manque de sélectivité risque de le conduire à des « alliances bâtardes », à des conduites « d'hypocrisie ou de duplicité » (J.-P. Nicola).

Si les éléments de retrait, d'opposition réfléchie et de profondeur lui font défaut, il se répand, s'étale, embrasse beaucoup mais son excès d'adaptabilité aux moindres fluctuations du milieu lui interdit de dépasser le facile, l'immédiat, le superficiel; lui-même et ses réalisations demeurent inconsistants. A la limite, il peut n'avoir d'existence propre autre que celle de ce « rôle » joué au sein du groupe.

Le sujet fort exprime une individualité plus réelle : il œuvre avec les autres mais, ayant construit son identité, il est capable de se démarquer du groupe quand c'est nécessaire ou d'y affirmer son autorité. Il peut, en outre, sacrifier l'immédiat au futur, atteindre aux valeurs spirituelles, dépasser le conformisme pour trouver du nouveau, ou, si ses dons le lui permettent, créer, tout en restant socialement adapté, une œuvre profondément originale, marquée quelque part du symbolisme sagittarien; il reste évidemment amoureux de l'aventure et du voyage mais devient capable de les vivre non seulement au-dehors mais au-dedans. Exemples : Maurice Leblanc (*Arsène Lupin*), Morris (*Lucky Luke*), Bernanos, Eugène Ionesco, Maria Callas, Paul Meurisse, Jean-Jacques Servan-Schreiber, Michel Debré.

Jupiter en Capricorne

Cette position tend à hausser les ambitions de Jupiter et amplifier celles du Capricorne ou de Saturne. On vise alors les hauts sommets soit de la notoriété, de l'autorité, de la puissance (avec tous les risques que cela comporte d'échec, d'arrivisme ou de despotisme), soit de la pensée, de l'art ou de la spiritualité. Ici, pas question d'inconsistance, en principe tout au moins. On ne se paye ni de mots ni de faux-semblants; on veut des réalisations effectives; on n'ouvre pas ses bras à tout le monde, on sait trier ce qui est sérieux de ce qui ne l'est pas; on est capable de se sentir exister quand on est seul, au besoin même de se vouloir seul pour un temps afin de mieux pouvoir, après, atteindre son but; on sait composer, par réalisme, mais pas au-delà de certaines limites.

Revue par le Capricorne, la tolérance habituelle de Jupiter s'efface plus ou moins au profit de l'autorité, voire de la sévérité, et la faculté d'adaptation se raidit. Il s'effectue un retrait par rapport au milieu, cela afin, dans un premier temps, de mieux s'en protéger pour ensuite être plus apte à le dominer. Avec Jupiter, le Capricorne peut gagner en intuition, en faculté d'organisation, en ampleur et en élan constructif. L'ascension est peut-être lente mais elle est continue; le succès est au bout de la persévérance d'un effort adapté et calculé. Non seulement on le veut, mais on y croit avec un enthousiasme contrôlé. La réalisation maximale de cette position se fait généralement à la maturité. Il semble qu'il y ait, en outre, une propension à rechercher et utiliser la fréquentation des « grands » de ce monde.

Dans les cas où s'exerce la faculté de sublimation, l'ambition peut s'orienter en même temps ou – ce qui est rare – exclusivement, vers le domaine intellectuel, artistique ou spirituel, cette combinaison ouvrant en effet accès aux plus hautes valeurs de Jupiter. Exemples : Adolf Hitler, Karl Marx, Willy Brandt, Richard Nixon, Charlie Chaplin, le cinéaste Robert Bresson, Walt Disney, Beethoven, Giacometti, Jean Cocteau.

Jupiter en Verseau

C'est une composante très extravertie. Jupiter a d'autant moins de mal ici à opérer la socialisation qu'il se trouve dans le signe de l'universel. De ce fait, il se manifesterait, dit-on, par un renforcement des tendances généreuses, humanitaires et philantropiques du signe. C'est peut-être vrai mais, à l'observation, quelques nuances semblent s'imposer.

Le signe, décrété par la Tradition comme étant fixe, apparaît en fait comme ne l'étant pas; il est au contraire mobile (élément Air) et Jupiter, pas plus ici qu'aux Gémeaux ou à la Balance, ne peut s'enraciner. Il flotte. En outre surgit une contradiction entre la planète, chaleureuse, éprise de valeurs traditionnelles, vivant dans le présent et plutôt dans le concret, et le Verseau, sec, volontiers tourné vers l'abstrait et l'avenir, technocrate d'avant-garde, théoricien, mais non réalisateur en soi des révolutions.

Le résultat de cette coexistence est incertain. Le plus commun consiste à juxtaposer dans sa vie, quelque part et sous quelque forme que ce soit, l'inconventionnel au bien – et confortablement – assis (style de l'anti-bourgeois bourgeois); on peut notamment, en toute hétérodoxie, s'axer pour ce faire sur les fréquentations amicales, en profiter et s'y épanouir. Le plus incertain consiste à s'enthousiasmer pour tous les espoirs en « isme » : égalitarisme, fraternalisme, progressisme, technocratisme, aptes à solutionner les maux de l'humanité souffrante. Jupiter a beau être en soi très chaleureux et porté au concret, il lui est difficile ici de transformer en êtres de chair ses « semblables » pour lesquels le Verseau tend à prendre fait et cause alors qu'en fait il les conçoit plutôt comme des schémas abstraits, sortes d'épures transparentes, auxquels il demeure assez indifférent sauf sur le plan, immatériel, de l'idée. Il faut évidemment qu'il existe par ailleurs beaucoup d'éléments de réalisme et de profondeur pour que ces amples et généreuses aspirations aboutissent à autre chose qu'à des inconsistances, des démentis, des échecs. L'orientation supérieurement adaptée de cette composante semble s'effectuer plutôt dans le domaine technique (industrie de pointe, notamment), scientifique ou artistique. Exemples: Edouard Manet, V. Kandinsky, Jane Fonda, Charles de Gaulle, Valéry Giscard d'Estaing.

Jupiter en Poissons

Dans ce signe éminemment fluide dont la formule pourrait, selon J.-P. Nicola, se résumer à « être partout et nulle part », Jupiter se trouverait, d'après la Tradition, « exalté ». En tout cas, dilatation et unification globale peuvent y atteindre leur maximum puisqu'on se trouve avec les Poissons dans le monde de l'illimité. Dans le monde de l'indéterminé aussi, en sorte qu'il serait hasardeux de vouloir cerner la forme de l'adaptation jupitérienne dont le propre serait plutôt ici de n'en pas avoir mais d'être en mesure de les avoir toutes.

Ce qui reste constant, en soi, c'est l'aspiration à une expansion illimitée : « nirvâna » de la plus extrême paresse, de la sensation abolissante ou de la drogue, évasion dans le rêve éveillé ou la création artistique (règne du flou qui frémit, suggère, dissout les contours, fluidifie la matière); communion avec le Grand-Tout, ciel et mer confondus; foi religieuse authentique vécue, mysticisme; idéologies humanitaires ou philantropiques de type participation-fusion; plus rarement richesses matérielles considérables faisant tache d'huile ou propension au mécénat.

Quant à la faculté d'adaptation, elle est d'une souplesse insigne, déconcertante à force de fluidité : aisance à naviguer entre deux eaux, à se retourner, à glisser, à échapper : c'est insaisissable.

Pour que surviennent des réalisations d'envergures, il est nécessaire que cette composante, très ample mais guettée par l'inertie, la facilité ou la dissolution, soit corrigée par des éléments dynamiques et constructifs. L'intuition, le sens humanitaire et parfois oblatif qu'elle comporte, trouvent un épanouissement adapté dans une vocation médicale, religieuse, une action mise au service des masses. Par ailleurs, le sens artistique est fréquemment très développé tout comme celui de l'opportunisme et de l'intrigue. Exemples: le peintre Abel Bonnard, Edith Piaf, le spéléologue Michel Siffre, Jacques Chaban-Delmas.

Jupiter en Bélier

Dans cette position, l'élément Feu du signe étant doublé par la chaleur de la planète, l'énergie, le dynamisme et l'extraversion sont extrêmes. Cependant Jupiter tend ici à assouplir le caractère, à tempérer l'impulsion d'un brin de réflexion. L'élan en avant vers le dehors se propage à l'horizontale. Les conduites sont, relativement, plus adaptées : moins abruptes, moins incoordonnées, moins impérieuses, plus opportunes. Tempéré, « humanisé », le sujet se montre volontiers jovial et boute-en-train, ce qui n'empêche pas, dans les meilleurs cas, une « autorité naturelle du caractère qui s'affirme dans la maîtrise d'une force et d'une supériorité » (A. Barbault).

L'individu peut trouver son épanouissement dans un poste comportant des responsabilités car il n'aime pas les situations obscures; il ne lui suffit plus ici d'entreprendre, il entend diriger; ayant davantage le sens du concret, il pense à ses intérêts matériels et personnels; s'il demeure obligatoirement tenté par la conquête et le combat (sport, affaires, politique, art), s'il continue à aspirer au rôle de leader, il entend coordonner ses efforts, organiser et cohérer son action. Exemples : Johannes Brahms, Paul Claudel, Charles Maurras, Guillaume Apollinaire, Salvador Dali, Jean Gabin, Arlette Laguillier, Pierre Mesmer.

Jupiter en Taureau

La planète s'enracine ici solidement et n'y atteint que très exceptionnellement le céleste. Elle amplifie tout le côté dionysiaque du Taureau, son appétit de vivre et de posséder, son désir de confort et de jouissance, son attachement au terrestre et au concret.

Elle tend à assouplir le signe dans sa propension à la rumination, à l'idée fixe, à l'obstination butée. Dans un thème fort, la capacité de réalisation et la volonté de construire propres au Taureau prennent de la puissance et de l'ampleur, de l'autorité. Jupiter s'appuie, là, sur les qualités de persévérance, de ténacité, de prudence, sur le souci d'autoprotection du signe. Dans un thème faible et trop passif, un hédonisme glouton peut siéger à cet endroit, avide de se satisfaire au prix du moindre effort. Par ailleurs, dans un thème à tendances opportunistes, la souplesse d'adaptation de Jupiter peut fort bien conduire le Taureau vers un certain jésuitisme de la pensée ou de l'action, le goût du sophisme ou du paradoxe, la faculté d'hypocrisie, consciente ou non, étant au Taureau moins rare qu'on ne pourrait le penser.

Cette composante peut se traduire de bien des façons : épanouissement dans l'oralité sommaire (gros mangeurs, gros buveurs, gros consommateurs sexuels); ambitions et idéaux terre-à-terre qui ne visent que la sécurité et le profit matériels; attachement à la terre du paysan, évolué ou pas, besoin physique du vert et de la campagne pour se sentir vivre; aptitude à s'enrichir, à gérer sa fortune et à en profiter. Sur un mode plus sublimé, création artistique qui se fait puissante, chaude, riche en pâte ou en couleur, et tout imprégnée de jouissances sensuelles; œuvre d'intellectuel où l'on retrouvera le souci du concret, du pragmatique, dans une orientation plus ou moins matérialiste de la pensée. Exemples: Léo Ferré, Musset, Jean-Paul Sartre, Teilhard de Chardin, Régis Debray, Françoise Giroud, François Mitterrand.

Jupiter en Gémeaux

Cette combinaison double l'élément Air : il y a renforcement de la mobilité et de l'excitabilité épidermique du signe sur un mode moins sec et moins volatil.

La curiosité, l'intuition et l'ingéniosité des Gémeaux gagnent en puissance et en fécondité. De son côté, Jupiter tente de coordonner et d'organiser tous les « multiples » en surgissement du signe. Ce n'est pas tâche facile.

L'ouverture et l'adaptation au monde n'ont pas tendance à se pratiquer sur un mode moteur comme au Bélier ou monocorde comme au Taureau. C'est d'autant plus polyphonique et polymorphe que, ici, l'étranger se trouve associé au familier et le besoin de respectabilité bourgeoise à l'esprit gamin. Comment, dans ces conditions, Jupiter pourrait-il paraître sérieux et se déployer dans sa naturelle majesté?

En fait, dans cette position, l'individu peut trouver son épanouissement et tirer profit, à défaut d'autorité majestueuse, dans l'échange avec les choses, les gens et les idées (réceptivitécommunication), le commerce (sous toutes ses formes, concrètes et abstraites), par tous les moyens de Mercure et des Gémeaux (signe, geste, parole). Les écrits, la littérature apparaissent obligatoirement comme prioritaires dans l'adaptation réussie. En outre, Jupiter renforce, dans cette position, sur un mode plus évolué et en lui donnant plus d'ampleur, la caractéristique (déjà vue précédemment) propre au signe, qui est de rendre indissociable le sujet – et plus encore le sentiment qu'il a de lui-même – de son entourage. L'insertion sociale à tous ses niveaux (de l'employé à l'écrivain de génie ou à l'humaniste vrai, en passant par le représentant de commerce, le libraire ou l'interprète) obéit à cet impératif.

Par ailleurs, Jupiter, facteur d'adaptation très attentif à ses intérêts personnels, ne peut que souscrire à l'aptitude à composer des subtils Gémeaux. Sous cette combinaison les habiletés manœuvrières, les acrobaties de changement ne sont pas rares; on est versatile mais avec la souplesse d'un art consommé; on jongle avec les faits, la morale, les pseudo-vérités, peut-être, mais on sait très bien s'évertuer à concilier situation jupitériennement assise et irrespect adolescent des « vieilles tiges ».

L'un des risques de cette combinaison, si elle est dissonante en l'absence d'éléments de plus grande profondeur et de plus forte solidité, réside dans le manque de « racines » que les Gémeaux ne sauraient avoir et que Jupiter n'a pas encore. Il peut en résulter une dépendance exagérée à l'égard du milieu, de l'ambiance, et de leurs fluctuations, génératrice d'instabilité et de trop grande suggestibilité; on entend tous les sons de cloches et le dernier est toujours le bon. Dans d'autres cas, le sujet cherche à compenser sa propre inconsistance par des attitudes suffisantes : agité, il brasse beaucoup de vent, pour rien, en se donnant beaucoup d'importance; hâbleur, verbeux, il se vante ou profite en se bornant à enfoncer des portes ouvertes, à moins qu'il ne s'étale, ne se raconte, ne s'exhibe avec un contentement que ni ses capacités ni ses réalisations ne justifient. Exemples : Jean de La Fontaine, Conan Doyle (« père » de Sherlock Holmes), G. Courteline, L.-F. Céline, Maurice Druon, Philippe Bouvard, Claude Chabrol, Jacqueline Onassis ex-Kennedy, Grâce de Monaco, monseigneur Lefevbre.

Jupiter en Cancer

Dans ce signe appliqué à se protéger contre un monde hostile ou condamné, faute d'adaptation, à errer à la poursuite d'un inaccessible imaginaire, Jupiter apporte, en principe, un effet équilibrant.

En coordonnant réel et imaginaire, dehors et dedans, passé et présent, en aspirant à l'ouverture au monde, Jupiter atténue, régule si l'on veut, les risques de dramatisation, de blocage, de repliement narcissique par crainte excessive de l'extérieur. Moins centré sur la jouissance qu'au Taureau, moins enclin au jeu et à la versatilité qu'aux Gémeaux, il s'imprègne ici de sensibilité, d'émotion, d'idéalité. En libéral désireux de confort, de prestige, et capable de puissance réalisatrice, il s'associe au signe pour l'aider à accomplir sous une forme ou une autre et à des degrés divers, sa fonction maternelle : sécuriser, défendre fermement le foyer, la famille, la patrie, la nation, la race, la civilisation. C'est le règne des valeurs traditionnelles, celui du pater familias ou de la « mamma », autoritaires mais sûrs et riches de tendresse, celui du gestionnaire et du chef responsable, épanouis dans leur fonction dirigeante et nourricière. Jupiter trouve ici les racines qui, en soi, lui manquent, ce qui n'empêche évidemment pas le rejet de celles-ci, rejet purement réactionnel, dans les thèmes conflictuels présentant cette position. C'est, dans le commun, le « triomphe des vertus domestiques, ou la gourmandise, du confort matériel » (A. Barbault). Chez certains sujets doués autrement, cet épanouissement maternel peut coexister avec, ou se reporter sur l'œuvre à enfanter. Dans les thèmes à dominante passive, la combinaison se traduit généralement soit par le souci exagéré d'un conformisme protecteur, soit par une tendance bonhomme à la paresse et au laisser-aller, confiante en la chance et en la vertu du moindre effort. Exemples : Emmanuel Chabrier, Marcel Proust, Henri Bataille, Françoise Mallet-Jorris, Jean-Louis Trintignant, Maurice Couve de Murville, Michel Rocard.

Jupiter en Lion

Cette combinaison Air-Feu accentue l'extraversion, amplifie l'ambition et le désir d'affirmation de soi. La puissance et l'autorité léoniennes, portées à leur maximum, sont avides de rayonnement. Toutefois, il peut arriver – pas toujours – que l'orgueil et la croyance quasi aveugle du signe dans le vouloir, son esprit dominateur et son appétit de grandeur, se trouvent assouplis par la planète. L'aspirant surhomme peut ici s'humaniser et le dictateur se croire tolérant. Jupiter apportant au signe, qui en est déjà bien pourvu, son aptitude à coordonner et organiser, les réalisations gagnent encore en puissance. Avec cette combinaison, il est impérativement nécessaire d'être quelqu'un, de régner, de triompher, surtout de « représenter ». Il y a une tendance au « seigneurial », quel que soit le secteur où se place Jupiter et l'échelon social où se situe le sujet.

Cette combinaison peut donner lieu à des réalisations ou des réussites de qualité et d'envergure exceptionnelles. Cependant, de par son outrance même elle comporte des aspects souvent négatifs. Le complexe du spectaculaire se traduit par une hypertrophie, une boursouflure du sentiment de supériorité et du besoin de se montrer. Présomption, arrivisme, vantardise, sensibilité excessive à la flatterie, sont fréquents tout comme le goût des phrases pompeuses et creuses, la tendance à pontifier en sentences dogmatiques et, chez les intelligences pauvres, celle de se borner au sommaire et à l'énorme. Ajoutons enfin que l'opportunisme jupitérien tend à redoubler la propension de certains Lion à composer, donc à accentuer l'ambiguïté tout au moins apparente de leur comportement. Exemples : Jean-Claude Killy, Eric Tabarly, Boris Vian, Michel Polnareff, Henri-Georges Clouzot, Annie Girardot, Catherine Deneuve, Juan Peron, Georges Marchais, Jean Lecanuet, Edgar Faure, Roger Gicquel, François Jacob, professeur de génétique cellulaire au Collège de France.

Jupiter en Vierge

Il existe apparemment une contradiction entre l'ampleur de la planète, sa tendance à l'expansion et la propension du signe à mesurer l'infiniment petit et à se cantonner dans le discret et le modeste. En fait, cette combinaison peut fournir un produit nullement spectaculaire mais remarquablement efficace et de très bonne qualité.

Le désir de maîtrise propre à la Vierge, son sens des limites, sa faculté de logique, d'analyse et de précision, sa capacité de construction raisonnée trouvent dans la faculté d'adaptation, de synthèse et d'élargissement de Jupiter de puissants et fructueux compléments. La socialisation se fait ici sur un mode sélectif et contrôlé; l'épanouissement ne passe pas par l'exhibitionnisme, au contraire; les valeurs appréciées sont toutes de mesure, d'ordre, de clarté et d'ampleur contenue. La puissance s'oriente volontiers vers le domaine intellectuel, culturel, moral; c'est le règne de la mentalité bourgeoise, sans étroitesse excessive, ou, si l'évolution est supérieure, celui d'un classicisme hautement civilisé.

De son côté, Jupiter tend à corriger certains défauts potentiels du signe : manque de chaleur, rigidité, étroitesse, incoordination ou fragmentation des idées ou des conduites, médiocrité des ambitions ou des idéaux. Chez les sujets doués, l'habileté manœuvrière est fréquemment subtile, la pensée claire, précise, élevée, mais ne s'écartant jamais du raisonnable et rarement de l'expérimental dûment constaté et évalué.

Le sens pratique du signe conduit à des orientations très diverses. Cependant, cette combinaison semble fréquente chez les administrateurs ou gérants, les fonctionnaires supérieurs, les enseignants, les magistrats, les médecins ou plus simplement les gens de laboratoire ou les organisateurs. Exemples : Buffon, Condorcet, Boileau, Jules Romain, François Mauriac, Rameau, Debussy, Michel Jobert, Jacques Chirac et aussi chez le docteur Petiot de sinistre mémoire (ampleur et précision de l'organisation), Albert Spaggiari.

Jupiter en Balance

C'est à nouveau, ici, le triomphe de l'élément Air avec toute sa mobilité et sa souplesse.

Signe et planète se confortent dans leur penchant à la sociabilité, à l'amabilité, à la bienveillance. Jupiter apporte au signe plus d'extraversion, en accentue la facilité à nouer et dénouer les liens, la bonne volonté à trouver un terrain d'entente, à concilier sans heurts et s'emploie à multiplier les « bons offices ».

L'épanouissement se fait à travers les relations sociales, les collaborations, le mariage, les associations, les rencontres, les liaisons; il s'agit plus de participer et d'arbitrer, non sans autorité souriante, que de se déterminer; de maintenir s'il y a lieu l'équilibre entre deux extrêmes et de viser toujours à l'apaisement, tout en conservant une excellente réputation et un non moins bon standing. L'opportunisme y concourt intelligemment; on essaie de contourner les obstacles sans brusquerie, on donne l'impression de manquer de fermeté et de rigueur morale.

Cette composante incline, dit-on, volontiers à la pratique du droit, de la diplomatie, de la politique « politicienne » ou, tout simplement, aux mondanités banales. Cependant, dans beaucoup de cas, la sensibilité du signe et la nécessité d'insertion sociale trouvent leur meilleur emploi, sans que jamais les intérêts personnels soient négligés, dans le domaine artistique à quelque degré et sous quelque forme que ce soit. Exemples : George Sand, Jean Anouilh, Berlioz, Alain Resnais, Henry Kissinger.

Jupiter en Scorpion

Dans ce signe « fixe » capable, comme le Taureau et le Lion, d'enracinement, de concentration et de volonté réalisatrice, Jupiter trouve la solidité et le fonds nécessaires à lui faire donner sa pleine mesure. La planète, par sa faculté de coordination, d'organisation et de synthèse, complète le signe dans son aptitude à différencier, dans son intelligence investigatrice et analytique et, par son ampleur, en accroît l'envergure. L'individu possède ainsi le moyen d'ajuster, avec autant de puissance que de précision et de largeur de vues, ses ambitions aux possibilités du milieu. Jupiter peut en outre assouplir relativement le signe et en atténuer quelque peu le caractère systématiquement opposant, dur, possessif et angoissé. Le caractère demeure cependant le plus souvent autoritaire, même quand l'apparence est aimable.

Dans un thème fort, les forces de vie tendent sous l'égide de Jupiter, sinon à juguler les forces de mort, toujours à l'affût au Scorpion, du moins à les combattre ou, dans les meilleurs cas, à les utiliser positivement en les métamorphosant en une réalisation puissante et intense d'ordre intellectuel, social, politique, artistique ou simplement matériel. Exemples : Jules Verne, Louis Jouvet, Gérard Philipe, le sculpteur Rodin, Claude Monet, Maurice Ravel, Magritte, Georges Pompidou.

Raimu, autre grand acteur du Sagittaire, que la série des Pagnol a rendu inoubliable.

Comment utiliser vos heures et lieu de naissance
pour déterminer le signe zodiacal de la Lune

Votre heure solaire de naissance (déjà calculée pour votre Ascendant) .... H
Rectification de cette heure d'après la carte de géographie mondiale
et en fonction de votre lieu de naissance (p. 8-9) .... H *

Par exemple, si vous êtes né (e) en Egypte, vous vous reportez à ce pays sur la carte des pages 8 et 9; vous suivez le trait vertical vers le haut et vous lisez
Retranchez 2 h. *Vous incrivez donc –2 h, ci-contre.*

Soit l'heure de Greenwich correspondant à votre heure
solaire de naissance : (HG) .... H **

* Si cette valeur est supérieure à votre heure solaire de naissance et que vous devez la retrancher, il vous suffit d'ajouter d'abord 24 heures à votre heure solaire de naissance :
4 h 30 – 6 h soit 4 h 30 + 24 h = 28 h 30 – 6 h = **22 h 30**
** Si ce total est supérieur à 24 heures, vous retranchez simplement 24 heures :
19 h + 7 h = 26 h – 24 h = **2 h**

Par simple lecture du tableau ci-dessous vous trouvez alors le nombre de degrés zodiacaux à ajouter ou à retrancher du nombre indiqué par la Table pour obtenir le signe zodiacal final de la Lune à votre naissance.

Si l'heure de Greenwich (HG) est comprise entre ▼		Voici l'opération que vous effectuez ▼	
0 h	1 h 30	Vous retranchez	6 degrés
1 h 31	3 h 30	Vous retranchez	5 degrés
3 h 31	5 h 30	Vous retranchez	4 degrés
5 h 31	7 h 30	Vous retranchez	3 degrés
7 h 31	9 h 30	Vous retranchez	2 degrés
9 h 31	11 h 30	Vous retranchez	1 degré
11 h 31	12 h 30	Aucun changement	
12 h 31	14 h 30	Vous ajoutez	1 degré
14 h 31	16 h 30	Vous ajoutez	2 degrés
16 h 31	18 h 30	Vous ajoutez	3 degrés
18 h 31	20 h 30	Vous ajoutez	4 degrés
20 h 31	22 h 30	Vous ajoutez	5 degrés
22 h 31	0 h 00	Vous ajoutez	6 degrés

Exemple : Lune à 27° du Capricorne pour une naissance à Mexico à 15 heures solaires. L'heure de Greenwich correspondante est égale à 15 h + 6 h 30 = 21 h 30, qui se situe entre 20 h 31 et 22 h 30, et l'on doit ajouter 5 degrés zodiacaux soit 27° Capricorne + 5 = 32 et 32 = 30 + 2, soit Lune à 2 degrés du Verseau = Lune en Verseau.

Allégories des planètes. Bas-reliefs du temple Malatesta à Rimini, attribués à Agostino di Duccio.

Généralités sur les aspects planétaires

Dans leur mouvement autour du Soleil, les planètes occupent des positions différentes les unes par rapport aux autres.

Les aspects planétaires correspondent à certaines de ces positions vues de la Terre, c'est-à-dire en fonction du signe zodiacal occupé par chaque planète.

Certains écarts entre deux planètes constituent des aspects harmoniques.

Dans ce cas, les énergies des deux planètes se combinent aisément et s'enrichissent mutuellement; il existe une heureuse possibilité de développement des facultés physiques et psychologiques correspondant à ces deux planètes.

D'autres écarts entre planètes constituent des aspects dissonants.

Dans ce cas, les énergies des deux planètes entrent en conflit et ne parviennent pas à s'associer positivement; il se produit un excès ou une carence des facultés planétaires correspondantes.

Vous trouverez dans les tableaux d'aspects ci-après la nature harmonique (H) ou dissonante (D) des aspects que formaient, à votre naissance, les différentes planètes entre elles.

Dans certains cas, les planètes ne forment aucun aspect, ce qui correspond aux zones vides des tableaux.

Si, par exemple, vous désirez connaître la nature de l'aspect éventuel que formait Jupiter en Cancer avec Mars en Poissons, vous utilisez le tableau « Si vous avez une planète dans le Cancer ».

Vous cherchez la ligne Mars dans ce tableau et, à la colonne Poissons, vous lisez H, ce qui signifie que Jupiter et Mars ont entre eux un aspect harmonique.

Au cas où les deux planètes sont dans la même ligne, vous utilisez le tableau spécial dont l'emploi se passe de commentaire.

La recherche de la signification des aspects constitue une exploration nouvelle et enrichissante de votre personnalité.

Vous pouvez en retirer une connaissance très utile des forces qui en vous se complètent ou s'opposent, ce qui vous donne la possibilité de les exprimer encore mieux.

QUALITÉ DES ASPECTS LORSQUE DEUX PLANÈTES SE TROUVENT DANS LE MÊME SIGNE ZODIACAL

AUTRES PLANÈTES DANS LE MÊME SIGNE	PLANÈTE DANS LE SIGNE ZODIACAL									
	SOLEIL	LUNE	MERCURE	VÉNUS	MARS	JUPITER	SATURNE	URANUS	NEPTUNE	PLUTON
SOLEIL		H	H	H	D	H	D	D	H	D
LUNE	H		H	H	D	H	D	D	H	D
MERCURE	H	H		H	D	H	D	D	H	D
VÉNUS	H	H	H		D	H	D	D	H	D
MARS	D	D	D	D		D	D	D	D	D
JUPITER	H	H	H	H	D		D	D	H	D
SATURNE	D	D	D	D	D	D		D	D	D
URANUS	D	D	D	D	D	D	D		D	D
NEPTUNE	H	H	H	H	D	H	D	D		D
PLUTON	D	D	D	D	D	D	D	D	D	

SI VOUS AVEZ UNE PLANÈTE DANS LE BÉLIER

Elle a les aspects suivants avec les autres Planètes dans les autres signes	BÉLIER	TAUREAU	GÉMEAUX	CANCER	LION	VIERGE	BALANCE	SCORPION	SAGITTAIRE	CAPRICORNE	VERSEAU	POISSONS
SOLEIL			H	D	H		D		H	D	H	
LUNE			H	D	H		D		H	D	H	
MERCURE			H	D	H		D		H	D	H	
VÉNUS	VOIR TABLEAU SPÉCIAL		H	D	H		D		H	D	H	
MARS			H	D	H		D		H	D	H	
JUPITER			H	D	H		D		H	D	H	
SATURNE			H	D	H		D		H	D	H	
URANUS			H	D	H		D		H	D	H	
NEPTUNE			H	D	H		D		H	D	H	
PLUTON			H	D	H		D		H	D	H	

SI VOUS AVEZ UNE PLANETE DANS LE TAUREAU

Elle a les aspects suivants avec les autres Planètes dans les autres signes	BÉLIER	TAUREAU	GÉMEAUX	CANCER	LION	VIERGE	BALANCE	SCORPION	SAGITTAIRE	CAPRICORNE	VERSEAU	POISSONS
SOLEIL				H	D	H		D		H	D	H
LUNE				H	D	H		D		H	D	H
MERCURE				H	D	H		D		H	D	H
VÉNUS		VOIR TABLEAU SPÉCIAL		H	D	H		D		H	D	H
MARS				H	D	H		D		H	D	H
JUPITER				H	D	H		D		H	D	H
SATURNE				H	D	H		D		H	D	H
URANUS				H	D	H		D		H	D	H
NEPTUNE				H	D	H		D		H	D	H
PLUTON				H	D	H		D		H	D	H

SI VOUS AVEZ UNE PLANÈTE DANS LES GÉMEAUX

Elle a les aspects suivants avec les autres Planètes dans les autres signes	BÉLIER	TAUREAU	GÉMEAUX	CANCER	LION	VIERGE	BALANCE	SCORPION	SAGITTAIRE	CAPRICORNE	VERSEAU	POISSONS
SOLEIL	H				H	D	H		D		H	D
LUNE	H				H	D	H		D		H	D
MERCURE	H		VOIR TABLEAU SPÉCIAL		H	D	H		D		H	D
VÉNUS	H				H	D	H		D		H	D
MARS	H				H	D	H		D		H	D
JUPITER	H				H	D	H		D		H	D
SATURNE	H				H	D	H		D		H	D
URANUS	H				H	D	H		D		H	D
NEPTUNE	H				H	D	H		D		H	D
PLUTON	H				H	D	H		D		H	D

SI VOUS AVEZ UNE PLANÈTE DANS LE CANCER

Elle a les aspects suivants avec les autres.Planètes dans les autres signes	BÉLIER	TAUREAU	GÉMEAUX	CANCER	LION	VIERGE	BALANCE	SCORPION	SAGITTAIRE	CAPRICORNE	VERSEAU	POISSONS
SOLEIL	D	H				H	D	H		D		H
LUNE	D	H				H	D	H		D		H
MERCURE	D	H				H	D	H		D		H
VÉNUS	D	H		VOIR TABLEAU SPÉCIAL		H	D	H		D		H
MARS	D	H				H	D	H		D		H
JUPITER	D	H				H	D	H		D		H
SATURNE	D	H				H	D	H		D		H
URANUS	D	H				H	D	H		D		H
NEPTUNE	D	H				H	D	H		D		H
PLUTON	D	H				H	D	H		D		H

SI VOUS AVEZ UNE PLANÈTE DANS LE LION

Elle a les aspects suivants avec les autres Planètes dans les autres signes	BÉLIER	TAUREAU	GÉMEAUX	CANCER	LION	VIERGE	BALANCE	SCORPION	SAGITTAIRE	CAPRICORNE	VERSEAU	POISSONS
SOLEIL	H	D	H				H	D	H		D	
LUNE	H	D	H				H	D	H		D	
MERCURE	H	D	H				H	D	H		D	
VÉNUS	H	D	H	VOIR TABLEAU SPÉCIAL			H	D	H		D	
MARS	H	D	H				H	D	H		D	
JUPITER	H	D	H				H	D	H		D	
SATURNE	H	D	H				H	D	H		D	
URANUS	H	D	H				H	D	H		D	
NEPTUNE	H	D	H				H	D	H		D	
PLUTON	H	D	H				H	D	H		D	

SI VOUS AVEZ UNE PLANÈTE DANS LA VIERGE

Elle a les aspects suivants avec les autres Planètes dans les autres signes	BÉLIER	TAUREAU	GÉMEAUX	CANCER	LION	VIERGE	BALANCE	SCORPION	SAGITTAIRE	CAPRICORNE	VERSEAU	POISSONS
SOLEIL		H	D	H				H	D	H		D
LUNE		H	D	H				H	D	H		D
MERCURE		H	D	H				H	D	H		D
VÉNUS		H	D	H	VOIR TABLEAU SPÉCIAL			H	D	H		D
MARS		H	D	H				H	D	H		D
JUPITER		H	D	H				H	D	H		D
SATURNE		H	D	H				H	D	H		D
URANUS		H	D	H				H	D	H		D
NEPTUNE		H	D	H				H	D	H		D
PLUTON		H	D	H				H	D	H		D

SI VOUS AVEZ UNE PLANÈTE DANS LA BALANCE

Elle a les aspects suivants avec les autres Planètes dans les autres signes	BÉLIER	TAUREAU	GÉMEAUX	CANCER	LION	VIERGE	BALANCE	SCORPION	SAGITTAIRE	CAPRICORNE	VERSEAU	POISSONS
SOLEIL	D		H	D	H				H	D	H	
LUNE	D		H	D	H				H	D	H	
MERCURE	D		H	D	H			VOIR TABLEAU SPÉCIAL	H	D	H	
VÉNUS	D		H	D	H				H	D	H	
MARS	D		H	D	H				H	D	H	
JUPITER	D		H	D	H				H	D	H	
SATURNE	D		H	D	H				H	D	H	
URANUS	D		H	D	H				H	D	H	
NEPTUNE	D		H	D	H				H	D	H	
PLUTON	D		H	D	H				H	D	H	

SI VOUS AVEZ UNE PLANÈTE DANS LE SCORPION

Elle a les aspects suivants avec les autres Planètes dans les autres signes	BÉLIER	TAUREAU	GÉMEAUX	CANCER	LION	VIERGE	BALANCE	SCORPION	SAGITTAIRE	CAPRICORNE	VERSEAU	POISSONS
SOLEIL		D		H	D	H				H	D	H
LUNE		D		H	D	H				H	D	H
MERCURE		D		H	D	H				H	D	H
VÉNUS		D		H	D	H			VOIR TABLEAU SPÉCIAL	H	D	H
MARS		D		H	D	H				H	D	H
JUPITER		D		H	D	H				H	D	H
SATURNE		D		H	D	H				H	D	H
URANUS		D		H	D	H				H	D	H
NEPTUNE		D		H	D	H				H	D	H
PLUTON		D		H	D	H				H	D	H

SI VOUS AVEZ UNE PLANÈTE DANS LE SAGITTAIRE

Elle a les aspects suivants avec les autres Planètes dans les autres signes	BÉLIER	TAUREAU	GÉMEAUX	CANCER	LION	VIERGE	BALANCE	SCORPION	SAGITTAIRE	CAPRICORNE	VERSEAU	POISSONS
SOLEIL	H		D		H	D	H				H	D
LUNE	H		D		H	D	H				H	D
MERCURE	H		D		H	D	H				H	D
VÉNUS	H		D		H	D	H		VOIR TABLEAU SPÉCIAL		H	D
MARS	H		D		H	D	H				H	D
JUPITER	H		D		H	D	H				H	D
SATURNE	H		D		H	D	H				H	D
URANUS	H		D		H	D	H				H	D
NEPTUNE	H		D		H	D	H				H	D
PLUTON	H		D		H	D	H				H	D

SI VOUS AVEZ UNE PLANÈTE DANS LE CAPRICORNE

Elle a les aspects suivants avec les autres Planètes dans les autres signes	BÉLIER	TAUREAU	GÉMEAUX	CANCER	LION	VIERGE	BALANCE	SCORPION	SAGITTAIRE	CAPRICORNE	VERSEAU	POISSONS
SOLEIL	D	H		D	H	D	H					H
LUNE	D	H		D	H	D	H					H
MERCURE	D	H		D	H	D	H					H
VÉNUS	D	H		D	H	D	H			VOIR TABLEAU SPÉCIAL		H
MARS	D	H		D	H	D	H					H
JUPITER	D	H		D	H	D	H					H
SATURNE	D	H		D	H	D	H					H
URANUS	D	H		D	H	D	H					H
NEPTUNE	D	H		D	H	D	H					H
PLUTON	D	H		D	H	D	H					H

SI VOUS AVEZ UNE PLANÈTE DANS LE VERSEAU

Elle a les aspects suivants avec les autres Planètes dans les autres signes	BÉLIER	TAUREAU	GÉMEAUX	CANCER	LION	VIERGE	BALANCE	SCORPION	SAGITTAIRE	CAPRICORNE	VERSEAU	POISSONS
SOLEIL	H	D	H		D		H	D	H			
LUNE	H	D	H		D		H	D	H			
MERCURE	H	D	H		D		H	D	H			
VÉNUS	H	D	H		D		H	D	H		VOIR TABLEAU SPÉCIAL	
MARS	H	D	H		D		H	D	H			
JUPITER	H	D	H		D		H	D	H			
SATURNE	H	D	H		D		H	D	H			
URANUS	H	D	H		D		H	D	H			
NEPTUNE	H	D	H		D		H	D	H			
PLUTON	H	D	H		D		H	D	H			

SI VOUS AVEZ UNE PLANÈTE DANS LES POISSONS

Elle a les aspects suivants avec les autres Planètes dans les autres signes	BÉLIER	TAUREAU	GÉMEAUX	CANCER	LION	VIERGE	BALANCE	SCORPION	SAGITTAIRE	CAPRICORNE	VERSEAU	POISSONS
SOLEIL		H	D	H		D		H	D	H		
LUNE		H	D	H		D		H	D	H		
MERCURE		H	D	H		D		H	D	H		
VÉNUS		H	D	H		D		H	D	H		VOIR TABLEAU SPÉCIAL
MARS		H	D	H		D		H	D	H		
JUPITER		H	D	H		D		H	D	H		
SATURNE		H	D	H		D		H	D	H		
URANUS		H	D	H		D		H	D	H		
NEPTUNE		H	D	H		D		H	D	H		
PLUTON		H	D	H		D		H	D	H		

Attitude noble, geste ample, regard tendu vers un idéal d'absolu : cet homme de la Renaissance peint par Pinturicchio n'est-il pas l'archétype jupitérien ?

Comment interpréter les aspects de Jupiter avec les autres Planètes

Quelques précisions sur les aspects

Les aspects sont les angles faits par deux ou plusieurs planètes entres elles lorsqu'on les voit de la Terre. Du point de vue astrologique, on les classe en aspects « majeurs » considérés les uns comme *harmoniques* : conjonction (angle de 0 degré), sextile (60 degrés), trigone (120 degrés), les autres comme *dissonants* : carré (90 degrés), opposition (180 degrés), et en aspects « mineurs »; semi-sextile (30 degrés), quinconce (150 degrés), de signification incertaine, semi-carré (45 degrés), sesqui-carré (135 degrés). Les aspects mineurs sont, à tort ou à raison, réputés négligeables; à l'observation, on se demande s'ils n'agissent pas plutôt sur un mode souterrain en relation avec l'inconscient, ce qui les rend moins apparents dans leurs effets directs mais peut-être pas moins déterminants.

Dans un thème, les aspects établissent une fois pour toutes, à la base, des liaisons entre deux ou plusieurs processus, fonctions ou tendances. Ils déterminent « une certaine permanence de facilité ou de difficulté à lier certaines choses de la vie » (J. Barets).

Dans l'aspect harmonique, il y a accord des deux facteurs reliés; entre eux « ça » passe sans problème. Il y a beaucoup d'aisance mais ce n'est pas toujours productif ou générateur de progrès. Dans l'aspect dissonant, il y a désaccord, conflit, tension; risque d'inadaptation par excès ou défaut : dans certains cas, crise ouverte et lutte qui peut se révéler positive dans ses résultats (carré surtout); politique de bascule entre deux injonctions contradictoires, le sujet les alternant ou les laissant coexister en « épanouissement de contradictions ». Le conflit peut être simplement latent et n'apparaître au grand jour que lorsqu'une planète lente l'actualise lors d'un « transit »; il peut aussi se résoudre sur un mode adapté, ou non, dans la voie d'une autre planète située elle-même en aspect des facteurs en conflit.

La conjonction, elle, accole (orbe de 8 à 10 degrés maximum) deux éléments qui peuvent être parents, complémentaires ou antinomiques. Elle les rend indissociables, contrairement à l'association facile de l'aspect harmonique ou à la dissociation de la dissonance. Elle est donc, en soi, ambiguë; sa résultante, très variable, dépend des éléments qui la composent et des aspects qu'elle présente.

Ajoutons que lorsqu'il existe dans un thème des aspects entre planètes lentes, surtout en position dominante, l'évolution et la destinée du sujet se trouvent liées au déroulement des cycles de ces planètes.

S'agissant ici des aspects faits et reçus par Jupiter, ce sont évidemment les tendances et fonctions qu'il représente qui vont, positivement ou négativement, se trouver concernées.

Précisons enfin que, pour tenter d'interpréter correctement un aspect quel qu'il soit, il convient – dans l'ensemble, les manuels d'astrologie, préoccupés de simplifications, n'y invitent pas assez – de chercher d'abord à évaluer, en fonction de la structure du thème, quelle planète a des chances de l'emporter sur l'autre. Le résultat peut s'en trouver tout différent surtout quand l'aspect lie deux facteurs antinomiques.

Généralités sur les aspects de Jupiter

Jupiter est la planète de l'expansion psychologique et matérielle; elle fait rechercher et trouver le *confort* dans tous les domaines – intellectuel, physique, moral. Elle donne confiance, optimisme, extraversion et générosité dans le domaine qu'elle touche. Ses aspects avec les autres planètes indiquent les capacités d'intégration au groupe social dans lequel évolue le natif, son appartenance à un milieu professionnel, ses possibilités de satisfaction affective et amoureuse, son ambition et sa faculté de réussite. Lorsque les aspects sont harmoniques, le natif est doué pour le bonheur, grâce à une certaine confiance en soi et à sa générosité qui lui amène nombre d'amis. En revanche, si les aspects sont dissonants, il peut y avoir insatisfaction et inconfort, avec tendances à une inflation de la personnalité et surestimation de soi, entraînant de l'amertume due à la non-reconnaissance d'autrui devant sa supériorité. Dès lors, il y a erreur de jugement, sur soi et sur les autres, refus parfois hautain et douloureux de faire partie du groupe social ou professionnel auquel le sujet appartient.

Jupiter en aspect au Soleil concerne la vie sociale et professionnelle du natif, ses possibilités de réussite, sa carrière, sa personnalité extérieure, ses rapports avec les images paternelles.

Jupiter en aspect avec la Lune touche à la part féminine d'une personnalité (image de la mère et de l'épouse) : cet aspect favorise l'extraversion du caractère profond, de son goût pour le confort domestique, dans un foyer chaleureux et ouvert.

Avec Mercure, Jupiter renforce le savoir-faire, l'intelligence pratique, l'opportunisme intellectuel. Il donne un grand sens du commerce, des relations publiques et de la publicité.

Avec Vénus, planète affective, Jupiter devient extrêmement séducteur; il aime tous les plaisirs et a besoin de les faire partager. C'est souvent l'aspect des « hommes à femmes » (ou des « femmes à hommes »). Ces deux planètes additionnent leurs effets – ou, en aspect dissonant, les exagèrent – bienveillants, généreux et hédonistes.

Mars en aspect à Jupiter concerne l'activité du natif, ses impulsions agressives et son ambition. Jupiter adoucit les tendances téméraires de Mars, lui donne une sexualité épanouie et confiante dans son action.

Au contraire, la relation de Jupiter avec Saturne est légèrement refroidissante. Saturne, planète de la sagesse austère et de la prudence, modère l'enthousiasme optimiste de Jupiter, son extraversion, sa bienveillance : un certain équilibre des forces d'élan et de repli apparaissent dans cet aspect.

Avec Uranus, Jupiter doute un peu de lui; à l'inverse, Uranus au contact de cette planète tempère sa nervosité, son dynamisme électrique, ses accès de colère.

Neptune allié à Jupiter rend le natif sensible et réceptif à son environnement socioprofessionnel. La réussite peut être due à son tempérament artiste et créateur.

Enfin, avec Pluton, Jupiter touche à une ambition sans limite. L'objectif primordial du sujet est de réussir de la manière la plus évidente. Pour ce faire, tous les moyens (y compris ceux de Pluton, secrets et souvent amoraux) sont bons.

Jupiter – Soleil

Relation entre deux éléments d'extraction, de réalisation, de mise en valeur personnelle.

Harmonie : Indice de grande vitalité. Accord entre l'affirmation de soi et l'accomplissement social. Facteur de plénitude, d'ambition, d'autorité, de puissance réalisatrice, donc de réussite. Pour une femme, la relation à l'homme, très épanouissante, concourt à la mise en valeur personnelle et à la réussite sociale et matérielle.

Dissonance : Conflit entre l'autorité quelle qu'elle soit et le désir d'affirmation de soi. Hypertrophie des ambitions, sans commune mesure avec les possibilités réelles, ou du sentiment de sa propre valeur (susceptibilité, vanité, orgueil) ou encore du besoin de paraître et de se montrer (bluff, vantardise, ostentation). Peu d'aptitude à la diplomatie. En conséquence, l'intégration aux groupes en place se fait mal et la réussite s'en trouve gênée, entraînant l'insatisfaction. Dans certains cas, la volonté de puissance passe outre la morale et la légalité.

Dans la conjonction, le besoin de mise en valeur est très grand; c'est l'aspect type de l'aspiration au vedettariat, de plus ou moins bonne qualité et de résultante plus ou moins adaptée. On trouve cette conjonction aussi bien chez les hommes politiques ou les artistes et créateurs en vue que chez les criminels; tout dépend de sa position zodiacale, des aspects qu'elle présente et de ce qui l'entoure. De toute façon, elle risque d'être inflationniste.

Jupiter – Lune

Association d'éléments d'épanouissement facile.

Harmonie : En position forte, c'est un facteur de popularité, de réussite sociale et matérielle obtenue sans grands efforts (la Lune symbolise la foule et le public). Abandon propice à une sensibilité et une imagination riches, s'il en existe d'autres indices par ailleurs, et à l'expression de dons artistiques.

Chez l'homme, la relation à la femme est généralement heureuse, féconde; chez une femme, la féminité elle-même, la fonction maternelle, celle d'épouse et de maîtresse de maison sont sources de joie de vivre, d'équilibre et d'épanouissement. Pour les deux, c'est l'indice d'un caractère aimable, égal, facile, sociable et bon vivant. C'est, de toute façon, un facteur d'adaptation qui favorise la réussite affective, matérielle et sociale.

Dissonance : Là encore, pléthore d'une fonction (aspect fréquent, par exemple, chez les femmes trop « enrobées ») ou carence d'une autre. La Lune étant une valeur de nuit, plus passive ou retenue qu'active, infantile et mobile de nature, la dissonance peut entraîner l'immaturité et l'instabilité affectives, une carence de l'activité, de l'énergie ou du sens social. Résultantes possibles: manque de retenue, mollesse, laisser-aller, insouciance; caractère lunatique de l'humeur, pas toujours aimable, des sentiments, des opinions et des comportements; déloyauté apparente, par manque de constance et de fermeté morale; abus de la facilité.

Pour l'homme, la relation à la femme et, pour la femme, la relation à sa propre féminité, sont mal vécues, soit sur le plan de l'épanouissement personnel, soit sur le plan de la réussite matérielle, ou sur le plan de l'adaptation à la société et à la légalité; le cumul n'est d'ailleurs pas impossible.

Jupiter – Mercure

Liaison entre deux facteurs d'adaptation au réel et à la vie de relation.

Harmonie : C'est l'épanouissement du sens social et de la vie de relation. Sens de l'organisation, des contacts, du commerce, des affaires; souplesse, entregent, habileté à tirer le meilleur parti des circonstances, des choses, des gens; aptitude au rôle d'arbitre ou de médiateur. Le jugement est, en général, sûr et l'esprit libéral mais trop avisé pour tomber dans la philantropie idéaliste ou gratuite. L'intelligence n'est sans doute pas très profonde mais elle est pleine de sens pratique et favorise de ce fait la réussite. En général, il existe une étonnante facilité d'élocution ou de plume, une souplesse du mouvement et du geste, propice au talent littéraire, oratoire, ou artistique (dessin). La conjonction se rencontre fréquemment, de plus ou moins bonne qualité, chez les journalistes ou les écrivains, mais il faut d'autres indices, de profondeur ou d'originalité et de puissance, pour que le talent dépasse le niveau de l'aimablement commercial.

Dissonance : La mentalité est axée sur ce qui peut procurer dans l'immédiat et sans effort superflu un bénéfice matériel ou social substantiel. L'optimisme est souvent excessif par irréflexion ou négligence; les erreurs d'appréciation proviennent d'une incapacité à approfondir ou à dépasser le niveau du concret et du pratique. L'esprit reste assez superficiel.

Par ailleurs l'habileté, l'ingéniosité, et l'entregent de Mercure, si c'est lui le plus fort, ne vont pas s'encombrer de morale : pas de respect excessif des lois ou des biens et intérêts d'autrui. Il y a une tendance industrieuse à « interpréter » les textes, les situations, la vérité, une habileté à singer, truquer, jouer la comédie, effectuer des pirouettes, un goût du canular ou de la mise en scène, une propension au discours satisfait dont le moins mauvais emploi peut se faire sur les planches, dans des créations plus ou moins légères mais pleines de verve et de fantaisie.

Jupiter – Vénus

Liaison entre des facteurs de sociabilité privilégiant les fonctions sensation-sentiment.

Harmonie : Aspect qui tend à épanouir Vénus, autrement dit amplifie et favorise le besoin de contact « sympathique » avec l'autre, la primauté du sentiment ou de l'enivrement sensuel et amoureux, le goût de la vie facile ou agréable ou, dans certains cas, le besoin de jouissances esthétiques. Aspect non dynamique qui, réciproquement, peut être facteur de chance passive, favorisant la réussite affective, matérielle, sociale. En outre, pour s'épanouir, la vie amoureuse peut avoir besoin d'un certain statut social et de confort matériel.

La conjonction se rencontre fréquemment chez les sujets exerçant une profession artistique socialisée (mode, décoration, arts plastiques); en position forte, elle signe souvent les peintres.

Dissonance : De toute façon, difficulté à concilier et équilibrer les besoins affectifs ou amoureux et les aspirations de l'ambition. Ce peut être la recherche excessive du plaisir (« Vénus tout entière attachée à sa proie ») nuisant à la réussite matérielle et sociale, parce que trop coûteuse ou illégale, ou les conflits entre le sentiment et l'intérêt, ou encore (A. Barbault) une incompatibilité entre l'amour et l'argent, le sujet ayant l'un ou l'autre mais rarement les deux en même temps; ce peut être aussi la tendance à choisir les amours irrégulières ou, si d'autres indices vont dans le même sens, les ruptures affectives, toujours sous-tendues par des motivations d'ordre financier, social ou légal.

Jupiter – Mars

Liaison entre deux facteurs d'extraversion.

Harmonie : Relation très dynamique et indice de grande vitalité. Le besoin d'expansion s'allie à l'énergie martienne, à son esprit d'entreprise, à son goût de la compétition; le sujet s'attaque à de vastes objectifs. Ses atouts sont nombreux : détermination, sens pratique aussi bien qu'esprit de synthèse, aptitude à discerner ce qui est opportun de ce qui ne l'est pas et à tirer parti des leçons de l'expérience. Aussi la réussite, essentiellement d'ordre matériel, a-t-elle parfois de l'envergure. Elle se fait souvent à la force du poignet, le sujet se hissant (à force de combativité et d'esprit d'initiative) jusqu'au statut social exigé par Jupiter.

Dissonance : Manque de souplesse et de mesure; inadaptation provenant d'une ou plusieurs causes : excès d'impulsivité qui conduit à l'action inopportune, précipitée, trop autoritaire ou téméraire; manque d'esprit de synthèse empêchant la cohérence de l'action ou manque de largeur de vues incitant à privilégier exclusivement ce qui est pratique, sens de la réalité faussé par la trop grande ampleur des ambitions; difficulté ou impossibilité à adapter les actes aux exigences sociales ou légales, tendance à se rebeller, à contester, à passer outre l'autorité, les conventions et les règles, conduites bruyantes et provocantes envers tout ce (ou ceux) qui est en place. En conséquence, facteur de demi-succès, de réussite instable, ou d'échec.

La conjonction est ambiguë surtout si elle est trop serrée : hypertrophie des ambitions ou du besoin d'agir. La résultante dépend des aspects qu'elle reçoit et de la planète qui l'emporte sur l'autre.

Jupiter – Saturne

Liaison de deux facteurs antinomiques et complémentaires.

Harmonie : Comme avec Mars, la conjonction est ambiguë puisqu'elle rend indissociables un facteur de dilatation et d'extraversion et un facteur de rétraction et d'introversion. L'expansion et l'adaptation sociales dominent si Jupiter l'emporte, la rétraction si c'est Saturne. En l'absence de dissonances graves, et si elle n'est pas trop serrée, elle semble favoriser l'élévation sociale et l'aisance matérielle progressivement construites. Bien située et bien entourée, elle semble très positive aussi bien sur le plan financier et social que sur le plan intellectuel.

Trigone ou sextile : facteur d'équilibre psychique, les deux principes se complétant sans tension particulière. Saturne, avec ses exigences de réflexion, d'analyse et d'approfondissement, son horreur du vite-fait, son mépris des modes et des apparences, son sens des responsabilités et son intégrité, complète ce qui peut manquer à Jupiter. Celui-ci incline à se contenter de réussites brillantes et de confort sans trop se soucier du fond; il sait organiser et apprécie avant tout la quantité. Saturne veut une réussite moins superficielle, qui s'accompagne de valeurs intellectuelles ou morales; il sait administrer et préfère la qualité à la quantité. Les deux sont, chacun à sa façon, réalistes, l'un dans le concret, l'autre dans l'abstrait. L'ensemble est évidemment facteur d'équilibre, de stabilité, de profondeur. La réussite obtenue progressivement, avec prudence, persévérance, méthode, sans trop se soucier du paraître, comporte généralement un aspect concret (matériel, social) et abstrait (moral, spirituel, intellectuel).

Dissonance : Les deux valeurs se combattent. Désir d'expansion et de réussite sociale par Jupiter, tout disposé à mettre en œuvre son efficacité; réaction de retrait par Saturne, à la fois conscient du caractère éphémère et superficiel des succès humains et capable d'être, au fond, aussi ambitieux que craintif et insécurisé. Saturne tend là, par peur ou rationalisation de sa peur, soit à bloquer les tendances jupitériennes (carré) soit à produire une oscillation du comportement entre les deux pôles (opposition et, dans certains cas, conjonction). Le sujet alterne ouverture et fermeture au monde, optimisme et pessimisme, confiance et méfiance, spontanéité et retenue, avance et recul, générosité et avarice à tous les niveaux (porte-monnaie, cœur, esprit). Il s'ensuit généralement des hauts et des bas, des alternances d'abondance et de disette, de succès et d'échecs. Si Jupiter est le plus fort, ce sont les valeurs saturniennes qui sont lésées : imprévoyance, manque de mesure, d'ordre et de stabilité, gaspillage financier, imprudences de toutes sortes. Si c'est Saturne, l'ambition peut dans certains cas se manifester avec excès, âprement : dureté, égoïsme, autoritarisme, insociabilité, mépris orgueilleux du « commun des mortels » et des codes auxquels il obéit. Lorsque les deux sont à égalité, c'est le statu quo, l'immobilisme sclérosant et, à la longue, usant, par impossibilité à dépasser le conflit. Le dépassement peut tout de même s'opérer même s'il n'est pas facile; il se réalise fréquemment en direction d'une autre planète placée à l'intérieur du carré ou de l'opposition.

Dans les deux cas, harmonie ou dissonance, sensibilité particulière plus ou moins nette aux phases des cycles Jupiter-Saturne.

Jupiter – Uranus

Liaison entre deux éléments d'extraversion, à la fois parents et étrangers l'un à l'autre.

Harmonie : Accord entre Jupiter traditionaliste, vivant dans le présent et plutôt dans le concret, principe d'expansion, et Uranus novateur sinon révolutionnaire, tourné vers l'avenir, avide d'abstraire pour réduire à l'essentiel, principe de rétraction intensive visant à l'affirmation assez orgueilleuse d'un soi-même bien individualisé au sein du groupe.

Dans cette relation harmonieuse, on réussit à s'intégrer à la bonne société tout en s'en démarquant quelque part par un non-conformisme, à se montrer libéral tout en étant autoritaire. Il y a de la souplesse et de l'habileté. L'ambition est grande, évidemment et, dans un premier temps, le conservateur s'emploie à servir le révolutionnaire en douceur, ce d'autant plus qu'il existe une grande puissance de réalisation attentive aux opportunités qui se présentent. Après quoi, fortune faite et réputation acquise (affaires, arts, politique), le conservateur laisse la place au progressiste, quitte à déconcerter le spectateur.

Dissonance : Les mêmes exigences demeurent mais elles s'harmonisent mal. Les conduites deviennent exagérément contradictoires et déconcertantes. L'expansion peut se réaliser mais son équilibre est instable et les chances de succès sont compromises par des erreurs : on ne saisit pas l'opportunité, on fait trop tôt ce qu'il aurait fallu faire plus tard, ou bien on reste sur place alors qu'il aurait fallu aller de l'avant, on se montre trop autoritaire ou trop libéral. On donne l'impression par ses actes de prendre le contre-pied de ce que l'on a, théoriquement, prôné ou promis. La conduite outrepasse la limite raisonnable de la fantaisie ou du paradoxe. Démesure, contradictions, inopportunités, entraînent parfois une surtension, un déséquilibre, générateurs de crise souvent explosive; le revers, ou l'échec, peut alors survenir brusquement, retentissant.

A signaler une forme possible de résolution du conflit, forme relativement adaptée : trouver le moyen de singulariser et de « réussir » socialement, sans oublier de ramasser au passage tous les bénéfices possibles, en attaquant avec plus ou moins de virulence ou de subtilité les gens en place, les classes dirigeantes, les valeurs ou les idéaux traditionnels. Sensibilité aux cycles de Jupiter et d'Uranus.

Jupiter – Neptune

Liaison entre deux facteurs de détente et de dilatation, l'un tourné vers le dehors et l'objectif, l'autre vers le dedans et le subjectif, l'un visant à l'épanouissement de l'individu au sein du groupe, l'autre à sa dissolution au sein de la communauté ou du cosmos. Dans tous les cas, c'est en soi un coefficient inflationniste de réceptivité.

Harmonie : Sens de la détente, de la conciliation, amour de la paix. Sentiments humanitaires et philantropiques porteurs d'une grande, mais souvent naïve, générosité, la réalité étant toujours plus ou moins déformée par le mirage neptunien. L'inflation se traduit sur le plan psychologique par le grossissement des impressions, sensations, perceptions (sensorielles et extra-sensorielles), sentiments, des événements les plus menus, par l'intensité de la réceptivité qui se défoule en un lyrisme d'une surprenante ampleur. On la retrouve, dans certains cas, sur le plan social ou financier, la réussite étant liée parfois à des coups de chance spectaculaires du style pêche miraculeuse, et faisant tache d'huile. Plus communément, cette réussite est servie par une habileté à « nager » au-dessus de la moyenne.

Aspect favorisant l'insertion sociale par l'adhésion aux mystiques communautaires, l'éclosion d'un sentiment religieux panthéiste (l'épanouissement jupitérien se faisant par la communion avec la nature, le cosmos et la divinité), la création artistique, Jupiter réussissant à coordonner et cohérer toute la riche subjectivité neptunienne où foisonnent perceptions et fantasmes.

Dissonance : La réalité objective est complètement déformée ou vécue comme insatisfaisante. L'inflation dépasse la mesure; « ça » ne passe plus. Jupiter ne réussit ni à endiguer le flot envahissant de la subjectivité et de la réceptivité ni à en faire la synthèse : « ça » déborde. La décharge est de forme variable (panique, crise de nerfs, crise de larmes), mais toujours dramatisante : en fait, c'est la montagne qui accouche d'une souris. L'idéation ou la mise en forme artistique en souffre : c'est embrouillé, désordonné, confus, diffluent, verbeux. Les ambitions ou les idéaux portent la marque de l'utopie, de l'illusion, du mirage. Les coups de chance spectaculaires peuvent exister mais leur bénéfice s'évanouit en fumée. L'insertion sociale est rarement claire ou conforme mais plutôt en marge, soit qu'elle se fonde sur le mensonge par embellissement (exploitation du besoin de merveilleux et de la mentalité animiste : utopistes, mages, faux prothètes, charlatans, soit que, « nageant » là encore mais entre deux eaux, elle ne contrevienne à la légalité (compromissions, scandales, escroqueries). Il est évident que pour en arriver là il faut qu'il existe dans le thème d'autres indices confirmant ou aggravant celui-ci. Sans aller aussi loin, on peut cependant, toujours en ce qui concerne la situation financière ou sociale, craindre des mécomptes : excès d'optimisme, propension à s'illusionner sur soi-même, sur autrui, sur la réalité; gaspillage par irretenue; « magouilles » trop voyantes qui se retournent contre leur auteur.

Jupiter – Pluton

Pluton au double visage représente toutes les forces souterraines à l'œuvre aussi bien dans le monde qu'au fond de l'homme ou de la terre elle-même : forces de bouleversements, de construction comme de destruction, force des pulsions libidinales comme des pulsions agressives, toute une énergie tournée aussi bien vers la vie que vers la mort, sans cesse renaissante et capable de subir ou d'opérer des métamorphoses et des transmutations.

Harmonie : Très grande ambition. Aspect fécond et constructif qui tend à s'exprimer en réalisations (matérielles, intellectuelles, artistiques) traduisant l'ampleur et la puissance d'une énergie pulsionnelle apte à se décharger sous une forme socialement adaptée. La force impérieuse de l'instinct est mise au service de l'épanouissement qui se réalise au mieux. Pluton ne se paye ni de mots ni d'apparences, mais Jupiter le maintient sans heurt dans les limites de la légalité et de la sociabilité.

Dissonance : Désaccord entre les profondeurs et la surface, entre les instincts bruts et leur expression policée, entre des forces obscures et aveugles et le sens de la réalité objective. En conséquence, facteur de dissociation interne et d'inadaptation (à des degrés très divers), soit que l'individu tente de conserver son masque social au détriment de la satisfaction de ses besoins profonds, soit que le « retour du refoulé » ne déclenche un jour une crise remettant en cause son équilibre psychique ou son insertion sociale, quelquefois les deux; ou encore, sous l'effet d'autres éléments conjugués, le sujet peut se révolter violemment, pas toujours à bon escient, contre tout ce qui gêne la satisfaction de ses instincts bruts, dans un rejet massif de ce qui est « établi » au mépris non seulement des lois mais d'un élémentaire respect de ses semblables (cas de l'individu asocial, par exemple). Sensibilité aux cycles Jupiter-Pluton.

La Vision d'Ezéchiel, *par Raphaël. Signe de transmutation, de transfiguration, le Sagittaire cherche, par ses actions, à s'élever, à se dépasser.*

Claire Chazal : elle se sert de son rayonnement de diva télévisuelle pour se hisser, avec discrétion et savoir-faire, au rang des grands journalistes.

Comment interpréter les Planètes dans les Signes

Les Planètes dans le Sagittaire

Soleil en Sagittaire

C'est la position qui, traditionnellement, fait que l'on se dit né sous le signe du Sagittaire. Exalte les tendances naturelles du signe : courage, esprit d'aventure, projets de grande envergure, intelligence, réussite professionnelle. Souvent, carrière brillante.

Le natif est porté à s'affirmer de manière éclatante dans le domaine qu'il a choisi, un peu à la manière du Lion; mais il le fait avec plus d'expansion chaleureuse et de motivations humaines.

Lune en Sagittaire

La Lune est épanouie dans ce signe. Elle confère de la spontanéité, une certaine bonhomie, bref, une relation cordiale et détendue avec l'entourage. Avec le Sagittaire, on n'a pas de mal à briser la glace. Certes, il attend de l'autre un certain respect, mais il n'hésite pas à parler sur un pied d'égalité, d'homme à homme.

C'est un signe d'amitié plus que d'amour, et l'on aime retrouver les copains de naguère, rappeler les souvenirs, faire un petit flash-back qui permet de voir le chemin parcouru depuis.

Mercure en Sagittaire

Celui qui craint d'être dépassé par les événements prend la peine de tout prévoir, de fixer dans les moindres détails le calendrier et l'ordre du jour. Le Sagittaire, lui, n'a pas besoin de se reposer sur un Mercure très actif et minutieux. Il se fie à ses dons d'improvisation qui font flèche de tout bois. Il compte sur sa chance pour achever ce qu'il n'a qu'esquissé. Il se méfie des plans dressés sur la comète et des pronostics toujours bafoués par la réalité.

Vénus en Sagittaire

La conception artistique du Sagittaire s'incarne à merveille dans le jazz. Cette musique à chaud qui se joue en équipe, où l'on est entraîné par un rythme endiablé, où la dépense nerveuse est intense, où l'on n'a pas à déchiffrer une partition ou à se souvenir de bien respecter telle ou telle règle, où l'on danse de tout son corps, est la meilleure détente du signe.

Le Sagittaire aime le mouvement, il se plaît entre deux destinations. Il ne sait guère passer des vacances calmes et casanières.

Mars en Sagittaire

Le Sagittaire n'aime guère le travail trop régulier et quotidien. Cette position planétaire, dans un thème, n'indique donc pas un employé modèle mais bien plutôt un représentant qui court sur les routes, quelqu'un qui doit prendre des initiatives, s'adapter à des situations imprévues, faire preuve d'esprit d'à-propos.

L'énergie est mobilisée dès lors que le jeu en vaut la chandelle, excitée par l'épreuve, par l'obstacle. A certains moments, on est prêt à se dépenser intensivement comme dans les charrettes des architectes. On peut aussi trouver là un stakhanoviste, avide de records.

Saturne en Sagittaire

Si les entreprises sagittariennes font parfois long feu, elles ne durent qu'autant que leur instigateur brandit le flambeau. Dès que celui-ci disparaît, c'est la guerre entre les héritiers et l'on s'aperçoit bien vite que tout l'édifice ne reposait que sur le dynamisme d'un seul. Le Sagittaire va de l'avant et a du mal à choisir ses lieutenants et ses dauphins tant il agit par inspiration. C'est l'homme des grandes épopées que seule la mémoire d'un chroniqueur sauvera de l'oubli.

Uranus en Sagittaire

Le Sagittaire, signe de Feu, n'est pas très favorable à Uranus qui s'épanouit dans les signes d'Air. C'est pourquoi le signe peut décevoir en ce qui concerne sa capacité à faire passer des réformes en profondeur. En effet, à force de se soucier de réunir autour de soi les courants les plus divers, on peut dire que le Sagittaire « gouverne au centre », qu'il est prisonnier de sa propre stratégie et tiraillé entre plusieurs tendances, quelle que soit sa volonté personnelle de changer le monde.

Neptune en Sagittaire

Le Sagittaire a le sens de l'idéologie! Il sait que, pour entraîner l'assentiment général, il convient de lancer un certain nombre de slogans, de proposer des modèles d'explication, à la façon dont on parle de la lutte des classes par exemple. Cette position de Neptune est donc favorable, elle révèle quelqu'un qui saisit les vagues de fond, qui prophétise les grands bouleversements mais qui ne sait pas toujours faire les choix qui s'imposent quand il est trop entraîné par la politique politicienne.

Pluton en Sagittaire

Ce n'est pas une très bonne position pour Pluton. On n'aime guère la contestation et la satire lorsqu'on est en train de développer de grands principes et que l'on se prend plutôt au sérieux. On sait ce qu'on entend par « raison d'Etat », c'est-à-dire une sorte d'oukaze sans réplique. Par ailleurs, l'homme politique doit souvent faire taire sa conscience et ses scrupules s'il désire rester à son poste. L'usure du pouvoir rend méfiant à l'égard des fervents de la vérité.

Les Planètes dans le Capricorne

Soleil en Capricorne

L'astre de l'expansion, du rayonnement de l'été brûlant se trouve nécessairement refroidi par ce signe d'hiver, d'hibernation, de grand frimas. La personnalité est donc réservée, distante, froide et concentrée. N'oublions pas, en outre, que l'attente du printemps donne à ce signe un sens du temps particulièrement intense : si tout se fige sous la glace c'est pour mieux éclore dès que la tiédeur revient.

Lune en Capricorne

La planète des sentiments, de la vie intérieure, de la sensibilité et du climat affectif n'est pas non plus fort à son aise dans ce signe. Rend défiant à l'égard de toute manifestation amoureuse, peu expansif et aussi peu généreux. En revanche, donne une stabilité, une profondeur, une fidélité et une grande persévérance dans les attachements.

Mercure en Capricorne

Extraordinaire position pour cet astre. L'intelligence est profonde, pénétrante, sûre. Le sens du détail, de l'analyse, est assorti d'un esprit de synthèse fulgurant. Excellente mémoire. Discernement, jugement presque infaillible, sens du temps. L'être est mesuré, peu expansif, mais son ambition se révèle imperturbablement tenace.

Vénus en Capricorne

Cette Vénus est possessive, obstinée, très rigoriste. Elle retire de la passion à la relation amoureuse – la raison, le scepticisme du signe interdisant les grands élans – et lui attribue en compensation de la solidité, de l'endurance, de la ténacité : cette Vénus se contente de peu (à la limite, elle vit d'amour platonique) ou alors, mais c'est plus rare, elle multiplie les expériences « utilitaires ».

Mars en Capricorne

Magnifique position de la planète dans un signe qui lui fait aller droit à l'essentiel, avec dépouillement, esprit de synthèse, profondeur et sens de l'analyse. Sur le plan de l'intelligence, c'est une des plus fortes et des plus belles configurations. Elle confère au sujet de la dureté, de l'ambition, de l'agressivité et beaucoup de calcul en même temps qu'un sens politique aigu... Mais absence totale de subjectivité et de sensibilité en ce qui concerne les affaires, les négociations, les rapports avec autrui en général.

Saturne en Capricorne

Refus de l'artifice, du jeu, du maquillage. Une sorte de Capricorne au carré. Il peut dissimuler ses frustrations infinies derrière un ricanement sceptique ou l'attitude souveraine de l'ermite replié dans sa tour d'ivoire. Cet orgueilleux est d'abord un grand blessé de l'âme qui ne s'est jamais consolé des rejets qu'il a subis. C'est le vrai misanthrope, lucide sur le monde et sur lui-même, qui s'interdit tout mensonge et sanctionne tout manquement à la vérité.

Uranus en Capricorne

Dur signe pour Uranus qui symbolise la force, la volonté, la résolution ici et maintenant : en Capricorne, la résolution devient cruellement efficace, l'organisation méthodique des objectifs s'élabore avec une perfection presque maniaque. Goût pour toutes les techniques avancées, pour la politique et les sciences.

Neptune en Capricorne

La planète de la sensibilité artistique, de la douceur, de la souplesse et de la mobilité psychique n'est pas spécialement confortée par le Capricorne qui lui interdit les vraies intuitions ou les soumet au crible d'une raison moralisatrice très refroidissante. La sensibilité et la rigueur de la pensée se trouvent en contradiction.

Pluton en Capricorne

Pluton, qui symbolise les forces obscures de création, la lenteur et la puissance dans les grands bouleversements, est admirablement servi par le signe ambitieux, sévère et patient du Capricorne. Cette position renforce l'ambition et lui donne une portée mondiale.

Les Planètes dans le Verseau

Soleil en Verseau

Dynamisme électrisant, chaleur communicative, sympathie spontanée et active pour autrui : telles sont les caractéristiques du Soleil en Verseau.

Lune en Verseau

Si vous avez la Lune en Verseau, elle vous permettra de cultiver des valeurs personnelles, de canaliser vos pulsions au profit d'un idéal et de décrire vos états d'âme avec les mots qui conviennent.

La Lune en Verseau, c'est aussi réagir quand le vent se lève, profiter du zéphyr, naviguer en douceur. C'est parfois s'oublier pour aider à transformer le monde, ou se recréer soi-même quand on s'est perdu. C'est notre dépendance envers nos amis, notre besoin d'originalité ou notre soif de changement, c'est une mémoire qui oublie tout, sauf l'essentiel : ce qui est riche en potentialités nouvelles, ce qui est positif et utile, ce qui débloque les situations.

Mercure en Verseau

Mercure en Verseau signe une intelligence intuitive mais rigoureuse, à condition que le sujet soit motivé. Sinon, il se laisse plutôt envahir passivement par les informations qu'il emmagasine et qui resteront latentes, en attendant de ressortir un jour sous forme créative.

Au Verseau, Mercure est souvent distrait. Il n'établit le contact avec autrui que si l'ambiance est mobilisatrice, l'interlocuteur plaisant, ou si la discussion porte sur ses convictions.

Vénus en Verseau

Le Verseau est spontanément doué pour le bonheur parce qu'il fait crédit à la nature humaine, bien qu'il soit sans illusions sur ses imperfections. Il refuse donc toute complaisance envers le chagrin. Pour les sujets évolués, point de lyrisme romantique : on analyse le mal d'amour et, pour le dompter, on fait appel à la raison ou à l'oubli.

Que ce soit dans le choix d'un objet ou dans les rapports humains, si vous êtes Verseau bon teint, une grande indifférence vous habite jusqu'à ce que quelque chose ou quelqu'un mobilise votre attention : vous réagissez, alors, par une attirance extrême ou une répulsion spontanée, que vous essayez de modérer en compensant, par un compliment, la rigueur d'une attitude, et en éteignant, provisoirement, l'emballement d'un moment.

Mars en Verseau

Ici, les faits l'emportent sur les idées, mais comme nous sommes encore en Verseau, où les choix sont réfléchis afin de ne choquer personne, idées et faits vont donc se mêler adroitement.

Le pouvoir réalisateur du Verseau est plus dans la réaction que dans l'action, et la réalité des faits bruts pousse le sujet à agir en rénovant.

Saturne en Verseau

Saturne en Verseau n'échappe pas à sa règle : il fait le point sur soi-même et les autres, prend conscience de la nécessité d'évoluer et de dégager, des événements, leur inconnu libérateur. Il cherche à communiquer pour atténuer le doute que l'isolement amplifie.

Saturne en Verseau pondère votre réactivité ou votre enthousiasme, vous fait prendre conscience que l'on s'use parfois à défendre des causes perdues d'avance et qu'il faut se méfier de l'illusoire, au profit d'une connaissance plus approfondie des choses.

Uranus en Verseau

Avec les planètes précédentes, l'homme s'est intégré au monde extérieur et à la société de son temps; les aptitudes à acquérir sont les mêmes pour tous. Avec Uranus, nous entrons dans l'analyse des valeurs qui sont propres à chaque individu. Indépendantes du milieu, elles font de lui un être unique.

Uranus en Verseau, s'il choisit la nouveauté en tout, sait la vulgariser, la transmettre avec le maximum d'efficacité et des mots simples, accessibles à tous; mais il lui est parfois difficile de donner un exemple concret.

Neptune en Verseau

Si vous êtes neptunien, vous vous dégagez facilement des conditionnements sociaux pour tenter de vivre votre réalité intérieure. Vous êtes intuitif, généreux et crédule, parfois naïf. Vous projetez souvent vos impressions et présentez parfois des vérités que vous avez du mal à formuler. Si vous transformez la réalité, c'est qu'un fait brutal vous émeut et que vous désirez prendre des distances pour amortir le choc.

Pluton en Verseau

Si l'on veut donner à Pluton une dimension humaine, on s'aperçoit qu'il est un signal difficilement intégrable car sa connaissance se heurte à ce que nous ne pouvons savoir de l'inconnu.

C'est la force profonde de nos pulsions informulées, cette immensité refoulée parce qu'elle fait peur ou honte et qui ne nous laisse en paix que si l'on accepte de la vivre.

Ceux chez qui Pluton domine recherchent une authenticité qu'ils ne trouvent qu'en eux-mêmes, car elle est rebelle à toute assimilation par le milieu et difficilement communicable. Ils auraient besoin de plusieurs vies, mais comme ils n'en ont qu'une, ils accumulent les expériences et leurs contradictions sont source de fécondité.

Les Planètes dans les Poissons

Soleil en Poissons

Il va vous « identifier » totalement aux autres. Vous n'imposerez pas. Vous entrerez dans le jeu d'autrui : cette identification sera, selon votre évolution intérieure, bonne ou mauvaise. Dans ce signe « double » la gamme des « possibles » est infinie...

Vous pourriez avoir tendance à vous immiscer un peu trop dans les affaires et la vie d'autrui. Vous n'utiliserez ce don à votre profit que si d'autres aspects vont dans ce sens, l'Ascendant notamment. Votre comportement ne sera en aucun cas cynique, sauf si une note scorpionne apparaît. Vous pourrez incontestablement, par votre attitude, gagner à votre cause vos adversaires, et les réduire à néant.

Lune en Poissons

Si le Soleil est l'animus, partie volontaire, active, masculine qui est en chacun de nous, principe « yang », la Lune est le reflet de notre anima : partie réceptive, passive, féminine, « yin » en chacun de nous. C'est la face inconsciente de notre personnalité. Elle est le rêve, l'imaginaire, la sensibilité.

En fait, elle donne une sorte d'irréalité à cet être « lunaire » des Poissons. Il a du mal à s'intégrer dans la vie réelle. En effet, les qualités comme les défauts d'expansion et d'inflation envahissantes propres aux Poissons sont exacerbés. Le potentiel imaginatif est fabuleux, donnant une véritable vision fantasmagorique des choses.

Mercure en Poissons

Cette planète est en exil dans les Poissons. Dans ce signe d'Eau, elle donne un fort potentiel de sensibilité intuitive. Elle représente, en effet, le filtre intellectuel à travers lequel vous vous exprimez en tant que Poissons. Ce n'est pas seulement votre forme d'intelligence mais aussi la direction qu'elle va prendre. C'est votre faculté d'adaptation qu'elle définit, et vos relations avec l'entourage. Cette direction sera, dans le sens de Neptune, infinie. La perception des choses sera beaucoup plus intuitive, immédiate, que déductive. C'est une perception sans détails. Rien de précis, mais une *vision « globale »* instantanée. La compréhension est « affective ».

Vénus en Poissons

Avec Vénus aux Poissons, le partenaire est idéalisé; l'amour est vécu comme un rêve. On peut reprendre ici l'expression de Gaston Bachelard dans *l'Eau et les rêves* : « Le fait imaginé est plus important que le fait réel. » Exalté dans le signe des Poissons, l'amour y prend une ampleur lyrique. L'affectivité est débordante. Toutes les motivations sensorielles et affectives se manifestent, en effet, sur un mode Poissons; c'est-à-dire sans mesure et sans caractère logique... les amours sont sans frontières. Amours souvent impossibles, chimériques, utopiques dans lesquelles on se jette à corps perdu. L'élu est mis sur un piédestal. Si le rêve s'effondre, le « château de sable » est emporté par la vague... Les chimères évanouies, il ne reste plus rien.

Mars en Poissons

Dans le signe des Poissons, l'action diffuse se perd dans l'immensité des désirs qui restent inassouvis. Si cette action est souvent incapable de viser droit au but immédiat, l'énergie n'en est pas moins mordante. Mais elle demeure souvent intermittente.

Il faut toutefois se méfier de « l'eau qui dort ». L'on songe à ces tempêtes qui se lèvent sous les tropiques, dans cet océan que d'aucuns avaient nommé Pacifique ! La fureur de la vague peut être mortelle. La tempête est soudaine, elle n'en est que plus violente. L'action de Mars en Poissons est souvent illogique. On agit par « à-coups ». Elle manque, en tout cas, d'organisation. On fonce au moment où il ne le faut pas. Et l'on se fatigue inutilement.

Saturne en Poissons

Bien vécue, cette planète représente l'influence « contractive » dans le ciel : elle affecte la capacité de l'individu à rassembler les choses pour les concentrer. Elle indique une autodiscipline. Elle est la conscience « morale » dans ce qu'elle a parfois de rigide. L'être se construit un système de défense. Mal vécue, nous avons, alors, l'isolement; l'être s'enferme. Il perd ses qualités d'adaptation. Il ne sait plus se rendre aussi ouvert. Il ne cherche pas la sympathie. Il s'isole et se laisse gagner par le découragement. C'est le Saturnien « découragé », renfermé, qui refuse de s'adapter à la vie.

Uranus en Poissons

Avec Uranus, l'être va dans une seule direction. Cette planète s'accorde mal avec la sensibilité et l'émotivité vibrante du Poissons. Le refus des contraintes donne dans ce ciel une certaine incapacité à dominer les problèmes de la vie quotidienne. Le Poisson « uranien » s'individualise. Il s'affirme avec originalité. Il va dans une direction et s'y tient. Contradiction profonde de l'être, entre ce côté *« ultra »* et les perspectives neptuniennes. Uranus évolue mal dans le monde de la subtilité et des nuances, dans le monde de l'évasif, de l'imprécis, de l'indécis.

Neptune en Poissons

Le Neptunien vit dans un monde sans frontières (le « citoyen du Monde » : Camille Flammarion). Antenne captatrice, Neptune ouvre aussi les portes à la perception de l'infini. Le monde inconscient du mystère prend le pas sur la logique cartésienne : c'est le monde de la clairvoyance et de la télépathie.

Avec Neptune s'ouvre tout un monde secret. Nous sommes aux portes de l'Invisible. Au niveau le plus simple, dans la vie de chaque jour, Neptune crée un « climat », une « atmosphère » : la vraie spiritualité, la sainteté se cachent souvent dans la vie la plus simple.

Pluton en Poissons

Le natif des Poissons est marqué par Pluton, planète d'angoisse qui peut empoisonner notre bonheur, qui dramatise notre vie, qui nous confronte à notre propre enfer, qui n'est ni malfaisant ni cruel, mais juste... Il va vivre cet aspect au niveau le plus morbide ou au contraire accéder, grâce à lui, aux plus belles sublimations. C'est elle qui marque le thème de Victor Hugo (conjonction Soleil-Vénus-Pluton en Poissons) de son empreinte. La puissance de son inspiration, la profondeur de sa sensibilité, la diversité des sujets qu'il traita, c'est, sans doute, à cette double valorisation neptunienne et plutonienne qu'il les doit.

Les Planètes dans le Bélier

Soleil en Bélier

Avoir le Soleil en Bélier, c'est « être du signe » du Bélier. C'est donc, rappelons-le, avoir une planète (la principale) sur dix dans le signe du Bélier. Quel que soit le nombre de planètes dans un ou plusieurs autres signes, le signe où se trouve le Soleil est toujours primordial. Le Soleil est en *exaltation* dans le Bélier – ce qui peut donner un excès : décision, enthousiasme, impulsion, entêtement, passion, esprit d'entreprise, violence, générosité.

Lune en Bélier

La Lune dans le signe de Mars est bien malmenée... Comme elle représente l'inconscient et la sensibilité, ceux-ci deviennent houleux et marqués par l'impulsivité. L'ardeur et la vivacité, une sensibilité brûlante tiennent lieu de tendresse. C'est souvent aussi une composante de révolte, de non-conformisme. Élément de réceptivité et de féminité, cette Lune, placée dans ce signe viril, n'est pas en bonne position dans le thème d'une femme. Tendance au scandale, exhibitionnisme, indépendance, témérité, tempérament enflammé.

La Lune représentant l'idéal féminin dans le thème d'un homme, ce sera alors la recherche de l'amazone, la composante féminine étant virile.

Mercure en Bélier

La planète Mercure représentant le mental, celui-ci se trouve ici sous la domination de Mars et Pluton: fougue, intuition foudroyante, certitude d'avoir raison. Les choses sont vécues dans l'instant, avec l'ivresse de la découverte. Cette position laisse peu de place au doute, à l'hésitation. L'intellect est très actif, avec une tendance à la polémique (Mars) et au sarcasme (Pluton).

La franchise est brutale, tranchante comme un scalpel. La diplomatie et la douceur ne sont pas le fort de Mercure en Bélier! C'est la position des polémistes, des « fonceurs ». Le passage de la pensée à l'acte est immédiat: c'est un peu la conjonction Mercure-Mars, avec son don de persuasion, sa rapidité redoutable.

Vénus en Bélier

Les sentiments sont passionnés, l'esprit de conquête violent, l'impulsion sexuelle intarissable. L'amour est vécu comme un sentiment exclusif, intense, brûlant, mais souvent pas très durable. Grande générosité.

« Vénus tout entière à sa proie attachée. » L'affectivité est importante, chaleureuse, un peu brusque. Nombreuses et brèves passions.

Mars en Bélier

Fougue, énergie, volonté constructive, entreprenante, dynamisante. Goût pour les épreuves de force, où le courage le plus fou trouve son expression. Activités intarissables: sport, courses, dépense physique. Résistance à toute épreuve. Plus il y a d'obstacles à son désir, à son projet ou à sa volonté, plus le natif se sentira stimulé.

Saturne en Bélier

La planète et le signe sont en contradiction totale: c'est le froid intense au sein du brasier. La force de caractère est grande et risque, avec l'âge, de dégénérer en dureté et en aigreur. La solitude est inévitable, avec une tendance à l'auto-analyse, aux aventures (Bélier) solitaires (Saturne). L'impression d'être incompris par les autres est particulièrement forte et peut mener aux limites de la paranoïa. C'est une position difficile, douloureuse, qui aboutit en général à une solitude hautaine, à un durcissement.

Avec une telle position, les maux de tête, les névralgies, les accidents à la tête sont garantis. Les risques de congestion cérébrales sont accrus.

Exemples: Baudelaire, Goya, Staline, tous trois atteints gravement à la tête. Goya sourd et à demi-fou, Baudelaire et Staline morts de congestion cérébrale.

Uranus en Bélier

La foudre dans le signe de la foudre. L'impulsivité et la faculté de saisir la « bonne occasion » sont décuplées. Le dynamisme est trépidant, irrésistible, l'efficacité et la coordination des réflexes sont foudroyants à condition que les aspects soient bons. Ce sont la hardiesse, la témérité et la révolte prométhéenne qui dominent. Ils aboutiront, ou bien finiront dans la catastrophe, suivant le reste du thème. Uranus était en Bélier au moment de la montée du fascisme et du national-socialisme: l'ascension fut foudroyante mais la chute ne le fut pas moins...

Exemples: Tchaïkovski (le côté « électrisé » de sa musique), Nietzsche.

Neptune en Bélier

Dans le signe de Mars, Neptune amplifie l'agressivité ou le rêve. Là encore, tout dépend des aspects, en particulier des positions respectives de ces deux planètes. Ou bien c'est Mars qui domine (l'action) ou bien c'est Neptune (l'idéal, le rêve). Les deux sont le plus souvent en conflit mais il peut arriver qu'ils coïncident : on a alors une action révolutionnaire qui réalise le rêve (Lénine, conjonction Mars-Neptune). Mais le tzar qu'il renversa avait aussi Neptune en Bélier, non loin du Soleil! C'est alors l'illusion, la chimère. Avec cette position, on peut aussi avoir une tendance au scandale ou au mysticisme (Cervantès).

Pluton en Bélier

Le Bélier est le domicile diurne de Pluton. C'est une position extraordinaire, que les astrologues oublient généralement (Pluton ayant le don de se rendre invisible, comme le Diable). Pluton en domicile chez son complice, Mars, devient d'une agressivité démoniaque, trépidante, une sorte de piétinement sourd et implacable. Il apporte la subtilité et le sens de l'invincible à la force parfois brutale du Bélier, et la transforme en puissance irrésistible. C'est alors l'aspect vengeur, implacable, inhumain du Bélier, premier signe, qui apparaît.

Exemples: Baudelaire, Zola, Tchaïkovski, Anton Bruckner (chez ce dernier, la tornade ascensionnelle d'une musique marquée par Pluton en Bélier en Maison VIII est particulièrement impressionnante).

Les Planètes dans le Taureau

Soleil en Taureau

La relation harmonieuse entre le signe et l'astre souligne la force d'inhibition (résultante d'excitation concentrée) dans ses effets louables de conquête, d'investissement et de colonisation de l'obstacle. Les « Soleil-Taureau adaptés réussissent aussi, c'est bien connu, par leurs grandes aptitudes de travail, exploitant à fond des facultés parfois seulement moyennes, lentes à s'éveiller [1]. »

Ils doivent beaucoup à leur minutie maniaque, à leur rigueur, aux répétitions, et aux rabâchages grâce auxquels ils parviennent, souvent après de durs labeurs, au cœur d'un problème, quitte parfois à en constater l'inexistence. Ils ont besoin de posséder leur sujet de A jusqu'à Z, et même de doubler l'alphabet, pour en parler sûrement. L'inhibition leur interdit la facilité. Elle les éloigne des voies précaires, les prévient contre les dangers des ascensions trop rapides et leur donne le goût d'une notoriété installée sur un pouvoir, une compétence réelle, un métier bien rodé. Elle se manifeste encore dans leur besoin de trouver ou d'apporter des bases intangibles à la discipline qu'ils épousent, ou bien de laisser de leur passage une empreinte inimitable. Une fois en haut du pavé, elle leur permet enfin de défendre et conserver jalousement l'autorité acquise. Les plus doués paraissent increvables.

Lune en Taureau

Féminité, dans la mesure où la féminité est la mère de tous les sexes. Ces dispositions apportent à l'homme de précieuses satisfactions dans ses liens avec mère, sœur, fille, amies, épouses, sauf si les interlocutrices en question sont agressives, névrotiques, ratiocinant sur tous les défauts des mâles dans leurs revendications socio-sexuelles.

Homme ou femme, la Lune en Taureau non dissonante aime la tranquillité et tient en haute estime tout ce qui participe à l'harmonie de sa santé physique et psychique: un décor paisible, un environnement doux, serein, lumineux, des gens heureux, des saisons régulières, des digestions sans problèmes.

Mercure en Taureau

L'effet du Taureau sur Mercure limite la disponibilité intellectuelle et sociale. Il n'y a pas d'affinité évidente entre l'astre de l'ouverture, des réponses réflexes aux sollicitations ambiantes et le signe du contrôle, de la première réaction de défense contre les incitations extérieures. L'astropsychologie insiste donc sur la spécialisation des facultés mentales plutôt que sur la diversité d'aptitudes.

Les dons d'observation, l'application travailleuse, la continuité des idées, pallient les lenteurs de l'intelligence et ses réticences (non insurmontables) devant les abstractions. Cependant, l'esprit progresse fort loin si la matière se prête à une saisie logique, méthodique, et à une démarche analytique raisonnée du concret à l'abstrait.

La curiosité serait plus vive et l'intelligence plus habile dans la détection des sources de plaisirs, profit et possessions.

Vénus en Taureau

L'astropsychologie applique à la vie amoureuse la constance du signe. Harmonique, cette position favorise donc les longs attachements, les liens dont on ne se défait que dans de tragiques douleurs. Elle donne, sans doute, la patience, la bonne proportion de soumission et de domination nécessaire à l'entretien d'une heureuse relation affective.

Comme Mercure, mais à un bien moindre degré, Vénus stimule la force de combinaison ou d'intégration du signe. Ce qui, dans le contexte sensuel-sensoriel, s'exprime volontiers par le plaisir de la possession amoureuse sans cesse renouvelé, ou par quelque propension analogue à embrasser, tenir, faire sienne, en son corps, la chose que l'on aime.

Mars en Taureau

Mars régit les duos-duels de l'existence et le niveau d'excitabilite nécessaire aux compétitions vitales. L'astro-psychologie voit dans sa rencontre avec le Taureau un bon indice de vitalité, de robustesse physique, de courage moral. Configuration musclée, en somme.

---

1. E. Brulard, *Nouvelle Méthode d'Astrologie pratique*, éd. des Cahiers astrologiques, 1946.

Elle inspire des initiatives hardies et radicales, des entreprises aux audaces longuement mûries, engageant, lorsqu'elles s'affirment, toutes les forces dans un seul combat en se privant volontairement de toute échappatoire et possibilité de retraite.

Saturne en Taureau

Le Jupitérien a des dispositions pour faire de son vécu l'assise, le cheval d'arçon de ses prouesses. En revanche, le Saturnien en tire craintes et reculs qui, dans les meilleurs cas, déplacent sa pensée vers les coulisses de l'exploit, là où les héros redeviennent des hommes et les hommes des êtres.

La réduction saturnienne peut donc déterminer un type d'équilibre raisonné, moins bonhomme que celui de Jupiter, tout en flegme, en ajustements calculés et en qui-vive cachés.

Economie veut dire épargne avisée. L'être s'assure des voies qu'il peut pratiquer sans risque d'y rencontrer ce qu'il redoute: l'imprévu exigeant un débours de confiance.

Uranus en Taureau

D'une formule inverse à celle de Mercure, Uranus va du complexe au simple, du faible au fortement excitable. Avec l'apport du Taureau, cohérent, compact, massif, le schéma uranien prend tournure d'un tout ou rien. Les paliers, approches ou reculs par touches et retouches successives ne sont pas de saison. Cet Uranien est complètement « in » ou « out », dedans ou dehors. Sa nature réductrice s'y prête, le Taureau lui fait litière.

Psychologiquement, n'attendez pas de lui beaucoup de diplomatie. Il n'est pas du genre perplexe, entre deux eaux, flottant. S'il est réfractaire, sa surdité et son opposition iront jusqu'aux extrêmes conséquences.

Neptune en Taureau

L'efficacité opère dans le plan irrationnel de la vie affective et spirituelle, plutôt que dans celui de la raison sociale.

Neptune en Taureau a des chances de vibrer aux chansons des bois et forêts et autres présences universelles, sensibles et indicibles. La cohésion du signe sera dans le désir d'union sensuelle, ce qui peut rendre la mystique difficile, sauf si elle est panthéiste, païenne, en prise sur le folklore. Autre chose, enfin, que l'ascèse et le dogme.

En négatif, le pôle dionysiaque du Taureau prendra avec Neptune des voies de perdition, la quête d'extase mystique, le besoin de participation cosmique, dégénérant en sensualité chaotique.

Pluton en Taureau

L'apport de Pluton au Taureau risque d'être discret, de concerner uniquement le pôle d'inversion et d'inadaptation du signe.

Pluton peut apporter aux êtres réceptifs une intuition fondamentale dont ils feront le levier de leur existence laborieuse. Ils laisseront toute leur personnalité dans leur œuvre ou découverte.

Quant au caractère, Pluton en Taureau le rend ferme, énergique: colères féroces, vindictes souterraines impitoyables. C'est l'inertie d'inhibition qui parle, elle ne pardonne pas.

Les Planètes dans les Gémeaux

Soleil en Gémeaux

Le Soleil est l'archétype du Père, du Chef, du Héros, psychologiquement l'Idéal du Moi. Il a surtout pour effet de valoriser les diverses significations du signe dans lequel il est placé;

on se reportera donc aux caractéristiques des Gémeaux. Sa force peut être modifiée positivement ou négativement, en fonction des rapports angulaires ou aspects qu'il peut former avec d'autres planètes.

Lune en Gémeaux

Le monde de l'inconscient est ici constamment agité par les fluctuations de l'environnement, le changement incessant des circonstances et des contacts, mais il ne s'agit là que d'une agitation de surface, celle de la brise qui fait naître des vaguelettes. Les racines de l'être ne semblent pas en être ébranlées. Extérieurement, l'humeur est vagabonde, elle varie selon les émotions du moment et ne peut être saisie. Elle s'est déjà transformée lorsque l'interlocuteur l'a saisie au vol. Pour mieux dire, c'est la Lune natale de Brigitte Bardot, astre cinématographique qui a suffisamment occupé la chronique pour que l'on sache de quoi il retourne. Un prompt emballement, vite tombé dans l'oubli, aussi vite remplacé par une passion non moins vive, et il ne s'agit pas seulement de l'affectivité, mais aussi de l'humeur, qui ne peut être que capricieuse et frissonnante. Sur le fond mercurien, en perpétuelle vibration, la Lune multiplie les variations de ses phases, même si sa face cachée reste obstinément ignorée.

Mercure en Gémeaux

La souplesse d'esprit, le besoin de connaître, celui de transmettre le message dont on est porteur s'allient à une exceptionnelle facilité d'assimilation de toutes les données que l'esprit doit intégrer. A cela s'ajoute l'association des idées, tout aussi rapide, qui permet d'élaborer très vite des ensembles d'où sortira la résolution des problèmes posés. Par contre, si la compréhension ne s'effectue pas dans l'instant même, il est fréquent que l'on doive s'y atteler à nouveau au prix d'efforts inhabituels et fastidieux. Il va sans dire qu'un tel Mercure est un atout important dans les thèmes des avocats, des hommes politiques, des représentants. Parfois s'y joint le sens de l'humour, de l'ironie, de la repartie. Le sujet est apprécié pour ses dons de causeur. Il lui est assez difficile de se spécialiser, car il veut tout savoir, tout apprendre, mais se contente trop souvent d'un survol rapide. Il sait s'insérer dans les conversations pour les orienter selon son gré.

Vénus en Gémeaux

Le goût du flirt, de la comédie amoureuse, est fréquent, celui du changement ne l'est pas moins. Ces deux tendances aboutissent à de nombreuses relations affectives, le flirt plus ou moins poussé surpassant la passion authentique. Au pire, ce serait l'image du papillon. Le choix est difficile, aussi ne le fait-on pas.

Pour ne pas se perdre dans tout cela, il faut éviter de provoquer des drames, conserver un certain sang-froid, une lucidité raisonnable, sous une apparence d'amitié courtoise où chacun croit discerner un amour partagé. La sensualité n'est pas un élément dominant, bien qu'elle ne soit pas exempte de raffinements. La vie sentimentale peut donc être assez compliquée, mais l'adresse permet d'éviter les crises trop périlleuses. Les déceptions en général ne durent pas, tant il est facile de trouver de nouveaux partenaires.

Mars en Gémeaux

C'est un important facteur d'activité, pas seulement mentale, qui peut entraîner un certain esprit sportif, la sincérité dans l'action. Mais l'amour-propre réagit par la susceptibilité: les caprices, les colères sont difficilement dominés. Tout cela est un peu remuant, turbulent, avec des vagues d'agressivité inattendues, au moindre prétexte. Il faut dire que les réflexes musculaires sont rapides, le passage à l'acte ne traîne pas, tout au moins le passage à la parole qui vaut un acte.

Avec Mars dans son signe, le Géminien est plus sûr de lui et moins hésitant. De bonne foi, il promet plus qu'il ne peut tenir. Il s'efforce de convaincre avec passion. Dans les cas extrêmes il aboutit au sadisme mental, à une certaine agitation.

Saturne en Gémeaux

On admettra qu'un astre aussi sec et peu enclin à une certaine joie de vivre comme à une animation turbulente ne se sentira guère à l'aise dans le signe jeune et perpétuellement en mouvement des Gémeaux. Cette fois-ci, c'est le vieux monsieur strict chez les joueurs de ping-pong. Sa logique excessive tue la fantaisie, et l'humour devient de l'humour noir. Certes, il peut y avoir un acquis pour le signe, dans la mesure où Saturne apporte circonspection, sens des responsabilités, ce dernier parfois excessif.

Mais il peut aussi, par réserve ou inhibition, éteindre le côté brillant des Gémeaux, le sens de la repartie devient l'esprit de l'escalier, ou se fait trop lourd. C'est un Saturne qui veut se rajeunir, un Gémeaux qui veut être trop sage au risque d'étouffer sa spontanéité.

Uranus en Gémeaux

Uranus, qui gouvernait le chaos, est considéré comme l'astre de l'individualisme le plus poussé, qui veut à tout prix se démarquer du milieu ambiant. Hyper-rationnel, peu sentimental, maître du Verseau, il a quelques analogies avec Mercure, mais poussées à un niveau plus brutal; il est systématique, intolérant, il tend à entraîner vers un avenir robotisé, froid, peu fait pour les faibles et les cœurs sensibles. Il crée l'imprévu, les destins en dents de scie, impose des techniques toujours nouvelles.

Il s'est trouvé dans les Gémeaux de 1942 à 1948, et l'on a pu constater l'accord entre le côté nerveux et remuant du signe et l'effet électrisant de la planète, ainsi que le facteur commun que constitue le côté intellectuel et cérébral de leur nature. Uranus, très à son aise en Gémeaux, y agit comme s'il induisait un courant électrique susceptible de les galvaniser, de leur donner un sens plus aigu de leur Moi et d'atténuer leur tendance dispersive.

Neptune en Gémeaux

Il semble y avoir plus de théorie que de constatations effectives dans ce que l'on peut en dire. Selon André Barbault, l'émotivité géminienne serait accrue et la sensibilité de l'astre en serait intensifiée, dans un échange courtois de bons procédés. D'autres astrologues affirment que l'intuition devient plus lucide, que l'action neptunienne devient plus créatrice, se cantonnant surtout dans l'immédiat, le quotidien. On y voit aussi des dons de clairvoyance, surtout dans les affaires, et les femmes seraient peu fidèles. Certains décèlent des tendances hystériques, des états d'âme chaotiques.

Pluton en Gémeaux

Selon Lisa Morpurgo[1], Pluton a influencé le comportement d'une génération intellectuellement éveillée. Et il est vrai que l'on ne s'était jamais posé autant de questions qu'à cette période (1883-1914), à la fois fin d'un siècle et commencement d'un autre, tant il est vrai que Pluton, comme Janus, est à double face. Cette génération était lucidement critique envers les idéologies et les éthiques des époques antérieures. Mais elle a aussi été attirée par le culte de la personnalité. André Barbault a exprimé une opinion à peu près semblable en disant que Pluton en Gémeaux se mue généralement en sadisme mental, ou apporte une inquiétude intérieure qui fertilise la recherche spirituelle.

Les Planètes dans le Cancer

Soleil en Cancer

Donne des indications sur la personnalité extérieure du sujet: grande sensibilité, à l'écoute du non-dit, du non-visible, beaucoup d'intuition: cette intuition se fait parfois devineresse,

---

1. Lisa Morpurgo, *Introduction à la nouvelle astrologie*, Hachette Littérature, 1976.

pressent des événements et des situations à venir. Les rêves prémonitoires sont fréquents chez le Cancer hyperréceptif. « Idéalisation du passé, attachement à la tradition, qui sert de point d'appui contre l'insécurité du futur [...] Manque d'initiative, défaut d'agressivité et d'esprit compétitif [...] compensés par la souplesse intuitive de l'intelligence. L'équilibre ainsi créé permet d'atteindre avec autant d'efficacité l'objectif recherché[1]. »

Lune en Cancer

Accentue toutes les tendances extérieures du signe en leur donnant quelquefois une exaltation excessive: douceur extrême, intense réceptivité qui peut aller jusqu'à la médiumnité. La voyance, la précognition, les phénomènes extra-sensoriels sont tout à fait courants avec la Lune dans ce signe. Elle donne également des dons artistiques réels que la timidité du Cancer ne sait pas toujours faire valoir. Besoin immense de tendresse, de protection. Forte sensualité réceptive.

Mercure en Cancer

La planète de l'intelligence se teinte ici de finesse analytique, de sensitivité, d'irrationnel. L'intuition s'affine, se laisse diriger par une perception subjective des problèmes, et les résout grâce au « flair », au doigté, à l'instinct beaucoup plus que par raisonnement. Mercure en Cancer fait des êtres qui écoutent plus qu'ils ne parlent, qui enregistrent et mémorisent les moindres faits et gestes pour s'en servir plus tard dans des circonstances appropriées. L'esprit, à la démarche lente et sûre, donne du poids aux synthèses. C'est un esprit qui allie les qualités inventives aux déductions logiques.

Vénus en Cancer

La planète de l'amour et de l'art se trouve en affinité avec le signe d'eau. Vénus en Cancer s'intériorise, gagne en pudeur et en réserve ce qu'elle perdait en extraversion; elle devient plus artiste, plus profonde et plus douce. Sa recherche de l'amour sensuel se transforme en quête de tendresse, de protection, de sécurité affective. C'est une Vénus mouvante mais fidèle, capricieuse mais sage. Sensualité « sensorielle ».

Mars en Cancer

L'activité impatiente, brusque, agressive de Mars s'émousse en Cancer. L'action devient plus mesurée, plus flottante, plus fragile extérieurement. Mais elle se concentre grâce à la profondeur que lui donne le signe, elle acquiert une plus longue portée. Elle devient plus durable, plus obstinée, moins spectaculaire mais peut-être plus efficace, en s'exerçant sur des registres qui lui conviennent, soutenue par l'intuition que confère le signe: l'art, le commerce sont des terrains d'élection. Le dynamisme, l'énergie vitale n'apparaissent pas: il faut se rappeler que le Cancer n'est pas un signe de grande santé. En revanche, la sagesse, l'économie de moyens dans l'objectif à atteindre, l'instinct très puissant remplacent avantageusement une extériorisation chaleureuse de la personnalité.

Saturne en Cancer

C'est la logique, le raisonnement, la rigueur froide et calculatrice de Saturne dans l'univers fantasque, imaginatif et sensuel du Cancer. Résultat: ou bien Saturne canalise la fantaisie du Cancer et lui donne du poids, de la mesure, de l'ambition et de la discipline, auquel cas le sujet perd beaucoup de caractéristiques lunaires (réactions imprévisibles, tempérament secret et changeant, parfois un peu versatile). Ou bien Saturne broie le Cancer; à ce moment-là, il crée toutes sortes de frustrations dans les domaines régis par la Lune: la créativité est freinée, l'élan vital s'amenuise, l'affectivité n'est jamais comblée, la sensibilité reste à vif sans parvenir à s'épanouir dans une activité inventive et riche.

1. Lisa Morpurgo, *Introduction à la nouvelle astrologie*, Hachette Littérature, 1976.

Uranus en Cancer

Le goût d'Uranus pour les bouleversements, les changements radicaux, les décisions rapides et irrévocables se trouve singulièrement étouffé par le Cancer. En effet, le Cancer est le signe des petits changements, des petites modifications, mais pas des hautes tensions familières à Uranus. D'où affaiblissement des valeurs proprement uraniennes dans ce signe: individualisme moyen, esprit de décision plus flou, activité créatrice moins volontaire et ambitieuse. La vitalité uranienne devient un peu aquatique: c'est la foudre dans l'eau. En revanche, le Cancer accentue la réceptivité d'Uranus, d'où une réelle générosité à l'égard d'autrui, la volonté d'emporter une certaine adhésion de son entourage.

Neptune en Cancer

La planète double son inspiration intuitive dans le Cancer: elle devient très fortement sensible à toute vibration sensorielle. Elle capte les moindres ondes de son entourage et plonge dans les eaux sans fonds de la sensation, du délire artistique (musical, visuel, auditif) avec un goût prononcé pour tout ce qui a trait à l'eau, à l'élément liquide.

Pluton en Cancer

Les forces souterraines et créatives de Pluton prennent de la sensibilité et de la fragilité cancériennes. Elles deviennent moins ambitieuses sans retirer d'invention ni de profondeur. Mais le sujet risque de se sentir limité dans sa créativité par son respect des valeurs familiales, traditionnelles, parfois même conservatrices.

Les Planètes dans le Lion

Soleil en Lion

En vérité, dans votre cas, la fonction solaire, qui sensibilise aux modèles culturels en usage, vous a fait percevoir avec une acuité particulière tout ce qui, dans ces modèles, participe des fonctions de base du Lion. Vous avez retenu en priorité les leçons et les principes qui mettaient l'accent sur l'autonomie personnelle, la volonté de surpassement, l'extension de la puissance. Vos premiers héros, vous les avez choisis spontanément parmi ceux qui incarnaient le mieux ces facultés. Notez bien que cela ne veut pas forcément dire que vous suivez ces exemples-là en permanence: les premières et fortes impressions qui ont marqué votre esprit peuvent subir bien des avatars. On peut cependant affirmer que tous ces grands dadas léoniens demeureront vos points de référence essentiels. Sujets de vos discours, thèmes de vos œuvres, mobiles de vos actes, objets de vos recherches, motifs de vos craintes ou cibles de vos sarcasmes, ils seront ici les fermes pivots de votre conscience lucide. Tout cela, d'ailleurs, va dans le même sens que votre prédilection pour les grandes idées, les forces qui orientent toute une existence dans une direction privilégiée.

Lune en Lion

Les interprétations classiques insistent sur l'effervescence des instincts, leur générosité, leur noblesse et leur panache. On vous accorde en outre une imagination tournée vers le grandiose, le prestigieux, le magnifique, et la faveur publique vous est, paraît-il, acquise si vous abordez la carrière artistique. Parmi les travers qui vous sont le plus souvent reprochés, on note une certaine fatuité, un côté snob épris de luxe, un penchant aux caprices voyants et à la paresse dorée.

Quelques « Lune en Lion » assez connus: Louis XIV, Churchill, Trotski, Mao, Rocard, Rosa Luxemburg, Willy Brandt... Parmi les poètes, citons Verlaine, Jules Laforgue, Charles Cros et Schiller.

Mercure en Lion

Vous pouvez par exemple connaître la sensation grisante de pouvoir venir à bout de toutes les énigmes, d'affronter comme en vous jouant les problèmes filandreux où s'entortillent les esprits moins alertes. Pour vous, les discours choc, les idées fortes et les images frappantes, pour peu qu'on les répande suffisamment, recèlent une efficacité redoutable, un pouvoir libérateur hors pair. Nulle muraille ne s'avise de résister à un trompettiste assez constant et malicieux, tous les rescapés de Jéricho vous le diront.

Vénus en Lion

Vous savez jouer au maximum de l'efficacité des apparences, de l'impact affectif des paroles. Votre moi en représentation s'affirme par le canal de l'émotion ainsi produite sur les autres. Vous vous efforcez de susciter la sympathie admirative par les moyens les plus extérieurs – d'aucuns diraient les plus superficiels – tels que la beauté physique, le vêtement, la parure, le maintien, la qualité du langage et le respect de l'étiquette. Selon votre orientation générale extravertie ou introvertie, vous viserez par ces biais à donner une impression de force, d'aisance souveraine, de liberté superbe, ou bien de noblesse, de générosité, d'élégance morale.

Mars en Lion

La force d'excitation débloquante joue ici sur le mode d'une confrontation directe et immédiate avec le monde environnant. Elle n'a rien d'un fantasme, d'une simple spéculation théorique ou d'une évocation évanescente. Elle acquiert une présence telle qu'il est impossible à autrui de l'ignorer ou de n'en point constater les effets percutants. Dans le combat quotidien pour la survie personnelle, vous refusez absolument toute entrave à vos initiatives. Vous ne vous préoccupez guère des implications philosophiques de vos actes ou de ce que l'on va penser de vous: l'essentiel est de vaincre l'obstacle par les moyens les plus rapides et les plus indiscutablement efficaces. Vous n'êtes pas une personne à vous décourager facilement. Non pas tellement par le fait d'une patience obstinée, mais surtout parce que vous savez surmonter vos fatigues, recharger à bloc vos batteries au moment où l'on vous croit épuisé.

Saturne en Lion

Là, ce n'est pas tellement la fête. De toute manière, dès que Saturne est en cause, les astrologues traditionnels éteignent leur beau sourire commercial et vous prennent des airs gravement constipés. Comme, par-dessus le marché, ils considèrent le Lion comme le lieu d'exil de la planète – c'est-à-dire le signe avec lequel elle présente le moins d'affinités – vous voyez d'ici le tableau engageant. Dans le meilleur des cas, ils évoquent une autorité froide, une implacable ambition, des buts politiques à long terme, le sens de l'organisation. La plupart du temps, il est surtout question de despotisme, d'avidité insatiable, d'orgueil égocentrique et misanthrope, de dureté, de cruauté, de lâcheté.

Uranus en Lion

Le point commun fondamental entre Uranus et le Lion, c'est un processus de concentration, de réduction extrême à un pôle unique dans un but d'efficacité maximale. Imposer son point de vue aux autres, se sentir invulnérable, être sûr de son bon droit, ne pas concéder la moindre miette de son pouvoir et de son autorité. Uranus exacerbe ces tendances, les radicalise, les assortit d'un impact et d'un tranchant tels qu'elles ont bien peu de chances de passer inaperçues. Vous visez toujours les sommets, qu'il s'agisse de ceux du pouvoir, de l'intensité d'expression de votre personnalité, de l'acuité de votre conscience lucide ou de la rigueur concise de vos formulations. Vous dissipez le brouillard à coups d'éclairs soudains, vous localisez les lueurs éparses en faisceau aveuglant, vous rassemblez les forces les plus diluées en un seul invincible fer de lance. Vos irruptions sur le devant de la scène sont souvent plus provocantes que celles du Lion jupitérien. Vous ne prenez pas comme lui votre élan à partir de données familières, de réalités que chacun peut voir et palper. Vous vous appuyez sur vos pulsions les plus intimes, vos tendances les plus inaliénables.

Neptune en Lion

Énigmatique et problématique alliage. Les affinités entre la planète et le signe sont nettement moins évidentes que dans le cas d'Uranus ou de Jupiter, et la coopération ne sera vraiment effective que si Neptune reçoit par ailleurs de forts aspects dynamisants. Dans le cas contraire, les fonctions dominantes du Lion sont passablement altérées. Les manuels traditionnels parlent d'exaltation lyrique, idéaliste, mystique ou romanesque, de sens esthétique noble et raffiné, avec forte propension aux illusions et déceptions sentimentales dans l'hypothèse d'un Neptune très dissoné.

Pluton en Lion

A priori, la cohabitation avec le Lion s'annonce plutôt malaisée. Le désir de surclasser les autres et le goût de la parade tonitruante, notamment, en prennent un sacré coup. Un Lion plutonien bon teint, vu de l'extérieur, a fort peu de chance de cadrer avec le portrait-robot du signe. Avec Pluton, on aurait cependant bien tort de se fier aux apparences, l'essentiel se passant au niveau de votre inaliénable for intérieur. En fait, Pluton, tout comme le Lion, refuse les limites. Il les refuse même de la façon la plus rapide qui soit. Le temps et l'espace n'ont pas de bornes, l'éternel et l'infini sont ses domaines. Il n'a de compte à rendre à personne, il ne se soumet à aucune autorité humaine. Il engendre lui-même sa propre loi et sa propre vérité. C'est un réfractaire, un irréductible, un pur, un authentique. On pourrait croire que Pluton, éloigné de tout personnalisme, désintègre le narcissisme du Lion. En fait, il remplace un narcissisme superficiel par un narcissisme beaucoup plus profond: la contemplation inexprimable, intégrale et perpétuelle de vos rouages les plus secrets, de vos mobiles les plus intimes. Vous vous retrouvez seul avec vous-même pour assumer l'angoissante étendue des possibles qui vous habitent.

Les Planètes dans la Vierge

Soleil en Vierge

Dire que vous êtes natif de la Vierge signifie qu'à votre naissance le Soleil occupait ce signe. Dans ce cas, la planète ne fait donc que souligner les valeurs du signe. En Vierge, le Soleil est dit pérégrin, c'est-à-dire neutre, son Domicile étant en Lion et son lieu d'exaltation en Bélier.

Lune en Vierge

Les valeurs lunaires de sensibilité, d'émotivité, de réceptivité sont brimées et ne trouvent guère de possibilité d'épanouissement. La Lune, symbole de l'inconscient (le « Ça » en termes psychanalytiques) n'est certes pas à son aise dans un signe répressif, qui s'acharne à contrôler les pulsions instinctives. Il en résulte un risque de refoulement, surtout en cas de dissonances de la Lune (avec Saturne ou Uranus notamment).

La difficulté d'extériorisation entraîne un malaise, un sentiment diffus de culpabilité qui se traduit par une attitude déroutante, déconcertante, même pour les proches. Inquiet, souvent affligé d'un complexe d'infériorité, le sujet se livre à une introspection poussée qui ne fait qu'aggraver ses problèmes.

Mercure en Vierge

Mercure donne une insatiable curiosité, vierge de tout a priori, libre de toute entrave. Le monde est un passionnant champ d'investigation pour le Mercurien, qui engage un dialogue permanent avec son entourage. C'est un libre penseur, toujours prêt à jeter un regard neuf sur les êtres et les choses d'autant qu'il a l'art de changer les angles de vues.

Mercure en Vierge souligne les qualités de mémoire et d'observation. Le sujet excelle dans les domaines où il faut fidèlement retranscrire une réalité plutôt que l'interpréter ou l'intellectualiser.

Vénus en Vierge

Vénus s'adresse au cœur. La Vierge (associée en mythologie à Athéna, déesse de l'intelligence) n'écoute que la raison.

Cette problématique peut se vivre de différentes manières. Il est certain, en tout cas, que la position de Vénus dans ce signe donne souvent au sujet un comportement amoureux comparable à celui du Virginien. On retrouve le même refus de perdre la tête, de se laisser aller. La passion retenue en bride, dissimulée sous un masque d'ironie, de scepticisme, de froideur.

Les instincts amoureux ne sont pas nécessairement inhibés, mais leur expression est freinée, sans cesse contrôlée. Parfois, cependant, les sentiments sont tièdes, les effusions rares, les unions raisonnables...

Mars en Vierge

Pour qui se contente de voir en Mars la manifestation des instincts agressif, la position de cette planète dans le signe de la Vierge présente plus d'inconvénients que d'avantages. La violence, l'agressivité étant rentrées, elles se retournent contre le sujet et aboutissent à une lente autodestruction. Ou bien ces forces s'extériorisent par poussées brutales.

Concret, réaliste... voilà des termes qui s'accordent bien avec les caractéristiques de la Vierge. Cette configuration (surtout si Mars est harmonieusement aspecté) donne une grande puissance de travail (Jean-Louis Barrault, conjonction Soleil-Mars en Vierge). Le sujet est un perfectionniste qui « fignole » sa tâche dans les moindres détails.

La planète « dynamise » le signe, le pousse à l'action, décuple son efficacité en coupant court à ses hésitations.

Quant au signe, il modère l'impulsivité conférée par la planète, évite certaines erreurs.

Saturne en Vierge

Si elle reçoit la puissance intellectuelle et favorise la résolution des questions pratiques, cette position de Saturne est plutôt critique dans le domaine de la vie affective. La planète et le signe se renforcent dans leur tendance à l'inhibition et à l'introversion, entraînant une répression impitoyable des instincts.

Sous le coup de frein de Saturne, les risques de refoulement sont accentués. Par son attitude constamment « en retrait », le sujet se coupe des autres. Il méprise les relations sociales, trop superficielles à son gré. Le goût de la solitude devient facilement de la misanthropie. Il n'y a aucune fantaisie dans cette vie réglée, ordonnée, programmée à l'avance. Toutes les précautions sont prises contre un déferlement de l'imprévu dans l'existence.

Uranus en Vierge

Comme Saturne, Uranus conduit le sujet à adopter une attitude de rigueur, de discipline, de dépouillement. La planète et le signe sont tous deux marqués par l'étroitesse du champ de conscience. L'Uranien tend à « l'unité de l'être ». Il se veut essentiellement lui-même, affranchi des idées en usage, des coutumes. La Vierge, de son côté, cherche à ne compter que sur soi. Aussi le sujet risque-t-il, d'une façon ou d'une autre, de « faire le vide » autour de lui, car il a besoin, sur le plan professionnel notamment, de liberté et d'indépendance.

Uranus en Vierge peut aussi donner la solitude du créateur, souvent révolutionnaire, et difficilement compris par son entourage. Cette configuration se retrouve dans les thèmes de Picasso, de Modigliani (Uranus puissant par sa conjonction à Mars, lui-même conjoint à l'Ascendant), de Coco Chanel (Uranus conjoint à Mercure opposé à la Lune, sextile à Jupiter).

Neptune en Vierge

Neptune, maître des Poissons, est en exil dans le signe opposé, la Vierge. Tout, en effet, oppose le signe et la planète. Neptune est caractérisé par l'extrême ampleur du champ de conscience. D'où une très forte intuition, une façon d'appréhender les choses et les situations sans passer par le canal de la logique, de la raison. Quel décalage avec la Vierge, dont les mécanismes de pensée s'appuient précisément sur ces deux facultés!

De ce perpétuel affrontement entre rêve et réalité, entre plasticité psychique et rigidité mentale, entre désordre et ordre, naît une sorte d'inadaptation permanente.

Neptune en Vierge risque de perturber la vie quotidienne, mais le sujet conserve néanmoins une dimension imaginative, une « inspiration » très favorable sur le plan artistique. Cette position peut aussi accentuer l'idéalisme et le dévouement à une cause humanitaire (Arlette Laguiller, Neptune conjoint à l'Ascendant en Vierge, opposé à la conjonction Soleil-Mercure en Poissons).

Pluton en Vierge

Pluton a été « découvert » en 1930 seulement par les astronomes. C'est pourquoi les indications astrologiques sur cette planète diffèrent encore sensiblement. Il est prématuré de donner des indications détaillées sur l'influence de Pluton en Vierge. Par contre, il est intéressant de connaître le « climat général » qui a prévalu durant son transit dans le signe, de novembre 1956 à septembre 1971. C'est, par exemple, pendant cette période que s'est produite la révolte de la jeunesse contre les modèles reçus et les principes inculqués par les parents et les éducateurs, révolte ayant abouti, en France, aux événements de Mai 1968.

La maîtrise du Scorpion a été attribuée à Pluton. Sa position en Vierge donne donc, comme pour Mars, des tendances Scorpion au sujet.

Les Planètes dans la Balance

Soleil en Balance

Nous savons que le Soleil a son domicile dans le Lion où ses significations essentielles sont: noblesse et loyauté, ambition et autorité, confiance en soi et fermeté, générosité et fidélité, ardeur et magnanimité, réussite et stabilité.

Dans la Balance qui est reliée au Lion par un sextile, aspect d'union et d'harmonie, le Soleil est dans son troisième signe par rapport à son domicile, de sorte que le sujet manifeste ses qualités solaires surtout envers ses proches (Maison III) et, éventuellement, envers sa maîtresse ou son amant, autre signification de la Maison III. Il a plus d'ambition pour les autres que pour lui-même. Son entourage immédiat a une grande influence sur lui, au point d'être bien souvent l'artisan de sa chance.

Lune en Balance

La Lune, c'est avant tout le monde de l'âme. Elle représente donc la vie sensible, l'affectivité, l'imagination et toute une série de significations dérivées, telles que la femme, la mère, le foyer, la mémoire, etc. Il nous faut donc combiner toutes ces significations avec celles de la Balance que nous avons développées dans les pages précédentes.

Si la Balance ne donne pas nécessairement l'équilibre, elle en donne le goût, de sorte que le sujet ayant la Lune en Balance tend à réaliser l'équilibre et l'harmonie dans sa vie psychique. Toute injustice, qui n'est finalement rien d'autre qu'un déséquilibre, lui est insupportable et le blesse au plus profond de lui-même.

Mercure en Balance

La pensée est juste et le jugement sûr. C'est une pensée qui pèse volontiers le pour et le contre car elle s'efforce d'être impartiale. Elle est tout en nuances et se veut conciliante. Loin de jeter de l'huile sur le feu, le sujet cherche à apaiser les esprits et à réconcilier les points de vue. Il est doué pour jouer les intermédiaires ou les arbitres.

Mercure et la Balance se rapportent à tout ce qui est lié à la communication, y compris les moyens de communication. Voilà pourquoi le sujet, toujours dans la Maison V, se lie volontiers à des artistes, que ce soient des gens du spectacle, des écrivains, des peintres ou des musiciens.

Vénus en Balance

Affectueux, affable, dévoué, le sujet prend un grand plaisir à la vie en société qui lui donne l'occasion de nouer de nombreuses relations. On apprécie son esprit de conciliation et son amour de la paix. Son sens de la justice, qui n'est pas fermé à l'indulgence, fait de lui l'arbitre idéal pour régler les différends qui pourraient surgir dans son entourage.

Il cherche à se créer des conditions de vie agréables, et son goût du confort fait qu'il s'entoure, partout où il passe, de musique, de fleurs, d'objets d'art qui donnent à son cadre de vie une note raffinée.

La Balance, septième signe, est analogue à la Maison VII, secteur des contrats et du mariage en particulier. Si rien dans l'horoscope ne s'y oppose, le mariage peut apporter au sujet les dons de Vénus: l'amour, le bonheur et l'aisance.

Mars en Balance

Comme la justice est un des domaines de la Balance, le sujet est prêt à se battre pour que soit respecté le droit et que cessent les injustices. Il sera tenté de militer dans des organisations, politiques ou non, qui luttent en faveur des victimes de toutes les formes d'oppression. Parmi les carrières juridiques qui s'offrent à lui, c'est évidemment celle d'avocat qui lui permettra le mieux de mettre sa fougue au service de la justice. Il défendra ses clients avec autant d'énergie que d'habileté (la Balance sait aussi être diplomate). Dans sa vie privée comme dans sa vie publique, il est prêt à se battre pour la vérité, souvent inséparable de la justice, et à donner équitablement à chacun ce qui lui revient.

Saturne en Balance

Saturne donne au sujet un sentiment à la fois profond et élevé de la justice, on pourrait presque dire un sens institutionnel de la justice.

Dans le domaine de l'art, l'influence de Saturne joue dans le sens d'un strict classicisme.

Dans le domaine du mariage, le sujet cherche un conjoint qui réponde au modèle qu'il porte plus ou moins consciemment en lui, celui d'un être sérieux et pondéré, mesuré et réfléchi, consciencieux et économe, chaste et réservé. Nous savons que la Balance donne à ses natifs davantage le sens et le goût de l'équilibre que l'équilibre lui-même. La présence dans la Balance de Saturne, qui est un facteur de stabilité, est de nature à conférer au sujet la pondération qui fait de lui un être équilibré.

Uranus en Balance

Dans tous les domaines propres à la Balance, Uranus apporte ses bons et ses mauvais côtés: indépendance, originalité, progrès, invention, intuition, mais aussi impatience, irascibilité, violence et révolte.

Uranus, planète de l'intuition, dans le signe d'art qu'est la Balance, peut renforcer l'inspiration du sujet dans ce domaine. Soutenu par une vive imagination, il développe une expression artistique originale qui est bien souvent en avance sur les idées et les goûts de son temps.

La Balance est encore le signe des associations et du mariage. Dans ce dernier domaine, les idées modernes tendant à l'instauration de l'union libre s'accordent parfaitement avec le besoin d'indépendance et de liberté qui caractérise Uranus.

Neptune en Balance

Le sujet qui a Neptune dans la Balance, se fait de la justice une idée très élevée. Il est même près de croire à l'existence d'une justice immanente.

La sensibilité, la tendresse, la douceur neptuniennes transforment l'amour de la Balance en un sentiment idéal qui se porte naturellement sur le conjoint ou les partenaires, puisque la Balance est le signe des associations. Le mariage lui-même peut évoluer vers une union platonique qui trouvera sa finalité dans une recherche commune des valeurs spirituelles.

Son art, raffiné, est marqué par le flou et la légèreté neptuniens qui lui donnent quelque chose d'irréel. La musique, le cinéma, la poésie sont des supports particulièrement bien adaptés à cette inspiration.

Pluton en Balance

Il faut déplorer qu'aucune recherche systématique, portant sur des milliers de thèmes, n'ait été entreprise pour essayer de déterminer la nature bénéfique ou maléfique (ou neutre) de Pluton, ainsi que le signe qui pourrait être son domicile. Dans ces conditions, il nous paraît plus sage de renoncer à donner pour Pluton dans la Balance des significations qui seraient pour le moins incertaines.

Les Planètes dans le Scorpion

Soleil en Scorpion

Le Soleil en Scorpion met en vedette les valeurs du signe, à des degrés divers: on peut être très ou très peu Scorpion, cela dépend du nombre de planètes qui se trouvent dans le signe, de leur force, des aspects qu'elles reçoivent, de leur position en maisons angulaires, etc. J'ai vu des Scorpions qui n'avaient dans le signe qu'un pauvre petit Soleil très peu aspecté, il est évident que ceux-là n'ont qu'un minimum de traits de caractère du signe. Aussi toutes les indications données sont-elles à prendre, non pas au pied de la lettre, mais en regardant l'ensemble du thème.

Lune en Scorpion

Mauvaise position pour cette planète dont la tendresse ne peut pas s'exprimer. Sous cette configuration, les rapports humains sont difficiles pour le natif qui, tourmenté de conflits intérieurs, extériorise mal ses sentiments. Attitudes coupantes, propos caustiques, jalousies blessent l'entourage. Sa franchise trop brutale est mal comprise. Les procès sont fréquents, les échanges de paroles cinglantes amènent des inimitiés. Le natif est foncièrement maladroit dans ses rapports avec les autres; même sous de bons aspects, sa courtoisie est... à éclipses. En nativité masculine, longues rancunes, et risques de mort de l'épouse (Goebbels, par exemple, qui avait la Lune en Scorpion en Maison XII), de la mère ou de la sœur.

Mercure en Scorpion

L'intuition est non seulement très fine dans ses relations avec autrui, mais encore elle porte le natif jusqu'à des vues cosmiques, des visions prophétiques ou mystiques. Doué pour la divination, perspicace, incisif, ne craignant ni Dieu ni Diable dans sa quête de la connaissance, le Mercurien du Scorpion s'aventure aux frontières des enfers. Son intelligence est attirée par les interdits à violer: elle veut tout connaître, quoi qu'il en coûte. C'est Eve devant l'arbre défendu, qui lui ouvrait la connaissance du bien et du mal. Mercure en Scorpion est plus puissant encore lorsqu'il est en aspect harmonique avec Pluton. Il donne au sujet une grande discrétion, un grand discernement, une prudence qui lui évitent de tomber dans bien des pièges.

Vénus en Scorpion

Vénus en Scorpion signifie souvent, pour le natif, l'exil ou la perte de la personne aimée, et cette séparation est intensément douloureuse puisque le Scorpion aime profondément et passionnément (Marie-Antoinette). Sur le plan matrimonial: destruction de l'union assez fréquente, puis reconstruction d'un autre foyer, suivant le symbolisme de Pluton, qui est « mort et résurrection ». Dans un thème féminin, Vénus en Scorpion signe quelquefois la prostitution avec un enchaînement de situations marginales et dramatiques dont la native ne réussit pas à sortir. De façon générale, c'est une position de la planète qui apporte des passions violentes et dramatiques: une saison en enfer. Vénus en Scorpion accorde au natif un magnétisme sexuel intense, un grand charme et une séduction irrésistible.

Mars en Scorpion

Excellente position pour la planète rouge: elle est ici en domicile. Mars: l'énergie, le Scorpion: le feu des Enfers. L'énergie de Mars est beaucoup plus puissante en Scorpion, elle devient souterraine, implacablement efficace. Elle est capable de se contenir, de se maîtriser, de se canaliser en vue d'un objectif lointain et précis. Mars en Scorpion est extraordinairement opérationnel. Il réunit à la fois les qualités du Bélier et celles du Capricorne. Comme le premier, il peut être impulsif, rapide, mobilisé en quelques secondes, capable d'une attaque foudroyante ou d'une contre-attaque qui met définitivement l'ennemi KO...

Saturne en Scorpion

Voici ce que donne Saturne en Scorpion:
- Persévérance et ténacité. Discipline des instincts.
- Sens stratégique: sagacité, ruse, prévoyance.
- Dons d'invention, aptitudes scientifiques.

Saturne est un frein qui oblige le natif à canaliser son énergie. Le Saturnien du Scorpion est un ambitieux, jaloux de son pouvoir et de son indépendance (Giscard d'Estaing, Jean-Jacques Servan-Schreiber, Mazarin). Il sait parfaitement se défendre, et attaquer quand il faut, en visant bien. Ce n'est pas quelqu'un de passif, mais d'énergique et d'actif, dont l'existence, pleine de luttes, progresse régulièrement grâce à des efforts persistants. Il surmonte avec courage des conditions de vie difficiles (le Commandant Charcot), et la réussite peut venir tard (Adenauer et Mazarin avaient tous deux Saturne en Scorpion au Milieu-du-Ciel).

Neptune en Scorpion

Affinités entre cette planète de rêve et d'imagination et notre Scorpion naturellement attiré par l'étrange, le fantastique, le mystère.

Les Neptuniens du Scorpion sont médiums, clairvoyants, ils ont des dons occultes, s'intéressent aux problèmes de l'Au-delà. Mystiques, artistes, sensibles, intelligents, ils devinent tout ce qu'on leur cache. Ils travaillent dans le secret, s'enferment à double tour dans leur chambre ou leur bureau. Les forces invisibles se mettent au service de la création.

Uranus en Scorpion

Que d'écrivains, de penseurs, de novateurs, sous cette configuration! Les yeux fixés sur leur étoile, ce sont des gens qui avancent avec détermination en suivant une idée novatrice. Ils ont le sentiment de devoir lutter pour le progrès. Dans ce but généreux, la révolution ne leur fait pas peur: Uranus détruit l'ordre ancien pour permettre à Pluton de reconstruire le nouveau.

L'Uranien du Scorpion est souvent amené, dans son existence, à se révolter contre la pesanteur des institutions de son temps, contre la dureté des contraintes sociales qui pèsent sur ses contemporains.

Pluton en Scorpion

La plus lointaine de nos grandes planètes a transité en Scorpion de 1984 à 1995. En principe, elle est bien placée dans le signe dont elle est la maîtresse.

En astrologie mondiale, cette position plutonienne donne naissance à une civilisation tout-à-fait nouvelle, totalement différente de celle que nous connaissons. Au prix de quels bouleversements ! Nous avons vu le triomphe de l'énergie atomique avec ses dérives prévisibles, la catastrophe de Tchernobyl en 1986, par exemple, (l'ère.du plutonium, ce n'est pas un hasard si cet élément tire son nom du dieu des Enfers... !).

Le Sagittaire est celui qui est visé par la flèche, celui que l'on regarde, signe double ayant souvent deux grandes étapes dans son existence. D'où l'analogie du signe avec la lame VI du tarot, l'Amoureux.

Comment interpréter les Planètes dans les Maisons

Comment explorer certains aspects de votre destinée

Votre signe solaire, votre Ascendant, les planètes dans les signes correspondent essentiellement aux dispositions de votre caractère, aux dons de votre personnalité.

En outre, à partir de votre Ascendant, vos douze maisons astrologiques orientent les signes zodiacaux et les planètes qui s'y trouvent vers des domaines différents de votre existence : gains, études, foyer, enfants, travail, associations, contrats, évolution psychique, voyages, étranger, ambition sociale, projets, amitié, activité cachée.

Pour l'astrologie, les mêmes énergies planétaires agissent d'une part à travers les signes zodiacaux pour se traduire en qualités personnelles et d'autre part dans vos maisons natales pour représenter un potentiel favorable ou restrictif dans tel domaine de votre vie.

Ainsi Jupiter dans le signe du Taureau correspond dans la personnalité à un fort désir de confort et de richesse allié à un bon jugement ; s'il se situe dans la deuxième maison astrologique qui est celle de l'orientation du sujet vers les gains et les dépenses, il en résultera un pronostic financier très favorable.

Caractère et destinée sont pour l'astrologue les deux faces d'une même réalité vitale.

C'est pourquoi il est si important de prendre conscience de vos points forts, de vos lacunes, des domaines préférentiels qui vous sont bien ouverts, de ceux qui vous sont difficiles, pour mieux réussir professionnellement et dans votre propre vie.

La figure ci-dessous vous montre comment les douze maisons astrologiques se succèdent à partir de l'Ascendant dans le sens inverse des aiguilles d'une montre.

Pour connaître le degré zodiacal de début de chacune de vos maisons natales, vous pouvez à partir d'un Minitel consulter le 36 15 Clea ou le 36 15 Futur, vous lirez directement sur l'écran la liste de ces maisons après avoir indiqué vos coordonnées de naissance.

Vous poursuivrez en demandant le degré zodiacal des dix planètes.

Nous vous conseillons alors de reporter sur un cercle zodiacal ces différentes informations pour découvrir dans quelle maison natale se trouvait chaque planète.

Vous pourrez ainsi chercher dans les pages suivantes les textes concernant votre destinée personnelle.

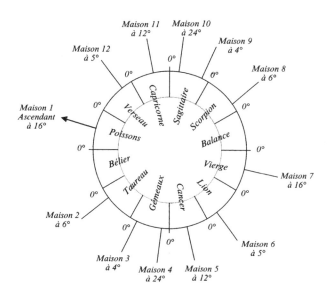

ACTION DU SOLEIL DANS LES DIFFÉRENTES MAISONS

MAISON 1	Puissance, vitalité, sens de sa propre valeur, loyauté, désir de briller, autorité, capacité de réussite.
MAISON 2	Grandes ambitions financières, vie large, faste, aptitudes à la gestion bancaire, situation lucrative.
MAISON 3	Bonne éducation, instruction solide, succès dans les études, réussite par les écrits et dans les voyages, bonne entente avec l'entourage.
MAISON 4	Bonne hérédité paternelle, parents aisés, vie familiale heureuse, gains immobiliers, réussite tardive.
MAISON 5	Succès sentimentaux, de qualité, dons pour l'enseignement, talent pour le théâtre, les divertissements publics.
MAISON 6	Poste de responsabilité dans le travail, protection contre la maladie, amour des animaux.
MAISON 7	Mariage fortuné, conjoint élevé, autoritaire, réussite par les contrats et associations, rivaux puissants mais loyaux.
MAISON 8	Conjoint fortuné, gains par contrats, héritage important, intérêt pour l'occulte, dons pour l'assurance, forces à ménager.
MAISON 9	Dons pour la philosophie, le droit, les études supérieures, attrait pour l'étranger, les grands voyages, l'import-export.
MAISON 10	Situation de premier plan, réussite sociale remarquable, toutes vos énergies sont centrées sur l'éclat de votre statut social.
MAISON 11	Nombreuses relations d'amitié, protections influentes, amis fidèles, sélectionnés, projets vastes, ambitieux.
MAISON 12	Esprit de dévouement, d'abnégation, goût de la vie retirée, dons pour soigner les malades, protection contre les épreuves.

ACTION DE LA LUNE DANS LES DIFFÉRENTES MAISONS

MAISON 1	Nature sensible, émotive, romanesque, attachement à la mère, à la famille, popularité mais fluctuations, indécision.
MAISON 2	Gains de sources diverses, travail en famille, gains par l'alimentation, dépenses pour le foyer, soutien pour les femmes.
MAISON 3	Changements fréquents de milieu et d'entourage, nombreux déplacements en groupe, journalisme.
MAISON 4	Fort attachement au foyer, forte influence de la mère, vie d'intérieur, changements de résidence, goût pour le passé.
MAISON 5	Plaisirs variés, goût des réunions joyeuses, désir de plaire, relations amoureuses éphémères, nombreux enfants.
MAISON 6	Santé délicate, mauvaise hérédité maternelle, troubles gastriques, chance dans service public, popularité au travail.
MAISON 7	Nombreux contacts sociaux, nombreuses occasions d'association, d'union, mais une certaine instabilité de part et d'autre.
MAISON 8	Rêves fréquents, impressionnabilité, occultisme déconseillé, dons et cadeaux, goût du mystère.
MAISON 9	Idéal de sociabilité, de solidarité, idées changeantes, voyages importants, popularité à l'étranger.
MAISON 10	Succès dans le contact avec la foule, surtout auprès des femmes, souplesse sociale, variété d'occupations.
MAISON 11	Nombreuses relations d'amitié, réunions, sorties un peu superficielles, projet trop changeants.
MAISON 12	Nostalgie, goût de la solitude, du calme, dons psychiques, les femmes sont peu favorables, surveillez l'estomac.

ACTION DE MERCURE DANS LES DIFFÉRENTES MAISONS

MAISON 1	Intelligence, vivacité, adresse, don pour la parole et l'écriture, goût de l'étude, mobilité, échanges.
MAISON 2	L'intelligence et l'habileté sont au service du désir de gains, talent d'intermédiaire, revenus variés.
MAISON 3	Réussite dans les études, assimilation rapide, talent de polémiste, don pour la publicité, déplacements fréquents.
MAISON 4	Hérédité intellectuelle, changements de domicile, achat et vente d'immeubles, lucidité mentale tardive.
MAISON 5	Attirance pour les personnes jeunes et intelligentes, amours cérébralisés, jeux éducatifs, cyclisme, enseignement.
MAISON 6	Activités de secrétariat, d'écritures, de classement, d'analyse, d'assistance ; bronches à surveiller.
MAISON 7	Intelligence appréciée par les autres, contrats pour des travaux littéraires, scientifiques, mariage avec partenaire plus jeune.
MAISON 8	Intérêt pour les problèmes psychiques, aptitude au contrôle, aux écrits relatifs aux assurances, successions, partages.
MAISON 9	Capacité de haute érudition, clarté d'esprit, don de conférencier, professorat, droit, relations avec l'étranger.
MAISON 10	Réussite sociale par occupations commerciales, littéraires ou scientifiques, travail en association, travaux multiples.
MAISON 11	Amitiés intellectuelles, correspondance amicale, projets ingénieux mais persévérance insuffisante.
MAISON 12	Dons pour les recherches de laboratoire, pour l'étude des choses cachées, discrétion, méfiance.

ACTION DE VÉNUS DANS LES DIFFÉRENTES MAISONS

MAISON 1	Charme, gentillesse, gaieté, sociabilité, désir de plaire, vie heureuse, protection contre la violence.
MAISON 2	Gains aisés par un travail agréable, commerce de luxe, mode, femmes favorables, dépenses pour le confort.
MAISON 3	Dons pour la poésie, la musique, l'art, excellentes relations avec l'entourage, lectures romantiques, voyages plaisants.
MAISON 4	Vie familiale heureuse, amour de la famille, intérieur confortable, amour au foyer, chance dans les placement immobiliers.
MAISON 5	Succès sentimentaux, goût des spectacles, succès dans l'enseignement d'un art, enfants affectueux, chance au jeu.
MAISON 6	Santé équilibrée, sensibilité de la gorge et des reins, éviter le surmenage, collaborateurs dévoués, travail facile.
MAISON 7	Mariage heureux, vie en société élégante et gaie, contrats fructueux sans conflits, pas d'ennemis.
MAISON 8	Dons, cadeaux artistiques, héritage profitable, conjoint fortuné, sommeil reposant.
MAISON 9	Culte de la paix, philosophie souriante, esthétisme, chance à l'étranger, voyages réussis, union à l'étranger.
MAISON 10	Succès social par sympathie, par les femmes, carrière artistique, ou commerce de luxe.
MAISON 11	Amitiés féminines, amis artistes, projets amoureux.
MAISON 12	Dévouement envers les malades, mélancolie, désir de recueillement et de sacrifice.

ACTION DE MARS DANS LES DIFFÉRENTES MAISONS

MAISON 1	Nature énergique, impulsive, forte capacité d'action, courage, robustesse, virilité, goût de la lutte.
MAISON 2	L'action, l'esprit d'entreprise sont au service du désir de gain, fortes rentrées, fortes dépenses, l'audace paie.
MAISON 3	Don pour mettre les idées en pratique, pensée rapide, talent oratoire, goût pour la vitesse, voyages hâtifs.
MAISON 4	Hérédité active, père homme d'action, vigueur maintenue longtemps, accroissement du patrimoine immobilier.
MAISON 5	Ardeur, passion en amour, désir sexuel précoce, goût des sports violents, besoin de conquête.
MAISON 6	Travail dans la mécanique, dans l'armée, la police, zèle au travail, tendance aux maladies aiguës mais récupération rapide.
MAISON 7	Mariage précoce, partenaire énergique, succès par l'activité des associés, conflits, rivalités, procès.
MAISON 8	Grande puissance sexuelle, puissance psychique, dispute en cas d'héritage, actions héroïques.
MAISON 9	Opinions catégoriques, passionnées, propagandisme, valorisation de la force, études d'ingénieur, safaris, succès à l'étranger.
MAISON 10	Carrière active, d'industriel, de militaire, de chirurgien, maniement d'outils de fer, goût de vaincre les obstacles, victoires.
MAISON 11	Plans audacieux mais impatience, amis sportifs.
MAISON 12	Activité secrète ou s'exerçant dans des lieux calmes, éventuellement dangereuse, ennemis secrets, danger par virus.

ACTION DE JUPITER DANS LES DIFFÉRENTES MAISONS

MAISON 1	Caractère jovial, bienveillant, bon sens, dynamisme, constitution imposante, confiance en soi, embonpoint.
MAISON 2	Avantages financiers importants, crédit large, goût du faste, sens financier, commerce de gros.
MAISON 3	Réussite d'études, largeur de vues, aptitudes de juriste, sens commercial, talent littéraire, bon voisinage.
MAISON 4	Origines aisées, parents notables, chance dans le développement du patrimoine foncier, fin de vie heureuse.
MAISON 5	Chance pure aux jeux de hasard, bons placements financiers, pédagogie, sport, distractions saines.
MAISON 6	Protection contre la maladie, travail lucratif, efficacité professionnelle, amour des chevaux.
MAISON 7	Mariage heureux, conjoint de niveau social supérieur, relations mondaines, contrats importants, accords amiables.
MAISON 8	Protection contre une mort violente, fortune par conjoint, gratifications, intéressements, sérénité.
MAISON 9	Principes religieux, tolérance, études supérieures, magistrature, chance à l'étranger, voyages fructueux.
MAISON 10	Brillante réussite sociale, profession libérale, banque, finance, bonne réputation, position solide.
MAISON 11	Excellentes relations amicales, appuis financiers et moraux aux projets de grande envergure.
MAISON 12	Générosité, philanthropie, mysticisme, goût pour la vie religieuse, protection contre les ennemis.

ACTION DE SATURNE DANS LES DIFFÉRENTES MAISONS

MAISON 1	Nature sérieuse, pondérée, ordre, méthode, lenteur, froideur, économie, sens des responsabilités.
MAISON 2	Gains réguliers mais limités, dépenses contrôlées, sens des questions immobilières et foncières.
MAISON 3	Sens de la précision, logique, besoin d'isolement pour étudier, voyages préparés, contacts sérieux.
MAISON 4	Père austère, éducation stricte, attachement aux traditions, dons pour l'agriculture, les mines.
MAISON 5	Goûts des délassements calmes, des jeux d'échecs, attirance vers des personnes plus âgées.
MAISON 6	Tendance aux refroidissements, aux rhumatismes, emplois subalternes, travaux précis et fatigants.
MAISON 7	Mariage tardif avec partenaire plus âgé, sérieux, stable, mais peu expansif, vie sociale réduite, sélective.
MAISON 8	Héritage immobilier, accroissement du capital par l'économie du conjoint.
MAISON 9	Opinions conservatrices, morales, austères, idéal rigoureux, intolérance, goût pour les mathématiques.
MAISON 10	Réussite lente par ambition persévérante, talent d'administrateur, sens politique, prestige sans popularité.
MAISON 11	Projets tenaces, systématiques, à long terme, amis âgés, sérieux, fidèles.
MAISON 12	Limitations volontaires ou non de votre liberté, travaux secrets, tâches fastidieuses, obscures.

ACTION D'URANUS DANS LES DIFFÉRENTES MAISONS

MAISON 1	Indépendance, originalité, goût du progrès, solidarité, comportement imprévisible, intuition, coopération.
MAISON 2	Gains par profession indépendante, par inventions, chances et tuiles brusques, irrégularité financière.
MAISON 3	Études sélectives, expériences personnelles, modernisme, risque d'accidents en déplacements.
MAISON 4	Milieu familial original, bohème, mobilier ultra-moderne, foyer très libre, risque de séparation.
MAISON 5	Liaisons soudaines, coups de foudre, excentricité, joueur, goût des performances mécaniques, du risque.
MAISON 6	Nervosité, difficulté à se détendre, travail autonome, de spécialiste, attitude peu disciplinée.
MAISON 7	Mariage brusque, union libre, partenaire indépendant, relations intellectuelles, instabilité des contrats.
MAISON 8	Aptitudes de psychologue, forte intuition pour pénétrer les secrets, gains par les associés.
MAISON 9	Idéal de progrès, de fraternité, idées révolutionnaires, talent pour les techniques avancées.
MAISON 10	Dons pour le lancement de nouveautés techniques, succès par réforme, carrière indépendante, changeante.
MAISON 11	Projets ingénieux, réalisables dans des conditions subites, amis francs, intelligents.
MAISON 12	Possibilité d'adhérer à une secte, dévouement à une communauté.

ACTION DE NEPTUNE DANS LES DIFFÉRENTES MAISONS

MAISON 1	Grande sensibilité, tendances spirituelles, idéalistes, moments d'inspiration, de génie, isolement.
MAISON 2	Gains importants par publicité, spéculations commerciales, combinaisons exceptionnelles.
MAISON 3	Assimilation extraordinaire, imagination vive, don pour la publicité, voyages imaginaires.
MAISON 4	Piété familiale, foyer recueilli, intime, sérénité, béatitude.
MAISON 5	Relations idéalistes, platoniques, exaltation sentimentale, désir d'évasion, talent spéculatif.
MAISON 6	Maladies psychiques, intoxication nerveuse, occupation désintéressée au service des souffrants.
MAISON 7	Partenaire exerçant une forte emprise psychique, relations compliquées, contrats illusoires.
MAISON 8	Héritages compliqués.
MAISON 9	Tendances mystiques, dévotion, dons pour l'étude des problèmes métaphysiques, génie mais utopie.
MAISON 10	Talent pour les vastes combinaisons liées aux trusts, succès par la mer, la psychologie, succès par les masses.
MAISON 11	Projets idéalistes mais utopiques, amis évolués, spiritualistes.
MAISON 12	Attrait pour le mystérieux, l'occulte, médiumnité, dévouement secret.

ACTION DE PLUTON DANS LES DIFFÉRENTES MAISONS

MAISON 1	Grande puissance passionnelle, force sexualité, attitude de justicier, capacité de pénétrer les secrets.
MAISON 2	Gains secrets, héritages favorisés.
MAISON 3	Intelligence des choses cachées, destructrice, déplacements entourés de secret.
MAISON 4	Danger de destruction du foyer. Capacité de reconstruire celui-ci.
MAISON 5	Relations sentimentales passionnées, liaison cachée, forte créativité, conflit avec les enfants.
MAISON 6	Maladie possible des organes génitaux. Talent de réorganisation dans le travail.
MAISON 7	Conjoint passionné, risque de rupture des associations, ennemis cachés.
MAISON 8	Magnétisme, forte sexualité.
MAISON 9	Bouleversements des opinions et des idéaux, espionnage à l'étranger.
MAISON 10	Sens des affaires, capacité de profiter des bouleversements pour réussir, aptitude à transformer
MAISON 11	Projets en constante évolution, amis occultes.
MAISON 12	Ennemis cachés, épreuve concernant la sexualité.

Détail d'une fresque du Quattrocento: la Vie de sainte Ursule, *par Carpaccio.*

La Dispute, *de Marivaux. L'aire de la scène théâtrale, le lieu de tous les possibles, est essentiellement sagittarienne; ainsi cet espace à la fois ouvert et clos – encore la fameuse dualité du signe! – créé par Richard Peduzzi pour la mise en scène de Patrice Chéreau.*

Comment interpréter les Signes dans les Maisons

Le Sagittaire dans les Maisons

Sagittaire en Maison I

C'est la force d'expression, de démonstration solaire, de magnanimité, qui s'épanouit dans toute sa splendeur. L'individu est chaleureux, extériorisé, combatif et entreprenant. Il aime, sauf si des aspects contraires dans le thème viennent contrarier sa nature, entreprendre, se battre et gagner. Beaucoup de luminosité, de réussite et d'atouts « chance » dans cette combinaison.

Sagittaire en Maison II

C'est au domaine des biens et de l'argent que touche le Sagittaire: il facilite les gains, les spéculations financières, il donne des aptitudes extrêmement appréciables dans le domaine de la gestion – de patrimoine ou d'entreprise. L'argent est aisé, aisément gagné ou bien il existait de toute éternité. Possibilité, également, d'héritages.

Sagittaire en Maison III

Il donne à la Maison de l'échange, de la communication, des petits voyages, des frères et sœurs, une richesse très particulière: le sujet est enclin à donner généreusement, tant du point de vue moral que du point de vue financier, à son entourage proche. Il cherche même souvent à devenir le Pygmalion des personnes qu'il aime, au risque de s'oublier lui-même. Configuration très bonne.

Sagittaire en Maison IV

Nous voici dans la Maison de la famille, du foyer, de l'ascendance et de la descendance du sujet. Peu d'affinités entre le signe et ce secteur. Tiraillements entre le désir sagittarien de voyager de par le monde, d'occuper de son ambition de grands espaces, et la nécessité cancérienne (la Maison IV symbolise le Cancer) de s'enfermer, de se protéger dans un espace clos.

Sagittaire en Maison V

Donne trop d'attirance pour les distractions, les fêtes, les changements, les jeux, la chasse. C'est un organisateur-né de festivités, de grands jeux, de réceptions. Toutes les manifestations qui rassemblent les êtres humains pour les divertir ont la faveur de ce sujet. Chance et réussite en ce qui concerne les activités de ce secteur.

Sagittaire en Maison VI

La Maison VI est celle des subordonnés, des petites tâches quotidiennes, des êtres et des choses qui dépendent du sujet dans ses activités journalières. Le Sagittaire ne s'y sent pas spécialement à son aise car c'est un signe d'espace, de grandeur, de mouvement, d'initiatives nouvelles, et le quotidien l'ennuie. Voilà une position qui lui donne de l'impatience dans la vie de tous les jours bien qu'elle rende ses relations très faciles et chaleureuses avec ses employés ou ses subordonnés, ainsi qu'avec ses animaux domestiques.

Sagittaire en Maison VII

Le Sagittaire, signe légaliste et respectueux des lois établies dans une Maison liée aux contrats, aux associations, aux alliances et au mariage, donne au sujet le goût d'officialiser toute association, de la rendre légale et de la faire reconnaître. L'expansion, la chaleur, la générosité du signe se trouvent en harmonie très heureuse avec les signifiants de la Maison: époux (ou épouse), associés, collaborateurs, etc.

Sagittaire en Maison VIII

Ce qui touche à la mort, aux héritages, est mal ressenti par un signe qui met au premier plan la vitalité, l'activité et l'efficacité en tous domaines. Pour le Sagittaire, la mort n'existe pas, et si le sujet s'y trouve confronté (mort des parents ou du conjoint), il peut en être profondément perturbé.

Sagittaire en Maison IX

Ce secteur est en accord parfait avec le signe. Les voyages, spirituels aussi bien que réels, marquent très fort cette combinaison. Largeur de vues, courage, sagesse, aspirations morales, religieuses ou philosophiques très élevées. Déploiement d'énergie et de volonté dans l'amélioration de la personnalité.

Sagittaire en Maison X

Brillante position. Recherche des honneurs, de la popularité, de distinctions dans tous les domaines. Le désir de réussite sociale est très fort et peut dominer l'ensemble du caractère. Cette configuration fait souvent des personnalités remarquables et remarquées.

Sagittaire en Maison XI

Ce Sagittaire dans la Maison de l'amitié, de la sagesse, du recueillement, du sens politique à long terme donne beaucoup de sérénité chaleureuse, de bienveillance calme au sujet. Les amitiés sont fortes et durables, protégées et protectrices. Le temps joue un rôle important dans cet aspect, tant du point de vue social et professionnel que du point de vue privé.

Sagittaire en Maison XII

Rétraction du signe ouvert et expansif du Sagittaire dans une Maison d'isolement et de solitude. Peut faire beaucoup de voyages solitaires et provoquer de longues éclipses dans les amitiés. Comme c'est aussi la Maison de la transcendance, le signe permet de surmonter, par son énergie, la solitude, et la transforme en atout.

Le Capricorne dans les Maisons

Capricorne en Maison I

Durcit la personnalité dans ses rapports avec les autres, donne une ambition forte, des possibilités de travail et de concentration exceptionnelles, de l'entêtement et une force de caractère qui confine à l'ascétisme.

Capricorne en Maison II

L'attitude du sujet envers les biens matériels, l'argent et son « territoire » est à la fois accapareuse et méfiante. Il ferme ses clôtures. Ce qui est à lui ne peut, en aucun cas, être prêté. C'est un épargnant-né. Souvent, des difficultés se présentent à lui dès qu'il cherche à faire fructifier ses acquis.

Capricorne en Maison III

Les contacts faciles et superficiels sont totalement rejetés. Grande exigence sur la qualité des relations. Rigueur morale, sévérité de jugement, réserve et laconisme dans tout ce qui concerne les rapports avec l'entourage proche, les frères, les sœurs, les cousins.

Capricorne en Maison IV

Les rapports du sujet avec sa famille sont froids, distants, réservés. Le détachement d'avec le foyer se fait très jeune, parfois dans l'enfance. Le caractère économe, austère et répressif du Capricorne donne à sa Maison les mêmes caractéristiques: un peu monacales.

Capricorne en Maison V

Les plaisirs sont dirigés vers une recherche méticuleuse dans un domaine choisi: la concentration de l'énergie vers un but austère pousse le sujet à l'érudition, aux durs travaux intellectuels réalisés dans les temps de loisir; peu de complaisance à l'égard des « distractions »: le sujet fait du labeur son vrai plaisir.

Capricorne en Maison VI

Rapports durs, utilitaristes avec les subordonnés, les collaborateurs, les employés. Pas la moindre tendresse pour les animaux, les plantes, tout ce qui dépend du sujet. Comportement très égal, discipliné, dans le travail quotidien. La répression saturnienne apparaît dès que s'immisce à l'intérieur de tâches régulières la moindre fantaisie.

Capricorne en Maison VII

Les associations, les contrats, le mariage sont suspects: traités avec froideur, rationalisme, distance, calcul. De ce fait, grande est la difficulté du natif à s'engager. S'il s'y décide, c'est tard dans la vie. A ce moment-là il reste fidèle à la parole donnée (et dûment signée) quoi qu'il lui en coûte.

Capricorne en Maison VIII

La mort et la sexualité qui s'y rattachent sont traitées sur un mode cynique et glacé, dans une observation méticuleuse, précise, des phénomènes physiques, chimiques et biologiques. Froideur, dureté, hygiène dans tout ce qui se rapporte à ces sujets.

Capricorne en Maison IX

Les voyages ont toujours un but pratique et servent généralement l'ambition sociale et professionnelle du sujet. Lorsqu'ils revêtent un caractère gratuit, par exemple en vacances, ils sont malgré tout accomplis sous le signe du *devoir:* il *faut* voir tel musée ou tel vestige, il *faut* entrer dans tel restaurant, etc.

Capricorne en Maison X

Très bonne combinaison: ambition tenace et réussite obtenue par persévérance, concentration, travail personnel de longue haleine. Le Capricorne donne une très belle carrière dans ce secteur, quoique tardive. Mais elle n'en a que plus de poids, de valeur et de pérennité.

Capricorne en Maison XI

La Maison de l'amitié est certes très gelée par le Capricorne qui n'a rien d'expansif ni de démonstratif dans ses attachements. Sait-on même s'ils existent? En réalité, l'amitié est rare dans ce signe (rarement donnée, rarement reçue), mais lorsqu'elle a pris racine dans l'individu, elle a les qualités capricorniennes de stabilité profonde, de présence durable même si elle semble froide et plus que discrète. C'est quelqu'un sur qui l'on peut toujours compter.

Capricorne en Maison XII

Dans la Maison des épreuves et des grands obstacles, le Capricorne se trouve en pays connu: il les a, de toute éternité, prévus et « assumés ». Son détachement naturel, le frein systématique qu'il a mis à ses impulsions, lui donnent, face à l'adversité de l'existence, beaucoup de philosophie, de sang-froid et de maîtrise.

Le Verseau dans les Maisons

Verseau en Maison I

Dynamisme créateur, magnétisme, volonté d'innover, d'inventer, de précéder en toute chose. Intelligence exceptionnelle dans toutes les relations personnelles du sujet. Créations et destructions aussi rapides les unes que les autres. Immense faculté de recommencement.

Verseau en Maison II

Rapports très difficiles avec l'argent: ou bien on le dilapide ou l'on s'en passe complètement. Les biens matériels sont méprisés, parfois totalement rejetés. Ce n'est pas une très bonne position pour garder l'argent, le faire fructifier ou réussir des placements. Les spéculations financières sont soumises à de rudes « revers de fortune », à des hasards, chanceux ou pas, suivant la capacité du sujet à dominer les événements.

Verseau en Maison III

Changements touchant la famille proche, les sœurs et les frères; rapports houleux, pleins de rebondissements heureux ou moins heureux, petits voyages imprévus; changements intervenant aussi par l'écriture, la communication (orale ou écrite) et la littérature, d'une manière générale.

Verseau en Maison IV

Le père du sujet a pu marquer profondément par son intelligence et ses remises en question permanentes, son caractère profond. Sa vie familiale est soumise au climat Verseau, renouvelée, changeante, novatrice et parfois aussi destructrice. Bouleversements liés à la famille et à ses significateurs, par analogie: la mère patrie, les confréries, les groupes politiques ou sociaux.

Verseau en Maison V

Très bons rapports du signe avec le secteur. La maison de la création, des enfants, des distractions, des jeux, des inventions, est en affinité idéale avec le Verseau qui élargit les visées des domaines que concerne la Maison V, les rend dynamiques et agissants. Les plaisirs sont liés à la complicité et à l'amitié.

Verseau en Maison VI

Le Verseau est ici astreint à de petites tâches sans envergure et sans invention, ce qui le met très mal à l'aise. Il se crée quantité d'obligations inutiles pour ne pas avoir à faire face à celles qui existent. Il bâcle tout ce qui est quotidien et banal, l'expédie en un rien de temps, aux dépens, parfois, de la bonne administration de ses affaires.

Verseau en Maison VII

La fantaisie, l'originalité, l'invention règnent ici, dans le domaine de l'association, des contrats et des mariages. Donne, dans ce secteur, un grand sens de la « rénovation », pas seulement par changement de partenaires ou d'associés, mais aussi dans une même relation: le sujet sait apporter du nouveau, créer une communication dynamique, un langage neuf, de nouveaux désirs et amener de nouvelles réalisations.

Verseau en Maison VIII

Ce qui a trait à la mort, à l'arrêt de toute chose est parfaitement dépassé par ce signe. Le Verseau voit des siècles à l'avance et ne se préoccupe guère de la fin humaine et corporelle. Celle-ci ne le touche pas profondément. Il peut donc avoir, à son endroit, une attitude détachée, voire indifférente, mais c'est qu'il se préoccupe davantage de la mort de l'âme, de l'esprit, et de l'humanité en général que de celle d'un individu, même très aimé.

Verseau en Maison IX

Le besoin de renouvellement, de progression et d'invention se manifeste dans les voyages, spirituels ou géographiques. Le sujet s'enrichit par l'exploration, la découverte de nouveaux espaces, la quête de nouveaux objectifs. Il aime les destinations lointaines et difficiles qui lui permettent d'exercer son insatiable curiosité. Grande affinité entre le signe et le secteur.

Verseau en Maison X

La recherche de l'invention et du nouveau prend une motivation sociale et professionnelle. C'est de créer pour *faire carrière* que le sujet a besoin. Le goût du Verseau pour l'humanité le prédispose à agir dans ses activités professionnelles comme un mage, un messager, une sorte de prophète à vaste ambition, mais sans que l'intérêt financier ou matériel y soit mêlé. Souvent, cette position donne de la renommée sans aucun bien matériel.

Verseau en Maison XI

L'accord est parfait entre le signe et la Maison qu'il occupe. Sagesse, sérénité, créativité paisible, stabilité dans l'innovation et le renouvellement psychique. Les qualités s'appliquent tout particulièrement aux amitiés: le sujet a d'ailleurs tendance à transformer tout sentiment en amitié, par horreur des excès passionnels. Grandes satisfactions dans les affections durables et fidèles.

Verseau en Maison XII

Le Verseau adaptable prend les épreuves, les revers et les secousses graves de la Maison XII dans le bon sens: sans affolement, sans passion, sans paroxysme. Sagesse, distance, souplesse psychique amènent le sujet à se conformer aux événements plutôt qu'à tenter de les orienter. Cette attitude le rend finalement peu vulnérable aux grandes difficultés qui se présentent.

Les Poissons dans les Maisons

Poissons en Maison I

L'Ascendant Poissons fait des êtres très séduisants, vaporeux, insaisissables, fluctuants et artistes. Le sujet reçoit et enregistre toutes les atmosphères, s'y adapte avec bonheur, se coule dans autrui comme dans une eau douce. Sa générosité risque d'être trop grande pour ses forces. Don de soi qui confine, parfois, à l'abnégation.

Poissons en Maison II

Le grenier sera plutôt spirituel. Il y aura une certaine indifférence aux problèmes matériels si le thème va dans ce sens. S'il y a besoin de possession, le désir d'avoir et d'acquérir sera vague. On voudra beaucoup, mais on ne saura pas comment s'organiser pour y parvenir. La vie matérielle sera généralement instable. Le hasard jouera un rôle important. Avec Neptune en Maison II, dans un thème Poissons, il y a un certain manque de bon sens. On peut faire « fortune » et tout perdre sur un simple « coup de dés ». Là aussi, on ne sait pas comment s'y prendre. On change souvent de route, et d'idées. Si Jupiter marque le thème ou s'il est en Poissons en Secteur II, la réussite sera spectaculaire (Claude François). Elle n'en restera pas moins extrêmement fragile.

Poissons en Maison III

Les rapports avec les proches sont intuitifs, confus ; vécus sur le mode Poissons, hypersensibles et douloureux. La générosité du sujet à l'égard de ses frères, sœurs ou parents proches confine au dévouement un peu masochiste. Les voyages, les petits déplacements sont empreints de flou, d'événements inattendus et singuliers.

Poissons en Maison IV

Dans ce secteur de nos racines et de nos origines, des liens familiaux, les Poissons donnent un sens patriotique profond. Il y a là une sorte d'amour « romantique » pour la patrie. La cellule familiale est un refuge. On s'y sent protégé, à l'abri des difficultés du monde extérieur. C'est une bonne configuration, confortable et douce.

Poissons en Maison V

La sensualité est souvent trouble. Le signe fécond des Poissons donne des appétits intenses mais imprécis. La Maison des divertissements, des créations, des loisirs, est teintée de l'hyper-réceptivité neptunienne. Sens artistique très développé. Aventures sans suite.

Poissons en Maisons VI

Il y a là dans la vie un manque total de sens pratique. On manque de méthode dans son travail. D'où de nombreuses complications. Les problèmes domestiques limitent l'existence. On a tendance à se « noyer » pour un rien. En analogie avec le signe de la Vierge, cette Maison peut donner des problèmes intestinaux, des problèmes d'assimilation, des problèmes nerveux ou respiratoires.

Poissons en Maison VII

Elle nous met en relation avec les autres (affrontement ou complémentarité). La sociabilité sera très grande mais les échanges agréables n'aboutiront pas toujours à des résultats concrets. Les associations, les unions, se feront sur un mode « intuitif ». Les affinités seront très fortes, irraisonnées, illogiques. On se bercera parfois d'illusions sur les autres... D'où les confusions, les erreurs de jugement, les déboires, les déceptions venant des autres ou (de l'autre) : ce secteur étant, en effet, le secteur du conjoint. Il entraînera une vie, au niveau des associations comme des unions, assez « mouvante ». Il y aura, souvent, plusieurs unions.

Poissons en Maison VIII

Le changement résultera d'une situation douloureuse. A la suite d'une crise, « on s'évadera » ailleurs. Ce pourra être une fuite hors du milieu d'origine ou hors du pays natal.
Avec cet aspect, on s'intéressera aux problèmes occultes, au spiritisme, à l'au-delà.
Avec Neptune, les expériences psychiques seront intenses. On côtoiera les mondes occultes. On s'intéressera aux vies antérieures. La voyance n'est pas exclue. (Edgar Cayce, le célèbre voyant).
Avec Jupiter, les héritages pourront changer la vie, ou permettre un redémarrage.

Poissons en Maison IX

Dans ce secteur, le signe des Poissons donnera l'amour des grands voyages. On ira souvent au-delà des mers. La vie spirituelle sera intense. Parfois, il y aura des dons de perception « extra-sensorielle ». Notamment avec Neptune. Les brumes neptuniennes pourront donner le goût des spéculations philosophiques un peu « nébuleuses ». L'idéalisme néanmoins, ne sera jamais absent...

A noter : aussi bien pour l'une ou l'autre de ces Maisons, l'étude des religions, voire une vie religieuse intense, relèvent de cet axe III-IX Poissons. En Maison IX, l'attirance sera très grande pour les religions « exotiques » : orientalisme, par exemple. Mais aussi, hindouisme, bouddhisme, zen, etc.

Poissons en Maison X

C'est le secteur de l'affirmation sociale. C'est l'envol dans la vie active.

Il est vécu, aux Poissons, sur un mode étrange. Les aspirations sont élevées mais embrouillées. Les occupations souvent mystérieuses. La vie manque généralement d'organisation...

Neptune en Maison X peut vouer la vie à des changements mystérieux. La réussite peut être spectaculaire. Elle restera toujours hasardeuse. Elle sera rarement durable. On s'orientera vers une recherche spirituelle à un moment donné de son existence. Les vocations médicales, para-médicales sont fréquentes. Sens du mystère et sens du mysticisme très amplifiés, qui se concrétisent au niveau de l'existence.

Poissons en Maison XI

Les projets sont abondants. Mais les espérances confuses... Les aspirations élevées peuvent rester « vagues ». On est souvent insatisfait.

Les amis disparaissent et reparaissent sans crier gare. La susceptibilité du sujet y est pour quelque chose. Les objectifs ne sont pas poursuivis avec acharnement. Le sujet a des idées brillantes mais il a besoin de quelqu'un de proche et d'amical pour les réaliser.

Poissons en Maison XII

Les grandes épreuves de la vie sont surmontées avec courage. La vie peut être axée sur des investigations plus ou moins secrètes. Les rapports avec le monde occulte sont fréquents. Les dons de voyance également. On s'intéresse à la psychologie. Mais aussi à la parapsychologie. En général, on mènera une vie assez retirée.

La vie pourra être mêlée à des affaires mystérieuses. Avec les Poissons en Maison XII, ou Neptune en Maison XII, on a souvent des contacts avec les polices parallèles. Cette configuration semble signer une activité « secrète ». Des agents secrets ont cet aspect dans leur thème.

Le Bélier dans les Maisons

Bélier en Maison I

La personnalité est dynamique, elle a besoin de s'imposer en dehors de toute considération logique. Il peut y avoir un goût du tapage, un certain « rentre-dedans », un manque de diplomatie. Mais, au positif, les succès sont fulgurants, la vitalité excellente. Tempérament de meneur d'hommes, de chef, de sportif, intelligence pionnière.

Bélier en Maison II

C'est dans le domaine de l'argent que s'exercent la vitalité et la combativité. Suivant la position de Mars et ses aspects, cela peut donner un financier brillant, un tempérament âpre au gain, mais aussi quelqu'un qui « flambe » l'argent aussi rapidement qu'il l'a gagné. (C'est, de toute manière, une caractéristique du Bélier en général).

Bélier en Maison III

L'impulsivité et le goût de la contradiction dominent dans les contacts avec les autres, ainsi que la chaleur et l'amour du renouvellement. Les lettres sont souvent écrites sur un coup de tête. Il peut y avoir un talent de polémiste. L'éloquence est enflammée, c'est une position qui peut donner un certain fanatisme et des rapports peu amènes avec l'entourage. Le don de persuasion est grand, l'optimisme un peu naïf et en « dents de scie ». Tendance à avoir des enthousiasmes aussi illusoires qu'éphémères. Ce n'est pas une position très harmonieuse pour le mental.

Bélier en Maison IV

L'ambiance familiale est mouvementée, les rapports avec la famille ne sont pas de tout repos. Ce n'est guère une très bonne position, la Maison IV étant en analogie avec le Cancer, signe « en carré » avec le Bélier. Le foyer sera troublé, il y aura de la casse, et la dictature peut y régner. C'est aussi un signe de fin de vie marquée par la contestation et la lutte, voire par la violence (la Maison IV signifiant aussi la fin de l'existence terrestre).

Bélier en Maison V

L'énergie est surabondante, mais le sujet qui possède cette disposition ne la ménage pas. La recherche des plaisirs risque d'être effrénée, à moins qu'elle ne soit sublimée en création artistique. Dans ce cas, celle-ci sera violente, désordonnée, brûlante comme de la lave. Les crises d'exaltation et d'abattement se succèdent ; la sensualité est débridée, l'amour des enfants est considérable mais peut mener à des épreuves et à des déceptions. Composante d'un tempérament de « viveur », avec des lendemains qui ne chantent pas.

Bélier en Maison VI

Ici, ce sont les rapports avec le quotidien qui sont placés sous le signe de la violence et de l'impulsivité. Ce peut être de la maladresse dans les rapports avec les objets, ou une relation agressive avec les servitudes de l'existence. Manque de patience dans les petites choses de la vie. Mauvaise position pour s'occuper de plantes, d'animaux, ou même de gens. La vie professionnelle est mouvementée, conflits avec les subordonnés. Les aspects ingrats de l'existence sont maléficiés par l'influence de Mars.

Bélier en Maison VII

Le mariage et les associations diverses sont vécus fougueusement, avec le risque de déception concomitant dans cette Maison plus jupitérienne que martienne. A la limite, cette configuration conviendrait plutôt à une alliance militaire, ou à une conspiration criminelle.

Sinon, elle est prometteuse de mariage sur un coup de tête, d'associations hâtives et peu réfléchies, et donc de procès, polémiques, campagnes de hargne, etc.

Bélier en Maison VIII

C'est une position dangereuse, mais très intéressante, analogue à Mars en Maison VIII. Tout ce qui touche à la mort, à l'invisible, au mal est placé sous le signe de la violence. Ce peut être un risque de mort violente, mais aussi un tempérament batailleur, duelliste, une forme quelconque de « flirt » avec la mort. Faculté de régénération après des épreuves très dures. Risque de perte d'argent sur un coup de tête ou d'héritage ; tendance à la dilapidation. Au pire, c'est un aspect criminel. Tout ce qui touche à l'argent et au sexe en général rend le sujet peu sympathique.

Bélier en Maison IX

C'est un peu le « complexe de Don Quichotte ». Les contacts avec le lointain sont placés sous le signe de l'impulsivité. La spiritualité est peu réfléchie ; ce n'est pas un bon aspect pour la méditation. Par contre, les grands voyages peuvent satisfaire le goût de l'aventure et être liés à des découvertes fabuleuses. Tempérament de pionnier, mais manque de patience. Les explorations risquent aussi d'être sources d'accidents. Très bonne position pour les arts martiaux (par analogie à Mars en Maison IX).

Bélier en Maison X

Comme la Maison IV, cardinale elle aussi, la Maison X est en carré avec le Bélier. Liée à la réalisation sociale, elle est en analogie avec le Capricorne et Saturne, valeurs antagonistes de Mars : l'ascension sociale n'est-elle pas liée à la patience, à la maîtrise de soi, au discernement, qualités qui ne sont aucunement celles du Bélier.

Dans cette Maison, le Bélier donnera de brusques montées par à-coups, avec des chutes aussi rapides ; il faudra que Mars soit soutenu par de bons aspects pour que l'agressivité, la faculté de s'imposer ne se transforment pas en « boomerang ». C'est l'aspect du « coup de force », du « putsch », plutôt que de l'accession à un poste stable.

Bélier en Maison XI

Les amitiés et les projets se déferont aussi vite que conclus. Amitiés houleuses et agressives, mais se renouvelant sans cesse. Amis dynamiques, réunions amusantes et imprévues. On pourra compter sur leur appui, tant qu'ils ne se transformeront pas en... ennemis. Les soirées amicales peuvent dégénérer en bagarres.

Les projets sont nombreux et enthousiasmants, mais peu d'entre eux aboutissent.

Bélier en Maison XII

C'est un des plus mauvais signes pour cette Maison, puisqu'il y a contradiction entre le dynamisme, la confiance en soi du Bélier, et le renoncement, l'acétisme de la Maison XII.

Ici, l'agressivité du sujet risque de se retourner contre lui-même : il est son propre ennemi. Il peut affronter avec une certaine inconscience, ou des sursauts de vaine violence, les grandes épreuves de l'existence. La sublimation sera difficile dans ce signe primaire, instinctif : c'est l'individu qui, face à la douleur, perd tous ses moyens, casse tout ou se fait hara-kiri – dans le contexte non occidental.

Le Taureau dans les Maisons

Taureau en Maison I

Indice de constitution forte et de vitalité. Tempérament sensuel, d'humeur assez variable sous un flegme apparent. Poli, avenant de premier abord, s'irrite lorsqu'on touche à son confort. A le goût de la stabilité et apprécie les êtres qui participent à la construction méthodique de sa destinée en lui épargnant les vaines histoires. Ses atouts sont dans l'endurance, la résistance physique et morale, un certain courage face à une adversité qui s'acharne souvent après lui. Le caractère se forge d'ailleurs dans les luttes de fond, appelant une grande concentration des forces plutôt que des actions spectaculaires. Les démarrages sont lents, l'ascension laborieuse et les chances réelles ne s'affirment vraiment qu'au terme d'années de travail.

Taureau en Maison II

Position moyennement confortable pour les gains. Là encore, le travail rapporte mieux que les coups heureux du hasard. Il faut se donner un programme, le plus souvent d'épargne, pour disposer d'un fonds solide de sécurité. Selon la symbolique, des réserves substantielles sont nécessaires à l'équilibre psychique.

Le Taureau en Maison II doit donc être attentif pour s'assurer des revenus réguliers. Le fonctionnariat est indiqué mais il y a aussi, pour les à-côtés, les placements dans la pierre, le terrain, les biens fonciers.

Taureau en Maison III

Puisque la Maison III gouverne les frères, sœurs, cousins, cousines, il faut qu'il y ait au moins un ou une Taureau dans ce petit monde, et ce ne doit pas être bien difficile. L'analogisme précise que le Taureau en Maison III pourra ainsi nourrir des relations privilégiées avec un membre de son entourage privé. Le rapport sera encore plus intense s'il s'agit, en outre, d'un membre du sexe opposé.

En dehors de ces conditions, le Taureau en Maison III n'est pas fraternisant. Aîné, puiné, quel que soit l'ordre d'arrivée, les autres le dérangent. Il risque donc ainsi d'avoir des réactions d'un égoïsme surprenant à l'égard de ses proches. C'est que, dans son esprit, il ne comprend pas la nécessité d'accepter des inconnus qui lui tombent du ciel par la loterie de l'hérédité et les alliances de la fratrie.

Taureau en Maison IV

On mérite d'avoir des parents fermiers, ce qui en fouillant vers les aïeux n'est tout de même pas introuvable. Nous avons tous des racines en terre, des grands-parents dans les herbages ou les prés. Le Taureau en Maison IV s'en flatte et si par bonheur il est né à la campagne ou s'il y a passé son enfance, sa santé physique et morale en restera à jamais imprégnée. Dans les moments difficiles de sa vie, il saura respirer l'air pur d'un souvenir revigorant, se remettre en mémoire tel vieux dicton de son pays ou telle parole ferme et sage de son père. Il faudrait naître avec le Taureau en Maison IV pour ne pas perdre les pédales dans les périodes les plus sombres.

Taureau en Maison V

En Maison des amours, plaisirs, enfants de la chair ou de l'esprit, le Taureau est en bonne place. Dans son action bénéfique, s'il accorde une vive sensualité, il donne également l'antidote : une fidélité de cœur qui répugne au libertinage, assure la constance des liens en dépit des tentations.

Le Taureau en Maison V est promis à des amours sereines. Sans doute, comme ce douzième d'humanité qu'il représente ici, aspirera-t-il à un bonheur idyllique d'un romantisme n'excluant pas les avantages pratiques. Le partenaire éventuel, postulant au mariage ou à l'union libre, doit présenter des garanties, ouvrir des perspectives réjouissantes : situation stable, santé florissante, des biens à l'ombre ou au soleil et surtout pas d'interminables crédits, des pensions à payer pour les enfants de précédents ménages.

Taureau en Maison VI

Dans cette Maison en rapport avec la santé, le travail et les petits animaux, l'effet Taureau ne peut être que bénéfique. Il dispense une santé de fer, un physique robuste tout à fait adapté, bien entendu, aux emplois que favorise le signe dans la manutention, le débardage et autres travaux exigeant du muscle, du coffre, de la stature. Certes, il existe aussi, dans la série des vocations tauriennes, des compétences administratives qui ne demandent qu'assez d'énergie pour tenir un porte-plume, mais alors la résistance et la vitalité s'amalgament en une combativité longue et souterraine décourageant la multitude des concurrents, traçant sinueusement sa route à travers les intrigues, les stages et les concours, pour devenir cadre, cadre supérieur, sous-directeur, directeur, puis secrétaire d'État.

Taureau en Maison VII

A cette Maison consacrée au mariage, aux unions, contrats et associations, le Taureau apporte ses perspectives de stabilité. Il faut en déduire que le mariage d'amour est proscrit, la passion n'étant pas, ici-bas, ce qu'il y a de plus durable et encore moins de confortable. Cependant, s'il est vrai que le cœur a ses raisons, le Taureau en Maison VII écoutera à la fois son cœur et ses raisons. C'est dire qu'il ne choisira pas n'importe qui, n'importe quand, n'importe comment. Une fois son dévolu jeté, une stratégie de conduite au mariage, dont le ou la partenaire ne sera pas forcément conscient, se déclenchera automatiquement. L'étau se resserrera insensiblement autour de la victime, en quelques mois ou quelques ans.

Taureau en Maison VIII

Le Taureau bien disposé, ne recevant pas d'afflictions planétaires, se doit d'apporter, ici, des terres et biens fonciers par dons, legs ou héritages. Mais si réjouissantes que soient ces perspectives, mieux vaudra travailler, les lenteurs tauriennes ne réservant qu'au vieil âge les félicités matérielles.

Les divorces, les associations peuvent être sources de pensions ou de rapports substantiels. Et, compte tenu de l'affinité de la Maison avec les gains tombés du ciel, l'on gagne à risquer sa chance dans les tombolas de kermesses, fêtes foraines, où il y a des lopins de terre, des bestiaux, des voitures, des machines et de gros appareils ménagers à gagner.

Taureau en Maison IX

La symbolique, ici, lève les bras au ciel ! Cette Maison du rêve, des voyages, de la haute spiritualité ne saurait s'harmoniser à un signe réaliste, casanier, libertin. Cependant, l'application travailleuse peut s'exprimer au niveau supérieur des recherches et œuvres savantes exigeant une documentation massive, des aptitudes de compilateur et un cerveau champion en logico-mathématiques. Évidemment, l'ensemble du ciel doit se prêter à cette interprétation favorable. Sinon, en fait de savant, l'on aura plutôt un réfractaire, endurci dans le matérialisme et la réduction des belles envolées de l'âme à des motivations élémentaires. Au mieux, un esthète glanant dans la philosophie des fruits que l'on rumine en attendant la mort.

Taureau en Maison X

Ce n'est pas une position facilitant une ascension sociale rapide et facile. Le choix du métier risque déjà de se faire dans les hésitations et embarras. Ou bien la carrière choisie est l'une de celles qui demandent de faire longtemps antichambre avant d'avoir droit au chapitre. D'autres parasitages sur l'ambition peuvent provenir de conférences, rivaux ou supérieurs obstruant l'horizon du succès par des actions spectaculaires qui éclipsent les aptitudes plus solides mais moins évidentes du Taureau. Pour sortir de l'ombre, il faut tôt ou tard frapper fort. Le Taureau bénéfique saura choisir son heure et l'on découvrira soudainement ses indispensables mérites après les avoir longuement exploités dans des rôles subalternes. Le taureau maléficié tente sa sortie à contre-courant, au moment où sa maladresse va réconcilier sur son dos tous ceux qu'il pensait renverser.

Taureau en Maison XI

Le Taureau bénéfique en Secteur XI dispense à ses amis et amies ses qualités d'indulgence, de serviabilité raisonnée, de bonhomie compréhensive. Puisque l'on est dans son clan, par un choix délibéré, il préfère se montrer sous un jour patient et réserver ses colères à ses ennemis. Une fois sa confiance accordée, il préfère endurer quelques bavures que revenir sur son sentiment. C'est par ce trait, d'ailleurs, que le Taureau dissonant en Maison XI encourt divers abus de confiance, s'expose à de lourds mécomptes par l'aveuglement de ses choix. Dissonant, le Taureau en Maison XI exerce sur ses relations amicales une emprise dominatrice qui appelle la trahison par légitime défense. Et, ce Taureau-là n'étant pas capable d'analyser objectivement ses responsabilités, les déceptions le renforcent dans une humeur de grogne et de tyran incompris.

Taureau en Maison XII

Les étoiles et le signe s'accordent pour accroître la rage des ennemis cachés. Si le Taureau agit favorablement, il ajoutera, en guise de consolation, la vitalité et le moral nécessaires à l'affrontement d'adversaires sournois, traîtres, ne reculant devant aucune basse manœuvre pour le succès de forfaitures qu'ils mettront au compte de leur élévation d'esprit.

Il faut préciser, avec les traditionalistes, que le Taureau en Maison XII a de sérieuses dispositions pour exciter de puissantes inimitiés. Son manque de diplomatie, sa volonté réfractaire aux bluffs, rodomontades, esbroufes et verbiages, finissent souvent par l'opposer aux sots pontifiants qui ne supportent guère d'être démasqués. Et puis il irrite par son réalisme rebelle aux effets des phraseurs. Sa distance instinctive à l'égard des « mots pour les mots » menace de lui valoir très tôt l'antipathie des maîtres à parler. Dieu merci, il dispose d'une défense étalée dans le temps, paisiblement efficace.

Les Gémeaux dans les Maisons

Gémeaux en Maison I

Nature cérébrale et intellectuelle très réussie. Curiosité, désir de plaire par la parole. Tendances artistes avec un goût et un jugement esthétiques très sûrs, mais difficultés à réaliser des projets, des œuvres d'art, par manque de concentration et de persévérance.

Gémeaux en Maison II

La Maison des gains est occupée ici par l'insouciance désinvolte des Gémeaux : gains faciles, provenant de différentes activités, mais jamais très élevés. Souvent, le sujet a deux métiers, deux sources de revenus. La deuxième partie de la vie peut être plus fructueuse.

Gémeaux en Maison III

Les Gémeaux dans la Maison des écrits, de l'apprentissage, donnent de l'aisance et du brio dans les études, beaucoup de talent pour les langues étrangères, les traductions, tout ce qui concerne la communication par écrit. Ici, la réalisation des projets se fait plus intense.

Gémeaux en Maison IV

La famille, le foyer du sujet sont centrés autour d'intérêts mercuriens : jeux qui font intervenir la cérébralité, intellectualité très développée, lectures, mots croisés, etc. Il est aussi tenté d'enseigner aux enfants, et fait souvent un pédagogue brillant, surtout auprès de l'extrême jeunesse.

Gémeaux en Maison V

Les divertissements sont incessants, divers, et touchent à tous les domaines. Le sujet ayant les Gémeaux (signe double) en Maison V (le secteur des distractions) est parfaitement ludique, réceptif à tous les jeux, disponible pour toutes les « parties » possibles... difficile de l'amener à travailler autrement que dans ce qui touche au jeu.

Gémeaux en Maison VI

La désinvolture du signe facilite les obligations quotidiennes, qui sont prises avec légèreté, agilité, opportunisme. Les rapports avec les subalternes sont teintés de duplicité amusée, de complicité un peu défiante, d'intelligence sympathisante mais distante.

Gémeaux en Maison VII

La vie affective, les associations et les mariages, tout ce qui a trait à l'autre est « doublé » : possibilité d'avoir plusieurs partenaires, soit en amour, soit dans la carrière professionnelle ; les rapports entretenus avec les « alliés » sont imprégnés de la légèreté mercurienne, vive et dispersée.

Gémeaux en Maison VIII

L'intellectualité géminienne se branche sur la mort et ses dérivés : intérêt pour l'occultisme, le mystère de l'au-delà, ou bien le passé, l'archéologie. La curiosité sur ce qui se rapporte à la mort est très cérébrale et non mystique. Il peut y avoir plusieurs héritages dans la vie du sujet.

Gémeaux en Maison IX

Inspiration de caractère mystique, quête d'une certaine spiritualité, recherche d'objectifs supérieurs, avec préoccupations morales ou philosophiques. Grande envergure cérébrale. Les voyages jouent un rôle décisif dans la vie du sujet, mais ils peuvent être imaginaires.

Gémeaux en Maison X

La carrière est marquée, dans la première partie de la vie du sujet, par une certaine instabilité. Elle est soumise à des variations de directions dues à la versalité du signe. Réussite pourtant certaines dans les occupations intellectuelles, l'enseignement, le journalisme, l'édition, ainsi que dans les professions qui exigent de petits voyages fréquents. Il y a souvent deux périodes très différentes dans la vie professionnelle du sujet (trente-cinq-quarante ans semblant être l'âge charnière).

Gémeaux en Maison XI

Beaucoup d'amis de type Gémeaux, c'est-à-dire intellectuels, avec un goût prononcé pour les jeux de l'esprit et du hasard, recherche de relations amicales du type fraternel (jumeau) avec lesquelles le sujet entre en complicité peut-être un peu trop familière...

Gémeaux en Maison XII

Ennemis rusés, intelligents, pleins de duplicité et d'habileté. Mais les Gémeaux n'étant pas persévérant, les médisances resteront superficielles, les épreuves passagères et les difficultés toujours moins graves que ce que le sujet craignait.

Le Cancer dans les Maisons

Cancer en Maison I

« Cette Maison est un point de départ (...) mais aussi d'arrivée. Elle peut représenter un retour éternel de phénomènes fondamentaux à répétition » (Lisa Morpurgo). Elle indique traditionnellement le lieu où s'expriment les composantes de la personnalité – et non du caractère – avec leurs possibilités d'évolution.
En Maison I, le Cancer donne une tendance à l'introspection, à la fragilité psychologique, avec inquiétude, peur d'autrui, curiosité pour l'irrationnel, l'inconnu, l'occulte.

Cancer en Maison II

En Maison II, le Cancer donne un comportement de refus total ou partiel à l'égard des biens matériels. La carapace du crabe le protège, ici, de la dépendance « économique », de la recherche du confort, du « standing », etc. En revanche, il peut donner de l'imagination dans ce domaine, si bien qu'on verra des intérieurs ou des objets marqués par la fantaisie lunaire.

Cancer en Maison III

En Maison III, le Cancer n'établit pas facilement de relations avec son entourage proche : frères et sœurs, camarades d'école, de lycée ou de faculté, et plus tard, voisins de palier ! Provoque un blocage sur tout rapport facile et superficiel, sur les relations légères ou mondaines. Les informations par radio ou télévision sont honnies : on leur préfère la presse écrite.

Cancer en Maison IV

Le Cancer est ici dans ce qu'il est convenu d'appeler sa Maison. Celle de la famille, des enfants, du foyer, des bases à la fois parentales et filiales du sujet. C'est le lieu de sa personnalité intime, privée, et du lien très fort qui l'attache à ses origines. C'est une bonne Maison pour le signe, il s'y sent à l'aise, en sécurité, protégé du monde extérieur. Le sujet éprouve un goût profond pour la vie et les réunions de famille, sans étrangers.

Cancer en Maison V

La Maison V étant la Maison des plaisirs, des distractions, du trop-plein de vie, elle limite en Cancer – qui n'est pas, rappelons-le, un signe de santé ni même de grande résistance physique – à des joies simples : mots croisés après le travail, ou jeux de société paisibles, ou petits travaux d'artisanat. La distraction sociale, les sorties du soir sont considérées la plupart du temps, en Cancer, comme superflues, voire ennuyeuses. En revanche, le sujet privilégiera la distraction personnelle, qui fait intervenir l'imagination.

Cancer en Maison VI

C'est la Maison du quotidien, des petits travaux journaliers, des choses et des êtres qui dépendent du natif : la maison (pour la ranger par exemple), le bureau, le lieu de travail (pour les affaires courantes, le classement, le fonctionnel et le routinier). On mesure, dans cette Maison, la capacité du natif à recommencer tous les jours les mêmes petites corvées, à s'occuper régulièrement des mêmes petites tâches. En Cancer, signe de fantaisie, de petits changements permanents (à l'inverse du Verseau qui bouleverse tout), cette Maison VI est mal servie. Aucune discipline dans la hiérarchie des problèmes à régler, aucune méthode.

Cancer en Maison VII

La Maison VII représentant tout ce qui concerne les alliances et les associations, elle acquiert, en Cancer, des caractéristiques lunaires : sous-estimation de sa valeur propre, surestimation de la valeur des autres. Besoin d'être protégé, choyé, conforté, un peu comme un enfant, dans le mariage. Apporte, dans une association, un élément de création très fort, d'imagination et de renouvellement, mais participe de loin, sans vraiment se sentir impliqué (même s'il prend toujours ses responsabilités). Fondamentalement solitaire, intériorisé.

Cancer en Maison VIII

La Maison VIII étant celle de la mort (physique ou psychologique) et de la résurrection, elle a des affinités avec le Cancer : d'abord parce que le Cancer représente la fécondité, l'enfantement, donc la vie après la mort, ensuite parce que c'est un signe fort du point de vue de l'imagination créatrice.

D'où possibilité, pour la Maison VIII en Cancer, de recréer ou de reconstituer ce qui est mort. Au premier degré : le sujet fait revivre en imagination un parent mort. Au deuxième degré : il utilise, il recompose sa souffrance en créant. Donne au sujet la possibilité de surmonter tout ce qui peut l'anéantir.

Cancer en Maison IX

C'est la Maison de la quête : spirituelle, philosophique ou géographique. Les limites cancériennes éclatent, le signe se laisse attirer par les grands espaces que suggère la Maison, les interrogations métaphysiques, métapsychiques, archéologiques ou ethnologiques.

Mais la femme Cancer, inhibée, fragile, qui doit toujours transporter sa coquille avec elle, peut freiner, surtout à partir de quarante-cinq ans, les grands voyages que propose ce secteur, le neuf, le nouveau, l'inconnu. Alors, les explorations se font en imagination, et l'invention cancérienne remplace son défaut d'énergie.

Cancer en Maison X

Cette Maison, à laquelle est attribuée la vocation d'un individu, son expression professionnelle dans ce qu'elle peut avoir de rayonnant, de remarquable, de volontaire, cette Maison, disais-je, n'est pas particulièrement à son aise en Cancer. Il existe une contradiction fondamentale entre la réserve timide et maladroite du signe et l'assurance, la confiance dynamique, l'autorité qu'appelle le Secteur X.

En réalité, la contradiction est neutralisée si le sujet se réalise dans une profession nettement cancérienne où la création, l'invention, l'inattendu, l'étrange, le nouveau ont la meilleure part. Il faut éviter les carrières administratives, et, d'une manière générale, toutes celles qui excluent l'interprétation subjective, les initiatives personnelles, les décisions individuelles et autonomes.

Cancer en Maison XI

Lisa Morpurgo attribue à cette Maison une force toute particulière : « Elle est, en un certain sens, la section d'or du thème zodiacal. Elle indique la possibilité de parvenir à un examen objectif de soi-même et des circonstances, de s'adapter à ces dernières et au caractère d'autrui, en jugeant avec objectivité mais aussi indulgence, les besoins, les faiblesses, et les qualités des autres. (...) La Maison XI est celle de la tolérance, des idées larges, d'une volonté accommodante et compréhensive. »

En Cancer, les idées larges s'évadent dans l'imaginaire – souvent aux dépens du réel –, l'amitié acquiert malgré tout quelque chose de passionnel, d'exclusif, d'enveloppant, mais le sujet s'adapte particulièrement bien au milieu social dans lequel il a choisi d'évoluer après une dure sélection intérieure.

Cancer en Maison XII

On l'appelle la Maison du destin, de la fatalité. Je préfère dire que c'est la Maison des événements sur lesquels la volonté humaine ne peut agir: « les grandes épreuves de la vie », comme le dit encore Lisa Morpurgo. C'est le lieu où le natif s'isole, prend de la distance pour se préparer à la mort. Le Cancer, en ce secteur, donne la faculté de s'abstraire totalement du réel, l'imaginaire empiète alors complètement sur la vie et, si une planète lourde comme Saturne ne vient pas peser sur ce secteur, il donne une créativité inépuisable, un besoin de nier la fin des choses par une prolifération magique d'œuvres d'art, une production ininterrompue dans la solitude et l'isolement.

Le Lion dans les Maisons

Lion en Maison I

Cette Maison a trait au sujet dans ce qu'il a de plus représentatif et de plus évident. Elle concerne votre extériorité physique et la conscience que vous acquérez peu à peu de vous-même. Une Maison I fortement chargée signale un natif préoccupé avant tout de sa personne et faisant de celle-ci son principal centre d'intérêt: on voit tout de suite ce que ça peut donner dans le cas du Lion. Je crois bon, par ailleurs, de vous rappeler que la pointe de la Maison I s'appelle l'Ascendant. Toute planète située à proximité de l'Ascendant a de fortes chances d'être l'une des dominantes de votre thème.

Lion en Maison II

Cette Maison est censée renseigner sur votre attitude face à l'argent, sur vos aléas financiers, sur la nature de vos gains. Pour juger sainement de la question, l'astrologue peut bien se contenter de considérer vos planètes dominantes, ainsi que les aspects lunaires, jupitériens et vénusiens. Si, conformément à la tradition, l'argent occupe une place prépondérante dans votre existence, cherchez plutôt de ce côté-là et regardez aussi où se trouve votre Ascendant:

il est peut-être dans le signe thésauriseur et engrangeur du Cancer. Pour l'astrologue qui s'obstine à déceler dans le thème des événements et des faits précis, une Maison II en Lion est un indice de fortune et de réussite financière, quoique certains auteurs vous jugent suprêmement désintéressé et attiré par des métiers plus honorifiques que lucratifs. Pour ce qui est de la source des gains, on mentionne l'enseignement, le spectacle et les commerces de luxe.

Lion en Maison III

Les attributions classiques de cette Maison sont multiples: rapports avec frères et sœurs, cousins et voisins, petits déplacements, correspondance, publications littéraires, intelligence pratique, enseignement primaire. Les compilateurs classiques parlent de prix littéraires, de frères haut placés, de déplacements profitables, se cantonnant surtout aux réunions mondaines et aux spectacles. Si vous avez vraiment la bougeotte et si vous êtes pris d'une frénésie de communication et d'énergie, voyez plutôt la force de votre Mercure, de votre Mars et de votre Lune. Quant à votre Ascendant, il pourrait se situer dans les derniers degrés des Gémeaux, ça expliquerait aussi bien des choses.

Lion en Maison IV

En analogie avec sa position au Fond-du-Ciel, la Tradition associe à cette Maison tout ce qui constitue la souche, les bases, les racines profondes. Elle concerne donc l'atavisme, l'hérédité, le terroir, le domicile, la famille. Pour faire bonne mesure, on y rajoute aussi la fin des choses, les trésors cachés, la sépulture et l'héritage de propriétés. Du Lion en Maison IV, nos élucubrateurs à chapeau étoilé s'accordent à déduire une prestigieuse galerie d'ancêtres ou tout au moins des parents haut placés. Ce qui ne laisse pas de rendre perplexe si l'on songe que les frères et sœurs d'une même famille ont très rarement la Maison IV dans le même signe.

Lion en Maison V

Cette Maison concerne vos amours, votre progéniture, vos œuvres, vos amusements et vos spéculations. Dans la logique de l'astrologie traditionnelle, avec l'appoint du Lion, vos amours ne sauraient être qu'ardents et dignes, votre progéniture remarquable, vos œuvres brillantes, vos amusements fastueux et vos spéculations fructueuses. Si ça n'est pas tout à fait le cas, plutôt que de vous adresser à un bureau des réclamations, qui d'ailleurs n'existe pas, cherchez l'explication du côté de vos planètes et signes dominants, tenez compte de la position et des aspects de la Lune, de Vénus, de Neptune et de Jupiter. A mon humble avis, vous auriez mieux fait de commencer par là, les déductions sont nettement plus sûres.

Lion en Maison VI

Cette Maison met l'accent sur vos problèmes de santé, sur votre travail dans son côté terre à terre et astreignant, sur vos relations avec les subordonnés, les petites gens, les oncles et les tantes, les animaux domestiques. Quant aux oncles, tantes et menues bestioles, le Lion se sent à leur égard un peu amoindri.

Lion en Maison VII

Logiquement, le Lion en Maison VII devrait donc vous conduire, plus que jamais, à percevoir le conjoint, le partenaire, l'adversaire ou l'associé d'après votre propre image. Selon votre dominante planétaire, vous êtes incité à modeler de force vos vis-à-vis à ladite image, ou bien vous vous contentez de vivre vos aspirations léoniennes par délégation, par le biais d'un complémentaire en qui vous avez décelé de prometteuses potentialités.

Lion en Maison VIII

Si l'on en croit la tradition, avec une Maison VII fortement occupée, votre existence, d'une manière ou d'une autre, sera marquée par la mort et par ses conséquences. Les deuils, les testaments, les héritages sont censés prendre une importance toute particulière. Ou alors, vous vous contentez de brasser des idées morbides et suicidaires et de mettre la mort au centre de toutes vos théories. Moins macabrement, cette Maison est également en rapport avec l'argent du conjoint et des associés. L'astro-psychologie, d'une façon plus générale, en fait la Maison des crises, des transformations, des régénérations et de la sexualité. On devine ce que peut donner, dans l'optique du traditionaliste, le Lion en Maison VIII: la mort par accident cardiaque, le grandiose héritage, les honneurs posthumes et autres joyeusetés.

Lion en Maison IX

Pour la Tradition, c'est la Maison des grands élans vers le lointain et vers le spirituel: elle concerne aussi bien les longs voyages et les rapports avec l'étranger que l'intelligence spéculaire, la religion, la philosophie, l'enseignement supérieur. L'interférence avec le Lion est censée apporter générosité et noblesse de pensée, hautes fonctions universitaires, diplomatiques ou ecclésiastiques, attrait pour les longs périples honorifiques et représentatifs. Cela peut se vérifier surtout, à mon humble avis, en cas de dominance plutôt harmonique de Mars, Jupiter, Saturne et Neptune. Mars met l'accent sur le goût de l'action, de l'entreprise et de l'aventure. Jupiter insiste sur le côté officiel et pontifiant. Saturne favorise la réflexion, la méditation et le détachement, tandis que Neptune sensibilise à l'inconnu, au collectif, à l'universel et à toute autre transcendance qu'il vous plaît d'imaginer. Notons pour finir qu'une planète située dans les quinze derniers degrés de cette Maison peut être considérée comme conjointe au Milieu-du-Ciel et qu'elle a par conséquent de sérieuses chances de figurer parmi les dominantes de votre thème.

Lion en Maison X

Cette Maison importante, qui valorise les planètes qui s'y trouvent, concerne la façon dont vous vivez votre carrière, votre engagement socio-professionnel dans ce qu'il a de plus officiel et de plus formel. Pour les astrologues qui interprètent un thème en y cherchant des événements, elle renseigne sur les chances de succès, la célébrité éventuelle, les honneurs, le pouvoir que vous pouvez acquérir, et naturellement sur les éventualités contraires: les risques d'échec, de déshonneur, de chute. Comme on s'en doute, pour les manuels classiques, la présence du Lion dans ce secteur est éminemment prometteuse: autorité, vedettariat, brillante ascension, réussite magistrale dans les domaines de l'art, de l'éducation, de la politique, de la mode, de la joaillerie, du théâtre et j'en oublie certainement.

Lion en Maison XI

Cette sympathique Maison a trait aux amitiés, aux espérances et aux projets. Selon l'interprétation la plus traditionnelle, le Lion dans ce secteur devrait vous valoir des amis brillants, fidèles, enthousiastes et quelque peu dominateurs, des relations puissantes et des protections en haut lieu. Vos projets, enfin, ne sauraient qu'être empreints de grandeur, de noblesse ou d'outrecuidance. En fait, pour que votre vie amicale soit euphorique, détendue, sans problèmes, il suffit bien d'une dominance harmonique des planètes Jupiter, Vénus, Mercure et Lune.

Lion en Maison XII

Comme le chanterait Brassens, dans les thèmes sans prétention, elle n'a pas bonne réputation, cette fichue Maison XII... On lui attribue en effet les épreuves majeures et les grands chagrins. Maladies chroniques, hospitalisations, exils, emprisonnements sont de son triste ressort. Elle passe pour prédisposer à une existence marquée par le secret, les choses cachées, la vie occulte. Les ennemis sournois et les complots y élisent également domicile, en bonne compagnie avec les vices et les tendances au suicide. Le pauvre Lion est prisonnier à perpétuité des barreaux de ses inhibitions. A ce propos, remarquons tout de même que le Lion en Maison XII correspond presque immanquablement à un Ascendant Vierge, ce qui peut expliquer bien des choses. Examinez les grandes dissonances de votre thème, en particulier celles de Neptune, Saturne et Pluton.

La Vierge dans les Maisons

Vierge en Maison I

La pointe de la Maison I étant délimitée par l'Ascendant, le sujet est donc Ascendant Vierge, ce qui lui confère les principaux traits de caractère du natif de la Vierge: sous-estimation de soi-même et de sa valeur, concentration obsessionnelle des forces vers un seul objectif, irréprochable conscience professionnelle, émotions refoulées, difficultés relationnelles par timidité, peur d'autrui.

Vierge en Maison II

Cette position indique une attitude parcimonieuse vis-à-vis des biens matériels. Une certaine avarice est probable, mais elle est limitée aux petites choses. Toutefois, le sujet n'ayant pas de besoins très importants, il doit réussir à s'accommoder d'une existence un peu chiche. La prudence naturelle du signe interdit les spéculations hasardeuses ou les risques excessifs. Le sujet gère son budget avec sagesse.

Vierge en Maison III

La timidité inhérente au signe freine quelque peu les contacts avec le milieu social. Le sujet demeure sur la défensive, et met un certain temps à se sentir détendu, en confiance avec de nouvelles connaissances. S'il ne fait pas un usage immodéré du téléphone, il se livre plus facilement par lettres. Sa correspondance sera soignée, méthodique et, dans l'ensemble, assez fournie.

Le sujet est plutôt sédentaire, il renonce souvent aux possibilités de petits voyages.

En revanche, l'intelligence pratique est très développée. Les réalisations à court terme sont favorisées, les occasions sont exploitées habilement.

Vierge en Maison IV

Le sujet se satisfait dans un cercle familial étroit. Peu attiré par les mondanités, il ne se sent bien qu'en petit comité. Sédentaire, il aime ses habitudes et peut se montrer tatillon, au risque d'incommoder les membres de sa famille.

Le foyer domestique est surtout considéré sous l'angle le plus utilitaire. Le sujet aimera vivre dans un décor simple, avec un mobilier solide et fonctionnel. Il fera passer au second plan les critères d'ordre esthétique.

Les rapports avec les parents ne sont pas très chaleureux, mais ils sont plutôt fondés sur le respect et la déférence. Cependant, du fait d'un grand attachement aux traditions, les vertus « travail-famille-patrie » sont exaltées.

Vierge en Maison V

Le besoin de sécurité affective est important. Le sujet ne fait sans doute pas passer sa vie sentimentale au premier plan (à moins, bien sûr, que des planètes d'affectivité ou de sensualité n'occupent ce secteur).

La pudeur freine la sensualité. Le sujet n'apprécie pas les aventures sans lendemain. Il préfère une liaison stable, durable, mais pas trop envahissante. Il ne sait pas vraiment se détendre ou se distraire, encore moins perdre du temps. Quoi qu'il en soit, le sujet préfère les plaisirs calmes (lecture, jeu de cartes) aux loisirs de groupe ou aux sports exigeant une grande dépense physique.

L'amour pour les enfants ne se traduit pas par des démonstrations débordantes, mais plutôt par un soin très attentif porté à leur hygiène, à la propreté de leurs vêtements.

Vierge en Maison VI

Il existe de grandes affinités entre le secteur et le signe. Le sujet est très consciencieux, très méticuleux dans son travail. Il accomplit à la perfection les tâches de routine. Ses principales qualités: l'ordre, la méthode, le sens de l'organisation. Par contre, il risque de manquer d'envergure et de se contenter de postes subalternes sans réel rapport avec ses capacités. Il a facilement une mentalité de « rond-de-cuir ». Les rapports avec les collaborateurs sont généralement satisfaisants. Le sujet sait se montrer serviable et dévoué.

Les servitudes de la vie quotidienne sont bien acceptées, et les corvées domestiques accomplies avec diligence et efficacité.

Vierge en Maison VII

D'une façon générale, les rapports avec les autres sont fondés sur la sélectivité. Le sujet ne se lance pas à l'aveuglette dans le mariage ou dans toute autre forme d'association. Il n'apprécie pas à proprement parler la solitude, mais choisira cette solitude plutôt que de consentir à une union mal assortie.

Une autre tendance du signe (qui devra être renforcée par d'autres configurations du thème) incitera au contraire le sujet à faire un mariage de raison ou d'intérêt, surtout si, à force de tergiverser, il a raté « les bonnes occasions ».

Vierge en Maison VIII

L'idée de la mort n'est pas une source d'angoisse insoutenable dans la mesure où le sujet accepte, au départ, son caractère inéluctable et implacable. Mais sa prévoyance et son réalisme l'incitent à prendre des dispositions d'ordre purement pratique et à s'assurer que sa famille ne manquera de rien après sa disparition.

Le sujet peut faire preuve d'exigence tatillonne en ce qui concerne les problèmes d'héritages. S'il se sent (à tort ou à raison) floué, il peut révéler certaines tendances mesquines.

L'attitude vis-à-vis de la sexualité est assez ambiguë. Le sujet, dans son exigence de « pureté », s'accommode mal d'avoir des besoins sexuels importants. D'où des risques de complexes, d'inhibitions débouchant sur des frustrations.

Vierge en Maison IX

La prudence restrictive du signe freine l'invitation au voyage. Cependant, la curiosité intellectuelle du sujet peut avoir raison des hésitations. Mais cette personne a besoin d'organiser méthodiquement ses longs déplacements. Elle ne laisse jamais rien au hasard. Ce n'est pas elle qui partira « le nez au vent » à l'aventure.

La prédominance de la fonction pensée chez la Vierge met toutefois l'accent sur le développement des connaissances. Le sujet est très soucieux d'élargir constamment son horizon intellectuel. Il a de grandes aptitudes pour les études, d'autant qu'il a un goût marqué pour les diplômes. L'acquisition des connaissances se fait « dans les règles ». Le sujet, très attentif et appliqué, aime s'entourer de professeurs susceptibles de le conseiller utilement. Quel que soit le domaine concerné, il aime prendre des leçons et se révèle un élève assidu.

Le sujet peut également, dans certains cas, se dévouer totalement à une cause qu'il estime juste, voire se sacrifier au nom d'un idéal.

Vierge en Maison X

La Maison X exprime les tendances à la lutte pour la réussite sociale, et le degré d'ambition. Or, le signe de la Vierge pécherait plutôt par excès de modestie.

Le sujet peut avoir tendance à se sous-estimer, et l'essor de sa carrière risque de s'en ressentir. Néanmoins, dans les limites qu'il s'impose, il tient à réussir, et sa conscience professionnelle, son sens de l'organisation sont ses plus précieux atouts.

La conquête d'une position sociale élevée peut, en revanche, devenir un objectif majeur en cas d'angularité, (au Milieu-du-Ciel, notamment) d'une planète de représentativité: Soleil, Jupiter ou Uranus. Dans ce cas, le professionnalisme et la compétence, caractéristiques du signe, deviendront des facteurs déterminants de réussite, en particulier dans les carrières administratives et publiques.

Vierge en Maison XI

Le sujet choisit ses amis en fonction d'affinités sélectives. Il en a très peu, mais ceux-là sont triés sur le volet. Il cherche surtout à s'entourer d'êtres intelligents ou très cultivés. Comme il fait rarement les premiers pas, ce sont les autres qui doivent venir à lui. Mais une fois qu'il a accordé son amitié, c'est généralement pour la vie. Cependant, il peut arriver qu'une amitié de plusieurs années soit rompue brusquement du fait de la sévérité morale excessive du sujet. Celui-ci ne supporte pas d'être déçu.

Cette personne fuit les mondanités, préférant les ambiances intimes, tranquilles. Par extension, elle se refuse à cultiver « les relations utiles » et choisit, délibérément, de ne pas exploiter certaines occasions.

Vierge en Maison XII

Les grandes épreuves de la vie sont généralement acceptées avec fatalisme. Elles peuvent être l'occasion, pour le sujet, de révéler sa grandeur d'âme ou son abnégation.

Cependant, les risques de renoncement a priori ne sont pas exclus, d'autant plus que la lucidité se double de pessimisme. C'est la déchéance physique ou intellectuelle que le sujet aura le plus de mal à assumer.

Il arrive que le détachement des objets matériels soit plus difficile à réaliser que le détachement moral de soi-même.

La Balance dans les Maisons

Balance en Maison I

L'Ascendant en Balance est l'un des plus chanceux du Zodiaque : douceur, diplomatie, charme, dons artistiques, volonté accorte et cependant tenace, mènent irrésistiblement le natif à la réussite de ce qu'il entreprend.

Balance en Maison II

Les dépenses ont un caractère vénusien. Ce sont celles qui sont liées, entre autres, aux réceptions que l'on donne ou aux sorties faites avec des amis. D'autre part, la création d'un cadre de vie agréable et raffiné peut entraîner d'importantes dépenses susceptibles de déséquilibrer un budget.

L'équilibre est justement un mot clé de la Balance, mais c'est un équilibre bien souvent instable, et la situation financière risque d'être fluctuante. Cependant, malgré les hauts et les bas, on peut penser qu'en raison de la protection de Vénus, la situation ne sera jamais vraiment désespérée.

Balance en Maison III

La Maison III concerne généralement l'intelligence concrète du sujet, ses dispositions et ses moyens d'expression, le langage et les écrits. Autrement dit, tout ce qui lui permet d'entrer en contact avec l'entourage.

Comme la Balance est un signe d'Air, l'intelligence sera mobile, souple, prompte, fantaisiste, sensible à la beauté, mais trop soumise aux influences changeantes venues de l'extérieur. Le sujet cherche à plaire et à faire partager ses opinions à son entourage.

Le badinage est un mode d'expression qui le séduit et dont il use facilement.

Balance en Maison IV

Si rien ne vient modifier profondément les dispositions naturelles de la Balance, le sujet grandira dans un foyer harmonieux. Il est possible qu'on y cultive un art de vivre raffiné, de sorte que l'enfant baignera dans un climat favorable à l'éclosion de dispositions artistiques.

Il est fort probable que le sujet crée son propre foyer à l'image de celui de ses parents. La Balance, qui est un signe de fête, peut lui donner le goût des réceptions, et sa maison sera largement ouverte aux amis.

Balance en Maison V

La nature de la Balance semble particulièrement bien accordée à celle de la Maison V, de sorte que le signe renforce les manifestations propres à ce secteur. Ce qui revient à dire que le sujet est naturellement porté vers les distractions et l'art. Une femme sera peut-être encore plus sensible qu'un homme aux effets de cette configuration. Elle se montrera enjouée et coquette, raffinée et élégante, et sa distinction naturelle la gardera de toute vulgarité.

Les effets d'une Balance et d'une Maison V affligées mettent en jeu l'instabilité du signe.

Balance en Maison VI

Le travail ne devrait pas être trop pénible; il peut s'exercer dans un cadre agréable et élégant, par exemple une parfumerie, un magasin de fleurs, une galerie de peinture. Parfois, des préoccupations artistiques ou juridiques sont liées au travail. Le sujet entretient de bons rapports avec ceux qui travaillent sous ces ordres. Il comprend leurs difficultés et s'efforce de faciliter leur tâche. En retour, il jouit de leur confiance et de leur attachement. C'est ainsi que se nouent parfois des idylles entre patrons et employés qui, dans certains cas, aboutissent au mariage.

Balance en Maison VII

Malgré la fougue que lui vaut un Ascendant Bélier, le sujet s'efforce d'avoir des relations harmonieuses avec autrui et il est ouvert à toutes les formes d'associations. La première, c'est évidemment le mariage. Il ne conçoit pas d'autre forme d'union et, dans sa vie, les relations conjugales tiennent une place importante. Il est même prêt à faire des concessions pour parvenir à l'équilibre intérieur qu'il attend du mariage.

Son besoin d'harmonie dans ses relations extérieures lui fait rechercher les associations et les collaborations. Il en retire le sentiment d'une insertion dans la société dont il se veut un membre à part entière.

Balance en Maison VIII

La présence de la Balance en Maison VIII permet d'espérer que le caractère vénusien du signe favorisera une mort naturelle et douce.

La Balance faisant intervenir l'idée de mariage, on peut penser à un veuvage précoce et, éventuellement, à un héritage provenant du conjoint, du fait d'une donation entre époux. Mais des héritages venant des associés sont possibles.

Enfin, dans sa vie sexuelle, le sujet devrait faire preuve de mesure et de délicatesse, tout en s'efforçant de communier avec son partenaire car, pour lui, il n'est de vrai plaisir que partagé.

Balance en Maison IX

La présence de la Balance dans la Maison IX implique la possibilité d'un mariage dans un pays étranger où le sujet peut être amené à faire sa vie. Ou bien c'est le conjoint qui vient de l'étranger et qui a été connu à l'occasion d'un voyage lointain.

Ces voyages à l'étranger peuvent être de simples voyages d'agrément qui procurent de grandes satisfactions au sujet tout en enrichissant ses connaissances. A moins que ces voyages n'aient été entrepris pour signer des contrats à l'étranger (éventuellement avec des éditeurs).

Balance en Maison X

Les qualités vénusiennes que la Balance apporte dans la Maison X sont de nature à favoriser la carrière du sujet en aplanissant son chemin. La sensibilité qu'il manifeste dans l'exercice de sa profession, son charme qui agit sur les gens avec lesquels son travail le met en contact, les relations que sa nature sociable le pousse à nouer avec ses collègues et ses chefs.

sont autant d'atouts qui facilitent son évolution sociale. D'autant plus qu'ils se combinent de façon très heureuse avec la chance dispensée par Vénus.

Le mariage, une association peuvent influer sur la carrière; ils sont parfois l'occasion pour le sujet d'élargir le champ de ses activités ou même de changer de profession.

Balance en Maison XI

La Balance est aussi favorable en Maison XI qu'elle l'était en Maison V. En effet, comment ce signe, qui est éminemment sociable, ne créerait-il pas les meilleures conditions pour permettre au sujet de se faire des amis? D'autre part, l'on sait que les contrats sont du ressort de la Balance. Enfin, la gentillesse, la délicatesse et le charme de ce signe contribuent efficacement à resserrer les liens d'amitiés existants.

La Balance donne également une indication sur l'origine des amis. Ils pourraient venir d'un milieu où l'on cultive les arts. A moins qu'ils ne soient eux-mêmes artistes.

Balance en Maison XII

La Maison XII n'est pas une Maison de joie (comme la Maison V). Les seules joies qu'elle dispense sont les joies spirituelles. Mais nous venons de voir qu'on ne peut les atteindre qu'après avoir parcouru son « chemin de croix ». Il ne faut donc pas attendre de cette Maison beaucoup de bienfaits dans la vie ordinaire. Cependant, la présence de la Balance dans ce secteur peut atténuer les choses du destin. Même ici, Vénus, la déesse compatissante, ne renonce pas à étendre sur les humains son manteau protecteur. Aussi les ennemis cachés seront-ils moins virulents.

Le Scorpion dans les Maisons

Scorpion en Maison I

Le Scorpion en Maison I est à l'Ascendant. Même s'il est vide de planètes, il marque profondément le natif.

Le Scorpion en première Maison donne une bien plus grande énergie au natif; il étoffe sa personnalité de cette âpreté, de cette persévérance, de cette volonté de puissance qu'ont les gens du signe. Le sujet lutte contre le groupe pour s'imposer. Actif, entreprenant, il tend à diriger les siens au point de devenir parfois tyrannique. Il profite des révolutions, des situations conflictuelles – qu'il sait, d'ailleurs, provoquer – pour en sortir vainqueur. Passionné mais très lucide, l'Ascendant Scorpion donne du réalisme, du courage... et le pardon difficile.

Scorpion en Maison II

Dans ce Secteur concernant les biens du natif et son aptitude à acquérir (ou à perdre), le Scorpion n'est pas trop mal placé. Son réalisme et son activité persévérante lui assurent souvent un bon job, assez stable, parfois même assez brillant. Réussite dans les professions de Mars et d'Uranus (militaires, ingénieurs, hommes politiques, inventeurs, aviateurs, techniciens dans les secteurs de pointe).

Le Scorpion n'est pas avare : il dépense à la fois de façon impulsive et avec arrière-pensée. Il est souvent généreux.

Scorpion en Maison III

Cette Maison renseigne l'astrologue sur l'intelligence du natif, sur ses capacités à établir des relations de cause à effet, sur son agilité d'esprit. Également, dans cette Maison, les relations avec tout ce qui est proche : entourage, frères et sœurs, voisins, petits voyages...

Le Scorpion, dévoré de curiosité et malin comme un singe, n'est pas mal situé dans cette Maison. Curiosité scientifique, vocation de chercheur (chimie, biologie, parapsychologie...), aptitudes à la littérature, au journalisme, à l'enseignement, on peut trouver tout cela dans un Scorpion en Maison III.

Scorpion en Maison IV

Ici est logé tout ce qui concerne le foyer du natif : sa famille d'origine son père, sa mère, les biens de sa famille ascendante ; la famille dans laquelle il vit, son patrimoine; et, enfin, sa vieillesse.

Le Scorpion, dans cette Maison, donne une ambiance assez dure où le natif est contraint de refouler ses instincts. Ce n'est pas une position très favorable pour le foyer. A moins de très bons aspects on peut craindre des divergences familiales très vives, toutes espèces de ruptures violentes, un divorce... Le foyer est malheureux ou négligé. Le natif peut être orphelin de père ou de mère, ou éprouver un deuil à son foyer. Les valeurs du Scorpion sont trop différentes de celles symbolisées par la Maison IV : notre animal n'est pas, en principe, très doué pour l'intimité bourgeoise. Le Scorpion en Maison IV n'est pas favorable aux biens immobiliers et au patrimoine familial, qui souffre de l'ambiance tendue du foyer.

Scorpion en Maison V

Drôle de panier où la Tradition jette pêle-mêle les enfants, les amours (non légalisées), les spéculations boursières ou financières, les loisirs, les désirs, les réalisations, les publications, les jeux... Cela surprend notre logique rationaliste du XXᵉ siècle mais on constate tous les jours que la Tradition a ses raisons... Et que cela marche très bien!

Le Scorpion, lui, ne marche pas très bien dans cette Maison, trop légère pour lui. Ses enfants, s'ils sont brillants, sont parfois difficiles de caractère ou de santé fragile. En thème féminin, les mauvais aspects prédisposent aux grossesses et accouchements pénibles. La sexualité du Scorpion est puissante : passions intenses et jamais « plastiques ». Les impulsions sexuelles, violentes et incontrôlables, amènent des ruptures brusques après lesquelles l'amour peut se changer en haine.

Scorpion en Maison VI

La Maison VI n'est pas un palais, c'est plutôt une usine ou un hôpital... Le Scorpion, là-dedans, travaille bravement, le pauvre, à des travaux assez durs; mais il finit par s'en sortir, surtout dans ses domaines préférés : médecines, chirurgie, pharmacie, psychiatrie, police, recherche scientifique... Cette situation astrale donne des subordonnés difficiles à commander et, pour le sujet, une peine infinie à s'élever jusqu'aux tout premiers postes. La santé n'est pas très brillante.

Scorpion en Maison VII

Le Scorpion en Maison VII décrit un conjoint difficile, pas forcément du signe solaire du Scorpion, mais marqué par Mars, Pluton et Uranus. Ni souple, ni accommodant, jaloux et agressif. Beaucoup de discussions et de bagarres en perspective. Cependant, le mariage tient grâce à un attrait physique réciproque. Les conjoints ont des relations physiques fréquentes. Le partenaire indiqué par le Scorpion en VII est très attaché à ses enfants. Finalement, le mariage est plus solide qu'on ne le croit, et le conjoint, fidèle et dévoué. Il se dissout plutôt par la mort de l'un des partenaires que par un divorce.

Scorpion en Maison VIII

Sur la carte du ciel, chaque Maison correspond à un signe : ainsi, la Maison I correspond au Bélier. C'est le lieu où le Soleil se lève, le commencement du jour, qui correspond par analogie avec le commencement de l'année sous le Bélier. La Maison II correspond au Taureau, ainsi de suite jusqu'à la Maison VIII, qui correspond analogiquement au Scorpion.

Dans cette Maison est localisé tout ce qui touche à la mort du natif et, aussi, tout ce qui se rattache à la mort des autres, lorsqu'elle le concerne : héritages, par exemple. Par analogie avec le Scorpion, cette Maison renseigne aussi sur la sexualité du natif (selon certains auteurs).

Scorpion en Maison IX

Le Scorpion n'est pas si mal hébergé dans cette Maison qui oriente son esprit vers les sciences de la vie et de la mort : biologie, physique, thanatologie, occultisme et, même, astrologie! Le Scorpion en Maison IX aime la recherche scientifique et s'y applique souvent avec passion. Mais ce qu'il adore par-dessus tout, ce sont les théories farfelues sur la « vie après la mort ». Cela peut le rendre mystique, rêveur, philosophe... Les voyages, dans cette Maison et pour lui, sont à hauts risques mais il aime cela, justement. La Maison IX se comprend mieux par référence au Sagittaire, cet homme de désir, ce chevalier errant, qui a toujours envie d'être ailleurs, plus haut, plus loin, plus brillant.

Scorpion en Maison X

Le Milieu-du-Ciel est un « angle » important du thème et toute planète, tout signe, qui s'y trouve, prend un relief particulier. On regarde le Milieu-du-Ciel en levant les yeux; c'est le zénith, le point le plus haut où monte le Soleil dans sa course quotidienne : il indique les possibilités de réussite sociale et professionnelle du natif. En opposition à la Maison IV – celle du père –, le Milieu-du-Ciel est aussi, accessoirement, la Maison de la mère du natif.

Les gens célèbres, ceux qui ont brillamment réussi dans leurs entreprises, ont presque toujours un Milieu-du-Ciel soit habité par un amas de planètes, soit occupé par une seule planète dignifiée et très aspectée; ou encore, un signe, mis en valeur par le reste du thème, attire l'attention sur ce Milieu-du-Ciel.

Scorpion en Maison XI

Espace, liberté, égalité, fraternité... C'est le sens de la Maison XI, qui correspond analogiquement au signe du Verseau. Celui-ci est donc le signe de l'amitié, des mass media, des idées généreuses, plus ou moins révolutionnaires. Amitiés, désirs et projets, publicité, tout ce qui circule sur les ondes rentre dans cette Maison.

Le Scorpion apporte une coloration particulière à la Maison XI. Certains auteurs lui octroient peu de popularité mais cela dépend des planètes qui s'y trouvent hébergées, des aspects reçus, etc.

Scorpion en Maison XII

Le sujet est particulièrement vulnérable aux maladies du signe (voies génito-urinaires, maladies vénériennes), lesquelles entraînent ici plus qu'en aucune autre Maison des hospitalisations et des opérations (avec Mars mal aspecté). Risque de mort à l'hôpital, ou dans un endroit isolé et confiné. Les maladies chroniques sont, ici, particulièrement pesantes.

Pourtant, avec un bon thème et pas de mauvais aspects, cette position est très favorable à une brillante réussite professionnelle, dans le domaine médical (chirurgie, biologie) ou para-médical (psychiatrie, psychologie).

Chapitre VI

D'autres influences à découvrir

Ce n'est pas un hasard si le sphinx, détenteur du Savoir et de la Tradition perdue, est l'une des images associées au treizième degré du Sagittaire, car la soif de connaissance des natifs du signe est immense.

Les Images Degrés

Les degrés monomères du Sagittaire

Nous allons étudier les trente degrés du signe du Sagittaire. Selon la position du Soleil dans ce signe, vous vous reporterez au degré correspondant. Toutefois, il existe quatre listes de monomères. Toutes ont leurs défenseurs qui les pratiquent isolément, parce qu'elles sont nées en des temps et des pays différents. Ici, pour la première fois, leurs images sont confrontées afin de donner une synthèse de leurs interprétations.

Version thébaïque (abréviation employée : Thé)

C'est la plus ancienne liste[1] qui nous soit parvenue. La référence à la ville de Thèbes, vouée au culte d'Isis, provient de sa publication par un disciple d'Eliphas Lévy, Paul Christian, dans son roman ésotérique *l'Homme rouge des Tuileries,* en pleine époque romantique. Mais on la trouve reproduite exactement dans les mêmes termes, en latin, dans un incunable à l'aube du XVIe siècle: *Astrolabium planum,* de Johannes Angelus. On a découvert récemment cinq manuscrits de cette même liste, dont le plus ancien est celui enluminé par le peintre et médecin Pietro d'Abano, au XIIIe siècle, en Italie. C'est d'après ce manuscrit que Giotto peignit les fresques du Palazzo della Raggione à Padoue. Ces derniers manuscrits font état de leur filiation envers l'école du rabbin Abraham Ibn Ezra vers 1100, qui se réclamait lui-même de l'école d'Alboumazar à Alexandrie vers 800. Cette Tradition est tributaire de la *Sphaera barbarica,* terme dont les lettrés latins se servaient pour désigner toute la culture qui ne relevait pas de la Grande Grèce athénienne: la pensée analogique du monde barbare dans la période entre 1200 avant Jésus-Christ et 200 de notre ère.

Dans la forme miraculeusement conservée où ils nous sont parvenus, on peut rêver que ces monomères ont dû représenter la traduction littérale d'idéogrammes du Linéaire C (hiéroglyphes non traduits encore), vers 4000 av. J.-C., dans les confins où l'écriture symbolique est très près de l'inconscient collectif. Car leur parole inspirée ne trompe pas.

La Volasfera (abréviation employée : Vol)

Cette seconde liste[2] a été publiée par un astrologue écossais, Sépharial, en 1898. Le français Maurice Privat l'a traduite en 1958. Cette liste provient d'un manuscrit italien d'un certain Anton Borelli, médium qui aurait existé à la fin du XIXe siècle. Elle a été communiquée à Sépharial par un voyant anglais, John Thomas, connu sous le nom de Charubel et qui est l'auteur lui-même de la liste suivante. La Volasfera signifie en hindou « les clous d'or », rappelant les 360 clous d'or de la rue du Zodiaque. Les images de la Volasfera se réfèrent aux

---

1. « Le Calendrier thébaïque », dans *l'Homme rouge des Tuileries,* par Paul Christian, rééd. en 1977, éd. de la Maisnie. A utiliser en le décalant d'un degré en arrière (le 30e degré des Poissons compte pour le degré 0 du Bélier, etc.).
2. « La Volasfera », dans *les Cahiers astrologiques,* n°s 71 à 79, nov. 1957 à mars 1959. C'est la seule liste où les degrés sont notés comme on le fait aujourd'hui. A utiliser telle quelle.

symboles religieux en Inde, alors que le Calendrier thébaïque se réfère essentiellement au symbolisme chrétien.

La liste de Charubel (abréviation employée : Cha)

Cette troisième liste[1] a été publiée en même temps que la Volasfera par Sépharial. Maurice Privat en a aussi publié la traduction en 1969. Ce sont des clichés de voyance d'un autodidacte dont la rudesse ne manque pas de saveur.

Sabian Symbols (abréviation employée : Sab).

La quatrième liste en date[2], et la dernière, est celle des Sabian Symbols éditée en 1953 aux Etats-Unis. Elle est née trente ans auparavant d'un groupe théosophique qui se réclamait d'une Grande Loge Blanche. Cette tentative a été cautionnée au départ par Marc Edmund Jones et soumise à la pratique par Dane Rudhyar. La référence à la reine de Saba de la Bible rappelle que la religion de ce peuple d'Arabie, berceau de la *Sphaera barbarica*, était basée uniquement sur l'observance des rites liés aux rythmes planétaires.

De 0° à 1°

- *Thé: Trois hommes sans tête, debout.*
- *Vol: Homme couché sur un tas de pierres au bord de la route.*
- *Cha: Cascade prodigieuse.*
- *Sab: Une grande armée de la République autour d'un feu de camp.*

Voilà un être supérieur aux vues synthétiques (les hommes sont trois, *Thé*), perdu dans les nuages (ils sont sans tête), fier, juste et sans peur (ils sont debout). Anticonformiste, il refuse les chemins habituels (il est au bord de la route, *Vol*), il ignore les soucis matériels et les profits (il est couché sur un tas de pierres). Il a le sentiment de la nature et le sens de la grandeur (la cascade, *Cha*). Il est protégé par ses ancêtres, soulevé par l'histoire de son pays, il s'identifie à la figure héroïque de son patrimoine *(Sab)*.

De 1° à 2°

- *Thé: Homme qui lance des pierres avec des frondes.*
- *Vol : Homme debout, l'épée tirée.*
- *Cha : Homme assis devant une table avec des appareils de dessin et du papier.*
- *Sab : Océan couvert de crêtes blanches d'écume.*

C'est une personne agressive *(Thé, Vol)*, organisée et observatrice *(Cha);* l'esprit critique toujours sur la défensive *(Vol);* querelleuse, portée à la polémique, osant s'attaquer aux pouvoirs en place (mythe de Goliath, *Thé*), possédant en soi des sources inépuisables d'énergie (l'océan, *Sab*), mais irresponsable de ses propos, de ses gestes, irritable et conduite par ses nerfs (l'écume est ce qui apparaît des remous de l'intérieur, *Sab*).

De 2° à 3°

- *Thé: Homme assis sur un bélier.*
- *Vol: La déesse de la miséricorde intronisée.*
- *Cha: Homme marchant au bord d'un précipice.*
- *Sab: Deux hommes jouant aux échecs.*

Extérieurement, l'être domine avec fierté ses instincts primaires (il reste assis sur la bête, *Thé*), en même temps qu'il est orgueilleux, hautain et entêté (il prend du bélier ses attributs). Il domine aussi les situations, il voit loin et ne craint pas les risques de l'erreur (le précipice, *Cha*) pour élargir sa vue du monde; il est lucide et ne se laisse pas gagner par le vertige. Intérieurement, il cherche à sublimer ses instincts et à laisser une œuvre féconde *(Vol)*. Mais le dieu représentant la vie intérieure étant ici au féminin, ce désir reste caché. Enfin, il a un don de concentration, prépare ses coups, a des plans sur l'avenir, sait être machiavélique.

---

1. Charubel, dans *les Cahiers astrologiques*, nᵒˢ 139 à 146, de mars 1969 à mai 1970. A décaler d'un degré bien qu'elle soit établie de 0 degré à 29 degrés.
2. « Sabian Symbols », dans *The Sabian Symbols in Astrology*, par Marc Edmund Jones, Stanwood, Washington, rééd. 1972. A utiliser en décalant d'un degré comme le Calendrier thébaïque. Mais les exemples d'horoscopes sont rectifiés.

De 3° à 4°

- *Thé: Homme marchant, la pique sur l'épaule.*
- *Vol: Soldat, une arbalète au poing, debout derrière un créneau.*
- *Cha: Femme avec une lyre à la main.*
- *Sab: Un enfant apprenant à marcher.*

Cette personne a d'abord du courage pour aller dans la vie *(Thé, Vol, Sab)*. Elle est aussi armée de prudence, équipée pour l'initiation. Son but est de progresser dans la conscience individuelle (elle est armée à l'intérieur d'elle-même, le château-fort est son moi, *Vol*). Son attention est toujours en éveil, elle est vigilante tout en progressant *(Sab)*, sait s'arrêter et se retenir pour ne pas tomber. Elle est très sensible et aime apparaître comme un artiste raffiné (la femme représente la vie intérieure, et la lyre est l'instrument des muses, *Cha*).

De 4° à 5°

- *Thé: Femme portant un berceau sur le dos.*
- *Vol: Homme d'âge moyen veillant sur un berceau.*
- *Cha: Homme se regardant dans une glace.*
- *Sab: Un vieil hibou perché sur un arbre.*

Les clichés *Thé* et *Vol* sont d'accord pour un problème d'enfance, des épreuves familiales, des exodes. C'est une nature résignée, fidèle et bonne, soumise devant l'adversité, qui fait son devoir et souffre en silence. Le côté solitaire et sage se retrouve dans le hibou *(Sab)*, tandis que *Cha* pousse l'égocentrisme jusqu'au narcissisme. Mais si l'homme se regarde dans la glace, c'est parce qu'il n'a pas d'*alter ego* et qu'il se retrouve seul.

De 6° à 7°

- *Thé: Femme debout, immobile.*
- *Vol: Groupe d'animaux domestiques broutant au soleil.*
- *Cha: Homme en chemise, manches retroussées, poussant une brouette sur une planche.*
- *Sab: Cupidon frappant à la porte.*

Vol et *Cha* sont d'accord pour le goût d'une vie simple, d'une existence sans histoires, remplie de travaux manuels et rustiques. *Thé* transforme cette placidité en attirance de la méditation; c'est la symbolique de Sophia, car l'illumination gnostique est toujours féminine. Avec *Sab,* la libido se manifeste, elle se rappelle au conscient et demande sa part. Le dieu romain de l'amour offre un cliché abâtardi par rapport à *Thé*. Ce n'est plus l'éveil de la spiritualité, mais l'éveil du sentiment romantique de la nature, la pulsion du désir païen, d'une fusion panique avec la terre.

De 7° à 8°

- *Thé: Deux hommes jouant aux dés à table.*
- *Vol : Deux hommes jouent aux cartes.*
- *Cha: Homme debout sur une plate-forme, tenant audience.*
- *Sab: Des pierres et des objets prenant forme les uns dans les autres.*

Voilà un tempérament aventureux, qui croit à sa chance et aux hasards des rencontres, vivant au jour le jour, optimiste et disponible au bonheur *(Thé, Vol)*. Il a de bons contacts avec le public, il est habile, hâbleur même. Joueur né, il a bien des tours dans son sac, il sait bluffer et connaît la puissance du verbe *(Cha)*. Ces clichés peuvent se superposer sur le seul plan mental *(Sab)*, en donnant l'image du flot de la pensée informe, des associations d'idées où tout est possible, le meilleur comme le pire. En se fiant aux hasards de l'existence et à la priorité de l'imaginaire, on peut coller à l'événement et le modeler; on peut aussi sombrer avec lui dans la confusion. C'est le portrait d'un animal politique opportuniste, d'un créateur de nouveau style ou d'un doux philosophe.

De 8° à 9°

- *Thé: Un bûcher en flammes.*
- *Vol: Une maison en feu.*

- *Cha: Des glaives croisés.*
- *Sab : Une mère avec ses enfants sur un escalier.*

Les trois premières sources s'accordent sur un idéalisme violent. *Thé* comme *Vol* insistent sur les conséquences funestes de l'exaltation, les dangers des convictions totalitaires, les ravages du fanatisme terroriste. Le cliché du bûcher donne l'image du sacrifice, d'une foi brûlante et martyre, d'un délire mystique paranoïaque *(Thé)*. Le cliché de la maison en feu *(Vol)* montre un caractère passionné, qui brûle par les deux bouts son énergie, une nature inspirée capable par enthousiasme d'incendier son moi tout entier (représenté par la maison) pour une cause publiquement avouée. Une maison est une chose stable et déclarée, tandis qu'un bûcher est occasionnel et sauvage. De toute façon, c'est un climat de désaccord permanent avec les autres. On croise les fers *(Cha)* dans la dignité, mercenaire courageux et sans reproche, querelleur en diable! Les glaives dénotent un apprentissage professionnel, militant, de « chevalier à la noble figure ». *Sab* indique que toutes ses énergies combattantes sont mises au service d'une juste cause humanitaire. C'est une conception très haute (au-dessus de l'escalier) du service public. Sur le plan spirituel, cela donne l'image de la mère au sens de guru hindou, qui conduit ses disciples (ses enfants) dans la progression de la conscience de soi.

De 9° à 10°

- *Thé: Monceau d'or, d'argent et de plomb.*
- *Vol: Pleine Lune brillante dans un ciel clair.*
- *Cha: Lion seul, debout, la queue levée, courant vers une panthère.*
- *Sab: Déesse dorée de la Bonne Fortune.*

Ce degré est riche de dons variés, autant spirituels que matériels, qui peuvent se transmuer entre eux *(Thé)*. C'est la marque d'une grande faculté d'assimilation. La nuit de la Pleine Lune *(Vol),* la Terre est au milieu de l'alignement Soleil-Lune; la Lune réfléchit sur la Terre l'idéal solaire dans sa plénitude. Sont exaltées au maximum les vertus solaires du rayonnement et de surmoi. C'est la diastole du rythme de la condition terrestre, placée entre les deux luminaires. L'être s'expanse, il devient jubilation. Ici, cela se passe sans fausse note, la vision du monde est épanouissante (claire et brillante). Le lion *(Cha)* met en valeur le courage et l'intrépidité (la panthère est le seul animal qui ose s'attaquer à lui). Pour résumer le tout, c'est un degré où l'on naît coiffé, qui donne confiance en sa bonne étoile *(Sab)*.

De 10° à 11°

- *Thé: Un singe assis sur un loup.*
- *Vol: Tigre rampant, prêt à l'attaque.*
- *Cha: Pommier dont les branches plient sous les fruits mûrs.*
- *Sab: La lumière de l'illumination du corps sur la tempe gauche.*

La ménagerie des deux premières sources doit être replacée dans la symbolique générale des animaux. Le singe est l'intelligence animale qui est la plus proche de celle de l'homme. Le loup est l'instinct prévaricateur le plus enraciné dans les débuts de l'humanité, le plus éloigné de l'humain. Un singe assis tranquillement sur un loup, c'est la situation de l'homme qui a dompté un animal sauvage, mais un homme sachant déguiser sa pensée, qui est arrivé à ce résultat hautement moral par ruse. En somme, c'est tromper son instinct, ruser avec soi-même pour se dépasser. Le tigre passe dans l'inconscient collectif pour représenter la méchanceté gratuite qui prend en traître l'innocence. Ici, il rampe, il manigance ses coups pour trouver le meilleur côté pour l'attaque, le moment où l'adversaire sera le plus faible. *Thé* et *Vol* sont d'accord sur l'interprétation machiavélique de ce degré : tout est bon, ruse et stratégie, pour arriver à ses fins.

Il était normal que les fruits de la diplomatie et de la volonté réunies, la réserve et la fermeté, récoltent un succès social. C'est sur ce plan que se place *Cha* qui en fait un degré prospère, fécond, à la réussite stable, empreinte de simplicité et de sympathie (la pomme est le fruit de la concorde, et elle se conserve relativement longtemps).

Le symbole de l'auréole *(Sab)* place l'interprétation sur un tout autre plan. L'auréole est la visualisation de l'état de santé physique et mentale. La tempe est l'endroit où le pouls est visible à l'œil nu, c'est là aussi où le coup part quand on se supprime. La tempe est le lieu dramatique de la face, la petite surface où la vie et la mort sont remises en question. Le côté gauche, comme la « voie de la main gauche », est l'option spirituelle active plutôt que l'attitude passive du dévot. L'ensemble de ces trois images fait ressortir l'importance primordiale, existentielle, du travail sur soi-même en tant que discipline de vie; ce qui rejoint l'interprétation *Thé*.

De 11º à 12º

- *Thé : Homme monté sur un bouc.*
- *Vol : Femme blonde s'amusant sur un divan.*
- *Cha : La mort avec une faux dans une main et un sac d'argent dans l'autre.*
- *Sab : Un drapeau qui s'enroule autour d'un aigle qui crécelle.*

L'homme qui monte un animal *(Thé)* a toujours la même signification : maîtriser l'instinct (voir degrés 2 et 10). Au bouc est attachée une suite de fantasmes sexuels, dus sans doute à la puissante odeur de musc qu'il dégage. Il fut chargé de tous les péchés de la communauté (le bouc émissaire de l'Ancien Testament) et n'oublions pas que le bouc du sabbat est contemporain de la liste *Thé*. Il s'agit donc ici d'une sublimation d'ordre nettement sexuel. Le second cliché accrédite cette interprétation dans la frivolité du XIXᵉ siècle (la femme sur le divan est blonde et elle s'amuse, *Vol*). Quand Eros s'exhibe à ce point, Thanatos n'est pas loin. Voici que s'avance la Mort des danses macabres avec son instrument, la faux *(Cha)*, mais elle porte en plus un sac d'argent. La sempiternelle leçon de morale : les plaisirs de ce monde sont vains, face à l'inévitable fin ! C'est le sermon d'un prédicateur à l'époque victorienne où a été conçue la liste *Cha*. L'image suivante *(Sab)*, napoléonienne, rappelle aussi les guerres de sécession (elle est américaine). L'emblème de l'aigle, empereur du ciel, symbolise l'union sacrée. Ici, il chante victoire, et il se drape dans sa dignité. C'est l'écrasement des adversaires du surmoi. Ce dernier a gagné la bataille : l'homme peut monter sur le bouc.

De 12º à 13º

- *Thé : Homme debout, les mains liées derrière le dos.*
- *Vol : Une grande herse gardant l'entrée d'une prison.*
- *Cha : Mage dans ses vêtements sacerdotaux, debout dans un cercle, accomplissant quelques rites.*
- *Sab : Veuve dont le passé remonte à la surface.*

La première image exprime clairement une perte de liberté *(Thé)*. Cet homme n'est pas libre de faire ce qu'il veut, il est contraint, opprimé. L'idée d'entraves est renforcée par l'image de la herse gardant la prison *(Vol)*. Non seulement l'homme est prisonnier, mais la porte de sa liberté est bien gardée. Ce prisonnier – pourtant ou à cause de cela – est un « magiste » *(Cha)*, c'est-à-dire qu'il peut, par artifices, changer le réel. Il sait qu'une conjuration doit être pratiquée à l'intérieur d'un cercle consacré, afin de se protéger du choc en retour. Son corps même est armé de vêtements déjà consacrés. Ce sorcier sait ce qu'il en est des pouvoirs subtils du monde régnant. C'est pourquoi, un jour ou l'autre, il a affaire avec l'histoire. Un passé de veuve *(Sab)* n'est rien d'autre que le mari exhumé, une partie de soi qui est morte et qui ressuscite. Et l'on sait que les mots ont beaucoup à dire. C'est donc un degré d'abattement et de redressement de situations, de reniement et de réhabilitation, de renversement du contraire. Dans tous les cas, ce degré concerne le problème de la liberté et du pouvoir.

De 13º à 14º

- *Thé : Homme tenant un livre ouvert.*
- *Vol : Beaucoup de livres et de papiers en désordre.*
- *Cha : Un grand télescope pointe vers le ciel.*
- *Sab : Les Pyramides et le Sphinx.*

Unanimité des quatre listes devant l'attrait de la connaissance. Quelle plus belle image, issue du Quattrocento, que celle d'un adulte avançant sur les chemins de la vie avec, pour tout viatique, un livre ouvert, le bréviaire de la nature? Les hommes du haut Moyen Age avançaient devant eux comme s'ils devaient déchiffrer à chaque pas quelque secret prodigieux. Pour eux, la connaissance était imprimée dans la nature, la terre portait tous les secrets du ciel. Le cliché *Thé* sent bien l'époque où il est né. Bien sûr, les connaissances viennent un peu en désordre, tant est grand l'appétit d'une vaste culture générale *(Vol)*. L'homme de connaissance se cantonne dans la recherche pure. Il pointe son désir vers les mondes lointains, dans « le silence des espaces infinis », dans l'inconnu céleste *(Cha)*. Il se tourne vers l'inexploré, l'occulte, c'est-à-dire le mystère de la tradition perdue (les Pyramides, *Sab*). C'est le mythe du non-dit = savoir (le Sphinx). Au bout du compte, c'est comme si, à la fin de cette chaîne chronologique de clichés, revenait l'idée fixe que la connaissance est comme un puits sans fond. Travail inépuisable, dont la réponse ne peut pas être académique (il n'est que désordre) ; elle est dans le travail sur l'énigme de nous-mêmes.

De 14° à 15°

- *Thé : Homme à cheval cramponné à sa monture.*
- *Vol : Une flèche dans l'air.*
- *Cha : Un personnage sur le point d'entrer dans un tunnel obscur.*
- *Sab : Un cochon cherchant son ombre avec son groin.*

C'est un degré de crise. Que l'on soit lancé sur un cheval emballé (c'est l'instinct incontrôlé), lancé comme une flèche dans l'air (c'est le but idéalisé), lancé vers un tunnel (c'est le risque de la vie rapide et l'inconnu), ou à l'état le plus opposé à l'homme normalisé (le cochon), on vit passionnément à la recherche de sa vérité. C'est la caractéristique d'une intensité de vie toujours sur la brèche *(Thé)*, cyclothymique; la flèche *(Vol)* propulsée par l'énergie, transportée par l'enthousiasme, si elle n'atteint pas son but, retombe dans le désespoir *(Vol)*. Le natif qui a ce degré est à chaque instant sur le point d'être éclipsé, sa vie est pleine de traversées dans le désert *(Cha)*, mais il cherchera toujours avec sincérité l'accord avec son ombre *(Sab)*. Degré d'exception, qui fait les inspirés, artistes autant que politiques.

De 15° à 16°

- *Thé : Un char vide.*
- *Vol : Un trou noir ou une caverne dans un rocher.*
- *Cha : Petit garçon nu faisant des bulles de savon.*
- *Sab : Des mouettes guettant un navire.*

Les deux premières listes s'accordent sur l'illusion de la matière. Le char *(Thé)* est le véhicule de triomphe des victoires et des carnavals, fêtes permissives. Il est vide, il ne transporte aucun vainqueur : c'est pour mieux montrer l'inanité de la course à la vie matérielle. Vanité, tout est vanité ! La caverne *(Vol)* a été fixée une fois pour toutes par Platon. Le monde que nous croyons voir de nos yeux n'est qu'une illusion, une « maïa », disent les traditions de l'Inde. Ce qui est bien dans l'inspiration de cette liste qui, rappelons-le, signifie dans cette langue les « 360 Clous d'Or » (du cercle).

Les deux dernières listes s'accordent, comme par compensation, sur la vertu de l'innocence et de la simplicité, et sur l'importance d'avoir un idéal spirituel. Il y a beaucoup d'innocence dans *Cha*. C'est un enfant, il est nu, et il fait des bulles de savon. A la fin du XIXᵉ siècle, où est né ce cliché, on se lavait dans un baquet; cette vision était courante. Amour d'une vie simple, donc, et grande innocence, mais non sans une certaine désinvolture : faire des bulles est un amusement dérisoire et un peu moqueur vis-à-vis des adultes. La mouette est le symbole d'une sublimation. Elle fait partie de la cohorte des oiseaux blancs et pacifiques, ayant pour reine la colombe, qui chante le désir de Dieu, l'idéal de la pureté. Le navire est le symbole de transport d'un état à un autre. L'image représente le surmoi prêt pour un changement de toute la personne et qui l'attend avec impatience *(Sab)*. Autant les deux premières listes sont pessimistes, autant les deux dernières sont pleines d'espoir. C'est un degré de libre arbitre où l'on peut prendre au vol l'opportunité, à condition d'être en innocence. « Heureux les simples d'esprit, eux seuls entreront dans le royaume des Cieux. » Mais si cet état de grâce faillit, chacun retombe dans l'illusion.

De 16° à 17°

- *Thé : Un homme décrépit, appuyé sur un bâton...*
- *Vol : Un homme à flot sur un radeau.*

● *Cha : Paysan en train de labourer.*
● *Sab : Un office de Pâques célébré au lever du jour.*

L'homme, dans les trois premières images, n'est pas dans une position aisée ni flatteuse. Il est vieux et sans force, il a besoin d'un bâton pour marcher *(Thé)*. Il surnage sur un radeau après avoir fait naufrage *(Vol)*. Il peine durement à la charrue *(Cha)*. C'est la marque d'un esprit solitaire (l'homme est seul), ne comptant que sur lui-même, âpre au travail (il s'accroche au radeau pour survivre, il peine pour travailler la terre); il a le sens de l'effort, c'est un professionnel tenace que les échecs ne rebutent pas. *Sab* apporte une note royale aux disciplines de cet homme, le travail devient un rituel; Pâques célèbre l'identité de toutes les langues et de tous les hommes, sans discrimination, dans l'amour universel. Ce degré moralisateur donne des leçons d'humilité et de fraternité, exercées avec une dignité quelque peu cérémonieuse, et qui peut être obsessionnelle.

De 17º à 18º

● *Thé : Homme tenant un oiseau par la queue, et de l'autre main une torche.*
● *Vol : Un homme hirsute.*
● *Cha : Un homme sur un bateau dans un lac.*
● *Sab : De tout petits enfants avec des chapeaux de soleil.*

La première liste est la plus expressive. La torche montre que ce degré peut éclairer les chemins obscurs de la connaissance, l'en-dessous du visible, qu'il soit occulté par le voile de la Tradition ou à décrypter dans l'inconscient. L'oiseau montre qu'on est capable d'apprivoiser le merveilleux et de le retenir dans sa main. Voilà que se forme l'image d'un prêcheur illuminé, comme on en voyait aux portes des cathédrales (contemporaines de la naissance de ce cliché), un esprit torturé par l'inconnu légendaire. L'original anglais, vieux de cent ans, insiste beaucoup sur les cheveux longs *(Vol)* pour signaler l'excentricité du personnage. Il est en effet totalement « en dehors », et s'il a trouvé la révélation précédemment, c'est par la force d'une pensée radicalement sauvage – autodidacte, analogique – par rapport à une pensée institutionnalisée, communautaire, logique. Cet homme ne se fatigue pas. Il est en vacances sur un bateau, même pas sur la mer changeante, mais sur un lac plat et sans mouvements *(Cha)*. Le moins qu'on puisse dire est qu'il est peu productif pour la société capitaliste, où il passe pour légèrement irresponsable. *Sab* insiste, comme il le fait souvent pour les degrés de fortes individualités, sur la condition d'innocence. Une disponibilité d'esprit, une attention flottante dégagée des conventions composent cet état de grâce qui permet l'audace d'action et de pensée.

De 18º à 19º

● *Thé : Une maison entourée de torches ardentes.*
● *Vol : Un serpent entouré d'un cercle de feu.*
● *Cha : Un homme dans la foule distribuant des papiers.*
● *Sab : Des pélicans déménagent leur nid.*

Les quatre listes représentent des images d'agitation : il se passe ici quelque chose d'ardent *(Thé, Vol)* et qui a pour but un changement de situation ou d'état *(Cha, Sab)*.

Les deux premières se rejoignent. Que ce soit une maison ou un serpent, ils sont cernés par le feu, principe radical qui brûle la lettre morte, le conventionnel passé, les apparences. La maison *(Thé)* représente la *persona*, patiente construction de toute une vie, modèle destiné à être admiré. Une maison qui a le feu quelque part, c'est toute la façade du moi qui va craquer, c'est l'abandon du rôle, la débandade des valeurs. On brûle une chose pour en être débarrassé et repartir plus libre. Ce degré dit nettement : « Fuyez votre personnalité extérieure, à bas les masques, tant qu'il est encore temps; sinon, vous périrez, enfermé dedans. » Le serpent est toujours en premier le symbole de l'énergie vitale. Cette image fait penser au fakir, joueur de flûte, avec son cobra. (Rappelons que la Volasfera est d'inspiration hindoue.) Il n'empêche que l'énergie, ici, est bel et bien captivée, elle se dresse, maîtrisée comme le cobra; le sexe est sublimé en hautes envolées.

Après le passage du feu, toutes les créations sont possibles; les deux autres listes montrent sur quel plan le changement peut se faire. En effet, quel est cet homme qui distribue des tracts dans la foule *(Cha)*, à la fin du XIXᵉ siècle, en Angleterre? Sûrement un agitateur politique, un de ces dangereux meneurs qui veulent que les choses changent, et plus vite que ça, en informant les masses que ce sont elles qui détiennent le pouvoir. Drôles d'oiseaux que ces pélicans *(Sab)* qui nourrissent leur progéniture avec leurs propres aliments régurgités. Image populaire de la famille unie autour des enfants. Les changer de nid n'est pas une mince affaire ! Cependant les parents le font, ils quittent le douillet du foyer établi pour aller dans un ailleurs inconnu. Changement idéologique pour *Cha,* changement sociologique pour *Sab,* décidément ce degré chaud met en jeu des forces redoutables de transformation.

De 19° à 20°

- *Thé : Trois hommes se promènent, les bras enlacés.*
- *Vol : Un jardin rempli de fleurs de toutes les couleurs.*
- *Cha : Un homme hésite à s'engager sur un pont de bois au-dessus d'un abîme.*
- *Sab : Des hommes se frayant un chemin à travers la glace.*

Les deux premières listes donnent des images de bonheur et de paix. Le trio *(Thé)* montre un sens de l'amitié, de la fraternité et des liens spirituels (la Trinité théologique) sous un air sociable et bonhomme, tout en goûtant les joies simples de la terre (les hommes se promènent). Le jardin merveilleux remonte au mythe des Hespérides, le Paradis perdu par la faute de la Connaissance. C'est donc l'état d'innocence qui est encore glorifié ici, condition nécessaire à l'entrée dans la vie spirituelle.

Le pont est le symbole du passage de l'être *(Cha).* Il représente un trait d'union qui relie ce qui est derrière soi et qu'on a accepté d'abandonner avec ce qui va venir. Le pont est l'instant du libre arbitre. Traverser un pont, c'est affirmer sa volonté de passer d'un état connu à un état supérieur inconnu, c'est transgresser le réel. Le symbole est ici décrit comme une aventure. Le pont est précaire (le bois), et, en-dessous, c'est le vertige de l'inconnu sans fond, du non-dit (l'abîme). Ce n'est pas par poltronnerie que l'homme hésite à s'y engager. Ce temps de réflexion, comparable à l'attitude d'un chien en arrêt, est la marque d'un esprit avisé, d'un homme éveillé, rusé avec lui-même, pleinement conscient du moment présent et de l'acte qui va s'accomplir en vue d'une transformation difficile de tout son être.

Sab, plus pragmatique et typiquement américain, donne l'image d'explorateurs du Grand Nord, avançant au prix de lourds efforts. C'est le pouvoir de l'homme sur la nature, le génie des civilisations, l'altruisme de chacun nécessaire pour l'amélioration de la communauté. Endurance, acceptation de certains fardeaux, goût de l'effort, dépassement de soi-même.

Degré œcuménique qui exalte les sentiments du cœur, l'égalité entre les hommes, la soif d'amour et la fusion dans l'unique.

De 20° à 21°

- *Thé : Un mage, la tiare au front, tenant un sceptre.*
- *Vol : Un grand triangle en englobe deux autres, entrecroisés.*
- *Cha : Un homme grimpe à un mât couronné de fleurs pour s'en emparer.*
- *Sab : Un enfant et un chien avec des lorgnons empruntés.*

Les trois premières listes ont un caractère magistral, particulièrement les deux premières. Il s'agit d'un mage *(Thé),* ce qui dans le bas latin du texte couvre aussi la fonction du pontife, c'est-à-dire rien moins qu'un sorcier couronné, qui a fait la preuve de ses pouvoirs et de ses facultés de meneur d'hommes. Il a la reconnaissance officielle (la tiare), et il possède le bâton du chef pour commander aux hommes et aux éléments. Le sceptre, prolongement de l'index, envoie les commandements comme la foudre (la *vajra*). Le triangle est le symbole de la trinité. Il représente pour un contemporain l'équilibre entre la vie amoureuse, l'intégration dans la société et l'appel spirituel. Deux triangles équilatéraux inversés dans un cercle imaginaire forment une étoile à six branches, entrecroisement du triangle qui a la pointe en bas avec celui qui a la pointe en haut, réunification du physique avec le spirituel, du monde du dehors avec les puissances du dedans, du cosmos avec l'homme. C'est l'étoile juive ou sceau de Salomon, symbole de la sagesse des nations.

Pour *Cha,* l'image de la supériorité se présente plus simplement. Imaginons une fête dominicale dans un village d'Angleterre. Le Mai était une coutume répandue : on suspendait à un arbre un enjeu qu'il fallait décrocher. Force physique, audace de caractère, but élevé, mais pas forcément matérialiste (ce sont des fleurs), tels sont les traits de cet homme qui grimpe.

Le cliché suivant, sorti des bandes dessinées (Walt Disney ouvrait ses studios à la même époque), signifie la priorité de « l'esprit de finesse » par rapport à « l'esprit géométrique », selon la distrinction de Pascal. Un enfant et un chien n'ont-ils pas pour trait commun d'être futés et de faire leurs coups en douce? Nos deux lascars chapardent à des adultes leurs bésicles. Instrument de dogmatisme, le lorgnon fait partie de la panoplie des examinateurs, à l'école comme au ministère. Et si ces petits malins veulent voir la réalité avec des yeux de professeur, c'est qu'ils sont en avance sur leur âge, ce sont des surdoués. Ce cliché indique des dons d'analyse exceptionnels. Enfin, qu'il n'y ait pas de différence entre un chien et un enfant montre que l'examen correct de la situation, la juste vue des choses, est une question de nez et d'innocence. Comme le chien, il faut avoir du flair, et comme l'enfant, il faut être disponible au merveilleux, libre à la nouveauté, sans idées préconçues ni barrage d'éducation.

Supériorité naturelle, protections, sens de l'effet, ambition haut placée et perspicacité sont respectivement les qualités attachées à ce beau degré de maîtrise.

De 21º à 22º

- *Thé : Deux hommes qui se percent de leurs glaives.*
- *Vol : Deux flèches croisées.*
- *Cha : Un individu au fond d'un ravin effectue des recherches, une lampe à la main.*
- *Sab : Une blanchisserie chinoise.*

Les deux premières listes sont d'accord sur l'agressivité. Les deux hommes *(Thé)* sont assez idiots pour mourir l'un par l'autre, en même temps. Ce qui peut montrer de quelle autodestruction ce degré est capable, des tendances contraires luttant jusqu'à l'extinction de la personnalité. Les flèches croisées sont aussi deux. Ce nouveau duel, cette fois-ci idéologique (les flèches appartiennent à l'élément Air), va à contre-courant des idées reçues. Ce degré ne craint pas d'afficher ses opinions avec hardiesse, il tente de croiser le fer, d'ouvrir la bagarre, de faire un scandale.

Quel est ce personnage mystérieux qui cherche quelque chose au fond d'un ravin *(Cha).* Il a, en tout cas, du goût pour déterrer ce qui est enfoui. Découvrir un trésor profondément caché, en solitaire, montre l'intérêt qu'on porte aux vérités cachées, en autodidacte. On ne croit pas à ce qu'on peut apprendre par les autres, on ne croit qu'à ce qu'on trouve par soi-même. Enfin, la blanchisserie chinoise *(Sab),* très répandue en Amérique, est l'endroit où l'on donne à laver son linge sale; elle indique un individu ayant de l'expérience, sans scrupules et sans doute coupable (son linge est sale), qui essaie de se faire blanchir sans avoir à se repentir publiquement.

Degré curieux qui marque un esprit libre, capable de se battre pour trouver son chemin, de se former tout seul et d'aller loin sans l'aide de personne.

De 22º à 23º

- *Thé : Deux femmes qui se poignardent mutuellement.*
- *Vol : Un cœur humain, enserré d'un fil de fer, transpercé d'une épée à la poignée ornée de pierreries.*
- *Cha : Un bateau à pleine voile au milieu de l'océan.*
- *Sab : L'arrivée d'immigrants.*

Images pessimistes, obsessionnelles, dans les deux premières listes, images d'espérance et d'ouverture dans les deux dernières.

Au degré précédent, c'étaient deux hommes, cette fois, ce sont deux femmes qui s'entre-tuent. Le diagnostic est le même : ce degré est le lieu de tendances contraires extrêmes, dont l'antagonisme est si prononcé qu'elles se combattent jusqu'à se supprimer. Cela peut aller jusqu'au meurtre du moi. Que ce soient des femmes suppose des implications complexes au lieu de la grossière agressivité masculine précédente.

La nature morte de la deuxième liste est sinistre. Elle sort de quelque austère peinture espagnole de l'école de Goya. Elle semble nous dire : voyez les désastres de la passion, voyez, « humains, trop humains », ce qu'est devenu votre cœur, maintenu captif par un fil de fer avant qu'une épée ne l'assassine. Le châtiment est resté figé dans sa chair.

Cha transforme le climat passionnel tragique des précédentes visions dans le sens de l'espoir. Un bateau est chargé de toutes les espérances. Il est majestueux et sûr de lui, il vogue au maximum de sa vitesse au milieu de l'océan, profonde étendue d'obstacles. La situation est calme, les éléments sont domptés. C'est la marque d'un tempérament fier, vigoureux et indépendant, très à l'aise dans les changements de situations qu'il sait dominer.

Le courage et la nouveauté reviennent aussi dans l'image des immigrants *(Sab)*. Ils ont choisi délibérément de ne pas rester là où ils sont nés. Ils veulent faire leur vie comme ils l'entendent, sans contraintes et sans les entraves du passé. Voilà des hommes qui cherchent la liberté au prix fort, décidés à la conquérir sans s'embarrasser de moralité; opportunistes, ne laissant pas passer une occasion, celle de s'enrichir entre autres, tels les immigrants qui débarquaient en Amérique au siècle dernier.

Si les deux premiers clichés impliquent des affaires de cœur, pour le moins compliquées, les deux derniers montrent que sur tous les autres plans, dans l'action en particulier, ce degré donne la force d'accomplir de grandes choses.

De 23° à 24°

- *Thé : Un homme qui se poignarde.*
- *Vol : Un arbre brisé, frappé par la foudre.*
- *Cha : Un homme en ballon, des nuages noirs au-dessus de lui.*
- *Sab : Un oiseau bleu posé à la porte de la maison.*

Les trois premiers clichés sont à prendre littéralement, le dernier est hautement symbolique. Un homme qui se poignarde *(Thé),* c'est l'autodestruction pure et simple. A l'inverse des deux degrés précédents, ici l'homme est seul, la signification est primaire, sans subtilités psychologiques ni excuses passionnelles. Un arbre brisé par la foudre *(Vol)* indique que le sujet est une force de la nature qui a subi les rigueurs d'un avertissement particulièrement sévère venant du ciel (la foudre, arme de Zeus), et qu'il en est resté handicapé pour la vie.

Chez *Cha,* il y a des nuages noirs qui s'amoncellent au-dessus de l'homme. Quelle catastrophe va encore tomber sur lui? D'autant qu'il est dans une position originale, pas très aisée : il est en ballon. Il y a donc eu une tentative, précaire et un peu folle, d'élévation. Mais l'homme dans les nuages, le rêveur d'avenir, l'expérimentateur hardi, l'investigateur des domaines inconnus, cet homme est maintenant captif de la réussite de ses essais. Il est sans liberté de manœuvre, soumis au caprice des vents, esclave des impondérables, et on ne donne pas cher de sa peau quand l'orage, cette colère des dieux, éclatera.

Sab apporte quelques espérances après l'adversité des autres images. L'oiseau représente l'imaginaire par rapport au réel, le bleu signifie la sublimation. L'oiseau qui prend du ciel la couleur est le symbole d'une recherche passionnée du Beau sous la diversité de ses formes. Voilà un tempérament esthète jusqu'au bout des ongles, un esprit rêveur qui a besoin de s'évader de l'existence (ce qui rejoint l'homme en ballon), et pour qui le merveilleux est la principale nourriture. D'autre part, la porte de la maison représente l'entrée du moi. Quelqu'un est à la porte *de la maison* et demande à faire notre connaissance. Ici la beauté s'invite.

C'est dire que, dans ce degré, de grandes possibilités de créativité sont données. Heureusement, car il y a trop de potentiel d'énergies émises blasphématoires (d'où les chocs de retour) qui peuvent être employées dans de folles entreprises.

De 24° à 25°

- *Thé : Un homme vomissant.*
- *Vol : Trois coupes de vin formant un triangle sur une table.*
- *Cha : Un géant de dimensions monstrueuses.*
- *Sab : Un enfant potelé sur un cheval mécanique.*

Un homme vomissant *(Thé)* n'est pas beau à voir, mais il faut considérer celui-ci avec respect. L'image suivante va nous dire de quelle substance il s'est enivré. Trois coupes de vin disposées avec soin sur une table indiquent une préparation de rituel pour un office religieux *(Vol)*. Le chiffre 3 atteint ici son sens plein de la Trinité. Le vin est le symbole du sang divin. La cérémonie à laquelle on se prépare est la communion avec l'unique, l'ivresse dionysiaque, ou, diraient les rationalistes, l'intoxication totale. L'image de *Cha* insiste sur la démesure du personnage ; voilà un géant qui exagère, ses dimensions mêmes sont monstrueuses. Dans la dernière image est montrée, sous une vision familiale, la joie ludique de l'enfance, cet engagement absolu dans le jeu pur. C'est un garçon bien portant – pas un chouchou ni une femmelette, mais un futur athlète – et son joujou est un cheval mécanique. Le mouvement perpétuel qu'il fait en l'actionnant est une des plus plaisantes représentations du transport amoureux, des balançoires de Watteau aux baptêmes de l'air. Mais ce que ressent cet enfant est de la jubilation pure, c'est encore un état extatique.

Ce degré est le lieu de rencontres d'individus hors du commun, toujours ardents, capables d'excès et d'extravagances. Leur enthousiasme peut soulever des montagnes, leur énergie les porte à se dépenser sur des plans élevés.

De 25° à 26°

- *Thé : un homme qui joue avec des baguettes.*
- *Vol : Un masque à face de chien.*
- *Cha : Étoile magnifique, de la couleur et de la grandeur de Vénus, située à environ 50 degrés du zénith, qui brille de plus en plus pour disparaître tout à coup.*
- *Sab : Un porteur de drapeau.*

L'image d'un bateleur *(Thé)*, tel qu'on le voit dans la Lame du Tarot, est l'indice, dit le commentaire latin à la fin du XVᵉ siècle en Allemagne, d'un caractère léger, dissipé et amoureux du théâtre. On dirait aujourd'hui que le bateleur est la marque d'un bluffeur, d'un artiste en arnaque. Voici que s'avance en effet un masque à face de chien *(Vol)*. Le masque représente les apparences, et de prime abord ce caractère peut paraître aussi futile. Mais à bien y regarder, c'est un chien qu'il figure, image populaire de la fidélité et de la vigilance. L'étoile proche du zénith *(Cha)*, qui augmente d'intensité avant de disparaître, donne l'idée d'une destinée éclatante et courte. L'analogie à Vénus indique dans quelle direction : il s'agit d'art. Les 50 degrés signifient dix fois le chiffre 5, c'est dix fois l'expansion et le désir de se prolonger soi-même par ses enfants ou ses propres créations. C'est aussi la joie de vivre, le bonheur de l'existence exacerbé (les cinq sens multipliés par dix). Etre dans ce rapport vis-à-vis du zénith, qui est le *fatum*, c'est se maintenir dans un accord de plénitude et d'harmonie vis-à-vis de la destinée. Un drapeau *(Sab)* est le clair symbole de ralliement. Celui qui le porte est volontaire. Non seulement il se porte garant de la propagation de cet idéal en qui il a mis toute sa foi, mais il est fier de son choix et tient à le montrer, avec tout un déploiement de dignité spectaculaire.

C'est un degré brillant, curieux d'abord, ambigu et difficile à saisir, mais la personne mérite d'être connue. Elle a le sens des idéaux, un amour des belles choses, une loyauté à toute épreuve et une noblesse naturelle.

De 26° à 27°

- *Thé : Homme pendu par les mains...*
- *Vol : Homme sous la patte d'un lion effréné.*
- *Cha : Une procession funéraire, une tombe ouverte : grande affluence de personnes, toutes très exaltées.*
- *Sab : Un sculpteur.*

La première liste emploie souvent des images du Tarot, dont l'élaboration lui est contemporaine; ainsi celle du Pendu. Cette convergence historique ne peut pas être utilisée dans l'interprétation des monomères. Car les Lames du Tarot – système codifié à plusieurs niveaux – ont un agencement entre elles, de telle sorte que l'une n'a de sens révélateur qu'avec celles qui l'entourent, et qu'une seule, prise séparément, n'offre au vulgaire que son faux sens non initiatique. D'ailleurs, ici, l'homme est pendu par les mains, et non par les pieds. Le supplice n'est pas aussi terrible que celui qui est dépeint sur la carte du Tarot. Mais cela montre une tendance à se fourrer dans des situations embarrassantes, à se lancer dans la première aventure venue, à tomber dans les pièges. Un risque-tout un peu brillant, jugé à la va-vite sur la place publique, tel est le portrait médiéval qu'inspire ce cliché.

Voilà maintenant notre homme sous la patte d'un lion effréné *(Vol)*, c'est-à-dire qui a perdu toute sa retenue de lion. Le lion fabuleux est l'énergie indomptable, maîtrisée par la noblesse de la justice. La patte d'un lion est le sceau de l'autorité suprême (on la retrouve d'ailleurs dans les embouts des sièges Empire). Se mettre dans la situation d'être pris sous la patte d'un tel lion, c'est l'avoir énervé quelque peu. Mais c'est d'abord le courage de se lever contre la plus haute instance despotique. Cet homme est un adepte de la liberté intérieure qui, pour en défendre le principe, est capable de lèse-majesté jusqu'à l'affrontement avec l'État.

Cha insiste sur les conditions de cet affrontement. Ce degré connaît la psychologie des foules et sait les manier. Il saura utiliser l'intoxication des masses, il a le sens de la publicité. Il y a plus, la procession de la foule exaltée devant une tombe fraîche fait penser à des funérailles nationales. Il y a une idée d'honneurs posthumes et un désir inavoué d'appartenir au Parthénon imaginaire de son temps. Ce degré va pousser cette ambition aussi loin qu'il est possible.

En effet, qu'est-ce qu'un sculpteur *(Sab)*, sinon celui qui immortalise la vie des hommes illustres et trace leur héroïsme en relief sur la pérennité du marbre. Il sait dramatiser, il hausse l'effet, il donne à voir les hauts faits dignes des dieux.

De 27° à 28°

- *The : Un homme assis sur un chameau.*
- *Vol : Une tortue.*
- *Cha : Une salle de dissection où l'on pratique une autopsie.*
- *Sab : Un vieux pont au-dessus d'une belle rivière.*

Patience et fermeté, dit le commentaire latin. Il y a surtout de la persévérance et de la gravité dans l'imagerie populaire du chameau *(Thé)*. Plus que l'esprit de sérieux – c'est un animal avec qui on ne plaisante pas – le chameau représente le désir d'ascétisme. C'est l'image de la monture rêvée pour traverser les déserts du cœur, du mépris ou de l'indifférence. C'est aussi littéralement un caractère difficile et rancunier, d'un abord rébarbatif et bourru.

Il y a dans ce degré, outre un esprit de rigueur, une recherche de la simplicité, des vertus d'humilité et de dénuement, un don de soi, voire le sacrifice. Le bestiaire s'agrémente d'une tortue *(Vol)*. Constance, patience, endurance caractérisent ce degré, selon le commentaire anglais de Sépharial. La tortue est d'abord l'image parfaite des vertus domestiques (travailleuse perpétuelle, sa maison fait corps avec elle et, à l'approche des dangers, elle se barricade). Elle est casanière et xénophobe. Elle peut aussi représenter une lenteur exagérée, d'où une constance dans les retards et une réussite meilleure dans la vieillesse. Cette liste étant d'inspiration hindoue, on peut prendre en considération l'aspect porte-bonheur qu'elle a pour tous les Orientaux, où elle passe pour conjurer le mauvais sort, unissant les propriétés bénéfiques des éléments Terre et Eau. La chance accompagne sa destinée.

Cha emploie souvent des clichés contemporains de leur création. La médecine du XIX° siècle croyait encore beaucoup découvrir de la dissection, en particulier les causes des aberrations criminelles et des maladies mentales. L'autopsie montre un désir sincère de rechercher la cause du mal, d'œuvrer pour le bien de l'humanité. Avec, évidemment, les qualités d'un chirurgien, habileté et minutie, doublées de celles d'un bon diagnosticien, perspicacité et logique.

De la vision américaine se dégage une harmonie de l'homme avec la nature, de l'individu avec le milieu ambiant. Le vieux pont *(Sab)* s'intègre dans le paysage, il le respecte tout en conservant la trace de l'humanisation. Le cours d'eau représente la nature en liberté, le monde en mouvance, le temps qui passe, l'éternité. Le tableau idyllique, telle une image naïve de calendrier, respire la beauté et la joie. Voilà un degré heureux d'être né au monde, où l'on est bien dans sa peau, où l'on a le respect de la Tradition, et où l'on sait couler ses propres ambitions dans les modèles d'un consensus universel.

De 28° à 29°

- *Thé : Homme qui saute d'un lit sur un autre.*
- *Vol : Un lièvre.*
- *Cha : Un homme debout, seul, dans une sombre vallée. Un rayon de lumière brillante vient directement du ciel sur sa tête.*
- *Sab : Un gros garçon fauchant une pelouse.*

Le commentaire latin est laconique : « puérilité *(Thé)* ». On pourrait être moins sévère et dire : enfantillage, ou aller dans une autre direction et penser : agilité d'esprit, acrobatie verbale. Ce qui donnerait, en positif, le sens de la diplomatie, de l'opportunité, voire de la démagogie. A moins qu'il ne faille prendre le lit dans sa connivence sexuelle, ici nettement volage ; ce qui donnerait une personne pour le moins hésitante sur le plan sentimental, peu faite pour le mariage.

On retrouve l'agilité et l'hésitation chez le lièvre *(Vol),* avec aussi des contenus sexuels (un chaud lapin) dus à la fréquence de ses portées. Comme tous les animaux du bestiaire lunaire, celui-ci est lié au cycle de la menstruation, par extension à la fécondité. Isis, la déesse égyptienne de la fécondation était figurée par un lièvre. Comme notre homme de la première liste, il court en sautant d'un côté à l'autre. Il représente l'agilité des sens en éveil, l'intuition pure avant toute connaissance, celle issue de la conscience nocturne qui va, rapide et silencieuse, comme la Lune.

Cha donne un cliché spirite de prédestination. Kraft le soulignait en pleine guerre d'Espagne avec arrogance, concernant le Mercure de Franco, qui héritait de la ruse de ce degré. Ajoutons que Lénine en avait le savoir et la stratégie par Saturne, tandis que Staline en recevait le pouvoir de décision par Uranus. L'homme est courageux (il est debout), fier et solitaire ; le ciel le désigne comme chef aux yeux de tous. Mais il est dans une sombre vallée, c'est-à-dire encore en bas, dans la boue de l'expérience, et non sur les cimes conquises de la vérité. Ce qui lui est demandé est de sortir de la vallée des larmes, de conduire son troupeau sur les hauteurs.

La liste américaine donne l'image familière d'un gros garçon tondant une pelouse. Il y a un côté boy-scout dans cette photographie des calendriers des Postes. Une pelouse est une étendue d'herbe civilisée. Un enfant en pleine santé représente l'enthousiasme. Cette énergie débordante qu'on retrouve dans les trois autres listes est en train d'égaliser pour un but communautaire les pensées sauvages individuelles. Peut-être n'y-a-t-il pas de place ici pour une liberté intérieure.

De 29° Sagittaire à 0° Capricorne

- *Thé : Homme brandissant un marteau.*
- *Vol : Une bêche sortant de terre.*
- *Cha : Un homme debout sur une éminence rocheuse, bras croisés, dans une attitude contemplative.*
- *Sab : Un pope.*

Le cliché le plus ancien met l'accent sur l'aspect civilisateur correspondant à l'âge de fer et à l'apparition de structures sociales hiérarchisées verticalement. Le marteau ou le maillet est le symbole de l'idéal maçonnique qui consiste à poser le Travail comme fondement du Bien. Un homme brandissant un marteau, comme si c'était un drapeau, a le sens d'un appel vigoureux pour l'union dans la force de tous ceux qui reconnaissent les valeurs du travail. Enfin, l'image marque littéralement un caractère trempé dans l'acier, une poigne de fer. Énergie, décision, endurance : toutes qualités de chef.

La vision du XIXe siècle d'une bêche sortant de terre ressemble à un détail d'un tableau naturaliste du genre J.-F. Millet. Elle exprime avec force que les secrets de la nature peuvent être arrachés de leurs caches par un travail sur soi, long et opiniâtre, conduit avec la détermination de couper les racines (la bêche). Cette image s'adresse à ceux qui font de la recherche spirituelle ou s'adonnent à des expériences para-psychiques, comme à ceux qui exercent des pouvoirs politiques. Pour ces derniers, la claire interprétation psychanalytique devrait leur servir sur le plan démagogique. En effet, la terre est la femme, et la bêche est l'instrument qui rentre en elle, la bouleverse et la prépare à l'ensemencement.

La liste italienne emprunte à l'art nouveau et à l'opéra wagnérien le cliché d'un mage au sein de la nature, dressé sur un rocher, calme et médidatif. Sang-froid, confiance en soi-même et dans sa vocation, on retrouve les qualités primaires des deux premières listes, traitées sur le mode théâtral.

L'image monolithique du pope s'insère assez bien dans les trois précédentes. Le pope est la panoplie rêvée des pouvoirs démagogiques ; voilà une mascarade pour gagner la sympathie du petit peuple, c'est l'habillement des marchands du Temple.

Le geste de l'archer ainsi fixé dans la pierre il y a quelque trois millénaires n'évoque-t-il pas, en cette superbe épure, l'aspiration à la perfection qui est celle des natifs du signe?

Les Étoiles Fixes

L'utilisation des étoiles fixes dans le thème natal pose problème puisqu'il fait ainsi appel au plan des constellations. Cela apparaît de façon évidente avec le signe du Sagittaire dont l'étoile la plus importante est... le Cœur du Scorpion, aussi connue sous le nom d'Antarès.

Aujourd'hui, Antarès se situe autour du 9ᵉ degré du Sagittaire mais, initialement, elle avait les caractéristiques du signe précédent, le Scorpion. Il y avait en Perse quatre étoiles royales, correspondant aux quatre signes fixes : Aldébaran pour le Taureau, Régulus pour le Lion, Antarès pour le Scorpion et Fomalhaut à proximité de la constellation du Verseau. Avec la précession des équinoxes, ces étoiles sont en décalage par rapport au système actuel des signes zodiacaux.

Antarès est donc considérée de nos jours comme appartenant au Sagittaire et le fait qu'elle soit « royale » n'est pas pour lui déplaire, alors que Régulus, l'étoile du Lion, passe en Vierge.

Cette étoile de première grandeur serait composée d'influences martienne et jupitérienne (cf. notre étude dans *le Livre des fondements astrologiques*, Ed. Retz, 1977, p. 315-316). C'est une énergie violente qui « fait roi » comme son nom l'indique, lorsqu'elle est conjointe à un facteur essentiel du thème (le Soleil en particulier), mais qui prédestine à une chute dramatique. On affirme généralement qu'elle menace les yeux du sujet; or l'œil est un organe prioritaire pour le Sagittaire. C'est l'arroseur arrosé, l'archer qui s'éborgne de ses flèches.

Olivier Messian, autre grand compositeur du signe.

La Lune Noire

Si la Lune renseigne sur les influences qui sont créées dans la vie même ou par la vie elle-même, comme celles de la race, du climat, de la société, de la famille, des besoins, des manières et des idées courantes, la Lune Noire qui correspond au deuxième foyer de l'orbite lunaire témoigne, en revanche, d'influences particulières, créées en dehors de la vie.

Le propre de la Lune Noire est de soustraire aux lois générales de la vie, d'échapper au commun de l'humanité. Elle recherche la loi d'exception et essaye d'atteindre l'autre dimension de la vie, qui n'est pas toujours visible au sein de la vie même : voilà pourquoi elle paraît aux yeux du profane singulière, énigmatique, unique, absolue, ésotérique, exclusive. La Lune Noire, foyer occulte de la Terre, cache en elle un monde à part, abstrait et ésotérique, et si elle en vient à être mal dirigée, elle peut être alors la source qui déchaîne les forces passionnées, voire incontrôlées, sexuelles ou suicidaires de la vie.

Si la Lune Noire symbolise quelque chose de très précieux et de très rare (une certaine forme de lucidité ou de génie), elle peut cependant donner aussi le « mal de vivre », avoir des effets négatifs, voire stérilisants, pour la vie.

En demeurant désincarnée, la Lune Noire enferme éternellement en elle (c'est-à-dire dans un vide dense et absorbant comme les trous noirs de l'univers) toutes sortes de problèmes non résolus (refoulement), les empêchant ainsi de sortir et de disparaître (le mythe du péché originel ou le poids du « Karma », l'arriéré à liquider).

Alors, il faut la Lune pour incarner et libérer tout cela sur la vie sur Terre. La Lune Noire est ce par quoi la Lune existe vraiment en tant que Lune. La Lune Noire est la raison d'être de la Lune.

La Lune Noire dans le Sagittaire

Tout d'abord, il importe de bien préciser que la Lune Noire n'est vraiment agissante, dans un thème, que lorsqu'elle se trouve dans l'une ou l'autre des deux conditions suivantes :
1) quand elle est conjointe à une pointe de Maison (dans un orbe de 3 à 4 degrés);
2) quand elle est conjointe ou opposée à une planète quelconque (avec le même orbe).
Bien entendu, si elle remplit ces deux conditions en même temps, elle n'en est que plus importante; mais si elle n'en remplit aucune des deux, on peut presque la négliger pour effectuer l'interprétation d'un thème.

Cela dit, la Lune Noire dans le Sagittaire donne une disposition aventureuse, avec le goût du risque et des situations scabreuses, un tempérament de casse-cou dans le domaine sportif, avec risque de graves blessures (à plus forte raison si elle est conjointe ou opposée à Mars); la frénésie du risque peut se manifester aussi en matière de loteries et de jeux de hasard et le natif peut fort bien perdre la totalité de sa fortune en une seule nuit, en jouant à la roulette, au poker ou à tout autre jeu.

De grands voyages lointains, principalement en territoires étrangers, pourront être décidés brusquement, avec l'espoir d'y connaître des aventures inédites, ce qui ne manquera certainement pas de se produire, mais les aventures en question risqueront fort d'être assimilables à des tribulations ou désagréments : par exemple, un accident imprévu en cours de voyage, ou bien un conflit avec les autorités locales, ce qui peut, à la limite, provoquer une arrestation et un séjour en prison.

Lorsque le sujet se déplacera au loin, il lui sera fortement recommandé de ne pas emprunter l'avion, cela parce que la Lune Noire en signe de Feu comporte une forte note uranienne, et sur le mode le plus négatif : l'éventualité d'un accident aérien n'est donc pas à exclure.

Sur le plan de la pensée, le sujet manifestera généralement des opinions plus ou moins excentriques qui heurteront souvent celles de son entourage et qu'il essaiera d'imposer de la manière la plus percutante, en dépit de toute logique la plupart du temps, et comme s'il s'estimait au-dessus de toute erreur.

De même, ses conceptions philosophiques seront, dans bien des cas, contraires à la raison, mais il les soutiendra avec le même acharnement, malgré la réprobation générale.

Le sujet sera naturellement l'adversaire des principes établis, des lois en vigueur et de toute idée conformiste; il se heurtera aux conceptions religieuses de son époque et n'admettra aucune sorte de hiérarchie.

Enfin, il aura des dispositions rebelles et révolutionnaires et sera partisan de réformes brutales et radicales, mais sans aucun esprit constructif.

Il va sans dire que ces données sur l'influence de la Lune Noire dans le Sagittaire concernent le cas le plus général, mais qu'elles peuvent être sérieusement modifiées quand la Lune Noire se trouve sur la pointe de telle ou telle Maison ou bien si elle tombe à la conjonction ou à l'opposition d'une planète; ce sera donc à l'interprète d'apprécier, dans chaque cas particulier, le pronostic le plus adéquat, en n'oubliant pas d'effectuer la synthèse du thème.

Comme illustration remarquable de la Lune Noire dans le Sagittaire, on peut citer le cas de Napoléon Ier, qui était né avec la Lune Noire (corrigée) à 9°26' Sagittaire, conjointe à la pointe de la Maison II, qui se trouvait elle-même à 12°12' Sagittaire : on sait que la Maison II représente les acquisitions et conquêtes du sujet à partir de ses propres efforts; ici, la déduction est très facile : la Lune Noire sur la Maison II a déterminé une avidité permanente de conquêtes à l'étranger (Sagittaire), ce qui explique une suite de guerres continuelles, et toujours dans le but d'avoir, d'avoir toujours, d'avoir encore.

On peut citer également deux personnages importants de l'Histoire, affectés par la même boulimie de conquêtes à l'étranger : ces deux êtres n'avaient pas la Lune Noire dans le Sagittaire, mais, dans les deux cas, elle se trouvait en conjonction étroite de la pointe de la Maison IX, ce qui, en fonction de la loi d'analogie, conduit sensiblement aux mêmes résultats; ces deux personnages n'étaient autres que Jules César et Adolf Hitler qui, chacun à son époque, auraient volontiers « dévoré la planète »...

La notion de Lune Noire implique nécessairement la notion de Lune Blanche *(« dialectic or not dialectic ? »)*. On sait que la Lune Noire n'est autre que l'apogée de l'orbite lunaire, c'est-à-dire le point de son parcours où la Lune est le plus éloignée de la Terre. Inversement, la Lune Blanche est le périgée lunaire, soit le point où la Lune est le plus proche de la Terre. Il ne faudrait cependant pas croire que la Lune Noire et la Lune Blanche forment un axe, comme c'est le cas, par exemple, pour les Nœuds lunaires (Tête et Queue du Dragon) : les tables relatives à la Lune Noire ne donnent que sa position moyenne, d'où on peut déduire la position moyenne de la Lune Blanche en ajoutant ou soustrayant 180°; mais, pour passer de la position moyenne à la position réelle, il faut appliquer une correction à chacune de ces deux Lunes, corrections d'un ordre tout différent puisque la correction de la Lune Noire se situe entre 0° et 5°15' alors que celle de la Lune Blanche varie entre 0° et environ 24°; de plus, ces deux corrections s'exercent en sens différent, de sorte que, finalement, la Lune Noire et la Lune Blanche ne se trouvent que très rarement en opposition l'une de l'autre.

Les déterminations venant de la Lune Blanche dans le Sagittaire sont généralement d'un ordre complètement opposé à celles générées par la Lune Noire : le sujet voyagera facilement à l'étranger, sans désirer y vivre des aventures plus ou moins incongrues; il pratiquera des sports conformistes et surtout pacifiques; il pourra bénéficier d'une part appréciable de chance dans les jeux et loteries, mais restera raisonnable et n'ira pas risquer sa fortune sur un seul coup de poker.

En dehors de ces faits matériels, le sujet aura un intellect très fécond, des inspirations d'ordre littéraire; il s'intéressera à la métaphysique, à la philosophie, et les dispositions de son esprit seront nettement spiritualistes. On répétera pour la Lune Blanche ce qui a déjà été dit pour la Lune Noire, à savoir qu'elle doit surtout être prise en considération quand elle est conjointe à une pointe de Maison, ou bien quand elle est conjointe ou opposée à une planète.

Cérès dans le Sagittaire

Quel que soit l'emplacement où elle se trouve, Cérès harmonique apporte toujours sa note d'analyse pertinente, son sens de l'exactitude et de la précision, son ordre et sa méthode, ainsi que ses vertus de dévouement et de charité; par contre, une Cérès affligée s'exprime principalement par ses craintes et ses inhibitions, ses complexes d'infériorité, ses « maniaqueries », son sectarisme, ses maladies réelles ou imaginaires et son goût pour les médicaments.

Bien configurée dans le Sagittaire, Cérès donne des croyances, des principes et des convictions bien établis, du respect envers les lois et les règlements, une soumission à l'ordre établi et devant l'autorité, soumission dictée par la passivité naturelle; le sujet est d'une moralité irréprochable et prêche souvent par l'exemple; de plus, il est parfaitement honnête et scrupuleux, incapable de mensonges et de malversations.

Le sujet aimera se dévouer et payer de sa personne, au profit de causes humanitaires ou philanthropiques, ce qui pourrait le conduire, éventuellement, à exercer une activité dans un pays étranger (par exemple si Cérès en Sagittaire se trouve proche du Milieu-du-Ciel). Les voyages lointains effectués par le sujet seront généralement peu nombreux, mais ils seront toujours préparés méticuleusement, sans négliger le moindre détail, car Cérès est très prudente avant d'agir et n'aime surtout pas s'en aller à l'aventure et s'en remettre au hasard. Certains voyages pourraient avoir un caractère scientifique.

Même dans ses jeux et ses divertissements, le sujet gardera toujours son côté sérieux et pondéré, et il saura ne pas aller trop loin, puisqu'il a, en toutes choses, horreur du risque.

Dans le domaine de la pensée, il tendra à se livrer à une analyse approfondie des questions religieuses et théologiques. Il tâtera aussi de la philosophie, mais si sa philosophie est sérieuse et profonde, elle risque aussi d'être quelque peu rigide et austère, de manquer d'envolée et d'avoir une allure plutôt rationaliste.

On peut ajouter que le sujet sera toujours très correct dans ses rapports humains, plein de politesse et de déférence, et respectueux des hiérarchies; il sera également très soigné de sa personne et portera un vêtement classique, mais sans fantaisie.

Quand Cérès est dissonante, c'est-à-dire affligée, il importe beaucoup de tenir compte de la nature de la planète qui envoie l'affliction; à ce sujet, je rappelle impérieusement qu'il faut toujours distinguer l'aspect envoyé de l'aspect reçu ou, si l'on préfère, distinguer la planète aspectante (facteur de cause) de la planète aspectée (qui enregistre les effets), la planète aspectante étant celle qui se trouve en arrière de l'autre dans le Zodiaque. Par exemple, si Uranus est à 15 degrés Taureau et Vénus à 15 degrés Lion, c'est Uranus qui afflige Vénus par voie de carré et qui doit être considéré comme la planète aspectante (affligeante), avec pour effet de perturber la vie sentimentale du sujet, de produire des emballements affectifs suivis de ruptures, ou bien encore de déterminer une vie sexuelle contraire à la « normale » (homosexualité).

En ce qui concerne les aspects où Cérès est impliquée, ceux qu'elle envoie n'ont qu'une importance assez relative, étant donné que Cérès « ne fait pas le poids » : ces aspects ne sont pas, pour autant, négligeables et ils se traduisent surtout par une note restrictive, de moindre envergure que celle que pourrait apporter un mauvais aspect de Saturne.

En revanche, les aspects reçus par Cérès ont une extrême importance, puisque c'est une planète d'assimilation qui tend à reproduire les caractéristiques de l'environnement; pour apprécier les effets engendrés par une Cérès affligée dans le Sagittaire, il faut donc tenir expressément compte de la nature de la planète affligeante, qui doit être considérée comme le facteur perturbateur.

Quand Cérès dans le Sagittaire est affligée par le Soleil, ce sont ses principaux défauts qui ressortiront (le rôle du Soleil, dans un aspect, n'étant pas de modifier le comportement naturel des planètes mais de les valoriser, en bien ou en mal selon la nature favorable ou défectueuse de l'aspect); une affliction de Cérès par le Soleil déterminera donc des inhibitions, des craintes, des complexes, un penchant excessif pour l'analyse, une santé fragile, avec moral négatif; il y aura aussi empêchements d'effectuer des grands voyages, ou bien ces derniers seront parsemés d'obstacles et de contraintes, de maladies en cours de route.

Si Cérès en Sagittaire est affligée par une planète mobile comme Mercure ou la Lune, le mental supérieur du sujet sera mal équilibré, ses idées, religieuses ou philosophiques, seront sujettes à de multiples variations; ses grands voyages seront préparés d'une manière désordonnée et l'exposeront à de multiples tribulations.

Cérès affligée par Vénus dans le Sagittaire donnera un esprit quelque peu vaniteux, un mental indolent et nonchalant.

Affligée dans le Sagittaire par une planète « forte » (Mars, Uranus, Pluton), Cérès donnera un esprit critique de tous les instants qui vaudra au sujet de multiples disputes ou conflits; il sera cassant et belliqueux quand il s'agira de défendre des opinions religieuses ou philosophiques, ou bien il se réfugiera dans une attitude de scepticisme ou d'incroyance, assortie de propos ironiques et cinglants; la prudence chère à Cérès sera complètement malmenée quand le sujet entreprendra un voyage lointain et il pourra y connaître des aventures scabreuses. Il pourra même y trouver une mort accidentelle si la planète « forte » a un rapport quelconque avec la Maison VIII.

Cérès dans le Sagittaire et affligée par Jupiter ou Neptune donnera une dévotion outrancière, un esprit bigot et sectaire, un mysticisme de mauvais aloi; le sujet ne sera pas très net quand il s'adonnera à des jeux et il tendra à tricher; ses grands voyages seront mal structurés (Neptune) ou entrepris uniquement dans un but intéressé (Jupiter).

Toujours dans le Sagittaire, Cérès affligée par une planète « terrienne » (Saturne ou Minos) donnera aussi un esprit bigot et sectaire, une religion et une philosophie bornées et à courte vue; les voyages lointains seront parsemés d'obstacles et de malchances, ou même complètement irréalisables; d'autre part, le sujet connaîtra des maladies telles que la goutte ou la sciatique.

Couverture : Laurence Verrier
Iconographie : Betty Jais
Maquette : Christine Gintz

ORIGINE DES ILLUSTRATIONS